U0867709

黄竹斋

《伤寒杂病论会通》编纂

《黄竹斋〈伤寒杂病论会通〉编纂》整理委员会　编

中医古籍出版社
Publishing House of Ancient Chinese Medical Books

图书在版编目（CIP）数据

黄竹斋《伤寒杂病论会通》编纂 /《黄竹斋<伤寒杂病论会通>编纂》整理委员会编 . -- 北京 : 中医古籍出版社 , 2025. 8. -- ISBN 978-7-5152-3065-8

Ⅰ . R222.19

中国国家版本馆 CIP 数据核字第 2025BZ5434 号

黄竹斋《伤寒杂病论会通》编纂

《黄竹斋〈伤寒杂病论会通〉编纂》整理委员会　编

责任编辑　王　梅　赵月华
封面设计　艺点锦秀
出版发行　中医古籍出版社
社　　址　北京市东城区东直门内南小街 16 号（100700）
电　　话　010-64089446（总编室）　010-64002949（发行部）
网　　址　www.zhongyiguji.com.cn
印　　刷　北京市泰锐印刷有限责任公司
开　　本　787mm×1092mm　1/16
印　　张　30.75
字　　数　636 千字
版　　次　2025 年 8 月第 1 版　2025 年 8 月第 1 次印刷
书　　号　ISBN 978-7-5152-3065-8
定　　价　128.00 元

《黄竹斋〈伤寒杂病论会通〉编纂》
整理委员会

主　编

李艳凤（黑龙江中医药大学药学院）
刘运磊（延安大学附属医院）
李昱芃（天津市中医药研究院附属医院）
李　涛（新疆昌吉州中医医院）

副主编

臧超越（天津中医药大学第一附属医院）
罗　浩（运城职业技术大学）
宋光明（内蒙古自治区中医医院）
许龙飞（云南省罗平县妇幼保健院）
钱占红（内蒙古医科大学中医学院）
秦瑞琦（黑龙江中医药大学附属第一医院）
王振东（安康市中医医院）
万远芳（重庆市中医院）

编　委（按姓氏笔画排序）

刘　征（黑龙江中医药大学附属第一医院）
严兴海（新疆昌吉州中医医院）
陈建强（济南市中西医结合医院）
呼利飞（鄂尔多斯装备制造基地社区卫生服务中心）
周　波（山东省淄博市中医医院）
裘　璟（浙江省新昌县天姥中医博物馆）
糟玉琴（新疆昌吉州中医医院）

出版说明

本书是根据著名中医学家黄竹斋先生的《伤寒杂病论会通》精简编纂而成。原书正文，是黄竹斋先生以桂林罗哲初所传张仲景十二稿《伤寒杂病论》十六卷为主要依据之手抄本文，其木刻版在1939年刊印过，该木刻版已成为南阳医圣祠珍藏之镇馆之宝，属国家二级文物，即白云阁藏本《伤寒杂病论》底版，是本书所依之底本（简称桂林本）。

原书是黄竹斋先生采辑宋元明清诸多仲景医学研究大家，如成无已、赵以德、陈修园等注释、校勘之精当内容，加上黄氏独特见解而成。本书是在黄氏基础上重新精简编纂的简易普及读本。

本书根据当代著名中医学家米伯让老前辈所藏，陕西省中医药研究院文献医史研究室校本而编纂，按章节编序，对原书卷首、尾内容进行了调整、改编、删节，其中删除原书补入的《杂疗三篇》，书尾补录了桂林本的《六气主客》篇。

循原书竖排改横排之故，原书方中“右”径改“上”，不再出注；原书切音注释一律删节，别字读音用现代汉语拼音附字于后括号内，不再出注；有部分重新句读，断句标点分段与原书校本有异，亦不作注；凡属黄竹斋自注者，无论是否引文或其他医家之言，均以“黄竹斋”示之。对个别简化字、异体字的使用，依中医校刊惯例亦不出注，如癥、症、证等。

本书中部分医学名词，以及方药剂量依原书未做修订，临床应用须执行相关规范，如中医药行政部门或学术团体的诊疗规范、指南等。国家药典中的使用剂量具有法律效力，各类中药学教材推荐的剂量也值得参考。

《伤寒杂病论会通》赵惕庵序

天人性命之学，后儒论之详矣。顾其说多倚于理，而罕重视夫气。抑岂知理气之相需，无斯须可轻重者。理固所以宰气，而气实所以载理。气之通塞，理之存亡系焉。疾病灾患撄其躯，若无以调剂其血气，气之馁未有不因之堕落者。此神农黄帝以来，医药之事所由兴。至汉张氏仲景实集其大成，后世尊之为医圣。盖深明理气之相依为性命，而天人之道乃全也。

自汉迄今，斯道递衍，其以著述名者无虑百数十家，然皆不越医圣之轨范，而卒鲜得其真传，其裨益于性命之故，有仁心者尤多贻憾，斯则吾友竹斋黄君之不能已于研穷也。君陕西长安人，幼贫失学，其尊人素业炮工，君少习其业，暇辄从人问字，久之识天算地舆，旁求儒术，又以深窥洛闽，撰有《周易会通》《五纪衍义》《修历刍言》《皇极经世考证》等书。然其精神专注，最有志趣者，厥唯医道；其于医道探讨无厌者，厥唯仲景之书。癸酉之冬，君已修订仲景《伤寒杂病论集注》三度矣。此心终有未慊，乃诣南阳谒医圣祠墓，窃冀缵承其遗业。次年甲戌冬，复往宁波访求仲景遗书。因周君岐隐得识桂林罗哲初先生，示之以其师左修之所授仲景十二稿《伤寒杂病论》十六卷，惊叹无已，因得手抄一通。夫此书之流传，自晋王叔和仅为第七次稿，历代所宗，别无考见。不意越千百年忽发现写本至十二稿，得非君之精诚贯注，上通医圣之灵所感召乎。顾此书在医圣既精益求精，则君之虚怀求益，愈不能以前所修订者为止境矣。由是取今世通行宋刊《伤寒》《金匮》各书，及近湖南刘昆湘得于江西张隐君之古本、涪陵刘榕经得于垫江某洞石柜之古本相校，深见此稿修理精密，有非后世所能及。由是综核前三度采集各注，参以中外医书新发明者，撰注仲景十二稿《伤寒杂病论会通》计十八卷。而请序于余，藉以谂前圣之至仁，而箴后人之躁妄也。

因忆十年前，余有幽郁之疾，腹患癥结，卧床旬余日，几濒于危。延君自省莅兴，为针"期门""巨厥"，砉然立解，腹内显有声鸣。乃遂即起床，同君步行原野省墓，往返十余里，迄无倦容。君之术何其神，而余之病永不作矣。今君独不自足，研求弥笃，则此后活人之术当更有进，将使医林中千万人奉为圭臬，传之后世，庶不至庸医杀人之不悟矣。昔孔子读《易》至韦编三绝，复撰十翼，而后易道大明。仲景之书君苦心求得晚本，三复笺注，必期至于会通，而后医道无误。天地之大德曰生，余虽不文，奚容诿辞而不彰君之高谊哉。

中华民国三十八年，岁在己丑正月下浣，兴平赵玉玺惕庵敬识，时年七十有五

《伤寒杂病论》刊本黄竹斋序

民国二十二年癸酉冬，余三次修订《伤寒杂病论集注》脱稿。乃诣南阳谒医圣祠墓，获冯应鳌于明崇祯元年访仲景墓未见所镌之灵应碑。清顺治十年，冯氏训叶，再至南阳募疏庀工，表墓建祠，求前碑不得，以为已毁。今距崇祯癸酉仲景墓发现之岁适五周甲子，碑乃复出，殆有数存焉。余旋之南京，备员中央国医馆编审。甲戌冬至鄞，观仲景佚书于天一阁未得，因周君岐隐得识桂林罗君哲初，示余以其师左修之所授仲景十二稿《伤寒杂病论》十六卷。明年春，罗君来京与余同事，乃克手抄一通。谨案仲景《伤寒杂病论》十六卷，原书遭兵燹散佚不全，赖晋太医令王叔和搜摭遗文，篇次为三十六卷，永嘉乱后，中原板荡，亦复失传。其要方为江南诸师所秘，以孙思邈之殷勤述古，撰《千金方》时只载仲景杂病方，晚年方获《伤寒论》收入《翼方》。天宝中，王焘撰《外台秘要》，引仲景《伤寒论》，注出卷数至第十八，与梁《七录》、隋唐志所列仲景书目卷数各殊。今世通行仲景《伤寒论》十卷、《金匮要略方论》三卷、《金匮玉函经》八卷，乃宋治平中林亿等奉敕校刻。而金・成无己《注解伤寒论》坚字文皆作鞕，前人断为隋时定本。元・赵以德《金匮玉函经衍义》，实《金匮要略》变名。明、清两朝注解《伤寒》《金匮》者数十家，大抵皆以林校及成、赵二书为蓝本。兹取十二稿本与今世通行之宋刊《伤寒》《金匮》各书及近年湖南刘昆湘得于江西张隐君之古本，涪陵刘榕经得于垫江某洞石柜之古本相校，如太阳篇下“伤寒脉浮滑”节，宋本及涪本同作“此以表有热，里有寒，白虎汤主之”，脉方乖违，义实难通。湘古本作“表有热，里无寒”，似较优胜。然犹未若十二稿作“里有热，表无寒”之确切不易也。其余订正诸本脱讹者，不遑枚举。而列黄疸、宿食、下利、吐逆、呕哕、寒疝、消渴等证于阳明、少阴、厥阴诸篇，深契以六经钤百病之微旨。若平脉法、杂病证治各篇，条理精密，有非后世所能及。或疑医圣撰论何至易稿十三次，殊不思医学著述动关民命，仲景救济之心求精固无已时。昔朱子著四书，稿经七易，病革时尚命门人改订大学诚意章数句。凡诸学理愈研愈微，岂一成即不可再易乎！又疑张绍祖自称为仲景四十六世孙之时代与人类之发育大率，百年可衍五代未能吻合。据罗君述，其师左修之民国十一年壬戌七十八岁始归道山。随父岭南受书张绍祖，时年弱冠，当清同治三年，上距汉献帝建安十年，一千六百六十年。考《通鉴》宋仁宗至和二年三月丙子，诏封孔子后四十七世孙孔宗愿，袭封文宣公为衍圣公，上距周敬王四十一年孔子卒，一千五百三十四年。比例张氏，尚少孔氏一世，多一百二十六年。人类生率世次安可以常数限哉。洎国难作，南京陷，罗君返桂，途遭匪劫，十二稿副本幸存余家。张公伯英驻节南阳时曾发愿重修医圣祠，设立国医学校，未几移访弗果。今见此十二稿本，叹为奇缘，欣然捐资付梓，藏版南阳医圣祠。由是久湮人间之秘籍得以流通，医圣济世之真传赖其不坠，千余年承讹袭谬之刊本有所订正，裨益医林实非浅鲜。爰序其颠末考辨如上。

中华民国二十八年孟春，长安黄维翰敬识于西安中医救济医院

《伤寒杂病论》左盛德序

余闻吾师张绍祖先生之言曰："吾家伤寒一书，相传共有一十三稿。每成一稿，传抄殆遍城邑。兹所存者为第十二稿，余者或为族人所秘，或付劫灰，不外是矣。叔和所得，相传为第七次稿，与吾所藏者较，其间阙如固多，编次亦不相类，或为叔和所篡乱，或疑为宋人所增删，聚讼纷如，各执其说。然考晋时尚无刊本，犹是传抄，唐末宋初始易传抄为刊刻，遂称易简。以此言之，则坊间所刊者，不但非汉时之原稿，恐亦非叔和之原稿也。"余聆训之下，始亦疑之，及读至伤寒例一卷，见其于可汗不可汗，可吐不可吐，可下不可下，法尽在其中，于六经已具之条文并不重引。法律谨严，始知坊间所刻之辨可汗不可汗，可吐不可吐，可下不可下，以及发汗吐下后各卷，盖后人以读书之法，错杂其间，而未计及编书之法，固不如是也。不然孔氏之徒，问仁者众，问政者繁，何不各类其类，而惮烦若此耶！吾师讳学正，自言为仲氏四十六世孙，自晋以后迁徙不一。其高祖复初公，自岭南复迁原籍，寄居光州，遂聚族焉。吾师虽承家学，不以医名，亦不轻出此书以示人，余之得受业者，殆有天焉。余宿好方术，得针灸之学于永川邓师宪章公，后随侍先严游宦岭南，与吾师同寅，朝夕相过从，见余手执宋本《伤寒论》，笑问曰："亦嗜此乎？"时余年仅弱冠，答曰："非敢云嗜，尚未得其要领，正寻绎耳。"师曰："子既好学，复知针灸，可以读《伤寒论》矣，吾有世传抄本《伤寒杂病论》十六卷，向不示人，得人不传，恐成坠绪。"遂历言此书颠末及吾师家世，滔滔不倦。先严促余曰："速下拜。"于是即席拜之，得师事焉。今罗生哲初为吾邑知名之士，从习针灸历有年所，颇能好余之所好，余亦以所得者尽授之。余不负吾师，罗生亦必不负余，故特序其原起，罗生其志之，罗生其勉之。

光绪二十年，岁次甲午春三月，桂林左盛德序

目录

第一章 概 论

第一节 导 论 …… 2
第二节 三阳三阴提纲 …… 10

第二章 伤寒杂病诊疗通则

第一节 平脉法 上 …… 28
第二节 平脉法 下 …… 47
第三节 伤寒例 …… 66
第四节 杂病例 …… 89

第三章 六淫病脉证并治

第一节 温病脉证并治 …… 99
第二节 伤暑病脉证并治 …… 111
第三节 热病脉证并治 …… 118
第四节 湿病脉证并治 …… 122
第五节 伤燥脉证并治 …… 132
第六节 伤风脉证并治 …… 136
第七节 寒病脉证并治 …… 146

第四章　三阴三阳六病脉证并治

第一节　辨太阳病脉证并治　上 …… 151
第二节　辨太阳病脉证并治　中 …… 171
第三节　辨太阳病脉证并治　下 …… 217
第四节　辨阳明病脉证并治 …… 242
第五节　辨少阳病脉证并治 …… 278
第六节　辨太阴病脉证并治 …… 282
第七节　辨少阴病脉证并治 …… 288
第八节　辨厥阴病脉证并治 …… 308

第五章　杂病脉证并治

第一节　辨霍乱吐利病脉证并治 …… 342
第二节　辨痉阴阳易差后劳复病脉证并治 …… 351
第三节　辨百合狐惑阴阳毒病脉证并治 …… 359
第四节　辨疟病脉证并治 …… 366
第五节　辨血痹虚劳病脉证并治 …… 370
第六节　辨咳嗽水饮黄汗历节病脉证并治 …… 380
第七节　辨瘀血下血疮痈病脉证并治 …… 417
第八节　辨胸痹病脉证并治 …… 425
第九节　辨妇人各病脉证并治 …… 431

附　篇

六气主客 …… 450
医圣张仲景传 …… 453
《伤寒杂病论》原序 …… 457

附　录

伤寒医家简介（部分） …… 462
常用参考书目简介 …… 469

第一章 概论

第一节　导　论

凡读是书者，须知仲景以伤寒名论之意。《素问·热论》云：夫热病者，皆伤寒之类也。又云：凡病伤寒而成温者，先夏至日为病温，后夏至日为病暑。《难经》云：伤寒有五，有中风，有伤寒，有湿温，有热病，有温病。仲景命名之义，盖本于此。王启玄曰：伤，谓触冒也。《素问·刺志论》注。程郊倩曰：伤寒有五之寒字，则只当得一邪字看。管象黄曰：寒，天地之一气。伤寒者，举一以名书，犹鲁史错举四时而名《春秋》也。《吴医汇讲》。张子和曰：春之温病、夏之暑病、秋之疟及痢、冬之寒气及咳嗽，皆四时不正之气也，总名之曰伤寒。是则伤寒者，外感证之总名。下五者，外感病之分证也。伤寒论者，乃各种伤寒之总论，非专论伤寒而不论风、湿、暑、温也。夫天气始于冬至而一阳初动，寒于是乎始来，故小寒、大寒居春之首。举此以名论，而一岁四时六气百病，无不赅括其中矣。仲景本论三阳三阴之名称、次序，虽同于《素问·热论》，而义旨迥殊。盖《内经》以手足、表里、经络、筋肉，分为三阳三阴十二部属配合脏腑，此专为针灸取穴而发。与仲景书以汤液治病所言之三阳三阴，不可作一例看。《莫氏研经言》:《伤寒》所列六经，与《素问·热病论》不同。《热病论》依气行之脉络言，《伤寒论》依邪入之次序言，故所著证与《灵枢》经脉篇义不合。且仲景论中，原无六经词语，六经二字，出于后世注家。今以本论证之自明。如太阳篇，曰太阳之为病、曰太阳证、曰阳明证、曰少阳证、曰太阳受之、曰转系阳明、曰系在太阴，皆曷尝言手足经哉。唯用针灸时，云手足阴阳则本乎《内经》耳。又太阳篇所云，若欲作再经者之经，是泛指经络言，非如注家传经之说也。自庞安常、朱肱引《素问·热论》六经以诠释本论，其后注家沿袭，又造出传足不传手之呓说，使仲景以三阳三阴钤百病之本旨，晦昧者千七百余年。中唯方中行稍有见地，而语焉不详。余自弱冠始读《伤寒论》，观诸家所注，即疑其不是仲景本意。迨后见西哲生理学书，以人身气质功用分为三系统。于是恍然觉悟，乃撰三阳三阴提纲六篇。于民国丁未岁，会通《伤寒论》《金匮要略》为一贯，撰成《伤寒杂病论新释》十六卷。其后又采摭宋、元、明、清数十家注之精华，撰《伤寒杂病论集注》十八卷，于民国二十四年三次印行。今又十余年矣，益觉其说的确不易。兹特载卷首，以破千古之惑，藉以为读本论者之关键。

方中行曰:《伤寒论》六经之经，与经络之经不同。六经者，犹儒家六经之经，犹言部也。部，犹今六部之部。手足之分上下，犹宰职之列左右。圣人之道，三纲五常，百行庶政，六经尽之矣。天下之大，事物之众，六部尽之矣。人身之有，百骸之多，六经尽之矣。孙思邈以五脏六腑钤百病，陈无择括之以三因，朱丹溪纲之以气血痰郁，皆未若仲景以六经隐括万病立法之尽美尽善也。**由此观之，则百病皆可得而原委，而斯道之一贯，不在掌握乎。但六经之于人身无所不该，全在人随处理会。**方氏此论非凿空撰出。惜所著《条辨》未能畅发厥旨，且仍本《内经》手足经脉之说以注本论，为可憾耳。**又曰:《灵枢》曰，能知六经标本者，可以无惑于天下，正谓此也。若以六经之经断然直作经络之经看，则不尽道惑误，不可胜言。后世谬讹，盖由乎此。又曰：后人不肯以身体察，只管在纸笔上拗气。譬如水底摸月，形影不知，空自纷纷凿凿，千五百年来举世若说梦，岂不大为可笑。**

仲景本论三阳三阴之定义，是将人身部位、质体分为六纲，而以太阳、阳明、少阳、太阴、少阴、厥阴等术语识之。犹数学家用干支字母以代数也。三阳标识其部位，阳虚而无形，以标识其部位。皮肤之表曰太阳，肠胃之里曰阳明，躯壳之内脏腑之外曰少阳。**三阴标识其质体。**阴实而有形，以标识其质体。筋肉脂肪为太阴，经络血液为少阴，神经脑髓为厥阴。**立此六经以名篇，而辨其病证治法焉。所谓太阳者，躯壳表面部位之术语。**以其部位居身之表，面积最大，全部皆受日光，故曰太阳。**凡六淫之邪从皮肤中人而病者，其治法皆可求之太阳篇也。**以太阳部位与天气直接故也。**阳明者，口腔至肛门，肠胃表面部位之术语。**以其部位居肠胃之里，为水谷之道路，在身之暗处，谓曰阳明。犹《尔雅》谓十月为阳月之义也。《内经》以两阳合明于前为阳明，乃以经络言，其义与此异，而配属大肠与胃则相同也。**凡饮食之邪从口入，而肠胃受病者，其治法皆可求之阳明篇也。**以阳明部位与食物直接故也。**少阳者，躯壳里脏腑表，膝膜部位之术语，所谓三焦而居半表半里者也。**以其部位居脏腑表之空隙，而外通于九窍，受日光者少，故曰少阳。其配属三焦与《内经》相同也。**凡外感六淫，邪中太阳，或内伤饮食病于阳明，失治皆可传属少阳。故其治法见于二篇，而少阳篇唯列提纲而已。**此以少阳病之从间接得看而言，若从鼻吸入之直接病，如瘟疫则异此。**太阴者，荣养系统之术语。**以其体积占身中最大之量，故谓曰太阴，为血脉神经之所附丽，如地之有土也。**自阳明部位之里。由淋巴腺传输饮食之精液分布于身体，脂膏肌肉皆其所属也。**在阳明部位曰乳糜腺，少阳部位曰淋巴腺，太阳部位曰脂肪腺。**少阴者，血液循环系统之术语。**其质量次于太阴，故谓曰少阴。**五脏皆其机器，经络是其道路，而满布于太阳部分之里也。**肝脾为生血机，心为运血机，肺为吸收氧气排泄血分败质之机，肾为排泄水分败质之机。《内经》以心肾属少阴，与此义合。少阴为太阳之里，故太阳部分无处不有血液也。**厥阴者，神经系统之术语。**《内经》云：两阴交尽，故曰厥阴。以经络言，而与此义相通。王启玄注：厥，尽也。盖饮食入胃，其精液初化为太阳所属之乳糜，再化为少阴以属之血液，终化为厥阴所属之精髓。是两阴之化，至此交相尽也。**脑髓是其中枢，神经为其导线，而司身体之知觉、运动者也。**在太阳部分者知觉锐敏，能随意运动。在阳明及少阳部分者，除九窍外，皆知觉迟钝，不能随意运动，名曰自和神经。如胃之消化，肠之传滓，肝脾之分泌胆、膵液，心之跳动，肺之呼吸，肾之排尿，皆是也。然在太阳及阳明部位者，有感斯应。而在少阳部位者，则无时或息也。**三阳部位各分区域，是以汗、下、和解之法不可混施。三阴质体互相附丽，故温、清之法皆可通用。**津液病求之太阴，血脉病求之少阴，神经病求之厥阴。**此三阳三阴为人身部位系统之标识术语，而不易之理也。然人身阴阳互丽，表里相通，气血连贯。往往一病而诸证兼见，如太阳篇之二阳、三阳合病、并病是也。若呼吸器与泌溺机关，为血液循环系统之附属排泄机，皆与皮肤之汗管有密切之关系，故其病证附见于太阳、少阴二篇。**如咳、喘、短气、小便不利及自利等证。**余如生殖器病之见于虚劳及妇人病篇，以另有专论，故六经篇从略。**热入血室虽生殖器病，然因外感所致，故附列篇中。**神而明之，存乎其人。此仲景以穷理尽性之功夫，探阴阳造化之神秘。独辟医学之不二法门者也。三阳三阴之界说明，以之读《伤寒杂病论》，则百病皆可得其源委。直如身在冰壶，腹饮上池矣。**

《伤寒论疏义》云：**本论所谓三阳三阴，所以标病位也。阳刚阴柔，阳动阴静，阳热阴寒，阳实阴虚，是即常理。凡病属阳、属热、属实者，谓之三阳。属阴、属寒、属虚者，谓之三阴。细而析之，则邪在表而热实者，太阳也；邪在半表半里而热实者，少阳也；邪入胃而热实者，阳明也；又邪在表而虚寒者，少阴也；邪在半表半里而虚寒者，厥阴也；邪入胃而虚寒者，太阴也。唯表热甚则里亦热，故里虽乃热而病未入胃，尚属之太阳。表寒甚则里亦寒，故里虽乃寒而病未入胃，尚属之少阴。少阳与厥阴，共病羁留于半表半里间之名也。阳明与太阴，共邪犯胃之称也。故不论表里、寒热，病总入胃中者，谓之阳明与太阴。盖六病之次，阳则太阳、少阳、阳明，阴则少阴、厥阴、太阴。但阳则动而相传，阴则静而不传。然其传变，则太阳与少阴为表里，少阳与厥阴为表里，阳明与太阴为表里**见《素问·血气形志》。**是以太阳虚则是少阴，少阴实则是太阳。少阳虚则是厥阴，厥阴实则是少阳。阳明虚则是太阴，太阴实则是阳明。是乃病传变化之定理，三阳三阴之大略也。**三阳三阴互为表里，《内经》本就经络言而可借为本论三阳三阴审治之关键。夫表里阴阳，虚则俱虚，实则俱实。此所谓虚者，精气夺也。实者，邪气盛也。仲景列汗、下、和解、攻邪之法于三阳篇者，所以泄三阴之实也。列温气、滋血、固精、救正之法于三阴篇者，所以补三阳之虚也。知此则六经篇中正治各法之大旨，可迎刃而解矣。

朱子论读《大学》法曰：先读《大学》立定纲领，他书皆杂说在里许。又曰：今且熟读《大学》作间架，却以他书填补去。余谓读者于《伤寒杂病论》之六经，亦当如是。朱子评《论语》曰：初入学即读《论语》，其后读尽天下书，不见有一书胜如《论语》者。余于此书，亦云然。孙思邈曰：不知《大》《易》，不足以言医。盖圣人将天地鬼神之奥，摹画为卦以作《易》。仲景将人身阴阳之理，摹写成文以著论。卦之有六爻，犹身之有六经。六爻之分外内，犹六经之分表里。卦之分三才，犹身之分三部。爻变动则有老少阴阳之四象，犹身失常则寒热虚实之四证。其以阴阳为变化之本源，所以明吉凶消长之理，进退存亡之道。言五行而不泥其迹，言运气而不拘于墟。所谓洁静精微者，正相同也。

陈修园曰：《内经》云：太阳为开，阳明为阖，少阳为枢；太阴为开，厥阴为阖，少阴为枢《素问》阴阳离合论。**此数语，为审证施治之大关键。**此六句，《内经》原论经脉之不得相失，陈氏取为本论六经审证施治之大关键。至其所以然则引而未发，今以生理学释之。盖皮肤排泄体中废质从汗腺出，主出而不内，故太阳为开。肠胃吸收饮食精液以养身，主内而不出，故阳明为阖。三焦、腠理为通会元真之处，津液转输之道，其气往来上下流通，故少阳为枢。肌肉居身之表，其淋巴腺为胃行其津液散布于外，故太阴为开。精髓居身之里，神经受外界感触传达于脑，故厥阴为阖。血脉行外以充肌温体，行内以化精成髓，内外周流，循环不息，故少阴为枢。六者当开不开，或发泄太过；当阖不阖，或闭塞不通。此汗、下、和解、温、清之治法所由主也。

陈修园曰：六气之本标中气不明，不可以读《伤寒论》。今汇《内经》之要论，详释以阐其蕴。《素问·五运行大论》云：夫变化之用，天垂象，地成形。七曜纬虚，五行丽地。地者，所以载生成之形类也。虚者，所以列应天之精气也。形精之动，犹根本之与枝叶也。仰观其象，虽远可知也。帝曰：地之为下，否乎？岐伯曰：地为人之下，太虚之中者也。帝曰：冯乎？岐伯曰：大气举之也。王启玄曰：大气，谓造化之气，任持太虚者也。所以太虚不屈，地久天长者，盖由造化之气任持之也。燥以干之，暑以蒸之，风以动之，湿以润之，寒以坚之，火以温之。故风寒在下，**燥热在上，湿气在中，火游行其间。寒暑六入，故令虚而化生也。**陈修园曰：此言六气之游行于天地上下之间也。风、寒、暑、湿、燥、火，在天无形之气也。干、蒸、动、润、坚、温，在地有形之征也。天包乎地，是以在天之上，在泉之下，在地之中，八极之外，六合之内，无所不至。盖言太虚之气，不唯包乎地之外，而通贯乎地之中也。寒水在下，而风从地水中生，故风寒在下。燥乃乾金之气，热乃太阳之火，故燥热在上。土位中央，故湿气在中。火乃太阳中之元阳，故游行于上下之间。《易》曰：日月运行，一寒一暑，寒热往来而六者之气皆入于地中，故令有形之地受无形之气而化生万物也。此节与《易》传相发明，言天地间以六元之气为生化之本，犹乾坤退位而六子用事之义也。**故燥胜则地干，暑胜则地热，风胜则地动，湿胜则地泥，寒胜则地裂，火胜则地固矣。**地气有所偏胜，则生六者之变。夫天地之气本是一元，由动静而分阴阳，阴阳配合而生六子。盖地球运行于太虚之中，绕日周转，其两极之端恒偏指于一定之方向而不变。故一岁之间，地面各处之阴阳消息，逐时不同。此春、夏、秋、冬四时之所由成，而寒、暑、燥、湿、风、火六气之所由生也。以一处言，则六气迭胜于一岁。以大地言，则六气分旺于各方。**《天元纪大论》：厥阴之上，风气主之。少阴之上，热气主之。太阴之上，湿气主之。少阳之上，相火主之。阳明之上，燥气主之。太阳之上，寒气主之。所谓本也，是谓六元。**王启玄曰：三阳三阴为标，寒、暑、燥、湿、风、火为本，故云所谓本也。天真元气分为六化，以统坤元生成之用。征其应用则六化不同，本其所生则正是真元之一气，故曰六元也。此节本意虽言天运，而与人身气化之理实相通。盖人身三阳三阴为天六元之气所化生，故六气为本而三阴三阳为标。厥阴之用事风气主之，盖天地间动植之生活全赖乎风，而风之原生于寒热之调剂。而人身之知觉运动胥由斯起，故风之性兼寒热，由厥利之有二候可征也。少阴之用事热气主之，以体温生于血液之运化言也。太阴之功用曰湿，以淋巴腺之输液言也。少阳之功用曰火，以三焦之气化非火不行，而腠理通畅津液蒸腾，皆火气主之也。阳明之用事燥气主之，谓饮食乳糜经肠胃而成糟粕也。太阳之功用寒气主之，以皮肤官职在吸收寒气以调和身内之温度也。此六气所以为人身生命之本，而三阳三阴之主也。常人六气和平则无疾病，若六元之中有一偏胜则气失其平而为病矣。《六元正纪大论》：风胜则动，热胜则肿，燥胜则干，寒胜则浮，湿胜则濡泄，甚则水闭跗肿，此皆气化太过而为病也。**《六微旨大论》：少阳之上，火气治之，中见厥阴。**少阳，标也。火气，本也。中见者，阴阳表里相关，其中所见之证候也。言少阳部位之上，以火气为本而用事，火气胜则其里脏膜之神经被灼，故所见之证如口苦、咽干、目眩、耳聋、往来寒热、肋下痞硬等候，皆少阳部分之神经系统厥阴病也。**阳明之上，燥气治之，中见太阴。**阳明部位之上，以燥气为本而用事，燥气胜则其里太阴质体之脂肪、津液干枯，故所见之证如胃家实，腹满、大便硬及谵语、口燥等候，皆阳明部位消化系统之太阴病也。**太阳之上，寒气治之，中见少阴。**太阳部位之上，以寒气为本而用事，寒气胜则其里少阴经络之血液凝滞，营卫郁结，故所见之头痛、身疼、发热、恶寒等证，皆太阳部位之循环系统少阴病也。**厥阴之上，风气治之，中见少阳。**厥阴神经系统之上，以风气为本而用事，风气胜则病见于其表少阳部分之三焦，而为消渴、厥逆、下利、呕吐、寒疝等证也。**少阴之上，热气治之，中见太阳。**少阴循环系统之上，以热气为本而用事，热气胜则病见于其表之太阳部分之经络，而为但欲寐、头眩、烦躁、咽痛、手足厥热等证也。太阴之上，湿气治之，中见阳明。太阴消化系统之上，以湿气为本而用事，湿气胜则病见于其表阳明部分之肠胃，而为腹满而吐、自利不渴等证也。**所谓本也，本之下，中之见也。见之下，气之标也。**陈修园曰：六经之气以风、寒、热、湿、火、燥为本，三阴三阳为标，本标之中见者为中气。中气如少阳、厥阴为表里，阳明太阴为表里，太阳少阴为表里，表里相通，则彼此互为中气。**本标不同，气应异象。《至真要大论》：气有从本者，有从标本者，有不从标本者。少阳、太阴从本。**谓治法从本也。少阳之治从本，谓清火也。太阴之治从本，谓祛湿也。**少阴、太阳从本从标。**少阴治法从本，谓清热；从标，谓通经络。太阳治法从本，谓散寒；从标，谓和营卫。**阳明、厥阴不从标本，从乎中也。**阳明之治法从中，谓滋其里之太阴，承气之用在存津液以救阴也。厥阴之治法从中，谓通其表之少阳，四逆之功在温三焦以回阳也。**故从本者，化生于本；从标本者，有标本之化；从中者，以中气为化也。**王启玄曰：化，谓气化之元主也。有病以元主气，用寒热治之。**是故百病之起，有生于本者。**谓人身六元之气不和而生病也。《至真要大论》：夫百病之生也，皆生于风、寒、暑、湿、燥、火以之化之变也。**有生于标者。**人身三阳三阴不和而生病也。**有生于中气者。**中气谓阴阳表里间接之病及天气之六淫所致者。**有取本而得者，有取标而得者，有取中气而得者，有取标本而得者。有逆取而得者。**反佐取之是谓逆取，如寒病治以寒，热病治以热是也。**有从取而得者。**从，顺也，顺常法而治之也。**逆正，顺也。若顺，逆也。**寒盛格阳，治热以热。热盛拒阴，治寒以寒之类，此逆乃正顺也。若寒格阳而治以寒，热拒阴而治以热，故方若顺是逆也。**《灵枢·卫气》：能知六经之标本者，可以无惑于天下。**张路玉曰：标本治例，全要活法。所谓一病之标本者，如太阳中风桂枝证，先恶寒为本，后发热为标。其阳明热病白虎证，口燥心烦为本，背微恶寒为标。此治本，不治标也。又传经之标本，本太阳病初得病时发其汗，汗先出不彻，因转属阳明，此太阳为本，阳明为标。治以葛根，仍用麻黄，此治标必从本也。又一经之标本，如太阳病头痛、发热、自汗，桂枝证为本病；后六七日不解，而烦渴饮水，邪入膀胱之本，五苓证为标病，此随证治本治标也。又先后之标本者，伤寒医下之，续得下利清谷不止，身疼痛，急当救里；后身疼痛，清便自调，急当救表。先受寒，身疼痛为本病；后误下之，续得下利清谷为标病。先四逆救里治标，后桂枝救表治本也。标本之法略举数条为例，详仲景证治诸法，余可类推。

沈芊绿曰：仲景立论，每经各举其主脉主证，以为一经之提纲。虽病有变迁，而苟未离此经，即不离此主脉主证，其大较也。陈修园曰：**六经之为病，仲景各有提纲。太阳以脉浮，头痛项强，恶寒，八字提纲；阳明以胃家实，三字提纲；少阳以口苦、咽干、目眩，六字提纲；太阴以腹满而吐，食不下，自利益甚，时腹自痛，若下之，必胸下结硬，二十三字提纲；少阴以脉微细，但欲寐，六字提纲；厥阴以消渴，气上撞心，**

心中疼热，饥而不欲食，食则吐蛔，下之利不止，二十四字提纲。以提纲为主，参以论中兼见之证，斯无遁情矣。

陆九芝曰：仲景书本为《伤寒杂病论》，六经提纲，伤寒如此，杂病亦如此。舍此则不能治伤寒，亦不能治杂病。仲景著论之原意，专为救误而作，故每篇中原得之病，与正治之法，不过数条，其余皆属发汗、吐下、温针、火攻等误治后坏病之救逆法也。知此以读论，则节目虽繁而提纲不紊矣。

张令韶曰：夫百病不外乎三因，而三因之中俱各有寒热虚实，不独伤寒为然也。然能明乎伤寒之寒热虚实反复变迁，则百病之寒热虚实了如指掌矣！伤寒虽有三阴三阳之分，肤皮肌腠、胸胁腹胃、脏腑形层之异，大约不外乎寒热虚实四者而已。虚寒之与实热，如冰炭之相反。寒有表寒，有里寒；热有表热，有里热；虚有表虚，有里虚；实有表实，有里实。即寒热之中，有虚寒、实寒、虚热、实热；有上焦热、中下焦寒，有上焦虚、中下焦实；有真寒、真热、真虚、真实；有假寒、假热、假虚、假实；有内真寒而外假热，有内真热而外假寒。是以无论外感六淫，内伤七情，皮毛肌腠，经俞荣卫，膜原脏腑，莫不有虚实寒热之分焉。即《灵》《素》《伤寒》《金匮》，千言万语反复辨证，亦不过辨其为寒热虚实而已。任其钩深致远探索精微，总不能出此四者范围之外。

张景岳曰：伤寒传变不可以日数为拘，亦不可以次序为拘。如《内经》言一日太阳、二日阳明、三日少阳之类，盖言传经之大概，非谓凡患伤寒者必皆如此也。盖寒邪中人，本无定体。陶节庵云：风寒之初中人也无常，或入于阴，或入于阳，但始太阳终厥阴也。或自太阳始，日传一经，六日至厥阴，邪气衰不传而愈者。亦有不罢再传者，或有间经而传者，或有传至二三经而止者，或有始终只在一经者，或有越经而传者，或有自少阳、阳明而入者，或有初入太阳不作郁热便入少阴而成真阴证者。所以凡治伤寒不可拘泥，但见太阳证便治太阳，但见少阴证便治少阴。但见少阳、阳明证便治少阳、阳明，此活法也。

本论所言三阳三阴之旺时，有二义：一则以一日为一周者，六篇所载其病欲解时，从某时至某时上诸节是也；一则以一岁为一周者，杂病例所云寸口脉动者因其王时而动，及下节少阳之时阳始生是也。此皆随时随地以候气至之太过与不及，为运气说之有据而可信者也。《素问·天元纪大论》等篇，以木、火、土、金、水为五运，从大寒日起，每运主七十二日有奇。厥阴风、少阴热、少阳火、太阴湿、阳明燥、太阳寒为六气，亦从大寒日起，每气司六十日有奇。故五运六气合行而终一岁，周而复始，如环无端，岁岁皆然，是为主运主气。以天干取运，地支取气。天干有十，配合则为五运，地支有十二，对冲则为六气。天气始于甲，地气始于子，天地相合则为甲子。故甲子者，干支之首也。天气终于癸，地气终于亥，天地相合则为癸亥，故癸亥者干支之末也。阴阳相隔，刚柔相须，岁岁递更，君火以明，相火以位。五六相合而七百二十气，凡三十岁为一纪。千四百四十气，凡六十岁而为一周，不及太过斯皆见矣。是为客运客气。司天在泉四间气者，客气之六步也。凡主岁者为司天，位当三之气。司天之下相对者为在泉，位当终之气。司天之左为天之左间，右为天之右间。在泉之左为地之左间，右为地之右间。每岁客气始于司天前二位，乃地之左间，是为初气。以至二气三气，而终于在泉之六气。每气各主一步。然司天通主上半年，在泉通主下半年，故曰岁半以前天气主之，岁半以后地气主之也。此王启玄所补《素问》各篇，以三阴三阳之司天在泉，上下遘临，推步五运六气之太过不及，定其病证治法之说也。王朴庄扩而大之，以三百六十年为一大运，六十年为一大气。五运六气迭乘，满三千六百年为一大周。溯自黄帝命大挠作甲子贞下起元，从下元厥阴风木运始。以厥阴为下元，则少阴为上元，太阴为中元。复以少阳为下元，则阳明为上元，太阳为中元。合前后三元，而配以厥阴、少阴、太阴、少阳、阳明、太阳之六气。于黄帝八年起数，前三十年为厥阴风木司天，后三十年为少阳相火在泉。历三千六百年，至唐昭宗天复三年癸亥，是为一大周。昭宣帝天祐元年六十一甲子又值下元厥阴司天矣。民国十三年为七十八甲子，中元太阳寒水司天也。缪希雍曰：原夫五运六气之说，其起于汉魏之后乎？何者，张仲景，汉末人也，其书不载也；华元化，三国人也，其书亦不载也；前之则越人无其文，后之则叔和鲜其说，予是以知其为后世所撰。无益于治疗而有误于来学，学者宜深辨之。张飞畴曰：张子和云：不读五运六气，检遍方书何济？所以稍涉医理者，动以司运为务。曷知天元纪等篇本非《素问》原文，王氏取阴阳大论补入经中，后世以为古圣格言，孰敢非之，其实无关于医道也。况论中明言时有常位而气无必然，犹谆谆详论者，不过穷究其理而已。纵使胜复有常而政分南北，四方有高下之殊，四序有非时之化。百步之内，晴雨不同，千里之外，宣暄各异，岂可一定之法而测非常之变耶？

第二节 三阳三阴提纲

一、太阳

太阳者，身体表部躯壳之术语也。《素问·皮部论》：皮有分部，脉有经纪，筋有结络，骨有度量。三阴之表，皮毛、经络、筋骨皆属于太阳，而《内经》分其部之经络、筋肉为三阴三阳，以手足配合脏腑为十二经，统之于督任，盖专针灸治疗取穴而设，其义与此殊。**太阳为开，**见《素问·阴阳离合论》。皮毛汗孔具呼吸吐纳之用，以通畅为常，故曰开。**六元之寒气主治之。**《素问·天元纪大论》：太阳之上，寒气主之，所谓本也。《六微旨大论》：太阳之上，寒气治之。后五篇所引同。万物之初生，皆由天地、阴阳、六元之气化合成形。唯人也，得其全而最灵。既生之后，仍藉六气以活动。而人身皮毛汗孔之功用，在发泄内部之热气，吸纳外界之寒气，以调节平均身体之温度。故曰：太阳之上，寒气主之、治之也。夫以脏腑之热度，足以消谷、化水、烁金，使不吸收外界之寒气以济之，能免不焦灼腐烂乎。**其表面与天气相接触，凡风、雨、寒、暑之邪，乘人阳气之虚而外中伤于皮毛，留止经络、筋骨者，皆为太阳病。**《灵枢·五变》：百疾之始期也，必生于风、雨、寒、暑，循毫毛而入腠理，或复还，或留止。**仲景所谓太阳病者，其目有六：中风、伤寒、温病、痉病、中湿、中暍是也。**本论：太阳之为病，脉浮，头项强痛而恶寒。太阳病，发热汗出，恶风脉缓者，名为中风。太阳病，或已发热，或未发热，必恶寒，体痛呕逆，脉阴阳俱紧者，名曰伤寒。太阳病，发热而渴，不恶寒者，为温病。太阳病，发热，脉沉而细者，名曰痉。太阳病，关节疼痛而烦，脉沉而细者，此名湿痹。太阳中热者，暍是也，其人汗出恶寒，身热而渴。**以温为伏邪，痉为坏病，湿暍为雨旸之时疾。**《素问·生气通天论》：冬伤于寒，春必病温。《金匮真言论》：冬不藏精，春必病温。本论：太阳病，发汗太多，因致痉。风家，下之则痉。疮家，不可发汗，汗出则痉。**唯中风、伤寒为卒中之病，而无时不有。是以太阳篇中，以二病为提纲也。**《金匮要略》：风中午前，寒中于暮。《平脉法》：浮则为风，紧则为寒，风则伤卫，寒则伤营。成无已：《脉经》云：风伤阳，寒伤阴，卫为阳，营为阴，风为阳，寒为阴，各从其类而伤也。**以解肌发汗为风寒正治之法。**《素问·阴阳应象大论》：其有邪者，渍形以为汗。其在皮者，汗而发之。太阳篇：太阳病，头痛，发热，汗出，恶风，桂枝汤主之。桂枝本为解肌。太阳病，头痛发热，身疼腰痛，骨节疼痛，恶风，无汗而喘者，麻黄汤主之。脉浮者，病在表，可发汗，宜麻黄汤。**顾人气体有虚实之殊，脏腑有寒热之异，或有痰饮、痞气及咽燥、淋、疮、汗、衄之疾，或适当房室、金刃、亡血之余，是虽同为中风、伤寒之候，其治又当从权变之法矣。**桂枝汤治中风之属虚者。若项背强几几，加葛根。喘家作，桂枝汤加厚朴、杏仁与之。若酒客病，不可与桂枝汤。大青龙汤治中风之属实者，脉浮缓，身不疼，但重，乍有轻时，无少阴证者，以此汤发之。麻黄汤治伤寒之属实者。若见烦躁者，大青龙汤主之。若脉微弱，汗出恶风及亡血脉虚，而有少阴证者，皆不可发汗也。伤寒表不解，心下有水气，干呕，发热而咳，或渴，或利，或噎，或小便不利，少腹满，或喘者，小青龙汤主之。伤寒阳脉涩，阴脉弦，法当腹中急痛，先与小建中汤；不差者，与小柴胡汤。伤寒腹满，谵语，寸口脉浮而紧，关上脉弦者，此肝乘脾也，名曰纵，刺期门。伤寒发热恶寒，大渴欲饮水，其腹必满，自汗出，小便不利，寸口脉浮而涩，关上弦急者，此肝乘肺也，名曰横，刺期门。伤寒无大热，口燥渴，心烦，背微恶寒者，白虎加人参汤主之。伤寒胸中有热，胃中有邪气，腹中痛，欲呕者，黄连汤主之。伤寒脉浮滑，此以里有热，表无寒也，白虎汤主之。伤寒脉结促，心动悸者，炙甘草汤主之。此皆伤寒兼有宿疾、痰饮、郁热、劳伤等杂证者之治法也。**太阳与少阴为表里。**见《素问·血气形志》。《皮部论》：皮者，脉之部也。《咳论》：皮毛者，肺之合也。《灵枢·本脏》：三焦膀胱者，腠理毫毛其应也。《五癃津液别》：天暑衣厚则腠理开，故汗出；天寒则腠理闭，气湿不行，水下留于膀胱，则为溺与气。少阴所主经络、毛脉、孙络满布于皮肤之里，故与太阳为表里。且皮毛汗孔与少阴血液循环系统所属呼吸器之肺脏，及泌溺器之肾脏、膀胱同其官能。其呼碳吸氧，吐故纳新同肺脏，排泄水分败质同肾脏、膀胱。而三者之官能互相赞助，故热时汗多则溺少，寒时汗少则溺多，皮毛闭塞而无汗则吸呼频数而喘喝。故仲景列喘咳及小便不利之证治于太阳篇也。**太阳证虚，当温其里之少阴；少阴证实，当攻其表之太阳。**病发热头痛，脉反沉，身体疼痛，当救其里，宜四逆汤。伤寒脉浮紧，不发汗，因致衄者，麻黄汤主之。**凡太阳病而少阴虚者，皆不可发汗也。**《灵枢·营卫生会》：血之与气，异名而同类焉。故夺血者无汗，夺汗者无血。以下诸证，皆不可发汗：尺中脉微，此里虚也；尺中迟者，以荣气不足，血弱故也；咽喉干燥者，淋家，疮家，衄家，亡血家，汗家；病人有寒，胃中冷者；心悸者；渴而下利，小便数者。此皆营卫虚，血少，津液不足故也，设或当汗不汗，至七日以上自愈者，以行其经尽故也。**其郁热内陷，则传属阳明与少阳，随其人阴阳之虚实，有气分、血分之别。**

《素问·缪刺论》：夫邪之客于形也，必先舍于皮毛。留而不去，入舍于孙脉。留而不去，入舍于络脉。留而不去，入舍于经脉，内连五脏，散于肠胃，阴阳俱感，五脏乃伤。此邪从皮毛而入极于五脏之次也。太阳病不解，其风寒之邪郁而为热，随其人之表里、虚实、寒热而转属传变。若未经误治，有行其经尽，邪衰正复而自愈者。有阳气重，上迫为衄而解者。有传属阳明，热郁于胃，则为烦渴、懊侬、谵语、不眠等证。热郁于肠，则为腹满或痛而不大便，或挟热下利等证。有传属少阳，热郁于上焦肺膜，则胸满或痛，在心下膈间则为结胸。热郁于中焦肝脾之膜，则为口苦、咽干、胁下痞硬。热郁于下焦之肾膜，则为脐下悸，小便不利；或热结膀胱，或瘀热在里，或热入血室。凡此诸候，皆宜随证施治，不必拘以日数也。**若太阳证未罢者，是为并病。**浅田栗园曰：并者，相并也。二病相齐并者谓之并病。故表先受病，次传于里，而并邪犹在者，名太阳阳明并病。经曰：二阳并病，太阳初得病者，发其汗，汗先出不彻，因转属阳明，续自微汗出不恶寒。若太阳病证不罢者，不可下，下之为逆，如此可小发汗。此虽既传于里，表邪犹在，故先其表而后其里也。又曰：二阳并病，太阳证罢，但发潮热，手足絷絷汗出，大便难而谵语者，下之则愈，宜大承气汤。此俟表邪已解，而后攻其里者也。表证未罢，少阳又病者，名太阳少阳并病。经曰：太阳与少阳并病，头项强痛，或眩冒，时如结胸，心下痞硬者，慎不可发汗，发汗则谵语。又曰：太阳少阳并病，心下硬，颈项强而眩者，慎勿下之。又曰：本太阳病，不解，转入少阳者，胁下硬满，干呕不能食，往来寒热；尚未吐下，脉沉紧者，与小柴胡汤。此以邪在表里间，发汗、吐、下皆非所宜，故唯主清解也。盖合病与并病，虽有缓急之别，于其治法，则无有异焉。**或发汗不彻，则阳气怫郁不得越。**其人烦躁，不知痛处，短气者，更发汗则愈。汗出而喘，无大热者，可与麻杏甘石汤。心下痞硬，呕吐而不利者，大柴胡汤主之。**或发汗过多，则津液越出而亡阳。**有遂漏不止，其人恶风，小便难，四肢微急难以屈伸者。有脉洪大，若形似疟，一日再发者。有大烦渴，脉洪大者。有厥逆、筋惕肉瞤者。有身疼痛，脉沉迟者。有叉手自冒心，心下悸欲得按者。有脐下悸，欲作奔豚者。有腹胀满者。有反恶寒者，虚故也。有不恶寒但热者，实也。有胃中干，烦躁不得眠，欲得饮水者。有脉浮，小便不利，微热，消渴者。有两耳聋，无所闻者。有吐下不止者。有仍发热，心下悸，头眩，身瞤动，振振欲擗地者。有便血者。有成痉者。有额上陷脉急紧，直视不能眴，不得眠者。有寒栗而振者。有恍惚心乱，小便已阴痛者。有胃中冷吐蛔者。**或当汗而反下，则阴虚而邪陷里。**有其气上冲者。有脉促胸满者。有其人恶寒者。有仍头项强痛，翕翕发热，无汗，心下满微痛，小便不利者。有利遂不止，脉促，喘而汗出者。有微喘者，表未解故也。有身热不去，心中结痛者。有心烦腹满，卧起不安者。有身热不去，微烦者。有续得下利清谷不止，身疼痛者。有胁下满痛，面目及身黄，颈项强，小便难者。有呕不止，心下急，郁郁微烦者。有胸满烦惊，小便不利，谵语，一身尽重不可转侧者。有热入于里因作结胸者。有但满不痛而作痞者。有脉紧，咽痛者。有脉弦，两胁拘急者。有脉沉紧，欲呕者。有脉沉滑，协热利者。有脉浮滑，下血者。有渴而口燥烦，小便不利者。有下利日数十行，谷不化，腹中雷鸣，心下痞硬而满，干呕心烦不得安者。有利不止，心下痞硬者。有遂协热而利，利下不止，心下痞硬，表里不解者。**或当汗而反吐，则胃伤而阳气微。**有自汗出，反不恶寒发热，关上脉细数者。有腹中饥，口不能食者。有不喜糜粥，欲食冷食，朝食暮吐者。有不恶寒，又不欲近衣，为内烦者。有引食而反吐者。有心中温温欲吐，胸中痛，大便反溏，腹微满，郁郁微烦者。**或下之后复发汗，或重发汗而复下之，则表里俱虚。**下之后复发汗，有振寒，脉微细者。有昼日烦躁不得眠，夜而安静，脉沉而微，身无大热者。有表里俱虚，其人因致冒者。有心下痞，恶寒者。有大汗之后复下之。有小便不利者，亡津液故也。有汗出而喘，无大热者。有病仍不解，烦躁者。有烦热，胸中窒者。有不大便五六日，舌上干燥而渴，日晡所小有潮热，从心下至少腹硬满而痛不可近，成结胸者。有胸胁满，微结，小便不利，渴而不呕，但头汗出，往来寒热，心烦者。有心下痞，表里俱虚，阴阳气并竭者。**或发汗、吐、下混施，则阴阳气乱。**有心下逆满，气上冲胸，起则头眩，身为振振摇者。有虚烦不得眠，反复颠倒，心中懊侬，若少气，若呕者。有虚烦，脉甚微，心下痞硬，胁下痛，气上冲咽喉，眩冒，经脉动惕，久而成痿者。有解后心下痞硬，噫气不除者。有热结在里，表里俱热，时时恶风，大渴，舌上干燥而烦，欲饮水数升者。**或以火劫发汗，血气流溢失其常度。**有火热入胃，胃中水竭，躁烦，必发谵语，十余日振栗，自下利者。有邪风被火热，血气流溢，失其常度，两阳相熏灼，其身发黄；阳盛则欲衄，阴虚小便难，阴阳俱虚竭，身体则枯燥；但头汗出，齐颈而还，腹满微喘，口干咽烂；或不大便，久则谵语，甚者至哕，手足躁扰，捻衣摸床者。有亡阳必惊狂，卧起不安者。有谵语者。有躁而圊血者。有咽燥唾血者。有焦骨伤筋者。有从腰以下重而痹者。有发奔豚气，从少腹上冲心者。有烦躁者。**或以冷水潠灌，其热被却不得去。**有弥更益烦，肉上粟起，意欲饮水，反不渴者。有寒实结胸无热证者。**种种反逆误治则成坏病，而变证百出矣。故篇中原得之病与正治之法，不过十余条，其余皆斡旋救逆法也。**

若太阳与阳明或少阳同时俱病者，是为合病。浅田栗园曰：合者，同也；会也。二病若三病相混同者谓之合病。盖其初感邪，表里同时受病者有之，故设此目以为治法之标准也。若热盛于表而势迫及里，气扰动下奔则为利，上逆则为呕者，名曰太阳阳明合病，以葛根汤或葛根加半夏汤发其表则里随和也。表实里壅，喘而胸满者，亦名太阳阳明合病，以麻黄汤先发其表，然后下之也。若热在表里之间，内壅为下利者，名曰太阳少阳合病，以黄芩汤清热通壅。更呕者，加半夏、生姜治之也。若下利，脉滑而数者，名曰阳明少阳合病。以大承气汤去其实也。腹满身重，难以转侧，口不仁而面垢，谵语，遗尿，若自汗出者，名曰三阳合病，此以其邪炽于三阳，不宜发汗，亦不可下，故以白虎汤清肃之也。是皆治合病之要领也。张兼善曰：凡合病者皆下利，各从外证以别焉。夫太阳病，头项痛，腰脊强；阳明病，目疼鼻干，不得卧；少阳病，胸胁痛，耳聋。凡遇两经病证齐见而下利者，曰合病也。虽然，但见一证便是，不必悉具。**他如太阴所主之肌肉、脂肪，少阴所主之经络、营卫，厥阴所主之神经、骨髓，皆分布充填于太阳部位。是以三阴表证之治法亦见于太阳篇也。**如四逆汤、桂枝人参汤、干姜附子汤、芍药甘草附子汤、茯苓四逆汤、真武汤等证治。**盖人身表里阴阳相维，气血连贯。一部分失和，余体未有不受直接或间接之传属者。病情百变，苟不审其标本而施治，鲜有不释邪攻正，反乱大经者。因提纲挈领而述此篇，聊作读论之关键。**

二、阳明

阳明者，躯壳之内，水谷道路，始于口而终于二阴，六腑部位之术语也。《灵枢·阴阳系日月》：两火并合，故为阳明。《肠胃》：谷所从出入、浅深、远近、长短之度。唇至齿，长九分。口度二寸半。齿以后至会厌，深三寸半，大容五合。舌重十两，长七寸，广二寸半。咽门重十两，广一寸半，至胃长一尺六寸。胃纡曲屈，伸之，长二尺六寸，大一尺五寸，径五寸，大容三斗五升。小肠后附脊，左环回周迭积，其注于回肠者，外附于脐上，回运环十六曲，大二寸半，径八分分之少半，长三丈二尺。回肠当脐，左环回周叶积而下，回运环反十六曲，大四寸，径一寸寸之少半，长二丈一尺。广肠傅脊，以受回肠，左环叶脊，上下辟，大八寸，径二寸寸之大半，长二尺八寸。肠胃所入至所出，长六丈四寸四分。《营卫生会》：上焦出于胃上口，并咽以上贯膈而布胸中。中焦亦并胃中，出上焦之后，此所受气者，泌糟粕，蒸津液，化其精微，上注于肺脉，乃化而为血，以奉生身，莫贵于此，故独得行于经隧，命曰营气。下焦者，别回肠，注于膀胱而渗入焉。故水谷者常并居于胃中，成糟粕，而俱下于大肠，而成下焦，渗而俱下，济泌别汁，循下焦而渗入膀胱焉。《本脏》：六腑者，所以化水谷而行津液者也。《素问·六节脏象论》：胃、大肠、小肠、三焦、膀胱名曰器，能化糟粕，转味而入出者也。《难经·第三十五难》：小肠者，受盛之腑也。大肠者，传泻行道之腑也。胆者，清净之腑也。胃者，水谷之腑也。膀胱者，津液之腑也。小肠谓赤肠，大肠谓白肠，胆谓青肠，胃谓黄肠，膀胱谓黑肠，下焦之所治也。本论列口苦及黄疸、小便不利之证治于阳明篇者以此。**阳明为阖，**《难经·第四十四难》：七冲门何在？然：唇为飞门，齿为户门，会厌为吸门，胃为贲门，太仓下口为幽门，大肠小肠会为阑门，下极为魄门。阳明之官能主吸纳水谷之精微以养身，七门以闭为常，故曰阖。**六元之燥气主治之。**水谷乳糜经肠胃而成糟粕者，由阳明燥气之所化也。若燥气太过，则大便硬，燥气不及则便溏泄。**凡食饮不节，起居不时，六腑失和者，皆为阳明病。**《素问·阴阳应象大论》：水谷之寒热，感则害于六腑。《太阴阳明论》：阴者，地气也，主内。故食饮不节，起居不时者，阴受之。**其受病之部有口、**张路玉《千金方衍义》：齿者，骨之余，属肾，而实阳明所司。本论：阳明病，口燥，但欲漱水，不欲咽者，此必衄。三阳合病，口不仁，面垢。阳明病，渴欲饮水，口干舌燥者，白虎加人参汤主之。**咽、**《灵枢·忧恚无言》：咽喉者，水谷之道也。《素问·太阴阳明论》：咽主地气。本论：阳明病，但头眩，不恶寒，故能食；若咳者，其人必咽痛，不咳者，咽不痛。《伤寒论本旨》：阳明中风，口苦咽干，以热由胃上咽而至口，不涉于肝，故无目眩，与少阳以此为辨。**上脘、**《灵枢·四时气》：饮食不下，膈塞不通，邪在胃脘。在上脘则抑而下之，在下脘则散而去之。本论：宿食在上脘者，法当吐之，宜瓜蒂散。**胃、**《灵枢·平人绝谷》：胃大一尺五寸，径五寸，长二尺六寸，横屈受水谷三斗五升。其中之谷常留二斗，水一斗五升而满。上焦泄气，出其精微，慓悍滑疾。下焦下溉诸肠。《素问·五脏别论》：胃者，水谷之海，六腑之大源也。五味入口，藏于胃，以养五脏气。《逆调论》：不得卧而息有音者，是阳明之逆也。足三阳者下行，今逆而上行，故息有音也。阳明者，胃脉也。胃者，六腑之海也，其气亦下行。阳明逆不得从其道，故不得卧也。《下经》：胃不和则卧不安，此之谓也。黄竹斋：胃及主宰言语之神经，其中枢皆在延髓。胃有宿食而气不和，卧时大脑虽休息，其延髓受直接之感触，而发无意识之言语，所谓谵语也。本论：阳明之为病，胃家实是也。阳明病，不吐不下，心烦者，可与调胃承气汤。寸口脉数而滑者，此为有宿食也。阳明病，胃中虚冷，不能食者，不可与水饮之，饮则必哕。食谷欲呕者，属阳明也，吴茱萸汤主之。**下脘、**《灵枢·胀论》：胃者，太仓也。咽喉、小肠者，传送也。胃之五窍者，闾里门户也。廉泉玉英者，津液之道也。胃下脘，近世生理学谓之十二指肠。胃五窍者，上通咽为贲门，下通小肠为幽门，余三窍则旁通胆、脾及三焦也。**胆腑、**《难经·第四十二难》：胆在肝之短叶间，重三两三铢，盛精汁三合。《灵枢·四时气》：邪在胆，逆在胃。胆液泄则口苦，胃气逆则呕苦，故曰呕胆。本论：阳明中风，口苦咽干，腹满微喘，发热恶寒，脉浮而缓，若下之，则腹满、小便难也。阳明病，脉浮而大，咽燥口苦，腹满而喘，发热汗出，不恶寒。反恶热，身重，不可汗、下、温针。心中懊侬，舌上苔者，栀子豉汤主之。阳明病，脉迟，食难用饱，饱则微烦头眩，必小便难，此欲作谷疸。阳明病，但头汗出，身无汗，小便不利，渴引水浆者，此为瘀热在里，身必发黄，茵陈蒿汤主之。口苦、黄疸皆胆病，以瘀热在里之胃下脘，致胆液溢于胃而上逆则为口苦，溢于里由太阴而传于身表则为黄疸。**脾、膏，**《难经·第四十二难》：脾重二斤三两，扁广三寸，长五寸。有散膏半斤，主裹血，温五脏，主藏意。《素问·太阴阳明论》：脾脏者，常著胃土之精也。脾与胃以膜相连耳，而能为之行其津液。本论：太阳阳明者，脾约是也。趺阳脉浮而涩，浮则胃气强，涩则小便数，浮涩相抟，大便则难，其脾为约，麻子仁丸主之。散膏，近世生理学名膵脏，又名腹唾腺，其津液即膵液也，以其味甘，故曰土之精。**小肠、**《灵枢·平人绝谷》：小肠大二寸半，径八分分之少半，长三丈二尺，受谷二斗四升，水六升三合合之大半，《素问·灵兰秘典论》：小肠者，受盛之官，化物出焉。《举痛论》：寒气客于小肠，小肠不得成聚，故后泄腹痛矣。热气留于小肠，肠中痛，瘅热焦渴，则坚干不得出，故痛而闭不通矣。本论：阳明病脉实，若腹大满不通者，可与小承气汤微和胃气，勿令大泄下。阳明病，谵语，发潮热，脉滑而疾者，小承气汤主之。阳明病，脉浮而迟，表热里寒，下利清谷者，四逆汤主之。夫病人腹痛绕脐，此为阳明风冷，谷气不行，若反下之，心下则痞，当温之，宜四逆汤。**大肠、**《灵枢·平人绝谷》：回肠大四寸，径一寸寸之少半，长二丈一尺。受谷一斗，水七升半。《素问·灵兰秘典论》：大肠者，传道之官，变化出焉。本论：阳明病，脉实，手足濈然汗出者，此大便已硬也，大承气汤主之。阳明病，潮热，大便微硬者，可与大承气汤。阳明病，谵语，有潮热，反不能食者，胃中必有燥屎五六枚也，若能食者，但硬耳，宜大承气汤下之。病人不大便五六日，绕脐痛，烦躁，发作有时者，此有燥屎，故使不大便也。病人小便不利，大便乍难乍易，时有微热，喘息不得卧者，有燥屎也，宜大承气汤。**广肠、**《灵枢·平人绝谷》：广肠大八寸，径二寸寸之大半，长二尺八寸，受谷九升三合八分合之一。《素问·五脏别论》：魄门亦为五脏使，水谷不得久藏。本论：阳明病，自汗出，若发汗，小便自利者，此为津液内竭，虽硬不可攻之，当须自欲大便，宜蜜煎导而通之；若土瓜根及大猪胆汁，皆可为导。大肠以下至肛门，受秽滓之处，俗名直肠，以其最广，故曰广肠。**三焦、**《难经·第三十一难》：三焦者，水谷之道路，气之所终始也。上焦者，在心下下膈，在胃上口，主内而不出。中焦者，在胃中脘，不上不下，主腐熟水谷。下焦者，当膀胱上口，主分别清浊，主出而不内，以传导也。《素问·灵兰秘典论》：三焦者，决渎之官，水道出焉。《灵枢·四时气》：小腹痛肿，不得小便，邪在三焦。本论：阳明病，脉浮发热，渴欲饮水，小便不利者，猪苓汤主之。阳明病，胁下硬满，不大便而呕，舌上白苔者，可与小柴胡汤。上焦得通，津液得下，胃气因和，身濈然汗出而解也。**膀胱**《难经》：膀胱重九两二铢，纵广九寸，盛溺九升九合。《素问·灵兰秘典论》：膀胱者，州都之官，津液藏焉，气化则能出矣。《厥论》：前阴者，宗筋之所聚，太阴阳明之所合也。《宣明五气论》：膀胱不利为癃，不约为遗溺。本论：太阳病转属阳明，渴而饮水，小便不利者，宜五苓散。夫病脉沉，渴欲饮水，小便不利者，后必发黄。**之别。其致病之因，有太阳阳明、**《素问·皮部论》：百病之始生也，必先于皮毛，邪中之，则腠理开，开则入客于络脉，留而不去传入于经，留而不去传入于腑，廪于肠胃。本论：太阳阳明者，脾约是也。太阳病，若发汗，若下，若利小便，此亡津液，胃中干燥，因转属阳明。不更衣，内实，大便难者，此名阳明也。阳明病，脉迟，汗出多，微恶寒者，表未解也，可发汗，宜桂枝汤。阳明病，脉浮，无汗而喘者，发汗则愈，宜麻黄汤。太阳病二日，发汗不解，蒸蒸发热者，属阳明也，调胃承气汤主之。太阳病，若吐，若下，若发汗后，微烦，小便数，大便因硬者，与小承气汤和之愈。二阳并病，太阳证罢，但发潮热，手足漐漐汗出，大便难而谵语者，下之则愈，宜大承气汤。**正阳阳明、**《素问·痹论》：饮食自倍，肠胃乃伤。本论：槃饪之邪从口入者，宿食也。正阳阳明者，胃家实是也，阳明病，发热十余日，脉浮而数，腹满饮食如故者，厚朴七物汤主之。寸口脉浮而大，按之反涩，尺中亦微而涩，故知其有宿食也，大承气汤主之。寸口脉数而滑者，此为有宿食也。**少阳阳明之殊。**《素问·太阴阳明论》：阴者，地气也，主内。阴道虚，食饮不节，起居不时者，阴受之。阴受之，则入五脏。入五脏，则填满闭塞，下为飧泄，久为肠澼。本论：少阳阳明者，发汗利小便已，胃中燥烦实，大便难是也。阳明病，发潮热，大便溏，小便自可，胸胁满不去者，与小柴胡汤。病人烦热，汗出则解，又如疟状，日晡所发热者，属阳明也。脉实者，宜下之；脉浮大者，宜发汗。下之，与大承气汤；发汗，宜桂枝汤。黄竹斋：此节证，下之当与大柴胡汤，发汗当与柴胡加桂枝汤。疟后痢，盖即少阳阳明。大便难，盖即肠澼里急也。**而仲景以胃家实为阳明病之提纲，以攻下为治之正法。**《素问·五脏别论》：六腑者，传化物而不藏，故实而不能满也。所以然者，水谷入口，则胃实而肠虚，食下则肠实而胃虚，故曰实而不满，满而不实也。《逆调论》：阳明其气下行。《阴阳应象大论》：其下者，引而竭之；中满者，泻之于内。阳明病之实邪，有在胃在肠之殊，是以承气汤有调胃、小、大之分。**阳明与太阴为表里，**以太阴所主之脂肪，充积于肠胃之里也。**阳明虚，当温其里之太阴；太阴实，当泄其表之阳明。**吴茱萸汤、四逆汤、理中汤、附子粳米汤、大建中汤、大黄附子细辛汤，皆所以温阳明胃气之虚；三承气汤，皆所以泄太阴腐秽之实。**而其间又有虚实交错，表里并病，故有宜下者，**阳明病，脉实，虽汗出而不恶热者，其身必重，短气，腹满而喘，有潮热者，此外欲解，可攻里，手足濈然汗出者，此大便已硬也，大承气汤主之。**有当下而尚未可下者，**阳明病，若汗多，微发热恶寒者，外未解也，其热不潮，未可与承气汤；若腹大满不通者，可与小承气汤微和胃气，勿令大泄下。阳明病，潮热，大便微硬者，可与大承气汤，不硬者，不可与之。若不大便六、七日，恐有燥屎，欲知之法，少与小承气汤，汤入腹中，转矢气者，此有燥屎也，乃可攻之；若不转矢气者，此但初头硬，后必溏，不可攻之，攻之必胀满不能食也。**有当急下者，**伤寒六七日，目中不了了，睛不和，无表里证，大便难，身微热者，此为实也，急下之，宜大承气汤。阳明病，发热汗多者，急下之，宜大承气汤。发汗不解，腹满痛者，急下之，宜大承气汤。**有不可下者。**阳明中风，口苦咽干，腹满微喘，发热恶寒，脉浮而缓，若下之则腹满，小便难也。伤寒呕多，虽有阳明证，不可攻之。阳明证，心下硬满者，不可攻之；攻之利遂不止者，死。阳明证，面合色赤，不可攻之；攻之必发热色黄者，小便不利也。**失治则成坏病，涉于厥阴则发谵语。**《素问·热论》：阳明与太阴俱病，则腹满，身热，不欲食，谵言。王启玄曰：谵言，谓妄谬而不次也。谵言即本论之谵语。盖肠胃之里之神经病，由胃气不和之所致，而有虚实之辨，生死之殊。有阳明病发汗多，若重发汗以亡其阳谵语者。有伤寒若吐若下后不解，不大便五、六日至十余日，发热谵语者。有阳明病，其人多汗，以津液外出，胃中燥，大便硬谵语者。有阳明病，热入血室，下血谵语者。有阳明病，燥屎在胃中，此为实，汗出谵语者。有三阳合病，发汗则谵语遗尿者。有二阳并病，太阳证罢，但发潮热，手足漐漐汗出，大便难而谵语者。谵语为胃实之证，宜下。故脉滑疾则生，脉短则死也。**热瘀少阴，则为蓄血。**肠胃里之经络病，有热郁于上，脉浮发热，口干鼻燥，能食而衄者。有热入血室，下血谵语，但头汗出者。有久瘀血，令人喜忘，屎虽硬，大便反易，其色必黑者。有发热脉数，合热则消谷善饥，至六七日不大便，有瘀血者。有协热而便脓血者。**系在太阴，则为谷疸。**《素问·通评虚实论》：黄疸久逆之所生也。本论：伤寒，脉浮而缓，手足自温者，系在太阴。太阴当发身黄，若小便自利者，不能发黄，至七八日，大便硬者，为阳明病也。阳明病，脉迟，食难用饱，饱则微烦头眩，必小便难，此欲作谷疸。阳明病，无汗，小便不利，心中懊侬者，身必发黄。阳明病，但头汗出，身无汗，小便不利，渴引水浆者，此为瘀热在里，身必发黄。黄疸为湿热瘀于阳明之里，致胆液溢于太阴，由淋巴腺传播于身体表部之肌肉也。**此皆误治久逆之所变，当随其脉证而救治之也。**

三、少阳

少阳者，躯壳之内，肠胃之外，五脏膜原，三焦部位之术语。《素问·疟论》：热气盛，藏于皮肤之内，肠胃之外，此荣气之所舍也。又曰：由邪气内薄于五脏，横连募原也。《灵枢·本输》：肺合大肠，心合小肠，肝合胆，脾合胃，肾合膀胱。少阳属肾，肾上连肺，故将两脏。三焦者，中渎之腑也，水道出焉，属膀胱，是孤之腑也，是六腑之所与合者。《营卫生会》：上焦如雾，中焦如沤，下焦如渎。魏念庭曰：三焦者，无形而以躯壳为郛郭，是躯壳即其形也。本一气而分三，亦以躯壳之上、中、下分之也。肺与心居上焦之中，肝、胆、脾、胃俱居中焦之中，肾与大小肠、膀胱居下焦之中。上、中二焦分界处，有上连心主包络之大膜为护卫。中、下二焦分界处，有傍连两胁下，后连脊骨，辅裹肾之脂膜为周布。截然三界，原有天、人、地之义也。至上焦如雾，中焦如沤，下焦如渎之说，正于无形中取象也。如雾者，拟之天气之正象，论人身温热之气浮而上也。如沤者，气在水上，论人身中段气在血中之象也。如渎者，气凝于血中，如水之在地而水中莫非气也。**少阳为枢，**少阳居半表半里之位，其气内外贯通，上下交流，而五脏内阅于七窍，具开阖出入之官能，故为枢。**六元之火气主治之。**《素问·天元纪大论》：少阳之上，火气主之，君火以明，相火以位。《五运行大论》：火游行其间。《解精微论》：一水不能胜五火，故目眦盲。王启玄曰：眦，视也。一水目也，五火，谓五脏之厥阳也。火者，人身元气之一，其位有君有相，游行于三焦之间，分寓于五脏之中，故有二火、五火之称。少阴为君火，属阳而寓于心。少阳为相火，属阴而寄于肝肾。三焦气和，则君火以明，相火以位，腠理通畅，津液蒸腾。若君火失明，相火气胜，则阴火上逆而为病。如少阳病之胁下痞硬，心烦喜呕，口苦，咽干，目眩，两耳无所闻，目赤，皆其候也。**其受病之部，有上焦、**上焦主横膈膜以上之病，仲景以口苦，咽干，目眩，两耳无所闻，目赤，头痛等证为候。**中焦、**中焦主膈下脐上之病，仲景以往来寒热，胸胁苦满，默默不欲饮食，心烦喜呕，腹中痛，胁下痞硬，心下悸等证为候。**下焦、**下焦主脐下少腹之病，仲景以小便不利，热结在里，呕吐不利等证为候。**及半表半里之分。其半表则由腠理外通于太阳，其半里则由膜原内通于阳明。**《素问·阴阳应象大论》：清阳发腠理。王启玄曰：腠理，谓渗泄之门。本论：腠者，是三焦通会元真之处，为血气所注。理者，是皮肤、脏腑之文理也。人身皮毛内之肥肉为肌肉。肥肉里，瘦肉外，夹缝中之油纲名腠理。**其五脏之气，外合于六腑，上通于七窍，下通于二阴。**《素问·金匮真言论》：肝开窍于目，心开窍于耳，脾开窍于口，肺开窍于鼻，肾开窍于二阴。**凡皮肤外感风寒，或肠胃内伤食饮，失治而传入半表半里，内薄五脏膜原，致三焦之气失和者，皆为少阳病。**《素问·缪刺论》：夫邪之客于形也，必先舍于皮毛，留而不去，舍于孙脉，留而不去，入舍于络脉，留而不去，入舍于经脉，内连五脏，散于肠胃，阴阳俱感，五脏乃伤，此邪之从皮毛而入，极于五脏之次也。《阴阳应象大论》：故善治者治皮毛，其次治肌肤，其次治筋脉，其次治六腑，其次治五脏。治五脏者，半死半生也。结胸、脏结有死证者以此。**少阳居表里之间，当肓膜之处，外不及于皮肤，内不及于肠胃。汗之而不从表解，下之而不从里出，故有发汗、吐、下、温**

针之禁。**特立小柴胡汤为和解表里正治之法。**伤寒五六日，中风，往来寒热，胸胁苦满，嘿嘿不欲饮食，心烦喜呕，或胸中烦而不呕，或渴，或腹中痛，或胁下痞硬，或心下悸，小便不利，或不渴，身有微热而咳者，小柴胡汤主之。伤寒与中风，有柴胡证，但见一证便是，不必悉具。陆九芝曰：三阳以少阳为枢，柴胡为转枢之用。小柴胡一方就本经言，柴胡但主表，黄芩乃主半里。就六经言，柴、芩但主半表，参、草乃主半里。病至少阳，无不郁火而津液涸少，小柴胡汤所以升清降浊，调和表里，泻郁火，生津液也。汗、吐、下、温针之治，皆伤津液，故以为禁。**其或未离太阳之表，则宜兼汗。或已属阳明之里，则须兼下。是以有和解而兼汗、下权变之法。**小柴胡汤证以往来寒热为候，若身有微热恶寒者，为未离太阳，小柴胡汤加桂枝微汗之，或柴胡桂枝汤主之。若潮热不恶寒者，为已属阳明，小柴胡汤加芒硝微下之，或大柴胡汤主之。其有胸胁痞满，心下痞硬，呕噫下利等证，皆少阳之坏病。而泻心汤、半夏泻心汤、生姜泻心汤、甘草泻心汤、旋覆代赭汤、黄芩汤、黄连汤等，亦皆小柴胡汤之变方也。**其证治详见于太阳、阳明二篇，故少阳篇中略提其纲而已。**温病是冬时皮肤受寒，邪气由腠理而传入三焦膜原，至春时天地之阳气外发，其病应之而起，是为伏气之病。温疟亦与温病同源，此邪之由太阳间接而传及少阳者也。疫病是天地之戾气，有五尸之异，四时皆有，其邪由鼻吸入于肺膜，传于三焦膜原，由腠理而达于身表。《素问·阴阳应象大论》：天之邪气，感则害人五脏。《遗篇》所谓五疫之起皆易感人，无问大小，其状皆同，此少阳直中之邪，所谓天牝从来者也。其治法当于杂病中求之。**少阳与厥阴为表里，**少阳部位之神经皆属自和，不能随意而运动不休。如心之鼓动，肺之呼吸，肝、脾之生血，肾之泌溺是也。而五脏常内阅于上七窍，故三阳之病觉以少阳为最多。如口之苦、咽之干、目之眩、耳之无闻等，皆少阳实热之证。若夫厥逆、下利、寒疝等虚寒之证，则当求之于厥阴篇也。**少阳虚，当温其里之厥阴；厥阴实，当泻其表之少阳。神而明之，存乎其人。此仲景三阳三阴篇，表里、虚实、寒热，错综变化中不易之例也。**

四、太阴

太阴者，荣养系统之术语。其气则荣卫、津液，其质则肌肉、脂膏，皆其所属也。《素问·六节脏象论》：天食人以五气，地食人以五味。五气入鼻，藏于心肺，上使五色修明，音声能彰；五味入口，藏于肠胃，味有所藏，以养五气，气和而生，津液相成，神乃自生。《经脉别论》：食气入胃，散精于肝，淫气于筋。食气入胃，浊气归心，淫精于脉；脉气流经，经气归于肺；肺朝百脉，输精于皮毛。毛脉合精，行气于腑；腑精神明，留于四脏，气归于权衡。饮入于胃，游溢精气，上输于脾；脾气散精，上归于肺；

通调水道，下输膀胱：水精四布，五经并行。《痹论》：荣者，水谷之精气也，和调于五脏，洒陈于六腑，乃能入于脉也，故循脉上下，贯五脏，络六腑也。卫者，水谷之悍气也，其气慓疾滑利，不能入于脉也，故循皮肤之中，分肉之间，熏于肓膜，散于胸腹。《灵枢·邪客》：五谷入于胃也，其糟粕、津液、宗气分为三隧。故宗气积于胸中，出于喉咙，以贯心脉，而行呼吸焉。荣气者，泌其津液，注之于脉，化以为血，以荣四末，内注五脏六腑，以应刻数焉。卫气者，出其悍气之慓疾，而先行于四末分肉皮肤之间而不休者也。昼日行于阳，夜行于阴。《五癃津液别论》：水谷皆入于口，其味有五，各注其海，津液各走其道。故三焦出气，以温肌肉，充皮肤，为其津；其流而不行者，为液。五谷之津液和合而为膏者，内渗入于骨空，补益脑髓。人之所赖以生者，天气与水谷。天气入鼻，由肺而传于周身；水谷入口至胃，由脾行其精气津液。近世生理学谓之淋巴液，其精气曰淋巴球，入脾化为白血球，入肝化为赤血球，为荣养人身之要素，故曰荣气。卫气即脂膏中津液，其气之盛衰，上应月光之盈虚，以其为卫护人身之要素，故曰卫气。荣养系统之在阳明部位者曰乳糜腺，在少阳部位者曰淋巴腺，在太阳部位者曰脂肪腺。**太阴为开，**太阴荣养系统，主为阳明行其精、气、津液，故曰开。**六元之湿气主治之。**《素问·阴阳应象大论》：湿盛则濡泄。王启玄曰：湿盛则内攻于脾胃，脾胃受湿则水谷不分，水谷相合，故大肠传道而注泻也。以湿内盛而泻，故谓之濡泻。**凡内伤外感失治，而致荣养系统元气之湿不平者，皆为太阴病。随其脏腑阴阳之偏，而有虚实寒热之分。**湿之质即水也。肺为水之上源，湿郁于里则化而为痰。太阴之为病，腹满而吐。《解惑论》谓此吐当是吐痰。《素问·生气通天论》：秋伤于湿，上逆而咳，发为痿厥是也。湿淫于表，则为风水。《素问·水热穴论》：其本在肾，其末在肺，皆积水也。脾主为胃行津液而恶湿，若湿盛而郁于阳明部分则为自利，若挟胆液而瘀热外发于太阳部分则为黄疸。《灵枢·决气》：津脱者，腠理开，汗大泄；液脱者，骨属屈伸不利，色夭，脑髓消，胫酸，耳数鸣。《素问·至真要大论》：诸痉项强，皆属于湿。本论：太阳病，发汗太多，因致痉。风病，下之则痉。此皆伤元气之湿，证治当求诸杂病者也。**太阴与阳明为表里，太阴实即是阳明病，阳明虚即是太阴病。**陆九芝曰：太阴、阳明同居中土，太阴脾为阴道虚，阳明胃为阳道实，故同一腹痛也。满而时痛者属脾，满而大实痛者属胃。在胃则宜大小承气、栀子厚朴枳实汤。在脾则宜理中、四逆、厚朴生姜半夏人参汤，间有用大黄芍药者。同一发黄也，其黄色之瘀晦者属脾，为阴黄；其黄色之鲜明者属胃，为阳黄。治阳黄宜栀子柏皮汤、茵陈蒿汤；治阴黄宜理中汤、四逆汤，间有用麻黄连翘者。同一格吐也，朝食暮吐为脾寒格，食入即吐为胃热格。治热格，宜泻心汤、干姜黄芩人参汤；治寒格，宜附子理中汤、厚朴生姜半夏人参汤。病名则同，病本则异。总之，胃属阳，脾属阴；胃为腑，脾为脏；胃司纳，脾司输；胃恶燥，脾恶湿；胃喜降，脾喜升；胃宜通，脾宜补。其所以不同之故，可以对待而观，即可以反观而得。况胃病之脉必大，或浮而促，脾病之脉必弱，或沉而细，尤其不可强同者耶。浅田栗园曰：阳明篇曰不能食名中寒，曰欲作固瘕，曰攻其热必哕，曰欲作谷疸，曰饮水则哕，曰食谷欲呕，曰寒湿在里，此皆转系太阴者。可见太阴、阳明殆同其局，而虚实一转，互相变也。**故仲景以腹满而吐，食不下，自利益甚，时腹自痛为提纲。**本论：呕吐而利，名曰霍乱，其病为阳明卒中之邪，与此异。**而著胃气弱，不可下之禁。其湿郁于阳明部位者，属虚寒，而自利不渴，宜理中、四逆辈以温其脏，此正治法也。**自利不渴者属太阴，以其脏有寒故也，当温之，宜服理中、四逆辈。**伤寒瘀热在里，胆液横溢，系在太阴，湿淫于太阳部位者，身当发黄。以其属脾家实，而证治见于阳明篇。**伤寒，脉浮而缓，手足自温者，系在太阴，太阴当发身黄，若小便自利者，不能发黄。至七八日，虽暴烦，下利日十余行，必自止，以脾家实，腐秽当去故也。**太阳病误下，因而腹满时痛，或下利者，此邪陷少阳部位，当审其半表半里之虚实，而和解之。**本太阳病，医反下之，因而腹满时痛者，属太阴也，桂枝加芍药汤主之；大实痛者，桂枝加大黄汤主之。**辨其标本之先后，而分治之。**伤寒，医下之，续得下利清谷不止，身疼痛者，急当救里；后身疼痛，清便自调者，急当救表。救里宜四逆汤，救表宜桂枝汤。太阴病，脉浮者，可发汗，宜桂枝汤。以桂枝汤本为解肌故也。**此皆权变救逆法也。**三阳部位，各有区域，三阴质体分布全身，是以三阴篇皆有表证、里证、半表半里证，而三阳篇亦各错综互列三阴证也。

五、少阴

少阴者，血脉循环系统之术语，五脏皆其机官，经络毛脉皆其所属也。《灵枢·决气》：中焦受气取汁，变化而赤是谓血。壅遏荣气令无所避，是谓脉。《本神》：五脏主藏精者也。肝藏血，血舍魂；脾藏荣，荣舍意；心藏脉，脉舍神；肺藏气，气舍魄；肾藏精，精舍志。《痈疽》：肠胃受谷，上焦出气，以温分肉，而养骨节，通腠理。中焦出气如露，上注溪谷，而渗孙脉，津液和调，变化而赤为血。血和则孙脉先满溢，乃注于络脉，皆盈，乃注于经脉。阴阳已张，因息乃行，行有经纪，周有道理，与天合同，不得休止。肝脾二脏为生血器，心脏为发动器，是循环系统之中枢；肺脏为气息推陈致新滤清器；肾脏为泌溺及化精器。魂魄神意志，是五脏神经之官能。经络为血液运输之道路。毛脉孙络为血液散布之竟委。人身气血调和，水火既济则无病。而气血之调和，水火之既济者，全赖血脉循环之作用。其中有所瘀而不行，致肾水不上升则烦，心火不下降则躁。而渴衄咽痛，下利清谷，小便色白等证作矣。《内经》以心肾属之少阴，而本论少阴篇中多心肾之证者以此。**少阴为枢，**水谷之精气由荣养系统经脾肝二脏而化为血液，外以充肌温肤，内以化精养神，上下周流，循环不息，而居太阴厥阴之间，故为枢。**六元之热气主治之。**《素问·离合真邪论》：真气者，经气也。热者，人身之阳气。其原生于经气之运动，血液之养化。而皮肤有调节体温之能，故少阴之热与太阳之寒相对待。**以五脏之官能，分为四部。曰呼吸空气滤清血液器，鼻窍，**《灵枢·荣气》：究于畜门（注：鼻之外窍也）。《脉度》：肺气通于鼻，肺和则鼻能知臭香矣。本论：少阴病，但厥无汗而强发之，必动其血，或从鼻出。**咽喉，**《灵枢·忧恚无言》：喉咙者，气之所以上下也。会厌者，音声之户也。口唇者，音声之扇也。舌者，音声之机也。悬雍垂者，音声之关也。颃颡者，分气之所泄也。横骨者，神气所使，主发舌者也。足之少阴，上系于舌，络于横骨，终于会厌。《邪客》：宗气积于胸中，出于喉咙，以贯心脉而行呼吸焉。本论：病人脉阴阳俱紧，反汗出者，亡阳也。此属少阴，法当咽痛而复吐利。少阴病，下利咽痛，胸满心烦者，猪肤汤主之。少阴病二三日，咽中痛者，可与甘草汤；不差，与桔梗汤。少阴病，咽中伤，生疮，痛引喉旁，不能语言，声不出者，苦酒汤主之。少阴病，咽中痛，脉反浮者，半夏散及汤主之。少阴病，下利清谷，里寒外热，手足厥逆，脉微欲绝，或咽痛者，通脉四逆汤主之。**肺脏，**《难经》：肺重三斤三两，六叶二耳，凡八叶，主藏魄。《素问·痿论》：肺者，脏之长也，为心之盖也。《灵枢·荣卫生会》：人受气于谷，谷入于胃，以传于肺，五脏六腑皆以受气，其清者为荣，浊者为卫，荣在脉中，卫在脉外，荣周不休，五十而复大会。阴阳相贯，如环无端。《荣气》：荣气之道，内谷为宝。谷入于胃，乃传之肺，流溢于中，布散于外，精专者行于经隧，常荣无已，终而复始，是谓天地之纪。《五味》：谷始入于胃，其精微者，先出于胃之两焦，以溉五脏，别出两行，荣卫之道。其大气之抟而不行者，积于胸中，命曰气海，出于肺，循喉咽，故呼则出，吸则入。天地之精气，其大数常出三入一，故谷不入，半日则气衰，一日则气少矣。本论：少阴病，咳而下利，谵语者，被火气劫故也。少阴病，有水气，其人或咳，真武汤主之。少阴病，四逆，其人或咳，四逆散主之。少阴病六七日，息高者死。**膈膜，是也。**少阴病，若膈上有寒饮，干呕者，不可吐也，当温之，宜四逆汤。**曰荣气化血运行器，脾脏，**《难经》：脾重二斤三两，扁广三寸长五寸，有散膏半斤，主裹血，温五脏，主藏意。《素问·奇病论》：五味入口，藏于胃，脾为之行其精气津液。《灵枢·本神》：脾藏荣，荣舍意。《邪客》：荣气者，泌其津液，注之于脉，化以为血，以荣四末，内注五脏六腑，以应刻数焉。本论：少阴病，下利，若利自止，恶寒而蜷卧，手足温者，可治。少阴病，恶寒，身蜷而利，手足厥冷者，不治。少阴病，吐利，躁烦四逆者，死。少阴病，四逆，泄利下重者，四逆散主之。以上少阴病下利，皆以手足之温冷，候脾气之盛衰，以脾主四肢故也。**肝脏，**《难经》：肝重二斤四两，左三叶，右四叶，凡七叶，主藏魂。《素问·五脏生成》：人卧血归于肝，肝受血而能视。《灵枢·本神》：肝藏血，血舍魂。本论：少阴病，得之二三日以上，心中烦，不得卧者，黄连阿胶汤主之。少阴病，脉微细沉，但欲卧，汗出不烦，自欲吐。至五六日，自利，复烦躁不得卧寐者，死。少阴病本但欲寐，以血虚肝失所养，魂不守舍，则见不得卧寐之证矣。**心脏，**《难经》：心重十二两，中有七孔三毛，盛精汁三合，主藏神。《素问·五脏生成》：诸血者，皆属于心。《灵枢·邪客》：少阴，心脉也。心者，五脏六腑之大主也，精神之所舍也。其脏坚固，邪弗能容也，容之则心伤，心伤则神去，神去则死矣。故诸邪之在心者，皆在心之包络。本论：少阴病，欲吐不吐，心烦，但欲寐，五六日自利而渴者，属少阴也，虚故饮水自救。少阴病，下利六七日，咳而呕渴，心烦不得眠者，猪苓汤主之。**经络是也。**《灵枢·脉度》：经脉为里，支而横者为络，络之别者为孙。《本脏》：经脉者，所以行血气而荣阴阳，濡筋骨利关节者也。血和则经脉流行，荣复阴阳，筋骨劲强，关节清利矣。本论：少阴病，身体痛，手足寒，骨节痛，脉沉者，附子汤主之。少阴病，脉微而弱，身痛如掣者，此荣卫不和故也，当归四逆汤主之。**曰血液化精器，肾脏是也。**《难经》：肾有两枚，重一斤二两，主藏志。《素问·上古天真论》：肾者主水，受五脏六脏之精而藏之。《痿论》：肾主身之骨髓。《灵枢·本神》：肾藏精，精舍志，肾气虚则厥。本论：少阴病形悉具，小便白者，以下焦虚寒，不能制水，故令色白也。少阴病，但厥无汗，而强发之，必动其血。此肾脏盖指生殖器，男子为睾丸，女子为卵巢。**曰泌尿器，肾脏膀胱是也。**《素问·逆调论》：肾者水脏，主津液，主卧与喘也。本论：少阴病八九日，一身手足尽热者，以热在膀胱，必便血也。少阴病，二三日不已，至四五日，腹痛，小便不利，四肢沉重疼痛，自下利者，此为有水气，其人或咳，或小便不利，或下利或呕者，真武汤主之，**凡内伤外感失治，而致血脉循环系统不和者，皆为少阴病。少阴与太阳为表里，少阴之表实即是太阳病，太阳之里虚即是少阴病。**病有发热恶寒者，发于阳也。无热恶寒者，发于阴也。病人脉阴阳俱紧。反汗出者，亡阳也，此属少阴。**故仲景以脉微细但欲寐为提纲。**《灵枢·荣卫生会》：血者，神气也。盖人之精神，全赖血液以滋养，若血衰则神昏，故但欲寐也。**而篇中之证，有邪在太阳者，**少阴病，始得之，反发热，脉沉者，麻黄附子细辛汤主之。少阴病，得之二三日，麻黄附子甘草汤微发汗，以二三日无里证，故微发汗也。**有在阳明者，**少阴病，吐利，手足逆冷，烦躁欲死者，吴茱萸汤主之。少阴病，下利脉微者，与白通汤。少阴病，得之二三日，口燥咽干者，急下之，宜大承气汤。少阴病，自利清水，色纯青，心下必痛，口干燥者，可下之，宜大承气汤。少阴病六七日，腹胀不大便者，急下之，宜大承气汤。**有在半表半里，少阳部位之上焦**、有心中烦，不得卧者；有口中和，其背恶寒者；有下利咽痛，胸满心烦者；有咽中痛者；有饮食入口即吐，或心中温温，欲吐复不能吐，手足寒，脉弦迟，胸中实，当吐之者。**中焦、**有下利清谷，里寒外热，脉微欲绝，其人面色赤，或腹痛，或干呕，或咽痛者。有四逆，其人或咳，或悸，或小便不利，或腹中痛，或泄利下重者。**下焦者，**有下焦虚有寒，不能制水，命小便色白者；有下利便脓血者。**当各随其证候之虚实寒热而治之。而又有邪在少阴，证兼太阴，或兼厥阴者。大抵连太阴者，多呕利。**以太阴质体之温，生于血液之热，而与阳明为表里故也。**连厥阴者，多厥逆。**《素问·五脏生成》：卧出而风吹之，血凝于肤者为痹，凝于脉者为泣，凝于足者为厥。此三者，血行而不得反其空，故为痹厥也。王启玄曰：痹，谓瘴痹也。泣，谓血行不利。厥，谓足逆冷也。空者，血流之道，大经隧也。少阴篇之手足厥冷、厥热，血脉病也。厥阴篇之厥逆、厥热，神经病也。盖神经之妙用，全赖血液以滋养，而血脉之运行，亦全由神经以主宰。其证有血脉先病而及神经者，有神经先病而及血脉者。**盖三阴之质体系统，如绳之纠，互相附丽。故其证治，多相似也。其间浅深轻重生死之辨，所宜详审也。**

六、厥阴

厥阴者，精神系统之术语，脑髓为其中枢，志意是其妙用，而主宰全体知觉运动之机官也。《素问·至真要大论》：厥阴，两阴交尽也。《五脏生成》：诸髓者，皆属于脑。《脉要精微论》：头者，精明之府。厥成为巅疾。《灵枢·决气》：两神相搏，合而成形，常先身生，是谓精。《本脏》：人之血气精神者，所以奉生而周于性命者也。志意者，所以御精神，收魂魄，适寒温，和喜怒者也。志意和则精神专直，魂魄不散，悔怒不起，五脏不受邪矣。黄竹斋：精神，即生理学所谓神经系统。志谓神经末端。意谓神经中枢。其在太阳之部者，有骨以为之干，而知觉锐敏，能随意运动。在阳阴及少阳之部者，除九窍外，皆知觉迟钝，不能随意运动，名曰自和神经。然在太阳及阳明部位者，有感斯应。在少阳部位者，则常动不休也。**厥阴为阖，**精气血液化为脑髓，藏于骨内，居至幽之所，二阴之气化至此而尽，故曰厥阴为阖。**六元之风气主治之。**风者，天之号令，由阴阳二气磅礴而生。人身精神志意之妙用，全借元气之风以为运动。风气太过或不及，则失和而为病。在太阳部位者，四肢厥逆。在少阳部位者，消渴寒疝及厥热进退。在阳明部位者，呕哕下利，皆神经失和为所致。**凡外感内伤之病失治，而致精神志意不仁者，皆为厥阴病。厥阴与少阳为表里，**厥阴神经所司之知觉运动，乃少阳部分五脏魂魄神意志之妙用，故相表里。**厥阴实即是少阳病，少阳虚即是厥阴病。以其为日已久，邪已深，居二阴之尽，与血脉互相附丽，故多见阴阳错杂、寒热混淆之证。**厥阴厥热之胜复，犹少阳寒热之往来，厥少热多，其病当愈；厥多热少，其病为进。《素问·脉解》：厥逆连脏则死，连经则生。王启玄曰：经，谓经脉。脏，谓五神脏。所以连脏则死者，神去故也。盖热发于少阴之血脉，厥由于厥阴之神髓，神经与血脉相附丽，故厥者必发热。前热者后必厥，厥深者热亦深，厥微者热亦微也。其先热后厥者，血脉先病，而及神经也。其先厥后热者，神经先病而及血脉也。其热多厥少，厥多热少者，以二阴有偏胜也。厥热相应，病势均也。生理学谓神经与血脉有密切之关系。故壅塞头部之血管，则大脑之机能立即歇止，以致不省人事。腹大动脉受压，则下肢麻痹，即失知觉运动之机能。又人每因愤怒致呼吸闭窒，手足厥冷者，乃脑体积血致循环偶停也。**而仲景以消渴、蛔厥为提纲，立乌梅丸寒热错用，缓治之法也。**消渴，为少阳部位上焦之神经失和，致津液不能上输之病。蛔厥为阳明部位中焦神经失和，致阳气不达于四肢而手足逆冷吐蛔之病。寒疝为少阳部位下焦之神经失和，血凝气滞而腹疼痛之病。**其病由半表而外发于太阳部位之躯壳四肢者，则为厥逆及发热。**陆九芝曰：手足厥逆，脉细欲绝者，为厥阴之表证，当归四逆汤为厥阴之表药。当归四逆加人参附子汤、四逆汤、人参干姜汤、通脉四逆汤、大乌头煎、乌头桂枝汤，皆治寒厥之方。白虎汤、瓜蒂散、茯苓甘草汤，皆治热厥之方。**由半里而内发于阳明部位之肠胃者，则为呕吐、**胃神经失和之病，吴茱萸汤、四逆汤、半夏干姜散、小半夏汤为治寒证呕吐之方。小柴胡汤为治热呕之方。干姜黄芩黄连人参汤为治寒热相杂呕吐之方。哕逆、胃神经拘挛之病，生姜半夏汤、橘皮汤为治虚寒而哕之方。橘皮竹茹汤为治虚热而哕之方。下利，肠神经失和之病。四逆汤、通脉四逆汤为治寒利之方；白头翁汤、小承气汤、黄连茯苓汤为治热利之方；麻黄升麻汤、柏叶阿胶汤、紫参汤为治寒热杂利之方。**其有热者，虑其伤阴，必以法清之。其有寒者，虑其伤阳，必以法温之。一如少阴之例也。**

第二章 伤寒杂病诊疗通则

第一节　平脉法上

问曰：脉何以知气血脏腑之诊也？师曰：脉乃气血先见，气血有盛衰，脏腑有偏胜。气血俱盛，脉阴阳俱盛；气血俱衰，脉阴阳俱衰。气独盛者，则脉强；血独盛者，则脉滑。气偏衰者，则脉微；血偏衰者，则脉涩。气血和者，则脉缓；气血平者，则脉平；气血乱者，则脉乱；气血脱者，则脉绝。阳迫气血则脉数，阴阻气血则脉迟。若感于邪，气血扰动，脉随变化，变化无穷，气血使之。病变百端，本原别之，欲知病源，当凭脉变，先揣其本。本之不齐，在人体躬，相体以诊，病无遁情。

《素问·脉要精微论》：夫脉者，血之府也。动脉为经，静脉为络，此脉谓动脉也。气谓荣卫也。荣为经气，行于脉中；卫为络气，行于脉外。脏，五脏也。腑，六腑也。诊，视验也。脏腑者，气血之本源。气血者，脉之充也。脉之阴阳，谓尺寸浮沉也。脉阴阳俱盛，轻重按之皆有力也。脉阴阳俱衰，沉分、浮分皆无力也。脉强，浮沉皆实，大而长也。脉滑，往来前却流利也。脉微，极细而软也。脉涩，往来难也。脉缓，一息四至也。脉平，三脉大小、迟速相应齐等也。脉乱，乍疏乍数也。脉绝，按之不至也。阳，热盛也。脉数，一息六至也。阴，寒盛也。脉迟，一息三至也。揣，扪而察之也。本，谓脉也。体，四肢也。躬，身也。相，视也。遁，逃也。此节言气血为人生身之本，气血失其和平则为病。脉者，气血之所聚会。故诊脉可以知人气血之盛衰强弱、脏腑之虚实寒热、疾病之生死吉凶，为本篇之纲领也。

问曰：脉有三部，阴阳相乘，荣卫血气，在人体躬，呼吸出入，上下于中，因息游布，津液流通，随时动作，肖象形容。春弦秋浮，冬沉夏洪。察色观脉，大小不同；一时之间，变无经常；尺寸参差，或短或长；上下乖错，或存或亡；病辄改易，进退低昂。心迷意惑，动失纪纲，愿为具陈，令得分明。师曰：子之所问，道之根源。脉有三部，尺寸及关，荣卫流行，不失衡铨，肾沉、心洪、肺浮、肝弦，此自经常，不失铢分；出入升降，漏刻周旋，水下二刻，一周循环，当复寸口，虚实见焉。变化相乘，阴阳相干，风则浮虚，寒则紧弦，沉潜水畜，支饮急弦，动弦为痛，数洪热烦。设有不应，知变所缘。三部不同，病各异端，太过可怪，不及亦然。邪不空见，中必有奸，

审察表里，三焦别焉。知邪所舍，消息诊看，料度腑脏，独见若神。为子条记，传与贤人。

三部者，寸为上部，关为中部，尺为下部也。上部为阳，下部为阴。相，交也。乘，因也。《素问·痹论》：荣者，水谷之精气也，和调于五脏，洒陈于六腑，乃能入于脉也，故循脉上下，贯五脏，络六腑也。卫者，水谷之悍气也，其气慓疾滑利，不能入于脉也，故循皮肤之中，分肉之间，熏于肓膜，散于胸腹。出息为呼，入息为吸。上下，谓气息升降。呼出心与肺，吸入肝与肾，呼吸之间，脾受于中也。一呼一吸为一息。《灵枢·决气》：中焦受气取汁，变化而赤，是谓血。上焦开发，宣五谷味，熏肤，充身泽毛，若雾露之溉，是谓气。腠理发泄，汗出溱溱，是谓津。谷入气满，淖泽注于骨，骨属屈伸，泄泽，补益脑髓，皮肤润泽，是谓液。肖，似也。《素问·玉机真脏论》：春脉者肝也，东方木也，万物之所以始生也，故其气来，软弱轻虚而滑，端直以长，故曰弦，反此者病。夏脉者心也，南方火也，万物之所以盛长也，故其气来盛去衰，故曰钩，反此者病。秋脉者肺也，西方金也，万物之所以收成也，故其气来，轻虚以浮，来急去散，故曰浮，反此者病。冬脉者肾也，北方水也，万物之所以合藏也，故其气来，沉以搏，故曰营，反此者病。钩即洪也。营即沉也。肝青、心赤、肺白、肾黑、脾黄，各以其色合乎脏也。肝弦，心洪、肺浮、肾沉、脾缓，各以其脉主乎脏也。参差不齐，貌乖背异也。心者，人之神明，所以具众理应万物者。意者，心之所之也。《难经》：三部者，寸、关、尺也，上部法天，主胸以上至头之有疾也；中部法人，主膈以下至脐之有疾也；下部法地，主脐以下至足之有疾也。《灵枢·荣卫生会》：人受气于谷，谷入于胃，以传于肺，五脏六腑，皆以受气，其清者为荣，浊者为卫，荣在脉中，卫在脉外，荣周不休，五十而复大会。阴阳相贯，如环无端。衡，称也。铨，称量之也。十分黍之重为铢。一黍之广为分。《灵枢·五十营》：天周二十八宿，宿三十六分，人气行一周，千八分。日行二十八宿，人经脉上下、左右、前后二十八脉，周身十六丈二尺，以应二十八宿，漏水下百刻，以分昼夜。故人一呼，脉再动，气行三寸，一吸，脉亦再动，气行三寸，呼吸定息，气行六寸。十息气行六尺，日行二分。二百七十息，气行十六丈二尺，气行交通于中，一周于身，下水二刻，日行二十五分。合今钟表时计，二十八分四十八秒，日行七度十二分，复反也。《难经》：寸口者，脉之大会，手太阴之动脉也，为五脏六腑之终始，生死吉凶皆可决之也。《素问·天元纪大论》：物生谓之化，物极谓之变。寒、暑、燥、湿、风、火，天之阴阳也，三阴三阳上奉之。木火土金水，地之阴阳也，生长化收藏下应之。天以阳生阴长，地以阳杀阴藏。

风为阳邪，乘虚而中人，故脉浮虚。浮者，举之有余，按之不足，如水漂木也。寒为阴邪，伤人则血凝泣，故脉紧弦。紧者如转索无常；弦者状如弓弦，按之不移也。沉者按至筋骨乃得，如石投水也。潜，伏藏也。水畜，水积为饮也。水停膈下，咳逆倚息短气不得卧，其形如肿为支饮。弦则卫气不行即恶寒，胁下拘急而痛，或绕脐痛为寒疝，故曰：动弦为痛。阳盛则热，故脉数洪。烦者，头热而闷也。消息，以意斟酌之也。度，称量之也。

黄竹斋：此节总叙平脉之根源，皆问答以示其法，乃揭《内》《难》脉学之精要，学者所当玩索也。

师曰：平脉大法，脉分三部。浮部分经，以候皮肤经络之气；沉部分经，以候五脏之气；中部分经，以候六腑之气。

三部，浮中沉也。肌表为皮，皮表为肤，所以被复身体也。经，动脉也。络，静脉也。五脏，肝、心、脾、肺、肾也。六腑，胆、胃、小肠、大肠、三焦、膀胱也。皮肤，经络居身之表，故能浮部候之。五脏属阴，居身之里，故于沉部候之。六腑属阳，居身之中，故于浮沉之间中部候之。即《难经》三部九候之诊法也。

师曰：脉分寸关尺，寸部分经以候阳，阳者气之统也；尺部分经以候阴，阴者血之注也；故曰阴阳。关上阴阳交界，应气血升降，分经以候中州之气。

手大指旁腕下，自鱼际至高骨为一寸。寸，十分也。人手却一寸动脉，谓之寸口；掌后高骨，谓之关上；关上至尺泽谓之尺内。尺，十寸也。《华佗脉诀》：寸尺部各八分，关位三分，合一寸九分，本《难经》也。气属阳，其性浮，故于寸部候之；血属阴，其性沉，故于尺部候之；中州，中焦也，为阴阳交界，气血升降之处，故于关上之部候之。

问曰：经说脉有三菽、六菽重者，何谓也？师曰：脉，人以指按之，如三菽之重者，肺气也；如六菽之重者，心气也；如九菽之重者，脾气也；如十二菽之重者，肝气也；按之至骨者，肾气也。假令下利，寸口、关上、尺中悉不见脉，然尺中时一小见脉，再举头者，肾气也；若见损至脉来，为难治。

经，《八十一难》也。《难经》云：初持脉如三菽之重，与皮毛相得者，肺部也；如六菽之重，与血脉相得者，心部也；如九菽之重，与肌肉相得者，脾部也；如十二菽之重，与筋相得者，肝部也；按之至骨，举之来疾者，肾部也。此轻重也。又云：脉有损至，一呼再至曰平，三至曰离经，四至曰夺精，五至曰死，六至曰命绝，此至之脉也。

一呼一至曰离经，二呼一至曰夺精，三呼一至曰死，四呼一至曰命绝，此损之脉也。至脉从下上，损脉从上下。菽者，众豆之总名，以菽之多寡定按力之轻重。三菽为一分，自皮至骨计五分，各随所主之部，以候五脏之气。此盖假设之辞，以意度之也。《金鉴》曰：假令下利而甚，元气暴夺于中，寸口、关上、尺中全不见脉，法当死。其不死者，必是尺中时有一小见之脉也。再举头者，谓一呼再起头，一吸再起头，合为四至也。夫尺中时一小见之脉四至，则是肾间生气之源未绝，即下痢未止尚为易治；若一息二至，名曰损脉，是气衰无胃，故为难治也。程知曰：《难经》以损脉为阳气下脱之脉，故曰损脉至为难治也。

问曰：东方肝脉，其形何似？师曰：肝者，木也，名厥阴，其脉微弦，濡弱而长，是肝脉也。肝病自得濡弱者，愈也。假令得纯弦脉者死。何以知之，以其脉如弦直，此是肝脏伤，故知死也。

《难经》：春脉弦者肝，东方木也，万物始生未有枝叶，故其脉之来濡弱而长，故曰弦。软弱招招如揭长杆末梢，曰平。盈实而滑如循长杆，曰病。急而益劲如新张弓弦，曰死。故春脉微弦曰平，弦多胃气少曰病，但弦无胃气曰死。

方中行：微，非脉名，盖微微之弦，有胃气之谓也。

南方心脉，其形何似？师曰：心者，火也，名少阴，其脉洪大而长，是心脉也。心病自得洪大者，愈也。假令脉来微去大，故名反，病在里也；脉来头小本大，故曰覆，病在表也。上微头小者，则汗出；下微本大者，则为关格不通，不得尿。头无汗者，可治；头有汗者，死。

脉浮而有力，指下极大，来盛去衰为洪，如洚水之发也。覆，犹反也。关，闭也。格，阻也。

成无己：心旺于夏，夏则阳外胜，气血淖溢，故其脉来洪大而长也。

张隐庵：心病自得洪大者，言心病而脉洪大自得其位为有胃气，故愈。假令脉来微去大，则来去不伦。夫心者火也，火性上炎，脉当来大去微，今来微去大，反其火性，故名反，此心气内郁不充于外，故病在里也。火性炎上，脉当头大本小，今头小本大，是下者反上，上者反下，故名覆，此心气外虚，不荣于内，故病在表也。上微而脉头小者，心气外虚，故汗出；下微而脉本大者，心气内郁，故关格不通不得尿。夫关格不尿，若头无汗者，津液内藏，故为可治；若头有汗者，津液上泄，故死。

西方肺脉，其形何似？师曰：肺者金也，名太阴，其脉毛浮也，肺病自得此脉。若得缓迟者，皆愈；若得数者，则剧。何以知之？数者，南方火也，火克西方金，法当痈肿，为难治也。

成无己：轻虚浮曰毛，肺之平脉也。缓迟者，脾之脉，脾为肺之母，以子母相生，故云皆愈；数者，心之脉，火克金，为鬼贼相刑，故剧。肺主皮毛，数则为热，热伤皮肤，留而不去则为痈疡。经曰：数脉不时，则生恶疮。

张隐庵：若得数脉则金受火刑，故法当痈肿。经云：热胜则肿。诸病胕肿，皆属于火。火克肺金故为难治。

北方肾脉，其形何似？师曰：肾者水也，其脉沉而石，肾病自得此脉者，愈；若得实大者，则剧。何以知之？实大者，长夏土王，土克北方水，水脏立涸也。

《难经》：冬脉石者肾，北方水也，万物之所以藏也。极冬之时，水凝如石，故其脉之来沉濡而滑，故曰石。肾病自得此脉者，肾之平脉也，故愈。实脉者浮沉皆得，脉大而长，乃长夏土王之脉，若冬时肾病得此实大脉，脏气不藏，土王克水，水脏立涸而死也。

师曰：人迎脉大，趺阳脉小，其常也。假令人迎趺阳平等，为逆；人迎负趺阳，为大逆。所以然者，胃气上升，动在人迎，胃气下降，动在趺阳，上升力强故曰大，下降力弱故曰小，反此为逆，大逆则死。

《素问·平人气象论》：平人之常气禀于胃。胃者，平人之常气也。人无胃气曰逆，逆者死。是以人以胃气为本，故于人迎、跗阳诊其脉之大小，以知胃气升降，力之强弱，断其病之顺逆。

师曰：六气所伤，各有法度，舍有专属，病有先后，风中于前，寒中于背，湿伤于下，雾伤于上；雾客皮腠，湿流关节，极寒伤经，极热伤络；风令脉浮，寒令脉紧，又令脉急，暑则浮虚，湿则濡涩，燥短以促，火躁而数；风寒所中，先客太阳；暑气炎热，肺金则伤；湿生长夏，病入脾胃；燥气先伤，大肠合肺；壮火食气，病生于内，心与小肠，先受其害。六气合化，表里相传，脏气偏胜，或移或干。病之变证，难以殚论，能合色脉，可以万全。

六气之伤人，各随其类以相从，故曰各有法度，舍有专属。人生负阴而抱阳，风为阳邪，故中于身前；寒为阴邪，故中于背后；湿气重浊，故伤于身下；雾气轻清，故伤于身上。雾本乎天，中人上受，故客皮腠表阳之分。湿本乎地，中人下受，故流关节里阴之分。极寒之气阴盛也，经脉阴，故伤于寒；极热之气阳盛也，络脉阳，故伤于热。风邪属阳，故令脉浮，浮者升散之象也。寒邪属阴，故脉紧急，紧急者收降之象也。暑为夏至以后，阳极阴生，湿热之气合而为邪，乘人正气之虚而客于皮肤之外，故脉浮虚。湿性濡滞而气重者，伤人则流在关节，故脉濡涩。燥者，亢暵热极而干之气，凡物燥则缩小，故脉短以促也。火，热也，属阳而性躁动，故脉数。风寒为天气，故中人先客身体表部之太阳。暑气生于夏令炎热之时，火盛则克金，故伤肺。湿气生于长夏淫雨时行之时，脾胃虚弱则病入焉。燥气属金，故先伤大肠令大便燥结，浊气不能下降而上熏肺，以大肠与肺相表里也。壮火者，亢盛之火，即相火也。夫君火以明，相火以位。若相火之气壮，不安其位而妄动，则食耗正气，而病生于内，心与小肠先受其害也。凡六气之伤人，各随其脏气之偏胜而为病，至其失治而传移变化，其证候则难以殚论也。殚，尽也。临病之工能合五脏之色脉以察之，使病无遁情，然后处治，可以万全也。

问曰：上工望而知之，中工问而知之，下工脉而知之，愿闻其说。师曰：夫色合脉，色主形外，脉主应内，其色露藏，亦有内外，察色之妙，明堂阙庭，察色之法，大指推之，察明堂推而下之，察阙庭推而上之。五色应五脏，如肝色青，脾色黄，肺色白，心色赤，肾色黑，显然易晓。色之生死，在思用精，心迷意惑，难与为言。

《难经》：望而知之谓之神，闻而知之谓之圣。望而知之者，望见其五色以知其病。闻而知之者，闻其五音以别其病，故曰上工。问而知之谓之工，问其所欲五味以察其病，故曰中工。切脉而知之谓之巧，诊其寒热，视其虚实，以知其病，故曰下工。藏，匿也。绎理为思。精，专一也。《说文》：颜，眉目之间也。鼻者肺之官，肺为五脏六腑之华盖。脏腑有病，其气上熏于肺，而现于明堂。阙中为性宫，神明之所寓，故察其颜色荣瘁，可以诊病之生死。是在人用心精专尔，非浅见薄识者所能知也。

色青者，病在肝与胆，假令身色青，明堂色微赤者生，白者死，黄白者半死半生也。

青者，木之色，在地为木，在脏为肝。胆者，肝之腑也。病在肝与胆，其气现于外，故令身色青。而明堂色微赤者，木虽病，犹能生火也，故生。明堂色白者，金克木也，故死。黄白者，木虽受刑而胃气尚存，善治之亦可得愈，故曰半死半生也。

色赤者，病在心与小肠，假令身色赤，明堂微黄者生，黑者死，黄黑者半死半生也。

赤者，火之色，在地为火，在脏为心。小肠者，心之腑也。病在心与小肠，其气现于外，故令身色赤。而明堂色微黄者，火虽病，犹能生土也，故生。明堂色黑者，水克火也，故死。黄黑者，火虽受刑而胃气尚存，善治之亦可得愈，故曰半死半生也。

色黄者，病在脾与胃，假令身色黄，明堂微白者生，青者死，黄青者半死半生也。

黄者，土之色，在地为土，在脏为脾。胃者，脾之腑也。病在脾与胃，其气现于外，故令身色黄。而明堂色微白者，土虽病，犹能生金也，故生。明堂色青者，木克土也，故死。黄青者，土虽受刑而胃气尚存，善治之亦可得愈，故曰半死半生也。

色白者，病在肺与大肠，假令身色白，明堂色微黑者生，赤者死，黄赤者半死半生也。

白者，金之色，在地为金，在脏为肺。大肠者，肺之腑也。病在肺与大肠，其气现于外，故令身色白。而明堂色微黑者，金虽病犹能生水也，故生。明堂色赤者，火克金也，故死。黄赤者，金虽受刑而胃气尚存，善治之亦可得愈，故曰半死半生也。

色黑者，病在肾与膀胱，假令身色黑，明堂色微青者生，黄者死，黄赤者半死半生也。

黑者，水之色，在地为水，在脏为肾。膀胱者，肾之腑也。病在肾与膀胱，其气现于外，故令身色黑。而明堂色微轻者，水虽病犹能生木也，故生。明堂色黄者，土克水也，故死。黄赤者，水虽受刑火能生土，而胃气尚存，善治之亦可得愈，故曰半死半生也。

阙庭脉色青而沉细，推之不移者，病在肝；青而浮大，推之随转者，病在胆。

青者，肝之色。沉细推之不移者，色深在里之阴分也，故病在肝脏；色浮大，推之随转者，色浅在表之阳分也，故病在胆腑。

阙庭脉色赤而沉细，推之参差不齐者，病在心；赤而横戈，推之愈赤者，病在小肠。

赤者，心之色，心属火，其性炎上。沉细推之参差不齐者，色深在里之阴分小也，故病在心脏；赤形如横戈，推之益赤者，色浅在表之阳分大也，故病在小肠腑。

阙庭脉色黄，推之如水停留者，病在脾；如水急流者，病在胃。

黄者，脾之色。推之如水停留者，色深在里之阴分也，故病在脾脏；如水急流者，色浅在表之阳分浮动之象，故病在胃腑。

阙庭脉色青白，推之久不还者，病在肺；推之即至者，病在大肠。

白者，肺之色。云青白者，以别赤黄也。推之久不还者，色深在里之阴分，故病在肺脏；推之即至者，色浅在表之阳分，故病在大肠腑。

阙庭脉色青黑，直下睛明，推之不变者，病在肾；推之即至者，病在膀胱。

睛明在目内眦外一分处。黑者肾之色，与青相近，故云青黑。肾属水，水性润下。直下睛明，推之不变者，色深在里之阴分，故病在肾脏；推之即至者，色浅在表之阳分，故病在膀胱腑。

明堂阙庭色不见，推之色青紫者，病在中焦有积；推之明如水者，病在上焦有饮；推之黑赤参差者，病在下焦有寒热。

紫者，青赤之间色。积者，中焦血菀之病。故其气色现于明堂阙庭者，表分色不现，推之青紫也；饮者，上焦停水之病，故其气色之现于明堂阙庭者，推之明如水也；寒热者，下焦劳损之病，故其气色之见于明堂阙庭者，推之黑赤参差也。

问曰：色有内外，何以别之？师曰：一望而知者，谓之外；在明堂阙庭，推而见之者，谓之内。

外谓表之阳也，内谓里之阴也。

病暴至者，先形于色，不见于脉；病久发者，先见于脉，不形于色；病入脏无余证者，见于脉，不形于色；病痼疾者，见于脉，不形于色也。

病暴至者，猝中于邪。尚未入脏，故先行于色，不见于脉也；病久发者，邪伏于内，久而方发，其脏已受病，故先见于脉，不形于色；病痼疾与病入脏亦同，此所谓病有先后也。

问曰：色有生死，何谓也？师曰：假令色黄如蟹腹者生，如枳实者死，有气则生，无气则死。余色仿此。

人之五脏内蕴，其精气上华于面，显然彰于皮之外者为色，隐然合于皮之内者为气。色黄如蟹腹者，黄而光润是有气也，故主生；如枳实者，黄而青色，是无气也，故主死。《素问·五脏生成》：五脏之气，故色见青如草兹青死，黄如枳实者死，黑如炲者死，赤如衃血者死，白如枯骨者死，此五色之见死也；青如翠羽者生，赤如鸡冠者生，黄如蟹腹者生，白如豕膏者生，黑如乌羽者生，此五色之见生也。

师曰：人秉五常有五脏，五脏发五声，宫、商、角、徵、羽是也。五声在人，各具一体，假令人本声角，变商声者，为金克木，至秋当死，变宫、徵、羽皆病，以本声不可变故也。

五常者，性之德，仁、义、礼、智、信也。肝藏仁，其声角；肺藏义，其声商；心藏礼，其声徵；肾藏智，其声羽；脾藏信，其声宫。宫者喉音属土，声出于脾，大而和也；商者齿音属金，声出于肺，轻而劲也；角者牙音属木，声出于肝，调而直也；徵者舌音属火，声出于心，和而美也；羽者唇音属水，声出于肾，沉而深也。管子曰：凡听徵如负猪豕觉而骇，凡听羽如鸣鸟在树，凡听宫如牛鸣窌中，凡听商如离群羊，凡听角如雉登木。《琴学心声》云：声出于脾，合口而通之谓之宫。凡宫音和平沉厚其音雄洪，故其音宫者情恐而性信。声出于肺，开口而吐之谓之商。凡商音动跄以凝明，上达而下归于中，开口吐音其声铿锵也，故其音商者情怒而性义。声出于肝而张齿涌吻谓之角。凡角音员长通彻，中正而平，其音哽咽，故其音角者情喜而性仁。声出于心而齿合吻开谓之徵，凡徵音抑扬，嚱然有叹息之音，故其音微者情乐而性礼。声出于肾而齿开吻聚谓之羽，凡羽音嘤嘤而透彻，细小而高，故其音羽者情悲而性智。定五音者非舌不决，盖五音发于舌。舌居中者为宫，土位居中也。音发而舌微下者为商，金性阴沉也。音发而舌起曲者为角，木性曲直也。音发而舌上者为徵，火性炎上也。音发而舌下勾者为羽，水性润下也。能辨五声则经义自明，无待详释矣。

人本声宫，变角声者为木克土，至春当死；变商、徵、羽皆病。
人本声商，变徵声者为火克金，至夏当死；变宫、角、羽皆病。
人本声徵，变羽声者为水克火，至冬当死；变角、宫、商皆病。
人本声羽，变宫声者为土克水，至长夏当死；变角、商、徵皆病。
以上所言，皆人不病而声先变者，初变可治，变成难瘳；闻声之妙，差在毫厘，本不易晓，若病发声，则易知也。

十丝曰毫，十毫曰厘。《难经》云：闻而知之谓之圣。闻声之妙，岂易言哉。兹述其五声之辨，显然易晓者以资考证，临病之工所宜详察焉。

师持脉，病人欠者，无病也；脉之呻者，病也；言迟者，风也；摇头言者，里痛也；行迟者，表强也；坐而伏者，短气也；坐而下一脚者，腰痛也；里实护腹，如怀卵物者，心痛也。

欠，张口气悟也。《针经》曰：阳引而上，阴引而下，阴阳相引，故欠。阴阳不相引则病，阴阳相引则和，是欠者无病也。呻，为呻吟之声，身有所苦则然也。风客于中则经络急，舌强难运用也。里有病，欲言则头为之战摇。表强者，由筋络引急而行步不利也。短气者，里不和也，故坐而喜伏。《内经》曰：腰者，身之大关节也。腰痛为大关节不利，故坐不能正，下一脚以缓腰中之痛也。心痛则不能伸仰，护腹以按其痛。

病人长叹声，出高入卑者，病在上焦；出卑入高者，病在下焦；出入急促者，病在中焦有痛处；声唧唧而叹者，身体疼痛。问之不欲语，语先泪下者，必有忧郁；问之不语，泪下不止者，必有隐衷；问之不语，数问之而微笑者，必有隐疾。

叹，吟息也，卑，下也。病在上焦，故声出高；病在下焦，故声出卑；病在中焦有痛处者，气血滞结，阻其升降，故声出急促也。唧唧，痛吟之声。忧郁，患难切身而虑也。隐衷，方寸所蕴情，难语人也。隐疾，阴部之病，耻以告医也。

实则谵语，虚则郑声。假令言出声卑者，为气虚；言出声高者，为气实。欲言手按胸中者，胸中满痛；欲言手按腹者，腹中满痛；欲言声不出者，咽中肿痛。

谵语者，疾而寐语，妄谬无伦次也。为阳明病胃家实之证。郑声者，声变失正，语言重复也，为心气虚精神衰之证。夫言为心声，以气而发，故出声之卑高，可以候气之虚实也。胸腹中满痛，言则气相牵引，故须以手按其痛处也。咽者，胃之上管，在喉咙之后，其端与喉连，故咽中肿痛则欲言声不出也。

师曰：脉病人不病，名曰行尸。以无王气，卒眩仆不识人者，短命则死。人病脉不病，名曰内虚。以少谷神，虽困无苦。

《金鉴》：脉者，人之根本也，脉病人不病者，谓外形不病而见真脏病脉，其内本已绝，虽生犹死，不过尸居余气耳，故曰行尸也。余气者，未尽五脏生旺之余气也。若旺气一退，即卒然眩仆不识人而死矣；若良工早察于旺气未退之先而图之，未必无所补也。人病脉不病，谓外形羸瘦似病，其脉自和，以根本尚固，不过谷气不充，名曰内虚，虽困无害；胃气复，谷气充，自然实矣。谷神，即谷气也。

张令韶：谷神，乃水谷所化之神，人赖此以资生也；内虚食少，谷气不充，即无谷神矣。故曰无害。若无本然之胃神，安得谓之无害耶?

师曰：脉肥人责浮，瘦人责沉。肥人当沉今反浮，瘦人当浮今反沉，故责之。

方中行：肥人当沉者，肌肤厚，其脉深也，故求其病于浮。瘦人当浮者，肌肤薄，其脉浅也，故求其病于沉。

师曰：呼吸者，脉之头也。初持脉，来疾去迟，此出疾入迟，名曰内虚外实也；初持脉，来迟去疾，此出迟入疾，名曰内实外虚也。

张隐庵：平脉准于呼吸，审其来去之迟疾，则知内外之虚实也。夫脉者，周身经脉之气，会聚于两手之寸、关、尺，因息而动，故曰：呼吸者，脉之头。言以呼出吸入之气，而为脉之笔端也。平脉者，犹秤物而得其平也。来疾去迟，此出疾入迟，出主外，疾主有余，是为外实，入主内，迟主不足，是为内虚，故名曰内虚外实也。若初持脉，来迟去疾，此出迟入疾，出主外，迟主不足，是为外虚，入主内，疾主有余，是为内实，故名曰内实外虚也。

寸口卫气盛，名曰高；荣气盛，名曰章；高章相搏，名曰纲。卫气弱，名曰惵；荣气弱，名曰卑；惵卑相搏，名曰损。卫气和，名曰缓；荣气和，名曰迟；缓迟相搏，名曰沉。

《金鉴》曰：寸口，通指寸关尺而言也。卫主气为阳以候表，荣主血为阴以候里。脉随指有力上来，卫气盛也，谓之高；脉随指有力下去，荣气盛也，谓之章。高者长盛也，章者分明也。高章相合名曰纲，纲者以荣卫俱有余，有总揽之意也。脉随指无力上来，卫气弱也，谓之惵；脉随指无力下去，荣气弱也，谓之卑。惵者恍惚也，卑者缩下也。惵卑相合名曰损，损者以荣卫俱不足，有消缩之意也。

张令韶：荣卫阴阳之气皆会于寸口，故以寸口候荣卫之有余不足，以及和平也。卫气和名曰缓，缓者舒也。荣气和名曰迟，迟者徐也。荣卫俱和名曰沉，沉者沉实而不虚浮也，不刚不柔中和之气也。

阳脉浮大而濡，阴脉浮大而濡，阴脉与阳脉同等者，名曰缓也。

成无己：阳脉寸口也，阴脉尺中也。上下同等，无有偏胜者，是阴阳之气和缓也。

《金鉴》：此以阴阳同等，发明平人和缓之脉也。然缓脉有二义：和缓之缓，脉有力濡柔不大不小，以形状之缓验二气之和也；至数之缓，脉来四至从容，不徐不疾，以至数之缓，验胃气之和也。

张路玉：脉虽浮大而濡，按之仍不绝者为缓。若按之即无，是虚脉，非缓脉也。

问曰：二月得毛浮脉，何以处言至秋当死？二月之时脉当濡弱，反得毛浮者，故知至秋死。二月肝用事，肝属木，脉应濡弱，反得毛浮脉者是肺脉也，肺属金，金来克木，故知至秋死。他皆仿此。

张令韶：此言五脏宜相生，而不宜相克也。举一肺金肝木，而他脏仿此矣。二月肝旺之时不能自旺，反为胜我者而乘之，肝气惫矣。然不即死者，以尚有旺气相扶，所谓自得其位也。至秋而死者，木绝于申，金旺木空，脏气孤危，全无所倚，故死。

师曰：立夏得洪大脉，是其本位，其人病身体苦疼重者，须发其汗；若明日身不疼不重者，不须发汗；若汗濈濈自出者，明日便解矣。何以言之，立夏脉洪大是其时脉，故使然也，四时仿此。

成无己：脉来应时为正气内固，虽外感邪气，但微自汗出而亦解尔。《内经》曰：脉得四时之顺者，病无他。

问曰：凡病欲知何时得，何时愈，何以知之？师曰：假令夜半得病者，明日日中愈；日中得病者，夜半愈。何以言之，日中得病夜半愈者，以阳得则阴解也；夜半得病明日日中愈者，以阴得阳则解也。

成无己：日中得病者阳受之，夜半得病者阴受之。阳不和，得阴则和，是解以夜半。阴不和，得阳则和，是解以日中。经曰：用阳和阴，用阴和阳。

问曰：脉病欲知愈未愈者，何以别之？师曰：寸口、关上、尺中三处，大小、浮沉、迟数同等，虽有寒热不解者，此脉阴阳为和平，虽剧当愈。

柯韵伯：阴阳和平，不是阴阳自和，不过是纯阴纯阳，无驳杂之谓耳。究竟是病脉，虽剧当愈，非言不治自愈，正使人知此为阴阳偏胜之病脉，阳剧者当治阳，阴剧者当治阴，必调其阴阳使其和平，失此不治反加剧矣。

师曰：寸脉下不至关，为阳绝；尺脉上不至关，为阴绝。此皆不治，决死也。若计其余命生死之期，期以月节克之也。

《金鉴》：寸位乎上，候心肺之阳，主升，升极而降，降不至关，是为孤阳。故曰：寸脉下不至关，为阳绝也。尺位乎下，候肝肾之阴，主降，降极而升，升不至关，是为独阴，故曰：尺脉上不至关，为阴绝也。关位乎中，以候脾，界乎寸尺，所以升降出入者也，今上下不至关，是升降出入息矣，故曰：此皆不治，决死也。若阴阳已离，胃气未绝，尚可计余命之期，期以月节克之，如经曰：阴胜则阳绝，能夏不能冬；阳胜则阴绝，能冬不能夏；肝死于秋，心死于冬，脾死于春，肺死于夏，肾死于长夏之类是也。推之于日、于时亦然。

脉浮者在前，其病在表；浮者在后，其病在里。假令濡而上鱼际者，宗气泄也；孤

而下尺中者，精不藏也。若乍高乍卑，乍升乍坠，为难治。

魏念庭：凡人脉左右三部九候，以相配停匀为无病之脉，若独见一脉异于他脉，则病脉也。然独见之脉多端，试以浮先言之。师曰：病人脉，浮者在前，寸部之脉；浮者在后，尺部之脉也。寸部得浮，上以候上，其病必在表，为天气外感之证也；尺部得浮，下以候下，其病必在里，为人气内伤之证也。

徐忠可：以前后分浮脉之阴阳，而定表里，此仲景创论也。宗气者，十二经脉君主之官心脏，原动力也。泄，犹脱也。《素问·平人气象论》：胃之大络，名曰虚里，贯膈络肺出于左乳下，其动应衣脉宗气也。又云：乳之下其动应衣，宗气泄也。仲景候之鱼际，亦创论也。脉独见于尺中，乃孤阴无阳之候，故曰精不藏也。若脉忽高忽卑、忽升忽坠，是阴阳之气错乱，五脏之气不平已极，故为难治。

寸口脉缓而迟，缓则阳气长，其色鲜，其颜光，其声商，毛发长；迟则阴气盛，骨髓生，血满，肌肉紧薄鲜鞕。阴阳相抱，荣卫俱行，刚柔相得，名曰强也。

商，清也。相抱，言和洽也。相得，言合济也。

张隐庵：此节申明上文缓迟之意。寸口脉缓而迟，承上文而言也。卫气和，名缓。夫卫为阳而主气，故缓则阳气长，其色鲜，其颜光，卫气充于外也。其声商，毛发长，卫气盛于内也。上文云：荣气和，名曰迟。夫荣为阴而主血，故迟则阴气盛，骨髓生。血满，荣血盛于内也。肌肉紧薄鲜硬，荣血充于外也。夫卫气和而缓，荣气和而迟，则阴中有阳，阳中有阴，阴阳相抱。阴阳相抱，则荣行脉中，卫行脉外，故荣卫俱行。阴阳相抱，荣卫俱行，则刚柔相得而运行不息，故名曰强也。

寸口脉，浮为在表，沉为在里，数为在腑，迟为在脏。假令脉迟，此为在脏也。

《金鉴》：寸口，通指三部而言也。此以浮、沉、迟、数，候人表、里、脏、腑之诊法也。浮者，皮肤取而得之脉也，浮主表，故曰：浮为在表。沉者，筋骨取而得之脉也，沉主里，故曰：沉为在里。数者，一息六至之脉也，数主阳，腑属阳，故曰：数为在腑。迟者，一息三至之脉也，迟主阴，脏属阴，故曰：迟为在脏。假令其人脉迟，此为病在脏，举一迟脉以例其余也。

寸口脉浮而紧，浮则为风，紧则为寒，风则伤卫，寒则伤荣，荣卫俱病，骨节烦疼，当发其汗也。

张隐庵：寸口脉浮而紧，浮者阳脉也，风者阳邪也，故浮则为风，紧者阴脉也，寒者阴邪也，故紧则为寒。

成无己：卫为阳，荣为阴，风为阳，寒为阴，各从其类而伤也。卫得风则热，荣得寒则痛，荣卫俱病，故致骨节烦痛，当与麻黄汤发汗则愈。

寸口脉浮而数，浮为风，数为热，风为虚，虚为寒，风虚相搏，则洒淅恶寒也。

张令韶：风邪伤表而致气虚也。风伤表，故浮为风。邪之所凑，其气必虚，故数为虚。风则生热，虚则生寒，风寒相搏，则外寒束其内热，故洒淅恶寒也。

张隐庵：诸脉浮数，当发热而洒淅恶寒。故浮为风而属于热，数为虚而属于寒，风虚相搏则洒淅恶寒，言表阳之气为风邪所伤而虚寒也。

问曰：病有洒淅恶寒，而复发热者，何也？师曰：阴脉不足，阳往从之，阳脉不足，阴往乘之。曰：何谓阳脉不足？师曰：假令寸口脉微，名曰阳不足，阴气上入阳中，则洒淅恶寒也。曰：何谓阴脉不足？师曰：尺脉弱，名曰阴不足，阳气陷入阴中，则发热也。阴脉弱者，则血虚，血虚则筋急也。其脉涩者，荣气微也；其脉浮，而汗出如流珠者，卫气衰也。荣气微者，加烧针则血留不行，更发热而燥烦也。

《金鉴》：此以寸、尺发明阴阳相乘为病之脉也。若脉紧无汗，洒淅恶寒发热者，是伤寒也。脉缓有汗，洒淅恶寒发热者，是中风也。今寸脉微，洒淅恶寒者，是阳不足，阴气上乘，入于阳中也。尺脉弱，发热者，是阴不足，阳气下陷入于阴中也。此内伤不足，阴阳相乘，有休止之恶寒发热，非外感有余，风寒中伤荣卫，无休止之恶寒发热也。

黄竹斋：内伤不足之恶寒发热，故阴脉弱。其血不足养筋，则筋急也。其脉涩者，以荣气内虚力微也。其脉浮而汗出如流珠者，以卫气外衰不固也。烧针者，针其穴而复以艾灸其针柄，阳虚下陷者所宜。若荣气微者，为血不足阴虚之证，误加烧针则经脉受伤，血泣而不行，因火为邪，两热相合，阳得其助，阴受其损，故更外发热而内燥烦也。

寸口脉阴阳俱紧者，法当清邪中于上焦，浊邪中于下焦。清邪中于上，名曰洁也；浊邪中下，名曰浑也。阴中于邪，必内栗也。表气虚微，里气不守，故使邪中于阴也；阳中于邪，必发热头痛，项强颈挛，腰痛胫酸，所谓阳中雾露之气，故曰清邪中上。浊邪中下，阴气为栗，足膝逆冷，便溺妄出，表气微虚，里气微急，三焦相溷，内外不通，上焦怫郁，脏气相熏，口烂食龂也。中焦不治，胃气上冲，脾气不转，胃中为浊，荣卫不通，血凝不流。若卫气前通者，小便赤黄，与热相搏，因热作使，游于经络，出入脏腑，热气所过，则为痈脓；若阴气前通者，阳气厥微，阴无所使，客气内入，嚏而出之，声嗢咽塞；寒厥相追，为热所拥，血凝自下，状如豚肝；阴阳俱厥，脾气孤弱，

五液注下，下焦不阖，清便下重，令便数难，脐筑湫痛，命将难全。

张令韶：寸口脉阴阳俱紧，概尺寸浮沉而言也。阴阳俱紧，法当清湿之邪中于上焦，浊湿之邪中于下焦，清所以为洁，浊所以为浑也。三阴主内，若清浊之邪中于阴，则三阴之气虚而内为之战栗也。栗者，畏缩之貌，有不能战而自溃之象。此由三阳表气微虚，以致三阴之里气不守，故使邪中于阴也。三阳主表，若清浊之邪中于阳，必发热，所谓得阳热之化也。头痛、项强、颈挛，清邪之中于上也。腰痛胫酸，浊邪之中于下也。夫所谓清邪、浊邪者，即雾露之气，在天为雾露之清邪，在地为水湿之浊邪，因上下而分清浊，故曰：清邪中上，浊邪中下。此结阳中于邪之意也。若阴中于邪则不发热而寒栗，阴气盛也。三阴之脉俱起于足大小指之端，故足膝逆冷也。三阴之气主大小便，故便溺妄出也。此三阳之表气微虚于外，以致三阴之里气微急于内也。三焦者，所以通会元真于肌腠，主行荣卫阴阳者也。表里之气虚急，则三焦相溷而内外不通矣。溷者，上中下混乱而不分也。上下不分，故外不通，是以上焦溷而怫郁于上。经云：上焦者，受气而营诸阳者也。今不能宣营诸阳，内脏真阳热之气反熏于上，而口烂食龂（音yín）也。龂者，齿根也。食者，如日月之食而缺也。中焦溷而不治于中，则胃气不归于部而反上冲，脾气不能转输，而胃之津液不行，则胃中为浊。荣出中焦，卫出下焦，三焦溷乱，则荣卫之气亦不通矣。荣行脉中，卫行脉外，荣卫不通则血脉凝泣而不流矣。此三焦相溷，荣卫不通之咎也。若止卫气前通而阴气未至，则小便赤黄。卫气与热气相搏，因热作使游行于经络之间，出入于脏腑之内，所过之处，即为痈脓。若止阴气前通而阳气不相交接，便为厥。阳在外，阴之使，无阳则阴无所使。卫者，卫外而为固也，外卫虚微，客气易于内入，里气不纳，仍复嚏而出之。声唱者，声混浊而难出之貌。声唱咽塞，阴阳不相交通之象也。寒气厥逆，往来驰逐，又为热气所壅不得外出，寒为热壅，故血凝自下，色如豚肝之状也。经气不通，阴阳乖离，故阴阳俱厥也。脾为孤脏，灌溉四旁者也。今不能溉于四旁，则孤而且弱矣。脾气孤弱，则不能收摄五脏之津液，而五液注下矣。下焦主阖，今溷而不阖，则清便下重矣。清便者，下利清谷也。下重者，里急后重也。令便数难者，欲便而又不得便，阴阳之气逆而不能施化也。脐者，腹之中央，不曰腹痛而曰脐痛者，脐为生气之原，三阴之所主，今五脏三阴之气将绝，故筑然而湫痛也。筑者，筑然动也。湫者，湫然难忍也。神去机息，气止化绝，故曰：命将难全。

方中行："阴中于邪"已下，至"浊邪中下"一节，是释上文。阴即下焦，阳即上焦也。"阴气为栗"已下，至"血凝不流"，是言证。"若卫气前通"已下，言变痈脓之故。"若阴气前通"已下，言变脓血利之故。"阴阳俱厥"已下，言证并于里而加重，故曰：命将难全也。

寸口脉阴阳俱紧者，口中气出，唇口干燥，蜷卧足冷，鼻中涕出，舌上苔滑，勿妄治也。到七日以来，其人微发热，手足温者，此为欲解；或到八日以上，反大发热者，此为难治。设使恶寒者，必欲呕也；腹内痛者，必欲利也。

张隐庵：此承上文之意而言浊邪在中也。脉阴阳俱紧者，浊邪在中，上下相持也。口者脾之窍，胃脉挟口环唇，口中气出，唇口干燥，病伤脾胃也。土气不能旁达于四肢，故蜷卧足冷。太阴脾肺不交，故鼻中涕出。脾脉连舌本，散舌下，湿邪在内，故舌上苔滑。此邪干中上，病伤脾胃，非外感之邪，勿妄治也。到七日以来，其人微发热者，阳明土气自和也。手足温者，太阴上气自和也，故曰：此为欲解也。或到八日以上，反大发热者，阳气外驰，非土气柔和之热，故曰：此为难治。夫未到八日而设使恶寒者，乃胃络外行于肌表，必欲呕也，呕则谷饪之邪从上出矣。腹内痛者，乃脾气内逆于中土，必欲利也，利则溷（音 hùn）浊之邪从下出矣。

寸口脉阴阳俱紧，至于吐利，其脉独不解，紧去人安，此为欲解。若脉迟至六七日，不欲食，此为晚发，水停故也，为未解；食自可者，为欲解。

方中行：至于吐利，乃承上条欲呕欲利，而又以其变成者言。独不解，言证变而脉独在也。晚发，言后来更又发也，已上三条，一证而三变耳。

张令韶：少阴篇云：脉阴阳俱紧，属少阴，法当吐利。脉紧者，少阴之阴寒甚也，故至于吐利而脉紧独不解。若紧脉去，则吐利止而人安，故为欲解。解者，紧去而寒解也。若紧虽去而复迟，此寒虽去而中土虚不能制水，故至六七日不欲食，谓之晚发。以少阴之寒发在先，而少阴之水发在后，水停于中故也。寒得水气，两寒相得，故为未解。食自可者，阳明土气胜，少阴水势衰，故为欲解。

寸口脉浮而大，有热，心下反硬，属脏者，攻之不令发汗；属腑者，不令溲数，溲数则大便硬。汗多则热甚，溲数则便难。脉迟者，尚未可攻也。

成无己：浮大之脉，当责邪在表，若心下反硬者，则热已甚而内结也。有热属脏者，为别无虚寒，而但见里热也。脏属阴，为悉在里，故可攻之。攻之，谓下之也，不可谓脉浮大，更与发汗。虽心下硬，若余无里证，但见表证者，为病在阳，谓之属腑，当先解表，然后攻痞。溲，小便也。勿为饮结而利小便，使其溲数，大便必硬也。经曰：小便数者，大便必硬，谓走其津液也。汗多，则邪气除而热愈，汗少，则邪热不尽，又走其津液，必便难也。硬家当下，识脉迟，则未可攻，以迟为不足，即里气未实故也。

问曰：病有战而汗出，因得解者，何也？师曰：脉浮而紧，按之反芤，此为本虚，故当战而汗出也。其人本虚，是以发战。以脉浮紧，故当汗出而解也。若脉浮而数，按之不芤，此人本不虚；若欲自解，但汗出耳，不发战也。

成无己：浮为阳，紧为阴，芤为虚。阴阳争则战，邪气将出，邪与正争，其人本虚，是以发战。正气胜则战，战已复发热而大汗解也。浮、数，阳也。本实阳胜，邪不能与正争，故不发战也。

问曰：病有不战而汗出解者，何也？师曰：脉大而浮数，故不战而汗出解也。

成无己：阳胜则热，阴胜则寒，阴阳争则战。脉大而浮数皆阳也，阳气全胜，阴无所争，何战之有。

问曰：病有不战、不汗出而解者，何也？师曰：其脉自微，此以曾发汗，若吐，若下，若亡血，以内无津液，此阴阳自和，必自愈，故不战、不汗出而解也。

张令韶：上节言其人本虚，是不经发汗、吐下、亡血而自虚也。此节言脉自微，因曾经发汗、吐下、亡血之后，以致内亡其津液而脉自微，非关自虚之故，然津液虽亡，阴阳自和，必自然而愈。以非本虚，故不发战，以亡津液，故不汗出，以阴阳和故解也。

问曰：伤寒三日，脉浮数而微，病人身凉和者，何也？师曰：此为欲解也。解以夜半。脉浮而解者，濈然汗出也；脉数而解者；必能食也；脉微而解者，必大汗出也。

成无己：伤寒三日，阳去入阴之时，病人身热，脉浮数而大，邪气传也；若身凉和，脉浮数而微者，则邪不传而欲解也。解以夜半者，阳生于子也。脉浮，主濈然汗出而解者，邪气微也。

王肯堂：上言脉微，故不汗出而解；此言脉微，而解必大汗出。上以曾经吐下亡血，邪正俱衰，不能作汗而解；此以未经汗下，血气未伤，正盛邪衰，故大汗出而解。

脉浮而迟，面热赤而战惕者，六七日当汗出而解；反发热者，差迟。迟为无阳，不能作汗，其身必痒也。

张隐庵：脉浮而迟者，阳气盛而阴血虚也。面热赤而战惕者，阳气盛，故热赤；阴血虚，故战惕。六七日乃从阴出阳之期，故当汗出而解；至此不解，反发热者，阳气偏胜不能即痊，故曰差迟。差迟者，为阳气外浮而不加于里阴。无阳者，里无阳也。盖阳加于阴谓之汗，无阳则阴无以化，故不能作汗。夫不能作汗，则经脉不外通于肌表，故其身必痒也。

病六七日，手足三部脉皆至，大烦而口噤不能言，其人躁扰者，未欲解也。若脉和，其人不烦，目重，睑内际黄者，此欲解也。

成无已：传经之时，病人身大烦，口噤不能言，内作躁扰，则阴阳争胜。若手足三部脉皆至，为正气胜，邪气微，阳气复，寒气散，必欲解也。脉经曰：病人两目眦有黄色起者，其病方愈。病以脉为主，若目黄、大烦、脉不和者，邪胜也，其病为进。目黄、大烦而脉和者，为正气已和，故云欲解。

师曰：伏气之病，以意候之，今月之内，欲知伏气。假令旧有伏气，当须脉之。若脉微弱者，当喉中痛，似伤，非喉痹也。病人云：实咽中痛。虽尔，今复宜下之。

成无已：冬时感寒，伏藏于经中，不即发者，谓之伏气。至春分之时，伏寒欲解，故云：今月之内，欲有伏气。假令伏气已发，当须脉之，审在何经。得脉微弱者，知邪在少阴，少阴之脉循喉咙，寒气客之，必发咽痛；肾可开阖，少阴治在下焦，寒邪内甚，则开阖不治，下焦不约，必成下利。故云：虽尔咽痛，复欲下利。

黄竹斋：通行本末句作“今复欲下利”。

师曰：病家人请云：病人苦发热，身体痛，病人自卧，师到，诊其脉沉而迟者，知其差也。何以知之？凡表有病者，脉当浮大，今反沉迟，故知愈也。假令病人云；腹内卒痛，病人自坐，师到，脉之浮而大者，知其差也；凡里有病者，脉当沉细，今浮大，故知愈也。

张令韶：发热身疼，表病也，沉而迟，里脉也，以表病而得里脉，乃热除身凉之象也，故知当愈。腹内痛，里病也，浮而大，表脉也，以里病而得表脉，乃气机外达之候也，故知当愈。《经》云：知一为工，知二为上，知三为神。发热、身疼、腹痛，问而知之也；自卧自坐，望而知之也；沉迟浮大，脉而知之也。此虽切脉而知其当愈，然亦必兼望、问而更精切也。

魏子千：发热、身痛、脉反沉迟，是阳病而见阴脉，何以说得愈也？答曰：是必望其有恬然嗜卧之状，问其有热除身轻之意，而后合脉以断其愈也。

师曰：病家人来请云：病人发热烦极，明日师到，病人向壁卧，此热已去也。设令脉不和，处言已愈；设令向壁卧，闻师到不惊，起而盼视，若三言三止，脉之咽唾者，此诈病也；设令脉自和，处言此病大重，当须服吐下药、针灸数十百处乃愈。

张令韶：发热烦极之证而向壁安卧，知热烦已去也。脉虽不和，处言已愈，凭其证不凭其脉也。以发热烦极之证，闻师到，当惊起盼视、语言无序、津液不足，今言止有次序，而脉之咽唾，此为诈病者，非药之所能愈，宜惊吓之彼，自愈也。

程知：彼以诈病，我以诈治，非良工不能具是巧也。

问曰：脉有灾怪，何谓也？师曰：假令人病，脉得太阳，与形证相应，因为作汤，比还送汤如食顷，病人乃大吐，若下利，腹中痛。师曰：我前来不见此证，今乃变异，是名灾怪。又问曰：何缘作此吐利？师曰：或有旧时服药，今乃发作，故为灾怪耳。

成无己：医以脉证与药相对而反变异，为其灾可怪，故名灾怪。

方中行：此勉医家、病家当两相敬慎，庶不为灾怪，致生疑累之意。

第二节　平脉法下

问曰：脉有阴阳，何谓也？师曰：凡脉大、浮、数、动、滑，此名阳也；脉沉、涩、迟、弦、微，此名阴也。凡阴病见阳脉者生，阳病见阴脉者死。

张隐庵：此辨脉法之大纲也。脉之大体不离阴阳，阳脉阴脉其名不一，揆其大要，凡大、浮、数、动、滑五脉，此名阳也；沉、涩、迟、弦、微五脉，此名阴也。夫诊脉而别阴阳，非为脉也，为病也。凡阴病见阳脉，得阳盛生长之气，故主生。凡阳病见阴脉，得阴寒消索之气，故主死。凡病皆然，不独伤寒也。

成无己：阴病见阳脉而主生者，则邪气自里之表，欲汗而解也，如厥阴中风，脉微浮为欲愈，不浮为未愈者，是也。阳病见阴脉而主死者，则邪气自表入里，正虚邪胜，如谵言妄语，脉沉细者死，是也。《金匮要略》曰：诸病在外者可治，入里者即死。此之谓也。

阴阳相搏名曰动，阳动则汗出，阴动则发热。形冷恶寒者，此三焦伤也。若数脉见于关上，上下无头尾，如豆大，厥厥动摇者，名曰动也。

成无己：动，为阴阳相搏，方其阴阳相搏而虚者，则动。阳动为阳虚，故汗出；阴动为阴虚，故发热也。如不汗出、发热，而反形冷、恶寒者，三焦伤也。三焦者，原气之别使，主行气于阳。三焦既伤，则阳气不通而微，致身冷而恶寒也。《金匮要略》曰：阳气不通即身冷。《经》曰：阳微则恶寒。《脉经》曰：阳出阴入，以关为界，关为阴阳之中也。若数脉见于关上，上下无头尾，如豆大，厥厥动摇者，是阴阳之气相搏也，故名曰动。

方中行：搏，圜捏而攒聚也。阴阳相搏之阴阳，以二气言；阳动阴动之阴阳，以部位言。阳动则阴随，故汗出。阴动则阳应，故发热。厥厥，举发貌。

黄坤载：关上动数如豆，厥厥动摇，上下不至尺寸，此死脉也。

脉来缓，时一止复来者，名曰结。脉来数，时一止复来者，名曰促。脉阳盛则促，阴盛则结，此皆病脉。又脉来动而中止，更来小数，中有还者反动，名曰结阴也；脉来

动而中止，不能自还，因而复动者，名曰代阴也。得此脉者，必难治。

张隐庵：脉来缓者，一呼一吸不及四至也。时一止者，暂有停止不相续也。复来者，暂一止而复来也。此缓而时止，乃阴气有余、阳气不足，故此名为结脉。脉来数者，六至为数。亦时一止复来者，乃阳气有余、阴气不足，故此名为促脉。夫阴虚阳盛则促，阳虚阴盛则结，故曰此皆病脉。

钱天来：结者，邪结也；脉来停止暂歇之名，犹绳之有结也。凡物之贯于绳上者，遇结必碍，虽流走之甚者，亦必少有逗留乃得过也。此因气虚血涩，邪气间隔于经脉之间耳。动而中止者，非阴阳相搏之动也；谓缓脉正动之忽然中止，若有所遏而不得动也。更来小数者，言止后更勉强作小数。小数者，郁而复伸之象也。小数之中有脉还而反动者，名曰结阴，阴盛则结，故谓之结阴也。代，替代也；气血虚惫，真气衰微，力不支给，如欲求代也。动而中止句与结脉同。不能自还因而复动者，前因中止之后，更来小数，随即有还者反动，故言自还；此则止而未即复动，若有不复再动之状，故谓之不能自还；又略久复动，故曰因而复动。本从缓脉中来，为阴盛之脉，故谓之代阴也。

尤在泾：凡病得此脉者，攻之则邪未必去而正转伤，补之则正未得益而邪反滞，故曰难治。

《诊家正眼》：结脉之止，一止即来；代脉之止，良久方至。《内经》以代脉之见为脏气衰微，脾气欲脱之诊也。唯伤寒心悸、怀胎三月，或七情太过，或跌仆重伤，及风家、痛家，俱不忌代脉，未可断其必死。

脉阴阳俱促，当病血，为实；阴阳俱结，当亡血，为虚。假令促上寸口者，当吐血，或衄；下尺中者，当下血。若乍促乍结，为难治。

此承上节，申言促结应病之候。脉阴阳俱促者，谓寸口尺中俱见促脉也。促为阳盛热结血瘀之候，故曰当病血，为实。实谓邪气盛也。结为阴盛血泣气阻，乃亡血后之脉，故曰当亡血，为虚。虚为正气夺也。假令促脉上溢寸口者，为上焦阳盛，血溢上行之病，当主吐血，或鼻中衄血也。若促脉下覆尺中者，为下焦阳盛，血溢下行之病，当主大便下血也。若脉见乍促乍结者，为阴阳气血之乱而神失守，脏气不能至经之候。病入脏者，半死半生，故为难治。

脉数者，久数不止，止则邪结，正气不能复，却结于脏，故邪气浮之，与皮毛相得。脉数者，不可下，下之必烦，利不止。

黄坤载：凡外见数脉，必有里阴格阳，阳不下根，故动数失度。久数而不见停止，里阴未结也。一见停止，则阴邪结矣。正气内复，虽结必消。正气不能内复，则邪气却结于脏，盘踞根深，外逼阳气浮于皮毛之部，是以脉数。脉数者，不可下，下之阴邪愈旺，必上烦、下利不止。盖盛于外者，必虚于内；见其外盛而知其内虚，是为良工。

问曰：脉有阳结阴结者，何以别之？师曰：其脉浮而数，能食不大便者，此为实，名曰阳结也，期十七日当剧。其脉沉而迟，不能食，身体重，大便反硬，名曰阴结也，期十四日当剧。

程郊倩：不曰病有，而曰脉有，二气所禀有偏胜也。阳结者偏于阳，而无阴以生液；阴结者偏于阴，而无阳以化液；皆以脉之浮而数、沉而迟辨之也。

方中行：浮数、能食，皆阳也。实，谓胃家实。阳以风言，谓由中风而结为实硬也。沉迟、不能食、身体重，阴也。硬实互文，阴以寒言，谓由伤寒而结为胃实也。

《金鉴》：脉浮大而数，蔼蔼如车盖者，阳结实脉也；脉沉石而迟，累累如循长竿者，阴结实脉也。阳结证，身轻能食，阳能消谷也。不大便，期十七日当剧者，阳体终燥，故迟三日也。阴结证，身重不能食，阴不能消谷也。不大便，期十四日当剧者，阴体终濡，故早三日也。剧者，谓不大便，里急后重，且满，不可再待时日，宜早图之也。故或润窍以导之，软坚以下之，不致临期燥屎巨硬，谷道难出，窘苦万状也。凡病后伤液，多有此证，阅历深者，自知也。

脉蔼蔼如车盖者，名曰阳结也。脉累累如循长竿者，名曰阴结也。

张令韶：上节言阳结阴结，此复形容其脉象也。蔼蔼如车盖，圆大而空，阳浮于外，不能内归于阴也。累累如循长竿者，细长而坚，阴敛于内，不能外达于阳也。

脉瞥瞥如羹上肥者，阳气微也。脉萦萦如蜘蛛丝者，阴气衰也。脉绵绵如泻漆之绝者，亡其血也。

《金鉴》：瞥瞥如羹上肥者，形容脉之浮而无力，即卫气衰之濡脉，故曰阳气微也。萦萦如蜘蛛丝者，形容脉细小难于寻按，而浮中沉似有似无，即阴不足之细脉，故曰阴气衰也。绵绵如泻漆之绝者，形容脉之沉而无力，即荣气微之弱脉，故曰亡其血也。

方中行：羹上肥，言轻浮而若有若无也。萦萦，犹绕绕也。蜘蛛丝，言柔弱而极细也。

问曰：脉有残贼，何谓也？师曰：脉有弦、紧、浮、滑、沉、涩，此六脉名曰残贼，能为诸脉作病也。

成无己：经脉者，荣卫也；荣卫者，阴阳也。其为诸经脉作病者，必由风寒暑湿伤于荣卫，客于阴阳之中；风则脉浮，寒则脉紧，中暑则脉滑，中湿则脉涩，伤于阴则脉沉，伤于阳则脉浮。所以谓之残贼者，伤良曰残，害良曰贼，以能害正气也。

方中行：浮、滑，阳盛也。沉、涩、弦、紧，阴盛也。阳盛为太过，阴盛为不及，皆可怪之脉，能伤害血气者也。诸脉，谓各部之脉也。作，起也。言六者，若见于各部之脉中，则皆能为其部生起病端；如太阳之为病脉浮，伤寒脉阴阳俱紧之类。所谓邪不空见者，此之谓也。

问曰：脉有相乘，有纵有横，有逆有顺，何谓也？师曰：水行乘火，金行乘木，名曰纵；火行乘水，木行乘金，名曰横；水行乘金，火行乘木，名曰逆；金行乘水，木行乘火，名曰顺也。

《金鉴》：此以人之五脉，候人五脏不平之诊法也。人之五脏法天五行，肝木、心火、脾土、肺金、肾水，此相属也。木生火，火生土，土生金，金生水，水生木，此相生也。木克土，土克水，水克火，火克金，金克木，此相克也。相生者生，相克者死，人之脏气亦然。故其脉有相乘，有纵有横，有逆有顺也。水乘火，金乘木，乘其所胜是相克也，名曰纵；火乘水，木乘金，乘所不胜是反侮也，名曰横；水乘金，火乘木，子乘其母是倒施也，名曰逆；金乘水，木乘火，母乘其子是相生也，故曰顺。五脏之脉，肝弦、心洪、脾缓、肺浮、肾沉，五脏各见本脉，自无病也。若见他脉，以此推之。纵者病甚，横者病微，逆者病虚，顺者病实也。

问曰：濡弱何以反适十一头？师曰：五脏六腑相乘，故令十一。

张令韶：胃者，五脏六腑之本也，五脏六腑之中俱有胃气。如肝脉微弦濡弱而长，弦长者，肝脉也；濡弱者，胃气也。以胃气而间于五脏六腑之中，则为濡弱。以胃气而自见其脉，则又迟而缓，故曰趺阳脉迟而缓，胃气如经也。由是而知迟缓与濡弱，皆胃土之脉也。故问濡弱何以反适十一头，答以十一者五脏六腑也。五脏六腑皆禀气于胃，故胃腑之气皆相乘于五脏六腑之中也。适，至也。乘，往也。言胃气往乘于五脏六腑之中，相合而为十一也。

脉阴阳俱弦，无寒热，为病饮。在浮部，饮在皮肤；在中部，饮在经络；在沉部，饮在肌肉。若寸口弦，饮在上焦；关上弦，饮在中焦；尺中弦，饮在下焦。

本论：平人食少饮多，水停心下，久久成病，甚者则悸，微者短气。脉双弦者，寒也；脉偏弦者，饮也。又云：心下有痰饮，胸胁支满，目眩，脉沉弦者，苓桂术甘汤主之。悬饮内痛，脉沉而弦者，十枣汤主之。是弦为病饮之脉也；然伤寒之脉阴阳俱紧，与病饮之脉阴阳俱弦者相似；阳明病脉亦有弦紧者，发热不恶寒；少阳病脉弦细，而往来寒热；故诊得弦脉，必审其无恶寒发热之三阳证，始可断为病饮也。再察其弦脉，若在浮部，知饮之外流皮肤也。若弦脉在中部，知饮之流于经络也。若弦脉见沉部，知饮之流于肌肉也。若寸脉弦，饮在上焦。关脉弦，饮停中焦。尺脉弦，饮在下焦。在表者，汗而发之；在中者，温而散之；在内者，利而渗之。在上焦则吐之，在中焦则导之，在下焦则利之。

脉弦而紧者，名曰革也。弦者状如弓弦，按之不移也；脉紧者，如转索无常也。

成无己:《脉经》云：弦与紧相类，以弦为虚，故虽紧而弦，而按之不移，不移则不足也。按：此言弦脉与紧相合，而成革脉也。弦者，状如弦之张于弓端，直而不移也。紧者，如合绳者之转索，愈转愈紧也。弦紧相合，硬而劲直，按之如鼓皮，故名之曰革，乃外急中空之象也。

脉弦而大，弦则为减，大则为芤；减则为寒，芤则为虚；寒虚相搏，此名为革。妇人则半产、漏下，男子则亡血、失精。

成无己：弦则为减，减则为寒，寒者谓阳气少也。大则为芤，芤则为虚，虚者谓血少不足也。所谓革者，言其既寒且虚，则气血改革，不循常度。男子得之，为真阳减而不能内固，故主亡血、失精。妇人得之，为阴血虚而不能滋养，故主半产、漏下。

《金鉴》：脉形粗大有力，谓之大。浮沉有力，中取无力，状如葱管，谓之芤。沉而且大，按之劲急有力，谓之牢。浮而且大，举之劲急有力，谓之革。革脉者，以鼓革而得名，外急中空之象也。

问曰：曾为人所难，紧脉从何而来？师曰：假令亡汗若吐，以肺里寒，故令脉紧也；假令咳者，坐饮冷水，故令脉紧也；假令下利，以胃虚冷，故令脉紧也。

张令韶：此明紧脉之所由来。而曰肺里寒、坐饮冷水、胃中虚冷者，总以见紧脉之为寒也。亡汗，阳气衰也。吐，膈气伤也。肺主诸气者也，假令亡汗若吐，以肺里寒，不能主持诸气，故令脉紧，此紧脉之从肺里寒而来也。假令咳者，饮冷伤肺，故令脉紧，此紧脉之从坐饮冷水而来也。假令下利者，胃中虚冷，故令脉紧，此紧脉之从胃中虚冷而来也。观此则诸紧为寒，可不言而喻矣。

《金鉴》：脉紧若与浮同见，无汗则为伤寒实邪，有汗则为亡阳虚邪。与沉同见，腹痛不便则为中寒实邪，腹痛下利则为中寒虚邪。由此推之，凡诸实脉从虚化者，即未可谓之实矣。

寸口脉浮而紧，医反下之，此为大逆。浮则无血，紧则为寒，寒气相搏，则为肠鸣。医乃不知，而反饮冷水，令汗不出，水得寒气，冷必相搏，其人即噎（音 yē）。

寸口脉浮而紧，为寒邪在表，法当发其汗而解。医反下之攻其正气，致寒邪乘虚入里，此为误治之大逆也。夫浮为荣气虚则无血，紧则为寒，寒气相搏，逐于肠间则为肠鸣。医乃不知，见外不解，而反饮冷水，令汗不出，水得寒气，两冷相搏，胃气乃滞，反逆激冲，其人即噎。噎者，胃虚伤冷而痉挛发噎，食不下之谓也。不治，将成噎膈。

寸口脉微，尺脉紧，其人虚损多汗，知阴常在，绝不见阳也。

张令韶：寸口脉微，阳气衰也。尺脉紧，阴气盛也。阳衰阴盛，以致其人虚损而多汗也。微与紧，阴脉也；虚损多汗，阴病也；以阴病而见阴脉，则知阴常在而不见有生阳之气矣。故曰：知阴常在，绝不见阳也。

寸口脉浮而大，浮为风虚，大为气强，风气相搏，必成隐疹，身体为痒。痒者名泄风，久久为痂癞。

张隐庵：此申明浮大之脉见于寸口，则为泄风痂癞也。浮为风虚者，正气虚而风薄之也。大为气强者，风邪在表而气机强盛也。风气相搏于皮肤肌腠之间，故必成隐疹而身体为痒。痒者，阳也；风乃阳邪，外干皮腠，故名泄风。久久则从皮肤肌腠而入于经脉，故为痂癞。痂癞者，厉风也。

成无己：痂癞者，眉少发稀，身有干疮而腥臭；《内经》曰：脉风成为疠是也。

寸口脉浮而大，浮为虚，大为实；在尺为关，在寸为格。关则不得小便，格则吐逆。

成无己：浮则为正气虚，大则为邪气实。在尺则邪气关闭下焦，里气不得下通，故不得小便。在寸则邪气格拒上焦，使食不得入，故吐逆。

方中行：《素问》曰：精气夺则虚，邪气胜则实。尺以候阴。关，闭也。不得小便者，阴闭于下，则内者不得出也。格，拒也。吐逆者，阳拒于上，则外者不得入也。

张隐庵：浮大之脉在于尺，则阴气不能上交而关阴于下，故名曰关。浮大之脉在于寸，则阳气不得下交而格阳于上，故名曰格。夫关阴而不得阳热之化，则不得小便；格阳而不得阴液之资，则吐逆。

寸口脉微而涩，微者卫气不行，涩者荣气不逮。荣卫不能相将，三焦无所仰，身体痹不仁。荣气不足则烦疼、口难言；卫气虚者，则恶寒数欠。三焦不归其部，上焦不归者，噫而酢吞；中焦不归者，不能消谷引食；下焦不归者，则遗溲。

方中行：卫主气，不行，言不用事也。荣主血，不逮，不及也。不能相将，言荣卫不能和谐、不能相与也。仰，依赖也。痹，顽痹也。不仁，言不知痛痒、不省人事也。难言者，心虚神短、舌强而声不出也。恶寒、数欠者，卫疏表不固，不能御寒，所以气乏而好为欠也。不归其部，言不还足其所有之分内也。酢吞，吞酸也；吞酸则受纳妨矣。不能消谷引食者，言不司腐熟也。遗溲者，言不司约制也。

张令韶：此言荣卫之气出于中土，而三焦之气又仰藉于荣卫也。寸口脉微则卫气不行，涩则荣气不足，不行不足则荣卫不能相将，而三焦无所仰藉，以游行出入于内外矣。三焦无所仰，则不能出气以温肌肉，而身体痹不仁矣。荣为血，血不足则无以荣筋骨而烦疼，无以荣口唇而难言。卫者，卫外而为固也，卫气虚则不能卫外恶寒。卫气行于阴则寐，今欲下行于阴故数欠。三焦各有部署，三焦无所仰则不能归其部矣。上焦之气出胃上口，不归则噫而酢吞。中焦之气并胃中，不归则不能消谷引食。下焦之部别回肠，注膀胱，不归则遗尿。以是知三焦之气，俱藉荣卫之气以游行出入者也。

寸口脉微而涩，微者，卫气衰；涩者，荣气不足。卫气衰则面色黄，荣气不足则面色青。荣为根，卫为叶，荣卫俱微则根叶枯槁而寒栗、咳逆唾腥、吐涎沫也。

张令韶：此言荣卫外合于肺，而充于皮毛也。经云：肺者气之本，其华在毛，其充在皮。今荣卫之气衰，卫不能外合于肺，华于毛，充于皮，故面色青黄也。荣行脉中，故荣为根；卫行脉外，故卫为叶。荣卫俱微则根叶枯槁，而卫不能卫于外，故寒栗而咳逆；荣不能荣于中，故唾腥而吐涎沫也。咳逆者，肺之病。腥者，肺之味。涎沫者，肺之液也。所谓荣卫皆虚，不能合肺而充皮毛者如此。

寸口脉微而缓，微者卫气疏，疏则其肤空；缓者胃气实，实则谷消而水化也。谷入于胃，脉道乃行。水入于经，其血乃成。荣盛则其肤必疏，三焦失经，名曰血崩。

张隐庵：上章两言寸口脉微而涩，主荣卫皆虚；此言寸口脉微而缓，言卫气疏而荣血不和。故微者卫气疏。疏则其肤空，是卫主气而外行于肤表矣。缓者胃气实，实则谷消而水化，是荣血藉胃中之水谷而蒸变矣。故申言谷入于胃而消，则脉道乃行。水入于经而化，则其血乃成。夫荣卫贵乎相将，若荣盛不和于卫，则其肤必疏，是荣卫不相将矣。三焦绝经，是三焦无所仰，不循经外出矣。夫荣血秉水谷之精而成，外不和于卫，内不合于三焦，故名曰血崩。崩，堕也，言不能循经脉而外行也。

寸口脉弱而缓，弱者阳气不足，缓者胃气有余，噫而吞酸，食卒不下，气填于膈上也。

成无己：弱者阳气不足，阳能消谷，阳气不足则不能消化水谷。缓者胃气有余，则胃中有未消谷物也。故使噫而吞酸，食卒不下，气填于膈上也。《金匮要略》曰：中焦未和，不能消谷，故令噫。

方中行：阳气，以胃中之真气言。不足则不能化谷。胃气，以胃中之谷气言。有余，言有宿食也。有宿食则郁而生热，故噫饱而吞酸。此盖以饮食之内伤者言也。

寸口脉弱而迟，弱者卫气微，迟者荣中寒。荣为血，血寒则发热；卫为气，气微者心内饥，饥而虚满，不能食也。

张令韶：此言荣卫气血俱出中焦脾土化生；若中土虚寒，则荣卫亦虚寒矣；荣卫虚寒则中土更虚寒矣；荣卫中土，交相为资者也。弱为阳微，故寸口脉弱为卫气微。迟为阴寒，故寸口脉迟为荣中寒。夫荣为血，阴虚者阳必凑之，故血寒则发热。卫为气，气微者则上焦空虚，故心内饥也。心虚则饥，脾虚则满，心虚于上，脾虚于中，故饥而虚满，不能食也。

方中行：寒之为言虚也，与贫之称寒同。虚寒发热者，水干则火炽也。饥而虚满者，阳主化谷，卫阳衰微不化谷，故虚满而不能食也。

寸口脉弱而涩，尺中浮大，无外证者，为病属内伤。

寸口脉弱而涩者，上焦荣卫气血俱虚也。尺中脉宜沉小而反浮大者，下焦正气不藏也。审其无头痛、项强、恶寒发热之外证者，为病属劳损内伤也。

寸口脉弱而涩，尺中濡弱者，男子病失精，女子病赤白带下。

此承上节寸口脉弱而涩，尺中浮大者，为内伤初病，邪气盛则实之候；尺中濡弱者，男子病失精，女子病赤白带下，日久精气夺则虚之候也。

寸口脉洪数，按之弦急者，当发隐疹。假令脉浮数，按之反平者，为外毒，宜清之。脉数大，按之弦直者，为内毒，宜升之，令其外出也。误攻则内陷，内陷则死。

此节言发隐疹之脉候及其治法也。寸口脉洪数者，阳热盛于表也。按之弦急者，寒邪伏于里也。寒邪伏于荣血之分，郁而为热，发于肌腠，见于皮肤，则为隐疹。隐疹既出，假令脉浮数，按之反平者，为毒已外发，宜以清解之剂，散其余邪；若脉数大，按之弦直者，为内毒犹盛，宜以轻升之剂，令其外出也。若以为热实，误服攻下之剂，则毒邪内陷，内陷入脏则死矣。

寸口脉洪数，按之急滑者，当发痈脓。发热者，暴出；无热者，久久必至也。

寸口脉洪数，按之急滑者，热邪郁结于经络之间，留而不去，蓄聚而成痈脓也。若发热者，毒欲成脓，将暴出也；若无热者，毒势犹深，久久必至发出也。

寸口脉浮滑；按之弦急者，当发内痈。咳嗽胸中痛，为肺痈，当吐脓血。腹中掣痛为肠痈，当便脓血。

此节言寸口脉浮滑，按之弦急者，为当发内痈之候，以所见之证辨其为肺痈、肠痈也。

寸口脉大而涩，时一弦，无寒热，此为浸淫疮所致也。若加细数者，为难治。

此节言浸淫疮之脉状。若加细数者，乃正虚邪盛之候，故为难治。

趺阳脉紧而浮，浮为气，紧为寒；浮为腹满，紧为绞痛。浮紧相搏，肠鸣而转，转即气动，膈气乃下，少阴脉不出，其阴肿大而虚也。

张令韶：此言趺阳之气下归于少阴，而少阴之气不上交于趺阳，而为病也。趺阳脉紧而浮，乃阴寒气盛而阳气外越也，故浮为气，紧为寒。浮为腹痛者，气外出而中土虚满也。紧为绞痛者，邪正相攻而阴气盛也。浮紧之气两相搏击，则气从脾胃而溜于大肠，故肠鸣而转，转则动其膈气，又从膈而下陷于少阴，寒气与膈气俱聚于少阴，则少阴之水气不升，而下聚于阴器，故少阴脉不出，其阴肿大而虚也。

方中行：少阴之脉循阴器而主水，脉不出，其阴肿大，正虚邪实，水不得泄，盖趺阳之上败而少阴所以无制也。

趺阳脉微而紧，紧则为寒，微则为虚，微紧相搏，则为短气。

程知：言趺阳微紧则中气虚寒，为短气之证也。

张隐庵：趺阳者，阳明之胃脉，以寒邪而病阳明，故紧则为寒。中土虚而脉微，故微则为虚。既虚且寒，则阳明中土之气不能上合于肺以司呼吸，故微紧相搏，则为短气。

趺阳脉大而紧者，当即下利，为难治。

张令韶：胃脉当迟缓，今反大而紧者，大为虚，紧为寒，虚寒下陷当即下利。阴寒盛而土气败，故为难治。

趺阳脉浮，浮则为虚，浮虚相搏，故令气𩟗，言胃气虚竭也。此为医咎，责虚取实，守空迫血。脉滑，则为哕。脉浮、鼻中燥者，必衄也。

张令韶：趺阳者，胃脉也。浮则为胃虚，以胃之虚、脉之浮，两相搏激，故令𩟗，言胃气虚竭而𩟗也。无声为𩟗，有声为哕。浮虚相搏之极，即往来流利而为滑矣。滑则无声之𩟗，即变而为有声之哕矣。此非自虚，乃医责虚取实之咎也；虚者宜补反责之，实则宜泻反取之。阴和内阳之守也，责其虚，故守空于内，而迫血于外矣。未知从何道出，若脉浮、鼻燥，此经脉虚，不能摄血，必从鼻出而为衄也。

方中行：咎，过愆也。责虚，言求病于虚。取实，言反以虚为实，而攻取之也。血属阴而为内守，故曰守空。迫血，言劫汗也。

趺阳脉迟而缓，胃气如经也。趺阳脉浮而数，浮则伤胃，数则动脾，此非本病，医特下之所为也。荣卫内陷，其数先微，脉反但浮，其人必大便硬，气噫不除。何以言之？本以数脉动脾，其数先微，故知脾气不治，大便必硬，气噫不除。令脉反浮，其数改微，邪气独留，心中则饥，邪热不杀谷，潮热发渴，数脉当迟缓，病者则饥。数脉不时，则生恶疮也。

原注：趺阳脉迟缓为无病，误下之，令脉转浮数，元气伤，必浮数改微。

成无己：趺阳之脉以候脾胃，故迟缓之脉为常。若脉浮数，则为医妄下伤胃动脾，邪气乘虚内陷也。邪在表则见阳脉，邪在里则见阴脉。邪在表之时，脉浮而数也，因下里虚，荣卫内陷，邪客于脾，以数则动脾。今数先微，则是脾邪先陷于里也。胃虚脾热，津液干少，大便必硬。《针经》曰：脾病善噫，得后出余气，则快然而衰。今脾客邪热，故气噫不除。脾能磨消水谷，今邪气独留于脾，脾气不治，心中虽饥而不能杀谷也。脾主为胃行其津液，脾为热烁，故潮热而发渴也。趺阳之脉本迟而缓，因下之后变浮为数，荣卫内陷，数复改微。是脉因前后度数如法，邪热内陷于脾，而心中善饥也。数脉不时者，为数当改微，而复不微，如此则是邪气不传于里，但郁于荣卫之中，必出自肌皮，为恶疮也。

趺阳脉浮而涩，少阴脉如经者，其病在脾，法当下利。何以知之？若脉浮大者，气实血虚也。今趺阳脉浮而涩，故知脾气不足、胃气虚也。以少阴脉弦而沉才见，此为调脉，故称如经也。若反滑而数者，故知当屎脓也。

张令韶：趺阳、少阴为气血生始之源，故以趺阳、少阴合论也。趺阳脉迟而缓，乃胃气之常脉也；今浮而涩，而少阴脉如经者，非少阴之气不与阳明相合而为病，乃脾不能为胃行其津液而为病也。病在脾，法为津液偏渗于大肠而下利。何以知其病在脾也？若脉浮大者，阳明之气实而少阴之血虚也。今趺阳脉不浮大而浮涩，故知脾气转输之不足，以致胃气之虚，非关少阴也。夫所谓如经者，以少阴脉弦而沉才见，此阴柔之气，故称如经之调脉，若反滑而数，得少阴君火之气，热甚于经，非若脾病之下利，故知当屎脓也。

趺阳脉浮而芤，浮者卫气虚，芤者荣气伤，其身体瘦，肌肉甲错，浮芤相搏，宗气微衰，四属断绝。

原注：举之浮毛，按之全无，谓之浮芤相搏。

张令韶：此言趺阳主荣卫之气，而复上循于宗气，外行于四末也。卫者水谷之悍气，荣者水谷之精气，荣卫俱禀气于胃者也。今趺阳脉浮而芤，则中土虚微，荣卫无所禀其精悍之气，故卫气虚而荣气伤也。荣卫之气不充于身体则消瘦，不充于肌肉则甲错。甲错者，粗燥而不润泽也。胃之大络出于左乳下，谓之宗气；今浮芤相搏，则胃络不能出于左乳，故宗气衰微。又不能外行于四肢，故四属断绝。

方中行：浮为风虚，故曰卫气虚。芤为失血，故曰荣气伤。身体瘦者，卫衰而形损也。肌肉甲错者，荣伤而枯拆也。宗气，三焦隧气之一也;《针经》曰：宗气积于胸中，出于喉咙，以贯心脉而行呼吸是也。四属，皮、肉、肌、髓也。盖三焦乃气之道路，卫气虚而荣气伤，所以宗气亦衰微，四属不相维而断绝也。

寸口脉浮而大，浮为气实，大为血虚。血虚为无阴，孤阳独下阴部者，小便当赤而难，胞中当虚，今反小便利而大汗出，法应卫家当微，今反更实，津液四射，荣竭血尽，干烦而不眠，血薄肉消，而成黑液。医复以毒药攻其胃，此为重虚，客阳去有期，必下如污泥而死。

《金鉴》：脉浮而大，谓脉浮取有力，按之大而无力，乃革脉象也。浮为气实外急，大为血虚中空，血虚甚则亡阴，阴亡则阳无偶也，故曰：孤阳独下阴部。谓卫阳下就其阴，小便当赤而难，以胞中虚竭也。若阳不下就其阴，则小便反利而大汗出，是卫阳表虚，邪阳内入，无阴以化，故反更实，致津液四射，荣竭血尽，肉消胃干，烦不得眠也。医不知此，乃以中空暴液之阳明，误为胃实，复以峻药攻之，则为虚虚，胃阳之去可期，必下污秽如泥而死也。

问曰：翕奄沉，名曰滑，何谓也？师曰：沉为纯阴，翕为正阳，阴阳相合，故令脉滑，关尺自平。

王肯堂：翕奄沉三字，状得滑字最好。夫翕者合也，奄者忽也，当脉气合聚而盛之时，奄忽之间即已沉去，是名滑也。仲景恐人误认滑为沉，故下文又曰：滑者，紧之浮名也。

趺阳脉微沉，食饮自平。少阴脉微滑，滑者，紧之浮名也，此为阴实，其人必股内汗出，阴下湿也。

成无己：阳明脉微沉者，当阳部见阴脉，则阴偏胜而阳不足也。阳明胃脉，胃中阴多，故食饮自可。少阴脉微滑者，当阴部见阳脉，则阳偏胜而阴不足也。以阳凑阴分，故曰阴实。股与阴，少阴之部也，今阳热凑阴，必熏发津液泄达于外，股内汗出而阴下湿也。

趺阳脉浮而滑，浮为阳，滑为实，阳实相搏，其脉数疾，卫气失度。浮滑之脉变为数疾，发热汗出者，不治。

张令韶：此言热伤经脉，阴液消亡，有阳无阴也。脉浮而滑，浮为阳热在外，滑为热实于经，阳实相搏则脉流薄疾，卫气失其行阴行阳之常度矣。卫气失其常度，则不止浮滑而更加数疾，此阴阳乖错，度数不循其常也。发热，阳气盛也。汗出者，阴液亡也。孤阳无阴，故为不治。夫人之阴阳平则治，偏则病，有阴无阳者死，绝阳无阴者亦死。

成无己：浮滑数疾之脉，发热汗出解者，邪气退也；若不解者，正气脱也，必不可治。经曰：脉阴阳俱盛，大汗出不解者死。

趺阳脉滑而紧，滑者胃气实，紧者脾气强，持实击强，痛还自伤，以手把刃，坐作疮也。

方中行：滑为食，故在胃则主谷气实。紧为寒，故在脾则主邪气强。持实击强，言胃实脾强，两相搏击而为病，譬如以手把刃而自伤，盖谓非由脏腑而传变也。

趺阳脉沉而数，沉为实，数消谷。紧者，病难治。

《金鉴》：胃脉沉而数，沉主里，数主热，沉数为里实热则能消谷。凡里病得此脉者，皆易治也。若不沉数而沉紧，沉紧为里寒，则为残伤胃气之诊，故曰难治也。

趺阳脉伏而涩，伏则吐逆，水谷不化，涩则食不得入，名曰关格。

黄坤载：趺阳脉伏而涩，伏则胃虚不能化谷而吐逆，涩则胃逆不能纳谷而食不得入，名曰关格。水谷不化而吐逆，是反胃之病。食不得入而噎塞，是膈膈之病。伏者，胃气之郁伏，阳衰于下，故不化谷。涩者，胃气之凝涩，阴填于上，故不纳食。

张令韶：吐逆者，食入而复出也。食不得入者，食竟不能入也。上节论关格，则曰不得尿；次节则曰不得小便而吐逆；此节则曰吐逆、食不得入；不见上中下三焦，有一证见，即为关格，不必悉具。学者得其意而治之，其庶几乎。

师曰：病人脉微而涩者，此为医所病也。大发其汗，又数大下之，其人亡血，病当恶寒，后乃发热，无休止时。夏月盛热，欲着复衣；冬月盛寒，欲裸其身。所以然者，阳微则恶寒，阴弱则发热。此医发其汗使阳气微，又大下之令阴气弱。五月之时，阳气在表，胃中虚冷，以阳气内微，不能胜冷，故欲着复衣。十一月之时，阳气在里，胃中烦热，以阴气内热，不能胜热，故欲裸其身。又阴脉迟涩，故知亡血也。

成无己：微为亡阳，涩则无血。不当汗而强与汗之者，令阳气微，阴气上入阳中，则恶寒，故曰：阳微则恶寒。不当下而强与下之者，令阴气弱，阳气下陷入阴中，则发热，故曰：阴弱则发热。气为阳，血为阴，阳脉以候气，阴脉以候血，阴脉迟涩，为荣血不足，故知亡血。《经》曰：尺脉迟者，不可发汗，以荣气不足，血少故也。

张令韶：夫血有淡渗皮毛、充肤热肉之血，有流行经络、荣周肠胃之血。阴血虚少则脉微涩，然其本病，乃医汗下失宜之病也。汗之则皮肤之血亡，下之则肠胃之血亡，亡于外则恶寒，亡于内则发热，寒热相继，无休止时也。夏月盛热之时欲着复衣，寒之极矣。冬月盛寒之时欲裸其身，热之极矣。又申言所以恶寒发热者，乃阴虚阳无所附，阳微阴弱之故也。其所以阳微阴弱者，又医汗下之故也。五月一阴生，阳在外而阴在内，故欲着复衣。十一月一阳生，阴在外而阳在内，故欲裸其身。独言胃中虚冷、胃中烦热者，四时以胃气为本也。又言六脉微涩，其人亡血，复阴脉迟涩，其亡血更可知矣。

少阴脉弱而涩，弱者微烦，涩者厥逆。

趺阳脉不出，脾不上下，身冷肤硬。

成无己：脾胃为荣卫之根，脾能上下则水谷磨消，荣卫之气得以行。脾气虚衰不能上下，则荣卫之气不得通营于外，故趺阳脉不出。身冷者，卫气不温也。肤硬者，荣血不濡也。

少阴脉不至，肾气微，少精血，奔气促迫，上入胸膈，宗气反聚，血结心下，阳气退下，热归阴股，与阴相动，令身不仁，此为尸厥。当刺期门、巨阙。

张令韶：少阴为气血生始之源，脉不至，必肾之真气微而精血少也。真气不足，则虚奔之气反促迫而上入于胸膈矣。宗气反聚者，不能贯膈络肺出于左乳下，而反聚于胸膈矣。此不当上而上者也。精血少则血不能流行于经脉，而反结于心下，阳气不得上行而反退归于阴股，阳入于阴与阴相动，此不当下而下者也。上者自上，下者自下，上下之气血不相顺接，故令身不仁。其形若尸，故曰：此为尸厥。期门者，肝之募，巨阙者，心之募，刺之以启其退下之阳，遏其奔上之气，上下通而气血和矣。

成无己：尸厥者，为其从厥而生，形无所知，其状若尸，故名尸厥。不仁者，言不柔和也，为寒热痛痒俱不觉知者也。阳气外不为使，内不得通，荣卫俱不能行，身体不仁，状若尸也。《内经》曰：厥气上行，满脉去形。刺期门者以通心下结血，刺巨阙者以行胸中宗气，血气流通，厥气退则苏矣。

妊娠，脉弦数而细，少腹痛，手心热，此为热胞中。不先其时治之，必有产难。

此节言妇人妊娠，热结胞中之脉证。宜早治之，免致产难之厄也。

产后脉洪数，按之弦急，此为浊未下。若浊已下，而脉如故者，此为魂脱，为难治。

产后亡血，脉当濡弱，而反洪数，按之弦急者，此为恶露污浊停滞未下故也。若恶露已下，而脉洪数，按之弦急如故者，正气夺，邪气盛，此为神魂已脱。补之则脉实，泻之则形虚，故为难治。

诸脉浮数，当发热而洒淅恶寒；若有痛处，饮食如常者，蓄积有脓也。

张令韶：诸脉者，概尺、寸、关而言也。浮则为风，数则为热，风热相搏，故发热恶寒也。若有痛处者，痛止于一处也。饮食如常者，邪逆于肉理，而不涉于胃也。经云：荣气不从，逆于肉理，乃生痈脓。故蓄积有脓也。

王肯堂曰：人身有焮肿痛楚处，曾有不自觉者；此条所言，必是内痈，故曰：蓄积有脓也。如胃脘痈、肺痈、肠痈，皆各有脓。而胃痈之脉人迎反盛，未有不误以为伤寒者，故宜察之。

问曰：人恐怖者，其脉何状？师曰：脉形如循丝累累然，其面白脱色也。

黄坤载：肾主恐，《素问·举痛论》：恐则气下。下之极则肾也。少阴之脉微细，恐怖，少阴之气动，故脉细如丝。累累然，惊惧不安之象也。恐主于肾，而六脉俱细，盖诸脏夺气，改而从肾也。肝藏血而主色，色者，血之华也；肝气下而荣血陷，不能华也；木虚而金气乘之，故色脱而面白，此望切之法也。

问曰：人不饮，其脉何类？师曰：脉自涩，唇口干燥也。

程郊倩：不饮，如与人憋气至二三日，汤水不沾唇之类。肺失游溢精气，故脉涩而唇口干燥也。

张令韶：饮入于胃，游溢精气，上输于脾肺，布散于五经。今胃虚不饮，肺无以布，脾无以输，脉道不利，津液不行，故脉涩而唇口干燥也。

问曰：人愧者，其脉何类？师曰：脉浮，而面色乍白乍赤也。

张令韶：愧属心，心有所惭愧则神消气阻，中无有主，故脉气外浮，面色赤白而无定也。

程郊倩：以上数条，不论有病无病，凡人有所负于中，辄复形之色与脉也。于此推之，以意消息，则诸病之情，无不可即外以征内矣。

寸口诸微亡阳，诸濡亡血，诸弱发热，诸紧为寒。诸乘寒者，则为厥，郁冒不仁，以胃无谷气，脾涩不通，口急不能言，战而栗也。

张令韶：此总结通篇寸口诸脉之义也。寸口之脉微、濡、弱、紧为病不一，然大约不外乎气、血、寒、热四者而已。故诸微为亡阳；诸濡为亡血；阴虚则热，故诸弱为发热；阳虚则寒，故诸紧为寒。诸为寒邪所乘者，则手足逆冷而厥，厥者气血为寒所乘，虚而不通于四肢也。郁冒者，虚而不行于上也。不仁者，虚而不通于外也。夫气血不自生，必藉胃腑谷精之气而生。苟胃无谷气，则不能上输于脾而脾涩不通，不能内归于心而口急不能言，不能外出于肺而战栗也。

师曰：发热则脉躁，恶寒则脉静，脉随证转者，为病疟。

此节言病疟发作时之脉象。《素问·疟论》：夫疟者之寒，汤火不能温也，及其热，冰水不能寒也。本论：疟病，其脉弦数者，热多寒少；其脉弦迟者，寒多热少。故曰：发热则脉躁，恶寒则脉静。以阴阳更胜而脉随证转也。

师曰：伤寒，咳逆上气，其脉散者，死。谓其形损故也。

张令韶：此言寒伤形也。伤寒咳逆上气者，形寒伤肺也。脉散者，肺气上脱，不能统朝百脉而涣散也。咳逆，非死之证，而脉散，有死之脉，故死。又申言其所以死者，谓其形损故也。经云：两神相搏，合而成形。肺为诸经之长，外合皮毛而成形，脏真损于内则形气损于外矣。即所谓一损损于皮毛，皮聚而毛落者死也。

师曰：脉乍大乍小、乍静乍乱，见人惊恐者，为祟。发于胆气竭故也。

此节言病邪祟之脉证。《说文》：祟，神祸也。胆者中正之官，决断出焉。胆气竭则正气虚弱已极，故邪得而乘之为祟。神气失守，故脉反常，乍大乍小、乍静乍乱也。

师曰：人脉皆无病，暴发重病，不省人事者，为厉鬼。治之祝由。能言者可治，不言者死。

此节言厉鬼之为病，非针灸、药物所能疗，当求精于祝由之术者而治之。其人能言，邪未伤脏，神识尚在，故可治。不能言者，邪入伤脏，魂已离身，故死也。

师曰：脉浮而洪，身汗如油，喘而不休，水浆不下，形体不仁，乍静乍乱，此为命绝也。又未知何脏先受其灾，若汗出发润，喘不休者，此为肺先绝也；阳反独留，形体如烟熏，直视摇头者，此为心绝也；唇吻反青，四肢掣习者，此为肝绝也；环口黧黑，油汗发黄者，此为脾绝也；溲便遗失，狂言，目反直视者，此为肾绝也。又未知何脏阴阳前绝，若阳气前绝，阴气后竭者，其人死，身色必青；阴气前绝，阳气后竭者，其人死，身必赤、腋下温、心下热也。

张令韶：死绝之脉证也。脉浮而洪，脉气外脱也。身汗如油，真津外泄也。肺主天，喘而不休，天气绝也。脾主地，水浆不下，地气绝也。形体不仁，神去而形骸独存也。乍静乍乱，真气脱而阴阳离也。精灭神亡，大命绝矣。肺主皮毛，汗出发润，毛窍开发而阴液泄也；喘而不休，气不归元而真气上脱也；此肺先绝也。心为离火，贵下交坎水，阳反独留，火势炎炎不复下交，故形体如烟熏也；心脉上系于目，目系绝，故直视；摇头者，火性上腾之象也；此为心绝也。唇吻者脾之窍，青者肝之色，四肢者脾之主，掣习者肝之病，以肝之色、肝之病而反见于脾之位，则肝之真气绝而反乘其所胜，故为肝绝也。脾主四白，环口黧黑，土败而木侮也；油汗者，柔软而腻，脾之真液，黄者脾之真色，真液泄而真色现，故为脾绝也。肾主二便，溲便遗失，是门户不要也；肾藏志，志为气之帅，志绝无主，故狂言；目反直视者，肾气绝而目系断；故为肾绝也。此以未死之前，而先断其五脏之绝。而又当以既死之后，验其色之青赤，以辨其阴阳之先绝后竭，其至精至密也如此。

奇经八脉不系十二经，别有自行道路。其为病总于阳阴，其治法属十二经。

此以下论奇经八脉之证治。十二经俱有脏腑、阴阳、表里配合，而此八脉无偶，故名奇经。

假令督脉为病，脊背强，隐隐痛，脉当微浮而急，按之涩，治属太阳。

《难经》：督脉者，起于下极之俞，并于脊里，上至风府，入属于脑。其为病脊强而厥，故曰脊背强，隐隐痛。《脉经》曰：尺寸俱浮，直上直下，此为督脉腰背强痛不得俯仰，大人癫病，小儿风痫矣。此曰脉浮而急，按之涩者，即外中风寒而荣虚之候。以其脉两旁为足太阳经，故治属太阳也。

任脉为病，其内结痛疝瘕，脉当沉而结，治属太阴。

《难经》曰：任脉者，起于中极之下，上至毛际，循腹里，上关元，至咽喉，上颐入舌而络于目。其为病，苦内结，男子七疝，女子带下、瘕聚，故曰：内结痛疝瘕。脉当沉而结，为病在里阴血滞之候。以其脉两旁为足太阴经，故治属太阴也。

冲脉为病，气上逆而里急，脉当浮虚而数，治属太阴。

《难经》曰：冲脉者，起于气冲，并足阳明之经，夹脐上行，至胸中而散。其为病，逆气里急，故曰：气上逆而里急。脉当浮虚而数，数为热性上炎，故气上逆也。以其脉挟足太阴，故治属太阴也。

带脉为病，苦腹痛，腰间冷痛，脉当沉而细，治属少阴。

《难经》曰：带脉者，起于季肋，回身一周。其为病，腹满，腰溶溶如坐水中，故曰：苦腹痛，腰间冷痛。脉沉而细，少阴病之脉。腰者肾之府，故治属少阴也。

阳跻为病，中于侧，气行于外，脉当弦急，按之缓，治属少阳。

《难经》：阳跻脉者，起于跟中，循外踝上行，入风池。其为病，阴缓而阳急，故脉当弦急，按之缓。以其脉附足少阳经，故治属少阳也。

阴跻为病，中于侧，气行于内，脉当浮缓，按之微急而弦，治属厥阴。

《难经》曰：阴跻脉者，亦起于跟中，循内踝上行，至咽喉，交贯冲脉。其为病，阳缓而阴急，故脉浮缓，按之微急而弦也。以其脉附足厥阴经，故治属厥阴也。

阳维与诸阳会，其为病在脉外，发寒热，脉当浮而虚，治属气分。

《难经》曰：阳维脉者，起于诸阳之会。阳不能维于阳，则怅然失志。其为病，苦寒热，故脉浮而虚。阳为气，故治属气分也。

阴维与诸阴交，其为病在脉中，心中痛，手心热，脉当弦而涩，治属血分。

《难经》曰：阴维脉者，起于诸阴之交。阴不能维于阴，则溶溶不能自收持也。其为病，苦心痛，故脉弦而涩。阴为血，故治属血分也。

阳维维于阳，阴维维于阴，为气血之别使，不拘一经也。

阳维维于阳，谓卫气行于脉外，在身表之阳分也。阴维维于阴，谓荣血行于脉中，在身里之阴分也。通行于周身，阴阳赖之以维持，故为气血之别使，不拘于一经也。

奇经八脉之为病，由各经受邪，久久移传，或劳伤所致，非暴发也。

《难经》曰：脉有奇经八脉，比于圣人图设沟渠，沟渠满溢，流于深湖，入而不还，十二经不能拘之，故曰：由各经受邪，久久移传，或劳伤所致也。以其为他经移传，故曰：非暴发也。

问曰：八脉内伤，何以别之？师曰：督脉伤，柔柔不欲伸，不能久立，立则隐隐而胀；任脉伤，小便多，其色白浊；冲脉伤，时咳不休，有声无物，劳则气喘；带脉伤，回身一周冷；阳跻伤，则身左不仁；阴跻伤，则身右不仁；阳维伤，则畏寒甚，皮常湿；阴维伤，则畏热甚，皮常枯。

督统诸阳脉行于背脊，故内伤则柔柔不欲伸，不能久立，立则隐隐而胀，所谓脊背强也。任统诸阴脉行于腹里，故内伤则小便多白浊也。冲脉者经脉之海，起于关元，随腹直上，至胸中而散，故内伤则时咳不休，劳则气喘也。带脉者，如人束带而前垂，故内伤则回身一周冷也。阳跻、阴跻皆起于足跟，是人行走之机要，动足之所由，故取跻捷超越之义以名之。阳跻内伤则身左不仁，阴跻内伤则身右不仁，即左瘫右痪、半身不遂之谓也。阳维内伤则卫阳虚，故畏寒。阳虚则阴盛，故皮常湿。阴维内伤则荣阴虚，故畏热。阴虚则阳盛，故皮常枯。

问曰：八脉内伤，其脉何似？师曰：督脉伤，尺脉大而涩；任脉伤，关脉大而涩；冲脉伤，寸脉短而涩；带脉伤，脉沉迟而结；阳跻伤，脉时大时弦；阴跻伤，脉时细时弦；阳维伤，脉时缓时弦；阴维伤，脉时紧时涩。

八脉内伤为病之脉状，不外涩弦者，所谓残贼能为诸脉作病也。

问曰：其治奈何？师曰：督脉伤，当补髓；任脉伤，当补精；冲脉伤，当补气；带脉伤，当补肾；阳跻伤，则益胆；阴跻伤，则补肝；阳维伤，则调卫；阴维伤，则

养荣。

此节言八脉内伤病之治法。督脉行脊中，故伤则补髓；任脉起于关元内之胞中，故伤则补精；冲脉起于气冲，并足阳明之经，故伤则补气；带脉绕腰，腰者肾之府，故伤则补肾；阳跻脉附足少阳经，故伤则益胆；阴跻脉附足厥阴经，故伤则补肝；阳维与诸阳会，行身之表，故伤则调卫，调卫者，益气也；阴维与诸阴交，行身之里，故伤则养荣，养荣者，滋血也。

问曰：其处方奈何？师曰：相体虚实，察病轻重，采取方法，权衡用之，则无失也。

此节总结上文之意，所以补《内》《难》之亡阙，发前人之未发，学者所宜玩索也。

第三节　伤寒例

四时、八节、二十四气、七十二候决病法：

立春正月节斗指艮，雨水正月中斗指寅，惊蛰二月节斗指甲，春分二月中斗指卯，清明三月节斗指乙，谷雨三月中斗指辰，立夏四月节斗指巽，小满四月中斗指巳，芒种五月节斗指丙，夏至五月中斗指午，小暑六月节斗指丁，大暑六月中斗指未，立秋七月节斗指坤，处暑七月中斗指申，白露八月节斗指庚，秋分八月中斗指酉，寒露九月节斗指辛，霜降九月中斗指戌，立冬十月节斗指乾，小雪十月中斗指亥，大雪十一月节斗指壬，冬至十一月中斗指子，小寒十二月节斗指癸，大寒十二月中斗指丑。

二十四气，节有十二，中气有十二，五日为一候，气亦同，合有七十二候。决病生死，此须洞解之也。

《素问·宝命全形论》：天覆地载，万物悉备，莫贵于人；人以天地之气生，四时之法成。夫人生于地，悬命于天，天地合气，命之曰人。《五运行大论》：天度者，所以制日月之行也。气数者，所以纪化生之用也。五日谓之候，三候谓之气，六气谓之时，四时谓之岁。终期之日，周而复始，时立气布，如环无端。斗谓北斗七星，在紫微垣之左。像如托酒浆之斗，为七政之枢机，阴阳之元本，普天恒星之纪纲也。一天枢，二天旋，三玑，四权，五玉衡，六开阳，七摇元。一至四为魁，五至七为杓。天枢、天旋与北辰之北极星距离五倍而相直，为正方向者之标准。斗杓直指苍龙之角宿，每岁绕天一周，故古人以逐月初昏斗柄所指地面方位之二十四向，以定四时建节气也。然因岁差之故，又当与日驱之辰次相参，方能密合也。夫人之生，处于天地气交之中，而每岁日月之运行，阴阳消息，寒暑往来，脏腑气血应时旺衰，色脉因之而生变化，此《内经》论病原诊，所以辄合天运而合也。然其文繁理赜，非殚心天文学者莫能明。仲景乃摄其纲要，以二十四气列伤寒例卷端，使人易晓，诚医者临证决病之首务也。

阴阳大论云：春气温暖，夏气暑热，秋气清凉，冬气冰冽，此则四时正气之序也。冬时严寒，万类深藏，君子固密，则不伤于寒。触冒之者，则名伤寒耳。其伤于四时之

气，皆能为病。以伤寒为病者，以其最盛杀厉之气也。

成无己：春夏为阳，春温夏热者，以阳之动，始于温，盛于暑故也。秋冬为阴，秋凉而冬寒者，以阴之动，始于清，盛于寒故也。冬三月纯阴用事，阳乃伏藏，水冰地坼，寒气严凝。当是之时，善摄生者，出处固密，去寒就温，则不伤于寒。其涉寒冷、触冒霜雪为病者，谓之伤寒也。春风、夏暑、秋湿、冬寒，谓之四时之气。热为阳，阳主生；寒为阴，阴主杀。阴寒为病，最为肃杀毒厉之气。

中而即病者，名曰伤寒。不即病者，寒毒藏于肌肤，至春变为温病，至夏变为暑病。暑病者，热极重于温也。是以辛苦之人，春夏多温热病者，皆由冬时触寒所致，非时行之气也。

成无己：《内经》曰：先夏至日为温病，后夏至日为暑病。温暑之病，本伤于寒而得之，故大医均谓之伤寒也。

凡时行者，春时应暖而反大寒，夏时应热而反大凉，秋时应凉而反大热，冬时应寒而反大温，此非其时而有其气。是以一岁之中，长幼之病，多相似者，此则时行之气也。夫欲候知四时正气为病及时行疫气之法，皆当按斗历占之。

成无己：四时气候不正为病，谓之时行之气。时气所行为病，非暴厉之气，感受必同，是以一岁之中，长幼之病，多相似也。四时正气者，春风、夏暑、秋湿、冬寒是也。时行者，时行之气是也。温者，冬时感寒，至春发者是也。疫者，暴厉之气是也。占前斗建，审其时候之寒温，察其邪气之轻重而治之。

九月霜降节后，宜渐寒，向冬大寒，至正月雨水节后，宜解也。所以谓之雨水者，以冰雪解而为雨水故也。至惊蛰二月节后，气渐和暖，向夏大热，至秋便凉。从霜降以后，至春分以前，凡有触冒霜露，体中寒即病者，谓之伤寒也。九月十月，寒气尚微，为病则轻；十一月十二月，寒冽已严，为病则重；正月二月，寒渐将解，为病亦轻。此以冬时不调，适有伤寒之人，即为病也。

成无己：此为四时正气，中而即病者也。

其冬有非节之暖者，名为冬温。冬温之毒，与伤寒大异。冬温复有先后，更相重沓，亦有轻重，为治不同，证如后章。从立春节后，其中无暴大寒，又不冰雪，而有人壮热为病者，此属春时阳气发，其冬时伏寒，变为温病。从春分以后，至秋分节前，天有暴寒者，皆为时行寒疫也。三月四月，或有暴寒，其时阳气尚弱，为寒所折，病热犹轻；五月六月，阳气已盛，为寒所折，病热则重；七月八月，阳气已衰，为寒所折，病

热亦微。其病与温相似，但治有殊耳。

成无己：此为温病、疫气也。是数者，以明前斗历之法，占其随时气候，发病寒热轻重不同耳。

十五日得一气，于四时之中，一时有六气，四六名为二十四气。然气候亦有应至仍不至，或有未应至而至者，或有至而太过者，皆成病气也。但天地动静，阴阳鼓击者，各正一气耳。

成无己：节气十二，中气十二，共二十四。《内经》曰：五日谓之候，三候谓之气，六气谓之时，四时谓之岁。《金匮要略》曰：有未至而至，有至而不至，有至而不去，有至而太过，何故也？师曰：冬至之后，甲子夜半，少阳起。少阳之时，阳始生，天得温和，以未得甲子，天因温和，此为未至而至也；以得甲子，而天未温和，此为至而不至也；以得甲子，而天大寒不解，此为至而不去也；以得甲子，而天温如盛夏五六月时，此为至而太过也。《内经》曰：至而和则平，至而甚则病，至而反者病，至而不至者病，未至而至者病。即是观之，脱漏“或有至而不去”此一句明矣。《内经》曰：阴阳者，天地之道。清阳为天，动而不息；浊阴为地，静而不移。天地阴阳之气，鼓击而生，春夏秋冬，寒热温凉，各正一气也。

是以彼春之暖，为夏之暑；彼秋之忿，为冬之怒。是故冬至之后，一阳爻升，一阴爻降也。夏至之后，一阳气下，一阴气上也。斯则冬夏二至，阴阳合也；春秋二分，阴阳离也。阴阳交易，人变病焉。此君子春夏养阳，秋冬养阴，顺天地之刚柔也。

成无己：春暖为夏暑，从生而至长也；秋忿为冬怒，从肃而至杀也。十月六爻皆阴，坤卦为用，阴极阳来，阳生于子。冬至之后，一阳爻升，一阴爻降，于卦为复，言阳气得复也。四月六爻皆阳，乾卦为用，阳极阴来，阴生于午。夏至之后，一阳气下，一阴气上，于卦为姤，言阴得遇阳也。《内经》曰：冬至四十五日，阳气微上，阴气微下；夏至四十五日，阴气微上，阳气微下。阳生于子，阴生于午，是阴阳相接，故曰合。阳退于酉，阴退于卯，是阴阳相背，故曰离。《内经》曰：气至之谓至，气分之谓分。至则气同，分则气异。天地阴阳之气，既交错而不正，人所以变病。《内经》曰：阴阳相错而变由生也。又曰：养生者，必顺于时，春夏养阳，以凉以寒；秋冬养阴，以温以热。所以然者，从其根故也。

小人触冒，必婴暴疹。须知毒烈之气，留在何经，必发何病，详而取之。是以春伤于风，夏必飧泄；夏伤于暑，秋必病疟；秋伤于湿，冬必咳嗽；冬伤于寒，春必病温。

此必然之道，可不审明之。

成无已：不能顺四时调养，触冒寒温者，必成暴病。医者当在意审详而治之。当春之时，风气大行。春伤于风，风气通于肝，肝以春适王，风虽入之，不能即发，至夏肝衰，然后始动。风淫末疾，则当发于四肢。夏以阳气外盛，风不能外发，故内攻而为飧泄。飧泄者，下利水谷不化而色黄。当夏之时，暑气大行，夏伤于暑，夏以阴为主内，暑虽入之，势未能动，及秋阴出而阳为内主，然后暑动搏阴而为痎疟。痎者二日一发，疟者一日一发。当秋之时，湿气大行，秋伤于湿，湿则干于肺，肺以秋适王，湿虽入之，不能即发，至冬肺衰，然后湿始动也。雨淫腹疾，则当发为下利。冬以阳气内固，湿气不能下行，故上逆而为咳嗽，当冬之时，寒气大行，冬伤于寒，冬以阳为主内，寒虽入之，势未能动，及春阳出而阴为内主，然后寒动搏阳而为温病。是感冒四时正气为病必然之道。

伤寒之病，逐日浅深，以施方治。今世人伤寒，或始不早治，或治不对病，或日数久淹，困乃告医。医人又不依次第而治之，则不中病。皆宜临时消息制方，无不效也。

成无已：《内经》曰：未满三日者，可汗而已；其满三日者，可泄而已。

黄竹斋：自阴阳大论云至此，原本一章，今为笺注便览，分为九节。此下宋本有“今搜采仲景旧论，录其证候诊脉声色，对病真方，有神验者，拟防世急也”二十八字。成无已曰：仲景之书，逮今千年而显用于世者，王叔和之力也。由是可知《伤寒例》全卷，皆仲景旧论。而方中行、喻嘉言乃谓为王叔和伪作，著论辩驳，肆意诋諆。其后注家多从其说，删而不论。使后学者不知风、寒、暑、湿、温病、时行之所由，岂小失哉。余前撰集注时，亦从旧说而去之。今就本书反复详审，知其所以申明伤寒外感及时行伏气诸病之原因，实不可少之论文也。爰采成注以释其义，虽本书原文少异，然大旨则不悖也。

又土地温凉，高下不同；物性刚柔，飧居亦异。是故黄帝兴四方之问，岐伯举四治之能，以训后贤，开其未悟。临病之工，宜须两审也。

成无已：东方地气温，南方地气热，西方地气凉，北方地气寒。西北方高，东南方下。是土地温凉，高下不同也。东方安居食鱼，西方陵居华食，南方湿处而嗜酸，北方野处而食乳。是飧居之异也。东方治宜砭石，西方治宜毒药，南方治宜微针，北方治宜灸焫。是四方医治不同也。医之治病，当审其土地所宜。

凡伤于寒，传经则为病热，热虽甚，不死。若两感于寒而病者，多死。

成无已:《内经》曰：风寒客于人，使人毫毛毕直，皮肤闭而为热，是伤寒为病热也。《针经》曰：多热者易已，多寒者难已，是热虽甚不死。表里俱病者，谓之两感。

高士宗：热病皆伤寒之类，故人之伤于寒也，则为病热。热者，人身阳热之气，阳常有余，故热虽甚不死。其两感于寒而病者，阳脉受寒，阴脉亦受寒，阴阳皆受，腑脏俱伤，故必不免于死。所以或愈，或死也。

黄竹斋：自此以下数节，皆引述《素问·热论》，而变通其文。通行本并无《素问》此节，无"传经"二字。夫所谓传经者，只是邪由皮肤而入传经脉之中，与正气相搏则发热。未传入经脉，则不发热耳。或以为六经之传而化热者，非也。

尺寸俱浮者，太阳受病也，当一二日发。以其脉上连风府，故头项痛，腰脊强。

成无已：太阳为三阳之长，其气浮于外，故尺寸俱浮，是邪气初入皮肤，外在表也，当一二日发。风府，穴名，在项中央。太阳之脉，从巅入络脑，还出别下项，是以上连风府。其经循肩膊内夹脊、抵腰中，故病头项痛、腰脊强。

尺寸俱长者，阳明受病也，当二三日发。以其脉夹鼻、络于目，故身热汗出、目疼、鼻干、不得卧。

成无已：阳明血气俱多，尺寸俱长者，邪并阳明而血气淖溢也。太阳受邪不已，传于阳明，是当二三日发。其脉夹鼻者，阳明脉起于鼻，交頞中，络于目。阳明之脉，正上頞顋，还出系目系。身热者，阳明主身之肌肉，《针经》曰：阳明气盛则身以前皆热。目疼、鼻干者，经中客邪也。不得卧者，胃气逆不得从其道也。

尺寸俱弦者，少阳受病也，当三四日发。以其脉循胁络于耳，故胸胁痛而耳聋。此三经受病，未入于腑者，皆可汗而已。

成无已:《内经》曰：阳中之少阳，通于春气。春脉弦。尺寸俱弦者，知少阳受邪也。二三日阳明之邪不已，传于少阳，是当三四日发。胸胁痛而耳聋者，经壅而不利也。三阳受邪，为病在表，法当汗解。然三阳矣有便入腑者，入腑则宜下，故云：未入腑者，可汗而已。

尺寸俱沉濡者，太阴受病也，当四五日发。以其脉布胃中，络于嗌，故腹满而嗌干。

成无已：阳极者阴受之，邪传三阳既遍，次乃传于阴经。在阳为在表，在阴为在里。邪在表则见阳脉，邪在里则见阴脉。阳邪传阴，邪气内陷，故太阴受病而脉尺寸俱沉濡也。自三阳传于太阳，是当四五日发也。邪入于阴则渐成热，腹满而嗌干者，脾经壅而成热也。

尺寸俱沉细者，少阴受病也，当五六日发。以其脉贯肾，络于肺，系舌本，故口燥舌干而渴。

成无己：少阴肾水也，性趣下。少阴受病，脉尺寸俱沉细也。四五日太阴之邪不已，至五六日则传于少阴也，是少阴病当五六日发。人伤于寒，则为病热，谓始为寒，而终成热也。少阴为病，口燥舌干而渴，邪传入里，热气渐深也。

尺寸俱弦微者，厥阴受病也，当六七日发。以其脉循阴器，络于肝，故烦满而囊缩。此三经皆受病，已入于腑者，皆可下而已。

成无己：弦者，风脉也。厥阴脉弦微者，邪传厥阴，热气已剧，近于风也。当六七日发，以少阴邪传于厥阴，烦满而囊缩者，热气聚于内也。三阴受邪，为病在里，于法当下。然三阴亦有在经者，在经则宜汗，故云：已入于腑者，可下而已。《经》曰：临病之工，宜须两审。

通行本作：尺寸俱沉细者太阴，尺寸俱沉者少阴，尺寸俱微缓者厥阴。成注因之，今依本书改正。

以上七节，乃仲景引述《素问·热论》之伤寒病，整理其文，补出脉状及治法，论集所谓“撰用《素问》《九卷》”也。与本论六经之伤寒病，证候不同，治法亦异。学者当分别观之，庶不致误。盖《素问》所云之伤寒六经受病及两感，皆以发热而渴为主。虽兼他证，而始终不言恶寒，当是本论太阳篇上太阳发热而渴，不恶寒之温病。是以传变如斯之速，故《素问》以热论名篇，而于篇终申明之曰：凡病伤寒而成温者，先夏至日为病温，后夏至日为病暑，仲景于此篇补其治法，计十二方。首之麻黄汤者，《素问》所谓其未满三日者，可汗而已，暑当与汗皆出，勿止之意也。其余十一方中，用石膏、大黄、黄芩、黄连、黄柏等清温解热之药，可知其旨矣。章终结论云：若更感异气，变成温疟、风温、温毒、温疫，以此冬伤于寒，发为温病，脉之变化、方治如说。与《素问》之义，若合符节，其意益显明而无疑矣。自宋以后，唯王肯堂谓为六经温病，程郊倩谓为热病。其余诸家论伤寒病及注《素问》《伤寒论》者，皆混合二病而为一，以致牵强附会，胶葛莫解。今得本书证明其旨，千载疑误，一旦释然。盖《素问》所言之六经，为足三阳三阴之经脉，以温病之发在立春以后，夏至以前，适地气上升之时，故只言足之六经受病也。仲景本论之六经，以全身表里、肌肉、血脉、神经钤百病也。

伤寒传经在太阳，脉浮而急数，发热，无汗，烦躁，宜麻黄汤。

麻黄汤方 见太阳病中篇

伤寒传经者，谓冬伤于寒不即病者，寒毒藏于肌肤，传伏经脉，至春阳气外散，邪随正出，发为温病，当辨其所见脉证，以法治之也。若邪在太阳经者，当一二日发，则脉浮而急数。浮为邪在表，急数则热盛。邪在表，则头项痛，腰脊强。热盛则发热，无汗而烦躁。宜麻黄汤开玄府以发汗，使太阳经之热邪外散，所谓“未入于腑者，可汗而已”也。不用清凉药者，恐致表邪内陷也。

传阳明，脉大而数，发热，汗出，口渴，舌燥，宜白虎汤。不差，与承气汤。

白虎汤方 见太阳病上篇

承气汤方、调胃承气汤方见太阳病上，小承气汤方、大承气汤方均见阳明病。

若邪传阳明经者，当二三日发。本论云：伤寒三日，阳明脉大。此为温病，故脉大而数。大为邪实，数为热盛，里热外迫，熏蒸肌腠，故发热汗出。胃燥津枯，故目疼、鼻干、不得卧，而口渴舌燥。宜白虎汤以清内热而凉肌腠，生胃津以止燥渴。服白虎汤而不差者，必胃腑有燥结实热也。审其在胃者，与调胃承气汤；在小肠，大便难而不甚者，与小承气汤；在大肠，大便硬甚者，与大承气汤，以荡涤肠胃燥结，腑邪清而外热自解，所谓“已入于腑者，可下而已”也。

传少阳，脉弦而急，口苦，咽干，头晕，目眩，往来寒热，热多寒少，宜小柴胡汤。不差，与大柴胡汤。

邪传少阳经者，当三四日发。本论云：伤寒，脉弦细，头痛，发热者，属少阳。此为湿病，故脉弦而急、头晕、热多寒少也。足少阳经属胆，胆者肝之腑，故脉弦而急也。其经起于目锐眦，上抵头角，下耳后循颈下胸中，络肝属胆，循胁里。热邪由经入腑，胆气上溢，故口苦。热循经气上干，故胸胁痛、咽干、目眩、耳聋、头晕也。少阳处阴阳之交，邪正相争，温属阳邪，故往来寒热、热多寒少也。诸证与伤寒大同，故治法亦不殊也。先宜小柴胡汤清肝胆之热，以解半表之结邪。不差者，再与大柴胡汤泻胆胃之实，以和半里之余结。

小柴胡汤方 见太阳病中篇

大柴胡汤方 见太阳病中篇

传太阴，脉濡而大，发热，下利，口渴，腹中急痛，宜茯苓白术厚朴石膏黄芩甘草汤。

邪传太阴经者，当四五日发。足太阴经属脾，故脉濡而大。其经入腹，属脾络胃，上膈挟咽，连舌本，散舌下。邪陷入阴，热势渐深，循经入脾，故腹满发热。脾脏为热所灼，胃肠不能得其津液以消化水谷，故协热下利而腹中急痛。热邪循经上干，故嗌干口渴也。治法当健脾益津，滋阴清热，宜茯苓白术厚朴石膏黄芩甘草汤。

茯苓白术厚朴石膏黄芩甘草汤方

茯苓四两　白术三两　厚朴四两　石膏半斤　黄芩三两　甘草二两（炙）

上六味，以水一斗，煮取五升，去滓。每服一升五合余，日三服。

太阴之上，湿气治之，热传太阴，则湿热相合，为肠澼下利。本方用茯苓为君，以除热渗湿。热邪内陷，原由脏虚，故取理中之半；白术以健脾，甘草以和胃。厚朴以行气止痛，石膏以解肌热，黄芩以治热利。稽之《本经》，茯苓主胸胁逆气，心下结痛，寒热烦满，口焦舌干，利小便；术主湿痹，除热消食；厚朴主寒热气血痹；石膏主寒热心下逆气，口干舌焦，腹中坚痛；黄芩主诸热肠澼泻痢；甘草主五脏六腑寒热邪气、解毒。六味相合，以之治温病邪传太阴，发热下利，口渴，腹中急痛，诚丝丝入扣之良方也。

传少阴，脉沉细而数，手足时厥时热，咽中痛，小便难，宜附子细辛黄连黄芩汤。

邪传少阴者，当五六日发。本论云：少阴之为病，脉微细。此为温病热邪入里，自气陷血，故脉沉细而数也。足少阴经属肾络膀胱，其直者从肾上贯肝膈入肺中，循喉咙挟舌本。热邪循经上干，故口燥舌干而渴，咽中痛。热邪循经入脏及腑，气逆于下，肾阳不行，故手足时厥时热，小便难也。宜附子细辛黄连黄芩汤。

附子细辛黄连黄芩汤

附子大者一枚（炮，去皮，破八片）　细辛二两　黄连四两　黄芩二两

上四味，以水六升，煮取三升，去滓。温服一升，日三服。

本方即治少阴病始得之，反发热，脉沉者之麻黄附子细辛汤去麻黄，加黄连黄芩也。本论云：少阴病，脉细沉数，病为在里，不可发汗。故去麻黄。少阴水脏，肾阳气逆则手足时厥时热，用附子温固肾阳以为君；细辛通脉利窍以为辅；黄连清热于上，黄

芩清热于下，以为佐使；温凉互用，以济厥功。允为温病邪传少阴，口燥舌干而渴，手足时厥时热，咽中痛，小便难之的方也。

传厥阴，脉沉弦而急，发热时疏，心烦呕逆，宜桂枝当归汤，吐蛔者，宜乌梅丸。

邪传厥阴者，当六七日发。足厥阴经属肝，热邪陷里，入阴已尽，故脉沉弦而急也。阴极则出阳，故发热时疏也。其脉循股阴入毛中，过阴器，抵小腹，挟胃属肝络胆，上贯膈，热邪循经上干，故囊缩、心烦、呕逆也。宜桂枝当归汤和荣卫，达肝郁，清热除烦以止呕逆。若热邪干胃而吐蛔者，则宜乌梅丸以敛热杀虫而自愈。

桂枝当归汤方

桂枝三两　当归三两　芍药三两　半夏一升　黄柏二两　甘草二两（炙）

上六味，以水七升，煮取四升，去滓。温分三服。

乌梅丸方　见厥阴病篇

本方即当归四逆汤去细辛、木通、大枣，加黄柏、半夏也。当归四逆汤治身痛如掣，荣卫不和，寒邪在少阴也。此汤治心烦呕逆，荣卫不和，热邪在厥阴也。桂枝益阳气，当归和阴血，芍药通痹，甘草调中，四味相济，以和荣卫。黄柏以除热烦，半夏以止呕逆。温病邪传厥阴，发热时疏、心烦、呕逆，非此莫愈。

以上皆传经、脉证并治之正法也。若入腑及脏，为传经变病，治列后条。

此结论以上六节，皆温病传六经脉证并治之正法，乃仲景所撰，所以补《素问》之阙佚也。

若两感于寒者，一日太阳受之，即与少阴俱病，则头痛、口干、烦满而渴，脉时浮时沉、时数时细，大青龙汤加附子主之。

大青龙加附子汤方　大青龙汤方见太阳病中篇

即大青龙汤加附子一枚（炮，去皮，破八片）。煎服法同。

张景岳：两感者，表里同病也。足太阳与少阴为表里，故在太阳则为头痛，在少阴则为口干、烦满。

热邪在太阳则脉浮数，在少阴则脉沉细，今表里同病，正邪相争，故脉时浮时沉、时数时细也。凡两感病，皆阳实阴虚，故用大青龙汤以散太阳之热实，加附子以固少阴之阳虚。

二日阳明受之，即与太阴俱病，则腹满、身热、不欲食、谵语，脉时高时卑、时强时弱。宜大黄石膏茯苓白术枳实甘草汤。

成无己：至二日则太阳传于阳明，而少阴亦传于太阴，身热谵语者阳明，腹满不欲食者太阴。

热邪在阳明则脉高强，在太阴则脉卑弱。今表里同病，正邪相争，故脉时高时卑、时强时弱也。宜大黄石膏茯苓白术枳实甘草汤。

大黄石膏茯苓白术枳实甘草汤方

大黄四两　石膏一斤　茯苓三两　白术四两　枳实三两　甘草三两（炙）

上六味，以水八升，煮取五升，去滓。温分三服。

两感病邪传阳明与太阴，亦阳实阴虚，故本方取承气之半：大黄、枳实以泻阳明之实热，佐石膏以解肌，不用朴硝者，防邪内陷也；合理中之半：白术、甘草以除太阴之虚热，佐茯苓以化气，不用参姜者，恐助邪热也；攻补兼施，阴阳气和而表里之邪自解矣。

三日少阳受之，即与厥阴俱病，则耳聋、囊缩而厥，水浆不入，脉乍弦乍急、乍细乍散，宜当归附子汤。

成无己：至三日阳明传于少阳，而太阴又传于厥阴，耳聋者少阳，囊缩而厥者厥阴，水浆不入，胃气不通也。

陈修园：少阳与厥阴为表里，故见少阳之耳聋，厥阴之囊缩而厥。水浆不入，谷气绝也。

热邪在少阳则脉弦细，在厥阴则脉急散。今表里同病，正邪纷争，故脉乍弦乍急、乍细乍散也。宜当归附子汤。

当归附子汤方

当归四两　附子大者一枚（炮，去皮，破八片）　人参三两　黄连二两　黄柏三两

上五味，以水六升，煮取三升，去滓。温服一升，日三服。

两感病热邪传至少阳与厥阴，势已极深，然仍不外阳实阴虚，而气血益虚，故本方用当归、附子、人参以补厥阴之血气，黄连、黄柏以清少阳上下二焦之邪热，寒热并

用，清补相济，庶可挽救此垂危之证于十一也。

以上皆传经变病，多不可治。不知人者，六日死。若三阴三阳、五脏六腑皆受病，则荣卫不行、脏腑不通而死矣。所谓两感于寒，不免于死者，其在斯乎！其在斯乎！

成无己：《内经》：五脏已伤，六腑不通，荣卫不行，如是之后，三日乃伤，何也？岐伯曰：阳明者，十二经脉之长也，其血气盛，故云不知人，三日其气乃尽，故死矣。谓三日六经俱病，荣卫之气不得行于内外，腑脏之气不得通于上下，至六日，腑脏之气俱尽，荣卫之气俱绝，则死矣。

若不加异气者，至七日太阳病衰，头痛少愈也；八日阳明病衰，身热少歇也；九日少阳病衰，耳聋微闻也，十日太阴病衰，腹减如故，则思饮食；十一日少阴病衰，渴止舌干，已而嚏；十二日厥阴病衰，囊纵，少腹微下，大气皆去，病人精神爽慧也。若过十三日以上不间，尺寸陷者，大危。

成无己：六日传遍，三阴三阳之气皆和，大邪之气皆去，病人精神爽慧也。间者，瘳也。十二日传经尽，则当瘳愈。若过十三日以上不瘳，尺寸之脉沉陷者，即正气内衰，邪气独胜，故云大危。

程郊倩：热病传遍六经，方得从头罢去。以从前各经皆为阳热所布伏，故毒热必从头次第发得出来，真阴方从头次第复得转去。万无中止之发，亦万无越次之理也。

若更感异气，变为他病者，当依坏病证法而治之。若脉阴阳俱盛，重感于寒者，变成温疟。

成无己：异气者，为先病未已，又感别异之气也。两邪相合，变为他病。脉阴阳俱盛者，伤寒之脉也。《难经》曰：伤寒之脉，阴阳俱盛而紧涩。《经》曰：脉盛身寒，得之伤寒，则为前病热未已，再感于寒，寒热相搏，变为温疟。

阳脉浮滑，阴脉濡弱，更伤于风者，变为风温。

成无己：此前热未歇，又感于风者也。《难经》曰：中风之脉，阳浮而滑，阴濡而弱，风来乘热，故变风温。

阳脉洪数，阴脉实大，更遇温热者，变为温毒。温毒，病之最要者也。

成无己：此前热未已，又感温热者也。阳主表，阴主里，洪数实大皆热也，两热相合，变为温毒。以其表里俱热，故为病最重。

阳脉濡弱，阴脉弦紧，更遇温气者，变为温疫。以此冬伤于寒，发为温病，脉之变证，方治如说。

成无己：此前热未已，又感温气者也。温热相合，变为温疫。

以上四节，原书合为一节，今从成注，分之如上。

凡人有疾，不时即治，隐忍冀差，以成痼疾。小儿、女子，益以滋甚。时气不和，便当早言，寻其邪由，及在腠理，以时治之，罕有不愈者。患人忍之，数日乃说，邪气入脏，则难为制。

成无己：凡觉不佳，急需求治，苟延时日，则邪气入深，难可复制。《千金》曰：凡有少苦，似不如平常，即须早道；若隐忍不治，冀望自差，须臾之间，以成痼疾，此之谓也。小儿气血未全，女子血室多病，凡所受邪，易于滋蔓。腠理者，津液腠泄之所，文理缝会之中也。邪客于皮肤，则邪气浮浅，易为散发，若以时治之，罕有不愈者矣。邪在皮肤，则外属阳而易治；邪传入里，则内属阴而难治。《内经》曰：善治者，治皮毛，其次治肌肤，其次治筋脉，其次治六腑，其次治五脏。治五脏者，半死半生也。昔桓侯怠于皮肤之微疾，以至骨髓之病，家有患者，不可备虑。

凡作汤药，不可避晨夕，觉病须臾，即宜便治，不等早晚，则易愈矣。如或差迟，病即传变，虽欲除治，必难为力。服药不如方法，纵意违师，不须治之。

成无己：《千金》曰：凡始觉不佳，即须治疗，迄至于病，汤食竞进，折其毒势，自然而差。传有常也。变无常也。传为循经而传，如太阳传阳明是也。变为不常之变，如阳证变阴证是也。邪即转变，病势深也。《本草》曰：病势已成，可得半愈；病势已过，命将难全。《内经》曰：拘于鬼神者，不可与言至德；恶于针石者，不可与言至巧；病不许治者，病必不治，治之无功矣。

凡伤寒之病，多从风寒得之。始表中风寒，入里则不消矣。未有温覆而当，不消散者。不在证治，拟欲攻之，犹当先解表，乃可下之。若表未解，而内不消，非大满，犹有寒热，则不可下。若表已解，而内不消，大满大实，腹坚中有燥屎，自可下之。虽四五日，数下之，不能为祸也。若不宜下，而便攻之，则内虚热入，协热遂利，烦躁诸变，不可胜数，轻者困笃，重者必死矣。

成无己：凡中风与伤寒为病，自古通谓之伤寒。《千金》曰：夫伤寒病者，起自风寒，入于腠理，与精气纷争，荣卫偏隔，周身不通而病。风寒初客于皮肤，便投汤药，温暖发散而当者，则无不消散之邪。先解表而后下之，则无复传之邪也。表证虽罢，里不至大坚满者，亦未可下之，是邪未收敛成实，下之则里虚而邪复不除，犹生寒热也。外无表证，里有坚满，为下证悉具。《外台》云：表和里病，下之则愈。下证既具，则不必拘于日数。下之不当，病轻者，证犹变易而难治，又矧重者乎。

夫阳盛阴虚，汗之则死，下之则愈；阳虚阴盛，汗之则愈，下之则死。如是，则神丹安可以误发，甘遂何可以妄攻？虚盛之治，相背千里，吉凶之机，应若影响，岂容易哉！况桂枝下咽，阳盛即毙；承气入胃，阴盛以亡。死生之要，在乎须臾，视身之尽，不暇计日。此阴阳虚实之交错，其候至微；发汗吐下之相反，其祸至速。而医术浅狭，懵然不知病源，为治乃误，使病者殒殁，自谓其分，至今冤魂塞于冥路，死尸盈于旷野，仁者鉴此，岂不痛欤！

成无己：表为阳，里为阴。阴虚者，阳必凑之，阳盛之邪，乘其里虚而入于腑者，为阳盛阴虚也。经曰：尺脉弱，名曰阴不足。阳气下陷入阴中，则发热者是矣。下之，除其内热而愈。若反汗之，则竭其津液而死。阴脉不足，阳往从之；阳脉不足，阴往乘之。阴邪乘其表虚，客于荣卫之中者，为阳虚阴盛也。经曰：假令寸口脉微，名曰阳不足。阴气上入阳中，则洒淅恶寒者是矣。汗之，散其表寒则愈。若反下之，则脱其正气而死。《经》曰：本发汗而复下之，此为逆也。本先下之，而反汗之为逆。神丹者，发汗之药也。甘遂者，下药也。若汗下当则吉，汗下不当则凶，其应如影随形，如响应声。桂枝汤者，发汗药也。承气汤者，下药也。《金匮玉函》曰：不当汗而强与汗之者，令人夺其津液，枯槁而死；不当下而强与下之者，令人开肠洞泄，便溺不禁而死。投汤不当，则灾祸立见，岂暇计其日数哉。

凡两感病俱作，治有先后，发表攻里，本自不同，而执迷用意者，乃云神丹、甘遂合而饮之，且解其表，又除其里，言巧似是，其理实违。夫智者之举措也，常审以慎；愚者之动作也，必果而速。安危之辨，岂可诡哉！世上之士，但务彼翕习之荣，而莫见此倾危之败，唯明者，居然能护其本，近取诸身，夫何远焉。

成无己：两感病俱作，欲成不治之疾，医者大宜消息，审其先后，次第而治之；若妄意攻治，以求速效者，必致倾危之败。

凡发汗，温暖汤药，其方虽言日三服，若病剧不解，当促其间，可半日中尽三服。若与病相阻，即便有所觉。病重者，一日一夜，当晬时观之。如服一剂，病证犹在，故当复作本汤服之；至有不能汗出，服三剂乃解；若汗不出者，死病也。

成无己：发汗药，须温暖服者，易为发散也。日三服者，药势续也。病势稍重，当促急服之，以折盛热，不可拘于本方。设药病不相对，汤入即便知之，如阴多者，投以凉药，即寒逆随生；阳多者，饮以温剂，则热毒即起，是便有所觉。晬时者，周时也。一日一夜服汤药尽剂，更看其传，如病证犹在，当复作本汤，以发其汗；若服三剂不解，汗不出者，邪气大甚，汤不能胜，必成大疾。《千金》曰：热病脉躁盛而不得汗者，此阳脉之极也，死。

凡得时气病，至五六日，而渴欲饮水，饮不能多，不当与也。何者？以腹中热尚少，不能消之，便更与人作病也。至七八日，大渴，欲饮水者，犹当依证而与之；与之时，常令不足，勿极意也，言能饮一斗，与五升。若饮而腹满，小便不利，若喘若哕，不可与之也。忽然大汗出，是为自愈也。

成无己：热在上焦，则为消渴，言热消津液，而上焦干燥，则生渴也。大热则能消水，热少不能消之，若强饮，则停饮变为诸病。至七八日，阳胜气温，向解之时，多生大渴也，亦须少少与之，以润胃气，不可极意饮也。若饮而腹满，小便不利，若喘若哕者，为水饮内停而不散，不可更与之。忽然阳气通，水气散，先发于外作大汗而解。

凡得病，反能饮水，此为欲愈之病。其不晓病者，但闻病欲饮水者自愈，小渴者，乃强与饮之，因成其祸，不可复救也。

成无己：小渴者，为腹中热少，若强与水，水饮不消，复为诸饮病也。

凡得病，厥脉动数，服汤更迟，脉浮大减小，初躁后静，此皆愈证也。

成无己：动数之脉，邪在阳也，汤入而变迟者，阳邪愈也。浮大之脉，邪在表也，而复减小者，表邪散也。病初躁乱者，邪所烦也，汤入而安静者，药胜病也。是皆为愈证。

凡治温病，可刺五十九穴。

成无己：五十九穴者，以泻诸经之温热。《针经》曰：热病取之诸阳五十九穴，刺以泻其热而出其汗，实其阴而补其不足。

《素问·水热穴论》：治热病五十九俞：头上五行行五者，以越诸阳之热逆也；大杼、膺俞、缺盆、背俞，此八者，以泻胸中之热也；气街、三里、巨虚、上下廉，此八者，以泻胃中之热也；云门、髃骨、委中、髓空，此八者，以泻四肢之热也；五脏俞旁五，此十者，以泻五脏之热也。凡此五十九穴者，皆热之左右也。

又身之穴，三百六十有五，其三十穴，灸之有害，七十九穴，刺之为灾，并中

髓也。

成无己：穴有三百六十五，以应一岁。其灸刺之禁，皆肉薄骨鲜之处，血脉虚少之分，针灸并中髓也。

脉四损，三日死。平人一息，病人脉一至，名曰四损。脉五损，一日死。平人二息，病人脉一至，名曰五损。脉六损，一时死。平人三息，病人脉一至，名曰六损。四损经气绝，五损腑气绝，六损脏气绝。真气不行于经，曰经气绝；不行于腑，曰腑气绝；不行于脏，曰脏气绝。经气绝则四肢不举，腑气绝则不省人事，脏气绝则一身尽冷。

《素问·平人气象论》：人一呼脉再动，一吸脉亦再动，呼吸定息脉五动，闰以太息，命曰平人。平人者，不病也。常以不病调病人，医不病，故为病人平息以调之为法。人一呼脉一动，一吸脉一动，曰少气。《难经》云：一呼一至曰离经，二呼一至曰夺精，三呼一至曰死，四呼一至曰命绝，此损之脉也。又曰：一呼一至，一吸一至，名曰损，人虽能行，犹当着床，所以然者，血气皆不足故也。再呼一至，再吸一至，名曰无魂；无魂者，当死也。人虽能行，名曰行尸。是四损、五损、六损皆不可治之死脉。所谓经、腑、脏气绝者，非以诊病之浅深，所以验气绝之先后也。

脉盛身寒，得之伤寒；脉虚身热，得之伤暑。脉阴阳俱盛，大汗出，下之不解者死。脉阴阳俱虚，热不止者死。脉至乍数乍疏者死。脉至如转索，按之不易，其曰死。谵言妄语，身微热，脉浮大，手足温者生；逆冷，脉沉细者，不过一日死矣。此以前是伤寒热病证候也。

成无己：《内经》曰：脉者，血之府也。脉实血实，脉虚血虚。寒则伤血，邪并于血则血盛而气虚，故伤寒者，脉盛而身寒。热则伤气，邪并于气则气盛而血虚，故伤暑者，脉虚而身热。脉阴阳俱盛，当汗出而解；若汗出不解则邪气内胜，正气外脱，故死。《内经》曰：汗出，而脉尚躁盛者，死。《千金》曰：热病已得汗，脉尚躁盛，此阳脉之极也，死。脉阴阳俱虚者，真气弱也；热不止者，邪气胜也。《内经》曰：病温虚甚者，死。脉至乍数乍疏者死，为天真荣卫之气断绝也。脉至如转索，按之不易者，为紧急而不软，是中无胃气，故不出其日而死。谵言妄语，阳病也。身微热，脉浮大，手足温，为脉病相应；若身逆冷，脉沉细，为阳病见阴脉，脉病不相应，故不过一日而死。《难经》曰：脉不应病，病不应脉，是为死病。

脉濡而弱，弱反在关，濡反在巅；微反在上，涩反在下。微则阳气不足，涩则无

血。阳气反微，中风汗出，而反躁烦。涩则无血，厥而且寒。阳微则不可下，下之则心下痞硬。

《金鉴》：浮而无力，濡脉也。沉而无力，弱脉也。浮中沉俱无力，似有似无。微脉也。滞而不流利，涩脉也。巅，谓浮也。上，谓寸也。下，谓尺也。脉濡而弱，弱反在关，濡反在巅，微反在上，涩反在下，谓关脉浮濡、沉弱。寸脉微，尺脉涩，阳虚则寸脉微，血少则尺脉涩，此阳虚血少，不可汗之脉也。阳虚当汗出、恶寒，血少当心烦、发热，此阳虚血少，不可汗之证也。若误认为太阳中风而发其汗，必致阴阳相失而两亡，则反烦躁不眠，厥而且寒矣。汗既不可，下亦不可，均为阳虚故也。若误下之，则寒虚内竭，心下痞硬，必成太阴误下下利之痞硬矣。

动气在右，不可发汗，发汗则衄而渴，心苦烦，饮水即吐。

成无己：动气者，筑筑然气动也。在右者，在脐之右也。《难经》曰：肺内证，脐右有动气，按之牢若痛。肺气不治，正气内虚，气动于脐之右也。发汗则动肺气，肺主气，开窍于鼻，气虚则不能卫血，血溢妄行，随气出于鼻为衄。亡津液，胃燥，则烦渴而心苦烦。肺恶寒，饮冷则伤肺，故饮即吐水。

动气在左，不可发汗，发汗则头眩，汗不止则筋惕肉瞤。

成无己：《难经》曰：肝内证，脐左有动气，按之牢若痛。肝气不治，正气内虚，气动于脐之左也。肝为阴之主，发汗，汗不止则亡阳外虚，故头眩、筋惕肉瞤。《针经》曰：上虚则眩。

张隐庵：夫肝之血气实养筋肉，今血气两虚，故筋惕肉瞤。

动气在上，不可发汗，发汗则气上冲，止于心下。

成无己：《难经》曰：心内证，脐上有动气，按之牢若痛。心气不治，正气内虚，气动于脐之上也。心为阳，发汗亡阳，则愈损心气，肾乘心虚，欲上凌心，故气上冲，止在心下。

动气在下，不可发汗，发汗则无汗可发，心中大烦，骨节疼痛，目眩，恶寒，食则吐谷，气不得前。

成无己：《难经》曰：肾内证，脐下有动气，按之牢若痛。肾气不治，正气内虚，动气发于脐之下也。肾者主水，发汗则无汗者，水不足也；心中大烦者，肾虚不能制心火也。骨节疼痛者，肾主骨也。目眩者，肾病则目䀮䀮如无所见。恶寒者，肾主寒也。

食则反吐，谷不得前者，肾水干也。王冰曰：病呕而吐，食久反出，是无水也。

咽中闭塞，不可发汗，发汗则吐血，气微欲绝，手足厥冷，欲得蜷卧，不能自温。

《金鉴》：少阴之脉，循喉咙，系舌本。咽中闭塞，少阴之气不能上通也。若强发少阴汗，阳微不能作汗，必动其血，故吐血，气微绝，蜷卧厥冷，不能自温也。

程郊倩：汗剂为阳，施于阴经则逆。咽中闭塞，由少阴液少，肾气不能上通也。发少阴汗，则下厥上竭，故见证如此。

诸脉得数动微弱者，不可发汗，发汗则大便难，腹中干，胃燥而烦，其形相象，根本异源。

《金鉴》：凡诸病得数动脉者，有余诊也，可发汗。若按之微弱者，是外假实而内真虚也，不可发汗。若误发其汗，伤其津液，则腹中干，大便难，胃燥而烦，其形似胃实热结之阳明；究其根本，实由发虚家汗，致成津枯虚燥之阳明也。故曰：其形相象，根本异源也。

脉微而弱，弱反在关，濡反在巅，弦反在上，微反在下，弦为阳运，微为阴寒，上实下虚，意欲得温。微弦为虚，不可发汗；发汗则寒栗，不能自还。

《金鉴》：此为关脉浮濡沉弱，寸脉弦，尺脉微也。弦为少阳热邪之诊，微为少阴寒邪之诊，故曰上实下虚也。然微弦同见，虚实未审，唯察其人意欲得温，则非恶寒在表，而是畏寒在里也，故不可发汗。若误发其汗，则阴愈盛而生寒栗，阳愈衰而不能自还矣。

咳而发汗，其咳必剧，数吐涎沫，咽中必干，小便不利，心中饥烦，晬时而发，其形似疟，有寒无热，虚而寒栗。蜷而苦满，腹中复坚，命将难全。

张隐庵：此言咳剧发汗，则伤太阴脾肺之气。咳者，太阴肺病也。咳者则剧，言咳甚则病及于脾。数吐涎沫者，脾虚而不能转输其津液也。津液不布于上，故咽中必干；津液不化于下，故小便不利；津液不运于中，故心中饥烦。晬时，周时也，周时而脉大会于寸口；今肺咳为病，其气不能外达皮毛，故晬时而发，其形似疟。所谓其形似疟者，乃有寒无热、虚而寒栗之谓也。咳而发汗，致脾肺之气不能外充，故蜷而苦满，腹中复坚。身蜷卧而胸苦满，肺气虚矣；身蜷卧而腹中坚，脾气虚矣。

厥逆脉紧，不可发汗，发汗则声乱、咽嘶、舌萎、声不得前。

成无已：厥而脉紧，则少阴伤寒也，法当温里，而反发汗，则损少阴之气。少阴之脉入肺中，循喉咙，挟舌本，肾为之本，肺为之标，本虚则标弱，故声乱、咽嘶、舌萎、声不得前。

魏念庭：厥者，凡厥有冷厥、热厥、蛔厥、寒热相胜之厥。但见紧脉，无论何厥，病皆在阴。若发汗，反攻其阳，则气散血竭。夫舌根于肾，声出于肺，声乱咽嘶，肺气欲绝也。舌萎，即萎不为用也。声不得前，本气不振也。皆由于发汗，散亡其肾、肺二脏真气也。

诸逆发汗，病微者难差，剧者必死。

《金鉴》：不当汗而汗，当汗而过汗，皆致逆，故曰诸逆也。发汗致逆之病，病微者难差，病剧者则死。

凡发汗，欲令遍身絷絷微似汗，不可令如水流漓。若病不解，当重发汗。若汗多者，不得重发汗，亡阳故也。

张令韶：此示人以发汗之法，而又为诫慎之词。凡发汗欲令手足俱周者，欲其血脉充溢，气机盈满，周遍于四肢而无不到也。时出似絷絷然者，汗出以时，溱溱而微注也。不可令如水流漓者，恐亡阳也。夫发汗者，所以解病，若病不解，当重发汗以解之。然又不可过多，多则必亡其阳矣。夫病不解，当重发汗；若阳已虚，病虽不解，而亦不得重发汗。此于可发汗之中而又叮咛告诫，慎之至也。魏子千问曰：汗乃阴液，汗多乃亡津液，何以又亡阳也？答曰：经云："上焦开发，熏肤充身泽毛，若雾露之溉，是谓气。"汗虽阴液，必藉阳气之熏蒸宣发而后出，故亦亡阳。

凡服汤发汗，中病便止，不必尽剂。

张令韶：凡作汤药，必分温再服，一服汗，余勿服，即中病即止，不尽剂也。

诸四逆厥者，不可吐之，虚家亦然。

尤在泾：厥者，手足逆冷是也。伤寒脉促，手足厥逆者，可灸之。其他凡言厥逆之处不一，则四逆与厥本无分别，特其病有阴阳之异耳。此条盖言阴寒厥逆，法当温散温养之，故云：不可吐之。虚家，体虚不足之人也，虽非四逆与厥，亦不可吐之。经曰：毋实实，毋虚虚，而遗人夭殃。此之谓也。

凡病胸上诸实，胸中郁郁而痛，不能食，欲使人按之，而反有涎唾，下利十余行，其脉反涩，寸口脉微滑，此可吐之，吐之利则止。

成无己：胸上诸实，或痰食，或热郁，或寒结胸中。郁而痛，不能食，欲使人按之，反有涎唾者，邪在下，按之气下而无涎唾，此按之反有涎唾者，知邪在胸中。经曰：下利脉迟而滑者，内实也。今下利日十余行，其脉反迟，寸口脉微滑，是上实也，故可吐之。《玉函》曰：上盛不已，吐而夺之。

张路玉：痛不得食，按之反有涎唾者，知有寒痰在胸中也。下利脉迟，寸口微滑者，为膈上实，故吐之则利自止也。

宿食在上脘者，当吐之。

张隐庵：胃为水谷之海，有上脘、中脘、下脘之分，上主纳，中主化。今食在上脘，不得腐化，故成宿食，当吐之。

成无己：宿食在中下脘者，则宜下；宿食在上脘，则当吐。

动气在右，不可下之，下之则津液内竭，咽燥鼻干，头眩心悸也。

成无己：动气在右，肺之动也。下之伤胃动肺，津液内竭。咽燥鼻干者，肺属金，主燥也；头眩心悸者，肺主气而虚也。

张令韶：肺为水之上源，故肺虚者不可下，下之则源竭而流穷，故津液内竭。内竭则不能上滋而咽燥鼻干；不能补益脑髓而头眩；不能荣养经脉而心悸也。《灵枢·五癃津液别》：三焦出气，以温肌肉，充皮肤为其津，其流而不行者为液。

程郊倩：动气误下，是为犯脏，左右上下，随其经气而致逆，故禁同汗例。

动气在左，不可下之，下之则腹内拘急，食饮不下，动气更剧，虽有身热，卧则欲蜷。

张令韶：动气在左，肝虚也，不可下。下之则肝气逆而不舒，故腹内拘急。食气入胃，散精于肝，肝虚，故食不下，动气较前而更甚也。肝为阴中之绝阴，故外虽有身热，而卧则欲蜷，内真寒而外假热也。

动气在上，不可下之，下之则掌中热烦，身上浮冷，热汗自泄，欲得水自灌。

张令韶：动气在上，心虚也，不可下。下之则心火外浮于手掌，故掌握热烦。火气虚微，及于掌而不及于身，故身上浮冷。真火发越于外，故热汗自泄而欲得水自灌也。

动气在下，不可下之，下之则腹胀满，卒起头眩，食则下利清谷，心下痞。

张令韶：动气在下，肾虚也，不可下。下之则下焦火衰，无以生土，故腹胀满。生阳之气不能上循于头，故卒起头眩。肾属少阴，阴寒不杀谷，故食则下利清谷。天气升，地气降，上下不交，故心下痞也。

咽中闭塞，不可下之，下之则上轻下重，水浆不得下，卧则欲蜷，身急痛，下利日数十行。

《金鉴》：咽中闭塞，燥干肿痛者，少阴阳邪也，宜下之。今不燥干，不肿痛者，少阴阴邪也，不可下。下之则阳愈衰，阴愈盛，故曰上轻下重也。水浆不入，卧欲蜷，身急痛，下利日数十行，中外阳虚也。

张路玉：言初病咽干闭塞，以其人少阴之真阳素亏，故汗下俱禁，若下之，则少阴虚寒，诸证蜂起矣。

诸外实者，不可下之，下之则发微热，若亡脉、厥者，当齐握热。

方中行：诸外实，指一切之邪在表而言也。发微热，邪入里也。无脉，阳内陷也。

张令韶：外为阳，内为阴，外实则阳盛而阴虚，下之又损其阴，故发微热。脉乃血脉，阴血虚不能充肤热肉，故亡脉而厥。当脐握热者，热在当脐，如掌握之大也。盖任脉当脐中而上行，任脉虚不能上行，故当脐握热也。

诸虚者，不可下之，下之则大渴，求水者易愈，恶水者剧。

方中行：诸虚，指凡一切汗吐下后，若亡血与精气夺、肉脱色败、脉不应者言也。

张令韶：虚则不可下，下之则津液亡，故大渴。求水者，阳热胜而胃气旺也，故易愈。恶水者，阴寒胜而胃气弱也，故剧。

脉濡而弱，弱反在关，濡反在巅，弦反在上，微反在下，弦为阳运，微为阴寒，上实下虚，意欲得温。微弦为虚，虚者不可下也。微弦为咳，咳则吐涎，下之则咳止而利因不休，利不休则胸中如虫啮，粥入则出，小便不利，两胁拘急，喘息为难，颈背相引，臂则不仁，极寒反汗出，身冷若冰，眼睛不慧，语言不休，而谷气多入，此为除中，口虽欲言，舌不得前。

张令韶：此节首段，与不可汗章词义相同，盖言胃气虚寒者，不可下也。后段言始伤太阴肺气而为微病，下之则五脏六腑俱伤而为死证也。微弦为咳者，言初起于肺，其病微也。咳则吐涎者，继及于脾，脾涎随咳而吐出也。然病虽微，不可下，下之则肺气随下而降，故咳止；脾气随下而陷，故利不休。利不休则脾伤而胃亦伤，故胸中如虫啮（音 niè）而痛，粥入不纳而复出也。脾胃俱伤则转输失职，故小便不利。两胁为上下之枢，上下不和则两胁不能枢转而为之拘急；呼吸之中痛在于胁，故喘息为难。此太阴脾肺俱伤，而病现于内者如此。其在外也，脾肺之气不外行于颈背，故颈背相引。引者，颈仰而后向于背也。肺脉不下肘中循臂内，故臂则不仁。此脾肺俱伤而病现于外者如此。不但此也，脾肺伤则三焦不能出气以温肌肉，故极寒；寒则不当有汗，反汗出者，三焦少阳之真阳衰也；阳衰，故身冷若冰矣。不慧者，睛定而直视也；五脏六腑之精气皆上注于目，精气绝则眼睛不慧。神明乱，故语言不休。其证如是，则脏绝倾危而反谷气多入，此胃土败而中气已除也。始则神明乱而语言不休，至此则神明去，而口虽欲言，舌不得前矣。

脉濡而弱，弱反在关，濡反在巅，浮反在上，数反在下，浮为阳虚，数为无血，浮为虚，数生热。浮为虚，自汗出而恶寒，振而寒栗；微弱在关，胸下为急，喘汗而不得呼吸；数为痛，呼吸之中，痛在于胁，振寒相搏，形如疟状。医反下之，故令脉数发热，狂走见鬼，心下为痞，小便淋沥，少腹甚硬，小便尿血也。

《金鉴》：此谓关脉浮濡、沉弱，寸脉浮，尺脉数也。关濡弱为中气虚乏，寸浮无力为阳虚，尺数无力为血虚。阳虚故汗自出而恶寒，血虚故身痛振寒而栗，中气虚乏故胸膈气急，喘汗而不得呼吸，呼吸之中痛引于胁也。振寒相搏，形如疟状，里邪不实，表邪未解，医反下之，虚阳未罢之表尽陷于里，故令脉虚数无伦，发热，狂走见鬼，心下为痞，少腹甚硬，小便淋漓尿血也。

魏念庭：前虚寒之忌下易知，此虚而兼热之忌下难知，故两条相映互言，以示禁也。

脉濡而紧，濡则卫气微，紧则荣中寒。阳微卫中风，发热而恶寒；荣紧胃气冷，微呕心内烦。医谓有大热，解肌而发汗，亡阳虚烦躁，心下苦痞坚，表里俱虚竭，卒起而头眩，客热在皮肤，怅快不得眠。不知胃气冷，紧寒在关元，技巧无所施，汲水灌其身，客热应时罢，栗栗而振寒，重被而覆之，汗出而冒巅，体惕而又振，小便为微难。寒气因水发，清谷不容闲，呕变反肠出，颠倒不得安，手足为微逆，身冷而内烦，迟欲从后救，安可复追还。

《金鉴》：脉濡而紧，谓浮濡而沉紧也。濡则卫表微，紧则荣里寒，外有发热、汗出、恶寒之表，内有微呕、心烦之里。医为有热，解肌发汗，表阳愈虚，而生烦躁；里寒更急，心下痞硬。表虚里冷，故卒起头眩，怅快不眠。若徒以客热在肤，不知中寒在里，而以冷水灌身，虽客热因而时罢，但栗栗振寒，不容不重被而覆之，汗出必眩，惕振厥逆，下利清谷，烦躁不安而死。以中外之阳两亡，不能复还也。

张令韶：小便为微难，阳亡而气不施化也。清谷不容闲，下利清谷，无闲隙之时也。呕变者，呕出之味变也。肠出者，下利而广肠脱出也。

脉浮而紧，浮则为风，紧则为寒，风则伤卫，寒则伤荣，荣卫俱病，骨节烦疼，当发其汗，而不可下也。

成无已：《脉经》云：风伤阳，寒伤阴，卫为阳，荣为阴，各从其类而伤也。《易》曰：水流湿、火就燥者是矣。卫得风则热，荣得寒则痛。荣卫俱病，故致骨节烦疼，当与麻黄汤，发汗则愈。

脉浮而大，心下反硬，有热属脏者，攻之不令发汗；属腑者，不令溲数。溲数则大便硬，汗多则热甚。脉迟者，尚未可攻也。

脉浮而大，为阳实阴虚之诊。心下反硬者，此痞气结于膈间也。审其有热属脏者，宜以泻心汤攻之，不令发汗以助其热也；属腑者，不令利小便，若利小便则亡津液而大便必硬；若发汗则热更甚。其脉迟者，知里无热，尚未可与泻心汤攻之也。

伤寒，脉阴阳俱紧，恶寒发热，则脉欲厥。厥者，脉初来大，渐渐小，更来渐大，是其候也。如此者，恶寒甚者翕翕汗出，喉中痛；若热多者，目赤脉多，睛不慧。医复发之，咽中则伤；若复下之，则两目闭，寒多便清谷，热多便脓血；若熏之，则身发黄；若熨之，则咽燥。若小便利者，可救之；若小便难者，危殆也。

《金鉴》：伤寒，脉阴阳俱紧，恶寒发热，太阳表证也。则脉欲厥，谓浮紧之脉，初大渐小，知为欲厥之脉也。初来大，阳为之也，故发热；渐渐小，阴为之也，故发厥。更大更热，更小更厥，是其候也。如此者，当以寒热别其厥。恶寒甚，翕翕汗出，咽中痛，是少阴寒厥也；发热多，目赤脉多，睛不了了，是阳明热厥也。寒甚热多之厥，而误发之，则咽痛似伤；而误下之，则两目多闭。凡厥者，必下利，寒厥之利，下利清谷也；热厥之利，下利脓血也；此又以利辨厥之寒热也。若以熏蒸取汗，则发身黄，湿热合也。若以火熨取汗，则咽燥，火甚伤津也。若小便利者，则阴未亡，故可救之；小便难者，则阴已亡，为危殆也。

伤寒发热，口中勃勃气出，头痛目黄，衄不可制，阴阳俱虚，贪水者必呕，恶水者厥。若下之，则咽中生疮。假令手足温者，必下重便脓血。头痛目黄者，下之则目闭。贪水者，下之则脉厥，其声嘤嘤，咽喉塞；汗之则战栗。恶水者，下之则里冷，不嗜食，大便完谷出；汗之则口中伤，舌上白苔，烦躁。脉反数，不大便六七日，后必便

血，小便不利也。

程知：伤寒发热，热在表也；口中勃勃气出，热有里也。头痛目黄，衄不可制，所感之寒与所郁之热共蒸于上也。此当以贪水、恶水辨之。贪水者，阴虚而热胜，水入而热与之拒，故呕也；恶水者，阳虚而寒胜，水入而阳气不任，故厥也。盖热气挟寒邪上蒸，法当辨寒热多寡而用清解，设不知而妄下之，是强抑之而邪不服，必至咽疮。若手足温而不厥者，其热为胜，必以下而致便脓血也。头痛目黄者，下之则热内陷而目闭。若贪水者，阴虚为寒下所抑，其脉必厥，其声必如嘤儿餲塞不扬也；此而更发其汗，则亡阳战栗，阳亦与阴俱虚也。若恶水者，阳虚加之寒下，则有里冷，不嗜食，大便完谷出之变也；此而更发其汗，则虚阳外发，必口烂、舌白苔而烦躁也。脉数实，不大便者，至六七日后当便血，此当下之，若更发其汗，则非唯大便不行，并小便亦为之不利矣。

凡服下药，得利便止，不必尽剂。

成无己：得利便止者，如承气汤证云：若一服利，则止后服。又曰：若一服谵语止，更莫后服。是不尽剂也。

此以前，是汗吐下三法之大要也。若能于此例之外，更神而明之，斯道其庶几乎。

此总结以上汗吐下诸节之义，而申言之，以致叮咛之意。

第四节　杂病例

问曰：上工治未病，何也？师曰：夫治未病者，见肝之病，知肝传脾，当先实脾。四季脾旺不受邪，即勿补之。中工不晓相传，见肝之病，不解实脾，唯治肝也。夫肝之病，补用酸，助用焦苦，益用甘味之药调之。酸入肝，焦苦入心，甘入脾。脾能伤肾，肾气微弱，则水不行；水不行，则心火气盛；心火气盛，则伤肺；肺被伤，则金气不行；金气不行，则肝气盛，肝必自愈。此治肝补脾之要妙也。肝虚则用此法，实则不可用之。《经》曰："勿虚虚，勿实实，补不足，损有余。"是其义也。余脏准此。

魏念庭：此条乃仲景总结诸病当预图于早，勿待病成方治，以贻悔也。篇中皆设为问答以明。问曰：上工治未病，何也？师曰：夫治未病者，见肝之病，知肝传脾，当先实脾。先言肝者，以四时之气始乎春，五脏之气始于肝，故先引肝以为之准云。五脏之气旺则资其所生，由肝生心，心生脾，脾生肺，肺生肾，肾生肝，顺则吉也。病则侮其所克，肝克脾，脾克肾，肾克心，心克肺，肺克肝，逆则凶也。故善养生者，必明乎五行顺布、四时顺行之序，而后不致倒行逆施，与天行有悖也。周子所谓"君子修之吉，小人悖之凶"，即兼理气而言，则医家亦不外乎此义矣。所以肝病必传于脾，上工必先实脾，使肝病不得传而可愈也。然脏气之衰旺，与时令相流通。四季之月，每季土旺十八日，合算畸零，以应五行各旺七十二日之数。若适当其际，则脾旺自不受邪，即勿补之，而肝自不得肆其侮也。设过补脾，又犯实实之戒矣。但此衰旺消息之理，上工方知之。若中工不晓相传之义，见肝之病，不解实脾，唯治肝也。夫肝之病，必肝虚者多，虚者补之，补必用酸，正治也。若夫助其子势，即以助母之势也。焦苦入心，助心必用焦苦，此旁治也。更有益其所胜之势，即以衰其病之势矣。甘入脾，益脾必用甘味以调济之，此又反治也。明乎三治之治而预图之，何病不已乎？所以然者，脾能伤肾，肾气微弱，则水不行。此水为阴寒之水气，足以入厥阴而伤及少阳者，故水不行而心火气足，不食肝母之气而肝自安，故心火足而肝阳畅达，木得火而欣欣向荣必也。且于是而肺金畏火制而不敢来侮肝，故曰伤。然非真伤肺也，使顽燥之气不伐厥阴生意，而肺金常得温，故云和，金气乃不行也。金气不行，则肝木畅茂条达，而病自愈矣。一治肝之法，而辗转顾虑于五行之理，盖如是之周详缜密，而后可善其治肝之用也。此治肝必补脾之要妙也，非上工庸易明哉。肝之虚者，必用此法，而肝实者，则不在此例、用此治。然实邪易泄，虚病难调，知补虚之法，而泄实之法自能类推矣。师又引经以总结之，经曰：虚虚实实，补不足，损有余。盖虚者复攻之，是犯虚虚之禁也；实者复补之，是犯实实之禁也。唯虚而不足者补之，实而有余者损之，方合于经义也。师更明余脏准此，举一隅而可以三隅反矣。

程云来：治未病者，谓治未病之脏腑，非治未病之人也。愚谓见肝补脾则可，若谓补脾则伤肾，肾可伤乎？火盛则伤肺，肺可伤乎？然则肝病虽愈，当准此法以治肺治肾，五脏似无宁日也。“伤”字当作“制”字看，制之则五脏和平而诸病不作矣。

高士宗：实脾专为制水，使火盛金衰，肝不受制，则肝自愈，其理甚精微，故曰：此治肝补脾之要妙也。

唐容川：上段言肝实必传脾，故脾未病而先实之。中段言肝虚必受肺邪，故肺未病而先制之。末段又承发虚实之理而推及余脏，以明此为全书之通例云尔。

夫人秉五常，因风气而生长，风气虽能生万物，亦能害万物，如水能浮舟，亦能覆舟。若五脏元真通畅，人即安和。客气邪风，中人多死。千般疢难，不越三条：一者，经络受邪，入于脏腑，为内所因也；二者，四肢九窍，血脉相传，壅塞不通，为外皮肤所中也；三者，房室、金刃、虫兽所伤。以此详之，病由多尽。若人能养慎，不令邪风干忤经络；适中经络，未流传脏腑，即医治之。四肢才觉重滞，即导引、吐纳、针灸、膏摩，勿令九窍闭塞；更能无犯王法、禽兽灾伤，房室勿令竭乏，服食节其冷热、苦酸辛甘，不遗形体有衰，病则无由入其腠理。腠者，是三焦通会元真之处，为血气所注；理者，是皮肤脏腑之文理也。

《金鉴》：五常者，五行也。五行之气——风、暑、湿、燥、寒也；五行之味——酸、苦、甘、辛、咸也。夫人禀此而有其形，则脏腑日与气味相通。不曰五气，而曰风气者，该他气而言也。盖风贯四气，犹仁贯四德，故曰：因风气而生长也。然风气虽能生万物，亦能害万物者，盖主气正风，从其所居之乡而来，主长养万物者也；客气邪风，从其冲后而来，主杀害万物者也。如时当东风，而来西风也。人在气交之中，其生其害，犹水能浮舟，亦能覆舟也。天之五气，人得之则为五脏真元之气，若通畅相生，虽有客气邪风，勿之能害，人自安和；如不通畅，则客气邪风乘隙而入，中人多死。然人致死之由，虽有千般疢难，大要不外三因：一者中虚，经络受邪，即入脏腑，此为内所因也；二者中实，虽感于邪，脏腑不受，唯外病躯体，四肢九窍，血脉壅塞，此为外所中也；三者房室金刃、虫兽所伤，非由中外虚实，感召其邪，是为不内外因也。以此三者详之，千般疢难，病由悉尽矣。若人能慎养形气，不令客气邪风干忤经络，即适中经络，未传脏腑，遂医治之，自可愈也。四肢九窍，才觉重滞，尚未闭塞，即导引、吐纳、针灸、按摩，亦可愈也。更能无犯王法、禽兽灾伤，房室勿令竭乏，服食节其冷热，五味各得其宜，不使形气有衰，万病疢难无由而入其腠理矣。腠者，一身气隙，血气往来之处，三焦通会真元之道路也。理者，皮肤脏腑，内外井然不乱之条理也。

尤在泾：按陈无择三因方，以六淫邪气所触为外因，五脏情志所感为内因，饮食、房室、跌仆、金刃所伤为不内外因。盖仲景之论，以客气邪风为主，故不从内伤外感为内外，而以经络脏腑为内外也。无择合天人表里立论，故以病从外来者为外因，从内生者为内因，其不从邪气、情志所生者为不内外因，亦最明晰，虽与仲景并传可也。

问曰：病人有气色见于面部，愿闻其说。师曰：鼻头色青，腹中痛，苦冷者死；鼻头色微黑者，有水气；色黄者，胸上有寒；色白者，亡血也。设微赤非时者，死。其目正圆者，痉，不治。又色青为痛，色黑为劳，色赤为风，色黄者便难，色鲜明者有留饮。

《金鉴》：气色见于面部而知病之死生者，以五气入鼻，藏于五脏，其精外荣于面也。色者，青、赤、黄、白、黑也。气者，五色之光华也。气色相得者，有气有色，平人之色也，即经云：青如翠羽，赤如鸡冠，黄如蟹腹，白如豚膏，黑如乌羽者，生也。气色相失者，色或浅深，气或显晦，病人之色也，即《经》云：浮泽为外，沉浊为内，察其浮沉以知浅深，察其夭泽以观成败，察其散摶以知新故，视色无气者，色枯不泽，死人之色也，即《经》云：青如蓝叶，黄如黄土，赤如衃血，白如枯骨，黑如炲者，死也。鼻者，明堂也，明堂光泽，则无病矣。而曰见青色为腹中痛，鼻苦冷甚者死；黑色为水为劳；黄色为上寒下热，小便难；面目鲜明，内有留饮；色白为亡血；色赤为热为风，若见于冬，为非其时者，死；目直视，正圆不合，如鱼眼者，痉，不治；此气色主病之大略也，其详皆载《内经》。

师曰：语声寂寂然喜惊呼者，骨节间病；语声喑喑然不彻者，心膈间病；语声啾啾然细而长者，头中病。

《金鉴》：病人语声寂然，谓寂然不语也，若恶人语是心病也，喜惊呼者，谓不恶人语，且喜惊呼，是知其病不在心而在外也，故曰骨节间病也。病人语声喑喑然不彻者，谓声不响亮而不了彻也，此有碍于息气，故知为心膈间病也。

徐忠可：语声啾啾然细而长者头中病，谓头中有病则唯恐音气上攻，故抑小其语声而引长发细耳。

师曰：息摇肩者，心中坚；息引胸中上气者，咳；息张口短气者，肺痿唾沫。

《金鉴》：息者，一呼一吸也。摇肩，谓抬肩也。心中坚，谓胸中壅满也。呼吸之息，动形抬肩，胸中壅气上逆者，喘病也。呼吸引胸中之气上逆，喉中作痒梗气者，咳病也。呼吸张口，不能续息，似喘而不抬肩者，短气病也。盖肺气壅满，邪有余之喘也；肺气不续息，正不足之短气也。然不足之喘，亦有不续息者；有余之短气，亦有胸中壅满者。肺气上逆者，必咳也。咳时唾痰，嗽也，若咳唾涎沫不已者，非咳病也，乃肺痿也。

师曰：吸而微数者，其病在中焦，实也，下之则愈；虚者不治。在上焦者，其吸促；在下焦者，其吸远；此皆难治。呼吸动摇振振者，不可治也。

魏念庭：师又于息之中明其吸。吸而微数，其病在中焦，实也，当下之即愈，吸数则呼必迟，吸多于呼也，吸为阴，呼为阳，阳盛而阴不足，中焦热盛而津不足，故思吸阴气以救济之也。此实乃胃实之实，下之即承气之类，去其实热，而呼吸可调矣。若吸微数，而更无实热在中焦，则虚也，虚而吸数，则中气欲绝，数吸自救，气根已铲，浮动于上，何可救援乎？故不治。此示人以辨虚实之法也。再约略明之，病在上焦，其吸必促。促，短也。吸短呼必长，以病邪盛而能使正气不舒也。病在下焦，其吸必远。远，长也。吸长呼必短，以病邪结而思得正气以开之也。此病邪可以乱其正气之呼吸，致令吸与呼长短不匀，则阴阳之正气必不和，阴阳之正气不和，而上下之病邪方盛方结，所以决其皆难治之病也。至于呼吸之间，周身筋脉动摇振振然，是阳已脱而气已散矣，又何以为治，故师言其不治也。上俱就气息以决人之生死。人之生死原乎气，就此决之，诚一定而无舛者矣。

师曰：寸口脉动者，因其王时而动，假令肝王色青，四时皆随其色。肝色青而反色白，非其时色脉，皆当病。

徐忠可：此言医道贵因时为色为脉，其理相应。寸口，是概言两手寸关尺也。谓鼓而有力为动，因时之旺而旺宜也。色亦应之，即明堂察色之法也。此不独肝，姑假肝言之，则青为肝之旺气，值时而反色白，则因肝受肺克，不能随时之旺也。于是，色反时病也，脉反时亦病也，色反脉，脉反色，亦病也。故曰：非其时色脉，皆当病。

魏念庭：此五条，乃明五脏元真宣见色脉、声音之间，内外有相符之理，以示人望闻问切之大略也。病之有无，视乎五脏元真之饶亏，而脏真隐微难测，非于脉色、声音、外证谛照之，无从得其消息焉。

问曰：有未至而至，有至而不至，有至而不去，有至而太过，何谓也？师曰：冬至之后，甲子夜半少阳起，少阳之时，阳始生，天得温和。以未得甲子，天因温和，此为至而至也；以得甲子，而天犹未温和，为至而不至也；以得甲子，而天大寒不解，此为至而不去也；以得甲子，而天温如盛夏五六月时，此为至而太过也。

徐忠可：此论天气之来有过不及，不言及医而随时制宜之意在其中。四时之序，成功者退，将来者进，故概曰至。然参差不齐，故有先至、不至、不去、太过之问。因言岁功之成，以冬至后甲子起少阳，六十日阳明，六十日太阳，六十日太阴，六十日少阴，六十日厥阴，旺各六十日，六六三十六而岁功成。即少阳旺时言之，则以未当温和而温和者，为先至；已当温和而不温和者，为不至；或大寒不解，为不去；温热太甚，为太过。其余他的甲子日，亦概以此法推之。若人在气交之中，有因时而顺应者，有反时而衰旺者，有即因非时异气而致病者，故须熟审时令之气机。有如少阳起，以为治病之本。故《六节脏象论》曰：求其至也，皆归于春。

尤在泾：上之至谓时至，下之至谓气至。盖时有常数而不移，气无定刻而或迁也。冬至之后甲子，谓冬至后六十日也。盖古造历者，以十一月甲子朔夜半冬至为历元，以此推之，则冬至后六十日当复得甲子，而气盈朔虚，每岁递迁，于是至日不必皆值甲子，当以冬至后六十日花甲一周，正当雨水之候为正。雨水者，冰雪解散而为雨水，天气温和之始也。云少阳起者，阳方起而出地。阳始生者，阳始盛而生物，非冬至一阳初生之谓也。

问曰：《经》曰：厥阳独行，何谓也？师曰：此为有阳无阴，故称厥阳。

尤在泾：厥阳独行者，孤阳之气，厥而上行，阳失阴则越，犹夫无妻则荡也。《千金方》曰：阴脉且解，血脉不通，正阳遂厥，阴不往从，此即厥阳独行之旨欤。

高士宗曰：此为有阳无阴，是为厥阳也。经曰：阴气衰于下，则为热厥。帝曰：热厥何如而然也？岐伯曰：阴气虚则阳气入，阳气入则胃不和，胃不和则精气竭，精气竭则不营于四肢也。乃肾气日衰，阳气独胜，此所以为有阳无阴，而为厥阳独行也。

问曰：寸脉沉大而滑，沉则为实，滑则为气，实气相搏，血气入脏即死，入腑即愈，此为卒厥，何谓也？师曰：唇口青，身冷，为入脏即死；如身和，汗自出，为入腑即愈。

赵以德：沉，阴象也。滑，阳象也。阴主血，阳主气。邪在于血则血实，邪在于气则气实，故血实者脉沉，气实者脉滑，邪盛者脉大。五脏治内属阴，主藏精宅神。今血气并其邪而入，堵塞于脏，身之精气不行，神机化灭、升降出入之道皆绝，荣绝则唇口青。《灵枢》曰：足厥阴气绝则唇青。夫六腑治外属阳，主传用水谷之气充乎内外者也。今血气并邪入于腑，腑阳动不比脏之阴静，静者得其邪则因而堵塞不行，动者邪虽入终不能久闭其气道。何则，为在内之神机应乎外，主养荣卫之气则散行于表而身和，和则腠理开，邪散而汗自出，荣卫之气行，故愈矣。

问曰：脉脱入脏即死，入腑即愈，何谓也？师曰：非为一病，百病皆然。譬如浸淫疮，从口起流向四肢者可治，从四肢流来入口者，不可治，病在外者可治，入里者即死。

赵以德：脱者去也。经脉乃脏腑之隧道，为邪气所逼，故绝气脱去其脉而入于内。五脏阴也，六腑阳也，阴主死而阳主生，所以入脏即死，入腑即愈而可治。非独脏腑之阴阳然也，凡内外阴阳之邪毒出入表里者皆然也。

问曰：阳病十八，何谓也？师曰：头痛，项、腰、脊、臂、脚掣痛。阴病十八，何谓也？师曰：咳，上气，喘，哕，咽痛，肠鸣，胀满，心痛，拘急。五脏病各有十八，合为九十病。六腑病各有十八，合为一百八病。五劳、七伤、六极、妇人三十六病，不在其中。清邪居上，浊邪居下，大邪中表，小邪中里，槃饪之邪，从口入者，宿食也。

徐忠可：此段言病有阴阳脏腑之异。病在阳者，当从阳治，如头项居上，阳也。腰脊虽在中，督脉所主，亦阳也。四肢属阳，则臂与脚亦阳也。阳有太、少、阳明三经，合六处，岂非三六十八乎？病在阴，当从阴治，如咳也，上气而喘也，哕也，咽痛也，肠鸣胀满也，心痛拘急也，皆三焦以内之病，是里也，阴也。阴有太、少、厥阴三焦，合六处，岂非三六十八乎？然而阴病既有十八，则阴属脏，五脏各有十八，岂非合为九十病乎？阳病即有十八，则阳属腑，六腑各有十八，岂非合为一百八病乎？已上乃专为外至之邪中于阴阳脏腑者，约略为言。去古甚远，不能逐病而悉数之矣。其五劳七伤六极与妇人三十六病，皆非外邪深伤经络脏腑之病，故不在数。《千金》云：五劳者，久视伤血，久卧伤气，久坐伤肉，久立伤骨，久行伤筋。七伤者，大饱伤脾，忧愁思虑伤心，风雨寒暑伤形，大怒恐惧不节伤志。六极者，气极、血极、筋极、骨极、肌极、精极也。妇人十二瘕、九痛、七害、五伤、三因，为三十六病。

尤在泾：清邪，风露之邪，故居于上。浊邪，水土之邪，故居于下。大邪漫风，虽大而力散，故中于表。小邪，户牖隙风，虽小而气锐，故中于里。槃饪，饮食之属，入于口而伤于胃者也。是故邪气有清浊大小之殊，人身亦有上下表里之别，莫不各随其类以相从也。

问曰：病有急当救里救表者，何谓也？师曰：病，医下之，续得下利清谷不止，身体疼痛者，急当救里；后身体疼痛，清便自调者，急当救表也。

周禹载：先表后里者，不易之法也，乃有救里先于表者，岂不谓乎？答曰：攻表者，正以里为急也，邪在表，苟不依法治之，将延迟时日，势必内入而大患。医乃不明此理，下之或早或重，遂使下利清谷，至于不止，则里已急矣，表证虽在，法当救里。里和而表未解，仍当救表，此亦一定之法也。而四逆以佐正，桂枝以退邪，详于太阳篇中。

夫病痼疾，加以卒病，当先治其卒病，后乃治其痼疾也。

周禹载：痼疾，病已沉痼，非旦夕可取效者。卒病，谓卒然而来新感之病，可取效于旦夕者。乘其所入未深，急去其邪，不使稽留而为患也。且痼疾之人，正气素虚，邪尤易传，设多瞻顾，致令两邪相合，为患不浅。故仲景立言于此，使后学者知所先后也。

师曰：五脏病各有所得者愈，五脏病各有所恶，各随其所不喜为病。如病者素不喜食，而反暴思之，必发热也。

尤在泾：所得、所恶、所不喜，该居处服食而言。如《脏气法时论》云：肝色青，宜食甘；心色赤，宜食酸；肺色白，宜食苦；肾色黑，宜食辛；脾色黄，宜食咸。又心病禁温食、热衣，脾病禁温食、饱食、湿地、濡衣，肺病禁寒饮食、寒衣，肾病禁淬焕热食、温炙衣。《宣明五气》所云：心恶热，肺恶寒，肝恶风，脾恶湿，肾恶燥。《灵枢·五味》所云肝病禁辛，心病禁咸，脾病禁酸，肺病禁苦，肾病禁甘之属，皆是也。五脏病有所得而愈者，谓得其所宜之气、之味、之处，足以安脏气而却病气也。各随其所不喜为病者，谓得其所禁、所恶之气、之味、之处，足以忤脏气而助病邪也。病者素不应食，而反暴思之者，谓平素所不喜之物而反暴思之，由病邪之气变其脏气使然，食之则适助病气而增发热也。

夫病在诸脏，欲攻，当随其所得而攻之。如渴者，与猪苓汤，余仿此。

唐容川：得者合也，古训相得为相合。《内经》云：五脏各有所合。此云病在脏者，当随其所合之腑而攻治耳。攻字，古训治，不尽训攻下。观下文如渴者与猪苓汤，即是随其所合以攻治也。渴系肾脏之病，而猪苓汤利膀胱，肾合膀胱故也。仲景举猪苓汤，以证随其所得攻治之治。又言余仿此，则知心病治小肠，肺病治大肠，肝治胆，脾治胃，其余皆不外此。总见病在脏，随其所得而攻治之耳。

此渴证为水积肾脏，阻遏津液上达之路所致。以猪苓汤泻其合之腑膀胱之水，水行气通，津液上达而渴自愈。

夫病者手足寒，上气脚缩，此六腑气绝于外也。下利不禁，手足不仁者，此五脏之气绝于内也。内外气绝者，死，不治。

赵以德：六腑主表为阳，五脏主里为阴，阳为卫，阴为荣。六腑绝，卫先不行于外，故手足寒。阳主升，在息为呼，外绝则气上出，出而不返则下绝，下绝刚筋急，故脚蜷缩也。五脏绝，荣先不行于内，则阴气去，大便属阴，故下利不禁。甚则血离于外，故手足不仁。

沈明宗：六腑为阳，气行于外，盖胃为众腑之原，而原气衰，阳不充于四肢，则众腑之阳亦弱，故手足寒、上气脚缩，即阳虚而见诸寒收引之象也。诸脏属阴，藏而不泻，然五脏之中，肾为众阴之主，真阳所寄之地，但真阳衰微则五脏气皆不足，胃关不阖，泻而不藏，则利不禁。而下甚者，阳气脱而阴血痹着不行，故手足不仁。此仲景本意，欲人治病，以胃肾为要也。

师曰：热在上焦者，因咳为肺痿；热在中焦者，为腹坚；热在下焦者，则尿血，或为淋秘不通。大肠有寒者，多鹜溏；有热者，便肠垢。小肠有寒者，其人下重脓血；有热者，必痔。

徐忠可：肺痿因于汗多，或消渴，或呕吐，或便闭，皆从重亡津液得之。然亡津液则无不热，热则咳，咳久则肺痿矣，故曰上焦有热，久咳成肺痿。中焦者，脾胃所主也。气和则胃调脾健，热则气结而为消渴，虽水不能止；血结而为便硬，虽攻不能下，皆坚之属也。下焦属阴，荣所主也，热则血不能归经，因尿而血出，气使之也，然此但热耳；若热而加以气燥，小便滴沥而不利，则为淋；加以血枯，大便坚闭而不通，则为闭。皆以热为主。鹜即鸭也。鸭之为物，一生无干粪，必水屑相杂。大肠为传导之官，变化出焉，有寒则化气不暖而水谷不分，故杂出滓水如鹜溏也。肠垢者，如猪肠中刮出之垢，即俗所谓便脓人之肠必有垢，不热则元气为主，故传导如常，垢随便减；有热则元气消而滞，故便肠垢，言其色恶而臭秽也，小肠受盛之官，化物出焉，与心火为表里，挟火以济阴而阴不滞，挟气以化血而血归经，有寒则气不通而下重，血无主气而妄行矣。直肠者，大肠之头也，门为肛。小肠有热则大肠传导其热而气结于肛门，故痔。

痔者，滞其小肠之热于此也。

问曰：三焦竭，何谓也？师曰：上焦受中焦之气，中焦未和，不能消谷，故上焦竭者，必善噫；下焦承中焦之气，中焦未和，谷气不行，故下焦竭者，必遗溺失便。

徐忠可：三焦者，水谷之道路，气之所终始也。上焦在胃上口，其治在膻中。中焦在胃中脘，其治在脐旁。下焦当膀胱上口，其治在脐下一寸。内病必分三焦为治。竭者，气竭也。噫者，如嗳而非馊酸，微有声如意字也。但噫乃脾家证，今入上焦竭部，故疑而问，不知中气实统乎三焦，故云上焦受气于中焦，中焦气未和，不能消谷则胃病，病则脾不能散精上输于肺，而上焦所受之气竭，病气乃上出而为噫矣。此噫病所以入上焦竭部也。因而论中焦不和，亦有累及下焦者，谓便溺虽下焦主之，其气不和，不能自禁制，亦能使失其常度，而遗溺失便。然下焦实听命于中焦，中焦气和则元气渐复而二便调，不须治下焦也。若遗溺失便果属下焦肾虚者，亟当益火之源，以消阴翳也。

问曰：病有积，有聚，有槃气，何谓也？师曰：积者，脏病也，终不移处。聚者，腑病也，发作有时，转展移痛。槃气者，胁下痛，按之则愈，愈而复发，为槃气。诸积之脉，沉细附骨。在寸口，积在胸中。微出寸口，积在喉中。在关者，积在脐旁。上关上，积在心下。微下关，积在少腹。尺中，积在气冲。脉出左，积在左。脉出右，积在右。脉左右俱出，积在中央。各以其部处之。

徐忠可：积，病气之属阴者也。脏属阴，两阴相得故不移。不移者，有专痛之处而无迁改也。聚则如市中之物，偶聚而已，病气之属阳者也。腑属阳，两阳相比则非如阴之凝，故寒气感则发，否则已，所谓有时也。即无定着则痛无常处，故曰辗转痛移。其根不深，故比积为易治。若槃气，槃声，谷也，乃食之气也。食伤太阴，敦阜之气抑遏肝气，故痛在胁下。病不由脏腑，故按之可愈。然病气虽轻，按之不能绝其病源，故复发。中气强自愈，积病坚久难抬，故详其脉与地，以示人辨证法。盖积属阴，细小而沉，阴象也。脉来细者，荣气结，结则为积。附骨者，状其沉之甚，非谓病在骨也。寸口属上焦，胸中为上焦，故曰积在胸中。微者，稍也，稍出寸口，则胸之上为喉，故曰积在喉中，如喉痹之类也。关主中焦，中焦之治在脐旁，故曰积在脐旁。上关上，为上焦之下，中焦之上，故曰积在心下。微下关则为下焦，少腹主之，故曰积在少腹。气冲近毛际，在两股之阴，其气与下焦通，故曰尺中积在气冲。脉出左，积在左，谓脉见左手，则积在内之左也。脉出右，积在右，谓脉见右手，则积在内之右也。脉两出两手俱见，积无两跨之理，明是中央之气两两相应，故曰积在中央。既所在不一，则处治不同，故曰：各以其部处之。

第三章 六淫病脉证并治

第一节　温病脉证并治

温病有三，曰春温、曰秋温、曰冬温，此皆发于伏气。夏则病暑，而不病温。

刘昆湘：四时之气，春温、夏热、秋凉、冬寒。气中而蓄，过时发病，病之未发，不得先见，气伏于内，故曰伏气。伏气在体，过时发病，其气温热，谓之温病。随时病异，其气则同，故发于春则曰春温，发于秋则曰秋温，发于冬则曰冬温。其气或发于上，或发于中，或发于下，皆由伏气为病也。春气温和，伤人者少。夏则暑司其令，暑者似温而甚，天地之蒸气也。春深气渐和暖，入夏大气暄热，人之肌腠则开，汗出津津，邪无由伏，故夏则病暑而不病温。

冬伤于寒，其气伏于少阴，至春发为温病，名曰春温。

刘昆湘：冬时寒气凛冽，将息失宜，寒客于体，伤于经络而即病者，名为伤寒。伏于所合即时不病。邪之中人，各以类召，故冬伤于寒，其气伏于少阴。少阴者，肾之经也，藏不伏邪，留于所合。肾合于骨，寒留于骨，伏而不觉至春气在经脉，阳气勃发，寒留内薄而化热，气由骨而外出于肌腠，上升于头目，伏于少阴而出于少阳，变为温病。其气温，其时春，名曰春温。

《素问·生气通天论》：冬伤于寒，春必病温。《热论》：凡病伤寒而成温者，先夏至日者为病温。《金匮真言论》：夫精者，身之本也，故藏于精者，春不病温。李东垣曰：冬伤于寒，春必温病，盖因房室、劳伤，与辛苦之人腠理开泄，少阴不藏，肾水枯竭而得之。无水则春木无以发生，故为温病。

夏伤于湿，其气伏于太阴，至秋燥乃大行，发为温病，名曰秋温。

刘昆湘：长夏湿土主令，夏气在经络，长夏气在肌肉。人之腠理开而湿中之，湿邪及体伏于所合，邪之中人各以类召，故夏伤于湿，其气伏于太阴。太阴者，脾之经络也，脏不伏邪留于所合，脾合肌肉，湿留肌肉伏而不觉，至秋燥乃大行，气在皮肤。燥湿合化，其气在中。外蒸肌肉则身热，下流大肠则便脓。伏于太阴而出于阳明，变为温病。其气温，其时秋，名曰秋温。

气不当至而至，初冬乃大寒，燥以内收，其气伏于厥阴。冬至后天应寒而反温，发为温病，名曰冬温。

刘昆湘：初冬燥金之气未衰，气应温暖，而反大寒，寒伏其燥，束以内薄，燥邪及体伏于所合。邪之中人伤其所胜，燥金者，阳明之气也，故燥以内收，其气伏于厥阴。厥阴者，肝之经。脏不伏邪，留于所合，肝合于筋。燥伤于筋，伏而不觉。冬至后天应寒而反温，冬气在骨髓，气应藏而反泄。少腹者，宗筋之聚，冬时地气下降，故其气在下。气外蒸则发热，内迫则腹痛。气伏于厥阴而出于少阳，变为温病。其气温，其时冬，故曰冬温。

春秋病温此其常，冬时病温此其变。冬时应寒而反大温，此非其时而蓄其气，及时不病，至春乃发，名曰大温。此由冬不藏精，气失其正，春时阳气外发，二气相搏，为病则重。医又不晓病源，为治乃误，尸气流传，遂以成疫。

刘昆湘：春阳勃发，秋燥大行，病温者此其常也。冬时严寒，其令闭藏，地坼水冰，气潜阳伏，人当病寒乃应其候，今反为温，故曰：变也。初冬大寒，气不当至而至，寒伏其燥变为冬温。冬温复有先后，冬至后天应寒而反温，及时发为温病，其气则先。若时应寒而反大温，改易天常，冬行春令，此非其时而蓄其气，伏气及冬不发，入深留久至春乃病，名曰大温，为时则后。然其气亦伏于冬，故曰冬温，复有先后也。此由冬不藏精，气失其正，四时之气得令为常。若冬失其令，气应藏而反泄，万物浮沉于生长之门，随气交而变病。人失养脏之守，气泄皮肤阳动外扰，温气内蓄而入深，则伤其腑脏。至春阳气外发，内伏之阳与春温之气，二气相搏，为病则重，其气则温，其病尤大，故曰大温。大温之发，其气速，三焦腑脏表里俱能侵及。医又不晓病源，心迷意惑，汗下之施为治皆误。尸气毒秽流于气交，比户连城相染为病，其气杀厉若鬼行疫，其死多以一二日之间，故曰疫也。

《资生篇》：温者，热之渐也。仲景云：太阳病发热而渴，不恶寒者为温病。病源是由伏阳逼荣气之外泄，经所谓冬不藏精，春必病温也。病因是由外寒束卫气之内陷，经所谓冬伤于寒，春必病温也。名义有二，不可不明。夫冬伤于寒者，寒气外逼则卫气内陷，而荣气为所内耗也。不藏精者，荣气外泄与此殊矣。其病也，一由宣泄之太早，正伤于内。一由闭遏之太过，邪实于外。虽同为温病，而治法则有不同矣。不藏精者，宜固本而养阴；伤于寒者，宜宣郁而解表也。诿曰：不藏精即伤于寒也。以虚为实，其治法有不误而杀人者乎？然，先夏至日为病温，后复至日为病暑，温伏者，阳气；暑伏者，阴气，原有别也。若瘟，乃水火刀兵之后，烈日暴蒸尸骸之气，化为厉毒，散漫于天地之间，阖家传染，如差役然，故又谓之疫。亦有非其时而有其气，触气而病者，亦为疫。即月令所谓孟冬行春令，民多疾疫之类是也。盖温是常气，瘟是变气，二气讵可混乎哉？

病春温，其气在上，头痛、咽干、发热、目眩，甚则谵语，脉弦而急，小柴胡加黄连牡丹汤主之。

刘昆湘：春温伏气在冬，伏于少阴而出于少阳。春气上升，伏邪外发，冬寒外束，正阳内服之热自骨而外出于肌腠。邪自内发，故病气连贯三阳之界。头痛发热，证象太阳；咽干，目眩，证象少阳；甚则谵语，证象阳明。但太阳头痛，当连项而强痛，今温邪头痛，为热气上熏于脑，当闷痛掣疼，动作则痛甚。太阳发热，当发热恶寒，今温邪热出血分，虽身热在表而不恶寒，故知非太阳也。少阳咽干目眩，由胆气上泄，法当口苦，外见往来寒热。今温邪由伏气外发，虽目眩、咽干而不寒热、口苦，故知非少阳也。阳明谵语由胃热熏心，邪自太阳传变。今温邪谵语病起即见，盖心气热而非胃实，且不兼阳明里证，故知非阳明也。太阳脉浮，阳明脉大，少阳脉弦，今病似三阳兼证，而脉则弦而按急，外不恶寒，故知为温邪外出，血热内风之发，而非伤寒三阳合病。盖春温自血出气，荣卫俱灼，其气外发，故身热浮于皮腠之表。伏气有外出之势，当因势而导之。用小柴胡法引温邪出于肌腠，加黄连、丹皮以清血分之热。血清则气布，而诸证自解。

小柴胡加黄连牡丹汤方

柴胡半斤　黄芩三两　人参三两　栝楼根四两　黄连三两　牡丹皮四两　甘草三两（炙）　生姜三两　大枣十二枚（擘）

上九味，以水一斗二升，煮取三升，去滓。温服一升，日三服。

《活人书》：春月伤寒，谓之温病。热多者，小柴胡汤主之；不渴外有微热者，小柴胡加桂枝也；嗽者，加五味子也。

病秋温，其气在中，发热口渴，腹中热痛，下利便脓血。脉大而短涩，地黄知母黄连阿胶汤主之；不便脓血者，白虎汤主之。

刘昆湘：秋温伏气在夏，伏于太阴而出于阳明，燥湿合化，其气在中，病似阳明太阴合病，而复连太阳之表。在伤寒则非汗下误施已成坏病，必无初起即阳经阴经迤逦错杂之证。湿性沉缓，燥性敛急，燥湿相持，偏伤血分。发热证象太阳之表，而不恶寒知为湿邪伏气之外发也。口渴、腹中热痛，证象阳明之里，阳明当外证发热汗出，内而痛满不减，今口渴不苦，知为胃津燥化，而非胆热浊升。热痛不满，知为血分伏热，而非燥矢内结。胃实者，当便秘。今复下利便脓血，下利，证象太阴；便脓血，证象厥阴。太阴当腹满而吐，厥阴当心中疼热，今不兼二经之证，故知为温邪伤血，肠液热腐。便脓血者，肠垢之下行也。证兼二阳二阴，总之，皆邪蓄血分化热之证。伤寒亦有热结下利，今温邪下利既非热结，故脉象亦异里实之候。脉大而短涩者，大为气强血热之鼓气也。按而短涩，燥湿之合邪也。秋温因夏伤于湿，气伏于内，蓄久至秋，与燥相搏，发为温病。推源由二气合化，及病之发则湿已化燥，证但见温而不见湿，故治法亦但见治温而不治湿。秋温伏于太阴而出于阳明，其能食而渴者则邪出于气分而病浅。不能食而口胶者，则邪进于血分而病深。此又学者所当辨也。便脓血为温邪下移，无时利里急后重之象，故治但清荣不佐调气之剂。用地黄知母黄连阿胶汤。知母入胃，黄连入心，气血双清，温邪自解。以病在血分，恐苦寒反生燥化，则合干地黄之润血以清血分之热，阿胶之生血而滋荣液之枯，苦甘合化，血清气行，肠垢自下。此血病累气，故但治其血。不便脓血者，则邪出阳明，偏进气分，或下利或不下利，皆可用白虎法以清肺胃之热。

地黄知母黄连阿胶汤方

地黄八两　知母四两　黄连三两　阿胶二两

上四味，以水一斗，先煮三味取三升，去滓，内胶烊消。温服一升，日三服。

白虎汤方　见太阳病上篇

《医宗必读》：黄连阿胶汤治温毒下利脓血，少阴烦躁不得卧（方见少阴病）。

《医学入门》：白虎汤治一切时气温疫，杂病胃热、咳嗽、发斑。

《温病条辨》：太阴温病，脉浮洪、舌黄、渴甚、大汗、面赤恶热者，辛凉重剂白虎汤主之。形似伤寒，但暑，脉洪大而数，左脉反小于右，口渴甚，面赤汗大出者，名曰暑温，在手太阴，白虎汤主之。

《寒温条辨》：白虎汤乃温病主方也。虽为阳明解利之药，实胃本内蒸之热，非徒治经之热也。以邪热伤胃，所以必需。若在经之热，自有葛根汤等方治法，并无借于白虎也。

病冬温，其气在下，发热，腹痛引少腹，夜半咽中干痛，脉沉实时而大数，石膏黄

连黄芩甘草汤主之；不大便六七日者，大黄黄芩地黄牡丹汤主之。

刘昆湘：冬温伏气在秋，伏于厥阴而出于少阳。冬令闭藏，其气在下，应寒反温伏邪外发，自筋脉而出于膜腠则发热。厥阴者，肝之经也。温气蓄于厥阴，则当其经之所过者病。血燥则筋急，肝病则乘脾，故腹痛引少腹也。荣卫之气，昼行于阳，夜行于阴，午后阳降，阳气渐入于阴；夜半阳升，阴气渐出之阳。夜半咽中干痛者，阴气陷下，津不上腾，阴不能出于阳，则阳失其养，厥而上灼。咽门者，津液之道路。液枯，故咽中干痛，夜半更剧，日中亦不润也。脉按之沉实，热在下也。时而大数，伏气之外发也。乃血分伏邪外燔气分，冬藏失守，气泄上干，因发于下，病趋于上。方用石膏黄连黄芩汤。石膏清其肺胃，连芩治其温热。病在血而凉气为君，发于下而治上反急，此阴病治阳，下病上取法也。不大便六七日，热蓄于内，胃肠液灼，初由血分，伏邪外出气分，郁而不达，则反并于血。宜用大黄黄芩地黄牡丹汤主之。大黄双行气血，下热除结。黄芩、丹皮治其温邪，干地黄凉血滋液。证异阳明燥矢，故不用枳朴。证为液灼而非结热，故不用芒硝。

石膏黄连黄芩甘草汤

石膏半斤（碎，绵裹）　黄连三两　黄芩四两　甘草二两（湘本脱）

上四味，以水一斗，煮取三升，去滓。温服一升，日三服。

大黄黄芩地黄牡丹汤方

大黄四两　黄芩三两　地黄四两　牡丹皮三两

上四味，以水一斗二升，煮取二升，去滓，分温三服。大便利，止后服。

《外台秘要》：小品葳蕤汤，疗冬温及春月中风伤寒，发热头眩痛、咽喉干、舌强、胸内痛、心胸痞结满，腰背强方：

葳蕤　白薇　麻黄　独活　杏仁　芎䓖　甘草（炙）　青木香各二两　石膏三分（末，绵裹）

上九味切，以水八升，煮取三升。分三服，取汗。若一寒一热者，加朴硝一分、大黄三两下之。

病温，头痛，面赤，发热，手足拘急，脉浮弦而数，名曰风温，黄连黄芩栀子牡丹芍药汤主之。

刘昆湘：风湿者，非伏气之温也，由其人素有热，更感于风。或先伤热而后风中，或同时先后受病。乍受温热旋遇于风，二气相感搏而合化，名曰风温。春秋冬三时皆有之，法当二气兼治，与伏气之温不同。风温由二气变而成温，气行则速，传变千移不可终日，治不得法即成坏病。风温之候，外合二阳一阴之证，而内独见少阳之脉，发热头痛，证象太阳，面赤，证象阳明，手足拘急，证象厥阴。但实非数经连合为病，盖由风热二气合化温邪。风气上升，中于头脑则头痛而胀闷，非客太阳之经故痛不连项。温邪上行，面为之赤，非并阳明之经，故热而不潮。二气化温则必及血分，温邪搏于荣卫，故发热而不恶寒。温邪随风伤筋，故经膜干而拘急，非证连厥阴，故无内热外厥之候。脉浮弦而按之数者，浮弦者风也，按之数者热也。宜防风黄芩栀子丹皮芍药汤。防风、黄芩散头脑之风以解温邪，栀子、丹皮清心肝之热分走气血，芍药导诸药行于经脉，以疏荣分之壅。血清而筋之拘急自愈，风去而头之疼痛自除，二气分消，发热解矣。

黄连黄芩栀子牡丹芍药汤方

黄连三两（湘本作防风） 黄芩三两 栀子十四枚（擘） 牡丹三两 芍药三两

上五味，以水六升，煮取三升，去滓。温服一升，日三服。

病温，其人素有湿，发热，唇焦，下利，腹中热痛，脉大而数，名曰湿温，猪苓加黄连牡丹汤主之。湘本作“脉大而涩”。

刘昆湘：湿温者亦非伏气之温，由其人中素有湿加以温热，或先伤湿后受温热。外热既侵内湿相感，搏而合化，名曰湿温。春夏秋三时皆有之，与秋温湿热证各不同。其证外连太阳之表，内合太阴之里，湿性沉滞、温性升发，温湿相持，搏结不解，法当渗湿清荣，二气兼治。发热不恶寒者，温邪之外发也。唇焦者，脾液燥化而胃津不行也。下利热者，温湿下注而肠受郁蒸也。腹中痛者，热灼血痹而腹气留止也。经曰：大肠病者，肠中切痛而雷鸣；小肠病者，少腹痛。盖寒中腹痛者，气燥寒凝。热中腹痛者，血郁热聚。湿温脉大而涩，大为燥胜，涩则湿伤。法用猪苓汤加黄连丹皮主之。猪苓汤利湿而滋液，黄连泻热而坚肠，丹皮凉血而通痹。明乎燥湿兼治之义，则比类推演，其用无穷。

猪苓加黄连牡丹汤方

猪苓一两 茯苓一两 阿胶一两 泽泻一两 滑石一两 黄连一两 牡丹一两

上七味，以水四升，先煮六味取二升，去滓。纳胶烊消，分温再服。

《难经》：伤寒有五，有湿温，湿温之脉，阳濡而弱，阴小而急。

《脉经》：伤寒湿温，其人常伤于湿，因而中暍，湿热相搏则发湿温。病苦两胫逆冷，腹满叉胸，头目痛苦，妄言，治在足太阴，不可发汗。汗出必不能言，耳聋不知痛所在，身青面色变，名曰重暍。如此者死，医杀之也。

《总病论》：治湿温，白虎汤主之。愚医昧于冷热之脉，见足胫冷，多行四逆辈，如此医杀者，不可胜计。湿温脉小紧，有如伤寒脉，但证候有异。数进白虎，则胫自温而差也。

《资生篇》：治湿温者，麻杏薏苡汤。

病温，舌赤，咽干，心中烦热，脉急数，上寸口者，温邪干心也，黄连黄芩阿胶甘草汤主之。

刘昆湘：病温者，赅诸温而言。所谓温邪干心者，以病由体变，必其人心气素有热也。心气通于舌，温邪灼荣，故舌色赤而苔少。温邪涸液，故津液竭而咽干。荣气热必内干于心。故心中烦热。脉急数者，阳迫气血则化热也。上寸口为脉势上而不下，知邪于上焦。审其化热之因，辨以入心之证。而方治从可知矣。连、芩泻心，阿胶滋血，以心为生血之脏，故泻热必佐滋液之品，与肝胆之治稍异。

黄连黄芩阿胶甘草汤方

黄连一两　黄芩一两　阿胶一两　甘草一两（湘本无）

上四味，以水一斗，先煮三味取四升，去滓，纳胶烊消，分温三服。

病温，口渴，咳嗽不止，脉浮而数大，此温邪乘肺也。黄芩石膏杏子甘草汤主之。

刘昆湘：病温而口渴咳嗽，温邪之乘肺也。肺为气腑，朝百脉而输精于皮毛，其德为清，其变动为咳。形寒饮冷则伤肺，肺恶寒也。热胜液涸亦伤肺，肺恶燥也。口渴咳嗽外不恶寒，故知温邪为病。当咳而辟辟燥，声急痰少。脉浮者燥胜，按之数者热也。方用黄芩石膏杏子汤主之。君黄芩以凉血，臣石膏而清气，杏子清肺下气，用为导引，则使膏、芩之性皆可入肺，此则制方之妙用也。

黄芩石膏杏子甘草汤方

黄芩三两　石膏半斤（碎）　杏仁十四枚（去皮、尖）　甘草一两（炙）（湘本无）

上四味，以水五升，煮取三升，去滓，温服一升，日三服。

病温，发热，腰以下有水气。甚则少腹热痛，小便赤数，脉急而数，下尺中者，此温邪移肾也，地黄黄柏秦皮茯苓泽泻汤主之。

刘昆湘：病温发热，从腰以下有水气，此病气之下趋也。腰者肾腑，少腹者，血海诸筋之聚。膀胱与肾相表里，少腹为肝肾经气之所共治。今少腹热痛，小便赤数，而无筋脉拘急气癃淋漓之象，知证不属厥阴。脉急而数，下入尺中，急数为化热之诊，入尺为下趋之象。尺以候肾而主下焦，平脉辨证，故当为温邪之移肾也。方用地黄黄柏秦皮茯苓泽泻汤主之。地黄凉血滋肾，秦皮清气泻肝，黄柏治热而走下焦，苓泽渗湿以入水府，泻心兼泻胆，治肾佐治肝也。

地黄黄柏秦皮茯苓泽泻汤方

地黄六两　黄柏三两　秦皮二两　茯苓三两　泽泻一两

上五味，以水八升，煮取三升，去滓，温服一升，日三服。

病大温，发热，头晕目眩，齿枯唇焦，谵语，不省人事，面色乍青乍赤，脉急大而数者，大黄香蒲汤主之。若喉闭难下咽者，针少商令出血；若脉乍疏乍数，目内陷者死。

刘昆湘：大温由冬不藏精，气失其正，伏气留久至春乃发，蓄久入深，内干脏气，病发则重，故曰大温。伏气外发，故发热而不恶寒；温邪乘肝，则头晕而目眩；温邪灼肾，则液竭而齿枯；温邪入脾，则唇焦；温邪犯心，则谵语不省人事；四脏俱病，气乱于中，阳并于阴则面青，阴并于阳则面赤，二气更代变异，故面为乍青乍赤；邪胜正夺，病温虚甚则死。今脉急大而按数，是邪胜而正未夺也，脉证相应，虽危可治。方用大黄香蒲汤。大黄入脾，黄连泻心，丹皮凉肝，地黄滋肾，四脏分治以去温邪。香蒲气香味辛，调气逐秽，邪退正复其病则解。若喉痹不能下药者，肺气闭也，针少商令血出，以泄肺气之实。少商者，肺手太阴之穴，在大指爪内侧。大温邪犯四脏，气血两燔，连肺则五脏俱病，故肺气实者犹可幸生，真气虚则死矣。若脉乍疏乍数者，胃绝也；目内陷者，肝绝也。伤脏则死，故不可治。

《圣济总录》：唐刺史成君绰忽腮颔肿大，喉中闭塞，三日水粒不下，甄权以三棱针刺少商穴微出血，立愈，泻脏热也。

《松心堂笔记》：治大头瘟，肿过咽喉，针两少商穴。

大黄香蒲汤方

大黄四两　香蒲一两　黄连三两　地黄半斤　牡丹皮六两

上五味，以水一斗，煮取六升，去滓，温服一升，日三服。

温病，下之大便溏，当自愈。若下之利不止者，必腹满，宜茯苓白术甘草汤。

刘昆湘：温邪内蓄，下之大便溏则邪出于二肠，病当自愈，若医不辨中焦之虚实，诛罚太过，胃气则伤，中府气陷而为下利不止。腹满者，足太阴脾气之不行也，其证有虚有实，拒按而闭者为实，喜按自利者为虚。茯苓白术甘草汤为扶脾利水缓中之剂，脉濡而弱者宜之。此温病误治，转而化寒之一例也。

茯苓白术甘草汤方

茯苓四两　白术三两　甘草一两（炙）

上三味，以水八升，煮取三升，去滓，温服一升，日三服。

风温者，因其人素有热，更伤于风，而为病也。脉浮弦而数，若头不痛者，桂枝去桂加黄芩牡丹汤主之。若伏气病温误发其汗，则大热烦冤，唇焦目赤，或衄或吐，耳聋，脉大而数者，宜白虎汤；大实者，宜承气辈；若至十余日则入于里，宜黄连阿胶汤。何以知其入里，以脉沉而数，心烦不卧，故知之也。湘本作“桂枝汤加黄芩丹皮主之”。“或衄或吐”作“或吐血衄血”。

刘昆湘：风温者，因其人素有热，更伤于风，风性急而化燥，脉浮弦而数，头不痛，桂枝汤加黄芩、丹皮主之。此非伏气病温也，盖举太阳中风，病由体变，合化温邪之例。如同一风温之证，有由冬寒伏气至春发为风温者，有由时行之气感人而为风温者。今所举既不著伏气之因，复不详时行之变，但言体素有热更伤于风，以风性急而善行数变，与热相引触而化燥，遂成风温。外具太阳之表而不恶寒，内见少阳之脉而不头痛，故可名太阳温病。与前风温一条，脉因证象大旨相同，独头不痛一证为异者，此属邪同行异之例。邪同者，谓病邪之性用相同；行异者，指传行之道路各异。脉为气血先见，凡脉同，则所受之邪必同。如时行风温与太阳风温，脉象皆为浮弦而数，则同一风温之邪，自无疑义。乃一则头痛，一头不痛者，以风温邪上乘脑则为头痛，风温邪中太阳之经，故头不痛，此之谓邪同而行异也。夫太阳伤寒、温病悉具头痛之候，但病因不同，伤寒头痛，为气寒血涩，经气痹而不行；温热头痛，为荣热气奔，浊邪逆而上犯。气血一有郁冲，病邪皆可乘脑，在太阳但有风寒头痛，无热邪头痛，故太阳风温当头不痛者为常。以邪在太阳之经，故用桂枝法加黄芩丹皮主之，此辛凉杂合法也。桂枝汤为达荣之剂，凡热在皮毛，因荣郁不能外散者，当用此法。如火逆惊狂之类，热由外入，故仍用桂枝法助荣气以散火邪。若伏气时行温邪发自血分，或杂病血枯荣热之候，桂枝皆在禁例。今虽曰风温之证，乃外风与肌热合化，热在脉外，故可用和外清荣、祛风解热二者并行不悖。假令温邪干脑，便知热已在荣，故风温头痛桂枝不可与也。风温误汗之变证，治详太阳篇。以非伏气之温，即医发其汗为逆较缓，故有一逆尚引日，再逆促命期之论。假令伏气病温邪发血分，误发其汗，必致伤阴精而动脏气，阴竭阳强而生大热。大热者，身热也。烦冤者，懊闷烦躁不可耐之状。大热烦冤，属肾热冲阳上逆。唇焦者，脾阴内灼。目赤者，肝阳上乘，或胃热迫血为吐，或肺热迫血为衄。耳聋者，浊气之上壅也。属少阳气厥者病浅，属少阴气厥者病甚。大热烦冤、唇焦目赤、吐衄、卒至温邪上蒙清道，耳聋失聪，此亦阳并于上，四脉争张者矣。病由体变，当平脉以权救逆之治。若汗后脉大而数者，大为气强，数为阳迫，气热血沸邪盛于经，法当泻之以白虎汤，清肺胃凉肌热之剂。若其人腑阳偏盛，汗后脉转坚实洪缓，见中焦燥屎满痛之证，此阴阳腑气已实，法当以承气泻热除满以荡中焦之气。三承气汤，法有轻重，临时消息用之。脉滑而疾者，属小承气；沉实洪缓者，属大承气；大而数者，属调胃承气。若其人荣气素虚，迁延失治，至十余日不解，温邪入里，内陷血分，循脉于心，当心烦不得卧寐。脉沉而数者，此邪陷少阴，故曰在里。黄连阿胶汤清荣养血、滋液除烦，佐鸡子黄引诸药行于血分。温邪内陷入阴之候甚多，若体虚病温尤当以滋养荣阴为重。制方轻重，消息在人。

桂枝去桂加黄芩牡丹汤方

芍药三两　甘草二两（炙）　生姜三两（切）　大枣十二枚（擘）　黄芩三两　牡丹皮三两

上六味，以水八升，煮取三升，去滓，温服一升，日三服。

黄连阿胶汤方　见少阴病篇

桂枝为治风要药，本方主证为风温，桂枝似不可少，当从湘本作桂枝汤加黄芩牡丹为是。

《温病条辨》：少阴温病，真阴欲竭，壮火复炽，心中烦不得卧者，黄连阿胶汤主之。

《千金方》：风温之病，脉阴阳俱浮，汗出体重，其息必喘，其形状不仁，嘿嘿欲眠。下之者，小便难；发其汗者，必谵语；加烧针者，则耳聋难言；但吐、下之，则遗矢便利。如此疾者，宜服葳蕤汤。

病温治不得法，留久移于三焦。其在上焦，则舌蹇神昏，宜栀子汤；其在中焦，则腹痛而利，利后腹痛，唇口干燥，宜白虎加地黄汤；其在下焦，从腰以下热，齿黑咽干，宜百合地黄牡丹半夏茯苓汤。

刘昆湘：此示伏气时行外感诸温坏病。邪气流连有分移上、中、下三焦之辨，异乎伤寒传经之六次第传行也。盖上焦之气主于心肺，中焦之气主于脾胃，下焦之气主于肾肝。初病在合，留久内陷，乃干脏气。所谓病温治不得法，留久移于三焦者，明邪移三焦皆由留久转坏，非初病便有分上、中、下之异。其在上焦，则舌蹇、神昏，宜栀子豉汤者，凡病留上焦之证当治责心肺。人抵伏邪外发，自血分外出气分流连不解。初以血热拂气，转致气亢燔血，终而气血两损，津枯液结，荣泣卫阻。心气内痹不能灌溉神脏，濡养外阅。舌为心苗，脾系，蹇者，运动不灵之谓。心主血而司神，神昏知邪上干脑。师示栀子汤法，栀子清心而治气，黄芩凉胆而入血，半夏降浊而通液道，甘草和中缓药下行。至若邪留中焦治责脾胃，当见腹痛而利，利后复痛，唇口干燥诸证。明温邪移胃，二肠液灼，肠失泌别之用，则水谷不化下注为利，气血相搏则痛生。得利则气郁乍通，痛则暂缓。虽利而气血之搏不解，旋复聚气为痛。津液下流遂致下竭，故唇口干燥。此由热移肠腹，气血两燔。《经》曰：暴注下迫，皆属于热。凡温邪下利必利下暴迫，大便热或腹中热痛，利后反快，胃纳不减。用白虎汤加干地黄治之，石膏、知母双清肺胃，粳米扶中以养谷神，地黄滋液而清血热。血清气畅则脾复散津之权，水谷分行病利自止。其有邪移下焦治责肝肾，当见从腰以下热甚，齿黑咽干。齿为诸骨之所终，咽为入胃之道路。肾阴灼则齿焦且黑，水源竭则咽燥而干。宜百合地黄牡丹半夏茯苓汤。百合益肺生津，地黄滋肾化液，丹皮入肝而凉血，茯苓利水而走下，加半夏导胃浊下行。

栀子汤方

栀子十六枚（擘）　黄芩三两　半夏半升　甘草二两

上四味，以水四升，先煮栀子取二升半，去滓，内三味煮取一升，去滓，分温再服。

白虎加地黄汤方

即白虎汤加地黄六两，煎服法同。

百合地黄牡丹半夏茯苓汤方

百合七枚（擘）　地黄汁一升　牡丹皮六两　半夏一升　茯苓四两

上五味，先以水洗百合渍一宿，当白沫出，去其水，别以水二升，煮取一升，去滓；别以泉水四升，煮三味取二升，去滓；内地黄汁，与百合汁，更上火令沸，温服一升，日三服。

吴鞠通《温病条辨》以温病证治分属上、中、下三焦立说，与此节所言病温，治不得法，留久移于三焦，其义不同。而此篇所论温病，乃天行之常气，与《素问》遗篇

《刺法论》所云：五疫之至，皆相染易，无论大小，病状相似，其邪由五尸所化，发生于刀兵、水火、饥馑、大劫之后。乃天地恶厉之气，每由鼻口直中脏腑，而为咽喉痛吐脓血，或霍乱下血等证。其病原菌随时代人事物质之变迁而异，非可以常理论治也。然仲景明言建安纪元以来，犹未十稔，死亡者三分之二，伤寒十居七，是伤寒即包括瘟疫也。盖百病之生不出六经，治法自在其中矣。苟能神而明之，变而通之，斯无不可治之病矣。

第二节　伤暑病脉证并治

伤暑，肺先受之。肺为气府，暑伤元气，寸口脉弱，口渴汗出，神昏气短，竹叶石膏汤主之。

刘昆湘：暑者，气交六化之一，天地之蒸气也。《经》曰：暑以蒸之。又曰：暑胜则地热。盖冬至之后，阳气自下而上。半升则为春，升极则为夏，至夏而日行南陆，热浮地上，蒸水化气，流于太空。暑者，气热而含水，故称郁蒸之令。肺为呼吸之府，一吐一纳，皆于气交相接。暑蒸之气最伤呼吸，故伤暑必肺先受邪。暑热入于气府，则壮火食气，元气受伤，气伤故脉象濡弱。见于寸口，以寸口为手太阴动脉故也。口渴者，热蒸液干而胃津少也。汗出者，热熏分腠而汗孔疏也。故暑气甚则汗出愈多，暑气微，但汗自微出。神昏者，气热干脑，卫微而荣缓也。气短者，荣郁迫肺，血浊则气消也。治以竹叶石膏汤主之。竹叶、石膏以清肺胃之热，麦冬、粳米以滋肺胃之津，半夏降胃浊以解气结，甘草和诸药而调中府，人参补元气之伤，救津液之竭，凉而不寒，润而不腻，补而不壅。一方备升降温凉扶正祛邪之用，此消暑生津保肺定喘之妙剂也。

竹叶石膏汤方　见差后劳复病篇

《总病论》：竹叶汤治虚烦病，兼治中暍、渴、吐逆而脉滑数者（即本方，呕者加生姜，不呕不用）。

《直指方》：竹叶石膏汤治伏暑，内外热炽，烦躁大渴。

《温热经纬》：竹叶石膏汤治暑疟极妙。

伤暑，发热，汗出，口渴，脉浮而大，名曰中暍，白虎加人参黄连阿胶汤主之。

刘昆湘：此言先有伏热，更伤于暑，新旧合邪则化热愈甚，内热外蒸，发热大汗，口渴饮水，证似阳明经证。脉浮而大，浮者暑热之伤，大者素热之变，名曰中暍。暍者，热也，《说文》曰：伤暑也。中暍之候，心肺两伤，病兼伏邪，必及血分，故以白虎汤清肺胃而解肌热，黄连阿胶滋心液以凉血分，则表里两解而气血之暑热清矣。

白虎加人参黄连阿胶汤方

知母六两　石膏一斤（碎，绵裹）　甘草二两（炙）　粳米六合　人参三两　黄连三两　阿胶二两

上七味，以水一斗，先煮六味米熟汤成，去滓，内胶烊消。温服一升，日三服。

伤暑，汗出已，发热、烦躁、声嘶，脉反浮数者，此为肺液伤，百合地黄加牡蛎汤主之。

刘昆湘：暑为郁蒸之气，中人则腠疏汗泄，或自汗太多，或误发其汗，津液外竭，荣气内灼，病邪由气陷血。外而发热不解，内则烦躁不安。气府津液伤，喉干声嘶，嘶者，声破而不鸣也。暑伤元气脉当虚弱。今液枯化燥则阴虚阳动，气行迫促，脉转浮而按数。肺为水源而司气府。今暑热之伤，肺液先竭，受病在气，化燥在血，法当以百合地黄汤加牡蛎主之。百合地黄汤治百合病之主剂。百脉一宗即病在心而关于肺之谓，以脉合于心，血营于脉，故百合病即荣气不清之病，而百合地黄汤清肺津滋心液之妙品也。今暑热由气陷血，故以百合地黄汤双清荣卫，牡蛎咸寒敛心阳以消痞结，导热下行水府，血清则气畅而津液自和，当汗出津津而声嘶烦躁愈矣。此亦治源之法也。地黄当生者取汁用，若干地黄则功效远逊。

百合地黄加牡蛎汤方

百合七枚（擘）　地黄汁一升　牡蛎二两

上三味，先以水洗百合渍一宿，当白沫出，去其水。另以泉水二升煮二味，取一升去滓，内地黄汁，煮取一升五合，分温再服。

伤暑，心下有水气，汗出，咳嗽，渴欲饮水，水入则吐，脉弱而滑，瓜蒌茯苓汤主之。

刘昆湘：此言暑湿合邪之例也。湿之与水，异名同类。盖水散成湿，水即含于气中；湿结成水，气即凝于水内。湿气为病，上下内外皆可流行。此云心下有水气者，心下当心包之下，胃脘之上，膈膜之间，脏腑之郭，此水湿内蓄者也。外加暑热之感，水热交蒸，不能外越，则上舍于肺，饮动则气上而咳，咳则气逆外并，与暑热相合，故腠理开而汗出，其证当发作有时。水气内蓄，由中焦不能散津，故当渴欲饮水，饮水则吐。渴欲饮水者，水津不上布也。得水则吐者，入胃不能消也。暑蒸腠泄，热非外闭，

与伤寒心下有水气证治不同。脉当弱而按滑，弱为气伤，滑为停饮，暑证不可发汗，宜瓜蒌茯苓汤。

瓜蒌茯苓汤方

瓜蒌大者一枚（共皮子捣）　茯苓三两　半夏三两（洗）　黄连二两　甘草一两（炙）

上五味，以水五升，煮取二升，去滓，温服一升，日再服。

本方治伤暑，心下有水气而咳。夫心下有水气则不当渴，而渴欲饮水者，以水气阻其津液上升之路故也，是以虽渴而饮水则吐也。用瓜蒌为君，清肺开结以止咳，茯苓利水，半夏降逆，黄连清暑热，甘草和中气，热除饮消而渴自止也。

伤暑，发热无汗，水行皮中故也。脉必浮而滑，先以热水灌之，令汗出，后以竹茹半夏汤与之。

刘昆湘：暑为阳邪，热熏分腠当皮肤缓而汗泄。今伤暑发热无汗者，必其皮腠素有留湿，水行皮中，暑入而水与热搏。若热胜水蒸化汗，外见烦渴汗出。今湿胜而热涵于水，故无汗而身反发热，此水湿外蓄者也。脉必浮而按滑，浮为气机外迸，滑为饮气流行。治宜以热水频灌其身，缓皮肤助卫阳以化汗，使水气得热则散，必津津有汗而解。俟表气一通，更以竹茹半夏汤治之。竹茹解经脉之湿热，栝楼根清肺燥以生津，茯苓半夏化水气而渗湿，未至多汗之变，已先顾其津液，此治暑化湿法也。

竹茹半夏汤方

竹茹二两　栝楼根二两　茯苓三两　半夏半升

上四味，以水五升，煮取三升，去滓，分温三服。

太阳中热者，暍是也。其人汗出，恶寒身热而渴，白虎加人参汤主之。

沈明宗：此言正暑病也。邪之伤人，无有不从皮毛而入，故曰太阳中热。

钱天来：暍者，盛夏暑热中人之邪气也。此条先以本证之情形如此，而以中热二字通解。暍字之义，即《内经·热论》所谓病暑也。

王肯堂：中暍、中暑、中热名虽不同，实一病也。谓之暍者，暑热当令之时，其气因暑为邪耳，非即夏月暑热当令之正气也。即《热论》所谓：后夏至日者为病暑是也。暍乃暑热之邪，其气本热不待入里，故中人即渴也。暍为夏至后之病。阳极阴生之后，阴气已长，当暑汗大出之时，腠理开张，卫阳空疏，表气已虚，不能胜受外气，故汗出恶寒也。是热邪乘腠理之虚而为暍证也，故以白虎加人参汤主之。用石膏以治时令暑热之邪，加人参以补汗出之表虚，添津液而治燥渴也。

白虎加人参汤方 见太阳病上篇

《本事方》：有人患头痛身热，心烦燥渴，诊其脉大而虚，予授以白虎汤，数服愈。

《素问》：脉虚身热得之伤暑。仲景云：其脉弦细芤迟，则皆虚脉可知。

《此事难知》：动而伤暑，心火盛大，肺气全亏，故身热脉洪大。动而火胜者，热伤气也，白虎加人参汤主之。辛苦多得之，不可不知也。

太阳中暍，身热疼重而脉微弱者，以夏月伤冷水，水行皮中所致也，猪苓加人参汤主之；一物瓜蒂汤亦主之。

刘昆湘：此亦暑热搏湿之例，但与上用热水灌汗之证不同。彼为湿蓄在先，暑热后感，此为暑热先受，水湿后侵。前证为热蒸搏湿于外，此证为水寒抑热于里，故前证脉浮而滑，此证脉微而弱。前证发热无汗，此证身热疼重。身热云者，不似发热之甚。疼重者，水寒之气以浴冷水而内侵皮中也。是知暑之中人，阳盛之体则从热化，阴盛之体则从寒化，半寒半热之体，则或湿为热搏，或热为湿滞，而成错杂之变。本条为水寒外侵，暑热内抑之证，故当渗热下行，导暑邪出自水府，则湿与热离而两邪俱解。暑证误汗，则致亡阴液竭之变，故治暑无汗解之法。猪苓汤为育阴利水之剂，治从血分渗湿使水去而津液不伤。加人参者，以暑伤气府，必以益气生津为助，始得化气枢转之力，凡血虚而有水者宜之。若体素盛而脉不甚弱者，以一物瓜蒂汤主之。此泻上中二焦湿热之剂，胃寒者忌之。

猪苓加人参汤方

猪苓一两　茯苓一两　滑石一两　泽泻一两　阿胶一两　人参三两

上六味，以水四升，先煮五味取二升，去滓，内阿胶烊消，温服七合，日三服。

一物瓜蒂汤方

瓜蒂二十个

上剉，以水一升，煮取五合，去滓顿服。

汪双池：瓜类生于盛夏，以热蓄湿而生者，而夏月人又喜食之，以其能解烦渴。究竟生冷之物，遏抑暑气于中，以成暑湿相挟。唯瓜蒂则系著全瓜，是能总领暑湿。又其气味苦恶能令人涌吐。其苦能泻热，其吐能越湿，故独用之使膻中之水上越，则皮肤之水亦消，而暑热之气亦泄矣。

尤在泾：瓜蒂苦寒，能吐能下，取身面四肢水气。水去而水无所依，将不治而自解矣，此治暑兼湿者之法也。

凡病暑者，当汗出。不汗出者，必发热。发热者，必不汗出也。不可发汗，发汗则发热，烦躁，失声，此为肺液枯。息高气贲者，不治。

刘昆湘：暑病热蒸腠泄，故当有汗，非中暍。素有伏热则汗出发热当解，即见身热亦微。唯暑湿相搏，或暴寒折热，或风暑杂合，乃有无汗之候，故汗出者不发热，发热者必不汗出也。暑伤气，热灼津，邪感则肺为先受。若治暑误汗必致内伤肺津，甚者重伤心液。肺合皮毛，上通喉咙，肺津伤则发热声嘶。心液伤则烦躁不寐。若津竭而肺中液枯，气失所涵，必宗气离根，而见息高气贲之变。息高者，出多入少，呼吸动形。血枯气竭，法在不治，必补气而出息益高，滋液而胸中转结，不可为矣。

伤暑，夜卧不安，烦躁谵语，舌赤脉数，此为暑邪干心也，黄连半夏石膏甘草汤主之。

刘昆湘：暑邪肺为先受，逆传入心，其所以自气陷血者，必其人血分素有热也。暑邪陷血，内干于心，故心气热而神乱。心热，故烦躁夜卧不安。神乱，故谵语意识昏昧。舌赤者，心火上阋于窍也。脉数者，气热内薄于荣也，此为暑邪干心，宜黄连清荣而入心，石膏清气而入肺，半夏降逆气以导浊邪下行。病虽自气陷血，仍为血中气分。若全陷血分，则病为在里，当以黄连阿胶汤例治之。

黄连半夏石膏甘草汤方

黄连三两　半夏半升　石膏一斤（碎，绵裹）　甘草二两（炙）（湘本无）

上四味，以水五升，煮取三升，去滓，温服一升，日三服。

太阳中暍，发热恶寒，身重疼痛，其脉弦细芤迟，小便已，洒洒然毛耸，手足厥冷。小有劳，身即热，口开，前板齿燥。若发汗则恶寒甚；加温针则发热甚；数下之，则淋甚。白虎加桂枝人参芍药汤主之。

魏念庭：此条乃申明太阳中暍病，详叙其证脉，并列误治之禁，示人知所辨晰也。太阳主表，六淫之邪必先中之，故中暍亦为太阳病。虽所受之邪不同，而所感之分则同也。太阳中暍，暑热客皮肤之外，内热盛躯壳之里。发热者，客邪在表，恶寒者，热邪甚于里也。身重而疼痛，暍不自感，必有所挟，挟湿则身重，挟寒则身痛。暍何有于寒乎？盖暍之为病，或得于冒暑服劳，所谓动而得之者也，则暍气多而寒湿少，竟为暍所中也。或得于避暑深居，所谓静而得之者也，则寒湿多而暍气少，暍为寒中人而郁成也，均可谓之太阳中暍也。试诊之，其脉弦细，弦者紧之类，寒在表也。细者湿之征，热挟湿也。此二者，病脉也。再见芤迟，芤者中气之虚。暑月汗出气虚，故易于感外也。迟者，腹中之寒，暑月伏阴在里，故易于寒内也。此二者，又暍病由来之脉也。合脉证而谛之，而中暍之病可识矣。

再征之于余证，小便已洒洒毛耸，太阳之表有邪，则膀胱腑应之。小便时气动于膀胱，必连及于皮毛，洒洒然恶风寒之状，正绘表证如画也。再验之于手足逆冷，内热极而寒见于四末，且内热为寒湿所郁，其气格阻而不宜达，亦可逆见手足，皆内热外寒之象也。所谓阴阳气不相顺接，凡厥之证也。以致小有劳，身即热，热病阴虚动则生阳也。口开，前板齿燥，热盛于内，欲开口泄其气，气出而内热熏灼于板齿，则齿燥也。此全为内热炽盛之证。若单感暍邪者，内外俱是阳邪。若兼感寒湿者，内为阳邪而外为阴邪，非兼治其外内不为功也。若发汗以治其外，用麻黄桂枝治风寒，温辛发散之品，则内热不除而表气益虚。内热已，恶寒矣。表虚而内热，恶寒必更甚也。或加温针，则热益以热，发热不可消息也。数下之则表证未解，内热不能宜于表，反使热势不能下趋。寒湿之气亦随之入里，气化阻滞，小便必不利，而淋必甚也。是皆非治暍病之法也。

《金鉴》：凡此之证，皆中暍妄行汗下温针致变，以白虎加人参汤主之，或人参汤调辰砂六一散，亦可也。

白虎加桂枝人参芍药汤方

知母六两　石膏一斤（碎，绵裹）　甘草二两（炙）　粳米六合　桂枝一两　人参三两　芍药二两

上七味，以水一斗，煮米熟汤成，去滓，温服一升，日三服。

本方即白虎加人参汤，再加桂枝芍药，以解肌和荣卫也。

伤暑，脉弱，口渴，大汗出，头晕者，人参石膏汤主之。

刘昆湘：太阳中暍，虽发热汗出，必微恶寒，乃热并于里而表虚，亦太阳主寒水之气使然也。今伤暑之证，内舍心肺，口渴汗大出与太阳中暍同，唯不恶寒为异，此热蒸液泄，肺卫心荣气血两燔之候。暑热上熏干脑，故头晕而似胀似痛。脉弱者，暑伤气弱故也。治宜竹叶石膏双清肺胃之燥，黄连入心，半夏降逆，人参益气生津，竹叶兼可利水，气血两清，自无干心之变矣。

人参石膏汤方

人参三两　石膏一斤（碎，绵裹）　竹叶一把　黄连一两　半夏半升（洗）

上五味，以水六升，煮取三升，去滓，温服一升，日三服。

伤暑者，头不痛。头痛者，风也；头重者，湿也。

刘昆湘：凡外因头痛之证，皆由气血相搏，郁冲犯脑。如伤寒则气寒束血。内风则血痹凝气。荣当外和，卫当内交；行失其度，郁则上犯。今暑邪虽为郁蒸之气，但中伤气府，卫微荣缓。气微则运血乏力而非搏激之争。荣缓则神藏失养，当见晕胀之候。故伤暑之证，以头不痛者为常。其夏令头痛，恶寒者，皆暴寒折热，非暑邪也。伤暑而兼头痛者，必杂感于风，证为暑风相搏。若兼头重者，必杂感于湿，证为暑湿合邪也。

第三节　热病脉证并治

热之为病，有外至，有内生。外至可移，内有定处，不循经序，舍于所合，与温相似，根本异源。传经化热，伏气变温，医多不晓，认为一体，如此杀人，莫可穷极。为子条记，传与后贤。

刘昆湘：热邪为病，有自外至者，或由天时之加，或由地气之感，或温室炉火过暖，皆可病热，此外至之因也。有自内生者，或嗜热中之物，或过服温燥之品，以及导引失宜，喜怒无节。腑脏气有偏盛，皆可使人病热，此内生之因也。外至之热，或自外移内，或自下移上，或始为痤痱终变疮疡，或始起溺涩，后传目赤，随经脉之上下表里，干移无定。若内生之热，则以脏腑之用各有所偏，物性之殊久而增气，故病则随体秉多热之经而发有定处。治当辨热邪所舍以施治，不可但泻肠胃转伤中府以竭津液。本论所谓阳多者热，下之则硬是也。热邪不循六经传变之序，但外合与内脏相移。五脏各有所合，如热舍于肺，则外发于皮毛。热客皮毛，亦内归于气府，余脏皆同此例，故曰舍于所合。热邪为病，虽身热必不恶寒，大与温病相似，而实则根本异源。盖温病之热源于伏气，传经化热，始自外寒，皆与热病证治相隔霄壤。此义人多不晓，或将温认热，或误热为寒，方治一差，则苦寒反生热化之虞，小汗可致谵狂之变，乃数十年来温热传经混为一体，如此杀人莫可穷极。师乃详为条记，传示后贤，当可以启举世之昏迷，拯人命于冰谷矣。

热病，面赤口烂，心中痛欲呕，脉洪而数，此热邪干心也，黄连黄芩泻心汤主之。

刘昆湘：热邪唯内干五脏，外舍所合，其病变但有干移，无六经循序之传变也。凡六气之感，皆可杂合为病。本篇但举热邪独发之例，分举五脏热病而以干心为首者，以心为火脏故也。举干脏之候，而外合之治亦在其中矣。热病干心面赤舌烂者，诸阳脉皆上会于面，心火性升而窍于舌，故病热则面赤而舌烂也。心合于脉，脉为血府，凡热入血分，即易循脉内陷。今热邪由脉干心，故内见心中疼痛。心不受邪而热移于胆，胆热乘胃，故痛而气上意欲作呕。心热而胃气未逆，故欲呕而实不呕。脉洪而数者，心脉洪而热则数也。辨证平脉当为热邪干心之证，宜黄连黄芩泻心汤主之。黄连泻心，黄芩泻胆，泻心而必以泻胆为佐者，以心热未有不胆热者。连芩直清心火治其源，而痛呕诸证皆随愈矣。

《素问·刺热》：心热病者，先不乐，数日乃热，热争则卒心痛，烦闷善呕，头痛面赤无汗。

黄竹斋：《素问》此篇，所言五脏热病，皆由内蓄而发于外，与本论所言外感热邪而内干于五脏者，根本异源。然以其所舍不殊，故证候亦多相同。今分别各节后，以资对照。

黄连黄芩泻心汤方

黄连三两　黄芩二两

上二味，以水二升，煮取一升，去滓，分温再服。

热病，身热，左胁痛，甚则狂言乱语，脉弦而数，此热邪乘肝也，黄连黄芩半夏猪胆汁汤主之。

刘昆湘：肝为阴尽之经，中藏相火，外合筋膜，与心同为血脏，其气行身之左，布于胁肋，故热邪乘之，则身热而左胁痛。身热者，热邪之在血也。胁痛者，血郁而气痹也。甚则狂言乱语者，肝热由络以干心也。肝藏浊气，逆而乘心乱其神志，故杂病之狂谵多属于肝者，以肝为语而藏魂故也。脉弦而数者，肝脉弦而热则数也。凡身热云者，与发热不同，病者但觉烦热在体，而不似发热外蒸之状，虽热必不恶寒，此血分之留热也。治宜黄连黄芩半夏猪胆汁汤主之。连芩清心，半夏降逆，猪胆苦寒，以胆入胆，用为引导。胆气清而肝热自解，胃浊降而心气亦和矣。

《素问·刺热》：肝热病者，小便先黄，腹痛、多卧、身热，热争则狂言及惊，胁满痛，手足躁，不得安卧。

黄连黄芩半夏猪胆汁汤方

黄连二两　黄芩三两　半夏一升　猪胆汁大者一枚取汁

上四味，以水六升，先煮三物取三升，去滓，内胆汁，和合令相得，分温再服。

热病，腹中痛不可按，体重不能俯仰，大便难，脉数而大，此热邪乘脾也。大黄厚朴甘草汤主之。

刘昆湘：热气在脾，脾与胃以膜相连，汁输于小肠，其体则脂，其用在肠，故太阴主腹。脾热则肠液干而脂膏热胀，气壅脉满，故腹中痛而不可按。痛而拒按者，实也。脾热则三焦气阻，故体重不能俯仰。肠液枯约，故大便难。脉当数而按大，数为热盛，大为气强，脾实则同阳明之治，宜大黄厚朴甘草汤主之。大黄泻肠胃之热，厚朴降气直下，佐甘草以和中。非热实在肠胃者，故不用枳、硝也。

《素问·刺热》：脾热病者，先头重颊痛，烦心颜青，欲呕，身热，热争则腰痛，不可用俯仰，腹满泻，两颔痛。

大黄厚朴甘草汤方

大黄四两　厚朴六两　甘草三两

上三味，以水五升，煮取二升，去滓。温服一升，得大便利勿再服。

热病，口渴，喘嗽，痛引胸中不得太息，脉短而数，此热邪乘肺也。黄连石膏半夏甘草汤主之。

刘昆湘：热气病肺则气府液灼，津不四布。口渴者，肺胃之津干也。肺热每至连胃，犹心热之必至移胆。喘嗽者，液涸则气失所丽，液不涵气则气逆冲，咳当声重而呛。喘息气粗痛引胸中不得太息者。肺气热则上焦不利，胸膜液结而气阻，故咳则气动，气动则痛引胸中。上焦升降气阻，故欲长呼以太息而不能。脉当短而按数，短者肺津竭而气病，数者热乘而阳迫也。治宜黄连石膏半夏甘草汤主之，黄连、石膏双清气血之热，半夏降逆以散液结，甘草生用能解热毒。热气为病，法当泻以苦寒，非滋润所能治也。

《素问·刺热》：肺热病者，先淅然厥，起毫毛，恶风寒，舌上黄，身热，热争则喘咳，痛走胸膺背，不得太息，头痛不堪，汗出而寒。

黄连石膏半夏甘草汤方　见暑病篇

热病，咽中干，腰痛，足下热，脉沉而数，此热邪移肾也，地黄黄柏黄连半夏汤主之。

刘昆湘：肾脉之直者上入肺中，循喉咙挟舌本。少阴脉又上结于廉泉，而为津液之道路，所以灌精喉咽也，故肾热则咽中干。腰为肾府，而肾脉下抵足心，故肾热则腰痛而足下热。肾之为脏，不能直与邪感，必热先入脉而内移，始及于肾，故曰：热邪之移肾也。肾为在里，故脉沉而数。治宜地黄黄柏黄连半夏汤主之。地黄滋水而凉血，黄连泻火而清荣，黄柏解下焦之热，佐半夏以降逆气，主治重在血分。凡欲导浊邪自胃下行者，必用半夏，温凉皆可佐使。治通液阻，液化而后津生，饮家水结之渴，尤非半夏莫能解也。

《素问·刺热》：肾热病者，先腰痛，胻酸，若渴，数饮，身热，热争则项痛而强，胻寒且酸，足下热，不欲言，其逆则项痛，员员澹澹然。

地黄黄柏黄连半夏汤方

地黄半斤　黄柏六两　黄连三两　半夏一升（洗）

上四味，以水八升，煮取三升，去滓，温服一升，日三服。

第四节　湿病脉证并治

湿气为病，内外上下，四处流行，随邪变化，各具病形。按法诊治，勿失纪纲。

刘昆湘：湿亦六气分化之一，《经》曰：湿以润之，又曰：湿胜则地泥。盖湿之与水异名同类。湿者，地气之所生也。由水化气，蒸而上腾，水含气中，其用为湿，所以柔润万物者也。湿为气中含水，故其体可上可下，可内可外，虽以下注为性，而随邪变化四处流行。外而皮里，内而腑脏，化寒化热，合暑合风，因病异形，不胜缕述。盖湿者，体犹气也，故曰湿气。湿甚则聚气成水，故为水气，亦谓之饮。饮者，未成水也，饮停则水成矣。故湿者，气而含水，饮者水而含气，湿饮与水，体一用殊。邪有浅深，病有先后，大抵缘脾湿胃虚聚而成水。脾气衰则骛溏，胃气衰则身肿。乘脏气体秉之虚，而后邪始内袭。学者当平脉辨证以为施治，则纪纲在握，异乎泛海迷津者已。

湿气在上，中于雾露，头痛项强，两额疼痛，脉浮而涩，黄芪桂枝茯苓细辛汤主之。

刘昆湘：此言湿邪中上，病由外至。所谓雾露之气者，湿之流行于气交者也。因人之虚与风相合，气中头项故为头痛项强、两额疼痛之证。颇似太阳中风，乃无发热汗出、洒淅恶风之候。知非风邪伤卫，而为雾露之湿在巅也。脉当浮而按涩，浮为在表，涩为中湿。湿邪中上，必其人头部阳气素虚，治宜黄芪桂枝茯苓细辛汤主之。桂、苓、细辛解风邪以散水寒之气，君黄芪升气之品使药力上行头脑。服方当头额微汗，而风湿俱解。湿未成水，故与风水之证有浅深轻重之异。邪散而真气随复，升气即所以固表也。雾露之气在边隅，即为瘴气。

黄芪桂枝茯苓细辛汤方

黄芪三两　桂枝二两　茯苓三两　细辛一两

上四味，以水五升，煮取三升，去滓，服一升，日三服。

湿气在下，中于冰水，从腰以下重，两足肿，脉沉而涩，桂枝茯苓白术细辛汤主之。

刘昆湘：清湿袭虚则病起于下，若其人肾阳内衰，胫寒骨弱，偶涉冷水，玄府不秘，则水寒之气自下上袭。腰为肾府，府者脏气之所聚也。寒湿及于肾府，则腰以下重，两足胕肿。脉当沉而按涩，沉为在里，涩为中湿。治不用温肾利水之剂，而但以桂、苓、细辛加术燥土温脾以散水寒之气者，以湿聚尚未成水，邪浅犹易宣散故尔。若病进则肾气内著，水成则腹大胫冷，此邪以渐致者也。

桂枝茯苓白术细辛汤方

桂枝三两　茯苓四两　白术三两　细辛二两

上四味，以水六升，煮取二升，去滓，温服一升，日再服。

肾著之病，其人身体重，腰中冷如坐水中，形如水状，反不渴，小便自利，饮食如故，病属下焦。身劳汗出，衣里冷湿，久久得之，腰以下冷痛，腹重如带五千钱，甘姜苓术汤主之。

原文无此节，依《金匮要略》补列于此。衣里，原注“一作表里”。

尤在泾：肾受冷湿，著而不去，则为肾著。身重腰中冷如坐水中，腰下冷痛腹重如带五千钱，皆冷湿著肾而阳气不化之征也。不渴，上无热也。小便自利，寒在下也。饮食如故，胃无病也。故曰：病属下焦。身劳汗出，衣里冷湿，久久得之，盖所谓清湿袭虚病起于下者也。然其病不在肾之中脏，而在肾之外府，故其治法不在温肾以散寒，而在燠土以胜水。干姜苓术辛温，甘淡本非肾药，名肾著者，原其病也。

甘姜苓术汤方　见寒病篇

徐中可：药以苓术甘扶土渗湿为主，而以干姜一味温中去冷。谓肾之元不病，止在肾之外府，故治其外之寒湿自愈也。若用桂附，则反伤肾之阴矣。

《千金翼方》：肾著汤主腰以下冷痛而重，如带五千钱，小便不利方（即本方）。

《宣明论方》：肾著汤治胞痹，小便不利，鼻出清涕者（即本方）。

湿气在外，因风相搏，流于经络，骨节烦痛，卧不欲食，脉浮缓按之涩，桂枝汤微发其汗，令风湿俱去。若恶寒，身体疼痛，四肢不仁，脉浮而细紧，此为寒气并，桂枝麻黄各半汤主之。

刘昆湘：湿气在外者，或令值湿盛之时，或居处卑湿之地，汗出而风吹之，湿邪随风入于肌腠，因与风气相搏，内流于经络骨节之间。骨节为神气游行之所，湿气留著筋膜，则气阻而血痹。气阻则痛，血痹故烦。烦者似热似酸而不可耐，以湿滞则荣涩卫阻，而神气伤出入之用故也。今所谓神经性痛是也。湿盛必涵气化水，故病湿则当少气；气沉故为多卧，湿滞则胃阳不宣，故卧而不欲食。脉当浮缓而按之涩，浮缓颇似中风，按之涩者湿也。伤风当能食，今反不能食，故知病为湿邪，宜桂枝汤疏荣气以宣胃阳。当微发其汗，令风湿俱去。若外见恶寒身体疼痛，四肢不仁，此寒束其湿而为痹。不仁者，谓皮肤麻木，非不遂与不举也。脉当浮而细紧，浮者为风，按而细紧者，寒入而荣气内束。此先病风湿未愈，更加客寒之，感而为风寒并病，故曰寒气并也。风寒杂湿三气合而为痹，宜桂枝麻黄各半汤双解荣卫之邪，仍小发汗法也。

桂枝汤方 见太阳病上篇

桂枝麻黄各半汤方 见太阳病上篇

湿气在内，与脾相搏，发为中满；胃寒相将，变为泄泻。中满，宜白术茯苓厚朴汤。泄泻，宜理中汤。若上干肺，发为肺寒，宜小青龙汤。下移肾，发为淋漓，宜五苓散。流于肌肉，发为黄肿，宜麻黄茯苓汤，若流于经络，与热气相乘，则发痈脓。脾胃素寒，与湿久留，发为水饮。与燥相搏，发为痰饮，治属饮家。

刘昆湘：湿气在内，变化尤多。水谷入胃，中焦如沤，全赖脾气散津上归于肺，然后水津四布，五经并行。若湿气干脾，伤脾络转输之用，胃阳虽能清水，脾气无力散津，则气滞湿凝中焦肓膜之间，自觉中脘满闷若有所阻，故曰中满。以湿性凝滞阻太阴之开也，故曰与脾相搏。此脾湿而胃不寒，故中满而不下利。若脾湿更加胃寒相合，则阳明不实而水谷之气下陷，湿流二肠变为泄泻，其势下坠。中满者，宜白术茯苓厚朴汤。苓术消水而运脾，厚朴除逆而除满，中府气行水津布而湿化中满消矣。胃寒泄泻者，宜理中汤。姜、术、参、草暖胃运脾、升气陷而生津液。若湿邪内发，中焦不病，水气郁蒸上归于肺，肺虚搏湿气不布津，外不得泄越皮肤，下不得通调水道，水气舍肺，气为水寒，故曰发为肺寒。其证则呼吸有声，咳而微喘，治宜小青龙汤。桂、麻、姜、辛散水气于皮毛，夏、味敛肺而降逆冲，芍、甘缓中以制过汗，此水气上干之变也。若乃湿性下流移邪于肾，气停湿滞水道不行，肾合膀胱而为水府，肾阳不化斯膀胱气癃，溺涩频数，发为淋漓。少腹胀满，此湿邪之下注也，治宜五苓散。苓、泽渗湿而利水，术、桂运中以化气。若湿气在脾，外流肌肉，瘀热以行，发为黄肿。蓄于皮里不得汗泄，治宜麻黄茯苓汤主之，此温脾化水内外分消法也。麻黄得术则化水不至过汗，防己、赤豆泄肌里荣分湿热，此湿而微兼热化者也。若湿流经络，更加热气之乘，湿热相搏，脉热肉败，荣气不通，发为痈脓。治当清荣化热。以上皆湿邪在内之变，病而即发者也。若湿邪久留在内不化，随人体秉，病变各殊。其脾胃素寒者，则湿渍水停发为水饮。水饮者，饮之稀薄者也。湿聚成水，更与燥搏，燥胜则干，发为痰饮。痰饮者，饮之稠浓者也。治属饮家者，谓痰饮之候皆以渐致。宿有饮邪之在体者，谓之饮家，犹汗家、淋家是也。

白术茯苓厚朴汤方

白术三两　茯苓四两　厚朴二两去皮（炙）

上三味，以水五升，煮取一升五合，去滓，分温再服。

理中汤方　见霍乱篇

小青龙汤方　见太阳病中篇

五苓散方　见太阳病中篇

《万病回春》：理中汤治即病太阴自利不渴、寒多而呕、腹痛下利鸭溏、蛔厥霍乱等证。

《和剂局方》：小青龙汤治形寒饮冷，内伤肺经，咳嗽喘急，呕吐涎沫。

《直指方》：五苓散治湿证小便不利。《经》云：治湿之法，不利小便，非其治也。

《万病回春》：秋应凉而反淫雨者，冬发湿郁也，五苓散主之。

麻黄茯苓汤方

麻黄二两（去节）　茯苓三两　白术三两　防己一两　赤小豆一升

上五味，以水七升，先煮麻黄再沸，去上沫，内诸药煮取三升，去滓，温服一升，日三服。

太阳病，关节疼痛而烦，脉沉而细者，此名湿痹。湿痹之候，其人小便不利，大便反快，但当利其小便。

尤在泾：湿为六淫之一，故其感人亦如风寒之先在太阳。但风寒伤于肌腠，而湿则流入关节。风脉浮，寒脉紧，而湿脉则沉而细。湿性濡滞而气重著，故亦名痹。痹者，闭也。其人平日土德不及而湿动于中，由是气化不速而湿浸于外，外内合邪为关节疼痛，为小便不利，大便反快。治之者，必先逐内湿，而后可以除外湿，故曰当利其小便。东垣亦云：治湿不利小便，非其治也。然此为脉沉而小便不利者设耳。若风寒在表，与湿相搏，脉浮恶寒身重疼痛者，则必以麻黄、白术、薏苡、杏仁、桂枝、附子等，发其汗为宜矣。

湿家之为病，一身尽疼，发热，身色如熏黄。

徐忠可：此言全乎湿而久郁为热者。若湿挟风者，风走空窍，故痛只在关节。今单湿为病，则浸淫遍体一身尽疼，不止关节矣。然湿久而郁郁则热，故发热。热久而气蒸于皮毛，故疼之所至即湿之所至，湿之所至即热之所至。而色如熏黄者，熏，火气也，湿为火气所熏，故发色黄带黑而不亮也。

湿家，其人但头汗出，背强，欲得被覆向火。若下之早，则哕胸满，小便不利，舌上滑苔者，以丹田有热，胸中有寒，渴欲得水而不能饮，口燥烦也。

《金鉴》：湿家头汗出者，乃上湿下热蒸而使然，非阳明内实之热蒸而上越之汗也。背强者，乃湿邪重著之强，非风湿拘急之强也。欲覆被向火者，乃一时湿盛生寒，非伤寒之恶寒也。若误以阳明内实之热，上越之头汗，而逐下之，则湿从寒化，即乘虚入于上，则肺气逆而胸满；入于中，则胃不和而为哕；入于下，则膀胱气化不行为小便不利。舌上白滑如苔者，盖以误下热陷，丹田有热也，寒聚于上，胸中有寒也。所以渴欲得水而不能饮，由下有热而生口燥烦，由上有寒而不化生津液，虽口燥舌干而不能多饮也。

钱天来：舌上如苔者，若热邪入胃，则舌上或黄或黑，或芒刺，或干硬，或燥裂，皆苔也。此云如苔，乃湿滑而色白，似苔非苔也。此因寒湿之邪陷入于里而在胸膈，命门之真阳不得上升而在下焦。上下不通，故曰丹田有热，胸中有寒。下焦之真火既不得上达，即所谓清阳不升，是下焦无蒸腾之用，气液不得上腾而为涕唾，故渴。又以寒湿在胸，道路阻绝，故虽欲得水而不能饮，则口燥烦渴也。仲景虽不立治法，以理推之，下文之桂枝附子汤、甘草附子汤，即其治也。

王孟英：胸中有寒之“寒”字，当作“痰”字解。胸中有痰，故舌上如苔。其津为痰所阻，故口燥烦。而痰饮乃水之凝结，故虽渴而不能饮也。

湿家下之，额上汗出微喘，小便利者死；若下利不止者，亦死。

尤在泾：湿病在表者宜汗，在里者宜利小便。苟非湿热蕴积成实，未可遽用下法。额汗出微喘，阳已离而上行。小便利下不止，阴复决而下走。阴阳离决，故死。

唐容川：此总见湿证无下法也。上节言误下变证，为寒热郁结；此节言误下伤肾，则小便自利，气喘而死。误下伤脾，则大便下利不止而死。观仲景方皆是补土以治湿，则知湿家断无下法也。

问曰：风温相搏，一身尽疼，法当汗出而解。值天阴雨不止，医云此可发汗。汗之病不愈者，何也？师曰：发其汗，汗大出者，但风气去，湿气在，是故不愈也。若治风湿者发其汗，但微微似欲出汗者，风湿俱去也。

徐忠可：此言风湿当汗解，而不可过也。谓风湿相搏疼痛，原当汗解，值天阴雨则湿更甚，可汗无疑，而不愈何故？盖风性急可骤驱，湿性滞当渐解，汗大出则骤风去而湿不去，故不愈。若发之微则出之缓，缓则风湿俱去矣。然则湿在人身黏滞难去，骤汗且不可，而况骤下乎？故前章曰：下之死。此但云不愈，见用法不当而非误下此也。

湿家病，身上疼痛，发热面黄而喘，头痛鼻塞而烦。其脉大，自能饮食，腹中和无病。病在头中寒湿，故鼻塞，内药鼻中则愈。

章虚谷：此所谓雾露清邪中于上也。三阳经脉上头而行于身表，头中寒湿则表气不宣，故身疼发热。肺开窍于鼻而行气于皮毛，邪从鼻入湿遏其阳而上蒸，则面黄。气闭则喘，气壅则头痛鼻塞而烦。皆肺气窒滞不得下降，故脉反大。其与湿中于下，而在阴之脉沉细者，迥不同也。肺通喉，胃通咽，邪在肺不在胃，故自能饮食，腹中和无病。止头中寒湿，故鼻塞。当用辛香苦泄之药纳鼻中，使肺气通达，其湿邪化水从鼻而出则愈。

喻嘉言：邪在上焦，里无别病者，但纳药鼻中搐去湿热所酿黄水而已，以鼻窍为脑之门户，故即从鼻中行其宣利之法，乃最神最捷之法也。

鼻塞方

蒲灰　细辛　皂荚　麻黄

上四味等分，为末，调和。内鼻中少许，嚏则愈。

刘昆湘：治当散头中之寒而不动经气，渗鼻中之湿复不伤津液，乃为中病之治。于是用纳药鼻中之法，香蒲生水边似菖蒲而小，或生水中，蒲灰即香蒲烧灰存性。皂荚刮去皮炒香，细辛、麻黄皆当微炒，取药力辛窜。以随时制用为佳，久留则气散也。

湿家身烦疼，可与麻黄加术汤，发其汗为宜。慎不可以火攻之。

尤在泾：身烦疼痛，湿兼寒而在表也。用麻黄汤以散寒，用白术以除湿。

程云来：若以火攻之，则湿热相搏，血气流溢，迫而为衄，郁而为黄，非其治法。

麻黄加术汤方

附黄麻三两（去节） 桂枝二两（去皮） 甘草一两（炙） 杏仁七十个（去皮尖） 白术四两

上五味，以水九升，先煮麻黄减二升，去上沫，内诸药，煮取二升半，去滓。温服八合，覆取微汗。不得汗，再服；得汗，停后服。

徐灵胎：此湿家发汗之主方。

喻嘉言：麻黄得术则虽发汗不至多汗，而术得麻黄并可以行表里之湿。不可以火攻者，恐湿与热合而反增发热也。

陈灵石：身烦疼者，寒湿之邪著于肤表也。肤表实故无汗，无汗则邪无从出矣。方用麻黄发肤表之汗以散表寒，又恐大汗伤阴，寒去而湿反不去，加白术补土生液而除湿气，发汗中寓缓汗之法也。又白术补脾祛湿之功甚大，且能助脾之转输而利水，观仲景用术各方可知。今人炒燥炒黑，土蒸水漂等制，皆失经旨。

病者一身尽疼，发热日晡所剧者，此名风湿。此病伤于汗出当风，或久伤取冷所致也，可与麻黄杏仁薏苡甘草汤。

《金鉴》：病者谓一身尽疼之病人也。湿家一身尽疼，风湿亦一身尽疼，然湿家痛则重着不能转侧，风湿痛则轻掣不可屈伸，此痛之有别也。湿家发热早暮不分微甚，风湿之热日晡所必剧，盖以湿无来去，而风有休作，故名风湿。原其由来，或为汗出当风，或为久伤取冷相合而致。则麻黄杏仁薏苡甘草汤发散风湿，可与也明矣。

麻黄杏仁薏苡甘草汤方

麻黄四两（去节） 杏仁二两 薏苡半升 甘草二两（炙）

上四味，以水五升，煮取二升，去滓，分温再服，汗出即愈。

本方原书分两、煎法乖制，今据《外台秘要》改正。

尤在泾：此亦散寒除湿之法。湿痹无寒不作，故以麻黄散寒，薏苡除湿，杏仁利气助通泄之用，甘草补中予胜湿之权也。

风湿，脉浮，身重，汗出恶风者，防己黄芪汤主之。

赵以德：此证风湿，皆从表受之。其病在外，故脉浮汗出。凡身重有肌肉萎而重者。有骨萎而重者。此之身重，乃风湿在皮毛之表，故不作疼，虚其卫气而湿著为身重。故以黄芪实卫，甘草佐之；防己去湿，白术佐之。然则风湿二邪，独无散风之药何耶。盖汗多知其风已不留，以表虚而风出入其间，因之恶风尔，唯实其卫，正气壮则风自退，此不治而治者也。

尤在泾：风湿在表法当从汗而解，乃汗不待发而自出，表尚未解而已虚，汗解之法不可守矣。故不用麻黄出之皮毛之表，而用防己驱之肌肤之里。服后如虫行皮中，及腰下如冰，皆湿下行之征也。然非芪、术、甘草焉能使卫阳复振，而袪湿下行哉。

防己黄芪汤方

防己四两　黄芪五两　白术三两　甘草二两（炙）　大枣十二枚（擘）　生姜三两

上六味，以水六升，煮取三升，去滓，分温三服。服了坐被中，欲解如虫行皮中，卧取汗。

本方原书分两、煎法乖制，今据《千金方》改正。

钱天来：脉浮汗出恶风，似乎风邪在表，应用桂枝。而仲景又侦知其卫气已虚，皮肤不密，毛孔不闭，所以汗出恶风，乃湿家之表虚者。故用防己利水，以黄芪固表，白术、甘草燥湿补中而已。皆因其表气已虚，卫阳不固，并微似汗之，桂枝亦不轻用矣，非用意渊深而能制方若是耶。

《和剂局方》：防己黄芪汤治风湿相搏，客在皮肤，一身尽疼，四肢少力，关节疼痛，时自汗出，洒淅恶风，不欲去衣。及治风冷客搏，腰脚浮肿，上轻下重，不能屈伸（即本方）。

《医方集解》：防己黄芪汤治诸风诸湿，麻木身痛。

伤寒八九日，风湿相搏，不能自转侧，不呕不渴，脉浮虚而涩者，桂枝附子汤主之。大便坚，小便自利者，白术附子汤主之。

徐忠可：此言风湿有在伤寒后，而兼阴分虚寒者，即当顾其本元，而分别行阳燥湿之法。谓伤寒八九日正邪解之时，乃因风湿相搏身体疼烦不能自转侧，不言热不言汗，则表邪欲解而热微。使呕且渴，则里有热矣，今不呕渴，则脉浮风也，浮而虚涩，寒湿在内而外阳不行也。故以桂枝汤去芍加附以开寒痹，并行通体之风湿。然桂枝所以行荣卫而走表者，若大便坚小便自利是表里无病，病在躯壳，无取治表，即去桂加术以壮肠胃之气。使燥湿之力从内而出，则风之挟湿而在躯壳者，不从表解而从热化也。故曰其人如冒状勿怪，即是术附并走皮中云。

桂枝附子汤方

桂枝四两（去皮）　附子二枚（炮）　甘草三两（炙）　生姜三两（切）　大枣十二枚（擘）

上五味，以水六升，煮取二升，去滓，分温三服。

徐灵胎：此节桂枝去芍药加附子汤，但彼桂枝用三两，附子用一枚，以治下后脉促胸满之证。此桂枝加一两，附子加二枚，以治风湿身疼脉浮涩之证。一方而治病迥殊，方亦各异，细思之各当其理，分两之不可忽如此，义亦精矣。

白术附子汤方

白术一两　附子一枚（炮）　甘草二两（炙）　生姜一两半　大枣六枚

上五味，以水三升，煮取一升，去滓。分温三服，一服觉身痹，半日后再服。三服都尽，其人如冒状，勿怪。即术附并走皮中，逐水气未得除耳。

上方用桂枝，是重在解表分之风邪。此方用白术，是重在祛脾肾之寒湿。盖小便自利为湿痹之危候，故当用附子急固其本元也。

《和剂局方》术附汤（即本方）治风虚，头目眩重，甚者不知食味。此药暖肌补中，助阳气，止自汗。

风湿相搏，骨节疼烦掣痛，不得屈伸，近之则痛剧，汗出短气，小便不利，恶风不欲去衣，或身微肿者，甘草附子汤主之。

喻嘉言：此条复互上条之意，而辨其证之较重者。风则上先受之。湿则下先受之，逮至两相搏聚，注经络、流关节、渗骨体躯壳之间，无处不到则无处不痛也。痛不可近，汗出短气。恶风不欲去衣，小便不利，或身微肿，正相搏之最剧处。于中短气一证，乃汗多亡阳，阳气大伤之征。故用甘草附子白术桂枝为剂以复阳，而分解外内之邪也。

尤在泾：此亦湿胜阳微之证，其治亦不出助阳祛湿，如上条之法也。盖风湿在表，本当从汗而解，而汗出表虚者，不宜重发其汗。恶风不欲去衣，卫虚阳弱之征。故以桂枝、附子助阳气，白术、甘草崇土气。云得微汗则解者，非正发汗也，阳胜而阴自解耳。

程郊倩：已上二条虽云风湿相搏，其实各夹有一“寒”字在内，即三气合而为痹之证也。邪留于筋骨之间，寒多则筋挛足痛。

甘草附子汤方

甘草二两（炙）　附子二枚（炮，去皮）　白术二两　桂枝四两

上四味，以水六升，煮取三升，去滓，温服一升，日三服。初服得微汗，则解；能食汗出复烦者，服五合；恐一升多者，服六七合为佳。

柯韵伯：此节桂枝附子汤加白术去姜枣者也。前证得之伤寒，有表无里；此证因于中风，故兼见汗出身肿之表，短气小便不利之里，此《内经》所谓：风气胜者为行痹之证也。然上焦之化源不清，总因在表之风湿相搏，故于前方仍重用桂枝，而少减术附去姜枣者，以其短气而辛散，湿泥之品非所宜耳。

王晋三：甘草附子汤，两表两里之偶药。风淫于表，湿流关节，治宜两顾。白术、附子顾里胜湿，桂枝、甘草顾表胜风。独以甘草冠其名者，病深关节，义在缓而行之。若驱之太急，风去而湿仍留，反遗后患矣。

第五节 伤燥脉证并治

伤燥，肺先受之，出则大肠受之。移传五脏，病各异形。分别诊治，消息脉经。

刘昆湘：燥亦气交六化之一，用与湿反。《经》曰：燥以干之。又曰：燥胜则地干。盖脏腑经脉皆资水津为之濡润，故湿者水分之太过，而燥者水分之不及也。伤燥者，燥气涸其津液，减身形含水之量，故为燥病。肺为气腑，体称娇脏，其质绵软，寒热易伤，故湿停则胀，热灼则痿，暑蒸则弛，燥敛则结。是以秋燥大行，气交不润，人病唇干皮燥，此为其常。外舍所合，内由呼吸以干于肺，肺纳燥气，液涸病生，故伤燥外致之候，肺为先受。肺者为脏，大肠属腑。以脏内而腑外，又大肠肺所合也，燥邪伤肺，移传大肠，病气自脏泄腑，故曰出，言病自内而之外也。或移或传，分干五脏，病形各异，为治不同。欲析呿吟，微妙在脉。邪不空现，效象可知，故当消息于脉经。脉经，犹言脉之常理也。

燥病，口渴咽干，喘咳胸满痛，甚则唾血，脉浮短而急，此燥邪干肺也，柏叶石膏杏子甘草汤主之；若移于大肠，必大便难，口渴欲饮热，脉急大，在下者，麻仁白蜜煎主之。

刘昆湘：燥邪涸津，首先犯肺，口渴咽干者，肺胃之津干也。病非热邪，故干而不苦，喘咳胸满痛者，液涸则气失所含而上逆，故喘而且咳，辟辟而气呛。胸满者，上焦之津枯而气痹也。气痹不通，故满而且痛。甚则唾血者，燥初在气，病甚则入血也。脉当浮短而急，短者液涸而气结，急者燥伤而热化。浮短者，燥邪之在肺也，宜主以柏叶石膏杏子甘草汤。柏叶清血而降肺气之逆，石膏凉气以泻胃浊之燥，杏子滋润利肺定喘止咳，佐甘草以缓中，则燥润津生，气和血敛，咳喘胸满诸证皆愈。其邪出而移于大肠者，浊气下行，于病为顺。肠燥则液涸，故为大便难。难者，但便出不畅，不似热结之甚。口渴欲热饮者，经云胃欲寒饮，肠欲热饮。所以然者，胃土性燥，故喜凉；肠金性寒，故喜热。虽肠枯化热欲得水以济之，仍不欲得寒水。强与寒饮则痛，痛则气上迫胃而为呕逆。脉急大在下者，此燥化见于下也。不曰尺中急大而曰在下急大，盖关半以下象皆如此，非独见于尺也。麻仁白蜜煎为和平润燥之剂，麻仁性滑微凉专润肠胃之燥，白蜜生用滑肠，熟用补中。肠润则传导如常，燥邪自下。若有兼证，可随证加味治之。

柏叶石膏杏子甘草汤方

柏叶三两　石膏半斤　杏仁二十枚（去皮尖）　甘草二两（炙）

上四味，以水五升，煮取三升，去滓，温服一升，日三服。

麻仁白蜜煎方

麻仁一升　白蜜六合

上二味，以水四升，先煮麻仁取一升五合，去滓，内蜜微沸，和合令小冷，顿服之。

燥病，口烂，热气上逆胸中痛，脉大而涩，此燥邪乘心也，栀子连翘甘草栝楼汤主之。

刘昆湘：燥邪在气，内侵于脉，脉热荣溢，合心火性升而上犯，故曰乘心。所谓干乘五脏者，皆伤脏气流行之用，非脏体之内伤也。口为糜烂者，荣中之热上干于肺胃也。热气上逆者，包络之气逆冲于上焦也。脉受燥化则荣气内壅而化热，故胸中气阻而痛。邪在脉而不在肺与上焦，故但胸中痛而不满。脉大而涩者，大为心脉，涩为燥化。凡云邪乘心者，皆受邪在于包络。宜栀子连翘甘草栝楼汤，栀子、连翘清上焦而解郁热，甘草、栝楼生肺津而缓收引。凡治燥多用甘寒者，甘以缓燥气之劲敛也。

栀子连翘甘草栝楼汤方

栀子十四枚（擘）　连翘二两　甘草二两　栝楼根四两

上四味，以水七升，煮取三升，去滓，温服一升，日三服。

燥病，目赤，口苦，咽干，胁下痛，脉弦而数，此燥邪乘肝也，黄芩牡丹瓜蒌半夏枳实汤主之。

刘昆湘：燥邪侵体自气及血，乘心则伤荣气，乘肝则犯络血。肝窍于目，故血燥而目赤。胆热上乘，故咽干而口苦。肝脉行于胁，燥伤则经气涩阻，故胁下痛。脉弦而数者，弦为血凝其气，血凝者以燥伤而液涸也。按数者，血燥而热化也。证脉皆似少阳而不兼外发寒热，故知为燥邪乘肝之候。但宜清血燥以生津液，降浊邪而通气痹。若以柴芍和少阳，则转炽风发之势。当用黄芩牡丹瓜蒌半夏枳实汤，黄芩清胆气，丹皮凉肝血，瓜蒌润肺津而开胸结，半夏、枳实降逆气而通液阻。不用麦冬、地黄之类者，以燥性收敛治当滋液，复不可腻邪也。

黄芩牡丹瓜蒌半夏枳实汤方

黄芩三两　牡丹皮二两　半夏半升（洗）　瓜蒌大者一枚（捣）　枳实二两

上五味，以水五升，煮取三升，去滓。温服一升，日三服。

燥病，色黄，腹中痛不可按，大便难，脉数而滑，此燥邪乘脾也，白虎汤主之。

白虎汤方　见太阳病上篇

刘昆湘：燥邪于肺则在气而涸津，燥邪乘肝则入血而涸液。脾为中府，外合肌肉而主脂膏，燥病乘脾者，气血之两燔也。《经》曰：瘀热以行脾色必黄，盖黄为脾色外见。太阴主腹，以燥气收引，瘀热内敛，气燥并血则行于腹之经脉，而挛急为痛。腹痛拒按者为实，今痛而不满，故知非内实也。大便虽难而仍能传导，故知非热结也，此肠燥液干之候。脉象数而按滑，数从浮见为燥邪在气，滑从按见为燥邪入血。此证若误攻其实，则阴津转伤，燥邪愈陷。宜白虎汤双清气血，以存津液。知母清血，石膏清气，粳米以生谷精，甘草以缓收引，治其源而诸证自解。凡热病失治，则邪蓄于腑，而转内实阳结之候。燥病迁延，则邪留脉络，而为癥瘕动气之因。以燥久伤血，血凝结则气阻故也。

燥病，咽干喉痛，少腹急痛，小便赤，脉沉而急，此燥邪移肾也，地黄黄柏茯苓栝楼汤主之。

刘昆湘：肾脏在里不与外邪直感，故病皆曰移。燥邪涸津，咽干喉痛者，津涸于上也。肝肾同主少腹之部，燥邪内移则少腹之经脉以血枯而挛急，故为少腹急痛。小便赤者，肾热之泄于膀胱也。燥伤肾者必连于肝，以燥邪伤其所胜，内及血分，则邪连厥阴故也。故燥则伤筋，肝热亦有小便先赤之证。治宜地黄黄柏茯苓栝楼汤主之，干地黄凉血以滋水，栝楼根清气而生津，黄柏、茯苓导下焦之热出自小便，滋水则肝血得养，治肾即所以治肝也。

地黄黄柏茯苓栝楼汤方

地黄六两　黄柏三两　茯苓三两　栝楼根四两

上四味，以水六升，煮取三升，去滓，温服一升，日三服。

喻嘉言：燥之与湿霄壤之殊，燥者天之气也，湿者地之气也。水流湿，火就燥，各从其类，此胜彼负，两不相谋。春月地气动而湿胜，斯草木畅茂。秋月天气肃而燥胜，斯草木黄落。故春分以后之湿，秋分以后之燥，各司其政。若夫深秋燥金主病，《经》曰：燥胜则干。夫干之为害，有干于外而皮肤皱揭者，有干于内而精血枯涸者，有干于津液而荣卫气衰，肉烁而皮著于骨者，随其大经小络，所属上下中外前后各为病所，燥之所胜亦云熯矣。至所伤则更厉，燥金所伤本摧肝木，甚则自戕肺金。盖肺金主气而治节行焉，若病起于秋而伤其燥，金受火刑，化刚为柔，方圆且随型埴，欲仍清肃之旧其可得耶。经谓咳不止而出白血者死，白血谓色浅红而似肉似肺者，非肺金自削何以有此。试观草木菁英可掬，一乘金气忽而改容，焦其上首。而燥气先伤上焦华盖，岂不明耶。详此则病机之诸气膹郁皆属于肺，诸痿喘呕皆属于上，二条明指燥病言矣。《内经》云，心移热于肺传为鬲消，肺燥之繇来者远矣。又云，二阳结谓之消，手阳明大肠热结而津不润，足阳明胃热结而血不荣，证成消渴，舌上赤裂，大渴引饮，与心移热于肺传为鬲消，文虽异而义则一也。治鬲消者用白虎加人参汤，专救其肺，以施于诸气膹郁，诸痿喘呕罔不合矣。燥病必渴，而渴之所属各不同，有心肺气厥而渴，有肝痹而渴，有脾热而渴，有肾热而渴，有胃与大肠结热而渴，有小肠痹热而渴。五脏部分不同，病之所遇各异，其为燥热亡液则一也。治燥病者，补肾水阴寒之虚，而泻心火阳热之实。除肠中燥热之甚，济胃中津液之衰，使道路通而不结，津液生而不枯，气血利而不涩，则病日已矣。

第六节　伤风脉证并治

风为百病之长，中于面则下阳明，甚则入脾；中于项则下太阳，甚则入肾；中于侧则下少阳，甚则入肝。病变不一，慎毋失焉。

风者天元六气之一，生于地面空气寒热调剂之动荡，每岁随四时八节之气候而转移。《灵枢·九宫八风》云：从其所居之乡来为实风，主生长养万物；从其冲后来为虚风，伤人者主杀主害者，谨候虚风而避之。故圣人曰避虚邪之道，如避矢石然，邪弗能害，此之谓也。盖所居者，太一所居之乡也。如月建在子，风从北方来，冬气之正也。月建居卯，风从东方来，春气之正也。月建居午，风从南方来，夏气之正也。月建居酉，风从西方来，秋气之正也。四隅十二建，其气皆然。气得其正者，正气王也，故曰实风，所以能生长养万物。冲者，对冲之方也。时已过而气方至，故为后，由正气不及，故曰虚风，所以能伤人而杀害万物者也。六淫之邪风为首，而伤人最急，故为百病之长。《邪气脏腑病形》：诸阳之会皆在于面，中人也，方乘虚时及新用力，若饮食汗出腠理开而中于邪。中于面则下阳明，中于项则下太阳，中于颊则下少阳，其中于膺背两胁亦中其经，盖仲景此节之所本。风属阳，故伤人则中三阳经。足阳明经居身之前，故风中于面则下阳明。胃与脾相表里，故甚则入脾也。足太阳经居身之后，故风中于项则下太阳。膀胱与肾相表里，故甚则入肾也。足少阳经居身之侧，故风中于侧则下少阳。胆与肝相表里，故甚则入肝也。《素问·风论》云：风之伤人也，或为寒热，或为热中，或为寒中，或为疠风，或为偏枯，或为风也。其病各异，其名不同。故曰病变不一，慎毋失焉。

夫风之为病，当半身不遂，或但臂不遂者，此为痹，脉微而数，中风使然。

此节以下八节自《金匮要略》补入。

喻嘉言：岐伯谓各入其门户所中，则为偏风。仲景谓风之为病，当半身不遂，或但臂不举者，此为痹，脉微而数，中风使然。门户指入络入经、入腑入脏言也。经言百病之生必先于皮毛，邪中之则腠理开，开则邪入，客于络脉。留而不去，传入于经，留而不去，传入于腑，廪于肠胃。此则风之中人以渐而深，其人之门户未至洞开，又不若急虚卒中入脏之骤也。仲景会其义，故以臂不举为痹，叙于半身不遂之下。谓风从上入，臂先受之。所入犹浅也。世传大拇一指独麻者，三年内定中风，则又其浅者矣。然风之中人必从荣卫而入，风入荣卫则荣脉改微、卫脉改数。引脉以见其人必血舍空虚而气分热炽，风之摇来匪朝伊夕也。

尤在泾：风彻于上下，故半身不遂。痹闭于一处，故但臂不遂。以此见风重而痹轻，风动而痹著也。风从虚入故脉微，风发而成热故脉数。曰中风使然者，谓痹病亦是风病，但以在阳者则为风，而在阴者，则为痹耳。

黄竹斋：仲景于中风半身不遂未出方，今列《千金方》屡有效验者于后，以资应用。

《千金方》防风汤主偏风，甄权处，疗安平公方

防风　芎䓖　白芷　牛膝　狗脊　萆薢　白术各一两　羌活　葛根　附子　杏仁各二两　石膏　薏苡仁　桂心各三两　麻黄四两　生姜五两

上十六味，㕮咀，以水一斗二升，煮取三升，分三服。服一剂觉好，更进一剂，即一度针。九剂九针，即差。灸亦得。

针风池一穴　肩髃一穴　曲池一穴　支沟一穴　五枢一穴　阳陵泉一穴　巨虚、下廉一穴。凡针七穴即差。当加针环跳一穴、风市一穴、阳辅一穴、昆仑一穴、解谿一穴更佳。

寸口脉浮而紧，紧则为寒，浮则为虚；寒虚相搏，邪在皮肤；浮为血虚，络脉空虚；贼邪不泻，或左或右；邪气反缓，正气即急，正气引邪，㖞僻不遂。邪在于络，肌肤不仁；邪在于经，即重不胜；邪入于腑，即不识人；邪入于脏，舌即难言，口吐涎。

《金匮辑义》：㖞僻不遂，《内经》所谓偏风偏枯，《巢源》有口㖞候，又有风偏枯，风身体手足不遂，风半身不遂等候，即《外台》以降所谓瘫痪风也。肌肤不仁，《巢源》有风不仁候，云其状搔之皮肤如隔衣是也。重不胜，《巢源》有风畏退候，云四肢不收，身体疼痛，肌肉虚满，骨节懈怠，腰脚缓弱不自觉知。又有风亸曳候，云筋肉懈惰，肢体弛缓不收摄，盖此之类也。不识人，《内经》所谓击仆，《巢源》有风癔候，云其状奄忽不知人，喉里噫噫然有声，即卒中急风是也。舌难言，《内经》所谓喑痱，《巢源》有风舌强不得语候，云脾脉络胃挟咽连舌本、散舌下，心之别脉系舌本，今心脾二脏受风邪，故舌强不得语也。由以上数义观之，正如此条乃是中风诸证之一大纲领也。

《张氏医通》:《金匮》云极寒伤经，极热伤络，则知经受寒而急，则络必热而缓，即《素问》大筋软短，小筋弛长之谓也。凡口之㖞，灸地仓；目之斜，灸承泣；苟不效，当灸人中。

大风，四肢烦重，心中恶寒不足者，侯氏黑散主之。依涪古本补。

汪双池：四肢烦重而言中风者，有中风证如㖞僻不遂，脊不屈伸之类，仲景书简故只以中风二字该之。心中恶寒不足，见非外恶风寒，但心中怯怯觉畏寒耳。此则内虚而血气皆不足，风淫将入脏也，故《外台》用治风癫。

徐忠可：此为中风家挟寒而未变热者治法之准则也。谓风从外入挟寒作势，此为大风。证见四肢烦重，岂非四肢为诸阳之本，为邪所痹而阳气不运乎。然但见于四肢，不犹愈于体重不胜乎。证又见心中恶寒不足，岂渐欲凌心乎。然燥热犹未乘，不犹愈于不识人乎。故侯氏黑散用参、苓、归、芎补其气血为君，菊花、白术、牡蛎养肝脾肾为臣，而加防风、桂枝以行痹著之气，细辛、干姜以驱内伏之寒，兼桔梗，黄芩以开提肺热为佐，矾石所至除湿解毒，收涩心气，酒力运行周身为使。庶旧风尽出，新风不受。且必为散酒服至六十日止，又常冷食使药积腹中不下。盖邪渐侵心，不恶热而寒，其由阴寒可知。若胸中之阳不治，风必不出，故先以药填塞胸中之空窍，壮其中气，而邪不内入，势必外消。此即《内经》所谓塞其空窍，是为良工之理。若专治其表里，风邪非不外出，而重门洞开，出而复入，势将莫御耳。

侯氏黑散方 《金匮要略》原注“《外台》治风癫”

菊花四十分 白术十分 防风十分 桔梗八分 黄芩五分 细辛三分 干姜三分 人参三分 茯苓三分 当归三分 芎䓖三分 牡蛎三分 桂枝三分 矾石三分（《外台秘要》：如马齿者，烧令汁尽，研）

上十四味，杵为散，酒服方寸匕，日一服，初服二十日，温酒调服，禁一切鱼肉大蒜，常且冷食，六十日止，即药积在腹中不下也。热食即下矣，冷食自能助药力。

张路玉：郭雍曰：黑散本为涤除风热，方中反用牡蛎、矾石止涩之味，且令冷食使药积腹中，然后热食，则风热痰垢与药渐次而下也。

陈修园：此方为逐风填窍之神剂。凡中风证初患，未经变热者宜之。病后尤赖以收功，免致再患为终身之废疾。

黄竹斋：昔贤有言：治风先养血，血行风自灭。此方用补气血药于驱逐风寒湿热剂中，俾脏腑坚实，荣卫调和，则风自外散也。君以菊花之轻升，清头部之风热；佐以防风祛风，白术除湿，归芎补血，参苓益气，桂、牡行痹，姜、辛驱寒，桔梗涤痰开胸，黄芩泻火解郁，矾石解毒善排血中之瘀浊，且能护心俾邪无内凌；酒运药力，直达经络以散旧风。《巢氏病源·寒食散发候》云：仲景经有侯氏黑散，知其方相传已久。《外台》取治风癫者，亦以清上之力宏也。后人火气痰寒类中诸治法，皆不能出其范围。《本草纲目》载经验方，治失心癫狂，用真郁金七两，明矾三两，为末，薄糊丸，梧子大，每服五十丸，白汤下。有妇人癫狂十年，至人授此，初服心胸间有物脱去，神气洒然，再服而苏。此惊忧痰血，络聚心窍所致。郁金入心去恶血，明矾化顽痰，故也。与此方药味繁简虽殊，而制义则同也。

风热瘫痫，风引汤主之。亦治大人风引、小儿惊痫，瘛疭，日数发，医所不疗，大能除热。依涪古本。

汪双池：风引者，中风而牵引，即瘛疭也。此风淫在经络者，风性无恒，故时发时止，而日数十发，则风淫挟火，火性急数，故此方用石药以镇之。

徐忠可：风邪内并，则火热内生，五脏亢甚迸归入心，故以桂、甘、龙、牡通阳气安心肾为君。然厥阴风木与少阳相火同居，火发必风生，风生必挟木势侮其脾土，故脾气不行聚液成痰，流注四末因成瘫痪。故用大黄以荡涤风火湿热之邪为臣。随用干姜之止而不行者以补之，为反佐。又取滑石、石膏清金以伐其木，赤白石脂厚土以除其湿，寒水石以助肾水之阴，紫石英以补心神之虚，为使。故大人小儿风引惊痫皆主之。巢氏用治脚气，以石性下达，可胜湿热，不使攻心也。

徐灵胎：此乃脏腑之热，非草木之品所能散，故以金石重药清其里。

风引汤方

大黄四两　干姜四两　龙骨四两　桂枝三两　甘草二两　牡蛎二两　滑石六两　寒水石六两　赤石脂六两　白石脂六两　紫石英六两　石膏六两

上十二味，杵粗筛，以韦囊盛之，取三指撮，井花水三升，煮三沸，温服一升。

黄竹斋：古无磁瓶，故盛散药用韦囊，且便于携远，今西藏此风犹存。《儒门事亲》云：将旦首汲曰井莘。而刘河间之天水散，用滑石六两，甘草一两，辰砂三钱，共为细末，新汲水一碗，调服三钱，为治夏时中暑，热伤元气，内外俱热，无气以动，烦渴欲饮，肠胃枯涸者之神剂。盖从此方化出。

《巢氏病源》：脚气，脉微而弱，宜服风引汤。

《外台秘要》：永嘉二年，大人小儿频行风痫之病，得发例不能言；或发热半身掣缩，或五六日，或七八日死。张恩唯合此散，所疗皆愈。此本仲景《伤寒论》除热镇心紫石汤方。

《中风斠诠》：此方以石药六者为主，而合之龙牡，明明专治内热生风，风火上升之病。清热镇重，收摄浮阳，其意极显。若引《素问》气血并于上而为大厥之病理，而以此等药物降其气血，岂不针锋相对。《千金》引徐嗣伯自注，风眩之病起于心气不足，胸中蓄实，故有高风面热之所为也。痰热相感而动风，风火相乱则闷瞀，故谓之风眩。大人曰癫，小儿则为痫，其实则一。此方疗治，万无不愈。

病中风如狂状，妄行，独语不休，无热，其脉浮者，宜防己地黄汤。依涪古本。

赵以德：狂走谵语身热，脉大者，则阳明。若此无寒热其脉浮者，血虚从邪并于阳而然也。《内经》曰：邪入于阳则狂，此狂者谓五脏阴血虚乏，魂魄不清，昏动而然也。桂枝、防风、防己酒浸其汁用，是轻清归之于阳，以散其邪。用生地黄之凉血补阴，熟蒸以归五脏益精养神也。盖药生则散表，熟则补衰，此煎煮法也，又降阴法也。阴之不降者，须少升以提其阳，然后降之方可下。不然则气之相并，不得分解矣。

徐忠可：此亦风之进入于心者也。风升必气涌，气涌必滞涎，涎滞则留湿，湿留壅火邪聚于心。故以二防、桂、甘去其邪，而以生地最多，清心火，凉血热。谓如狂妄行独语不休，皆心火炽盛之证也。况无寒热则知病不在表，不在表而脉浮，其为火盛血虚不疑耳。后人地黄饮子、犀角地黄汤等，实祖于此。

防己地黄汤方

防己一分　甘草一分　桂枝三分　防风三分

上四味，以酒一杯渍之一宿，绞取汁。生地二斤㕮咀，蒸之，如斗米饭久，以铜器盛其汁，更绞地黄汁，和分再服。

《千金方·风眩门》：防己地黄汤，治言语狂错，眼目霍霍，或言见鬼，精神昏乱。防己、甘草各二两，桂心、防风各三两，生地黄五斤别切，勿合药渍。疾小轻用二斤。上五味㕮咀，以水一升渍一宿绞汁，著一面取滓著竹箦上以地黄著药滓上，于五斗米下蒸之，以铜器承取汁，饭熟以向前药汁合绞取之，分再服。

徐灵胎：此方他药轻而生地独重，乃治血中之风。生渍取清汁归之于阳以散邪热，蒸取浓汁归之于阴以养血，此皆治风邪归附于心，而为癫痫惊狂之病。与中风、风痹，自当另看。又曰：凡风胜则燥，又风能发火，故治风药中，无纯用燥热之理。

中风痱，身体不能自收，口不能言，冒昧不知痛处，或拘急不得转侧，续命汤主之。依涪古本。

丹波元简：《圣济总录》云：痱字，书病痱而废，肉非其肉者。以身体无痛，四肢不收，而无所用也。《楼氏纲目》云：痱，废也，痱即偏枯之邪深者，以其半身无气营运，故名偏枯。以其手足废而不收，或名痱。或偏废，或全废，皆曰痱也。知是痱即中风之谓。“脉解”篇：喑俳，即喑痱也。

续命汤方　《金匮要略》附方，引《古今录验》

麻黄三两　桂枝三两　当归三两　人参三两　石膏三两　干姜三两　甘草三两　杏仁四十枚（去皮尖）　芎䓖一两半

上九味，以水一斗，煮取四升。温服一升，当小汗，薄覆脊凭几坐，汗出则愈，不汗，更服，无所禁，勿当风。

魏念庭：为中风正治也。以桂枝治卫风，以麻黄治荣风，兼治寒邪者。以当归、芎䓖补血，以人参、甘草补气，以干姜开郁化痰，杏仁降气豁痰，石膏清热生津。风寒外因，痰火气内因，一方俱兼理者也。

《千金方》：大续命汤（即本方）治肝厉风，卒热喑废。通治五脏偏枯贼风。又治大风经脏，奄忽不能言，四肢垂曳，皮肉痛痒不自知。宜产后及老小等方。

中风，但伏不得卧，咳逆上气，面目浮肿，续命汤主之。《金匮要略》此节附于前方后，今依涪古本另列。

徐忠可：但伏不得卧，咳逆上气，面目浮肿，此风入而痹其胸膈之气，使肺气不得通行，独逆而上攻面目。因从外感来，故以麻黄汤行其荣卫，干姜、石膏调其寒热，而加芎、归、参、草以养其虚。必得小汗者，使邪仍从表出也。

中风，手足拘急，百节疼痛，烦热心乱，恶寒经日，不欲饮食，或心中热，或腹满，或气逆，或悸，或渴，或先有寒者，独活细辛三黄汤主之。依涪古本。

魏念庭：亦为中风正治，而少为变通者也。以独活代桂枝，为风入之深者设也。以细辛代干姜，为邪入于经者设也。黄芪补虚以息风，黄芩代石膏清热，为湿郁于下，热甚于上者设也。心热加大黄，以泄热也。腹满加枳实，以开郁行气也。气逆加人参，以补中益胃也。悸加牡蛎防水邪。渴加栝楼根，以肃肺生津除热也。大约为虚而有热者，言治也。先有寒即素有寒也，素有寒则无热可知，纵有热亦内真寒外假热而已。云加附子，则方中之黄芩亦应斟酌矣，此又为虚而有寒者言治也。或云附子用以助独活、细辛祛风除湿，非温经也，亦通。

独活细辛三黄汤方 《金匮要略》附方作“千金三黄汤”

独活四分 细辛二分 黄芪二分 麻黄五分 黄芩三分

上五味，以水六升，煮取二升，去滓，分温三服。一服小汗出，二服大汗出。四分为一两，一分为六铢也。心热加大黄二分。腹满加枳实一枚。气逆加人参三分。悸加牡蛎三分。渴加栝楼根三分。先有寒者加附子一枚。

《千金翼方》：此仲景方，神秘不传。

《三因方》：三黄汤（即本方）治贼风，偏风，猥退风，半身不遂，失音不言。

头风，大附子散摩之，若剧者，头眩重，苦极，不知食味，此属风虚，煖肌补中，益精气，术附汤主之。依涪古本。

陈修园：此言偏头风之治法也。附子辛热以劫之，盐之咸寒以清之，内服恐助其火，火动而风愈乘其势矣。兹用外摩之法，法捷而无他弊，且躯壳之病，《内经》多用外治，如马膏桑钩及火熨法皆是。

徐忠可：肾气空虚，风邪乘之，漫无出路，风挟肾中浊阴之气厥逆上攻，致头中眩苦至极。兼以胃气亦虚，不知食味。此非轻扬风剂可愈，故用附子暖其水脏，白术、甘草暖其土脏，水土一暖，犹之冬月井中水土既暖，阳和之气可以立复，而浊阴之气不驱自下矣。

大附子散方 《金匮要略》作“头风摩散”

大附子一枚 盐一两

上二味，为散。沐了，以方寸匕摩头上，令药力行。

张路玉：头风摩散，《金匮》本治中风㖞僻不遂，专取附子以散经络之引急，食盐以治上盛之浮热。《千金》借此以治头面一切久伏之毒风也。

《三因方》：附子摩头散治因沐头中风，多汗恶风。当先以一日而病甚头痛不可以出。至风日则少愈，名曰首风。

《张氏医通》：偏头风遇寒即痛者，属寒伏于脑，用《金匮》头风摩散，一法用川乌末醋调，涂痛处。

术附汤方 《金匮要略》作“近效附术汤”

白术二两 附子一枚半（炮，去皮） 甘草一两（炙） 生姜一两（切） 大枣一枚（擘）

上五味，以水六升，煮取三升，去滓，分温三服。

喻嘉言：岐伯谓中风，大法有四，一曰偏枯，半身不遂；二曰风痱，于身无痛，四肢不收；三曰风懿，奄忽不知人；四曰风痹，诸痹类风状。后世祖其说而无其治，仲景见成方中有治外感风邪，兼治内伤不足者，有合经意，取其三方，以示法程。一则曰续命汤，治荣卫素虚而风入者；再则曰三黄汤，治虚热内炽而风入者；三则术附汤治风已入脏，脾肾两虚，兼诸痹类风状者。

风病，头痛，多汗，恶风，腋下痛不可转侧，脉浮弦而数，此风邪干肝也，小柴胡汤主之；若流于腑，则口苦，呕逆，善太息，柴胡枳实芍药甘草汤主之。

黄竹斋：《素问·风论》载五脏风之形状而无其治，故仲景于本篇特为补出。风属阳邪，中人则上先受之，故头为之痛。阳受风气腠理外泄，故多汗。伤于风，故恶风也。风中于侧，则下少阳，少阳之脉其直者从缺盆下腋，循胸过季胁下，合髀厌中，故腋下痛不可转侧，少阳病，则脉浮弦。按之数者，里有热也。少阳之里是厥阴，其脉下颈，合缺盆以下胸中，贯膈络肝属胆，故风邪循脉下则干肝也。主之以小柴胡汤者，解少阳之郁结，兼清肝脏之风热也。足少阳是动，则病口苦，善太息，胁痛不能转侧。故流于腑，胆病则液泄，故口苦。溢于胃，故呕逆。胆郁则气不舒，故善太息。主之以柴胡枳实芍药甘草汤者，以大柴胡汤之半，清胆腑之风热，而降其气逆也。

小柴胡汤方 见太阳病中篇

柴胡枳实芍药甘草汤方

柴胡八两　芍药三两　枳实四枚（炙）　甘草三两（炙）

上四味，以水一斗，煮取六升，去滓，再煎取三升，温服一升，日三服。

浅田栗园：此方缘大柴胡汤变方。以疏邪通气为主，今用之以治癫厥，胸胁挛急，朝剧暮安，病态不安者，往往得奇效。

风病，胸中痛，胁支满，膺背肩胛间痛，嗌干，善噫，咽肿喉痹，脉浮洪而数，此风邪乘心也，黄连黄芩麦冬桔梗甘草汤主之。

《灵枢·邪客》：心者，五脏六腑之大主也，精神之所舍也。其脏坚固，邪弗能容也。容之则心伤，心伤则神去，神去则死矣。故诸邪之在于心者，皆在心之包络也。心包络之脉起于胸中，其支者循胸出胁下，风邪中伤其经，故胸中痛、胁支满。手少阴之标在背腧，其表手太阳之脉出肩解，绕肩胛，故膺背肩胛间痛，此著风邪中人之门户也。手少阴之脉从心系上挟咽，少阴之上君火主之，故是动则病嗌干也。心气郁结，故善噫。手少阴之正上走喉咙，风热干之故咽肿喉痹。诊其脉浮洪而按之数，知为风邪乘心而里有热也。以黄连黄芩麦冬桔梗甘草汤主之，黄连、黄芩泻心清上焦之风热，麦冬生津以滋干，桔梗、甘草开咽喉之郁结，而诸证自愈矣。此风邪中于项，由手太阳及里之手少阴，乘犯心包之脉证治法也。

黄连黄芩麦冬桔梗甘草汤方

黄连一两半　黄芩三两　麦冬三两　桔梗三两　甘草二两（炙）

上五味，以水六升，煮取三升，去滓，温服一升，日三服。

风病，四肢懈惰，体重不能胜衣，胁下痛引肩背，脉浮而弦涩，此风邪乘脾也，桂枝去桂加茯苓白术汤主之；若流于腑，则腹满而胀，不嗜食，枳实厚朴白术甘草汤主之。

风病四肢懈惰体重不能胜衣者，脾主肌肉四肢，脾为风伤而太阴之气逆也。风邪中于面则下阳明，甚则入脾。肩背者，手阳明脉之所过；胁下者，脾之部，故胁下痛引肩背也，脉浮而按之弦涩，为风湿在里而血泣之诊。此风邪乘脾之脉证，以桂枝去桂加茯苓白术汤主之。桂枝汤治中风解肌和荣卫之剂，邪在于里而湿胜，故去桂枝，而加苓、术以健脾除湿也。若流于腑则滞其胃气，故腹满而胀，不嗜食，治之以枳实厚朴白术甘草汤，枳朴行气滞以消胀满，术、草健脾以和胃也。

桂枝去桂加茯苓白术汤方　见太阳病上篇

枳实厚朴白术甘草汤方

枳实四枚（炙）　厚朴二两（去皮，炙）　白术三两　甘草一两（炙）

上四味，以水六升，煮取三升，去滓，温服一升，日三服。

风病，咳而喘息有音，甚则唾血，嗌干，肩背痛，脉浮弦而数，此风邪乘肺也，桔梗甘草枳实芍药汤主之；若流于大肠，则大便燥结，或下血，桔梗甘草枳实芍药加生地黄牡丹汤主之。

肺主气，在变动为咳，风邪迫之故咳而喘息有音也。甚则风热伤肺，故唾血而嗌干。手太阴经结于肩，脏附于背，气盛有余则肩背痛。诊其脉浮弦而按之数者，此风邪乘肺而里有热也。桔梗甘草枳实芍药汤主之。桔、草清上焦之风热，枳实开气滞，芍药行血痹也。若流于肺腑之大肠，则津液耗竭，故大便燥结。热伤脉络则下血，所谓肠风也。于前方加地黄、牡丹皮以滋燥，而清血分之郁热也。此风邪中于项则下手太阳，由上及下、自表入里，乘肺及大肠之脉证治法也。

桔梗甘草枳实芍药汤方

桔梗三两　甘草二两　枳实四枚　芍药三两

上四味，以水六升，煮取三升，去滓，温服一升，日三服。

桔梗甘草枳实芍药地黄牡丹汤方

即前方加地黄三两　牡丹皮二两，煎服法同。

风病，面目浮肿，脊痛不能正立，隐曲不利，甚则骨痿，脉沉而弦，此风邪乘肾也，柴胡桂枝汤主之。

风邪入肾，则挟水气上升，故面目浮肿。肾脉贯脊，故脊痛不能正立。隐曲，谓隐蔽委曲之处，阴道是也。肾开窍于二阴，故为隐曲不利。肾主骨，甚则厥气逆于下，故骨痿也。肾脏属阴而在里，故其脉沉而弦。此风邪中于项则下大阳，甚则入肾之脉证也。足太阳与少阴相表里，主之以柴胡桂枝汤，上焦得通，津液得下，胃气因和，荣卫调谐，身濈然而汗出解也。

柴胡桂枝汤方　见太阳病下篇

《素问·风论》五脏风证候，皆有多汗恶风四字。而此篇唯于首节风邪干肝言多汗恶风，其下四节不重举，以其为风病共同证候也。此所谓风邪干乘五脏者，以其脏所主之经脉言尔，若果风邪入脏，则当舌即难言、口吐涎，非诸方所能奏效也。孙真人皆灸本脏背俞，兼用续命汤治之。又此篇风病乃天气之虚邪贼风伤人，由经脉而干乘五脏之脉证治法。与六经篇所论之中风，为天气之常，有缓急之殊、传经不传经之异，当分别观之。

第七节　寒病脉证并治

寒之为病，肾先受之，其客于五脏之间，脉引而痛；若客于八虚之室，则恶血住留，积久不去，变而成著，可不慎欤！

寒亦天元六气之一，其性凛冽，伤人最厉。由太阳外感天气伤寒之为病，其脉浮紧，其证头项强痛，发热恶寒，身疼腰痛，无汗而喘，其治法及传经变证各候，仲景于六经篇详言之，而四体为冰雪寒水所伤，致阴经血脉凝涩，寒邪由经脉干乘五脏之为病，其脉沉迟，其证无发热恶寒，乃于此篇论其脉证治法焉。冰雪寒水属阴，伤人阴经，从其类也。必其人之肾脏阳气素虚，乏抵御外寒之力，然后方为寒伤，故曰寒之为病肾先受之。五脏为阴，因受病之经脉部分而证候各异，其客于五脏之间，可以其经脉引痛之部分而辨其为邪干于何脏也。寒性凝泣，若客于四肢关节八虚之室，则恶血住留，阻塞经脉运行之道路，积久不去变而成著，为挛痹痼疾，可不慎欤。八虚之室，谓肩肘髀膝左右八处也。

寒病，骨痛，阴痹，腹胀，腰痛，大便难，肩背颈项引痛，脉沉而迟，此寒邪干肾也，桂枝加葛根汤主之；其著也，则两腘痛，甘草干姜茯苓白术汤主之。

寒病骨痛者，肾主骨，寒伤肾故骨痛。足少阴脉起小指趋足心，循内踝后上踹内，出腘内廉，上股贯脊属肾，寒邪伤其经脉，则腿之阴部血痹不通，故曰阴痹。足少阴行腹中，血痹故腹胀也。腰者肾之府，肾病故腰痛。肾主二阴，气化不行故大便难，所谓阴结也。足少阴之标在背腧，其经循喉咙挟舌本，故肩背颈项引痛也。诊其脉沉而迟，此病在里阴，寒邪由经而干肾也。以桂枝加葛根汤主之，和荣卫，宣阳益阴，温经散寒也。其积久不去，致寒留于膝后曲节两腘中而痛，是为肾著。以甘姜苓术汤主之，温经祛寒，利水渗湿，为治肾著之专方也。此节寒病与太阳病之伤寒，适成上下表里阴阳之相反，读者当谛审其脉证焉。

桂枝加葛根汤方 见太阳病上篇

甘草干姜茯苓白术汤方

甘草二两（炙）　干姜四两　茯苓四两　白术二两

上四味，以水五升，煮取三升，去滓，温服一升，日三服。

《金匮要略》方后有“腰中即温”四字。

寒病，两胁中痛，寒中行善掣节，逆则头痛、耳聋，脉弦而沉迟，此寒邪乘肝也，小柴胡汤主之；其著也，则两腋急痛，不能转侧，柴胡黄芩芍药半夏甘草汤主之。

肝居胁下，脉布胁肋，而主身之筋膜，故肝中寒则病两胁中痛，寒中行善掣节也。五脏经脉唯足厥阴肝脉上巅，寒气上逆故头痛。厥阴之表为少阳，少阳之脉入耳中，里气逆则表应之，故耳聋也。诊其脉浮弦而沉迟，弦为少阳病，沉迟主里寒，平脉辨证知为寒邪乘肝也。脏病当治其合，宜以小柴胡汤升清降浊，通调经府，和其表里以转其枢机，而诸证自愈也。若寒邪积久不去，留著少阳经脉所过之腋，则两腋急痛，不能转侧，是谓肝着。以柴胡黄芩芍药半夏甘草汤主之，即大柴胡汤去枳实大黄生姜大枣加甘草也。以无里之热结，故去枳实大黄，无表之往来寒热，故去姜枣。用柴、芩以调肝胆之气，芍药以通血痹，半夏以降气逆，加甘草以益胃而调和诸药也。

小柴胡汤方 见太阳病中篇

柴胡黄芩芍药半夏甘草汤方

柴胡四两　黄芩三两　芍药二两　半夏二两　甘草二两（炙）

上五味，以水五升，煮取三升，去滓，分温三服。

寒病，胸胁支满，膺背肩胛间痛，甚则喜悲，时发眩仆而不知人，此寒邪乘心也，通脉四逆汤主之；其著也，则肘外痛，臂不能伸，甘草泻心汤主之。

心病在包络，故心中寒病胸胁支满，膺背肩胛间痛，证与心中风同。心脏居肺间，病甚则气并于肺，故喜悲。心者君主之官，神明出焉，脏中寒则神明失守，故时眩仆而不知人，所谓癫痫是也。两手脉当微，或无脉，故知此为寒邪乘心也。急以通脉四逆汤主之，驱寒邪以挽回绝阳。若寒留著于经脉而不去，则肘外痛，臂不能伸。手少阴脉行肘内，其表则手太阳，里病则病发于表。主之以甘草泻心汤者，内之脏腑寒热调，气血和，而外之经脉自通舒也。

通脉四逆汤方 见少阴病篇

《和剂局方》以三生饮治卒中昏不知人，或六脉沉伏，与此节寒邪乘心，用通脉四逆汤之义相发。

甘草泻心汤方 见太阳病下篇

寒病，腹满肠鸣，食不化，飧泄，甚则足痿不收，脉迟而涩，此寒邪乘脾也，理中汤主之；其著也，则髀枢强痛，不能屈伸，枳实白术茯苓甘草汤主之。

脾居腹里，为胃行其津液，主消化水谷，故脾中寒则病腹满肠鸣，食不化，飧泄也。脾主四肢，而经脉起于足，寒甚则阳衰于下，故足痿不收也。诊其脉浮迟而按之涩者，此寒邪乘脾之候也。以理中汤主之，脏温寒散则气化行，诸证自愈也。若其留著于经而不去，则其表阳明经脉循行之髀关枢机，强痛挛急不能屈伸矣。以枳实白术茯苓甘草汤主之，健脾和胃以除寒湿，内治而外自安也。

理中汤方 见霍乱篇

《三因方》：附子理中汤治五脏中寒，口噤，四肢强直，失音不语。昔有武士守边，大雪，出帐外观瞻，忽然晕倒。时林继作随行医官，灌以此药二剂遂醒（本方加大附子等分）。

《医学入门》：徽庙日食冰，尝苦脾疾。诸医用理中汤不效，杨介以冰煎与服立愈。

枳实白术茯苓甘草汤方

枳实四枚　白术三两　茯苓三两　甘草一两（炙）

上四味，以水六升，煮取三升，去滓，分温三服。

寒病，喘咳少气，不能报息，口唾涎沫，耳聋，嗌干，此寒邪乘肺也，故其脉沉而迟，甘草干姜汤主之；其著也，则肘内痛，转侧不便，枳实橘皮桔梗半夏生姜甘草汤主之。

《内经》云：形寒饮冷则伤肺。故肺中寒则病喘欬，少气不能报息，口唾涎沫也。手太阴脉之表阳明之别，八耳合于宗脉，里中寒则气不通于表，故耳聋。肺之上端为喉，与咽接合，肺寒则津液不能上升，故嗌干。此寒邪乘肺之证候也，肺为太阴，寒为阴邪，故其脉沉而迟。以甘草干姜汤主之，治肺中虚冷温里散寒也。若寒邪留著于经脉而不去，则太阴循行之肘内疼痛拘急，而转侧不便。以枳实橘皮桔梗半夏生姜甘草汤主之，温肺降逆，开结散寒。脏腑之气和则经脉通畅，而外邪自消矣。

甘草干姜汤方 见太阳病上篇

枳实橘皮桔梗半夏生姜甘草汤方

枳实四枚　橘皮二两　桔梗三两　半夏半升　生姜三两（切）　甘草二两（炙）

上六味，以水八升，煮取三升，去滓，温服一升，日三服。

第四章 三阴三阳六病脉证并治

第一节　辨太阳病脉证并治上

太阳之为病，脉浮，头项强痛而恶寒。

方中行：太阳者，六经之首，主皮肤而统荣卫，所以为受病之始也。《难经》曰：浮，脉在肉上行也。滑氏曰：脉在肉上行，主表也。表即皮肤，荣卫丽焉。故脉见尺寸俱浮，知为病在太阳之诊也。项，颈后也。强痛者，皮肤荣卫一有感受，经络随感而应，邪正争扰也。恶寒者，该风而言也，风寒初袭表而郁于表，故不胜，复被风寒外迕而畏恶之；及其过表而入里，则不复。恶，仇雠之义也。此揭太阳之总病，乃三篇之大纲。已下凡首称太阳病者，皆指此而言之也。

柯韵伯：仲景立六经总纲法，与《内经·热论》不同。太阳只重在表证表脉，不重在经络主病，看诸总纲，各立门户，其意可知。

太阳病，发热，汗出，恶风，脉缓者，名为中风。

方中行：太阳病，上条所揭云云者是也。后皆仿此。发热，风邪干于肌肤而郁蒸也。汗出，腠理疏，玄府开而不固也。恶风，大意见上，此以风邪郁卫，故卫逆而主于恶风。缓，即下文阳浮而阴弱之谓。风性柔和，所以然也。中，当也，风，谓天之八风也。言既有如上条所揭云云之太阳病，加之发热、汗出、恶风而脉缓者，则其病乃是触犯于风而当之也。然风之为风，其性属阳，其中人也，从卫而入，卫，气道也，风之所以从卫入者，卫亦阳，从其类也。此承上条而又再揭太阳分病之纪一，乃此篇之小总。篇内凡首称太阳中风者，则又皆指此而言也。

黄竹斋：太阳，外感病，于脉浮、头项强痛共同脉证外，而发热一证，亦为外感必有之候。盖风邪今所谓病原菌者，菀于肌腠孙络，致废败炭气不能发散，故皮肤温度高于平常，由是发热，所谓卫气强也。若发热而汗即自出者，此经中真气素虚，内热熏蒸，荣气弱不能与卫气和谐，卫阳失御，致玄府不关，津液妄泄，泄则腠理疏，阳益虚，故出室而便恶风也。诊其脉浮而缓者，此荣弱卫强之候，其病由阳气虚，外感风邪而得，故名为中风。论云：风气虽能生万物，亦能害万物。盖生万物者，空气温度适时之和风；害万物者，空气温度反常之邪风也。

太阳病，或已发热，或未发热，必恶寒，体痛，呕逆，脉阴阳俱紧者，名曰伤寒。

方中行：寒为阴，阴不热，以其著人而客于人之阳经，郁而与阳争，争则蒸而为热。已发热者，时之所至，郁争而蒸也；未发热者，始初之时，郁而未争也。必，定然之词，言发热早晚不一，而恶寒则必定即见也。体痛者，寒主坚凝而伤荣，则荣实而强，卫虚而弱矣；荣强则血涩，卫弱则气滞，故痛也。呕，吐也。逆，俗谓恶心是也。胃口畏寒而寒涌也。阴谓关后，阳谓关前，俱紧，谓三部通度而急疾，寒性强劲而然也。《难经》曰：伤寒之脉，阴阳俱盛而紧涩，是也。伤，犹中也。阴寒之袭人，从荣而入，荣，血道也，寒之所以从荣入者，荣亦阴，亦从类也。此揭太阳分病之纪二。已下凡首称伤寒者，则又皆指有此云云之谓也。

黄竹斋:《素问》云：春伤于风，冬伤于寒。《金匮要略》云：风中午前，寒中于暮。风令脉浮，寒令脉急。极寒伤经，极热伤络。本论云：风则伤卫，寒则伤荣。夫天气一也，受日光变化而为寒为热，热则疏散而为阳，寒则翕敛而为阴。人身之气一也，张口而呼之则温，嘬口而呼之则寒，亦犹是也。卫气昼日行于阳，夜行于阴。午前皮肤外感风邪，则卫气当之，卫在脉外，风性疏散，故玄府不闭，自汗出，脉浮缓，脉中之荣气未伤，故体不痛而强。成氏谓气病者则麻，是也。暮时皮肤外感寒邪，则伤荣，荣在脉中，荣伤则卫亦伤。寒性劲急，故气门不通，经血凝泣，无汗体痛，脉阴阳俱紧。成氏谓：血病者则痛，是也。仲景于提纲不揭受病之时者，以天时人事有常有变，风寒二气无时不有，示人以审脉辨证为施治之要，所谓活泼泼地法也。此节云脉阴阳俱紧，后节云风温之为病，脉阴阳俱浮。太阳中风，阳浮而阴弱。三处对勘，则知此节脉之阴阳是指尺寸而言也。中篇云：脉浮紧者，法当身疼痛，宜以汗解之。假令尺中迟者，不可发汗，以荣气不足血少故也。此即脉阴阳不俱紧也。少阴篇云：病人脉阴阳俱紧反汗出者，亡阳也，此属少阴，则此之证无汗，不待言矣。盖太阳与少阴为表里，太阳虚即为少阴，少阴实即为太阳。而自汗出为表虚，无汗为表实也。

伤寒一日，太阳受之。脉若静者，为不传；颇欲吐，若躁烦，脉数急者，此为传也。

沈明宗：此凭脉辨证，知邪传与不传也。

张隐庵：此太阳受邪而即可传于少阴也。伤寒一日，太阳受之，言平人六气周流，环转不息，若以天之寒邪伤人毛腠，则太阳正气受之，即以一日起太阳矣。要知伤寒者言邪，而太阳者言正，脉若静者，太阳正气自和，故为不传。颇欲吐者，即少阴之欲吐不吐也。若躁烦者，感少阴阴寒之气，则躁；感少阴君火之气，则烦。脉数急者，诸数为热，诸急为寒，寒热相持而脉不静，此太阳受邪而感少阴之气化者为传也。

黄竹斋：人身表里脏腑阴阳之气互相贯通，一部分伤病，余部分未有不受直接或间接之波及者；此伤寒中风及外感证，所以有传属并病之说也。兹以阴阳表里之气相传为例言之，凡人外伤于寒，其始病一日，必太阳部分先受之。其脉证若静而不变者，为邪止在太阳，而他部分体质不受其传并也。若证忽见颇欲吐，是表邪无可解之势，皮肤闭束，体中败质蓄积，排泄无由，逆触胃府上脘，而欲从内出也。若或身卧不安，手足动摇而躁。继则心中热闷而烦，乃太阳之里，少阴经络受寒，郁而为热，致神经被灼，正气伤而邪气盛，由表传里，见先躁后烦，即少阳篇所云，其人烦躁者，此为阳去入阴之义也。其浮紧之脉，若变为数急者，此表邪不解，寒酿为热，病势将传并于里之候也。

伤寒二三日，阳明、少阳证不见者，此为不传也。

张隐庵：此承上文，言伤寒一日，太阳受之，传则或入于阳，或入于阴。若二三日而不见阳明、少阳之证者，病气只在太阳，为不传也。

戴元礼：伤寒先犯太阳，以次而传，此特言其概耳；然其中变证不一，有发于阳，即少阴受之者。有爽食伤寒，食动脾，脾太阴之经，一得病即腹满痛者。亦有初得病径犯阳明，不皆始于太阳也。

方中行：不传有二：一则不传而遂自愈，一则不传而尤或不解。若阳明少阳虽不见，太阳亦不解，则始终太阳者有之。余经同推，要皆以脉证所见为准，若只蒙笼拘拘，数日以论经，则去道远矣。

张令韶：此二节，一论阴阳表里之气相传，一论六经之气相传。

太阳病，发热而渴，不恶寒者，为温病。若发汗已，身灼热者，名风温。风温为病，脉阴阳俱浮，自汗出，身重，多眠睡，鼻息必鼾，语言难出。若被下者，小便不利，直视失溲；若被火者，微发黄色，剧则如惊痫，时瘛疭；若火熏之，一逆尚引日，再逆促命期。

沈芊绿：此概言太阳之温病，四时有之，非专指春温也。所以名之曰温者，以内外皆热也。发热为外热，渴为内热，所以别于中风，伤寒也。

程郊倩：太阳初得之日，即发热而渴不恶寒者，因邪气早已内蓄，其外感于太阳，特其发端耳，其内蓄之热，固非一朝一夕矣。盖自冬不藏精而伤于寒时，肾阴已亏，一交春阳发动，即病未发，而周身经络已莫非阳盛阴虚之气所布护。所云至春为温病者，盖从其胚胎受之也，今则借衅于太阳病，而发热而渴不恶寒之证，遂从内转耳。温病之源头，只是阴虚而津液少，汗下温针，莫非亡阴夺津液之治，故俱属大忌。此证初治，可用辛凉治标，一经汗下后，芩连栀膏只增其热，须救肾水为主。冬时伤肾，则寒水被亏，是温病源头，误治温病而辛温发散，是风温源头。风温即温病之变证，非温病外又有风温也。未发汗，只是温，发汗已，身灼热，则温病为风药所坏，遂名风温。以内蕴之热，得辛温而益助其炎炽也。阴阳俱浮者，自里达表，数急脉中更增其洪盛也。自汗出者，火热熏蒸而透出肌表也。伤寒烦热，汗出则解。温病得之，误汗，热闷转增。身重，多眠睡、息必鼾、语言难出者，热盛于经则伤气，故气滞神昏而络脉壅也。被下者，阴虚重，泄其阴。小便不利，直视失溲者，水亏荣竭而肾气不藏也。被火者，火盛重壮其火，微发黄色者，两阳熏灼致脾阴不守而土气外见也。剧则如惊痫，时瘛疭者，阳气根于阴，静则神藏，躁则消亡，亡则精不能养神，柔不能养筋也。若火熏之者，对微发黄色言，黄而加黑，津血为火热汉枯也。凡此皆温病中之坏病，变证如此，视夫发热而渴不恶寒之初证，吉凶顺逆，何啻天渊。一逆者，若汗、若下、若火也。再逆者，汗而或下，下而或火也。温乃阳盛阴虚之病，一逆已令阴竭，况再逆乎？甚矣！温热病不同风寒治也。

柯韵伯：此条不是发明《内经》冬伤于寒，春必病温之义，乃概言太阳温病之证如此，若以春温释之，失仲景之旨矣。夫太阳一经，四时俱能受病，不必于冬；人之温病，不必因于伤寒，且四时俱能病温，不必于春。推而广之，则六经俱有温病，不独太阳一经也。

此节言温病之提纲，所以别于中风、伤寒，示人以辨证之大法，并申明汗下火三禁误治之坏病。此之风温，乃温病误汗之变证，与温病篇其人素有热更伤于风之风温，名同因异。以另有温病脉证并治篇，故于此不出方，所以严界限也。

病有发热恶寒者，发于阳也；无热恶寒者，发于阴也。发于阳者，七日愈，发于阴者，六日愈。以阳数七、阴数六故也。

陈修园：太阳底面，即是少阴。《内经》云：太阳之上，寒气主之，以寒为本，以热为标也。少阴之上，君火主之，以热为本，以寒为标也。发热恶寒，发于太阳之标阳也。无热恶寒，发于少阴之标阴也。

山田图南：此章伤寒全编大纲领，所以定三阴三阳之位，辨寒热虚实之分也。盖外邪初证，有发热恶寒者，有无热恶寒者，夫邪一而已矣。人受之而生病，或为发热恶寒之阳证，或为无热恶寒之阴证者，何也？以人之脏腑形体，素有寒热虚实之异，所受之邪，每从其寒热虚实而化尔；故外邪初证，发热而恶寒者，邪气从实而化之热证，其无热而恶寒者，邪气从虚而化之寒证也。阴阳二字，指其人之寒热虚实言之。发于阳，太阳是也。发于阴，少阴是也。太阳者，三阳之始，少阴者，三阴之始，寒热虽异，为始则同，故置发字以示病发之始已。

沈芊绿：三阳病，俱有不发热者，便是发于阴；三阴病，俱有反发热者，便是发于阳。

柯韵伯：寒热者，水火之本体。水火者，阴阳之征兆。七日合火之成数，六日合水之成数，至此则阴阳自和，故愈。

《外台秘要》：王叔和曰：夫病发热而恶寒者，发于阳；无热而恶寒者，发于阴。发于阳者，可攻其外，发于阴者，宜温其内。发表以桂枝，温里宜四逆。

太阳病，头痛至七日以上自愈者，以行其经尽故也；若欲作再经者，针足阳明，使经不传则愈。

黄坤载：七日以上自愈者，即发于阳者七日愈之谓。六日六经俱尽，故至七日自愈。《素问·热论》所谓七日太阳病衰，头痛少愈也。阳莫盛于阳明，阳明之经阳郁热盛，则六经俱偏，而郁热未衰，虽不入府而经邪犹旺，不肯外发，势必再传六经。针足阳明之经，泻其郁热，则经不再传，自然愈矣。

高士宗：以行其经尽，言六气之环绕于外内也，使经不传，言使经无病邪之传也。故传经者言邪，而纪日者论正，于此可见矣。

太阳病欲解时，从巳至未上。

成无己：巳为正阳，则阳气得以复也。始于太阳，终于厥阴。六经各以三时为解，而太阳从巳至未，阳明从申至戌，少阳从寅至辰；至于太阴从亥至丑，少阴从子至寅，厥阴从丑至卯者，以阳行也速，阴行也缓，阳主于昼，阴主于夜。阳三经解时，从寅至戌，以阳道常饶也。阴三经解时，从亥至卯，以阴道常乏也。《内经》曰：阳中之太阳，通于夏气，则巳午未太阳乘王也。

张令韶：此言六经之病欲解，各随其所旺之时也。从巳至未上者，巳午二时也。日中而阳气隆，太阳之所主也。言邪欲退，正欲复，得天气之助，值旺时而解也。以是知天之六淫，能伤人之正气，而天之十二时又能助人之正气也。

风家表解而不了了者，十二日愈。

庞安常：南楚疾愈或谓之差，或谓之了。

魏念庭：所以不了了之故，不外于风邪属热，能惛人之神识，如天风初息而尘埃未净，非能遽得扩清之象，推之人身，何独不然乎？故不须妄治贻误也。

柯韵伯：不了了者，余邪未尽也。七日表解后，复过一候，而五脏元气始充，故十二日精神慧爽而愈。此虽举风家，伤寒概之矣。如太阳七日病衰，头痛少愈，曰衰，曰少，皆表解而不了了之谓也。

病人身大热，反欲得衣者，热在皮肤，寒在骨髓也；病人身大寒，反不欲近衣者，寒在皮肤，热在骨髓也。

张令韶：太阳标热而本寒，少阴标寒而本热。太阳之标即少阴之本，少阴之本即太阳之标。身大热而反欲近衣者，太阳之标热在外，而少阴之标寒在内也。身大寒而反不欲近衣者，太阳之本寒在外，而少阴之本热在内也。不曰内外，而曰皮肤骨髓者，以太阳主皮而少阴主骨也。此不以身之寒热为主，而以骨髓之寒热为主，以见阳根于阴也。此节申明太阳少阴为表里之义。

黄竹斋：与此节病人身大寒反不欲近衣之证，可以互勘。自首节至此，论太阳病提纲，及六经传并辨证之大要。

太阳中风，阳浮而阴弱。阳浮者，热自发，阴弱者，汗自出；啬啬恶寒，淅淅恶风，翕翕发热，鼻鸣干呕者，桂枝汤主之。

方中行：太阳中风乃掇上条所揭，攒名以指称之，犹上条掇首条所揭，而以太阳病为首称，同一意也。阳浮而阴弱，乃言脉状以释缓之义也。《难经》曰：中风之脉，阳浮而滑，阴濡而弱，是也。阳浮者，热自发，阴弱者，汗自出，言外为阳，卫亦阳也。风邪中于卫则卫实，实则太过，太过则强；然卫本行脉外，又得阳邪而助之，强于外则其气愈外浮，脉所以阳浮。阳主气，气郁则蒸热。阳之性本热，风善行而数变，所以变热亦快捷，不待闭郁而自蒸发，故曰阳浮者热自发也。内为阴，荣亦阴也，荣无故，则荣比之卫为不及，不及则不足，不足则弱；然荣本行脉内，又无所助，而但自不足于内，则其气愈内弱，脉所以阴弱。阴主血，汗者血之液，阴弱不能内守，阳强不为外固，所以致汗亦直易，不待复盖而即自出泄，故曰阴弱者，汗自出也。啬啬恶寒，淅淅恶风，乃双关之句。啬啬言恶寒出于内气，馁，不足以耽当其渗逼，而恶之甚之意。淅淅言恶风由于外体疏，犹惊恨雨水，卒然淅沥其身，而恶之切之意。盖风动则寒生，寒生则肤粟，恶则皆恶也。翕翕发热，乃形容热候之轻微。翕，火炙也，翕盖温热，而不蒸蒸大热也。鼻鸣者，气息不利也。干呕者，气逆不顺也。盖阳主气而上升，气通息于鼻，阳热壅甚，故鼻窒塞而息鸣，气上逆而干呕也。

《黄炫活人大全》:《伤寒论》中一字不苟，有言可与某汤，或言不可与者，此设法御病也。言宜某汤者，此临证审决也。言某汤主之者，乃对病施药也。此三者，即方法之条目也。

桂枝汤方

桂枝三两（去皮）　芍药三两　甘草二两（炙）　生姜三两（切）　大枣十二枚（擘）

上五味，㕮咀，以水七升，微火煮取三升，去滓。适寒温，服一升，服已须臾，歠热稀粥一升余，以助药力。温覆令一时许，遍身漐漐微似有汗者益佳，不可令如水流漓，病必不除。若一服汗出，病差，停后服，不必尽剂。若不汗，更服依前法。又不汗，后服小促其间，半日许，令三服尽。若病重者，一日一夜服，周时观之。服一剂尽，病证犹在者，更作服。若汗不出，乃服至二三剂。禁生冷、粘滑、肉面、五辛、酒酪、臭恶等物。

方中行：微火者，取和缓不猛而无沸溢之患也。歠（音 chuò），大饮也。漐漐，和润而欲汗之貌。不可，禁止之词。如水流漓，言过当也。病必不除，决言不遵节制，则不效验也。

徐灵胎：温覆一时许，令遍身漐漐微似有汗者，此解肌之法也。若如水流漓，则动荣气，卫邪仍在。桂枝汤全料谓之一剂，三分之一谓之一服。一服即汗不再服，无汗服至二三剂，总以中病为主。后世见服药得效者，反令多服，无效者即疑药误，又复易方，无往不误矣。

成无己：《内经》曰：辛甘发散为阳。桂枝汤，辛甘之剂也，所以发散风邪。风淫所胜，平以辛，佐以苦甘，以甘缓之，以酸收之。是以桂枝为主，芍药、甘草为佐也。风淫于内，以甘缓之，以辛散之。是以生姜、大枣为使也。桂枝用姜枣不特专于发散，以脾主为胃行其津液，姜枣之用专行脾之津液而和荣卫者也。

陈古愚：桂枝辛温阳也，芍药苦平阴也。桂枝又得生姜之辛，同气相求，可恃之以调周身之阳气。芍药而得大枣、甘草之甘，酸甘合化，可恃之以滋周身之阴液。师取大补阴阳之品养其汗源，为胜邪之本，又啜粥以助之，取水谷之津以为汗，汗后毫不受伤，所谓立身于不败之地，以图万全也。

黄竹斋：方名桂枝汤者，君以桂枝也。桂枝味辛气香而性温，善能杀菌，功用在皮，能引诸药达于肌腠以解寒凝祛风邪。臣以芍药之酸平，生血兼行经络之痹滞，君臣相须，以奏通经宣阳之绩。使以甘草之甘平，调和诸药，交通荣卫。佐以生姜之辛，温胃散寒以止呕。大枣之甘，健脾补虚以生津。且姜枣合则生津而不腻，桂芍均则解表兼和里。诚解肌补虚，除风散寒，调和荣卫之圣方也。

柯韵伯：此为仲景群方之魁，乃滋阴和阳，调和荣卫，解肌发汗之总方也。凡头痛发热，恶风恶寒，其脉浮而弱，汗自出者，不拘何经，不论中风、伤寒、杂病，咸得用此发汗；若妄汗妄下，而表不解者，仍当用此解肌。如所言头痛发热，恶寒恶风，鼻鸣干呕等病，但见一证即是，不必悉具，唯以脉弱自汗为主耳。愚常以此汤治自汗、盗汗，虚疟、虚痢，随手而愈。因知仲景方可通治百病，与后人分门证类使无下手处者，可同年而语耶。

太阳病，头痛，发热，汗出，恶风，桂枝汤主之。

柯韵伯：此条是桂枝本证，辨证为主，合此证即用此汤，不必问其为伤寒、中风、杂病也。今人凿分风寒，不知辨证，故仲景佳方置之疑窟。四证中头痛是太阳本证，头痛、发热、恶风与麻黄证同，本方重在汗出，汗不出者，便非桂枝证。

沈尧封：此于提纲中独举头痛，而不言项强者，以明中风有项不强之证。

太阳病，项背强几几，及汗出恶风者，桂枝加葛根汤主之。

张令韶：此病太阳之经输也，太阳之经输在背，经云：邪入于输腰脊乃强。项背强者，邪入于输而经气不舒也。几几者，短羽之鸟欲飞不能之状，乃形容强急之形，欲伸而不能伸，有如几几然也。夫邪之中人始于皮肤，次及于肌络，次及于肌输。邪在于经输，则经输实而皮毛虚，故汗出而恶风也。宜桂枝汤以解肌，加葛根以宣通经络之气。干葛之根入土极深，其藤延蔓似络，故能同桂枝直入肌络之内，而外达于肤表也。

顾尚之：项背强几几，即痉之头面摇动，但不若口噤背反张之甚耳。桂枝汤以治风，即加葛根以润燥。《本草》：葛根起阴气。其益阴可知。盖葛根其体润泽，其味甘平。今时徽人作粉常服，谓之葛粉，可知其为和平之品，非发汗之药也。

黄竹斋：《经》云：中于项则下太阳。盖太阳之经输在背，邪入于经输，则血凝气滞，津液不通，而脊椎神经麻痹，筋失柔和，故项背强几几然也。中风则汗出，恶风，桂枝加葛根汤主之；伤寒则无汗，恶风，葛根汤主之。

桂枝加葛根汤方

葛根四两　芍药二两　桂枝二两（去皮）　甘草二两（炙）　生姜三两（切）　大枣十二枚（擘）

上六味，以水一斗，先煮葛根，减二升，去上沫，内诸药，煮取二升，去滓，温服一升，复取微似汗，不须啜粥，余如桂枝法将息及禁忌。

《总病论》：桂枝加葛根汤通治柔痉。

《圣济总录》：桂心汤（即本方）治四时伤寒初觉。

太阳病，下之后，其气上冲者，可与桂枝汤，方用前法。若不上冲者，不可与之。

黄坤载：下后其气上冲，是奔豚发作也。可与桂枝汤，用如前法，疏风木而降奔冲。若不上冲者，奔豚未作，不可与前汤也。

徐灵胎：此误下之证。误下而仍上冲，则邪气犹在阳分，故仍用桂枝发表；若不上冲，则其邪已下陷，变病不一，当随宜施治。

黄竹斋：太阳病属表，法当汗解。若误下之后其气上冲者，此因病人素有奔豚之疾，今以误下伤其肾阳，致宿疾发作故也。治奔豚原有桂枝加桂汤一法，故可仍用桂枝汤解表兼降冲气也。

太阳病三日，已发汗，若吐，若下，若温针，仍不解者，此为坏病，桂枝汤不可与也。观其脉证，知犯何逆，随证治之。

程郊倩：在太阳病之三日，发汗，若吐，若下，若温针，仍不解者，知病非本来之病，而已坏于法之不对矣。

柯韵伯：坏病，即变证也。若误汗，则有遂漏不止，心下悸，脐下悸等证；妄吐，则有饥不能食，朝食暮吐，不欲近衣等证；妄下，则有结胸，痞鞕，协热下利，胀满，清谷等证；火逆，则有发黄，圊血，亡阳，奔豚等证。是桂枝证已罢，故不可更行桂枝汤也。桂枝以五味成方，减一增一便非桂枝汤。非谓桂枝竟不可用，下文皆随证治逆法。

桂枝汤本为解肌，若其人脉浮紧，发热汗不出者，不可与也。常须识此，勿令误也。

程郊倩：邪之初中人也，浅在肌分，而肌之一字，荣卫均主。特卫主气，行于肌之经脉外；荣主血，行于肌之经脉中。二者夹肌分而行，同谓之曰表，要从表处分出阴阳表里来，则卫之为阳为表，荣又为阴为里矣。故邪中于肌之表分，卫阳不固，是曰中风，法当解之。以其脉浮缓、发热、汗自出，皆为虚邪。卫主疏泄，得风而更散故也。邪伤于肌之里分，荣阴受闭，是曰伤寒，法当发之。以其脉浮紧、发热，汗不出，皆为实邪。荣主收敛，得寒而更凝故也。唯其均属于表，故脉浮则同。唯其一虚一实，故缓、紧，汗出、不出，自异。桂枝汤乃补卫之剂，为太阳表虚而设，其云解肌者，犹云救肌也。救其肌而风围自解。若脉浮紧、发热、汗不出者，寒且中肌之血脉而伤荣矣。方将从肌之里一层驱而逐出之，岂容在肌之表一层固而护卫之。故虽与中风同属太阳病，同有浮脉，同有头项强痛、恶寒证，桂枝不可与也。“识”，即“默而识之”之“识”，有念“兹”在兹意。盖可与不可与，在毫厘疑似之间，须常时将虚实了然，方不临时令误耳。

若酒客病，亦不可与桂枝汤，得之必呕，以酒客不喜甘故也。

喻嘉言：酒客平素湿与热搏结胸中，才挟外邪，必增逆满，所以辛甘之法，遇此辈即不可用。辛甘不可用，则用辛凉以彻其热，辛苦以消其满，自不待言矣。

危亦林：酒客不喜甘，平日蓄有湿热也。病虽中风，应与桂枝，以不喜甘而不与，正善桂枝汤之用也。言外当知有葛根芩连，以解肌之法矣。

喘家作，桂枝汤加厚朴、杏子佳。

黄坤载：平素喘家，胃逆肺阻，作桂枝汤解表，宜加朴、杏降逆而破壅也。

桂枝加厚朴杏子汤方 见太阳病中篇

凡服桂枝汤吐者，其后必吐脓血也。

成无己：内热者，服桂枝汤则吐，如酒客之类也。既亡津液，又为热所搏，其后必吐脓血。吐脓血谓之肺痿。《金匮要略》曰：热在上焦为肺痿。谓或从汗或从呕吐，重亡津液，故得之。

柯韵伯：桂枝汤不特酒客当禁用，热淫于内者，用甘温辛热以助其阳，不能解肌，反能涌越，热势所过，致伤阳络，则吐脓血可必也。所谓桂枝下咽，阳盛则毙者，以此。

徐灵胎：外感风热，药中误用桂枝，即可吐血、衄血。

太阳病，发汗，遂漏不止，其人恶风，小便难，四肢微急，难以屈伸者，桂枝加附子汤主之。

黄竹斋：太阳之里，即是少阴。太阳病本宜发汗，然发汗太过如水流漓，必致少阴血燥液竭，内则肾涸，气化不行而小便难，外则液脱，关节不利而四肢急。表邪未尽，故仍恶风。附子温经补阳，除湿化寒，为少阴虚寒证之专药。今加桂枝汤，则固表止汗之义重也。此方与真武汤以表里相对，与白虎加人参汤以寒热相对，皆治过汗之坏病。

《活人书》：凡发汗后汗不止为漏风，桂枝加附子汤主之。

桂枝加附子汤方

桂枝三两（去皮）　芍药三两　甘草二两（炙）　生姜三两（切）　大枣十二枣（擘）　附子一枚（炮，去皮，破八片）

上六味，以水七升，煮取三升，去滓。温服一升，日三服。将息如桂枝汤法。

罗紫尚：用附子有二义：一以壮表，一以御阴。

陈修园：取附子以固少阴之阳，固阳即所以止汗，止汗即所以救液，其理微矣。

《本事方》：有一士人得太阳病，因发汗，汗不止，恶风，小便难，足挛曲而不伸。予诊其脉，浮而大。浮为风，大为虚，用桂枝加附子汤，三啜而汗止；复佐以甘草芍药汤，足便得伸。

《千金方》中治产后风虚，汗出不止，小便难，四肢微急难以屈伸者，即本方，附子用二枚。

《叶氏录验方·虚劳门》：救汗汤（即本方），治阳虚自汗。

太阳病，下之后，脉促，胸满者，桂枝去芍药汤主之。

成无已：脉来数，时一止复来者，名曰促。促为阳盛，则不因下后而脉促者也。此下后脉促，不得为阳盛也。太阳病下之，其脉促，不结胸者，此为欲解。此下后脉促而复胸满，则不得为欲解。由下后阳虚，表邪渐入，而客于胸中也。与桂枝汤以散客邪，通行阳气，芍药益阴，阳虚者非所宜，故去之。

程郊倩：气虚而满，知胸部而下阳气微矣，故见促脉，阴阳不相接续故也。且阳气不达之处，阴气从而填之，则为满；故虽胸前轻清之位，亦复变为重浊矣。

桂枝去芍药汤方

桂枝三两（去皮）　甘草二两（炙）　生姜三两（切）　大枣十二枚（擘）

上四味，以水七升，煮取三升，去滓。温服一升，日三服。将息如桂枝汤法。

浅田栗园：太阴篇云：本太阳病，医反下之，因尔腹满时痛者，属太阴也，桂枝加芍药汤主之。由是观之，腹满则倍芍药，以专和腹中之气；胸满则去芍药，而专桂枝之力，以和胸中之气。二方相照，其义可见矣。

太阳病，下之后，其人恶寒者，桂枝去芍药加附子汤主之。

刘昆湘：太阳病，下之后加恶寒，此因下令寒陷于里，非在表也。肺卫之气皆根于肾间动气，肺卫气虚从寒化者，当温肾阳；恶寒知阳虚于里，脉当来促去衰，宜桂枝去芍药加附子汤，以温其下。若恶风寒而脉紧不去，虽误下，仍为在表，法当汗而解之。

陈修园：上节言误汗而阳亡于外，此节误下而阳衰于内。阳亡于外，宜引其阳以内入，芍药在所必用；阳衰于内，宜振其阳以自立，芍药则大非所宜也。若脉微、恶寒者，为阳虚已极，恐姜、桂之力微，必助之附子而后可。

桂枝去芍药加附子汤方

桂枝三两　甘草二两（炙）　生姜三两（切）　大枣十二枚（擘）　附子一枚（炮，去皮，破八片）

上五味，以水七升，煮取三升，去滓。温服一升，日三服。将息如桂枝汤法。

浅田栗园：此方与桂枝附子汤同其品味，而分量少异尔。

太阳病，得之八九日，如疟状，发热，恶寒，热多，寒少，其人不呕，清便欲自可，一日二三度发，脉微缓者，为欲愈也；脉微而恶寒者，此阴阳俱虚，不可更发汗、更吐、更下也；面色反有热色者，未欲解也，以其不能得小汗出，身必痒，宜桂枝麻黄各半汤。

黄坤载：如疟者，荣阴卫阳之相争，阳郁于内，则发热；阴郁于中，则恶寒。此先中于风而后伤于寒。荣泄卫闭，彼此交争，故寒热往来如疟也。太阳病，得之八九日之久，证如疟状，发热，恶寒，发热多而恶寒少，此风多于寒，卫伤颇重，而荣伤颇轻。若其人上不呕，下不泄，则中气未伤。寒热一日二三度发，则正气颇旺，频与邪争。脉微和缓，则邪气渐退，是为欲愈无用治也。若其脉微弱而又恶寒者，此卫阳荣阴之俱虚。盖荣虚则脉微，卫虚则恶寒，后章无阳即解此句。虚，故不可更以他药发汗、吐、下也。如果发热，脉浮，是后章桂枝越婢之证也。若外不恶寒而面上反有热色者，是阳气蒸发欲从外解，而表寒郁迫未欲解也，使得小汗略出，则阳气通达，面无热色矣。以其正气颇虚，不得小汗，阳郁皮腠，莫之能通，是其身必当发痒，解之以桂枝麻黄各半汤。

张路玉：首节颇似小柴胡证，故以不呕清便自调证之。次节虽脉微、恶寒，止宜小建中加黄芪，以温分肉司开阖，原非温经之谓。后节面色反有热色，言表邪未尽，故宜各半，不可与面合赤色比类而观也。

桂枝麻黄各半汤方

即桂枝汤三合，麻黄汤三合，并为六合，顿服之，将息如桂枝汤法。麻黄汤方见太阳病中篇。

许宏《方义》：桂枝汤治表虚，麻黄汤治表实，二者均曰解表，有霄壤之异也。今此二方合而用之，乃解其表不虚不实者也。

《类聚方广义》：痘疮热气如灼，表郁而见点难，或见点稠密而风疹交出，或痘迟不胀，喘咳咽痛者，宜桂枝麻黄各半汤。

太阳病，初服桂枝汤，反烦不解者，先刺风府、风池，却与桂枝汤。

柯韵伯：此条治中风之变，桂枝汤煮取三升，初服者，先服一升也。却与者，尽其二升也。热郁于心胸者，谓之烦；发于皮肉者，谓之热。以外感之风邪重，内之阳气亦重，风邪本自项入，必刺风池、风府，疏通来路以出其邪，仍与桂枝汤以和荣卫。《内经》曰：表里刺之，服之饮汤，此法是矣。

徐灵胎：此非误治，因风邪凝结于太阳之要路，则药力不能流通，故刺之以解其结。盖风邪太甚，不仅在卫而在经，刺之以泄经气。

黄竹斋：中篇云：欲自解者必当先烦，乃有汗而解。何以知之，脉浮故也。是此节之烦，为太阳病欲解之烦，与前第四节传里之躁烦不同，当从脉浮或效急辨之。

《甲乙经》：风府一名舌本，在项上入发际一寸。大筋内宛宛中，疾言其肉立起，言休其肉立下。督脉阳维之会，禁不可灸，灸之令人喑。刺入四分，留三呼。风池在颞颥后发际陷者中，足少阳阳维之会，刺入三分，留三呼。

黄竹斋：风池在足太阳经天柱穴之外，风府在天柱穴之内，所谓表里刺之是也。

太阳病，服桂枝汤后，大汗出，脉洪大者，与白虎汤；若形似疟，一日再发者，宜桂枝二麻黄一汤。

刘昆湘：曰服桂枝汤，则知初病为太阳中风。得汤而大汗出，脉转洪大者，知其人胃阳素盛，津液外越，化燥而转属之明也。宜白虎汤以清肌热，胃气凉和，大汗自止，此为胃热蒸肌，阳明经证，不可妄施补敛。

柯韵伯：服桂枝汤后而恶寒发热如疟者，是本当用麻黄发汗，而用桂枝则汗出不彻故也。凡太阳发汗太过，则转属阳明，不及则转属少阳，此虽寒热往来而头项强痛未罢，是太阳之表尚在。夫疟因暑邪久留而内著于募原，故发作有时，日不再作，此因风邪泊于荣卫，动静无常，故一日再发，或三度发耳。邪气稽留于皮毛肌肉之间，固非桂枝汤之可解，已经汗过，又不宜麻黄汤之峻攻，故取桂枝汤三分之二，麻黄汤三分之一，合而服之，再解其肌，微开其表，审发汗于不发之中，此又用桂枝后，更用麻黄法也。后人合为一方者，是大背仲景比较二方之轻重，偶中出奇之妙理矣。

白虎汤方

知母六两　石膏一斤（碎，绵裹）　甘草二两（炙）　粳米六合

上四味，以水一斗，煮米熟汤成，去滓。温服一升，日三服。

《和剂局方》：白虎汤治伤寒大汗出后，表证已解，心胸大烦，渴欲饮水。

《医方集解》：白虎汤通治阳明病，脉洪大而长，不恶寒，反恶热，头痛，自汗，口渴，鼻干，不得卧。

桂枝二麻黄一汤方

即桂枝汤二升，麻黄汤一升，合为三升，每服一升，日三服。将息如桂枝汤法。

徐灵胎：此与桂枝麻黄各半汤意略同，但此因大汗出之后，故桂枝略重而麻黄略轻。

太阳病，服桂枝汤后，大汗出，大烦渴，脉洪大者，白虎加人参汤主之。

陈修园：太阳之气由肌腠而通于阳明，服桂枝汤当取微似有汗者佳；今逼取太过，则大汗出后，阳明之津液俱亡，胃络上通于心，故大烦；阳明之上，燥气主之，故大渴不解；阳气盛亢，诊其脉洪大无伦者，白虎加人参汤主之。白虎为西方金神，秋金得令，而炎气自除；加人参者，以大汗之后，必救其液，以滋其燥也。

白虎加人参汤方

即白虎汤加人参三两，煎服法同。

柯韵伯：外邪初解，结热在里，表里俱热，脉洪大，汗大出，大烦、大渴，欲饮水数升者，是阳明无形之热。此方乃清肃气分之剂也。石膏辛寒，辛能解肌热，寒能胜胃火，寒性沉降，辛能走外，两擅内外之能，故以为君。知母苦润，苦以泻火，润以滋燥，故以为臣，用甘草、粳米调和于中宫，且能土中泻火，作甘稼穑；寒剂得之缓其寒，苦药得之平其苦，使沉降之性皆得流连于味也。得二味为佐，庶大寒之品无伤损脾胃之虑也。煮汤入胃，输脾归肺，水精四布，大烦大渴可除矣。白虎为西方金神，取以名汤，秋金得令而炎暑自解矣。更加人参以补中益气而生津，协和甘草粳米之补，承制石膏知母之寒，泻火而土不伤，乃操万全之术者。陶氏以立夏后立秋前，天时不热为拘，误人最甚。乌知方因证立，非为时用药也。

吕榇村：经文于白虎汤证，并无一言及渴，而加人参方中，或曰口燥渴，或曰大烦渴，或因渴欲饮水数升，此多得之汗吐下后，内热未除，胃液垂涸，故加人参于白虎汤中。是移清金涤热之功，转而为益胃滋干之用，庶几泻子实而补母虚，两收其利。

《兰室秘藏》：膈消者，舌上赤裂，大渴引饮。《逆调论》云：心移热于肺，传为膈消者也。白虎加人参汤主之。

太阳病，发热恶寒，热多寒少，若脉微弱者，此无阳也，不可发汗，宜桂枝二越婢一汤。

黄竹斋：湘古本作：太阳病，发热恶寒，热多寒少，宜桂枝二越婢一汤。若脉微弱者，此无阳也，不可发汗，宜当归四逆汤。可从。

刘昆湘：此示太阳外证有气强化热与血虚生燥之异，因对举而论辨之。如病在太阳，发热恶寒，热多寒少，外证无汗，脉浮而大，此阳邪偏盛于表，宜桂枝二越婢一汤，双解荣卫而清肌热。热多者，风重于寒，故治用复方而法有轻重。假令发热恶寒，无汗，热多寒少，脉象反见微弱，盖由素秉血虚，复加外风之感，血虚化燥故热多，气不布津故无汗。荣弱卫微，故不可发汗，更虚其表。无阳较亡阳之义为轻，亦阳气衰微之意，故用当归四逆汤益气生津，养荣通脉。方中用人参、附子二味，散寒无发阳之虑，温肾免伤阴之弊。其在厥阴篇，主治脉细欲绝者，以脉细为阴气之衰，欲绝为阳气之脱。虽真气内微而客寒未解，是以补虚之中，仍佐祛邪之品，制方之妙义可深思。

桂枝二越婢一汤方

桂枝（去皮）　芍药　麻黄　甘草（炙）各十八铢　大枣四枚（擘）　生姜一两二铢（切）　石膏二十四铢（碎，绵裹）

上七味，以水六升，先煮麻黄，去上沫，内诸药，煮取三升，去滓。温服一升，日三服。

刘昆湘：越婢，古汤名也；或古有越婢得疾以此治愈，因以名之。犹草之有寄奴也。

黄竹斋：太阳病，发热恶寒，热多寒少，故用越婢汤，清热以散寒；以其脉浮大，浮为风，大为虚，故倍桂枝汤，除风而补虚。二方合用，面面周到。

太阳病，服桂枝汤，或下之，仍头项强痛，翕翕发热，无汗，心下满，微痛，小便不利者，桂枝去桂加茯苓白术汤主之。

成无己：头项强痛，翕翕发热，虽经汗下，为邪气仍在表也。心下满，微痛，小便利者，则欲成结胸，今外证未罢，无汗，小便不利，心下满，微痛，为停饮也。与桂枝汤以解外，加茯苓、白术利小便，行留饮也。

柯韵伯：汗出不彻而遽下之，心下之水气凝结，故反无汗而外不解，心下满而微痛也。然病根在心下，而病机在膀胱，若小便利，病为在表，仍当发汗，若小便不利，病为在里，是太阳之腑病，而非桂枝证未罢也，故去桂枝，而君以苓术，则姜芍即散邪行水之法，佐甘枣效培土制水之功，此水结中焦，只可利而不可散，所以与小青龙五苓散不同法。但得膀胱水去，而太阳表里证悉除，所谓治病必求其本也。《经》曰：血之与汗，异名而同类。又曰：膀胱津液气化而后能出。此汗由血化，小便由气化也。桂枝为血分药，但能发汗，不能利水。观五苓散方末云：多服煖水汗出愈。此云小便利则愈。比类二方，可明桂枝去桂之理矣。今人不审，概用五苓以利水，岂不悖哉。

黄竹斋：此节遥申前第十七节。桂枝本为解肌，若其人脉浮紧，发热，汗不出者，不可与而与之，并误下后变病之治法；盖伤寒为实邪，反与桂枝汤解肌，则皮毛闭塞，邪无出路，故本证仍在。下之则一误再误，寒邪乘里气之虚而内陷，结于膈间而成停饮，为结胸之渐。“下篇”云，病发于阳而反下之，热入因作结胸。结胸者，项亦强如柔痓状，下之则和。故此用苓术以下其水饮，用桂枝汤者，以表证仍在也；去桂枝者，以桂枝长于解肌，而不长于利水，且其证无汗，是急在泄饮而缓于解外，故去桂枝则药力专于内利小便也。小便利，则停饮去，自无结胸及下利之变矣。

桂枝去桂加茯苓白术汤方

芍药三两　甘草二两（炙）　生姜三两（切）　大枣十二枚（擘）　茯苓三两　白术三两

上六味，以水八升，煮取三升，去滓，温服一升，日三服。

徐灵胎：头痛发热，桂枝证仍在也。以其无汗，则不宜更用桂枝；心下满，则用白术；小便不利，则用茯苓。此证乃亡津液而有停饮者也。此方专于利小便也。

唐容川：此与五苓散互看自明。五苓散是太阳之气不外达，故用桂枝以宣太阳之气，气外达则水自下行而小便利矣。此方是太阳之水不下行，故去桂枝，重加苓术，以行太阳之水，水下行则气自外达，而头痛发热等证自然解散，无汗者，必微汗而愈矣。然则五苓散重在桂枝以发汗，发汗即所以利水也。此方重在苓术以利水，利水即所以发汗也。实知水能化气，气能行水之故，所以左宜右有。

伤寒脉浮，自汗出，小便数，心烦，微恶寒，脚挛急，反与桂枝汤欲攻其表，此误也。得之便厥，咽中干，烦躁吐逆者，作甘草干姜汤与之，以复其阳；若厥愈足温者，更作芍药甘草汤与之，其脚即伸；若胃气不和，谵语者，少与调胃承气汤；若重发汗，复加烧针者，四逆汤主之。

周禹载：此为真阳素虚之人，荣卫俱伤，治风遗寒，因而致变者，立法也。

张令韶：此言病太阳之表，而得少阴里虚之证，不可发汗也。伤寒脉浮者，浮为在表也。自汗出者，太阳之表气虚也。肾主二便，小便数者，频出而不禁，谓少阴之水虚于下也。心烦者，谓少阴之火虚于上也。微恶寒者，病太阳之本，少阴之标也。少阴之脉，斜走足心，上股内后廉，肾气微少，精血无以荣筋，故脚挛急也。此病得太阳而见少阴之里证，反与桂枝汤欲攻太阳之表，此误也。得之则太少表里阴阳之气不相顺接，便为厥。咽中干者，少阴之水不能上滋也。烦躁者，感少阴水火之气也。吐逆者，少阴之阴寒甚也。太少为水火之主，而中土为之交通，故用温中土之干姜、甘草，以复其阳；若厥愈足温者，更与芍药、甘草以复其阴，故其脚即伸。少阴上火而下水，又胃络上通于心，若君火亢极以致胃气不和，神昏气乱而谵语者，少与调胃承气汤，上承热气于下。若重发其汗，复加烧针者，阳虚已极，四逆汤主之。

王肯堂：伤寒脉浮，自汗出，小便数，心烦，微恶寒，脚挛急，此邪中膀胱经虚寒也。宜桂枝加附子汤则愈。

黄竹斋：此节为太阳与少阴合病，表虚里寒之桂枝加附子汤证。脉浮，自汗出，是太阳桂枝证。小便数，心烦，微恶寒，脚挛急，皆是少阴附子证。专用桂枝汤，则攻其表而遗其里，故太阳证虽罢而少阴证转增也。

甘草干姜汤方

甘草四两（炙）　干姜二两（炮）

上二味，以水三升，煮取一升五合，去滓，分温再服。

吴遵程：甘草干姜汤，即四逆汤去附子也。辛甘合用，专复脾中之阳气。其夹实夹阴，面赤足冷，发热喘咳，腹痛便滑，外内合邪，难于发散；或寒药伤胃，合用理中不便参术者，并宜服之，真胃虚挟寒之圣剂也。

陈古愚：误服桂枝汤而厥，其为热厥无疑。此方以甘草为主，取大甘以化姜桂之辛热，干姜为佐，妙在炮黑变辛为苦，合甘草又能守中以复阳也。论中干姜俱生用，而唯此一方用炮。仲景又以此汤治肺痿，更为神妙。后贤取治吐血，盖学古而大有所得也。

《外台秘要》:《备急》疗吐逆水米不下，干姜甘草汤（即本方）。

《直指方》：甘草干姜汤（即本方）治男女诸处出血，胃寒不能引气归元，无以收约其血。

芍药甘草汤方

芍药四两　甘草四两（炙）

上二味，以水三升，煮取一升五合，去滓，分温再服。

陈古愚：芍药味苦，甘草味甘，苦甘合用，有人参之气味，所以大补阴血。血得补则筋有所养而舒，安有拘挛之患哉。凡病人素溏与中虚者，忌服。

《魏氏家藏方》：六半汤（即本方）治热湿脚气，不能行步。即芍药甘草汤入无灰酒少许，再煎服。

《朱氏集验方》：去杖汤（即本方）治脚弱无力，行步艰难。

《传信适用方》：中岳汤（即本方）治湿气，腿脚赤肿疼痛，及胸膈痞满，气不升降，遍身疼痛，并治脚气。

《玉机微义》：芍药甘草汤治小肠咳而失气，气与咳俱失。

调胃承气汤方

甘草二两（炙）　芒硝半斤　大黄四两（酒洗）

上三味，以水三升，煮二物，取一升，去滓，内芒硝，更上微火一两沸，顿服之。芒硝宋本作半升，方氏及全书同此作半斤，以煎法征之，作半升为是。

成无己：《内经》曰：热淫于内，治以咸寒，佐以苦甘。芒硝咸寒以除热，大黄苦寒以荡实，甘草甘平，助二物推陈而缓中。

王海藏：实热尚在胃中，用调胃承气，以甘草缓其下行而祛胃热也。仲景调胃承气汤证八方中，并无干燥；不过曰胃气不和，曰胃实，曰腹满，则知此汤专主表邪悉罢，初入腑而欲结之证也。故仲景以调胃承气收入太阳阳明，而大黄注曰酒浸，是太阳阳明去表未远，其病在上，不当攻下，故宜缓剂以调和之。

徐灵胎：芒硝善解结热之邪，大承气用之解已结之热邪，此方用之以解将结之热邪，其能调胃则全赖甘草也。

《内经拾遗方论》：《平人气象论》曰：已食如饥者曰胃疸。以其胃热消谷，面色萎黄，故曰疸，黄病也，调胃承气汤。

《试效方》：调胃承气汤，治消中渴而饮食多。

《卫生宝鉴》：调胃承气汤治胃中实热而不满。

《医垒元戎》：涤毒散治时气疙瘩、五发疮疡、喉闭、雷头。于本方加当归。

《经验良方》：调胃承气汤治热留胃中，发斑；及服热药过多，亦发斑。此药主之。

《济阳纲目》：调胃承气汤治腹中常觉有热，而暴痛暴止者，此谓积热。

《口齿类要》：调胃承气汤治中热，大便不通，咽喉肿痛，或口舌生疮。

《类聚方广义》：牙齿疼痛，齿龈肿痛，龋齿枯折，口臭等，其人平日多大便秘闭而冲逆，宜调胃承气汤。

四逆汤方

人参二两　甘草二两（炙）　干姜一两半　附子一枚（生用去皮，破八片）

上四味，以水三升，煮取一升二合，去滓。分温再服。强人可大附子一枚，干姜三两。

刘昆湘：四逆汤通行本缺人参。观于茯苓四逆汤，但云加茯苓，不云加参；知本方固当有人参，非人参合姜附，不足以救阴阳之两亡也。

成无己：《内经》曰：寒淫于内，治以甘热。又曰：寒淫所胜，平以辛热。甘草姜附相合，为甘温大热之剂，乃可发散阴阳之气。

庞安常：凡厥通用四逆汤，谓其脉浮迟，或微，或细，或沉，皆属里有寒也。

喻嘉言：四逆汤治三阴经证，四肢厥冷，虚寒下利，急温其里之总方。

张路玉：此汤通治三阴脉沉、恶寒、手足逆冷之证，故取附子之生者，上行头项，外彻肌表，以温经散寒。干姜亦用生者，以内温脏腑。甘草独用炙者，以外温荣卫，内补中焦也。

问曰：太阳病，其证备，按桂枝法治之而增剧，厥逆，咽中干，烦躁，吐逆，谵语，其故何也？师曰：此阳旦证，不可攻也。寸口脉浮，浮为风，亦为虚，风则生热，虚则挛急；误攻其表，则汗出亡阳，汗多则液枯，液枯则筋挛，阳明内结，则烦躁谵语。用甘草干姜以复其阳，芍药甘草以救液，调胃承气以止其谵语，此坏病之治，必随脉证也。

黄竹斋：此节设为问答，以申明上节之义。太阳病，其证备，谓太阳与少阴表里同病也。按桂枝法治之，表证虽罢而里证增剧，加以厥逆，咽中干，烦躁，吐逆，谵语，其故何也？师日：此阳旦证，治当解表兼温里，不可专攻表也。寸口脉浮为表，中风，亦为里阳虚，风则生热，故证见自汗出，心烦。虚则阳衰，故证见小便数，微恶寒，脚挛急。今误攻其表，则汗出亡阳。汗多则津竭液枯，液枯则筋失所养而急挛。阳明之内胃腑热结，则烦躁谵语。诸证寒热错杂，阴阳两亏，当权其缓急先后，以复阳为急，救液次之，滋阴为后。故用甘草干姜以复其阳，俟厥愈足温，更作芍药甘草以救液，则其脚即伸。然后以调胃承气清胃结热止其谵语。由是诸证以次渐愈，此坏病之治，必随脉证以救之也。

阳旦病，发热不潮，汗出，咽干，昏睡不安，夜半反静者，宜地黄半夏牡蛎酸枣仁汤主之；若口渴，烦躁，小便赤，谵语者，竹叶石膏黄芩泽泻半夏甘草汤主之。

刘昆湘：此正示阳旦之证治也。阳旦之证虽发热有汗，而不似阳明外证潮热之甚，故曰发热不潮。潮者，湿之意，形容发热有汗，时时不干。潮热，即蒸蒸发热之谓。汗出，咽干者，阴虚而荣气外泄，令胃津不能上布。昏睡不安者，血虚生燥，心气浮越之候。夜半反静者，昼则卫气行阳，夜则卫气行阴，夜半而阴生阳潜，病气得天时之助，和其偏胜故也。治宜地黄半夏牡蛎酸枣仁汤主之。地黄滋水以养肝，半夏通液而降胃，枣仁、牡蛎敛精气以安神魂，除虚烦而定惊悸。若加口渴，烦躁，小便赤，谵语者，此胆胃俱热，气血之两燔也，治宜竹叶石膏黄芩泽泻半夏甘草汤主之。竹叶、石膏双清肺胃以解肌热，黄芩泻肝阳之上犯，泽泻导心火以下行，半夏降胃逆，甘草和中府。病因由血热并气，故清气即所以清荣也。

地黄半夏牡蛎酸枣仁汤方

地黄六两　半夏半升　牡蛎二两　酸枣仁三两

上四味，以水四升，煮取二升，去滓。分温再服。

竹叶石膏黄芩泽泻半夏甘草汤方

竹叶两把　石膏半斤（碎，绵裹）　黄芩三两　泽泻二两　半夏半升　甘草二两

上六味，以水五升，煮取三升，去滓。温服一升，日三服。

黄竹斋：此节阳旦病，其证候与前节不符。《金匮要略·妇人病》云：产后风续之，数十日不解，头微痛，恶寒，时时有热，心下闷，干呕，汗出。虽久，阳旦证续在耳，可与阳旦汤。原注即桂枝汤。《脉经》九引此云方在伤寒中，桂枝是也。《千金方》卷九，阳旦汤治伤寒中风，脉浮，发热往来，汗出，恶风，头项强，鼻鸣，干呕，桂枝汤主之，即桂枝汤五味，以泉水一斗，煮取四升，分服一升，日三。如汗者，去桂枝，加附子一枚。庞氏、成氏皆谓阳旦即桂枝汤之别名，皆与此节不同，俟夫知者辨焉。

第二节　辨太阳病脉证并治中

太阳病，项背强几几，无汗恶寒者，葛根汤主之。

张令韶：此病太阳之表，而涉于经输也。项背强几几者，邪入于输而经气不舒，欲伸而不能伸也。邪在于表，表气实，故无汗。邪入于经，经气虚，故恶风。葛根汤主之，葛根宣通经输以治内，麻黄开发毛窍以达外，桂枝和解肌腠以调中。内而经输，外而毛窍，中而肌腠，无所留滞，病自愈矣。

顾尚之：此亦痉证之轻者。上汗出恶风用桂枝汤加葛根，此以无汗而更加麻黄，仍不外表实、表虚两治法也。

葛根汤方

葛根四两　麻黄三两（去节）　桂枝三两（去皮）　芍药二两　甘草二两（炙）　生姜三两（切）　大枣十二枚（擘）

上七味，以水一斗，先煮麻黄、葛根减二升，去上沫，内诸药煮取三升，去滓。温服一升，覆取微似汗。余如桂枝汤法将息及禁忌。诸汤皆仿此。

柯韵伯：此开表逐邪之轻剂也。几几更甚于项强，而无汗不失为表实。脉浮不紧数，是中于鼓动之阳风，故以桂枝汤为主，而加麻黄以攻其表实也。葛根味甘气凉，能起阴气而生津液，滋筋脉而舒其牵引，故以为君；麻黄、生姜能开玄府腠理之闭塞，祛风而去汗，故以为臣；寒热俱轻，故少佐桂芍同甘枣以和里。此于麻桂二汤之间，冲其轻重，而为调和表里之剂也。葛根与桂枝同为解肌和里之剂，故有汗无汗，下利不下利，皆可用，与麻黄专于治表者不同。葛根为阳明经药，能佐麻黄而发表，佐桂枝以解肌。不须啜粥者，开其腠理而汗自出，凉其肌肉而汗自止。是凉散以祛风，不必温中以逐邪矣。

《类聚方广义》：葛根汤治麻疹初起，恶寒发热，头项强痛，无汗，脉浮数，或干呕下利者。又疫痢初起，发热恶寒，脉数者，当先用本方汤复发汗。若呕者，以加半夏汤取汗。

太阳与阳明合病者，必自下利，葛根汤主之。若不下利，但呕者，葛根加半夏汤主之。

成无已：伤寒有合病，有并病。本太阳病不解，并于阳明者，谓之并病。二经俱受邪，相合病者，谓之合病。合病者，邪气甚也。太阳阳明合病，与太阳少阳合病，阳明少阳合病，皆言必自下利者，以邪气并于阴则阴实而阳虚，邪气并于阳则阳实而阴虚，寒邪气甚客于二阳，二阳方外实而不主里，则里气虚故必下利。与葛根汤，以散经中甚邪，邪气外甚阳不主里，里气不和，气下而不上者，但下利而不呕。里气上逆而不下者，但呕而不下利。与葛根汤以散其邪，加半夏以下逆气。

《明理论》：太阳与阳明合病，必自下利，葛根汤主之；太阳与少阳合病，必自下利，黄芩汤主之；阳明与少阳合病，必自下利，大承气汤主之。三者皆合病下利，一者发表，一者攻里，一者和解，所以不同也。下利家，何以明其寒热邪，且自利不渴属太阴，以其脏有寒故也；下利欲饮水者，以有热也。故大便溏，小便自利者，此为有热；自利，小便色白者，少阴病形悉具，此为有寒；恶寒，脉微，自利清谷，此为有寒；发热，后重，泄色黄赤，此为有热。皆可理其寒热也。

葛根加半夏汤方

即葛根汤加半夏半升（洗），煎服法同。

太阳病桂枝证，医反下之，利遂不止，脉促者，热未解也。喘而汗出者，葛根黄连黄芩甘草汤主之。

成无已：《经》曰不宜下而便攻之，内虚热入，协热遂利。桂枝证者邪在表也，而反下之虚其肠胃，为热所乘遂利不止。邪在表则见阳脉，邪在里则见阴脉。下利脉微迟，邪在里也。促为阳盛，虽下利而脉促，知表未解也。病有汗出而喘者，为自汗出而喘也，即里热气逆所致。与葛根黄芩黄连汤，散表邪，除里热。

葛根黄连黄芩甘草汤方

葛根半斤　黄连三两　黄芩三两　甘草二两（炙）

上四味，以水八升，先煮葛根减二升，去上沫，内诸药煮取二升，去滓，分温再服。

许宏《方议》：此方亦能治阳明大热下利者，又能治嗜酒之人热喘者，取用不穷也。

徐灵胎：因表未解，故用葛根；因喘、汗而利，故用芩、连之苦以泄之、坚之。芩、连、甘草为治痢之主药。

陈古愚：方主葛根，从里以达于表，从下以腾于上；辅以芩、连之苦，苦以坚之，坚毛窍而止汗，坚肠胃以止泻；辅以甘草之甘，妙得苦甘相合，与人参同味同功，所以能补中土而调脉道，真神方也。

《方函口诀》：此方用于小儿疫痢，屡有效。

太阳病，头痛发热，身疼腰痛，骨节疼痛，恶风，无汗而喘者，麻黄汤主之。

成无己：此太阳伤寒也。寒则伤荣，头痛、身疼、腰痛，以致牵连骨节疼痛者，太阳经荣血不利也。《内经》曰：风寒客于人，使人毫毛毕直，皮肤闭而为热者，寒在表也。风并于卫，卫实而荣虚者，自汗出而恶风寒也。寒并于荣，荣实而卫虚者，无汗而恶风也。以荣强卫弱，故气逆而喘，与麻黄汤以发其汗。

麻黄汤方

麻黄三两（去节）　桂枝二两（去皮）　甘草一两（炙）　杏仁七十个（去皮尖）

上四味，以水九升，先煮麻黄减二升，去上沫，内诸药，煮取二升半，去滓，温服八合。覆取微似汗，不须啜粥，余如桂枝汤法将息。

徐灵胎：麻黄须多煮，取其力专，不仅为去上沫，止煮一二沸矣。

李时珍：仲景治伤寒无汗用麻黄，有汗用桂枝，未有究其精微者。津液为汗，汗即血也，在荣则为血，在卫为汗。夫寒伤荣，荣血内涩不能外通于卫，卫气闭固，津液不行，故无汗，发热而憎恶。夫风伤卫，卫气受邪，不能内护于荣，荣气虚弱，津液不固，故有汗发热而恶风。然风寒之邪皆由皮毛而入，皮毛者，肺之合也，肺主卫气，包络一身，天之象也。证虽属乎太阳，而肺实受邪气，其证时兼面赤怫郁，咳嗽痰喘，胸满诸证者，非肺病乎。盖皮毛外闭，则邪热内攻，而肺气膹郁。故用麻黄、甘草同桂枝引出荣分之邪，达之肌表；佐以杏仁泄肺而利气。是则麻黄汤虽太阳发汗重剂，实为发散肺经火郁之药也。

柯韵伯：此方治风寒在表，头痛项强，发热，身疼腰痛，骨节烦痛，恶风，恶寒，无汗，胸满而喘，其脉浮紧，浮数者。此为开表逐邪，发汗之峻剂也。古人用药，取法象之义。麻黄中空外直，宛如毛窍骨节，故能去骨节之风寒从毛窍而出，为卫分发散风寒之品；桂枝之条纵横，宛如经脉系络，能入心化液，通经络而出汗，为荣分散解风寒之品；杏仁为心果，温能助心散寒，苦能清肺下气，为上焦逐邪定喘之品；甘草甘平，外拒风寒，内和气血，为中宫安内攘外之品。此汤入胃，行气于玄府，输精于皮毛，斯毛脉合精而溱溱汗出，在表之邪尽去而不留，痛止喘平，寒热顿解。不须啜粥，而藉汗于谷也。不用姜枣者，以生姜之性横散解肌，碍麻黄之上升；大枣之性滞泥于膈，碍杏仁之速降。此欲急于直达，稍缓则不迅，横散则不峻也。若脉浮弱，自汗出者，或尺脉微迟者，是桂枝汤所主，非此方所宜也。予治冷风哮与风寒湿三气成痹等证，用此辄效，非伤寒一证可拘也。

《肘后方》：治卒乏气，气不复报，肩息方（即本方）。

《玉机微义》：麻黄汤治肺脏发咳，咳而喘息有声，甚则唾血。

《眼科锦囊》：麻黄汤治为风热所侵，而眼目赤肿，生障翳。

《类聚方广义》：初生儿有时时发热，鼻塞不通，不能哺乳者，用此方即愈。又治痘疮现点时，身热如灼，表郁难发，及大热烦躁而喘，不起胀者。

太阳与阳明合病，喘而胸满者，不可下也，宜麻黄汤。

王朴庄：合病之外证，如《内经·热论》所指太阳则头项痛，腰脊强，阳明则目疼，鼻干不得眠，合成一病也。太阳不开则喘，阳明不降则胸满。邪不在胃不可下也。太阳病一开，阳明病之气亦从而俱开矣。

《本事方》：有人病伤寒，脉浮而长，喘而胸满，身热头痛，腰脊强，鼻干不得卧。予曰：太阳阳明合病，治以麻黄汤解。

太阳病，十日已去，脉浮细而嗜卧者，外已解也。设胸满胁痛，与小柴胡汤；脉但浮者，与麻黄汤。

程郊倩：太阳病十日已去，脉浮细而嗜卧者，较之少阴为病之嗜卧，脉浮则别之；较之阳明中风之嗜卧，脉细又别之。脉静神恬，解证无疑矣。但解则均解，必无外证之未罢。设于解后尚见胸满胁痛一证，则浮细自是少阳本脉，嗜卧为胆热入而神昏，宜与小柴胡汤。脉但浮者，与麻黄汤。彼已见麻黄汤脉，自应有麻黄汤证符合之，纵嗜卧依然，必不胸满胁痛可知。

《伤寒论识》：阳明篇云：外不解，病过十日脉续浮者，与小柴胡汤。脉但浮，无余证者，与麻黄汤。与此只同，乃柴胡汤、麻黄汤之例也。

小柴胡汤方 见后

太阳伤寒，脉浮，发热，恶寒，身疼痛，不汗出而烦躁者，大青龙汤主之。若脉微弱，汗出恶风者，不可服之，服之则厥逆，筋惕肉瞤，此为逆也。

黄坤载：脉浮紧，身痛发热，恶寒无汗，脉证悉同伤寒，此卫阳素旺，气郁而血不泄也。卫气遏闭，荣郁热甚，故见烦躁。异日之白虎、承气诸证，皆以经热之内传者也。早以大青龙发之，则内热不生矣。

尤在泾：表实之人不易得邪，设得之则不能泄卫气而反以实阳气，阳气既实，表不得通，闭热于经，则脉紧身痛，不汗出而烦躁也。是当以麻黄、桂、姜之属以发汗而泄表实，加石膏以除里热而止烦躁。若脉微弱，汗出恶风，则表虚不实，设与大青龙汤发越阳气，必致厥逆，筋惕肉瞤，甚则多汗而阳亡矣。故曰：此为逆。逆者，虚以实治，于理不顾，所以谓之逆也。

朱肱：《类纂》云：凡发汗过多，筋惕肉瞤，振摇动人，或虚羸之人微汗出，便有必证，俱宜服真武汤以救之。

大青龙汤方

麻黄六两（去节）　桂枝二两（去皮）　甘草二两（炙）　杏仁四十枚（去皮尖）　生姜三两（切）　大枣十二枚（擘）　石膏如鸡子黄大（碎）

上七味，以水九升，先煮麻黄减二升，去上沫，内诸药，煮取三升，去滓，温服一升。取微似汗。汗多者，温粉粉之。一服汗出，停后服。若复服，汗多亡阳，遂虚，恶风，烦躁不得眠也。

《肘后方》：姚大夫辟温病粉身方：芎䓖、白芷、藁本三物等分，下筛内粉中。以涂粉于身，大良。

《孝慈备览》：扑身止汗法：麸皮、糯米粉二合，牡蛎、龙骨二两，共为极细末，以陈绢包裹，周身扑之，其汗自止。

吴绶：大青龙汤，仲景治伤寒，发热恶寒，烦躁者用之。夫伤寒，邪气在表，不得汗出，其人烦躁不安，身心无如之奈何，如脉浮紧，或浮数者，急用此汤发汗则愈。乃仲景之妙法也。譬若亢热已极，一雨而凉，其理可见也。若不晓此理，见其躁热，投以寒凉之药，其害可胜言哉。

王文禄：大青龙，麻黄汤之变。治风寒外壅而闭热于经者，故加石膏于发汗药中，尤为峻剂。

舒驰远：此汤麻、桂合用，是使桂因麻而入荣，麻亦藉桂而走卫，正合行其力，而非合施其用；甘草、杏仁缓阳热而利膈气：生姜、大枣调荣卫而生津液；尤妙在石膏之辛甘大寒，解热生津，除烦躁而救里，达肌表而助汗，安内攘外胥赖之矣。

王晋三：麻黄、桂枝、越婢，互复成方。辛热之剂复以石膏变成辛凉，正如龙为阳体而变其用为阴雨也。方义专主泄卫，故不用芍药。欲其直达下焦，故倍加铢两。从卫分根本上泄邪，庶表里郁热之气顷刻致和。《内经》治远用奇方大制，故称大青龙。

汪苓友：或问病人同是服此汤，而汗多亡阳，一则厥逆筋惕肉瞤，一则恶风烦躁不得眠，二者之寒热迥然不同何也？余答曰：一则病人脉微弱，汗出恶风，是阳气本虚也，故服之则厥逆而虚冷之证生焉；一则病人脉浮紧，发热汗不出而烦躁，是邪热本甚也，故服之则正气虽虚而邪热未除。且也厥逆之逆为重，以其人本不当服而误服之也；烦躁不得眠为轻，以其人本当服而过服之也。

《济阳纲目》：大青龙加黄芩汤治寒疫，头痛身热，无汗恶风，烦躁者，此方主之。

太阳中风，脉浮缓，身不疼，但重，乍有轻时，无少阴证者，大青龙汤发之。

刘昆湘：此示素秉阳盛多湿之体，中风而兼内热之证治也。大青龙之异于麻黄汤者，在加入石膏以清里热，其所主治即以不汗出而烦躁为证谛。所以与少阴证有疑似虚实之辨者，亦因烦躁故也。本条当具上条无汗烦躁之证，经文不重出者，以既有无少阴一语则义可隅反。中风之证，脉象浮缓，法当腠理开泄，发热自汗。今中风而身无汗者，乃证兼湿邪，风为湿滞，致皮毛闭塞，故反令无汗。身不疼者，以湿滞则风性弛缓，气血无郁冲之争，无争故身不痛。身重者，以湿性凝重，湿滞则经气不举故也。但重仍乍有轻时者，以风性疏泄，虽湿阻气痹，复间以时通故也。凡发热脉浮缓者，法当自汗，假令无汗，即风为湿滞之证。宜大青龙汤发汗以清里热，令风湿俱去。曰发之者，谓泄风湿于外以发其表也。

伤寒表不解，心下有水气，干呕，发热而咳，或渴，或利，或噎，或小便不利，少腹满，或喘者，小青龙汤主之。

张令韶：此寒伤太阳之表，而动其里之水气也。伤寒表不解者，表之邪不解也。心下有水气者，里之水气发动也。太阳主寒水之气，运行于肤表，出入于心胸。今不能运行出入，以致寒水之气逆于肤表而不解，逆于心胸而为水气。水停于胃，则干呕。表寒不解，则发热。或射于肺，则咳。或聚而不流，则渴。或溜于肠，则利。或聚于上焦，则噎。或三焦不能施其决渎，则小便不利而少腹满。或水气上凌，则喘。以上诸证不必悉具，见一即是也。

舒驰远：大青龙为表寒里热者设，小青龙为表里俱寒者设。

韩祗和：小青龙所以主为水饮与表寒相合而咳者，真武汤所主为水饮与里寒相合而咳者。或表寒，或里寒，协水饮则必动肺，以形寒寒饮则伤肺故也。

黄竹斋：此节承上节，言伤寒表不解，水气结于心下，而有少阴证之治法。干呕，即欲吐不吐之互词。发热而咳，及渴而下利，皆少阴之本证。故小青龙中有麻黄、附子、细辛、甘草，仍不离少阴表证之治法也。

小青龙汤方

麻黄三两（去节）　芍药三两　细辛三两　桂枝三两　干姜三两　甘草三两（炙）　五味子半斤　半夏半斤（洗）

上八味，以水一斗，先煮麻黄减二升，去上沫，内诸药，煮取三升，去滓。温服一升，日三服。若渴，去半夏，加栝楼根三两，若微利，若噎者，去麻黄，加附子一枚。若小便不利，少腹满者，去麻黄，加茯苓四两。若喘者，加杏仁半升（去皮尖）。

陈古愚：此寒伤太阳之表而不解，动其里水也。麻、桂从太阳以祛表邪；细辛入少阴而行里水；干姜散胸前之满；半夏降上逆之气；合五味子之酸，芍药之苦，取酸苦涌泻而下行；既欲下行而仍用甘草以缓之者，合药性不暴则药力周到，能入邪气水饮互结之处而攻之。凡无形之邪气从肌表出，有形之水饮从水道出，而邪气水饮一并廓清矣。

张令韶：若渴者，水蓄于下，火郁于上，去半夏之燥，加栝楼根引水液上升。利者，水寒在下，火不得下交，水得寒气冷必相搏，其人即噎，故加附子。小便不利，少腹满者，土虚而不能制水，故加茯苓以补中土。水逆于里而不逆于表，故去麻黄。喘者，水气上逆而射肺，故加杏仁以疏肺气。

陈修园：干姜以司肺之开，五味以司肺之合，细辛以发动其合辟活动之机。小青龙汤中，当以此三味为主。故他药皆可加减，此三味则缺一不可。

《张氏医通》：冬月嗽而发寒热，谓之寒嗽，小青龙汤加杏仁。

伤寒，心下有水气，咳而微喘，发热不渴，服汤已渴者，此寒去欲解也，小青龙汤主之。

周禹载：其人痰饮素积，一感风寒挟之上逆，水停心下，肺受邪而喘咳。外邪即盛，势必发热。然未入腑，寒饮内溢，故为咳而不为渴。服小青龙反渴者，寒饮与热邪未散，津液未复也，更宜以小青龙汤治之。

张路玉：世言半夏辛燥，烦渴非所宜。因小青龙汤后服汤已渴，寒去欲解之语。不知痰去则气通火升，觉渴不过暂时，少顷津回气润，烦渴自除。先哲复有服二陈汤能大便润而小便长，痰去则津液流通之明验也。

《活人书》：脉浮而渴属太阳，伤寒表不解，心下有水气而渴者，小青龙汤去半夏加栝楼根。

太阳病，外证未解，脉浮弱者，当以汗解，宜桂枝汤。

方中行：外证未解，谓头痛、项强、恶寒等犹在也。浮弱，即阳浮而阴弱，此言太阳中风凡在未传变者，仍当从于解肌，盖言不得下早之义。

太阳病，下之微喘者，表未解故也，桂枝加厚朴杏子汤主之。

成无己：下后大喘，则为里气大虚，邪气传里，正气将脱也；下后微喘，则为里气上逆，邪气不能传里，犹在表也。与桂枝汤以解外，加厚朴、杏仁以下逆气。

桂枝加厚朴杏仁汤方

桂枝三两　芍药三两　甘草二两（炙）　生姜三两（切）　大枣十二枚（擘）　厚朴二两　杏仁五十枚（去皮尖）

上七味，以水七升，微火煮取三升，去滓，温服一升。覆取微似汗。

太阳病，外证未解，不可下也，下之为逆。欲解外者，宜桂枝汤。

钱天来：太阳中风，其头痛项强，发热恶寒，自汗等表证未除，理宜汗解，慎不可下。下之则于理为不顺，于法为逆。逆则变生，而邪气乘虚内陷，结胸痞硬，下利喘汗，脉促胸满等证作矣，故必先解外邪。欲解外者，宜以桂枝汤主之，无他法也。

徐灵胎：此禁下总诀。言虽有当下之证，而外证未除，亦不可下，仍宜解外而后下也。

太阳病，先发汗不解，而复下之，脉浮者，不愈。浮为在外，而反下之，故令不愈。今脉浮，故知在外，当须解外则愈，宜桂枝汤。

徐灵胎：脉浮而下，此为误下。下后仍浮，则邪不因误下而陷入，仍在太阳。不得因已汗下，而不复用桂枝也。

太阳病，脉浮紧，无汗，发热，身疼痛，八九日不解，表证仍在，此当发其汗。服药已微除，其人发烦，目瞑，剧者必衄，衄乃解，所以然者，阳气重故也。麻黄汤主之。

成无己：脉浮紧，无汗，发热身痛，太阳伤寒也，虽至八九日，表证仍在，亦当发其汗，既服温暖发散汤药，虽未作大汗，亦微除也。烦者身热也，邪气不与汗解，郁而变热，蒸于经络，发于肌表，故生热烦。肝受血而能视，始者寒气伤荣，寒既变热，则血为热搏，肝气不治，故目瞑也。剧者，热甚于经，迫血妄行而为衄，得衄则热随血散而解。阳气重者，热气重也。与麻黄汤以解前太阳伤寒之邪也。

黄竹斋：此节之证但言发热，而不言恶寒者，以阳气重故也。论曰：阳盛则欲衄。又曰：热极伤络。盖寒邪郁而为热，上迫越于头部，伤其阳络，由鼻窍而泄出，则邪热亦随之而泄矣，所谓红汗出也。否则血积于脑部，而为头风、癫痫。或血结于胸腹，而为善忘狂疾之本。此与阳明病，口燥，但欲漱水，不欲咽，其衄由胃络上越于鼻而出者不同。当从烦瞑、口燥以别之。

《活人书》：伤寒太阳证，衄血者乃解，盖阳气重故也。仲景所谓阳盛则衄。若脉浮紧无汗，服麻黄汤不中病，其人发烦目瞑，剧者必衄。小衄而脉尚浮紧者，宜再与麻黄汤也。衄后服已微者，不可行麻黄汤也。大抵伤寒衄血不可发汗者，为脉微故也。

太阳病，脉浮紧，发热，身无汗，自衄者愈。

方中行：此承上条，复以其更较轻者言。得衄自愈者，汗本血之液，北人谓衄为红汗，达此义也。

陈古愚：发热无汗则热郁于内，热极络伤，阴络伤，血并冲任而出，则为吐血；阳络伤，血并督脉而出，则为衄血。此脉与太阳同起目内眦，循膂络肾，太阳之标热借督脉作衄为出路而解。

二阳并病，太阳初得病时，发其汗，汗先出不彻，因转属阳明，续自微汗出，不恶寒。若太阳病证不罢者，不可下，下之为逆，如此可小发其汗。设面色缘缘正赤者，阳气怫郁在表也，当解之、熏之。若发汗不彻，彻不足言，阳气怫郁不得越，当汗之。不汗则其人烦躁，不知痛处，乍在腹中，乍在四肢，按之不可得，更发汗则愈。若其人短气但坐者，以汗出不彻故也。何以知汗出不彻，以脉涩故知之也。

成无己：太阳病未解，传并于阳明，而太阳证未罢者，名曰并病。续自微汗出，不恶寒者，为太阳证罢，阳明证具也，法当下之。若太阳证未罢者，为表未解，则不可下，当小发其汗，先解表也。阳明之经循面，色缘缘正赤者，阳气怫郁在表也，当解之、熏之，以取其汗。若发汗不彻者，不足言阳气怫郁，止是当汗不汗，阳气不得越散，邪无从出，壅甚于经，故躁烦也。邪循经行，则痛无常处，或在腹中，或在四肢，按之不可得而短气，但责以汗出不彻，更发汗则愈。《内经》曰：诸过者切之。涩者，阳气有余，为身热无汗。是以脉涩，知阳气壅郁而汗出不彻。

顾尚之：面色赤者，当从麻桂各半之例，即上文所谓小发汗也。其人短气但坐，谓不得卧也。短气脉涩多属于虚，若外因短气必气粗，是汗出不彻，邪气壅促胸中不能布息之短气，非过汗阳气虚乏不足续息之短气也。外因脉涩必有力，是汗出不彻，邪气阻滞荣卫不能流通之脉涩，非过汗伤液，液少不滋脉道之脉涩也。须细别之。

脉浮紧者，法当汗出而解。若身重心悸者，不可发汗，须自汗出乃愈。所以然者，尺中脉微，此里虚也，须里实，津液自和，便自汗出愈。

成无己:《经》曰：诸脉浮数，当发热而洒淅恶寒，言邪气在表也，是当汗出愈。若下之，身重心悸者，损其津液，虚其胃气。若身重心悸而尺脉实者，则下后里虚，邪气乘虚转里也。今尺脉微，身重心悸，知下后里虚，津液不足，邪气不转里，但在表也。然以津液不足，则不可发汗，须里气实、津液足，便自汗出而愈。

顾尚之：不可发汗者，言不可用麻黄以大发其汗，非坐视而待其自愈也，用小建中以和其津液，则自汗而解矣。

黄竹斋：此节通行本及湘古本作脉浮数，故成注云然。

脉浮紧者，法当身疼痛，宜以汗解之。假令尺中迟者，不可发汗。所以然者，以荣气不足，血弱故也。

钱天来：浮紧，伤寒之脉也，法当身疼腰痛，宜以麻黄汤汗解之为是。假若按其脉而尺中迟者，不可发汗。何以知之？夫尺主下焦，迟则为寒，尺中迟，是以知下焦命门真阳不足，不能蒸谷气而为荣为卫也。盖汗者，荣中之血液也，为热气所蒸，由荣达卫而为汗。若不量其虚实而妄发之，则亡阳损卫，固不待言。此以寒气伤荣，汗由荣出，以尺中脉迟，则知肾脏真元衰弱，荣气不足，血少之故，未可以汗夺血也。

张路玉：尺中脉迟，不可用麻黄发汗，当频与小建中和之。和之而邪解，不须发汗。设不解，不妨多与，俟尺中有力，乃与麻黄汗之可也。

《本事方》：昔有乡人邱生者，病伤寒。予为诊视，发热，头疼，烦渴，脉虽浮数而无力，尺以下迟而弱。予曰：虽属麻黄证，而尺迟弱，仲景云：尺中迟者，荣气不足，血气微少，未可发汗。予于建中汤加当归、黄芪令饮，翌日脉尚尔。其家煎迫，日夜督与发汗药，几不逊矣，予忍之，但只用建中调荣而已。至五日尺脉方应，遂投麻黄汤，啜至第二服，发狂，须臾稍定，略睡，已得中汗矣。

脉浮者，病在表，可发汗，宜麻黄汤。

方中行：表，太阳也。伤寒脉本紧，不紧而浮，则邪现还表而欲散，可知矣。发，拓而出之也。麻黄汤者，乘其欲散而拓出之之谓也。

《金鉴》：不曰以麻黄汤发之主之，而曰可发汗，则有商量斟酌之意也。

脉浮而紧者，可发汗，宜麻黄汤。

庞安常：脉浮而紧，浮为风，紧为寒，风伤卫，寒伤荣，荣卫俱病，骨节烦疼，外证必发热，无汗，或喘，其人但憎寒，手足指末必微厥，久而复温，掌心不厥，此伤寒无汗，用麻黄汤。又曰：凡脉浮紧，无汗，小便不数，病虽十余日，尚宜麻黄汤也。

张隐庵：此反结上文两节之意，言里气不虚而病在表者，皆可麻黄汤发其汗也。

病人常自汗出者，此为荣气和，卫气不谐也。所以然者，荣行脉中，卫行脉外，卫气不共荣气谐和故也。复发其汗则愈，宜桂枝汤。

柯韵伯：发热时汗便出者，其荣气不足，因阳邪下陷，阴不胜阳，故汗自出也。此无热而常自汗者，其荣气本足，因阳气不固，不能卫外，故汗自出，当乘其汗正出时，用桂枝汤啜稀热粥，是阳不足者，温之以气，食入于阴，气长于阳也。阳气普遍，便能卫外而为固，汗不复出矣。和者，平也。谐者，合也。不和见卫强，不谐见荣弱。一则属阳虚，一则属阴虚，皆令自汗。但以有热、无热别之，以时出、常出辨之。总以桂枝汤啜热粥汗之，下条发热汗出便可用桂枝汤，不必头痛、恶风俱备，只此自汗一证，即不发热者亦用之，更见桂枝方于自汗为亲切耳。

病人脏无他病，时发热，自汗出，而不愈者，此卫气不和也。先其时发汗则愈，宜桂枝汤。

成无已：脏无他病，里和也；卫气不和，表病也。《外台》云：里和表病，汗之则愈。所谓先其时者，先其发热汗出之时，发汗则愈。

张隐庵：上节自汗出，言荣气自和于内，致卫气不与相谐，而其病在荣；此节自汗出，言卫气不和于外，致荣气不与相将，故时发热自汗出，而其病在卫。时发热者，发热有时也。先其时发汗者，先其未热之时，而以桂枝汤发其汗也。

伤寒脉浮紧，不发汗，因致衄者，麻黄汤主之。

张路玉：脉浮紧，当以汗解，失汗则邪郁于经不散而致衄，衄必点滴不成流，此邪热不得大泄，病必不解，急宜麻黄汤汗之。夺汗，则无血也。仲景云：衄家不可发汗，亡血家不可发汗，以久衄亡血已多，故不可发汗复夺其血也。此因当汗不汗，热毒蕴结而成衄，故宜发其汗，则热得泄而衄自止矣。

徐灵胎：前段衄后而解，则不必复用麻黄。衄后尚未解，则仍用此汤。

江瓘：陶尚文治一人，伤寒四五日，吐衄不止。医以犀角地黄汤等，治而反剧。陶切其脉，浮紧而数，若不汗出，邪何由解？遂用麻黄汤，一服汗出而愈。瓘曰：久衄之家，亡血已多，故不可汗。今缘当汗不汗，热毒蕴结而成吐血，盖发其汗则热越而出，血自止也。

伤寒不大便六七日，头痛有热者，与承气汤；其小便清者，知不在里，仍在表也，当须发汗，宜桂枝汤。

汪苓友：若头痛不已者，为风寒之邪上壅，热盛于经，势必致衄，须乘其未衄之时，宜用桂枝汤以汗解之。

张令韶：此明头痛有在里、在表、在经之不同也。不大便六七日，热在里也。头痛有热者，热盛于里，而上承于头也。与承气汤，上承热气于下以泄其里热。其头痛而小便清者，知热不在里而在表也，当须发汗以泄其表热。

伤寒发汗已解，半日许复烦，脉浮紧者，可更发汗，宜桂枝汤。

程郊倩：伤寒服麻黄汤发汗，已经热退身凉而解矣，半日许复烦，脉见浮紧，终是寒邪退而复集，与自汗脉浮缓之中风无涉。然汗后见此，则阳虚便防阴弱，盖烦因心扰，浮属阴虚，此际宁堪再任麻黄？改前发汗之法为解肌，则虽主桂枝，不为犯伤寒之禁也。

凡病若发汗，若吐，若下，若亡血，亡津液，阴阳自和者，必自愈。

张令韶：此论汗吐下三法，不可误用也。盖汗吐下三法，皆所以亡血，亡津液者也。用之不当，不唯亡血亡津液，而亡阴亡阳也。用之得宜，虽亡血亡津，而亦能和阴和阳也，故曰：阴阳自和者，必自愈。

大汗之后，复下之，小便不利者，亡津液故也；勿治之，久久小便必自利。

章虚谷：下多亡阴液，汗多亡阳津，故小便不利，勿妄治之，以饮食调理，得津液生而小便利，必自愈也。

大下之后，复发汗，其人必振寒，脉微细。所以然者，内外俱虚也。

王肯堂：下后复发汗，必振寒，脉微细者，此内外俱虚也，当归四逆汤、真武汤。

下之后，复发汗，昼日烦躁不得眠，夜而安静，不呕不渴，无表证，脉沉而微，身无大热者，干姜附子汤主之。

成无己：下之虚其里，汗之虚其表，既下又汗则表里俱虚。阳旺于昼，阳欲复，虚不胜邪，正邪交争，故昼日烦躁不得眠；夜阴为主，阳虚不能与之争，是夜则安静。不呕不渴者，里无热也；身无大热者，表无热也。又无表证而脉沉微，知阳气大虚，阴寒气胜，与干姜附子汤退阴复阳。

柯韵伯：此太阳坏病，转属少阴者也。凡太阳病，阳盛则入阳明，阳虚则入少阴。

徐灵胎：阳虚有二证，有喜阳者，有畏阳者，大抵阴亦虚者畏阳，阴不虚者喜阳。此因下后阴亦虚，故反畏阳也。邪已退而阳气衰弱，故止用姜附回阳。

黄竹斋：大青龙汤方后云：汗多亡阳遂虚，恶风烦躁不得眠也。此节烦躁见于下之后复发汗，而所重尤在发汗多亡阳也。

张隐庵：莫氏曰：上节言阴阳血气皆虚，此节言阳气虚，下节言阴血虚。

干姜附子汤方

干姜一两（炮）　附子一枚（炮，破八片）

上二味，以水三升，煮取一升，去滓，顿服。宋本姜附皆生用。

徐忠可：脉微无大热，是外无邪袭，而更烦躁，非阳虚发躁之渐乎。故以生附、干姜急温其经。比四逆不用甘草者，彼重在厥，故以甘草先调其中而壮四肢之本；此重在虚阳上泛，寒极发躁，故用直捣之师，而无取扶中为治耳。

《和剂局方》：干姜附子汤治暴中风冷，久积痰水，心腹冷痛，霍乱转筋，一切虚寒，并皆治之。

《三因方》：干姜附子汤治中寒，卒然晕倒。或吐逆涎沫，状如暗风，手脚挛搐，口噤，四肢厥冷。或复燥热。

《易简方》：姜附汤治阴证伤寒，大便自利而发热者，尤宜。

黄竹斋：干姜辛温，气味浓厚，散而能守，性善祛湿祛寒，和血通气，得附子则回阳之功宏，而温经之力峻。二味生用，非少阴诚虚寒者不可服也。故仲景以脉沉微，不呕不渴，身无大热，审其烦躁，实因亡阳寒盛而发，非由表及里伏热，重为叮咛也。此方与茯苓四逆汤同治下汗后烦躁，而彼为表证者设也。

发汗后，身疼痛，脉沉迟者，桂枝去芍药加人参生姜汤主之。

刘昆湘：此示发汗后经气内虚之证。发汗所以解外，今汗后表证已罢，而身体疼痛未和，脉象沉部迟滞者，迟为阴阻，沉为气陷，此荣涩卫沉之候，非沉在里而迟在脏也。故不用姜附之救里，而仍假桂枝以和外，以沉迟为荣气之寒，去芍药之苦酸微寒，加生姜以宣胃阳，重人参以转大气。病在外，而阴阳俱虚者宜之。

顾尚之：此遥承前文尺中迟者不可发汗，而发之则六脉尽变为沉迟矣。身疼痛者，表未解也。故仍用桂枝汤法，一散一收，以和荣卫。

桂枝去芍药加人参生姜汤方

桂枝三两（去皮） 甘草二两（炙） 大枣十二枚（擘） 生姜四两（切） 人参三两

上五味，以水一斗二升，煮取三升，去滓。温服一升，日三服。

黄竹斋：本论霍乱篇云：吐利止而身痛不休者，当消息和解其外，宜桂枝汤小和之。此节因发汗后而身痛不休，故亦取桂枝汤；以脉沉迟为阳虚里寒，故去芍药而加生姜；以荣虚，故加人参以滋补血液生始之源。

发汗若下后，不可更行桂枝汤。汗出而喘，无大热者，可与麻黄杏仁甘草石膏汤。

方中行：更行犹言再用。不可再用桂枝汤，则是已经用过，所以禁止也。

秦皇士：汗出而喘，身无大热，且见于汗下后，乃是肺家内有积热，外冒寒邪。内有积热，外攻皮毛，故汗出。外有表邪，故发喘。此方妙在杏仁利肺气，借麻黄以散外寒，借石膏以清内热，从越婢汤中化出辛温变辛凉之法，并开后人双解肺经表里之法也。

麻黄杏仁甘草石膏汤方

麻黄四两（去节） 杏仁五十个（去皮尖） 甘草二两（炙） 石膏半斤（碎，绵裹）

上四味，以水七升，先煮麻黄减二升，去上沫，内诸药，煮取二升，去滓，温服一升。日再服。

《张氏医通》：冬月咳嗽，寒痰结于咽喉，语声不出者，此寒气客于会厌，故卒然而喑也，麻杏石甘汤。

《类聚方广义》：麻杏石甘汤，治喘咳不止，面目浮肿，咽干口渴，或胸满者。又治哮喘胸中如火，气逆涎潮，大息呻吟，声如拽锯，鼻流清涕。

《衷中参西录》：麻杏石甘汤为治温病初得之的方。凡新受外感，作喘嗽，由于风热者，皆可用之。

《仁斋直指附遗》：五虎汤，治喘急痰气，于本方加细茶。

发汗过多，其人叉手自冒心，心下悸，欲得按者，桂枝甘草汤主之。

钱天来：阳本受气于胸中，故膻中为气之海，上通于肺而为呼吸，位处心胸之间。发汗过多则阳气散亡，气海空虚，所以叉手自冒覆其心胸，而心下觉惕惕然悸动也。凡病之实者皆不可按，按之则或满或痛，而不欲也；此以误汗亡阳，真气空虚而悸动，故欲得按也。

桂枝甘草汤方

桂枝四两（去皮）　甘草二两（炙）

上二味，以水三升，煮取一升，去滓，顿服。

柯韵伯：此补心之峻剂也。发汗过多则心液虚，心气馁，故心下悸。叉手冒心则外有所卫，得按则内有所依，如此不堪之状，望之而知其虚矣。桂枝本荣分药，得甘草则内补荣气而养血从甘也。此方用桂枝为君，独任甘草为佐，以补心之阳，则汗出多者不至于亡阳矣。

徐灵胎：此以一剂为一服者。二味扶阳补中，此乃阳虚之轻者，甚而振振欲擗地，则用真武汤矣。一证而轻重不同，用方迥异，其义精矣。

发汗后，其人脐下悸者，欲作奔豚也，茯苓桂枝甘草大枣汤主之。

成无已：汗者心之液，发汗后脐下悸者，心气虚而肾气发动也。肾之积名曰奔豚，发则从少腹上至心下，为肾气逆，欲上凌心，今脐下悸为肾气发动，故云欲作奔豚，与茯苓桂枝甘草大枣汤以降肾气。

徐灵胎：心下悸，是扰胸中之阳。脐下悸，则因发汗太过，上焦干涸，肾水上救。故重用茯苓以制肾水，桂枝以治奔豚。

茯苓桂枝甘草大枣汤方

茯苓半斤　桂枝四两　甘草二两（炙）　大枣十五枚（擘）

上四味，以甘澜水一斗，先煮茯苓，减二升，内诸药，煮取三升，去滓。温服一升，日三服。

作甘澜水法：取水二斗，置大盆内，以杓扬之，水上有珠子五六千颗相逐，取用之。

成无已：茯苓以伐肾邪，桂枝能泄奔豚，甘草、大枣之甘滋助脾土以平肾气。煎用甘澜水者，扬之无力，取不助肾气也。

吴遵程：汗后余邪挟下焦邪水为患，故取桂枝汤中之三以和表，五苓散中之二以利水。

《伤寒论识》：甘澜水之澜与炼同，所谓以杓扬之是也。《灵枢》半夏汤，以流水千里之外者八升，扬之万遍，取其清五升，亦同谓之甘澜者，言炼之使甘也。甘澜水，一名劳水。

奔豚病，从少腹上冲咽喉，发作欲死，复还止者，皆从惊恐得之。

张路玉：惊则伤心，恐则伤肾。心伤气虚而肾邪乘之，从少腹起上冲咽喉，肾脉所循之处也。其水邪逆上凌心，故发作欲死，少顷邪退还止也。

张子和：惊者为自不知故也，恐者为自知也。

奔豚，气上冲胸，腹痛，往来寒热，奔豚汤主之。

张路玉：气上冲胸腹痛者，阴邪上逆也。往来寒热者，邪正交争也。奔豚虽曰肾积，而实冲脉为患。冲主血，故以芎、归、芍、草、芩、半、生姜散其坚积之瘀，葛根以通津液，李根以降逆气，并未尝用少阴药也。设泥奔豚为肾积，而用伐肾之剂，则谬矣。

陈修园：此言奔豚之由肝邪而发者，当以奔豚汤畅肝气而去客邪也。厥阴之为病，气上冲心，今奔豚而见往来寒热腹痛，是肝脏有邪而气通于少阳也。

奔豚汤方

甘草二两（炙） 芎䓖二两 当归二两 黄芩二两 芍药二两 半夏四两 生姜四两 葛根五两 桂枝三两（《金匮要略》作甘李根白皮一升）

上九味，以水二斗，煮取五升。温服一升，日三服，夜二服。

徐忠可：此方合桂枝、小柴胡二汤去桂去柴，以太少合病治法解内外相合之客邪，肝气不调而加辛温之芎、归，热气上冲而加苦泄之生李、葛根，不治奔豚正所以深于治也。

发汗后，腹胀满者，厚朴生姜半夏甘草人参汤主之。

成无己：吐后腹胀与下后腹满，皆为实，言邪气乘虚入里为实。发汗后，外已解也。腹胀满，知非里实，由脾胃津液不足，气涩不通，壅而为满。与此汤和脾胃而降气。

厚朴生姜半夏甘草人参汤方

厚朴半斤（炙，去皮） 生姜半斤（切） 半夏半斤（洗） 甘草二两（炙） 人参一两

上五味，以水一斗，煮取三升，去滓。温服一升，日三服。

成无己：脾欲缓，急食甘以缓之，用苦泄之。厚朴之苦以泄腹满，人参、甘草之甘以益脾胃，半夏、生姜之辛以散滞气。

钱天来：此虽阳气已伤，因未经误下，故虚中有实。以胃气未平，故以厚朴为君，生姜宣通阳气，半夏蠲饮利膈，故以为臣，参、甘补中和胃，所以益汗后之虚耳。

伤寒若吐若下后，心下逆满，气上冲胸，起则头眩，脉沉紧，发汗则动经，身为振振摇者，茯苓桂枝白术甘草汤主之。

张令韶：此言发汗吐下而伤其肝气也。若吐若下后，则中气伤矣。中气伤，故心下逆满。《金匮》云：知肝之病，当先传脾。土虚而风木乘之，故气上冲胸，即厥阴之为病，气上撞心是也。起则头眩者，诸风掉眩，皆属于木也。脉沉紧者，肝之脉也。发汗则动经，身为振振摇者，经脉空虚而风木动摇之象也。此虚肝之气，实脾则肝自愈。故用茯苓、白术、甘草以补脾，桂枝以助肝。

《伤寒辑义》：逆满者，上虚而气逆不降，以为中满。气上冲胸者，时时气撞抢于胸胁间也。二证迥别。《金匮》云：心下有痰饮，胸胁支满，目眩，苓桂术甘汤主之。乃知此条心下逆满，气上冲胸，起则头眩者，阳虚痰饮所致也。

茯苓桂枝白术甘草汤方

茯苓四两　桂枝三两　白术二两　甘草二两（炙）

上四味，以水六升，煮取三升，去滓，分温三服。

沈亮宸：满用术、甘，非石山立斋谁与言此。茯苓，松根气所结，故降逆气，虚者尤宜。

吕榛村：《金匮》用此方以治痰饮。其一曰：心下有痰饮，胸胁支满，目眩，苓桂术甘汤主之。又曰：短气有微饮，当从小便去之，苓桂术甘汤主之。盖治痰饮大法，当以温药和之。温则脾阳易于健运，而阴寒自化。白术、茯苓虽能理脾而胜湿，必合桂枝化太阳之气，以伐肾邪而通水道，方能有效。

《眼科锦囊》：苓桂术甘汤治胸膈支饮上冲，目眩，睑浮肿。

发汗病不解，反恶寒者，虚故也，芍药甘草附子汤主之。

成无己：发汗病解，则不恶寒；发汗病不解，表实者亦不恶寒。今发汗病且不解，又反恶寒者，荣卫俱虚也。汗出则荣虚，恶寒则卫虚。与芍药甘草附子汤以补荣卫。

程郊倩：凡伤寒发汗一法，原为去寒而设。若病不解较前反恶寒者，非复表邪可知，缘阳外泄而里遂虚，故主之以芍药甘草附子汤。芍药得桂枝则走表，得附子则走里，甘草和中，从阴分敛戢其阳，阳回而虚者不虚矣。

芍药甘草附子汤

芍药三两　甘草三两（炙）　附子一枚（炮，去皮，破八片）

上三味，以水五升，煮取一升五合，去滓，分温三服。

周禹载：汗多为阳虚，而阴则素弱。补阴当用芍药，回阳当用附子，又惧一阴一阳两不相合也，于是以甘草和之。庶几阴阳谐，而能事毕矣。

柯韵伯：少阴亡阳之证未曾立方，本方恰与此证相合。芍药止汗收肌表之余津，甘草和中除咽痛而止吐利，附子固少阴而招失散之阳，温经络而缓脉中之紧，此又仲景隐而未发之旨欤。作芍药甘草汤治脚挛急因其阴虚，此阴阳两虚故加附子，皆治里不治表之义。

《张氏医通》：芍药甘草附子汤，治疮家发汗成痉。

发汗，若下之，病仍不解，烦躁者，茯苓四逆汤主之。

成无已：发汗若下，病宜解也，若病仍不解，则发汗外虚阳气，下之内虚阴气，阴阳俱虚，邪独不解，故生烦躁，与茯苓四逆汤以复阴阳之气。

顾尚之：此亦转属少阴，故与干姜附子汤证同一烦躁，而病不解，则有表热矣。前以无表证，故用四逆去甘草，破阴以行阳也；此以病不解，故用四逆加参、苓，固阴以救阳也。

茯苓四逆汤方

茯苓四两　人参二两　附子一枚（生用，去皮，破八片）　甘草二两（炙）　干姜一两半

上五味，以水五升，煮取二升，去滓。温服七合，日三服。

成无已：四逆汤以补阳，加茯苓人参以益阴。

《圣济总录》：治霍乱，脐上筑悸，平胃汤（即本方）。

《类聚方广义》：茯苓四逆汤，治四逆加人参汤证而心下悸，小便不利，身瞤动，烦躁者。又治霍乱重证，吐泻后厥冷筋惕、烦躁、不热不渴、心下痞硬、小便不利、脉微细者，可用此方，服后小便利者，得救。又治诸久病，精气衰惫，干呕不食，腹痛溏泻而恶寒，面部四肢微肿者。

发汗后，恶寒者，虚故也；不恶寒，但恶热者，实也。当和胃气，与调胃承气汤。

《伤寒辑义》：阳明篇太阳病三日，发汗不解，蒸蒸发热者，属胃也，调胃承气汤主之，正与此条发矣。

太阳病，发汗后，大汗出，胃中干，烦躁不得眠，欲得饮水，少少与之，令胃气和则愈。若脉浮，小便不利，微热消渴者，五苓散主之。

刘昆湘：太阳病，发汗后，大汗出，胃中干，烦躁不得眠者，明多阳之体过汗，即伤阴化燥，津液竭，令胃中干，则运化失，不能淫精于脉，水不入经，令血汁浊而荣气枯燥，则心气化热，故烦躁不得眠。病象见于心，而病因本于胃。故《经》曰：胃不和则卧不安也。欲得饮水者，胃干故渴欲索水。水指冷水，夏饮水，冬饮汤是也。胃燥得水饮而液渗于络，和合于血，津液四布，脉络复渗荣灌溉之用，胃和而烦躁不眠解矣。证属燥化而非热实，故宜少少与水饮之，令胃气平和则愈。消渴者，谓渴饮消水，而无中满水逆之象，当小便频数者为常，饮一溲二为变，以水入而频消也。今本证非消渴正病，小便不利亦非消渴正象，故特举之。脉浮为气机在表。证由胃阳内弱，中腑乏散纳水精之功，下焦失分注决渎之用。太阳阳明阻其开阖，故令气窒不泻，水道不行。微热者，谓身有微热。消渴者，见胃中燥化。此因发汗使胃津外越，水气停蓄于三焦腠理之间，虽汗出仍彻不足言。气郁津凝，故身热消渴而小便不利，宜五苓散。茯苓、白术化水气以运脾阳，泽泻、猪苓走下焦而通水道，桂枝温达荣气条畅脉络。血海温则膀胱气化，表里和，津液布，汗自出而身热去，小便利，消渴止矣。本方变汤为散，散者散也，并渣入胃，且多饮暖水助中焦如沤之化，使药力缓缓发作。非专恃渗利之剂，亦治源之法也。

陈修园：此一节言发汗后胃之津液有干竭与不行之分别也。太阳病至胃气和则愈，言津液干竭；若脉浮至末，言津液不行。当作两截看。

五苓散方

猪苓十八铢（去皮）　泽泻一两六铢　白术十八铢　茯苓十八铢　桂枝半两

上五味，捣为散。以白饮和服方寸匕，日三服，多饮暖水，汗出愈。如法将息。

张令韶：散者，取散之意也。茯苓、泽泻、猪苓，淡味而渗泄者也，白术助脾气以转输，桂枝从肌达表，外窍通而内窍利矣，故曰：多饮暖水汗出愈也。

徐灵胎：服散，取其停留胸中。多饮暖水，取其气散荣卫。此乃散方，近人用作汤，往往鲜效。此方治太阳表里未清之证，所谓表里者经与腑也。故此方为利膀胱水道之主药。

《三因方》：己未年京师大疫，汗之死，下之死，服五苓散遂愈。此无他，温疫也。

《朱氏集验方》：治偏坠吊疝方。即本方煎萝卜子汤调下。

《博闻类纂》：春夏之交，或夏秋之交，霖雨乍歇，地气蒸郁，令人骤病头痛壮热，呕逆，有举家皆病者，谓之风湿气。不知服药渐成温疫，宜用五苓散半贴，入姜钱三片，大枣一枚，同煎服一碗立效。

《万病回春》：一妇人病愈后，小便出屎，此阴盛失于传送，名大小肠交也。先用五苓散二剂而愈，又用补中益气而安。秋应凉而反淫雨者，冬发湿郁也，五苓散主之。

太阳病，发汗已，脉浮弦，烦渴者，五苓散主之。

方中行：已者言发汗毕，非谓表病罢也。烦渴者，膀胱水蓄不化津液，故用四苓以利之。浮弦者，外邪未除，故凭一桂以和之。所以谓五苓能两解表里也。

黄竹斋：通行本作浮数，今依本论改正。

伤寒汗出而渴，小便不利者，五苓散主之；不渴者，茯苓甘草汤主之。

程郊倩：夫水气作渴与热蒸作渴不同其治者，以寒温各别也。伤寒汗出而渴，为膀胱蓄热挟水气上升，非肺胃郁蒸之热也，主从五苓散。若不渴者，则阳虚便防阴盛，此汗近于魄汗，其中伏有厥逆筋惕肉瞤之证，故用茯苓、甘草之甘，以益津液而补心；以桂枝、生姜之辛，助阳气而行卫。二证俱有小便不利证，而热蓄膀胱与寒蓄膀胱虚实不同，则又从渴与不渴处辨之。观厥阴条厥而心下悸者，用茯苓甘草汤治水，则知此条之渴与不渴有阳水阴水之别。有水而渴，汗属阳气升腾；有水不渴，而汗属阴液失统。茯苓甘草汤用桂、姜者，行阳以统阴也。阴即水也。

茯苓甘草汤方

茯苓二两　桂枝二两　甘草一两（炙）　生姜三两（切）

上四味，以水四升，煮取二升，去滓，分温三服。

费晋卿：茯苓宜于独重，以其能渗湿安神也；姜、桂性温，开解腠理，能逐水气从毛窍而出；用甘草以补土和中，方法特妙。

《玉机微义》：茯苓甘草汤，治膀胱腑发咳，咳而遗溺。

中风发热，六七日不解而烦，有表里证，渴欲饮水，水入则吐者，名曰水逆，五苓散主之。

方中行：此太阳中风失于未治，久而入里之证。盖中风发热必自汗出，六七日不解，出汗过多可知也。烦者汗出过多，亡津液而内燥也。表以外证未罢言，里以烦渴属腑言。欲饮水者，燥甚而渴希救故也。吐，伏饮内作，故外者不得入也。盖饮亦水也，以水得水涌溢而为格拒，所以谓之曰水逆也。

吴遵程：五苓散逐内外水饮之首剂。凡太阳表证未解，头痛发热，口燥咽干，烦渴饮水，或水入即吐，或小便不利者，宜服之。又治霍乱吐利，燥渴引饮，及瘦人脐下有动悸，吐涎沫而颠眩者。咸属水饮停蓄，津液固结，便宜取用。若津液损伤，阴血亏损之人，作渴而小便不利者，再用五苓利水劫阴之药，则祸不旋踵矣。

未持脉时，病人叉手自冒心，师因试教令咳，而不咳者，此必两耳聋无所闻也。所以然者，以重发汗，虚故也。

程郊倩：诸阳受气于胸中，而精气则上通于耳，今以重发汗而虚其阳，阳气所不到之处，精气亦不复注而通之，故聋以此验。叉手自冒心之为悸，而其悸为心虚之悸，非水乘之悸也。所以用桂枝甘草汤载还上焦之阳者，并欲卫住上焦之精气，不令走散耳。

顾尚之：此即前桂枝甘草汤证，而明其增重者必至耳聋也。

张路玉：尝见汗后阳虚耳聋，诸医施治不出小柴胡汤加减，屡服愈甚。必大剂参附，庶可挽回。

发汗后，饮水多，必喘。以水灌之，亦喘。

顾尚之：汗后肺虚，饮水多则水气由胃而射肺，以水灌洗则水气由皮毛而入肺，故皆足致喘也。

发汗后，水药不得入口为逆。若更发汗，必吐下不止。

张令韶：此言汗后伤其三焦之气也。上焦出胃上口，而主水谷，发汗则伤其上焦之阳气，故水药不得入口，此为逆也。若更发汗又伤其中下二焦之气，必中焦伤而吐不止，下焦伤而利不止也。

顾尚之：此水逆之证，小便必不利，故叙于五苓散后，以类相从也。

发汗后及吐下后，虚烦不得眠，若剧者，必反复颠倒，心中懊憹。栀子干姜汤主之。若少气者，栀子甘草豉汤主之。若呕者，栀子生姜豉汤主之。

刘昆湘：此示误治转坏，热结上焦之候。因其人胸中素热而胃家不实，汗发其阳则亡肌腠之津，下亡其阴复泄腹肠之液，吐越胃阳更伤中气。发汗吐下之后，表邪解而胃肠之糟粕空矣。表里俱无留邪，宜其人已自爽慧。乃病人仍虚烦不得眠，甚则反覆颠倒，心中懊憹，此由汗以发之令气机外并，吐以涌之令气机上越，下以抑之复令气机下陷。一逆再逆，乱其升降出入之用，肌腠之津既伤，而在脉之津亦竭。遂令津干气郁，化燥并荣，但觉虚烦不得安眠。虚烦者，心烦身亦微热，郁闷而不至躁扰之象。剧者必反复颠倒，坐卧不安。懊憹谓心中愦闷，似热似烦，难以明其所苦之状。盖先伤肌腠之津液，而后三焦之腑失其濡养，无以司决渎之转输，即无以御真气之开阖。脉道闭其渗荣，浊邪因而内犯。虽热乘心包，而病因由脉外膜气之郁，故责血中气热，病机仍在阳而未入阴。用栀子干姜汤主之。栀子形像心包，体质轻清，解上焦血中气热；佐干姜苦辛合化，温敛胃阳，当身热去，而虚烦自止。若少气者，栀子甘草豉汤主之。少气者，似气短而喘息自平，似胸中郁结而实非痞满，但觉气少时欲长太息以助呼出之用，心肺之气不能开也。此由胃中不和，令中焦之气不能宣发上合上焦，与气虚下陷之证不同。栀子解上焦之虚烦，香豉畅心肺之郁结，佐甘草缓急和中，俾肺胃气交而少气之候自解。若呕者，栀子生姜豉汤主之，盖由肺寒移胃，使中焦之气不能宣发，郁而内迫，气逆为呕。与太阳伤寒呕逆之因正同，非胃家之自病也。栀、豉解上焦虚烦郁结，生姜荡胃中水寒积气，兼入肺胃为止呕圣药。

栀子干姜汤方

栀子十四枚（擘）　干姜二两

上二味，以水三升半，煮取一升半，去滓，分温二服。进一服得吐者，止后服。

陈古愚：栀子性寒，干姜性热，二者相反，何以同用之。而不知心病而烦，非栀子不能清之；脾病而寒，非干姜不能温之。有是病则用是药，有何不可。

张令韶：栀子导阳热以下行，干姜温中土以上达，上下交而烦热止矣。

《杨氏家藏方》：二气散（即本方）治阴阳痞结，咽膈噎塞，状若梅核，妨碍饮食，久而不愈，即成反胃。

《内经拾遗方论》：一笑散，治心疝寒痛，如神之剂。干姜炒黑，山栀子姜汁拌炒，上用酒二盅，煎八分，不拘时服。

《成迹录》：己未之秋，疫痢流行，其证多相似，大抵胸满烦躁，身热殊甚，头汗如流，腹痛下痢，色如尘煤，行数无度。取桃仁承气汤、栀子干姜汤，以互相进，无一不救者。

栀子甘草豉汤方

栀子十四枚（擘）　甘草二两（炙）　香豉四合（绵裹）

上三味，以水四升，先煮栀子、甘草取二升半，内豉煮取一升半，去滓，分温二服。得吐者，止后服。

张令韶：少气者，中气虚不能交通上下，加甘草以补之。

《千金方》：栀子豉汤，治食宿饭、陈臭肉及羹、宿菜发者方（即本方）。

《时还读我书续录》：栀子甘草豉汤，治膈噎，食不下者。

栀子生姜豉汤方

栀子十四枚（擘）　生姜五两　香豉四合（绵裹）

上三味，以水四升，先煮栀子、生姜取二升半，内豉煮取一升半，去滓，分温二服。得吐者，止后服。

陈古愚：呕者，汗吐下后胃阳已伤，中气不和而上逆。故加生姜，暖胃解秽而止逆也。

《肘后方》：卒客忤死，张仲景诸要方，桂枝一两，生姜三两，栀子十四枚，豉五合捣，以酒三升搅微煮之，沫出去滓，顿服取差。

发汗若下之，而烦热胸中窒者，栀子豉汤主之。

程郊倩：烦热二字互言，烦在内，热在外也。火郁于胸，乘其虚而客之，凡氤氲布气于胸中者，皆火为之，而无复津液为之枯，液不得布，遂有窒痛等证。此汤以宣郁为主，宣去其火气，津液自回也。

栀子豉汤方

栀子十四枚（擘）　香豉四合（绵裹）

上二味，以水四升，先煮栀子取二升半，内豉煮取一升半，去滓，分温二服。得吐者，止后服。

张令韶：栀子色赤象心，味苦属火而性寒，导火热之下行也。豆为水之谷，色黑性沉，罨熟而复轻浮，引水液之上升也。阴阳合而水火济，烦自解矣。

《肘后方》：治心腹俱胀痛，短气欲死，已绝方。即本方先煮豉去滓，再内栀子。治霍乱吐下后，心腹烦满。

《千金方》：栀子汤治大下后，虚烦不得眠，剧者颠倒懊侬欲死方（即本方）。又治少年房多，短气方。

《小儿药证直诀》：栀子饮子，治小儿蓄热在中，身热狂躁，昏迷不食。

《圣济总录》：豉栀汤治虾蟆黄，舌上起青脉，昼夜不睡。

伤寒五六日，大下之后，身热不去，心中结痛者，未欲解也，栀子豉汤主之。

柯韵伯：病发于阳而反下，外热未除，心中结痛，虽轻于结胸而甚于懊侬矣。结胸是水结胸胁，用陷胸汤，水郁则折之也。此乃热结心中，用栀豉汤，火郁则发之也。

张令韶：此言栀子豉汤不特升降上下，而亦能和解表里也。伤寒五六日，一经已周也。大下之后表仍不解，故身热不去。里仍不解，故心中结痛。此表里俱未欲解也，宜栀子豉汤以清解其表里之热。

伤寒下后，心烦腹满，卧起不安者，栀子厚朴枳实汤主之。

成无己：下后但腹满而不心烦，即邪气入里为里实。但心烦而不腹满，即邪气在胸中为虚烦。既烦且满，则邪气壅于胸腹之间也。满则不能坐，烦则不能卧，故卧起不安。与栀子之苦以清虚烦，厚朴枳实之苦以泄腹满。

栀子厚朴枳实汤方

栀子十四枚（擘）　厚朴四两（炙，去皮）　枳实四枚（水浸，炙令黄）

上三味，以水三升半，煮取一升半，去滓，分温二服。进一服得吐者，止后服。

柯韵伯：妄下后而心烦腹满，起卧不安者，是热已入胃。用栀子以除烦，佐枳朴以泄满，此两解心腹之妙剂，是小承气之变局也。

伤寒，医以丸药大下之，身热不去，微烦者，栀子干姜汤主之。

喻嘉言：丸药大下，徒伤其中而不能荡涤其邪，故栀子合干姜用之，亦温中散邪之法也。

凡用栀子汤，若病人大便旧微溏者，不可与之。

程郊倩：凡治上焦之病者，辄当顾中下。栀子为苦寒之品，病人今受燥邪，不必其溏否，但旧微溏者，便知中禀素寒，三焦不足。栀子之苦虽去得上焦之邪，而寒气攻动脏腑，坐生他变，困辄难支。凡用栀子汤者，俱不可不守此禁，非独虚烦一证也。

注：此与太阴为病，脉弱自利，不可与大黄芍药意同。

太阳病发汗，汗出不解，其人仍发热，心下悸，头眩，身瞤动，振振欲擗地者，真武汤主之。

钱天来：汗出不解，仍发热者，非仍前表邪发热，乃汗后亡阳，虚阳浮散于外也。心下悸者，非心悸也，盖心之下，胃脘之上，鸠尾之间，气海之中，《灵枢》谓膻中为气之海也。误汗亡阳则膻中之阳气不充，所以筑筑然动也。振振欲擗地者，即所谓发汗则动经，身为振振摇摇之意。言头眩而身体瞤动，振振然不能自持而欲仆地，因卫分之真阳丧失于外，周身经脉总无定主也。乃用真武汤者，非行水导湿，乃补其虚而复其阳也。

《活人书》：太阳证合行桂枝，却用麻黄之类发汗多亡阳，仍发热者，真武汤主之。大凡发汗过多，即身瞤动振摇，虚羸之人微发汗，便有此证，俱宜服真武汤。

真武汤方　见少阴篇

咽喉干燥者，不可发汗。

张令韶：脾足太阴之脉挟咽，肾足少阴之脉循喉咙，肝足厥阴之脉循喉咙之后。是咽喉者，皆三阴经脉所循之处也。三阴精血虚少，不能上滋于咽喉，故干燥，所以不可发汗。夫止言不可发汗，而不言发汗以后之变证，盖谓三阴俱伤，命将难全，治亦无及，又遑论其变乎。

淋家不可发汗，发汗必便血。

陈修园：素有淋病，名曰淋家。其精液久虚，不可发汗更走其津液。若发汗则津液竭于外，而血动于内，干及于胞中，必患便血。何以言之，《内经》云：膀胱者，津液藏焉。又曰：膀胱者，胞之室。是胞为血海，居于膀胱之外，而包膀胱虽藏血、藏津液有别，而气自相通。参看太阳热结膀胱血自下证，则恍然悟矣。淋家病为膀胱气化不能行于皮毛，津液但从下走而为淋。膀胱已枯，若再发其汗，必动胞中之血，非谓便血自膀胱出也。

沈芊绿：此条便血，是小便尿血也。

《活人书》：太阳证宜汗，假如淋家、衄血家，法不可汗，亦可以小柴胡之类和解之。

疮家虽身疼痛，不可发汗。汗出则痉。

钱天来：疮家，非谓疥癣之疾也，盖指大脓大血，痈疽溃疡，杨梅结毒，臁疮，痘疹，马刀挟瘿之属也。身疼痛，伤寒之表证也。言疮家气虚血少，荣卫衰薄，虽或有伤寒身疼痛等表证，亦慎不可发汗。若误发其汗，则阳气鼓动，阴液外泄，阳亡则不能柔养，血虚则无以滋灌，所以筋脉劲急而成痉也。

衄家不可发汗，汗出必额上陷，脉急紧，直视不能眴，不得眠。

陈修园：血从阳经并督脉而出者为衄。汗为血液，凡素患衄血之人，名曰衄家。三阳之经血俱虚，故不可发汗。所以然者，以太阳之脉起于目内眦，上额交巅，阳明之脉，起于鼻，交頞中，旁约太阳之脉，少阳之脉起于目锐眦，三经互相贯通，俱在于额上鼻目之间，三阳之血不荣于脉，故额上陷，脉紧急也；三阳之血不贯于目，故目直视不得眴也；阴血虚少，则卫气不能行于阴，故不得眠也。此三阳之危证也。

亡血家，不可发汗，发汗则寒栗而振。

陈修园：血从阴经并冲任而出，为吐为下，多则为脱。凡一切脱血之人，名曰亡血家。血属阴，亡血即亡阴，故不可发汗。若发其汗，是阴亡而阳无所附，阳从外脱，其人则寒栗而振。《内经》云：涩则无血，厥而且寒是也。

《伤寒辑义》：汗后寒栗而振，非余药可议，宜芍药甘草附子汤、人参四逆汤之属。

汗家重发汗，必恍惚心乱，小便已阴痛，与禹余粮丸。

舒驰远：平日汗多者，表阳素亏，若重发其汗，则阳从外亡，胸中神魂无主，故心神恍惚而内乱也。小便已阴疼者，阳气大虚，便出则气愈泄而化源伤，故疼，便前疼为实，便后疼为虚。从来皆云汗者心之液，汗多者重汗则心血伤，小肠之血亦伤，宜生心血通水道，愚谓不然，如果血虚，曷为不生内烦诸证，此病在气分，宜于涩以固脱之外，大补阳气则当矣。

程郊倩：恍惚心乱，便有亡阳见鬼之象。

禹余粮丸方

禹余粮四两　人参三两　附子二枚　五味子三合　茯苓三两　干姜三两

上六味，蜜为丸，如梧子大。每服二十丸。

刘昆湘：丸剂，所以缓调之也。方以余粮为君，甘寒性敛，清浮热以镇纳虚阳，敛脾阴而交通心肾；人参、五味敛气生津；附子、干姜温脾固肾；茯苓利水，且可导心气下行，俾肾阳下温则心气自降。故不用敛心之品，复不参泻热之法。

病人有寒，复发汗，胃中冷，必吐逆。逆，通行本作蚘。

张令韶：病人有寒者，中气素寒者也。汗乃中焦之汁，发汗更虚其中焦之阳气，而胃中必冷。胃无阳热之化，则阴寒固结而阴类顿生，故必吐蚘也。蚘者，化生之虫，阴类也。

伤寒，未发汗，而复下之，此为逆也；若先发汗，治不为逆。本先下之，而反汗之为逆；若先下之，治不为逆。

黄坤载：风寒外闭，宜辛温发散而不宜下；燥热内结，宜苦寒攻下而不宜汗。若表邪未解，里邪复胜，则宜先汗而后下；若是邪急迫，表邪轻微，则宜先下而后汗。错则成逆矣。若治法得宜，先后不失，不为逆也。

伤寒，医下之，续得下利，清谷不止，身疼痛者，急当救里；后身疼痛，清便自调者，急当救表。救里宜四逆汤，救表宜桂枝汤。清便之清同圊。

张令韶：此反映上文先下而后汗之之意，以见下之而表里俱虚，又当救里救表，不必拘于先下而复汗之说也。言伤寒下之而正气内陷，续得里虚之证，下利清谷不止者，虽身疼痛表证仍在，急当救里。救里之后，身疼痛而清便自调者，知不在里仍在表也，急当救表。救里宜四逆汤以复其阳，救表宜桂枝汤以解其肌。生阳复而肌腠解，表里和矣。凡曰急者，急不容待，缓则无及矣。

万密斋：此太阳误下传太阴证也。此证协寒而利，以寒为本。挟寒利为传太阴，挟热者以传少阴也。

病发热头痛，脉反沉，若不差，身体疼痛，当救其里，宜四逆汤。

程郊倩：病发热头痛，太阳表证也。脉反沉，阴经里脉也。阳病见阴脉，由其人里气素虚素寒，邪虽外侵，正难内御，切不可妄从表治，须静自候其自差。若不差而更加身体疼痛，知寒从内转。此时不温其里，六七日传之少阴经时，必成厥逆亡阳之变，温之无及矣。故舍证从脉，用四逆汤救里。不当因发热头痛，迟疑瞻顾也。此证乃太阳中之少阴，麻黄附子细辛汤条乃少阴中之太阳。究竟二证皆是发于阳而病在阴，故皆阳病见阴脉。

屠俊夫：沉为在里，非表剂所能解，必用四逆以温中助阳，通关节，宣脉络，则救里之中即寓解表之意，而发热恶寒，身体疼痛自除矣，非专治内而不治外也。

太阳病，先下之而不愈，因复发汗，以此表里俱虚，其人因致冒，冒家汗自出愈。所以然者，表和故也。里未和，然后复下之。

程郊倩：太阳病先下之而不愈，阴液先亡矣。因复发汗，荣从卫泄，阳津亦耗，以此表里两虚。虽无邪气扰乱，而虚阳戴上，无津液之升以和之，所以怫郁而致冒。冒者，清阳不彻，昏蔽于头目也。必得汗出津液到，而怫郁始去。所以然者，汗出表和故也。汗者，阳气之所酿，汗出知阳气复于表，故愈。则非用发表之剂，而和表之剂可知。里未和者，阳气虽返于内，阴气尚未滋而复。盖大便由溏而燥，由燥而硬，至此不得不斟酌下之，以助津液矣。和表药，桂枝加附子汤，或大建中汤类也。汗出亦是得汗，非发汗也。

陈亮师：有邪盛而冒者，太阳少阳并病，眩冒是也。有虚脱而冒者，少阴病下利止，而时时自冒是也。此节之冒不若并病之实，亦不若少阴之危，由表里俱虚，故邪覆于表而不散，气郁于里而难伸。但用轻解之法，则汗出而表邪自去矣。

太阳病未解，脉阴阳俱微者，必先振栗，汗出而解。但阳脉微者，先汗出而解；若阴脉实者，下之而解。若欲下之，宜调胃承气汤。

周禹载：此条经文仲景曲体病情，言邪气虽衰而正气大虚，非振栗则不能汗出也。阴阳两字，犹云浮取沉取。邪气虽微，尚留表里之半，其或入于阴，或出于阳，未可定也。但阳脉微者，则里气安和而阳亦不复盛，汗出而解更无疑也。然复加一先字，即里有微结，其津回肠润又在言外也。

太阳病，发热汗出者，此为荣弱卫强，故使汗出。欲救邪风者，宜桂枝汤。

方中行：上条言阳浮而阴弱，此言荣弱卫强。卫强即阳浮，荣弱即阴弱，互相发明也。救者，解救、救护之谓。不曰风邪，而曰邪风者，以本体言也。

伤寒五六日中风，往来寒热，胸胁苦满，嘿嘿不欲食饮，心烦喜呕，或胸中烦而不呕，或渴，或腹中痛，或胁下痞硬，或心下悸，小便不利，或不渴，身有微热而咳者，小柴胡汤主之。

程郊倩：少阳无自受之邪，俱从太阳逼蒸而起，故曰伤寒中风，非寒伤少阳，风中少阳也。职属中枢，去表稍远，邪必逗延而后界此，故曰五六日。少阳脉循胁肋，在腹阳背阴两歧间，在表之邪欲入里，为里气所拒，故寒往而热来；表里相拒而留于歧分，故胁肋苦满；神识以拒而昏困，故嘿嘿；木受邪则妨土，故不欲食。胆为阳木而居清道，为邪所郁，火无从泄，逼炎心分，故心烦；清气郁而为浊，则所痰滞，故喜呕。呕则木火两舒，故喜之也。此则少阳定有之证。

尤在泾：或者，未定之辞，以少阳为半表半里，其气有乍进、乍退之机，故其病有或然，或不然之异。而少阳之病，但见有往来寒热、胸胁苦满之证，便当以小柴胡和解表里为主。所谓伤寒中风有柴胡证，但见一证便是，不必悉具是也。

小柴胡汤方

柴胡半斤　黄芩三两　人参三两　半夏半升（洗）　甘草三两（炙）　生姜三两（切）　大枣十二枚（擘）

上七味，以水一斗二升，煮取六升，去滓，再煎取三升。温服一升，日三服。若胸中烦而不呕者，去半夏、人参，加瓜蒌一枚。若渴，去半夏加人参，合前成四两半，栝楼根四两。若腹中痛者，去黄芩加芍药三两。若胁下痞硬，去大枣加牡蛎四两。若心下悸，小便不利者，去黄芩加茯苓四两。若不渴，外有微热者，去人参，加桂枝三两，温服微汗愈。若咳者，去人参、大枣、生姜，加五味子半升、干姜二两。

成无己：伤寒邪气在表者，以渍形以为汗；邪气在里者，必荡涤以为利；其于不外不内，半表半里，既非发汗之所宜，又非吐下之所对，是当和解则可矣。小柴胡为和解表里之剂也。

柯韵伯：此为少阳枢机之剂，和解表里之总方也。少阳之气游行三焦，而司一身腠理之开阖。血弱气虚，腠理开发，邪气因入与正气相搏，邪正纷争，故往来寒热。与伤寒头疼发热而脉弦细中风两无关者，皆是虚火游行于半表，故取柴胡之轻清微苦微寒者，以解表邪，即以人参之微甘微温者，预补其正气，使里气和而外邪勿得入也。其口苦、咽干、目眩、目赤、头汗、心烦、舌苔等证，皆虚火游行于半里，故用黄芩之苦寒以清之，即用甘枣之甘以缓之，亦以提防三阴之受邪也。太阳伤寒则呕逆，中风则欲呕，此欲呕者，邪正相搏于半里，故欲呕而不逆。胁居一身之半，为少阳之枢，邪结于胁，则枢机不利，所以胸胁苦满，默默不欲食也。引用姜、夏之辛散，一以佐柴、芩以逐邪，一以行甘、枣之泥滞，可以止呕者，即可以泄满矣。夫邪在半表势已向里，未有定居，故有或为之证。所以方有加减，药无定品之可拘也。本方七味，柴胡主表邪不解，甘草主里气不调，五物皆在进退之列。本方若去甘草，便名大柴胡。若去柴胡，便名泻心、黄芩、黄连等汤矣。本方为脾家虚热，四时疟疾之圣药。

张令韶：若胸中烦者，邪热内浸君主，故去半夏之燥。不呕者，中胃和而不虚，故去人参之补，加瓜蒌之苦寒，导火热之下降。若渴者，阳明燥金之气甚也，又当去半夏倍人参以生津，加栝楼根引津液而上升。若腹中痛者，邪干中土也，故去黄芩之苦寒，加芍药以通脾络。若胁下痞硬者，厥阴肝气不舒也。牡蛎气味盐寒，纯雄无雌，肝为牝脏，牡为破之，故能解厥阴之气，盐能软坚，又能清胁下之痞；大枣甘缓，故去之。若心下悸，小便不利者，肾气上乘而积水在下也，加茯苓保心气以制水邪；黄芩苦寒，恐伤君火，故去之。若不渴，外有微热，仍在太阳，故不必补中之人参，宜加解外之桂枝，覆取微汗也。若咳者，肺气逆也，五味之酸以救逆气；形寒伤肺，干姜之热以温肺寒；人参、大枣所以调补中胃，而生姜又宣通胃气者也，无关于肺，故去之。

程郊倩：邪在少阳，是表寒里热，两郁而不得升之故。小柴胡汤之治，所谓升降浮沉则顺之也。至于制方之旨及加减法，则所云上焦得通，津液得下，胃气因和尽之矣。

章虚谷：小柴胡汤升清降浊，通调经府，是和其表里以转枢机，故为少阳之主方。

徐灵胎：去滓再煎者，此方乃和解之剂，再煎则药性和合，能使经气相融，不复往来出入，古圣不但用药之妙，其煎法俱有精义。

《伤寒考》：大小柴胡、半夏泻心、生姜泻心、甘草泻心、旋覆代赭诸方皆去滓再煎，以诸汤皆有呕噫等证，呕家不欲混浊之物，强与之必吐，故半煮去滓再煎以投，取其气全而不混浊。可谓和羹调鼎之手段矣。

《资生篇》：和解者，合汗下之法而缓用之者也。伤寒以小柴胡为和解之方，凡用和解之法者，必其邪气之极杂者也。寒者热者，燥者湿者，结合于一处而不得通，则宜开其结以解之；升者降者，敛者散者，积于一偏而不相治，则宜平其积而和之。故方中往往寒热并用、燥湿并用、升降敛散并用，非杂乱而无法也，正法之至妙也。又曰：杂合之邪，交纽而不已，其气必郁而多逆。故开郁降逆即是和解，无汗下之用而隐喻汗下之旨矣。

《苏沈良方》：此药《伤寒论》虽主数十证，大要其间有五证最的当，服之必愈。一者身热心中逆，或呕吐者可服。若因渴饮水而呕者不可服。身体不温热者不可服。二者寒热往来者可服。三者发潮热者可服。四者心烦胁下满，或渴或不渴皆可服。五者伤寒已差后，更发热者可服。此五证但有一证，更勿疑便可服。若有两三证以上，更的当也。世人但知小柴胡汤治伤寒，不问何证便服之，不徒无效，兼有所害，缘此药差寒故也。元祐二年，时行，无少长皆咳。本方去人参、大枣、生姜，加五味子、干姜各半两，服此皆愈。常时上壅痰实，只依本方食后卧时服，甚妙。赤白痢尤效，痢药中无如此妙，盖痢多因伏暑，此药极解暑毒。

《肘后方》：治伤寒时气温病，三日已上至七八日不解者，可服小柴胡汤（即本方）。

《千金方》：黄龙汤治伤寒瘥后，更头痛壮热烦闷方。仲景名小柴胡汤。

《得效方》：小柴胡汤治挟岚嶂溪源蒸毒之气，自岭以南地毒苦炎，燥湿不常，人多患此状。血乘上集，病欲来时令人迷困，甚则发躁狂妄，亦有哑不能言者，皆由败毒瘀心，毒涎聚于脾所致。于此药中加大黄、枳壳各五钱。

《此事难知》：少阳证，胸胁痛，往来寒热而呕，或咳而耳聋，脉尺寸俱弦，小柴胡汤主之。

《海藏癍论萃英》：小儿壮热昏睡，伤风风热，疮疹伤食，皆相似，未能辨认。间服升麻葛根汤、小柴胡汤，甚验。

《玉机微义》：小柴胡汤治肝脏发咳，两胁下痛，甚则不可以转，转则两胠下满。

《济阳纲目》：小柴胡汤治瘟疫，内虚发热，胸胁痞闷，及在半表半里，非汗非下之证。又治疟疾，热多寒少，或但热头疼，口干胸满。

血弱气虚，腠理开，邪气因入，与正气相搏，结于胁下。正邪分争，休作有时，嘿嘿不欲饮食。脏腑相连，其痛必下，邪高痛下，故使呕也。小柴胡汤主之。服柴胡汤已，渴者属阳明也，以法治之。

成无己：人之气血随时盛衰，当月郭空之时，则为血弱气尽，腠理开疏之时也。邪气乘虚，伤人则深。《针经》曰：月郭空，则海水东盛，人血气虚，卫气去，形独居，肌肉减，皮肤缓，腠理开，毛发残，膲理薄，烟垢落，当是时遇贼风，则其入深者是矣。邪因正虚，自表之里，而结于胁下，与正分争，作往来寒热，默默不欲饮食。下为自外之内，经络与脏腑相连，气随经必传于里，故曰其痛下。邪在上焦为邪高，邪渐传里为痛下。里气与邪气相搏，逆而上行，故使呕也。与小柴胡汤，以解半表半里之邪。服小柴胡汤表邪已解而渴，里邪传于阳明也，以阳明治之。

柯韵伯：柴胡汤有芩、参、甘、枣，皆生津之品，服之反渴者，必胃家已实，津液不足以和胃也，当行白虎承气等法。仍用柴胡加减，非其治矣，此少阳将转属阳明之证。

郑在辛：少阳、明阳之病，在渴、呕中分，渴则转属阳明，呕则仍在少阳。如呕多，虽有阳明证，不可攻之，因病未离少阳也。服柴胡汤渴当止，若服柴胡已加渴者，是热入胃腑，耗津消水，此属阳明胃病也。

太阳病六七日，脉迟浮弱，恶风寒，手足温。医二三下之，不能食，胁下满痛，面目及身黄，颈项强，小便难者，与柴胡汤，后必下重。本渴而饮水呕者，柴胡不中与也。食谷者哕。

章虚谷：脉迟浮弱，恶风寒者，其人阳虚，表邪未罢也。手足温者，脾胃本和。二三下之，气伤不能食，表邪陷入少阳，而胁下满痛，颈项强也。小便难者，三焦气窒，水道不行，故郁而发黄。只可与柴胡汤转少阳之枢，其枢虽转而水气下坠，则必后重，皆因二三下之之故也。若本渴而饮水呕者，是为水逆，故令小便不利，当用五苓散，柴胡汤不中与也。其脾胃大伤，故食谷者哕。哕者，空呕也，后世或以呃逆为哕。

如暴病气阻尚无害，若久病呃逆是胃气欲绝之候也。

伤寒四五日，身热恶风，颈项强，胁下满，手足温而渴者，小柴胡汤主之。

钱天来：身热恶风，项强，皆太阳表证也。胁下满，邪传少阳也。手足温而渴，知其邪未入阴也。以太阳表证言之，似当汗解，然胁下已满，是邪气已入少阳。仲景原云：伤寒中风有柴胡证，但见一证便是，不必悉具。故虽有太阳未罢之证，汗之则犯禁例，故仍以小柴胡汤主之。但小柴胡汤，当从加减例用之。太阳表证未除，宜去人参加桂枝。胁下满，当加牡蛎。渴则去半夏，加栝楼根为是。

伤寒阳脉涩，阴脉弦，法当腹中急痛，先与小建中汤；不差者，与小柴胡汤。

汪苓友：此条乃少阳病兼挟证之证。伤寒脉弦者，弦本少阳之脉，宜与小柴胡汤。兹但阴脉弦而阳脉则涩。此阴阳以浮沉言，脉浮取之则涩而不流利，沉取之亦弦而不和缓。涩主气血虚少，弦又主痛，法当腹中急痛。与建中汤者，温中补虚，缓其痛而兼散其邪也。先温补矣而弦脉不除，痛犹未止者为不差，此为少阳经有留邪也。后与小柴胡汤去黄芩加芍药以和解之。盖腹中痛亦柴胡证中之一候也。愚以先补后解，乃仲景神妙之法。

黄竹斋：此节揭以伤寒，则必有头项强痛，发热恶寒、身疼痛等证。以其人素脏虚弱，故卒伤外寒，则阳脉涩阴脉弦，腹中急痛。治法以补虚温里建中为先，而不同于常人也。

小建中汤方

桂枝三两　芍药六两　甘草二两（炙）　生姜三两（切）　大枣十二枚（擘）　胶饴一升

上六味，以水七升，先煮五味，煮三升，去滓，内饴更上微火消解。温服一升，日三服。呕家不可用，以甜故也。

成无己：脾者土也，应中央，处四脏之中，为中州，治中焦，生育荣卫，通行津液；一有不调，则荣卫失所育，津液失所行，必以此汤温建中脏，是以建中名焉。胶饴味甘温，甘草味甘平，脾欲缓，急食甘以缓之，建脾必以甘为主，故以胶饴为君，甘草为臣；桂味辛热，辛，散也，润也，荣卫不足，润而散之；芍药味酸微寒，酸，收也，泄也，津液不逮，收而行之，是以桂、芍为佐；生姜味辛温，大枣味甘温，胃者卫之源，脾者荣之本，《黄帝针经》曰荣出中焦，卫出上焦是矣，卫为阳，不足者益之必以辛，荣为阴，不足者补之必以甘，辛甘相合，脾胃建而荣卫通，是以姜、枣为使。

张令韶：桂枝辛走气，芍药苦走血，故易芍药为君，加胶饴以建中胃。建中者，建立其中也。以经隧之血脉，皆中胃之所生也。

《内台方议》：桂枝汤中桂枝、芍药等分，以芍药佐桂枝而治卫气也；建中汤芍药多半而桂枝减少，以桂枝佐芍药而益其荣气也。

《千金方》：建中汤治虚劳内伤，寒热呕逆，吐血方（即本方加半夏三两）。

《苏沈良方》：此药治腹痛如神。然腹痛按之便痛，重按却不甚痛，此止是气痛；重按愈痛而坚者，当自有积也。气痛不可下，下之愈甚，此虚寒证也。此药偏治腹中虚寒，补血尤止腹痛。

《证治准绳》：建中汤治痢，不分赤白久新，但腹中大痛者，神效。其脉弦急，或涩，浮大按之空虚，或举按皆无力者是也（即本方）。

《证治大还》：凡膈气病，由脾胃不足，阳气在下，浊气在上，故痰气壅塞膈上，而饮食难入也。若脉弦，宜建中汤。

《张氏医通》：虚劳而至亡血失精，消耗津液，枯槁四出，难为力矣。《内经》于针药莫制者，调以甘药。《金匮》遵之而用小建中汤以急建其中气，俾饮食增而津液旺也。形寒饮冷，咳嗽兼腹痛，脉弦者，小建中汤加桔梗以提肺气之陷。寒热自汗，加黄芪。

伤寒与中风，有柴胡证，但见一证便是，不必悉具。

汪苓友：伤寒中风者，谓或伤寒或中风，不必拘也。柴胡证者，谓邪入少阳，在半表半里之间也。但见一证，谓或口苦，或咽干目眩，或耳聋无闻，或胁下痞硬，或呕不能食，往来寒热等，便宜与柴胡汤。故曰呕而发热者，小柴胡汤主之，不必待其证候全具也。

柯韵伯：柴胡为枢机之剂，风寒不全在表，未全入里者，皆可用。故证不必悉具，而方有加减也。

凡柴胡汤病证而误下之，若柴胡证不罢者，复与柴胡汤，必蒸蒸而振，却复发热，汗出而解。

成无己：邪在半表半里之间，为柴胡证，即未作里实，医便以药下之；若柴胡证仍在者，虽下之不为逆，可复与柴胡汤以和解之。得汤，邪气还表者，外作蒸蒸而热。先经下，里虚，邪气欲出，内则振振然也。正气盛，阳气生，却复发热汗出而解也。

钱天来：蒸蒸者，热气从内达外，如蒸炊之状也。邪在半里不易达表，必得气蒸肤润，振战鼓栗，而后发热汗出而解也。

伤寒二三日，心中悸而烦者，小建中汤主之。

《金鉴》：伤寒二三日，未经汗下，即心悸而烦，必其人中气素虚，虽有表证，亦不可汗之。盖心悸阳已微，心烦阴已弱，故以小建中汤先建其中，兼调荣卫也。

徐灵胎：悸而烦，其为虚烦可知，故用建中汤以补心脾之气。盖栀子汤治有热之虚烦，此治无热之虚烦也。

王肯堂：此与伤寒脉弦细，头痛发热者属少阳不可汗，汗之则谵语，胃不和则烦而悸者有别。大抵先烦而后悸者是热，悸而后烦者是虚。治病必求其本者，此也。

太阳病，过经十余日，反二三下之，后四五日，柴胡证仍在者，先与小柴胡汤。呕不止，心下急，郁郁微烦者，为未解也，与大柴胡汤下之则愈。

汪苓友：此条系太阳病传入少阳，复入于胃之证。太阳病过经十余日，知其时已传入少阳矣，故以二三日下之为反也。下之而四五日后更无他变，前此之柴胡证仍在者，其时纵有可下之证，须先与小柴胡汤以和解半表半里之邪。如和解之而呕止者，表里气和为已解也。若呕不止，兼之心下急，郁郁微烦，心下者，正当胃腑之中，急则满闷已极，郁烦热结于里，此为未解也，后与大柴胡汤，以下其里热则愈。

柯韵伯：病从外来者，当先治外而后治其内。此屡经妄下，半月余，柴胡证仍在，因其人不虚，故枢机有主而不为坏病。与小柴胡和之，表证虽除，内尚不解，以前此妄下之药，但去肠胃有形之物，而未泄胸膈气分之结热也。急者，满也，但满而不痛即痞也。姜、夏以除呕，柴、芩以去烦，大枣和里，枳、芍舒急。而曰下之则愈者，见大柴胡为下剂，非和剂也。

黄竹斋：上节言心中悸而烦者虚也，此节言心下急而烦者实也；上言不可以病日浅而为实，此言不可以病日久而为虚也。论云：伤寒呕多，虽有阳明证，不可下之。而此云下之者，以大柴胡汤下其少阳半里之郁热，非下其阳明肠胃之燥屎也。盖小柴胡汤为少阳从半表以达于外之方，大柴胡汤为少阳从半里以通于内之方。

大柴胡汤方

柴胡半斤　黄芩三两　芍药三两　半夏半升（洗）　生姜五两（切）　枳实四枚（炙）　大枣十二枚（擘）　大黄二两

上八味，以水一斗二升，煮取六升，去滓，再煎取三升。温服一升，日三服。

吴遵程：此汤治少阳经邪渐入阳明之腑，或误下引邪内犯而过经不解之证。故于小柴胡汤中除去人参、甘草助阳恋胃之味，而加芍药、枳实、大黄之沉降，以涤除热滞也。与桂枝大黄汤同意，彼以桂枝、甘草兼大黄两解太阳误下之邪，此以柴胡、黄芩、半夏兼大黄两解少阳误下之邪，两不移易之定法也。

柯韵伯：大小柴胡俱是两解表里之剂，大柴胡主降气，小柴胡主调气。调气无定法，故小柴胡除柴胡、甘草外，皆可进退；降气有定局，故大柴胡无加减法也。

汪讱庵：此乃少阳阳明，故加减小柴胡、小承气而为一方。少阳固不可下，然兼阳明腑证则当下，宜大柴胡汤。

陈素中：大柴胡本为里证已急，而表证未除者立方。若用之以治温热病，最为稳当，百无一失。双解散为双解之重剂，大柴胡为双解之轻剂。

《肘后方》：治伤寒时气温病，三日以上至七八日，若有实热，得汗不解，腹满痛，烦躁欲谬语者，可服大柴胡汤。

《直指方》：大柴胡汤治疟热多寒少，目痛多汗，脉大，以此汤微利为度。

《此事难知》：大柴胡汤治表里内外俱热之证，治有表复有里。有表者，脉浮，或恶风，或恶寒头痛。四证中或有一二尚在者乃是，十三日过经不解是也。有里者，谵言妄语，掷手扬视，此皆里之急者也。欲汗之则里已急，欲下之则表证仍在，故以小柴胡中药调和三阳，是不犯诸阳之禁，以芍药安太阴，使邪气不纳，以大黄去地道不通，以枳实去心下痞闷。

《万病回春》：春应温而反清凉者，夏发燥郁也，大柴胡汤主之。

《医宗必读》：大柴胡汤治身热，不恶寒反恶热，大便秘。

《伤寒绪论》：伤寒斑发已尽，外势已退，内实不大便，谵语者，大柴胡汤下之。

《类聚方广义》：大柴胡汤治麻疹，胸胁苦满，心下硬塞，呕吐，腹满痛，脉沉者。又治狂证，胸胁苦满，心下硬塞，膻中动甚者，加铁粉奇效。

《汉药神效方》：森立之曰：余壮年尝患阴痿，每用大柴胡，其效如神。后用于少壮阴痿，心腹弦急之证极验。

伤寒十三日不解，胸胁满而呕，日晡所发潮热，已而微利，此本柴胡证，下之以不得利，今反利者，知医以丸药下之，非其治也。潮热者实也，宜先服小柴胡汤以解外，后以柴胡加芒硝汤主之。

成无己：伤寒十三日，再传经尽当解之时也，若不解，胸胁满而呕者，邪气犹在表里之间，此为柴胡汤证，若以柴胡汤下之，则更无潮热自利。医反以丸药下之，虚其肠胃，邪热乘虚入腑，日晡所发潮热，热已而利也。潮热虽为热实，然胸胁之邪未已，故先与小柴胡汤以解外，后以柴胡加芒硝，以下胃热。

程郊倩：胸胁满而呕，日晡所发潮热，此伤寒十三日不解之本证也。微利者，已而之证也。本证经而兼腑，自是大柴胡，能以大柴胡下之，本证且罢，何有于已而之下利！乃医不以柴胡之辛寒下，而以丸药之毒热下，虽有所去，而热以益热，遂复留中而为实，所以下利自下利，而热潮仍潮热。盖邪热不杀谷而逼液下行，谓云热利是也。潮热者实也，恐人疑攻后之下利为虚，故复指潮热以证之。此实得之攻后，究竟非胃实，不过邪热搏结而成，只需于小柴胡解外后，但加芒硝一洗涤之。以从前已有所去，大黄并可不用，盖节制之兵也。

柴胡加芒硝汤方

柴胡二两十六铢　黄芩一两　人参一两　甘草一两（炙）　芒硝二两　生姜一两（切）　大枣四枚（擘）　半夏二十铢（洗）

上八味，以水四升，煮取二升，去滓，内芒硝更煮微沸，分温再服。不解，更作。

章虚谷：此方以小柴胡三分之一，而重加芒硝者，因其少阳之证误用丸药下之，余热留于阳明而发潮热。故仍用小柴胡和少阳，而加芒硝咸寒润下，以清阳明之热，不取苦重之药峻攻也。

伤寒十三日，过经谵语者，以有热也，当以汤下之。若小便利者，大便当硬，而反下利，知医以丸药下之，非其治也。若自下利者，脉当微厥，今反和者，此为内实也，调胃承气汤主之。

成无己：伤寒十三日，再传经尽，谓之过经。谵语者，阳明胃实也，当以诸承气汤下之。若小便利者，津液偏渗，大便当硬，反下利者，知医以丸药下之也。下利脉微而厥者，虚寒也，今脉调和，则非虚寒，由肠虚胃热，协热而利也，与调胃承气汤，以下胃热。

太阳病不解，热结膀胱，其人如狂，血自下，下者愈。其外不解者，尚未可攻，当先解外；外解已，但少腹急结者，乃可攻之，宜桃核承气汤。

成无己：太阳经邪热不解，随经入腑，为热结膀胱。其人如狂者，为未至于狂，但不宁尔。《经》曰：其人如狂者，以热在下焦。太阳多热，热在膀胱，必与血相搏，若血不为蓄，为热迫之，则血自下，血下，则热随血出而愈。若血不下者，则血为热搏，蓄积于下，而少腹急结，乃可攻之，与桃核承气汤，下热散血。《内经》曰：从外之内而盛于内者，先治其外后调其内，此之谓也。

方中行：热结膀胱，即下文太阳随经瘀热在里之互词。少腹急结者，有形之血蓄积也。然则桃仁承气者，太阳随经入腑之轻剂也。

程郊倩：热结膀胱而小便不利者，是气分受邪；小便自利者，是血分受邪。此条不及小便者，以有血自下三字也。然少腹急结，包有小便自利句。桃核承气汤与五苓散，虽同为太阳犯本之药，而一从前利，一从后攻，气分与血分主治各不同矣。

桃核承气汤方

桃仁五十个（去皮尖）　大黄四两　桂枝二两　甘草二两（炙）　芒硝二两

上五味，以水七升，煮四味取二升，去滓，内芒硝，更上火微沸，下火，先食温服五合，日三服。当微利。

《生生堂治验》：有妇人年约四十，全身发黄，医者误为黄疸。先生按之至于脐下，即疼痛不可忍。与桃仁承气汤，十余日而全已。

钱天来:《神农本经》：桃仁主瘀血、血闭。洁古云：治血结血秘，通润大肠，破蓄血。大黄下瘀血积聚，荡涤肠胃，推陈致新；芒硝走血软坚，热淫于内治以咸寒之义也；桂之为用，通血脉消瘀血，尤其所长也；甘草所以保脾胃，和大黄、芒硝之寒峻耳。

顾尚之：调胃承气为荡热除秽之剂，未能直入血分，故加桃仁之甘平以破之，桂枝之辛温以行之。

《医方考》：伤寒外证已解，小腹急，大便黑，小便利，其人如狂者，有蓄血也，此方主之。无头痛发热恶寒者，为外证已解。

柯韵伯：此方治女子月事不调，先期作痛，与经不行者，最佳。

《总病论》：桃仁承气汤治产后恶露不下，喘胀欲死，服之十差十。

《脉因证治》：桃仁承气汤治血热夜发热者。又治便痈。

《传信尤易方》：治淋血，桃仁承气汤空心服效。

《证治大还》：吐血势不可遏，胸中气塞，上吐紫黑血，此瘀血内热盛也。桃仁承气汤加减下之。打仆内损，有瘀血者必用。

《伤寒准绳》：血结胸中，头痛身热，漱水不欲咽者衄。无热胸满，漱水不欲咽者，喜忘昏迷，其人如狂，心下手不可近者，血在中也，桃仁承气汤主之。

《济阳纲目》：桃仁承气汤，下痢紫黑色者，热积瘀血也，腹痛后重异常，以此下之。又治夜疟，有实热者。

《古方便览》：一妇阴门肿痛如剜，上冲头痛，日夜号哭者数日。腹硬满少腹急结，用桃仁承气汤三剂，其夜痛益甚，及晓忽然出脓血，疾顿愈。

《汉药神效方》：齿痛难堪者，宜用桃核承气汤。龋齿，断疽，骨槽，诸肿齿痛难堪者，用之屡效，多属血气冲逆故也。

伤寒八九日，下之，胸满烦惊，小便不利，谵语，一身尽重，不可转侧，柴胡加龙骨牡蛎汤主之。

吕榇村：此证全属误下，阴阳扰乱，浊邪填膈。膈中之气不能四布而使道绝，则君主孤危，因而神明内乱，治节不行，百骸无主。以致胸满烦惊，小便不利，谵语，一身尽重不可转侧。种种皆表里虚实，正邪错杂之证。但病属表邪陷入，则阴阳出入之界全藉少阳为枢纽，故以柴胡名汤。而阴邪之上僭者，用桂枝、生姜、半夏以开之；阳邪之下陷者，用黄芩、大黄以降之。使上下分解其邪，邪不内扰。而兼以人参、大枣扶中气之虚，龙骨、牡蛎、铅丹镇心气之逆。且柴胡、大黄之攻伐，得人参扶正以逐邪而邪自解，龙骨、牡蛎之顽顿，得桂枝助阳以载神而神自返。其处方之极错杂处，正其处方之极周到处。

柴胡加龙骨牡蛎汤方

柴胡四两　黄芩一两半　半夏二合半　人参一两半　大黄二两　生姜一两半　大枣六枚（擘）　桂枝一两半　茯苓一两半　龙骨一两半　牡蛎一两半　铅丹一两半

上十二味，以水八升，煮取四升，内大黄，切如棋子，更煮一二沸，去滓。温服一升。日三服，夜一服。

秦皇士：下后变证，仲景立小柴胡汤，加桂枝治身重，加大黄治谵语，加龙骨、牡蛎敛神收摄，制使大黄清里热而不下脱，制柴胡、桂枝散表邪而不外越。以下后危证，外越下脱又所当慎。

徐灵胎：此乃正气虚耗，邪已入里，而复外扰三阳，故现证错杂。药亦随证施治，真神化无方者也。此方能治肝胆之惊痰，以之治癫痫必效。

《伤寒论识》：此汤治痫证，夜不得安眠，嬉笑不止，或痰喘壅塞，精神不爽者。又加铁砂，治妇女发狂疾，歌唱无时，逾墙上屋，或骂詈不避亲疏，弃衣而走等证。

黄竹斋：少阳篇少阳中风，两耳无所闻，目赤，胸中满而烦者，不可吐下，吐下则悸而惊。伤寒脉弦细，头痛发热者，属少阳，不可发汗，发汗则谵语烦躁。二节误治之坏病，师未出方，此方是可通用。

伤寒腹满谵语，寸口脉浮而紧，关上脉弦者，此肝乘脾也，名曰纵，刺期门。

张隐庵：伤寒腹满，病在脾也。谵语者，脾是动病上走于心，心气烦乱，故谵语也。辨脉篇曰：脉浮而紧者，名曰弦也。以脾土之病证，而见肝木之弦脉，此肝乘脾也。平脉篇曰：水行乘火，木行乘土，名曰纵。谓乘所不胜于己者，放纵而自如也。当刺肝之期门，以泻肝经之热。盖邪留于有形之脏腑者，当以经取之也。

伤寒发热，啬啬恶寒，大渴欲饮水，其腹必满，自汗出，小便不利，寸口脉浮而涩，关上弦急者，此肝乘肺也，名曰横，刺期门。

刘昆湘：发热，啬啬恶寒者，太阳伤寒之外证也。加大渴欲饮水，似已转属阳明。但转阳明则胃阳自盛，法当消水，今饮水而腹满者，乃胃弱水停，中见太阴之证，且转阳明当太阳已罢，今发热恶寒表证仍在，益知非阳明也。伤寒恶寒外当无汗，今乃自汗出，汗出者表寒当解，今复外恶寒。综上诸证，即非传经之邪，亦异合并之例，更参脉象，寸口浮而涩者，表有风而里有湿，关上弦急者，肝脉之效象也。平脉辨证，当为肝邪乘肺之候，肝热灼肺，故肺燥而大渴，渴暴多饮，因水停而腹满，此亦肝气实而肺脾两虚之候。独谓之乘肺者，以脾病腹满由于多饮，多饮由于肺燥，肺燥由于肝乘故也。用针法则但泻经热，不伤中腑。假令汤液施治，宜补脾肺以泻肝实。

章虚谷：以上两条皆外邪而兼内脏之病，酷似阳明实证，最易误认，必当详审细辨也。

太阳病二日，烦躁，反熨其背而大汗出，火热入胃，胃中水竭，躁烦，必发谵语。十余日振栗自下利者，此为欲解也。若其汗从腰以下不得汗，欲小便不得，反呕，欲失溲，足下恶风，大便硬，小便当数而反不数，又不多，大便已，头卓然而痛，其人足心必热，谷气下流故也。

程郊倩：此条病源在火热入胃，胃中水竭。邪已入腑，故以通大便去之，从来未经指出。必欲待小便自利，大便自多，岂有邪火炽盛之时而能使小便白利，大便自多也哉。谷气下流，照著腰已下不得汗言。前此上下气成阻绝，大便一通，上气从下降，而下气从上升矣，故头卓然痛而足心热。经所谓天气下降，气流于地；地气上升，气腾于天地。

高士宗：此节分两段看。太阳至此为欲解也一段，言阳明得少阴之气而自解；下段言少阴得阳明之气相济，而释所不解之义。

太阳病中风，以火劫发汗，邪风被火热，血气流溢，失其常度，两阳相熏灼，其身发黄。阳盛则欲衄，阴虚小便难，阴阳俱虚竭，身体则枯燥，但头汗出，剂项而还，腹满而喘，口干咽烂，或不大便，久则谵语，甚者至哕，手足躁扰，捻衣摸床。小便利者，其人可治，宜人参地黄龙骨牡蛎茯苓汤主之。

张隐庵：通节皆危险之证，重在小便利者其人可治。所谓自和者，勿治之，得小便利必自愈。

柯韵伯：凡伤寒之病以阳为主，故最畏亡阳。而火逆之病以阴为主，故最怕阴竭。小便利者为可治，是阴不虚，津液未亡，太阳膀胱之气化犹在也。阳盛阴虚，是火逆一证之纲领。阳盛则伤血。阴虚则亡津，又是伤寒一书之大纲领。

刘昆湘：中风被火劫，伤津液，误治迁延变生诸证，愈转愈剧，至此已成半死半生之候。若小便利者，膀胱尚能化气，知肾水之未涸，虽危犹有生机，故曰可治。宜人参地黄龙骨牡蛎茯苓汤救之。人参、地黄滋津液之枯竭，龙骨、牡蛎敛神气之虚浮，佐茯苓导心气下行而利水。虽曰可治，亦未能十全也。

人参地黄龙骨牡蛎茯苓汤方

人参三两　地黄半斤　龙骨三两　牡蛎四两　茯苓四两

上五味，以水一斗，煮取三升，去滓，分温三服。

伤寒脉浮，医以火迫劫之，亡阳，必惊狂，卧起不安者，桂枝去芍药加牡蛎龙骨救逆汤主之。

章虚谷：伤寒脉浮，其邪在表，应以麻黄发汗，妄用火迫劫，亡其阳津，外既不解，火邪内攻，肝风动则惊，心火乱则狂。肝藏魄，心藏神，神魂不宁则起卧不安也。故以桂枝去芍药之酸敛，加龙骨、牡蛎镇摄心肝之气以止惊狂；而龙、牡皆钝滞，仍藉桂枝之轻扬色赤入心者为佐使；甘草、姜、枣和中调荣卫，合桂枝以去余邪。其阴阳之气乖逆，故名救逆汤。

徐灵胎：此与少阴汗出之亡阳迥别，盖少阴之亡阳，乃亡阴中之阳，故用四逆辈回其阳于肾中；今乃以火逼汗，亡其阳中之阳，故用安神之品镇其阳于心中。各有至理，不可易也。去芍药，因阳虚不复助阴也。龙骨、牡蛎治惊痫热气。

陈修园：前条中风火劫其汗，证见亡阴，故小便利者为可治；此条伤寒火劫其汗，证见亡阳，难俟阳之自复，故以此汤从手厥阴以复之。凡亡阴中之阳，必用附子以救之；此亡阳中之阳，因火迫劫又非附子之所宜。

桂枝去芍药加龙骨牡蛎救逆汤方

桂枝三两　甘草二两（炙）　生姜三两（切）　大枣十二枚（擘）　龙骨四两　牡蛎五两（熬）

上六味，以水一斗二升，煮取三升，去滓。温服一升，日三服。

黄竹斋：伤寒汗出不解，继之以桂枝汤者，此固仲景之法也。去芍药者，以其益阴非亡阳所宜，且恐妄动少阴也。龙骨生于陆而性动不居，牡蛎生于海而性静不移，二味合用，能固精敛神而镇惊治狂，故加之。凡治伤寒者，服以麻桂汤药，温覆取微似汗，则阳气自内蒸发，排邪外出。若以火劫取汗，则火热之气反迫邪自外而入内，故为逆也。乃用此汤以救之。

《伤寒论识》：此方治伤寒误灸及汤泼火伤，甚验。

形似伤寒，其脉不弦紧而弱。弱者必渴，被火必谵语。弱而发热脉浮者，解之，当汗出愈。

顾尚之：形作伤寒，无汗可知。乃脉不紧而弱，则又似桂枝证。况弱脉不渴者多矣，而云弱者必渴，则必另有液亏之证，而不可过劫其阴，故被火而谵语也。发热脉浮，当以汗解，借用桂枝二越婢一汤，庶乎近之。

太阳病，以火熏之，不得汗，其人必躁，到经不解，必清血，名为火邪。

程郊倩：阴虚被火，热无从出，故其人必躁扰不宁。到经者，随经入里也。火邪内攻，由浅及深，循行一周，经既尽矣，若不解，则热邪且陷入血室矣，必当圊血。缘阳邪不从汗解，因火袭入阴络，故逼血下行，名为火邪。苟火邪不尽，血圊必不止，故申其名，示人以治火邪而不治其血也。

脉浮热甚，反以火灸之，此为实。实以虚治，因火而动，必咽燥唾血。

成无已：此火邪迫血，而血上行者也。脉浮热甚为表实，医以脉浮为虚，用火灸之，因火气动血，迫血上行，故咽燥唾血。

陈修园：手少阴之脉上膈夹咽，火气循经出于阳络，《经》云阳络伤则血外溢是也。大黄泻心汤可用，或加黄芩，即《金匮》之正法。

微数之脉，慎不可灸。因火为邪，则为烦逆，追虚逐实，血散脉中，火气虽微，内攻有力，焦骨伤筋，血难复也。

方中行：微数，虚热也，故戒慎不可灸。逐，亦追也。实，谓热也。血散脉中，言追逐之余必至迫血，血为荣而行脉中，故谓散于脉中也。火气虽微已下，甚言追逐之害大。盖骨赖血以濡，既失其所濡，必枯而焦。筋赖血以荣，既亡以为荣，必衰而伤残，伐其本源故也。

脉浮，宜以汗解，用火灸之，邪无从出，因火而盛，病从腰以下必重而痹，名火逆

也。欲自解者，必当先烦，烦乃有汗而解。何以知之，脉浮故也。

张令韶：本论曰：脉浮者，病在表，可发汗。故宜以汗解。用火灸之，伤其阴血，无以作汗，故邪无从出，反因火势而加盛。火性炎上，阳气俱从火而上腾，不复下行，故病从腰以下必重而痹也。《经》曰：真气不能周，命曰痹。此因火为逆，以致气不能周而为痹，非气之为逆，而火之为逆也。欲自解者，欲自汗出而解也。在心为汗，心之血液欲化而为汗，必当先烦，乃能有汗而解也，何以知之，以脉浮气机仍欲外达，故知汗出而解也。

烧针令其汗，针处被寒，核起而赤者，必发奔豚。气从少腹上冲心者，灸其核上各一壮，与桂枝加桂汤。

成无己：烧针发汗，损阴血而惊动心气，针处被寒气聚而成核。心气因惊而虚，肾气乘寒气而动，发为奔豚。《金匮要略》曰：病有奔豚，从惊发得之。肾气欲上乘心，故其气从少腹上冲心也。先灸核上以散其寒，与桂枝加桂汤以泄奔豚之气。

汪苓友：此太阳病未发热之时，误用烧针开发腠理，以引寒气入脏，故用此法。若内有郁热，必见烦躁等证，又不在此例矣。

桂枝加桂汤方

桂枝五两　芍药三两　生姜三两（切）　甘草二两（炙）　大枣十二枚（擘）

上五味，以水七升，煮取三升，去滓。温服一升，日三服。

周禹载：各灸核上者，因寒而肿，唯灸消之也。用桂加入桂枝汤中，一以外解风邪，一以内泄阴气也。

陈古愚：少阴上火而下水，太阳病以烧针令其汗，汗多伤心，火衰而水乘之，故发奔豚。用桂枝加桂，使桂枝得尽其量，上能保少阴之火脏，下能温少阴之水脏，一物而两扼其要也。核起而赤者，针处被寒，灸已除其外寒，并以助其心火也。

火逆下之，因烧针烦躁者，桂枝甘草龙骨牡蛎汤主之。

张令韶：火逆者，因火而逆也。火逆则启其阳，下之则陷其阴，复因烧针则阴阳愈相乖离，阳在上不得遇阴而烦，阴在下不得遇阳而躁。用龙骨以保心气，牡蛎以益肾精，桂枝甘草所以资助中焦而交通上下阴阳之气者也。

黄竹斋：火逆即上脉浮，用火灸之，邪无从出，因火而盛，病从腰以下必重而痹之证。

桂枝甘草龙骨牡蛎汤方

桂枝一两　甘草二两（炙）　龙骨二两　牡蛎二两（熬）

上四味，以水五升，煮取三升，去滓。温服一升，日二服。甚者，加人参三两。

陈修园：此为火逆烦躁者，立交通心肾之方也。

刘昆湘：此示火逆误下，复加烧针，一逆再逆，因转阴陷阳浮，使病人烦躁。宜桂甘龙牡汤加人参，以救精气之竭，心肾交则阴升阳降，烦躁自除。

太阳伤寒者，加温针必惊也。

王肯堂：心属火，火先入心，心主血而藏神，血如水也，神如鱼也，两阳相熏灼，水热汤沸，则鱼惊跃不能安矣。

张令韶：自此以上十一节，历言火攻之害，今人于伤寒病动辄便灸，草菅人命，可胜悼哉。

太阳病，当恶寒发热，今自汗出，反不恶寒发热，关上脉细数者，以医吐之过也。一二日吐之者，腹中饥，口不能食；三四日吐之者，不喜糜粥，欲食冷食，朝食暮吐，此为小逆。若不恶寒，又不欲近衣者，此为内烦。皆医吐之所致也。

《金鉴》：太阳病吐之，表解者当不恶寒，里解者亦不恶热。今反不恶寒不欲近衣者，是恶热也。此由吐之后，表解里不解，内生烦热也，是为气液已伤之虚烦，宜用竹叶石膏汤，于益气生津中，清热宁烦可也。

陈修园：此节言吐之不特伤中焦脾胃之气，亦能伤上焦心主之气也。

柯韵伯：三阳皆受气于胸中。在阳明以胸为表，吐之阳气得宣，故吐中寓发散之意。太阳以胸为里，故有干呕呕逆之证而不可吐，吐之则伤胃而为逆。少阳得胸中之表，故亦有喜呕证，吐之则悸而惊矣。

病人脉数，数为热，当消谷。今引食而反吐者，此以发汗，令阳气微，膈气虚，脉乃数也。数为客热，故不能消谷，以胃中虚冷，故吐也。

张子和：此节言当察理而消息其虚实，不是据脉而论证。盖未发汗而脉浮数者，胃气实；发汗后而脉浮数，是胃气虚。

张令韶：上二节之吐，言以吐而致吐；此节之吐，言不以吐而致吐也。

太阳病，过经十余日，心中温温欲吐，胸中痛，大便反溏，腹微满，郁郁微烦。先

其时自极吐下者，与调胃承气汤。若不尔者，不可与之。若但欲呕，胸中痛，微溏者，此非柴胡证。所以然者，以呕，故知极吐下也。

钱天来：此辨证似少阳，而实非柴胡证也。言邪在太阳过一经而至十余日，已过经矣，而有心下温温欲吐，胸中痛，大便反溏，腹微满，郁郁微烦之证。若先此未有诸证之时，已自极其吐下之者，则知胃气为误吐误下所伤，致温温欲吐而大便反溏。邪气乘虚入里，故胸中痛而腹微满。热邪在里，所以郁郁微烦，乃邪气内陷胃实之证也。胃实则当用攻下之治，以胃气既为吐下所虚，不宜峻下，唯当和其胃气而已，故与调胃承气汤。阳明篇所谓胃和则愈也。若不尔者，谓先此时未曾极吐下也。若未因吐下而见此诸证者，此非由邪陷所致。盖胸为太阳之分，邪在胸膈，故温温欲吐而胸中痛也。大便反溏，热邪未结于里也。腹满郁烦，邪将入里而烦满也。若此者邪气犹在太阳，为将次入里之征。若以承气汤下之，必致邪热陷入而为结胸矣，故曰不可与也。但前所谓欲呕，胸中痛，微溏者，虽有似乎少阳之心烦喜呕，胸胁苦满，腹中痛之证，然此非柴胡证也。更何以知其为先此时极吐下乎？以欲呕乃胃气受伤之见证，故知极吐下也。

太阳病六七日，表证仍在，脉微而沉，反不结胸，其人发狂者，以热在下焦，少腹当硬满，小便自利者，下血乃愈。所以然者，以太阳随经，瘀热在里故也，抵当汤主之。

王肯堂：凡称太阳病脉沉者，皆谓发热恶寒，头项强痛而脉反沉也。其证兼发狂，小腹硬者，为蓄血，此条抵当汤是也。

钱天来：太阳病至六七日，乃邪当入里之候，不应表证仍在。若表证仍在者，法当脉浮，今反脉微而沉，又非邪在表之脉矣。邪气既不在表，则太阳之邪当陷入而为结胸矣。今又反不结胸，而其人发狂者，何也？盖以邪不在阳分气分，故脉微。邪不在上焦胸膈，而在下，故脉沉。热在下焦者，即桃核承气所谓热结膀胱也。热邪煎迫，血沸妄溢，留于少腹，故少腹当硬满。热在阴分血分，无伤于阳分气分，则三焦之气化仍得运行，故小便自利也。若此者，当下其血乃愈。其所以然者，太阳以膀胱为腑，其太阳在经之表邪随经内入于腑，其郁热之邪瘀蓄于里故也。热瘀膀胱，逼血妄行，溢入回肠，所以少腹当硬满也。桃核承气条不言脉，此言脉微而沉；彼言如狂，此言发狂；彼云少腹急结，此言少腹硬满；彼条之血尚有自下而愈者，其不下者，方以桃仁承气下之；此条之血，必下之乃愈。证之轻重迥然不同，故不用桃仁承气汤，而以攻坚破瘀之抵当汤主之。

唐容川：狂为实证，微为虚脉，何以脉微反主狂哉，盖狂虽是实，乃阴分血实，非阳分气实也。《金匮》言：阳气虚者为狂。谓狂为阴分之血实，而阳分之气反形其虚。

此脉之微亦正是阳分气虚，知病不在气分也。《内经》云：血在下如狂，当攻下其结血，使从大肠浊道而出乃愈。

黄竹斋：瘀热在里有二证：小便不利者，瘀热系于太阴之气分，则发黄；小便自利者，瘀热结于少阴之血分，则发狂。故下节及阳明篇抵当证二条，皆以此辨之。

抵当汤方

水蛭三十个（熬）　虻虫三十个（去翅足，熬）　桃仁二十个（去皮尖）　大黄三两（酒洗）

上四味，以水五升，煮取三升，去滓，温服一升。不下更服。

张令韶：太阳之表热，随经而瘀于少腹之里，抵当汤主之。虻虫、水蛭一飞一潜，吮血之虫也，在上之热随经而入，飞者抵之；在下之血为热所瘀，潜者当之。配桃核之仁，将军之威，一鼓而下抵拒大敌，四物当之，故曰抵当。

陈修园：此与桃核承气证不同，彼轻而此重；彼热结膀胱，乃太阳肌腠之邪从背膂而下结于膀胱；此瘀热在里，乃太阳肤表之邪从胸中而下结于少腹也。

李东垣：仲景抵当汤用之以治伤寒八九日内有蓄血，发热如狂，小腹满痛，小便自利者。又有当汗失汗，热毒深入，吐血及结胸烦躁谵语者，亦以此汤主之。

太阳病身黄，脉沉结，少腹硬，小便不利者，为无血也。小便自利，其人如狂者，血证谛也，抵当汤主之。

钱天来：此又以小便之利与不利，以别血证之是与非也。身黄，遍身俱黄也。沉为在里而主下焦，结则脉来动而中止，气血凝不相接续之脉也。前云少腹当硬满，此则竟云少腹硬，腹证如此，若犹小便不利，终是胃中瘀热郁蒸之发黄，非血证发黄也，故为无血。若小便自利而如狂，则知热邪与气分无涉，故气分无乖，其邪则阴血矣，此乃为蓄血发黄。

浅田栗园：此条论太阳之变，或归于瘀血，或归于瘀热者也。盖热之并液者是为瘀热，热之并血者是为瘀血，其候法亦不无差别。今脉沉结少腹硬，虽互于两歧，主身黄与小便不利，则其属瘀热可知矣，故曰为无血也，此乃茵陈蒿汤之所主也。小便自利，其人如狂者，此带脉沉结小腹硬言之，谛审其果是血证，方可用抵当也。

伤寒有热，小腹满，应小便不利，今反利者，为有血也，当下之，不可余药，宜抵当丸。

喻嘉言：伤寒蓄血较中风蓄血更为凝滞，故变汤为丸煮而连滓服之。与结胸项强似柔痉，用大陷胸丸同意。盖汤者荡也，阳邪入阴一荡涤之即散。丸者缓也，阴邪入阴恐荡涤而不尽，故缓而攻之，所以求功于必胜也。

张隐庵：夫热结膀胱，必小便利而后为有血者何也？盖膀胱者乃胞之室，胞中有血，膀胱无血。小便不利者，热结膀胱也。小便利则膀胱气分之邪，散入于胞中之血分，故必下血乃愈。盖膀胱通小便，胞中又通大便矣。

抵当丸方

水蛭二十个（熬） 虻虫二十个（去翅足，熬） 桃仁二十五个（去皮尖） 大黄三两（酒洗）

上四味，捣分四丸，以水一升煮一丸，取七合，服之。晬时当下血。若不下者，更服。

陶隐居：晬时者，周时也，从今旦至明旦。

《本事方》：有人病伤寒七八日，脉微而沉，身黄发狂，小腹胀满，脐下冷，小便利。予投以抵当丸，下黑血数升，狂止得汗解。《经》云：血在上则忘，在下则狂。太阳瘀热随经而蓄于膀胱，故脐下膨胀，由瘀血阑门渗入大肠，若大便黑者，此其验也。

太阳病，小便利者，以饮水多，必心下悸；小便少者，必苦里急也。

成无己：饮水多而小便自利者，则水不内蓄，但腹中水多令心下悸。《金匮要略》曰：食少饮多，水停心下，甚者则悸。饮水多而小便不利，则水蓄于内而不行，必苦里急也。

顾尚之：上条并以小便利一证，断为蓄血而非蓄水；此言小便利者，亦有蓄水之证也。

陶节庵：太阳病小便利者，以饮水多必心下悸，茯苓桂枝白术甘草汤；小便少者必苦里急，猪苓汤。

第三节　辨太阳病脉证并治下

问曰：病有脏结，有结胸，其状何如？师曰：寸脉浮，关脉小细沉紧者，名曰脏结也。按之痛，寸脉浮，关脉沉，名曰结胸也。

成无己：结胸者，邪结在胸；脏结者，邪结在脏。二者皆下后邪气乘虚入里所致。下后邪气入里，与阳相结者为结胸，以阳受气于胸中故尔；与阴相结者为脏结，以阴受之，则入五脏故尔。气宜通而塞，故痛。邪结阳分，则阴气不得上通；邪结阴分，则阳气不得下通。是二者，皆心下硬痛。寸脉浮，关脉沉，知邪结在阳也；寸脉浮，关脉小细沉紧，知邪结在阴也。

张隐庵：结胸者，病发于太阳而结于胸也。脏结者，病发于少阴而结于脏也。

何为脏结？师曰：脏结者，五脏各具，寒热攸分，宜求血分，虽有气结，皆血为之。假令肝脏结，则两胁痛而呕，脉沉弦而结者，宜吴茱萸汤。若发热不呕者，此为实，脉当沉弦而急，桂枝当归牡丹桃核枳实汤主之。

刘昆湘：脏结者，五脏各具，寒热攸分，宜求血分，血凝结而气阻，虽有气结，皆血为之。此师演纳，外于腑脏，以示气血失平，为内伤病变之本。假令肝脏结，必在两胁下痛而呕，脉沉弦而结，宜吴茱萸汤者，此举肝脏结，虚从寒化之例。盖以脏气偏胜，有余不足，随体异秉。血气之性，逢寒则结，遇热则散。肝为藏血之脏，血结而气痹不通，正邪纷争、相搏为痛，此则痛由内生，非同结胸之按之始痛也。肝胆脏腑相连，升降相因。肝气温升，则胆汁下注，助脾司纳精之功。络塞寒凝，则胆阳上格，迫胃反降浊之令。故肝气郁结，乘胃为呕，胁下痛则呕作，痛乍缓而呕止。脉沉弦则病在于肝，按之结塞知气为血阻，宜吴茱萸汤。吴茱萸温肝、降逆、化血分之寒凝。人参补肺、生精，助真气以流转。生姜、大枣宣胃和中。气畅血融，脏结解矣。更举肝脏结实，从热化之例。若发热不呕者，此为实，谓胁下痛处发热也。胃虚则逆，胃实则降。证实则脉象亦实，沉弦而急者，血阻而气欲强通之象。宜桂枝当归丹皮桃核枳实汤。桂枝、当归和荣通脉，佐丹皮清血痹化热之邪，以桃仁通血分有形之结，加枳实开降气结直达下焦为使，则发热胁痛诸证皆愈。凡此，皆治源之法也。

吴茱萸汤方 见阳明病篇

桂枝当归丹皮桃核枳实汤方

桂枝三两（去皮） 当归二两 牡丹皮三两 桃仁二十枚（去皮尖） 枳实二两

上五味，以水八升，煮取三升，去滓。温服一升，日三服。

心脏结，则心中痛，或在心下，郁郁不乐，脉大而涩，连翘阿胶半夏赤小豆汤主之。若心中热痛而烦，脉大而弦急者，此为实也，黄连阿胶半夏桃核茯苓汤主之。

刘昆湘：此承上举心脏结证治之例。虚实对举，五脏皆同。心部于表，其气居中，外通包络以为宫城。心脏结，则心中痛，郁郁不乐者，以膻中为臣使之官，喜乐出焉。膻中为气之海，位在两乳之间，心主之所治也。五脏皆司神志，而心为藏神之主。故心气和适，则喜乐由生，心气郁结，则意竟萧索。血涩而气行中阻，使神伤为痛。郁郁不乐者，反心神喜悦之令，故知心气之结塞不舒。心脉洪大而长为平，但大不洪则血弱，举大按涩则血痹，宜连翘阿胶半夏赤小豆汤主之。连翘清心气之浮热，阿胶滋荣阴之枯燥，半夏通液以降气，赤小豆利湿而行血，血濡气畅，经隧无阻，心气四布，脏结和矣。若心中热痛而烦，脉大而弦急，此为实。血郁化热，心阳偏盛，故心中热痛而烦。大为气充其血，弦则血凝其气。既大复按之弦急，知气盛而血分更实，有持实击强之象。宜黄连阿胶半夏桃核茯苓汤主之，黄连、阿胶泻心火以育荣阴，半夏、桃仁降逆气而通血结，茯苓利水，导心气下行。以心为生血之脏，故通结皆佐补血之品也。

连翘阿胶半夏赤小豆汤方

连翘二两 阿胶一两半 半夏半升（洗） 赤小豆三两

上四味，以水四升，先煮三物取二升，去滓，内胶烊消，温服一升，日再服。

黄连阿胶半夏桃核茯苓汤方

黄连三两 阿胶二两 半夏半升（洗） 桃核二十枚（去皮尖） 茯苓三两

上五味，以水五升，先煮四味取二升，去滓，内胶烊消，温服一升，日再服。

肺脏结，胸中闭塞，喘咳善悲，脉短而涩，百合贝母茯苓桔梗汤主之。若咳而唾血，胸中痛，此为实，葶苈瓜蒌桔梗牡丹汤主之。

刘昆湘：肺气外布于胸，司上焦之开阖，主真气之运转，故肺脏结则胸中闭塞，喘咳、善悲，悲者肺之神志。气结则志悒，神伤而气消。喘咳者，肺家自病之象。因胸中闭塞，令上焦不通，使肺气不能外布，呼吸促而为喘，逆气上而为喘，逆气上而为咳，故知为肺气结塞之候。脉短而涩者，短则气结，涩则血滞，宜百合贝母茯苓桔梗汤主之。百合解肺中浊气、热毒，贝母利肺中郁结、痰涎，茯苓利水而除痰，桔梗排浊而通窍，除肺家蓄积之腐秽，脏气清而诸证解矣。若咳而唾血、胸中痛，此为实者，言肺气郁结之甚，则不但胸中闭塞，而至于结痛；不但喘咳，而至于咳血。此气血两郁，气动则迫血上行，故为是证。独论证不言脉者，以肺为气府，气结则肺伤，其变或虚、或实，皆当短而按涩也。宜葶苈瓜蒌桔梗牡丹汤主之。葶苈破肺中之腐脓，瓜蒌开肺中之痰结，丹皮行血而清荣热，桔梗通气而排瘀浊，则邪退而正自安。

黄竹斋：湘本作葶苈瓜蒌半夏丹皮大枣汤，可参。

百合贝母茯苓桔梗汤方

百合七枚（洗，去沫）　贝母三两　茯苓三两　桔梗二两

上四味，以水七升，煮取三升，去滓。温服一升，日三服。

葶苈瓜蒌桔梗牡丹汤方

葶苈三两（熬）　瓜蒌大者一枚（捣）　桔梗三两　牡丹皮二两

上四味，以水六升，煮取三升，去滓。温服一升，日三服。

脾脏结，腹中满痛，按之如覆杯，甚则腹大而坚，脉沉而紧，白术枳实桃核干姜汤主之。若腹中胀痛不可按，大便初溏后硬，转矢气者，此为实，大黄厚朴枳实半夏甘草汤主之。

刘昆湘：脾脏结，则腹中满痛，按之有形如覆杯者，胃气阻于中焦，谷精结于脾络，津液凝结，气痹不通，正邪相搏，痛有缓急。脉象当沉而紧，沉者中气结塞，升降失常，气血俱结，故按之紧实，宜白术枳实桃仁干姜汤主之。干姜、白术，温运脾阳，枳实、桃仁通利气血，以脏结必达血分，故佐桃仁使达病所。若腹中胀痛，不可按者，此为胃实，大便必初溏后硬。凡粪下初硬后溏者为虚，大肠枯约，胃气虚寒也，初溏后硬者为实，腐秽先行，而燥化后胜也。必粪前后矢气极臭，痛胀随减。此谷气内实，气血俱盛，宜大黄厚朴枳实半夏甘草汤。厚朴、枳实双解气血之结，半夏降水液之阻，君大黄以攻坚，和甘草而缓下，邪退正复则愈矣。

黄竹斋：湘本作大黄丹皮厚朴半夏茯苓甘草汤，可参。

白术枳实桃核干姜汤方

白术二两　枳实二两　桃仁二十枚（去皮尖）　干姜一两

上四味，以水五升，煮取二升，去滓，分温再服。

大黄厚朴枳实半夏甘草汤方

大黄三两　厚朴三两　枳实三两　半夏一升　甘草一两（炙）

上五味，以水六升，煮取三升，去滓，温服一升，日三服。

肾脏结，少腹硬，隐隐痛，按之如有核，小便乍清乍浊，脉沉细而结，宜茯苓桂枝甘草大枣汤。若小腹急痛，小便赤数者，此为实，宜桂枝茯苓枳实芍药甘草汤。

刘昆湘：肾脏结，则少腹硬，隐隐痛，按之有核。小便时清时浊者，此示虚从寒化之变，血海寒则下焦少气以温分肉，故令少腹按之结硬。血痹气微，抗拒不甚，故但隐隐而痛。按之有核者，脾络津液之凝泣也。相火不能循络上肝，泄于膀胱，故小便色浊，亦有时不泄，故小便时清。脉沉细者，属肾；按之结者，血凝而气阻也。宜茯苓桂枝甘草大枣汤，温肾气以利州都。若小腹急痛，小便赤数者，此为实。急痛者，拘急而痛，气强与血瘀相搏，故为急痛。小便亦数者，相火之下行也。宜桂枝茯苓枳实芍药甘草汤。

黄竹斋：湘本作宜桂枝附子茯苓丹皮汤及附子桂枝黄柏丹皮茯苓汤，可参。

茯苓桂枝甘草大枣汤方　见太阳病中篇

桂枝茯苓枳实芍药甘草汤方

桂枝三两（去皮）　茯苓二两　枳实二两　芍药三两　甘草一两（炙）

上五味，以水六升，煮取三升，去滓，温服一升，日三服。

脏结，无阳证，不往来寒热，其人反静，舌上苔滑者，不可攻也；饮食如故，时时下利，舌上白苔滑者，为难治。

成无己：脏结于法当下，无阳证，为表无热；不往来寒热，为半表半里无热；其人反静，为里无热。经曰：舌上如苔者，以丹田有热、胸中有寒，邪气以表里皆寒，故不可攻。阴结而阳不结，虽心下结痛，饮食亦自如故，阴气乘肠虚而下，故时时自下利。阴得阳则解，脏结得热证多，则易治，舌上白苔滑者，邪气结胸中亦寒，故云难治。

何谓结胸？师曰，病发于阳，而反下之，热入于里，因作结胸。病发于阴，而早下之，因作痞。所以成结胸者，误下故也。

成无己：发热恶寒者，发于阳也，而反下之，则表中阳邪入里，结于胸中为结胸；无热恶寒者，发于阴也，而反下之，则表中阴邪入里，结于心下为痞。

《活人书》：伤寒本无结胸，应身热，下之早，热气乘虚而入，痞结不散，便成结胸。然结胸有三种，有大结胸，有小结胸，有水结在胸胁间，亦名结胸。又有寒热二证，有热实结胸，有寒实结胸。伤寒本无痞，应身冷，医反下之，遂成痞。

《伤寒百问经络图》：但满而不痛者为痞，任人揉按，手不占护，按之且快意。

结胸病，头项强，如柔痉状者，下之则和，宜大陷胸丸。

成无己：结胸病，项强者，为邪结胸中，胸膈结满，心下紧实，但能仰而不能俯，是项强如柔痉之状也。与大陷胸丸，下结泄满。

柯韵伯：头不痛而项犹强，不恶寒而头汗出，故如柔痉状。此表未尽除而里证又急。丸以缓之，是以攻剂为和剂也。

大陷胸丸

大黄半斤　葶苈半斤（熬）　芒硝半斤　杏仁半斤（去皮尖，熬）

上四味，捣筛二味，内杏仁、芒硝，合研如脂，和散，取如弹丸一枚，别捣甘遂末一钱匕，白蜜二合，水二升，煮取一升，去滓，温顿服之。一宿乃下。如不下，更服，取下为度。禁忌如药法。

张令韶：太阳之脉，上循头项，今气结于内，不外行于经脉，以致经输不利，而颈项强急，有如柔痉反张之状也。下之则内之结气通，外之经输和矣。太阳主皮毛，而肺亦主皮毛，故用葶苈、杏仁利肺金，以解太阳之结气；大黄、芒硝泄邪热以下行，佐甘遂之毒直达胸所以破坚，甘遂性能行水，加蜜用丸者，使留中之邪从缓而下也。

费晋卿：变汤为丸，加葶苈、杏仁以泻肺气，是专为上焦喘满而设。

《医宗金鉴》：大陷胸丸治水肿肠澼初起，形气俱实者。

《类聚方广义》：大陷胸丸治痰饮疝癥，心胸痞塞结痛，痛连项臂膊者。

结胸证，其脉浮大者，不可下，下之则死。

张兼善：脉浮大，心下虽结，其表邪尚多，未全结也。若辄下之，重虚其里，外邪复聚而必死矣。柴胡加桂枝干姜汤以和解之。

黄竹斋：凡当下之证，其关尺二部脉沉实者，方可下之。若浮大而沉分及尺脉微弱无根者，皆不可下。非独结胸一证然也。

结胸证悉具，烦躁者亦死。

魏念庭：此条乃承上条脉见浮大而言。心结胸证具，脉见浮大而加烦躁，方可卜其死。不然烦躁亦结胸证中之一也，何遽云死耶?

太阳病，脉浮而动数，浮则为风，数则为热，动则为痛，头痛发热，微盗汗出，而反恶寒者，表未解也。医反下之，动数变迟，膈内剧痛，胃中空虚，客气动膈，短气躁烦，心中懊侬，阳气内陷，心下因硬，则为结胸，大陷胸汤主之。若不结胸，但头汗出，余处无汗，剂颈而还，小便不利，身必发黄。五苓散主之。

张令韶：此论中风因下而成结胸也。风性浮越，故浮则为风；风乃阳邪，故数则为热；阴阳相搏，故动则为痛；邪盛则正虚，故数则为虚。病太阳之高表则头痛，得标阳之热化则发热。微盗汗出者，邪伤阴分也；恶寒者，邪伤表阳也。邪及于阴则不复在表，今微盗汗出而反恶寒者，此表未解也。医反下之，表邪乘虚内入，故动数之脉变迟。邪气内入，膈气拒之，邪正相持，故拒痛也。邪气入，正气虚，故胃中空虚。客气者，外入之邪气也。膈之上为心肺，膈之下为肝肾，呼出心与肺，吸入肾与肝。客气动膈，则呼吸之气不相接续，故短气。上下水火之气不交，故躁烦。心中懊侬者，躁烦之极也。阳气内陷者，太阳之气随邪而内陷也。内陷于心，则心下因硬，此为结胸，故用大黄、芒硝、甘遂，大苦咸寒之剂直达胸所，一鼓而下。若不结胸，而陷于太阴湿土之分，则湿热相搏，上蒸于头，故但头汗出，津液不能旁达，故余处无汗，剂颈而还，水道不行，则湿热内郁，必外熏于皮肤，故小便不利，身必发黄也。治当利小便，以泻其湿热。

《补亡论》：常器之云：发黄者与茵陈蒿汤。煎茵陈浓汁，调五苓散亦可。

沈芊绿：西晋崔行功云：伤寒结胸欲绝，心膈高起，手不得近，用大陷胸汤不差者，此是下后虚逆，气已不理而毒复上攻。气毒相搏结于胸中。当用枳实理中丸与之，服之先理其气，次疗诸疾。古今用之如神，应手而愈。

张隐庵：合下四节，皆为大陷胸汤之证，而有风结、寒结、水结、燥结之不同。

大陷胸汤方

大黄六两　芒硝一升　甘遂一钱匕

上三味，以水六升，先煮大黄取二升，去滓，内芒硝，煮二沸，内甘遂末，温服一升。得快利，止后服。

尤在泾：大陷胸与大承气，其用有心下与胃中之分。大承气专主肠中燥粪，大陷胸并主心下水食。燥粪在肠，必藉推逐之力，故须枳、朴；水食在胃，必兼破饮之长，故用甘遂。且大承气先煮枳、朴而后内大黄，大陷胸先煮大黄而后内诸药。夫治上者，制宜缓；治下者，制宜急。而大黄生则行速，熟则行迟也。

五苓散方 见太阳病中篇

发黄者，加茵陈蒿十分。

伤寒六七日，结胸热实，脉沉紧而实，心下痛，按之石硬者，大陷胸汤主之。

张令韶：此论伤寒不因下，而亦成结胸也。伤寒六七日，一经已周，又当来复于太阳，不从表解而结于胸，则伤寒之邪郁而为热实矣。热实于内，故脉沉紧，而心下痛，按之如石之硬也。故宜大陷胸汤主之。

伤寒十余日，热结在里，复往来寒热者，与大柴胡汤。但结胸，无大热者，此为水结在胸胁也。但头微汗出者，大陷胸汤主之。

成无己：伤寒十余日，热结在里，是可下之证，复往来寒热，为正邪纷争，未全敛结，与大柴胡汤下之。但结胸无大热者，非热结也，是水饮结于胸胁，谓之水结胸。周身汗出者，是水饮外散，则愈；若但头微汗出，余处无汗，是水饮不得外泄，停蓄而不行也，与大陷胸汤以逐其水。

黄竹斋：热邪入里，在肠胃则结于糟粕，在胸胁则结于水饮，各随其所有而为病耳。大柴胡治热结在里，病于下也。大陷胸治水结胸胁，病于上也。大柴胡证亦有心下急，心中痞硬之候，故此节以头汗出辨其热结之上下也。

陆九芝：头汗出乃阳郁于表，非阳虚于上也，饮酒而头汗出者，多由血郁，头汗出而额上偏多者，心血之郁也，皆属血热。

太阳病，重发汗，而复下之，不大便五六日，舌上燥而渴，日晡所小有潮热，从心下至少腹硬满而痛，不可近者，大陷胸汤主之。

张令韶：此言汗下亡其津液，而成燥结胸之证也。太阳病，重发汗而复下之，则津液亡矣。津液亡于下，故不大便五六日。津液亡于上，故舌上燥而渴。阳明之上，燥气治之。日晡所小有潮热者，微动阳明燥金之气也。

喻嘉言：不大便，燥渴，日晡潮热，少腹硬满，证与阳明颇同，但小有潮热，则不似阳明大热。

《伤寒辑义》：舌上燥干而渴，与脏结之舌上滑白，大分别处。

小结胸病，正在心下，按之则痛，脉浮滑者，小陷胸汤主之。

张兼善：从心下至少腹石硬而痛，不可近者，大结胸也。正在心下，未及腹胁。按之痛未至石硬，小结胸也。形证之分如此。盖大结胸者，是水结在胸腹，故其脉沉紧；小结胸者，是痰结于心下，故其脉浮滑。水结宜下，故用甘遂、葶、杏、硝、黄等。痰结宜消，故用瓜蒌、半夏等。

小陷胸汤方

黄连一两　半夏半升　瓜蒌大者一枚

上三味，以水六升，先煮瓜蒌取三升，内诸药煮取二升，去滓，分温三服。

唐容川：心下是指膈膜，心火下交于血室，要从此膈中行。膀胱水中元气上于肺为呼吸，亦从此膈中行，水火交结于膈中，即为结胸，无分大小结胸，皆是水火结于膈间。小结胸止在心下，不连腹胁，是水火之结较轻。故攻水不用甘遂，而只用半夏。攻火不用硝黄，而只用瓜蒌、黄连，且瓜蒌瓤格似膜，故入膈膜。

《内台方议》：小陷胸汤治心下结痛，气喘而闷者。

《医学纲目》：工部郎中郑忠厚因患伤寒，胸腹满，面黄如金色。孙兆服之以小陷胸汤，寻利，明日面色改白，其病遂良愈。

《张氏医通》：凡咳嗽面赤，胸腹胁常热，唯手足有凉时，其脉洪者，热痰在胸下也。小陷胸汤。

太阳病，二三日，不能卧，但欲起，心下必结。脉微弱者，此本有寒分也。反下之，若利止，必作结胸。未止者，此作协热利也。

程郊倩：太阳病，二三日，邪尚在表之时，而其人不能卧，但欲起，表证不应有此，心下必有邪聚结而不散，故气壅盛而不能卧也。但心下痞满而属里者，脉必沉实，今脉则微弱，不但无沉实之里脉，并非浮缓之表脉。此其人平素本有寒气，积于胸膈之分，一见外邪，本病随作，心下结而不能卧，但欲起者，职此故也。与阳邪陷入于里而结者大相径庭。医不知从脉微弱及前二三日上认证，而以攻法下之，表邪乘虚入里，与本分之寒相搏。利止者，邪不下行必结而益上，乃作寒实结胸。利未止者，里寒夹表热而利下不止。结胸与协热利皆有寒分之本邪在内，故下其寒，非下其热，二证同一治也。

太阳病，下之后，其脉促，不结胸者，此为欲解也；脉浮者，必结胸；脉紧者，必咽痛；脉弦者，必两胁拘急；脉细数者，头痛未止；脉沉紧者，必欲呕；脉沉滑者，协

热利；脉浮滑者，必下血。

喻嘉言：脉促为阳邪上盛，反不结聚于胸，则阳邪未陷，可勃勃从表出矣。故为欲解也。脉浮者，必结胸，即指促脉而申之，见脉促而加之以浮，邪气弥漫于阳位，故必结胸也。浮字贯下四句，见浮而促必结胸；浮而紧必咽痛，浮而弦必两胁拘急；浮而细数必头痛未止。皆太阳本病之脉。故主病亦在太阳本位。设脉见沉紧，则阳邪已入于阴分。但入而未深，仍欲上冲作呕，其无结胸咽痛等证从可知矣。沉滑则阳邪入阴，而主下利。浮滑则阳邪正在荣分，扰动其血，而主下血也。夫太阳误下之脉，主病皆在阳、在表，即有沉紧、沉滑之殊，亦不得以里阴名之也。

病在阳，应以汗解之，反以冷水潠之，若灌之，其热被劫不得去，弥更益烦，肉上粟起，意欲饮水反不渴者，服文蛤散；若不差者，与五苓散。寒实结胸，无热证者，与三物小陷胸汤，白散亦可服。

汪苓友：病在阳者，为邪热在表也，法当以汗解之，医反以冷水潠之，潠者，口含水喷也。若灌之，灌，浇也，灌则更甚于潠矣。表热被水止劫而不去，阳邪无出路，其烦热必更甚于未用水之前矣。弥更益者，犹言甚之极也。水寒之气融于皮肤，则汗孔闭，故肉上起粒如粟也。意欲饮水不渴者，邪热虽甚，反为水寒所制也。先与文蛤散，以解烦导水。若不差者，水寒与热相搏，下传太阳之府，与五苓散内以消之，外以散之，乃表里两解之法也。

文蛤散方

文蛤五两　麻黄三两　甘草三两　生姜三两　石膏五两　杏仁五十个（去皮尖）　大枣十二枚（擘）

上七味为散，以沸汤和一方寸匕，汤用五合，调服。假令汗出已，腹中痛者与芍药三两。

柯韵伯：夫皮肉之水气，非五苓散之可任。而小青龙之温散，又非内烦者之所宜，故制文蛤汤。文蛤生于海中而不畏水，其能制水可知，咸能补心、寒能胜热，其壳能利皮肤之水、其肉能止胸中之烦，故以为君。然阳为阴郁，非汗不解，而湿在皮肤，又不当动其经络，热淫于内，亦不可发以大温，故于麻黄汤去桂枝，而加石膏、姜、枣，此亦大青龙之变局也。若汗出已而腹中痛者，更与芍药汤以利肝脾之气。

程郊倩：文蛤散行水，五苓散两解，犹仅散之于无形，若水寒不散，结实在胸，则心阳被拒，自非细故，小陷胸汤之逐水而攻里，白散之下寒而破结，皆不得之兵矣。

唐容川：文蛤壳上起纹有疙瘩者，今之蚶子是矣。用其壳以治人身躯壳外之粟粒，渗水利热形象皆合。

白散方

桔梗三分　巴豆一分　贝母三分

上三味为散，更于臼中杵之，以白饮和服。强人半钱匕，羸者减之。病在膈上必吐，在膈下必利。不利，进热粥一杯。利不止，进冷粥一杯。

柯韵伯：以三物皆白，故以白名之。

钱天来：寒实结于胸中，水寒伤肺，必有喘咳气逆，故以苦梗开之，贝母入肺散结，又以巴豆之辛热有毒，斩关夺门之将，以破胸中之坚结，当非热不足以开其水寒，非峻不足以破其实结耳。

张令韶：巴豆性大热，进热粥者，助其热性以行之也。进冷粥者，制其热势以止之也。俱用粥者，助胃气也。

《外台秘要》：仲景桔梗白散治咳而胸满，振寒脉数，咽干不渴，时出浊唾腥臭，久久吐脓如米粥者，为肺痈。

《古方便览》：一男子，咽喉肿痛，不能言语，汤水不下，有痰，咳痛不可忍，余饮以白散一撮，吐稠痰数升，痛忽愈。

太阳与少阳并病，头项强痛，或眩冒，时如结胸，心下痞硬者，当刺大椎第一间、肺俞、肝俞，慎不可发汗，发汗则谵语，脉弦大，五日谵语不止，当刺期门。

张令韶：此言太少并病，涉于经脉而如结胸，宜刺以泻其气也。太阳与少阳并病者，言太阳之病并入于少阳之经也。太阳、少阳之经脉交会于头项，二阳经脉受邪，故头项强痛也。眩，晕也。冒，首如有复戴，戴阳于上，二阳经虚，故或眩冒也。夫在太阳则结胸，在少阳则胁下痞硬，今两阳并病，故时如结胸而实非结胸，心下痞硬，而不胁下痞硬也。大椎第一间，乃督脉之经穴，又太阳、少阳经脉所过之处。肺俞、肝俞又太阳之所循历。厥阴又与少阳为表里，故刺之以泻太少并病之邪也。慎不可发汗竭其经脉之血液，经脉燥热，必发谵语，脉弦，少阳之气盛也。五日谵语不止，至六日时值厥阴主气，恐少阳之火与厥阴之风相合，则火愈炽矣。故先刺肝之期门，迎其气而夺之，使邪不传则愈。

妇人中风，发热恶风，经水适来，得之七八日，热除而脉迟身凉，胸胁下满，如结胸状，谵语者，此为热入血室也，当刺期门，随其实而泻之。

成无己：中风、发热、恶寒，表病也。若经水不来，表邪传里，则入府而不入血室也。因经水适来，血室空虚，至七八日邪气传里之时，更不入府，乘虚而入于血室。热除脉迟身凉者，邪气内陷而表证罢也。胸胁下满，如结胸状、谵语者，热入血室而里实。期门者，肝之募，肝主血，刺期门者，泻血室之热。

方中行：血室，荣血停留之所，经脉集会之处，即冲脉所谓血海是也。其脉起于气街，并少阴之经，夹脐上行至胸中而散，故热入而病作，其证则如是也。刺期门所以泄血分之实热也。

《本事方》：一妇患热入血室证，医者不识，用补血调气药迁延数日，遂成血结胸。或劝用小柴胡汤，余曰：小柴胡用已迟，不可行也，刺期门穴斯可矣。如言而愈。

《卫生宝鉴》：血室者，《素问》所谓女子胞，即产肠也，子宫也。

妇人中风，七八日，续得寒热，发作有时，经水适断者，此为热入血室，其血必结，故使如疟状，小柴胡汤主之。

柯韵伯：凡诊妇人，必问月事，经水适断于寒热时，是不当止而止也。必其月事下而血室虚，热血乘虚而入，其余血未下者干结于内，故适断耳。用小柴胡和之，使结血散，则寒热自除矣。

钱天来：小柴胡中应量加血药，如牛膝、桃仁、丹皮之类，其脉迟身凉者，或少加姜、桂及酒制大黄少许，取效尤速，所谓随其实而泻之也。若不应补者，人参亦当取去，尤未可执方以为治也。

妇人伤寒，发热，经水适来，昼日明了，暮则谵语，如见鬼状者，此为热入血室，无犯胃气及上下焦，必自愈。

张令韶：上二节言中风之入于血室，此言伤寒之入于血室也。妇人伤寒发热，则寒邪在气分也。经水适来则气分之邪入于血室矣。昼为阳而主气，暮为阴而主血，昼日明了者，无关于阳气也；暮则谵语如见鬼状者，有伤阴血也，此亦为热入血室。

唐容川：如见鬼状，男子伤寒亦有此证（见阳明篇），皆是热入血室，阳明证只谵语，不见鬼也。鬼者，魄也。人之魂属气，魄属血，血死即为死魄，魄掩其魂，故如见鬼。

尤在泾：热入血室三条，其旨不同，第一条是血舍空而热乃入者，空则热不得聚而游其部，故胸胁满；第二条是热邪与血俱结于血室者，血结亦能作寒热，柴胡亦能去血结不独和解之谓矣；第三条是热邪入而结经尚行者，经行则热亦行而不得留，故必自愈。

伤寒六七日，发热微恶寒，肢节烦疼，微呕，心下支结，外证未去者，柴胡桂枝汤主之。

柯韵伯：伤寒六七日，正寒热当退之时，尚见发热、恶寒诸表证，更兼心下支结诸里证，表里不解，法当双解之，然恶寒微，则发热亦微可知，支节烦痛，则一身骨节不痛可知。微呕心下亦微结，故谓之支结。表证虽不去而已轻，里证虽已，见而未甚，此太阳、少阳并病之轻者，故取桂枝之半，以解太阳未尽之邪，取柴胡之半以解少阳之微结。凡口不渴，身有微热者，当去人参，此以六七日来邪虽不解而正气已虚，故用人参以和之也。外证虽在而病机已见于里，故方以柴胡冠桂枝之前，为双解两阳之轻剂。

《素问·六元正纪大论》：厥阴所至为支痛。

柴胡桂枝汤方

桂枝一两半　黄芩一两半　人参一两半　甘草一两（炙）　芍药一两半　大枣六枚　生姜一两半（切）　柴胡四两　半夏二合半

上九味，以水七升，煮取三升，去滓。温服一升，日三服。

黄竹斋：此方即小柴胡汤二分之一，加桂枝汤二分之一之合方。甘草、姜、枣为二方之公共品，故不增其分量，以重在外证未去，故不再煎也。

《脉经》：发汗多，亡阳谵语者，不可下，与柴胡桂枝汤和其荣卫，以通津液，后自愈。

伤寒五六日，已发汗而复下之，胸胁满微结，小便不利，渴而不呕，但头汗出，往来寒热，心烦者，此为未解也。柴胡桂枝干姜汤主之。

柯韶伯：汗下后而柴胡证仍在者，仍用柴胡汤加减。此因增微结一证，故变其方名耳，此微结与阳微结不同，阳微结对纯阴结而言，是指大便硬，病在胃，此微结对大结胸而言，是指心下痞，其病在胸胁，与心下痞硬、心下支结同义。

柴胡桂枝干姜汤方

柴胡半斤　桂枝三两　干姜二两　栝楼根四两　黄芩三两　牡蛎二两（熬）　甘草二两（炙）

上七味，以水一斗二升，煮取六升，去滓，再煎取三升。温服一升，日三服。初服微烦，复服汗出便愈。

汪苓友：即小柴胡加减方也。据原方加减法云，胸中烦而不呕者，去半夏、人参加瓜蒌；若渴者，去半夏，兹者心烦渴而不呕，故去半夏、人参，加栝楼根四两。若胁下痞硬，去大枣，加牡蛎，兹者胸胁满微结，即痞硬也，故去大枣加牡蛎二两。若心悸小便不利者，去黄芩加茯苓，兹者小便不利，心不悸而但烦，是为津液少而燥热，非水蓄也，故留黄芩不加茯苓。又云若咳者，去人参、大枣、生姜，加五味子、干姜，兹不因咳，而以干姜易生姜者何也？盖干姜味辛而气热，其用有二：一以辛散胸胁之微结，一以热济黄芩、栝楼根之苦寒，使阴阳和而寒热已焉。

伤寒五六日，头汗出，微恶寒，手足冷，心下满，口不欲食，大便硬，脉细者，此为阳微结，必有表，复有里也。脉沉者，亦在里也。汗出为阳微，假令纯阴结，不得复有外证，悉入在里。此为半在里，半在外也。脉虽沉细，不得为少阴病，所以然者，阴不得有汗，今头汗出，故知非少阴也。可与小柴胡汤。设不了了者，得屎而解。

成无已：伤寒五六日，邪当传里之时，头汗出，微恶寒者，表仍未解也；手足冷，心下满，口不欲食，大便硬，脉细者，邪结于里也。大便硬为阳结，此邪热虽传于里，然以外带表邪，则热结犹浅，故曰阳微结。脉沉虽为在里，若纯阴结，则更无头汗恶寒之表证。诸阴脉皆至颈、胸中而还，不上循头，今头汗出，知非少阴也。与小柴胡汤以除半表半里之邪。服汤已，外证罢而不了了之者，为里热未除，与汤取其微利则愈，故云得屎而解。

柯韵伯：大便硬谓之结，脉浮数能食，曰阳结；沉迟不能食，曰阴结……然亡阳与阴结有别，亡阳咽痛吐利，阴结不能食而大便反硬也。亡阳与阳结亦有别，三阴脉不至头，其汗在身；三阳脉盛于头，阳结则汗在头也。邪在阳明，阳盛故能食，此谓纯阳结；邪在少阳，阳微故不欲食，此谓阳微结，宜属小柴胡矣。然欲与柴胡汤，必究其病在半表而微恶寒，亦可属少阴，但头汗，始可属之少阳而勿疑也。上焦得通则心下不满而欲食，津液得下，则大便自软而得便矣。此为少阴、少阳之疑似证。

伤寒五六日，呕而发热者，柴胡汤证具，而以他药下之，柴胡证仍在者，复与柴胡汤。此虽已下之，不为逆，必蒸蒸而振，却发热汗出而解。若心下满而硬痛者，此为结胸也，大陷胸汤主之，但满而不痛者，此为痞，柴胡不中与之，宜半夏泻心汤。

万密斋：此太阳之邪传于少阳，法当和解而反下之逆也。五六日，邪传里之时也，呕而发热，邪在半表半里，乃少阳柴胡证也。当和解之，医反下之，设使下后，柴胡证仍在者，复与柴胡汤和解之，下之不为逆者，有里证也。若下后柴胡证罢，心下满而硬痛者，此太阳在表之邪多，所谓病发于阳而反下之，热入因作结胸也。但满而不痛者，此少阳半表半里之邪，所谓病发于阴而反下之，因作痞也。当从结胸与痞论，故曰柴胡不中与之。观心下满而硬痛，与满而不痛，而结胸痞气别矣。

张隐庵：此节分三段，上段言柴胡证具，虽下不为逆，复可与柴胡汤；中段言下之而结胸，大陷胸汤；下段言痞证，但满不痛，不可与柴胡，而宜半夏泻心汤。

半夏泻心汤方

半夏半升（洗） 黄芩三两 干姜三两 人参三两 甘草三两（炙） 黄连一两 大枣十二枚（擘）

上七味，以水一斗，煮取六升，去滓、再煎取三升，温服一升，日三服。

柯韵伯：即小柴胡去柴胡加黄连干姜汤也。不往来寒热是无半表证，故不用柴胡。痞因寒热之气互结而成，用黄连干姜之大寒大热者为之两解，宜取其苦先入心，辛以散邪耳。此痞本干呕，故君以半夏。

《千金方》：半夏泻心汤治老少下利，水谷不消，肠中雷鸣，心下痞满，干呕不安。

《三因方》：泻心汤治心实热，心下痞满，身重发热，干呕不安，腹中雷鸣，泾溲不利，水谷不消，欲吐不吐，烦闷喘急。

太阳、少阳并病，而反下之，成结胸，心下必硬，若下利不止，水浆不下，其人心烦。

柯韵伯：并病无结胸证，但阳气怫郁于内，时时若结胸状耳。并病在两阳，而反下之如结胸者，成真结胸矣。结胸法当下，今下利不止，水浆不下，是阳明之阖病于下，太阳之开病于上，少阳之枢机无主，其人心烦是结胸证具，烦躁者死也。

张令韶：此并病之剧证，凡遇此病宜重用温补，即小陷胸亦不可与也。

脉浮而紧，而复下之，紧反入里，则成痞；按之自濡，但气痞耳，小青龙汤主之。

刘昆湘：此示表寒误下，因成气痞之证。脉浮而紧，证象在表，而反下之，表邪内陷，紧反入里，水寒气结，因成寒痞之变。紧入里者，谓浮紧变为沉紧，虽痞而按之自濡，中无结硬，此非水饮有形之结，故知但气痞耳。宜小青龙汤者，化水气散外寒之剂也。邪由外陷，治之仍令外解。

太阳中风，下利呕逆，表解者，乃可攻之。若其人漐漐汗出，发作有时，头痛、心下痞满，引胁下痛，干呕短气，汗出不恶寒者，此表解里未和也，十枣汤主之。

尤在泾：此外中风寒，内有悬饮之证，下利呕逆，饮之上攻而复下注也。然必风邪已解，而后可攻其饮。若其人漐漐汗出而不恶寒，为表已解；心下痞，硬满，引胁下痛，干呕短气，为里未和；虽头痛而发作有时，知非风邪在经，而是饮气上攻也。故宜十枣汤下气逐饮。

十枣汤方

芫花（熬）　甘遂　大戟

上三味，各等分，别捣为散，以水一升半，先煮大枣肥者十枚，取八合，去滓，内药末，强人服一钱匕，羸者服半钱匕，温服之。平旦服，若下少，病不除者，明日更服加半钱，得快下利后，糜粥自养。

《伤寒考》：伤寒论有青龙、白虎、真武三方，而无朱雀汤，近检《外台秘要》适见朱雀汤名。因考其方，即十枣汤也，此知朱雀是十枣之别称。

李时珍：张仲景治伤寒太阳证表不解，心下有水气，干呕发热而咳，或喘或利者，小青龙汤主之。若表已解，有时头痛出汗，不恶寒，心下有水气，干呕，痛引两胁，或呕或咳者，十枣汤主之。盖小青龙治未发散表邪，使水气自毛窍而出，乃《内经》所谓开鬼门法也。十枣汤驱逐里邪，使水气自大小便而泄，乃《内经》所谓洁净府、去苑陈莝法也。

太阳病，医发汗，遂发热恶寒。因复下之，心下痞。表里俱虚，阴阳气并竭，无阳则阴独。复加烧针，因胸烦。面色青黄，肤瞤者，难治；今色微黄，手足温者，易愈。

成无已：太阳病，因发汗，遂发热恶寒者，外虚阳气，邪复不除也。因复下之，又虚其里，表中虚邪内陷，传于心下为痞。发汗表虚为竭阳，下之里虚为竭阴；表证罢为无阳，里有痞为阴独。又加烧针，虚不胜火，火气内攻，致胸烦也。伤寒之病，以阳为主，其人面色青，肤肉瞤动者，阳气大虚，故云难治；若面色微黄，手足温者，即阳气得复，故云易愈。

陈修园：此一节言汗下伤阴阳之气而成痞者，不可更用烧针也。

心下痞，按之濡，其脉关上浮大者，大黄黄连黄芩泻心汤主之。

钱天来：心下者，心之下，中脘之上，胃之上脘也。胃居心之下，故曰心下也。其脉关上浮者，浮为阳邪，浮主在上，关为中焦，寸为上焦，因邪在中焦，故关上浮也。按之濡，乃无形之邪热也。热虽无形，然非苦寒以泄之。不能去也，故以此汤主之。

大黄黄连黄芩泻心汤

大黄二两　黄连一两　黄芩一两

上三味，以麻沸汤二升，渍之，须臾绞去滓，分温再服。

尤在泾：热邪入里，与糟粕相结，则为实热，不与糟粕相结，即为虚热。本方以大黄、黄连为剂，而不用枳、朴、芒、硝者，盖以泄热，非以荡实也。

汪苓友：麻沸汤者，熟汤也。汤将熟时，其面沸泡如麻。

心下痞而复恶寒者，附子泻心汤主之。宋本、湘古本“恶寒”下有“汗出”二字。

吕椺村：大凡恶寒汗不出者，属表实。恶寒汗自出者，属表虚，若但汗出恶寒，仲景自有芍药甘草附子汤之制，今心下痞而复恶寒汗出，则表虚而里实，但固表则里邪愈壅，但清里则表阳将亡。故以三黄附子合而用之，附子自能固表，三黄自能清里，且三黄得附子其苦寒不致留滞阴邪，附子得三黄其剽悍不致劫伤阴液。此正善用反佐之法，故能以一方而全收复阳驱邪之效。

附子泻心汤方

大黄二两　黄连一两　黄芩一两　附子一枚（炮，去皮，破，别煮取汁）

上四味，切三味，以麻沸汤二升渍之，须臾绞去滓，内附子汁，分温再服。

舒驰远：此汤治上热下寒之证确乎有理。三黄略浸即绞去滓，但取轻清之气以去上焦之热，附子煮取浓汁，以治下焦之寒，是上用凉而下用温，上行泻而下行补。泻取轻而补取重，制度之妙全在神明运用之中，是必阳热结于上，阴寒结于下，乃为的对。若阴气上逆之痞证，不可用也。

《张氏医通》：附子泻心汤治寒热不和，胁下痞结。

本以下之，故心下痞，与泻心汤；痞不解，其人渴而口燥烦，小便不利者，五苓散主之。

方中行：泻心汤治痞而痞不解，则非气聚之痞可知，渴而口燥烦，小便不利者，津液涩而不行，伏饮凝结也。五苓散利水生津，津生而渴烦止，水利而痞自除，所以又为消痞满之一法也。

程郊倩：五苓散有降有升，最能交通上下，兼行表里之邪。心邪不必从心泻而从小肠泻，又其法也。此证渴者，切忌饮冷，须服姜汤妙。

伤寒汗出，解之后，胃中不和，心下痞硬，干噫，食臭，胁下有水气，腹中雷鸣下利者，生姜泻心汤主之。

成无己：胃为津液之主，阳气之根，大汗出后，外亡津液，胃中空虚，客气上逆，心下痞硬。

生姜泻心汤方

生姜四两　甘草三两（炙）　人参三两　干姜一两　黄芩三两　半夏半升（洗）　黄连一两　大枣十二枚（擘）

上八味，以水一斗，煮取六升，去滓，再煎取三升，温服一升，日三服。

黄竹斋：此方即小柴胡汤去柴胡，增生姜加干姜、黄连也。君以生姜者，以其善解食臭，而有和胃散水之长也；半夏止呕降逆；芩连涤热泻痞；参枣补虚以生津；干姜温里而祛寒；甘草补中以和胃。去滓再煎者，邪在少阳之半里，仍不离和解之正法也。

《施氏续易简方》：生姜泻心汤治大病新差，脾胃尚弱，谷气未复，强食过多，停积不化，心下痞硬，干噫食臭，胁下有水，腹中雷鸣，下利，发热，名曰食复，最宜服之。

伤寒中风，医反下之，其人下利，日数十行，谷不化，腹中雷鸣，心下痞硬而满，干呕，心烦不得安。医见心下痞，谓病不尽，复下之，其痞亦甚。此非结热，但以胃中虚，客气上逆，故使硬也，甘草泻心汤主之。

张令韶：夫人身中火在上而水在下，火为热，水为寒，一定之理也。今或伤寒、或中风，此病在表阳也。医反下之，虚其肠胃，则水寒在下而不得上交，故其人下利，日数十行，谷不化而腹中雷鸣也。火热在上而不得下济，故心下痞硬而满，干呕，心烦，不得安也。医不知上下水火不交之理，反见心下痞，谓病邪不尽，复下之，则下者益下，上者益上，而痞益甚。此非结热，但以下之虚其中，胃客气乘虚上逆，故使硬也，宜甘草泻心汤调剂上下，交媾水火，而痞自解矣。

甘草泻心汤方

甘草四两（炙）　黄芩三两　干姜三两　人参三两　半夏半升（洗）　黄连一两　大枣十二枚（擘）

上七味，以水一斗，煮取六升，去滓，再煎取三升，温服一升，日三服。

王晋三：甘草泻心，非泻结热，因胃虚不能调剂上下，致水寒上逆，火热不得下降，结为痞。故君以甘草、大枣和胃之阴；干姜、半夏启胃之阳，坐镇下焦客气，使不上逆；仍用芩连将已逆为痞之气轻轻泻却，而痞乃成泰矣。

邹润庵：泻心汤三方，有来自三阳之别，曰柴胡汤证具，以他药下之，心下遂满而不痛者，从少阳来者也。曰汗出解后，心下痞硬，干噫下利者，从太阳来者也。曰医反下之。下利日数十行，心下痞硬而满，干呕，心烦不得安，从阳明来者也。又曰：余治疟发时先呕者用半夏泻心，吐泻交作者用生姜泻心，胸痞下利者用甘草泻心，皆应如桴鼓。

沈亮宸：半夏泻心、甘草泻心，皆下后伤真气之过也。生姜泻心因于食，大黄泻心因于热，附子泻心因于寒。

伤寒服汤药下之，利不止，心下痞硬，服泻心汤不已，复以他药下之，利益甚。医以理中与之，利仍不止；理中者，理中焦，此利在下焦故也，赤石脂禹余粮汤主之；复不止者，当利其小便。

孟承意：此复利不止者，非从前下焦滑脱之谓，是收涩闷水，水无去路，膀胱渗化力微，分溢大便而复利耳。故当利其小便也。

庞安常：复利不止，当以五苓散利小便。

方中行：利在下焦者，膀胱不渗，而大肠滑脱也。

赤石脂禹余粮汤方

赤石脂一斤（碎）　太乙禹余粮一斤（碎）

上二味，以水六升，煮取三升，去滓，分温三服。

柯韵伯：干姜、参、术可以补中宫火气之虚，而不足固下焦脂膏之脱。此利在下焦，未可以理中之剂收功也。然大肠之不固，仍责在胃，关门之不闭，仍责在脾，此二味皆土之精气所结，能实胃而涩肠。盖急以治下焦之标者，实以培中宫之本也。要之此证是土虚而非火虚，故不宜于姜、附。若水不利而湿甚，复利不止者，则又当利其小便矣。凡下焦虚脱者，以二物为末，参汤调服最效。

《洁古家珍》：治大肠咳嗽，咳则遗矢者，赤石脂禹余粮汤主之。

《类聚方广义》：赤石脂禹余粮汤治肠癖滑脱，脉弱无力，大便黏稠如脓者。若腹痛干呕者，宜桃花汤。又二方合用亦妙。

伤寒吐下后，发汗，虚烦，脉甚微，八九日心下痞硬，胁下痛，气上冲咽喉，眩

冒，经脉动惕者，久而成痿。

成无己：伤寒吐下后发汗，则表里之气俱虚，虚烦，脉甚微，为正气内虚，邪气独在，至七八日正气当复，邪气当罢，而心下痞，胁下痛，气上冲咽喉，眩冒者，正气内虚而不复，邪气留结而不去；经脉动惕者，经络之气虚极，久则热气还经，必成痿弱。

伤寒发汗，若吐，若下，解后，心下痞硬，噫气不除者，旋覆代赭汤主之。

汪苓友：此噫（音 ài）气，比前生姜泻心汤之干噫不同，是虽噫而不至食臭，故知其为中气虚也。

旋覆代赭汤方

旋覆花三两　人参二两　生姜五两　代赭石一两　甘草三两（炙）　半夏半升（洗）　大枣十二枚

上七味，以水一斗，煮取六升，去滓，再煎取三升。温服一升，日三服。

周禹载：旋覆花能消痰结软痞，治噫气；代赭石止反胃，除五脏血脉中热，健脾，乃痞而噫气者用之；佐以生姜之辛以开结，半夏逐饮，人参补正，甘草、大枣益胃。予每借之以治反胃噎食，气逆不降者，靡不神效。

太阳病，外证未除而数下之，遂邪热而利，利下不止，心下痞硬，表里不解者，桂枝人参汤主之。

程郊倩：太阳病，外证未除而数下之，表热不去而里虚作利，是曰邪热，利下不止，心下痞硬者，里气虚而土来心下也；表里不解者，阳因痞而被格于外也。桂枝行阳于外以解表，理中助阳于内以止利，阴阳两治，总是补正令邪自却。缘此痞无客气上逆动膈之阳邪，辄防阳欲入阴，故不但泻心中芩连不可用，并桂枝中芍药不可用也。协热而利，向来俱作阳邪陷入下焦，果尔安得用理中耶！利有寒热二证，但表热不罢者，皆为协热利也。

沈丹彩：此与葛根黄连汤同一误下而利不止之证，而寒热各别，虚实对待，可于此互参之。彼因实热而用清邪，此因虚邪而从补正。彼得芩连而喘汗安，此得理中而痞热解；彼得葛根以升下陷而利止，此藉桂枝以解表邪而利亦止矣。

陈修园：此一节合下节，皆言表里不解而成痞也。

桂枝人参汤方

桂枝四两　甘草四两（炙）　白术三两　人参三两　干姜三两

上五味，以水九升，先煮四味取五升，内桂枝更煮取三升，去滓，温服一升，日再服，夜一服。

喻嘉言：以表未除故用桂枝以解之，以里适虚故用理中以和之。此方即理中加桂枝而易其名，亦治虚痞下利之圣法也。

徐灵胎：桂独后煎，欲其于治里证药中越出于表，以散其邪也。

伤寒，大下后，复发汗，心下痞，恶寒者，表未解也。不可攻痞，当先解表，后攻其痞；解表宜桂枝汤，攻痞宜大黄黄连黄芩泻心汤。

柯韵伯：心下痞是误下后里证；恶寒是汗后未解证。里实表虚，内外俱病者，因汗下倒施所致，表里交持，仍当尊先表后里，先汗后下正法。盖恶寒之表甚于身疼，心下之痞轻于清谷，与救急之法不同。

伤寒发热，汗出不解，心下痞硬，呕吐而下利者，大柴胡汤主之。

刘昆湘：此示痞呕交作，隔胃两实之证，伤寒发热，汗出应解，今汗出而发热不解，非复太阳在表之证，不因吐下而心下痞硬者，膈气之上结也。呕吐而大便不利者，胃家之内实也。膈实郁胃阳之上宣，便秘阻传道之下降，上下不利而胃气中结，当见心下急郁烦之象。此少阳、阳明，胆胃两实之证，宜大柴胡法上疏膈气之郁，下通腑气之闭，又表里两解之治例也。

病如桂枝证，头不痛，项不强，寸脉微浮，胸中痞硬，气上冲咽喉，不得息者，此为胸有寒也，当吐之，宜瓜蒂散。

尤在泾：此痰饮类伤寒证，寒为寒饮，非寒邪也。

喻嘉言：寒者，痰也。痰饮内动，身必有汗，加以发热，恶寒，全似中风，但头不痛，项不强，此非外入之风，乃内蕴之痰窒塞胸间，宜用瓜蒂散以涌出其痰也。

瓜蒂散方

瓜蒂一分（熬）　赤小豆一分

上二味，分别捣筛为散已，合治之。取一钱匕，以香豉一合，用热汤七合，煮作稀糜，去滓，取汁，和散，温顿服之。不吐者，少少加，得快吐乃止。诸亡血虚家不可与。

张令韶：瓜性蔓延直上，瓜甜而蒂苦，豆乃水谷，一取其色赤，一取其色黑，乃从下而上，由阴而阳之义也。用为吐剂宜矣。

《玉机微义》：凡取吐，须天气清明，午时以前，先令病人隔夜不食。卒暴者，不拘此。

《寿世保元》：一人癫狂乱打，走叫上房，用瓜蒂散吐出其痰数升，又以承气汤下之，即愈。

《怪疾奇方》：人忽头面肿大如斗，视人小如三寸。饮食不进，呻吟思睡，此痰证也。用瓜蒂散吐之，头面肿即消，再吐之，见人如故。后用六君子汤水煎服，三剂全愈。

病胁下素有痞，连在脐旁，痛引少腹入阴筋者，此名脏结，死。

刘昆湘：此示脏结不治之证，病胁下素有痞，肝脏结也；连在脐旁，脾脏结也；痛引少腹入阴筋，肾脏结也；阴筋即宗筋，肝肾与足阳明共主之部，病连三脏而成脏结，故为不治之证。曰素有痞者，明先有宿恙以渐转变。初以气瘕转致血结，肝邪独发，以次乘脾，脾气既传下干于肾。又胁在上部，脐在中部，少腹在下部，三焦皆结则生气绝其化源，攻补无施，死期近矣。

苏颂：病人素有痞气，再加伤寒与宿积相合，使真脏之气闭塞不通，亦名脏结，切不可下，止宜小柴胡加生姜以和表，灸关元以回阳解阴结，危哉！

伤寒，若吐若下后，七八日不解，热结在里，表里俱热，时时恶风，大渴，舌上干燥而烦，欲饮水数升者，白虎加人参汤主之。

成无己：若吐、若下后，七八日则当解，复不解，而热结在里，表热者，身热也；里热者，内热也。本因吐下后，邪气乘虚内陷为结热，若无表热而纯为里热，则邪热结而为实。此以表热未罢，时时恶风。若邪气纯在表，则恶风无时；若邪气纯在里，则更不恶风。以时时恶风，知表里俱有热也。邪热结而为实者，则无大渴；邪热散漫则渴。今虽热结在里，表里俱热，未为结实，邪气散漫，熏蒸焦膈，故大渴，舌上干燥而烦，欲饮水数升，与白虎加人参汤，散热生津。

周禹载：口至干，舌至燥，无津液极矣。能生津液而神速者，莫若人参，故加之。

尤在泾：白虎、承气，并为阳明腑病之方。而承气苦寒逐热荡实，为热而且实者设。白虎甘寒，逐热生津液，为热而不实者设。乃阳明邪热入腑之两大法门也。

黄竹斋：大青龙治太阳表里俱热，而表热盛于里，故不渴；白虎加人参治阳明表里俱热，而里热盛于表，故大渴。

伤寒，无大热，口燥渴，心烦，背微恶寒者，白虎加人参汤主之。

万密斋：上节言大渴，舌上干燥而烦，下节言口燥渴心烦，皆里热太盛证也。恶风曰时时，恶寒曰微在背，则表邪轻矣。所以用白虎，不得谓表不解也。大抵表未解而渴五苓散；表已罢而渴白虎汤；半表半里而渴小柴胡去半夏加栝楼根汤。

伤寒，脉浮，发热无汗，其表不解，当发汗，不可与白虎汤；渴欲饮水，无表证者，白虎加人参汤主之。

尤在泾：前二条既著白虎之用，此条复以白虎之戒，谓邪气虽入阳明之腑而脉证犹带太阳之经者，则不可便与白虎汤，与之则适以留表邪而伤胃气也。而又申之曰：渴欲饮水，无表证者，白虎加人参汤主之。其叮咛反复之意可谓至矣。

张子和：白虎汤但能解热，不能解表，必恶寒、身疼、头痛之表证皆除，但渴而求救于水者，方可与之。

太阳少阳并病，心下硬，颈项强而眩者，当刺大椎、肺俞、肝俞，慎不可下也，下之则痉。

成无己：心下痞硬而弦者，少阳也；颈项强者，太阳也。刺大椎、肺俞，以泻太阳之邪，而以太阳脉下项夹脊故尔。肝俞以泻少阳之邪，以胆为肝之腑故尔。太阳为在表，少阳为在里，即是半表半里证。前云不可发汗，发汗则谵语，是发汗攻太阳之邪，少阳之邪益甚于胃，以发谵语，此云慎勿下之，攻少阳之邪，太阳之邪乘虚入里，必作结胸。《经》曰：太阳、少阳并病，而反下之，成结胸。

黄竹斋：宋本、湘古本此节末无“下之则痉”四字。据成注则下之成结胸者为是。此篇言太阳与少阳并病者，三节皆叙于结胸、痞证之间。所以明结胸、痞、脏结，皆太阳之病并于少阳也，若汇于一处，反成死板文矣。

太阳与少阳合病，自下利者，与黄芩汤；若呕者，黄芩加半夏生姜汤主之。

成无己：太阳、阳明合病，自下利为在表，当与葛根汤发汗。阳明、少阳合病，自下利，为在里，可与承气汤下之。此太阳、少阳合病，自下利，为在半表半里，非汗下所宜，故与黄芩汤以和解半表半里之邪。呕者，胃气逆也，故加半夏、生姜，以散逆气。

黄芩汤方

黄芩三两　芍药二两　甘草二两（炙）　大枣十二枚（擘）

上四味，以水一斗，煮取三升，去滓，温服一升，日再服，夜一服。

黄芩加半夏生姜汤方

即黄芩汤加半夏半升（洗）　生姜一两半　煎服法同。

柯韵伯：太阳、少阳合病，是热邪陷入少阳之里，胆火肆逆，移热于脾，故自下利，此阳盛阴虚，与黄芩汤苦甘相淆以存阴也。凡太少合病，邪在半表者，法当从柴胡桂枝加减。此则热淫于内，不须更顾表邪，故用黄芩以泻大肠之热，配芍药以补太阴之虚，用甘、枣以调中州之气。虽非胃实，亦非胃虚，故不必人参以补中也。若呕是上焦之邪未散，故仍加姜、夏，此柴胡桂枝汤去柴、桂、人参方也。

张隐庵：黄芩一名腐肠，能清肠胃之邪热，而外达于太阳，芍药亦能清肠热之下利；甘草、大枣主助中土而达太阳之气于外；若呕者，少阳枢转欲从太阳之开而上达，故加生姜、半夏以助其开而使之上达焉。

《伤寒绪论》：合病多由冬时过温，少阴不藏，温气乘虚先入于里，然后更感寒，寒闭郁于外，寒热错杂，遂至合病。其邪内攻，必自下利；不下利，即上呕，邪势之充斥奔迫，从可识矣。其黄芩汤虽主太阳、少阳合病，白虎汤虽主三阳合病，而实温病热病主方。

伤寒，胸中有热，胃中有邪气，腹中痛，欲呕者，黄连汤主之。

成无己：胃中有邪气，使阴阳不交，阴不得升而独治于下，为下寒腹中痛；阳不得降而独治于上，为胸中热，欲呕吐。与黄连汤升降阴阳之气。

柯韵伯：欲呕而不得呕，腹痛而不下利，似乎今人所谓干霍乱、绞肠痧等证。

黄连汤方

黄连三两　甘草三两（炙）　干姜三两　桂枝三两　人参二两　半夏半升（洗）　大枣十二枚（擘）

上七味，以水一斗，煮取六升，去滓，温服一升，日三服，夜三服。

柯韵伯：此亦柴胡加减法也。表无热，腹中痛，故不用柴、芩。君黄连以泻胸中积热，姜、桂以驱胃中寒邪，佐甘、枣以缓腹痛，半夏除呕，人参补虚，虽无寒热往来于外，而有寒热相持于中，仍不离少阳之治法耳。此与泻心汤大同，而不名泻心者，以胸中素有之热，而非寒热相结于心下也。看其君臣更换处，大有分寸。

费晋卿：变姜连泻心之法而为升降阴阳之法。寒热并用，补散兼行，和法之最佳者。

伤寒，脉浮滑，此以里有热，表无寒也，白虎汤主之。

黄竹斋：此节云伤寒则必有头项强痛、发热等表证，诊其脉浮而按之滑，滑则过于流利无至数之象，其为非常之热证脉矣，故曰此以里有热，与厥阴篇“伤寒脉滑而厥者，里有热也”之意同。然必审其表无寒，知邪热尽入于里，乃与白虎汤主之以急救其焚。要知此节与下节皆救伤寒病危脉之权变法也。

柯韵伯：此论脉而不及证，因有白虎汤证而推及其脉，只据脉而不审其证，虽表里并言而重在里热，所谓热结在里，表里俱热者也。

白虎汤方 见太阳病上篇

伤寒，脉结促，心动悸者，炙甘草汤主之。

刘昆湘：本条冠伤寒者，此示病由外感而起，必曾经医汗、吐或下，今转脉象结促，心中动悸。结为其象结塞，促为其势上击。乍结则脉血凝泣而阴枯，乍促则脉气逆冲而阳动，此心肾不交之正象也。交通心肾，责在脾土，脾阴伤而内急，遂致中枢不转，湿土燥化，令肾水无以上升，肺津不能下布，阴伤水亏，阳越失下济之用，故效象如此。本方君炙草缓脾阴之急，重地黄滋肾水之枯，麦冬、麻仁清肺而润肠，桂枝、阿胶通脉以生血，人参以补真精，生姜以宣胃气，大枣调和中府。用清酒和水同煎，开闭塞，通经络，助药力运行不滞。一名复脉汤者，明治效，在复脉道之流转也。

高士宗：因内伤而伤寒者，病之至重者也，有性命之虞。治法一以温补元气为主，毋发散虚其经脉，毋消导耗其中土，毋寒凉损其阳和。虽有外证，必察其内；察内者，探本澄源之大道，舍轻从重之至理也。

炙甘草汤方

甘草四两（炙） 生姜三两（切） 人参二两 地黄半斤 桂枝三两 麦冬半升 阿胶二两 麻仁半升 大枣十二枚（擘）

上九味，以清酒七升，水八升，先煮八味取三升，去滓，内胶，烊消尽。温服一升，日三服。

尤在泾：脉结代者，邪气阻滞而荣卫涩少也；心动悸者，神气不振而都城震动也。是虽有邪气而攻取之，法无所施矣。故宜人参、姜、桂以益卫气，胶、麦、麻、地、甘、枣以益荣气，荣卫既充，脉复神完而后从而取之，则无有不服者矣。此又扩建中之制，为阴阳并调之法如此。

张路玉：津液枯槁之人，宜预防二便秘涩之虞。麦冬、生地薄滋膀胱之化源；麻仁、阿胶专主大肠之枯约，免致阴虚泉竭，火燥血枯，此仲景救阴退阳之特识也。

《伤寒辑义·名医别录》：甘草通经脉，利血气。《证类本草·伤寒类要》治伤寒心悸，脉结代者，甘草二两，水三升，煮一半，服七合，日一服。由是观之，心悸、脉结代，专主甘草，乃是取乎通经脉、利血气，此所以命方曰炙甘草汤也。

《济阳纲目》：《宝鉴》炙甘草汤，治许伯威中气本弱，病伤寒八九日，医见其热甚，以凉药下之，又食梨三枚，冷伤脾胃，四肢冷时发昏愦，其脉动而中止，有时自还，乃结脉也，心亦悸动，呃逆不绝，色变青黄，精神减少，目不欲开，蜷卧，恶人语，以此药治之（即本方）。

第四节　辨阳明病脉证并治

问曰：病有太阳阳明，有正阳阳明，有少阳阳明，何谓也？答曰：太阳阳明者，脾约是也；正阳阳明者，胃家实是也；少阳阳明者，发汗利小便已，胃中燥烦实，大便难是也。

成无己：阳明胃也。邪自太阳经传之入腑者，谓之太阳阳明；邪自阳明经传入腑者，谓之正阳阳明；邪自少阳传之入腑者，谓之少阳阳明。

黄竹斋：问曰：阳明之为病，有太阳阳明，有正阳阳明，有少阳阳明。三者之因不同，致病亦异，请问何谓也？答曰：太阳阳明者，以太阳病汗出不彻，或发汗，或吐，或下，或利小便，此皆亡阳明水谷之津液，致淋巴腺及脾脏膏膜燥灼，不能输小肠以胰液，其糟粕燥结，形小而硬，故不更衣无所苦，所谓脾约是也。正阳阳明者，消化系统之直接自病。《内经》曰：阳明之上，燥气主之。燥气太过，则不大便，内实，腹满硬而痛，所谓胃家之邪气盛则实是也。少阳阳明者，以伏邪郁于少阳，失其和解，误发汗，或误利小便，致脏腑外之网膜干燥，不能输肠胃襞以血液，致肠胃中燥气太过，而少阳之郁热不解则烦，胃家邪气盛则实，其邪由少阳之半里排泄于阳明，故大便涩而难出是也。此节言阳明病有自病及太少二阳转属之三因，为一篇之提纲，以下乃分疏之。

阳明之为病，胃家实是也。

柯韵伯：阳明为传化之腑，当更实更虚，食入，胃实而肠虚，食下，肠实而胃虚，若但实不虚，斯为阳明之病根矣。胃实不是阳明病，而阳明之为病，悉从胃实上得来，故以胃家实为阳明一经之总纲也。然致实之由，最宜详审，有实于未病之先者；有实于得病之后者；有风寒外束热不得越而实者；有妄汗、吐、下，重亡津液而实者；有从本经热盛而实者；有从他经转属而实者。此只举其病根在实，而勿得以胃实即为可下之证。

沈尧封：此是阳明证之提纲。后称阳明病三字，俱有胃家实在内。

黄竹斋：阳明者，消化系统之符语，自口腔至肛门为广狭不同之长管，水谷入出之道路，于饮食有直接密切之关系者也。其致病之因，虽有太、正、少之殊，然其为燥气太过而致病，可一言以蔽之，曰胃家实是也。此一节为阳明受病之总提纲，后凡言阳明病者，无论传属及自病，俱指胃家实言之。上节“胃家实”三字，指正阳阳明之一因而言；此节“胃家实”三字，统太、正、少之三因而言也。胃家，括胃、小肠、大肠、胆、膀胱在内。犹《难经》云：小肠谓赤肠，大肠谓白肠，胆者谓青肠，胃者谓黄肠，膀胱者谓黑肠之义也。胃实，谓有宿食；肠实，谓有燥屎；胆实，为发黄；膀胱实，为小便不利。故诸证治法皆见此篇。

问曰：何缘得阳明病？答曰：太阳病，若发汗，若下，若利小便，此亡津液，胃中干燥，因转属阳明。不更衣，内实，大便难者，此名阳明也。

尤在泾：胃者，津液之腑也。汗、下、利小便，津液外亡，胃中干燥，此时寒邪已变为热，热犹火也，火必就燥，皆以邪气转属阳明也。而太阳转属阳明，其端有二，太阳初得病时，发其汗，汗先出不彻，因转属阳明也，为邪气未尽而传，其病在经；此太阳病若汗，若下，若利小便，亡津液，胃中干燥，因转属阳明者，为邪气变热而传，其病在腑也。此阳明受病之因也。

问曰：阳明病，外证云何？答曰：身热，汗自出，不恶寒，反恶热也。

柯韵伯：阳明主里，而亦有外证者，有诸中而形诸外，非另有外证也。胃实之外见者，其身则蒸蒸热，里热炽而达于外，与太阳表邪发热者不同。其汗则濈濈然，从内溢而无止息，与太阳风邪为汗者不同。表寒已散，故不恶寒。里热闭结，故反恶热。只因有胃家实之病根，即见身热自汗之外证，不恶寒反恶热之病情。四证是阳明外证之提纲，故胃中虚冷，亦得称阳明病者，因其外证如此也。

问曰：病有得之一日，不发热而恶寒者，何也？答曰：虽得之一日，恶寒将自罢，即自汗出而恶热也。

柯韵伯：阳明受病，当二三日发，上条是指其已发热言，此追究一日前未发热时也，初受风寒之日，尚在阳明之表，与太阳初受时同，故阳明亦有麻黄桂枝证。二日来表邪自罢，故不恶寒；寒止热炽，故汗自出而反恶热。两阳合明之象见矣。阳明病多从他经转属，此因本经自受寒邪，胃阳中发，寒邪即退，反从热化故耳。若因亡津液而转属，必在六七日来，不在一二日间。本经受病之初，其恶寒虽与太阳同，而无项强痛为可辨。即发热汗出，亦同太阳桂枝证，但不恶寒反恶热之病情，是阳明一经之枢纽。

陈修园：此承上文不恶寒反恶热而言也。但上文言阳明自内达外之表证，此言风寒外入之表证。

问曰：恶寒何故自罢？答曰：阳明居中，主土也，万物所归，无所复传，始虽恶寒，二日自止，此为阳明病也。

成无己：胃为水谷之海，主养四旁。四旁有病，皆能传入于胃，入胃则更不复传。如太阳病传之入胃，则更不传阳明；阳明病传之入胃则更不传少阳；少阳病传之入胃，则更不传于三阴也。

黄坤载：感伤三阳则为热，传之三阴则为寒，以阳盛于腑，阴盛于脏，腑病则热，脏病则寒也。感证一传胃腑则胃热日增，不复再传三阴而为寒。缘阴盛之人，三阳方病于外，三阴即应于中，传阴则后之恶寒无有止期。此但入三阴为寒，不入胃腑为热者也。阳盛之人，太阳被感，腑热郁生，其始热未极盛，犹见恶寒，俟至二日热盛之极，气蒸汗泄，则恶寒自止。此但入胃腑为热，不入三阴为寒者也。阳盛则生，阴盛则死，阴莫胜于少阴，阳莫盛于阳明。病入三阴，死多生少，虽用姜附回阳，难保十全无失，最可虑也。一传胃腑，则正阳司气，三阴无权，万不一死，至为吉兆。俟其胃热盛实，一用承气攻下，自无余事。阳贵阴贱，正为此也。

本太阳病，初得病时，发其汗，汗先出不彻，因转属阳明也。

张令韶：上文言亡津液而转属，此言汗出不彻是不必亡津液而亦能转属也。

程郊倩：彻者，尽也，透也。汗出不透，则邪未尽出，而辛热之药性，反内留而助动燥邪，因转属阳明。辨脉篇所云“汗多则热愈，汗少则便难”者是也。

黄竹斋：太阳中篇云：二阳并病，太阳初得病时发其汗，汗先出不彻，因转属阳明。与此节之义同。

伤寒发热无汗，呕不能食，而反汗出濈濈然者，是转属阳明也。

张令韶：伤寒发热无汗者，病在太阳也。呕不能食者，胃气不和也。不因发汗而反汗出濈濈然者，动其水谷之津也。水津外泄则阳明内虚，是以转属于阳明也。

陈修园：上文历言阳明本经之自为病，此复申明太阳转属阳明之义。除过汗亡津液外，又有此汗出不彻而转属、不因发汗而转属，合常变而并言之也。

伤寒三日，阳明脉大者，此为不传也。

程郊倩：大为阳盛之诊，伤寒三日见此，邪已去表入里，而脉从阳热化气，知三阳当令，无复阳去入阴之虑矣。不言阴阳者。该及浮沉，具有实字之意。

黄竹斋：此节承上文而补申其转属之脉。犹云太阳病三日脉大者，为传属阳明之候也。此倒叙笔法。《素问·脉要精微论》云：大则病进。既传阳明，无所复传，故曰：此为不传也。太阳篇云：伤寒二三日，阳明、少阳证不见者，为不传。与此节互相发。

伤寒脉浮而缓，手足自温者，是为系在太阴。太阴者，身当发黄，若小便自利者，不能发黄；至七八日，大便硬者，为阳明病也。

程郊倩：阳明为病，本于胃家实，则凡胃家之实，不特三阳受邪，能致其转属阳明，即三阴受邪，亦能致其转属阳明，聊举太阴一经例之。脉浮而缓，是为表脉，然无头痛、发热、恶寒等外证，而只手足温，是邪不在表而在里。但入里有阴阳之分，须以小便别之。小便不利者，湿蒸瘀热而发黄，以其人胃中原先燥气也。小便自利者，胃干便硬而成实，以其人胃中本来有燥气也。病虽成于七八日，而其始证却脉浮而缓，手足自温，则实太阴病转属来也。既已转系阳明，其脉之浮缓者转为沉大不必言矣。而手足之温不止温已也，必濈然微汗出。盖阴证无汗，汗出者，必阳气充于内而后溢于外，其大便之实可知。唯其从阴经转来，故汗虽出而仍微耳，是之谓太阴阳明。则推之少阴三大承气证，厥阴一小承气证，何非转属阳明之病哉。凡三阴转属阳明，自是三阴证罢。故太阴则濈然微汗出，少阴则口干燥、腹胀不大便，厥阴自谵语也。

秦皇士：此承明上条阳明之热内传太阴，而为燥热脾约者，当用脾约丸。

伤寒转属阳明者，其人濈然微汗出也。

汪苓友：此承上文而申言之。上言伤寒系在太阴，要之既转而系于阳阴，其人外证不但小便利，当濈然微汗出。盖热蒸于内，汗润于外，汗虽微，而腑实之证的矣。

阳明中风，口苦，咽干，腹满微喘，发热恶风，脉浮而缓；若下之，则腹满、小便难也。

刘昆湘：此示阳明经证亦有中风伤寒之辨。曰阳明中风者，言胃家本燥，外中于风。口苦咽干，证类少阳；腹满、脉浮而缓，证象太阴；发热、恶风、微喘，证似太阳。所以属阳明者，以胃实、大便难、脉大故也。以无头项、身体强痛，故不属太阳；以无目眩、往来寒热，故不属少阳；以无自利而复能食，故不属太阴。盖以胃气外布三焦，内溉腑脏，胃热浊升，津干燥化，咽路内焦，胆阳受灼，亦可见口苦、咽干之候。胃实而阳明内阖，津焦气阻，亦令腹满而兼微喘。以胃逆令肺失肃降，上迫为喘。但发热恶风，为在表之诊。脉浮而缓，举浮知风邪外鼓，按缓为胃气有余。不言汗出者，以阳明中风，法当无汗，与太阳中风自汗者不同。但宜从少阳阳枢以和表里，自濈然微汗而解。宜小柴胡汤加厚朴、杏仁，和其津液，降其逆气。若误认里实而早下之，则胃阳内陷，转系太阴，必腹满加甚。外邪陷而太阳之气随抑，膀胱无气以化，故小便难也。推此例以隅反，知阳明中风，法当治从少阳；少阴中风，法当治从厥阴；太阴中风，法当治从太阳。又为活法中之定法矣。

陈修园：此言阳明之气不特与太阴为表里，抑且中合于少阳，外合于太阳也。

阳明病，若能食，名中风；不能食，名中寒。

成无己：阳明病，以饮食别受风寒者，以胃为水谷之海，风为阳邪，阳邪杀谷，故中风者能食；寒为阴邪，阴邪不杀谷，故中寒者不能食。

柯韵伯：此不特以能食不能食别风寒，更以能食不能食审胃家虚实也。要知风寒本一体，随入胃气而别。

阳明病，若中寒者，不能食，小便不利，手足濈然汗出，此欲作固瘕，必大便初硬后溏；所以然者，以胃中冷，水谷不别故也。

黄坤载：阳明病，若中寒不能食，土湿而小便不利，手足阳泄而濈然汗出，此寒气凝结，欲作坚固癥瘕，大便必初硬后溏。所以然者，胃中寒冷，不能蒸化水谷、水谷不别，俱入二肠而泄利故也。凡水寒土湿，阴气凝结，瘕块坚硬，多病溏泄，服暖水温土之剂，阳回泄止，寒消块化，续从大便而出滑白黏液状如痰涕，是即固瘕之泮解而后行者也，五十七难所谓大瘕泄者，即此。

阳明病，初欲食，小便不利，大便自调，其人骨节疼，翕翕然如有热状，奄然发狂，濈然汗出而解者，此水不胜谷气，与汗共并，脉小则愈。

成无己：阳病客热初传入胃，胃热则消谷而欲食。阳明病热为实者，则小便当数，大便当硬，今小便反不利，大便自调者，热气散漫，不为实也。欲食，则胃中谷多。《内经》曰：食入于阴，长气于阳。谷多则阳气胜，热消津液则水少。经曰：水入于经，其血乃成，水少则阴血弱。《金匮》曰：阴气不通，即骨疼。其人骨节疼者，阴气不足也。热甚于表者，翕翕发热，热甚于里者，蒸蒸发热，此热气散漫，不专著于表里，故翕翕如有热状。奄，忽也。忽热发狂者，阴不胜阳也。《内经》曰：阴不胜其阳者，则脉流薄疾，并乃狂。阳明蕴热为实者，须下之愈；热气散漫，不为实者，必待汗出而愈，故云濈然汗出而解也。水谷之气等者，阴阳气平也；水不胜谷气，是阴不胜阳也。汗出则阳气衰，脉紧则阴气生，阴阳气平，两无偏胜则愈，故云与汗共并，脉紧则愈。

阳明病，欲解时，从申至戌上。

舒驰远：凡病欲解之时，必从其经气之旺，以正气得所旺之时则能胜邪，故病解。乃阳明之潮热，独作于申、酉、戌者，又以腑热实盛，正不能胜，唯乘旺时，而仅与一争耳。是以一从旺时而病解，一从旺时而热潮，各有自然之理也。

阳明病，不能食，攻其热必哕。所以然者，其人本虚，胃中冷故也。

张隐庵：阳明病者，病阳明胃腑之气也。不能食，胃气虚也。哕，呃逆也。胃气虚而复攻其热，故哕。所以然者，阳明以胃气为本，以其人本虚，攻其热则胃中虚冷而必哕。

阳明病，脉迟，食难用饱，饱则微烦头眩，必小便难，此欲作谷疸，虽下之，腹满如故。所以然者，脉迟故也。

尤在泾：脉迟者，气弱而行不利也。气弱不行则谷化不速，谷化不速则谷气郁而生热，其热上冲，则作头眩。气上冲者不下走，则小便难。而热之郁于中者，不得下行浊道，必将蒸积为黄，故曰：欲作谷疸。然以谷气郁而成热，而非胃有实热，故虽下之而腹满不去，不得与脉数胃实者同论也。

黄竹斋：头眩与目眩不同，目眩属少阳，而合目即止；头眩属阳明，虽闭目而仍晕转，凡人饮酒饱食后，多见此候。

阳明病，法多汗，反无汗，其身如虫行皮中状者，此以久虚故也。

赵嗣真：虫行皮中状者，即经言身痒是也。久虚者，以表气不足，津液不充于皮肤，使腠理枯涩，汗难出也。借用各半汤，或柴胡桂枝汤，以和其荣卫，通行津液。

阳明病，反无汗而小便利，二三日，呕而咳，手足厥者，必苦头痛；若不咳，不呕，手足不厥者，头不痛。

张令韶：阳明病，反无汗而小便利者，津液不得外达而唯下泄也。津液泄于下，则虚气逆于上，故二三日呕而咳。四肢不得禀水谷气，故手足厥。夫呕而咳，手足厥者，阳明之气不能扩充，唯逆于上，故必苦头痛。若不咳，不呕，手足不厥，阳明之气扩充而四达，不逆于上，故头不痛。呕者，胃病也。咳者，肺病也。肺脘与胃脘相连，故《咳论》曰聚于胃，关于肺。阳明燥金也，肺寒金也，皆主秋金之气，故此二节皆咳。

林澜：须识阳明亦有手足厥证，胃主四肢，中虚气寒所致也。然苦头痛而咳，自与阴寒但厥者异矣。

阳明病，但头眩，不恶寒，故能食。若咳者，其人必咽痛；不咳者，咽不痛。

程郊倩：阳明以下行为顺，逆则上行，故中寒则有头痛证，中风则有头眩证。以不恶寒而能食，知其郁热在里也。寒上攻能令咳，其咳兼呕，故不能食而手足厥；热上攻亦令咳，其咳不呕，故能食而咽痛，以胃气上通于肺，而咽为胃腑之门也。夫咽痛唯少阴有之，今此以咳伤致痛，若不咳则咽不痛，况更有头眩、不恶寒以证之，不难辨其为阳明之郁热也。

阳明病，无汗，小便不利，心中懊侬者，身必发黄。

尤在泾：邪入阳明，寒已变热，无汗则热不外越；小便不利则热不下泄；蕴蓄不解，集于心下而聚于脾间，必恶热为懊侬不安；脾以湿应与热相合，势必蒸郁为黄矣。

阳明病，脉浮而大者，必潮热，发作有时；但浮者，必自汗出。

黄竹斋：阳明病，脉浮而按之大者，知大肠中有燥屎已结实。里实则潮热发作有时，故脉应之浮而大也。若脉但浮者，则阳盛而气机外出，故必自汗。此皆阳明之本证也。

阳明病，口燥，但欲漱水不欲咽者，此必衄。

成无已：阳明之脉起于鼻，络于口，阳明里热，则渴欲饮水，此口燥，但欲漱水不欲咽者，是热在经而里无热也。阳明气血俱多，经中热甚，迫血妄行，必作衄也。

阳明病，本自汗出，医更重发汗，病已差，尚微烦不了了者，此必大便硬故也。以亡津液，胃中干燥，故令大便硬。当问其小便日几行，若本小便日三四行，今日再行，则知大便不久必出。所以然者，以小便数少，津液当还入胃中，故知不久必大便也。

张令韶：阳明病，本自汗出，津液外泄也。医更重发汗，津液竭矣。病已差者，外已除也。尚微烦不了了者，内未解故大便必硬也。夫以亡津液干燥之故而令大便硬，是不必问其大便，而当问其小便日几行矣，若小便由多而少，故知大便不久出，盖以大小便皆胃腑津液之所施也。今小便数少，则津液当复还入于胃中，故知不久必大便也。

汪苓友：病家如欲用药，宜少与麻仁丸。

伤寒呕多，虽有阳明证，不可攻之。

章虚谷：胃寒则呕多，兼少阳之邪则喜呕，故虽有阳明证，不可攻下也。若胃寒而攻之，必下利清谷；兼少阳而攻之，必挟热下利矣。

柯韵伯：呕多是水气在上焦，虽有胃实证，只宜小柴胡以通液，攻之，恐有利遂不止之祸。

阳明证，心下硬满者，不可攻之；攻之利遂不止者死，利止者愈。

阳明证，眼赵刻本为“面”**合色赤，不可攻之；攻之必发热，色黄者，小便不利也。**

黄竹斋：《灵枢·动输》：胃气上注于肺，其悍气上冲头者，循咽，上走空窍，循眼系，入络脑。阳明证，眼合色赤者，合，通也，眼通色赤，是胃中有热，随悍气上冲。熏其目也。宜以竹叶石膏之类，以清上焦之风热。若妄下之，则热陷于里，与湿相蒸，必发热而身见黄色。盖由攻下致膀胱之气化不行，小便不利，湿热无以下泄之故也。

柯韵伯：言阳明病则身热汗出，不恶寒，反恶热矣。若吐下后而烦为虚烦，宜栀子豉汤。

调胃承气汤方　见太阳病上篇

阳明病，不吐不下，心烦者，可与调胃承气汤。

张令韶：阳明病者，胃气不和之病也。不吐不下，胃不虚也。胃络上通于心，阳明之燥火与少阴之君火相合，故心烦。可与调胃承气汤。胃气不和，以此调之。承者，以下承上也，热气在上，以水承之。芒硝出于卤地，感水阴之气，故能上承热气；大黄苦寒，主推陈致新，荡涤胃中之热垢；甘草所以调中也。

钱天来：热邪归胃，邪气依附于宿食粕滓而郁蒸煎迫，致胃中之津液枯竭，故发潮热而大便硬也。若不以大承气汤下之，必至热邪败胃，谵语狂乱，循衣摸床等变而至不救。

阳明病，脉实，虽汗出而不恶热者，其身必重，短气，腹满而喘，有潮热者，此外欲解，可攻里也。手足濈然汗出者，此大便已硬也，大承气汤主之；若汗多，微发热恶寒者，外未解也，其热不潮者，未可与承气汤；若腹大满不通者，可与小承气汤微和胃气，勿令大泄下。

成无己：身重短气、腹满而喘，有潮热者，热入腑也。四肢诸阳之本，津液足为热蒸之，则周身汗出；津液不足为热蒸之，其手足濈然而汗出，知大便已硬也，与大承气汤以下胃热。《经》曰：潮热者，实也。其热不潮，是热未成实，故不可便与大承气汤；

虽有腹大满不通之急，亦不可与大承气汤；与小承气汤微和胃气。

徐灵胎：四肢为诸阳之本，濈然汗出，阳气已盛于土中矣。以此验大便之硬又一法。腹满不通，虽外未解，亦可用小承气，此方乃和胃之品，非大下之峻剂故也。

大承气汤方

大黄四两（酒洗） 厚朴半斤（去皮，炙） 枳实五枚（炙） 芒硝三合

上四味，以水一斗，先煮二物，取五升，去滓，内大黄，更煮，取二升，去滓，内芒硝，更上微火一两沸，分温再服。得下，余勿服。

柯韵伯：夫诸病皆因于气，秽物之不去，由于气之不顺，故攻积之剂必用行气之药以主之。亢则害，承乃制，此承气之所由。又病去而元气不伤，此承气之义也。夫方分大小，有二义焉，厚朴倍大黄是气药为君，名大承气；大黄倍厚朴是气药为臣，名小承气。味多性猛，制大其服，欲令泄下也，因名曰大；味少性缓，制小其服，欲微和胃气也，故名曰小。二方煎法不同，更有妙义，大承气用水一斗，先煮枳朴，煮取五升，入大黄煮取二升，内硝者，以药之为性，生者锐而先行，熟者气钝而和缓，仲景欲使芒硝先化燥屎，大黄继通地道，而后枳朴除其痞满，缓于制剂者，正以急于攻下也；若小承气则三物同煎，不分次节，而服只四合，此求地道之通，故不用芒硝之峻，且远于大黄之锐矣，故称为微和之剂。

程知：调胃承气大黄用酒浸，大承气大黄用酒洗，皆为芒硝之咸寒而以酒制之。若小承气不用芒硝，则亦不事酒浸洗矣。

小承气汤方

大黄四两（酒洗） 厚朴二两（去皮，炙） 枳实三枚（炙）

上三味，以水四升，煮取一升二合，去滓，分温再服。初服更衣者，停后服；不尔者，尽饮之。

成无己：大热结实者，与大承气汤；小热微结实者，与小承气汤。以热不甚大，故于大承气汤中去芒硝；又以结不至坚，故亦减厚朴、枳实也。

张令韶：胃与大肠、小肠交相贯通者也，胃接小肠，小肠接大肠，胃主消磨水谷，化其津微，内灌溉其脏腑，外充溢于皮毛，其糟粕下入于小肠，小肠受其糟粕，复加运化，传入于大肠，大肠方变化，传道于直肠而出，故曰：小肠者，受盛之官，化物出焉。大肠者传道之官，变化出焉。是大承气者，所以通泄大肠而上承热气者也。故用枳朴以去留滞，大黄以涤腐秽，芒硝上承热气。小承气者，所以通泄小肠，而上承胃气者

也。故曰微和胃气者，是承制胃腑太过之气者也，不用芒硝而亦名承气者，以此。若调胃承气，乃调和胃气而上承君火之热者也。以未成糟粕，故无用枳朴之消留滞。此三承气之义也。承者制也，谓制其太过之气也。故曰：亢则害，承乃制。

阳明病，潮热，大便微硬者，可与大承气汤；不硬者，不可与之。若不大便六七日，恐有燥屎，欲知之法，少与小承气汤，汤入腹中，转矢气者，此有燥屎也，乃可攻之；若不转矢气者，此但初头硬，后必溏，不可攻之，攻之必胀满不能食也。欲饮水者，与水则哕。其后发热者，必大便复硬而少也，以小承气汤和之。不转矢气者，慎不可攻也。

尤在泾：阳明病有潮热者，为胃实；热不潮者，为胃未实。而大承气汤有燥屎者，可与；初硬后溏者，则不可与。故欲与大承气，必先与小承气，恐胃无燥屎，邪气未聚，攻之则病未必去而正已大伤也。服汤后转矢气者，便坚药缓，屎未能出而气先下趋也，故可更以大承气攻之；不转矢气者，胃未及实，但初头硬，后必溏，虽小承气已过其病，况可以大承气攻之哉？胃虚无气，胀满不食所必至矣。又阳明病能饮水者为实，不能饮水者为虚，如虽欲饮而与水则哕，所谓胃中虚冷欲饮水者与水则哕也。其后却发热者，知热气还入于胃，则大便硬，而病从虚冷所变，故虽硬而仍少也，亦不可与大承气汤，但与小承气微和胃气而已。盖大承气为下药之峻剂，仲景恐人不当下而误下，或虽当下而过下，故反复辨论如此，而又申之曰：不转矢气者，慎不可攻也。呜呼！仁人之心，可谓至矣。

阳明病，实则谵语，虚则郑声。郑声者，重语也。直视谵语，喘满者死，下利者亦死。

张隐庵：此统论谵语之有虚实也。夫言主于心，实则谵语者，邪气实而语言昏乱也；虚则郑声者，心气虚而语言重复也。直视，瞋目也。阳热盛而目瞋，心气昏而谵语。夫直视谵语，若邪逆于上，而肺气喘满者死。津泄于下，而肾虚下利者亦死。盖言主于心，出于肺，而发于肾也。郑声，即谵语之重复，若因虚而致谵语者，即郑声也。

阳明病，发汗多，若重发汗以亡其阳，谵语，脉短者死，脉自和者不死。

汪苓友：此系太阳病转属阳明谵语之证。本太阳经得病时发汗多，转属阳明，重发其汗，汗多亡阳。汗本血之液，阳亡则阴亦亏，津血耗竭，胃中燥实而谵语。谵语者脉当弦实，或洪滑，为自和。自和者，言脉与病不相背也，是病虽甚不死。若谵语脉短者，为邪热盛，正气衰，乃阳证见阴脉也，故主死。

发汗多，亡阳谵语者，不可下，与柴胡桂枝汤，和其荣卫，以通津液，后自愈。

此节见《伤寒论·辨发汗后病》,《脉经》《千金翼方》皆载其文，知为本论脱简，今附列此。

成无己：胃为水谷之海，津液之主，发汗多，亡津液，胃中燥必发谵语。此非实热，则不可下，与柴胡桂枝汤，和其荣卫，通行津液，津液生则胃润，谵语自止。

柴胡桂枝汤方 见太阳病下篇

伤寒，若吐若下后不解，不大便五六日，上至十余日，日晡所发潮热，不恶寒，独语如见鬼状。若剧者，发则不识人，循衣摸床，惕而不安，微喘直视，脉弦者生，涩者死。微者，但发热谵语者，大承气汤主之。

张令韶：此言亡阴谵语也。伤寒，若吐若下后不解，则阴液亡矣。阴液亡，故不大便五六日，而上至十余日也。日晡所发潮热者，随阳明所旺之时而热也。不恶寒者，阳明燥气甚也。独语如见鬼状者，自言自语，妄有所见也，此阳热甚而神气昏也。剧甚也。发则不识人者，神明乱而或混或清，时发时止也。阳气实于四肢，故循衣摸床，惕而不安也。孤阳脱于上，故微喘。精不灌于目而目系急，故直视，此阳热甚而阴液亡也。弦为阴脉，若脉弦者阴气未绝，故生。涩则无血，故死。微者，无以上之剧证，而但发热谵语，此阳明内实也，大承气汤主之。

徐灵胎：以上皆阳明危证，因吐下之后竭其中气，津液已耗，孤阳独存，胃中干燥，或有燥屎，故现此等恶证。

阳明病，其人多汗，以津液外出，胃中燥，大便必硬，硬则谵语，小承气汤主之。

程郊倩：阳明病法多汗，其人又属汗家，则不必发其汗而津液外出，自致胃燥便硬而谵语。证在虚实之间，故虽小承气汤亦只一服为率，谵语止，更莫复服，虽燥硬未全除，辄于实处防虚也。

阳明病，谵语发潮热，脉滑而疾者，小承气汤主之。阳明病服承气汤后，不转矢气，明日又不大便，脉反微涩者，里虚也，为难治，不可更与承气汤也。

成无己：阳明病，谵语发潮热，若脉沉实者，内实也则可下。若脉滑疾为里热未实，则未可下，先与小承气汤和之。汤入腹中转矢气者，中有燥屎，可更与小承气汤一升以除之；若不转矢气者，是无燥屎，不可更与承气汤。至明日邪气传时，脉得沉实紧牢之类，是里实也；反得微涩者，里气大虚也。若大便利后脉微涩者，止为里虚而犹可，此不曾大便脉反微涩，是正气内衰，为邪所胜，故云难治。

阳明病，谵语有潮热，反不能食者，胃中必有燥屎五六枚也；若能食者，但硬尔。宜大承气汤下之。

张路玉：此以能食不能食，辨燥结之微甚也。详仲景言，病人潮热谵语，皆胃中热盛所致。胃热则能消谷，今反不能食，此必热伤胃中津液，气化不能下行，燥屎逆攻于胃之故，宜大承气汤急祛亢极之阳，以救垂绝之阴。若能食者，胃中气化自行，热邪原不为盛，津液不致大伤，大便虽硬，不久自行，不必用药反伤其气也。若以能食便硬而用承气，殊失仲景平昔顾虑津液之旨。

阳明病，下血谵语者，此为热入血室，但头汗出者，刺期门，随其实而泻之，濈然汗出则愈。

张令韶：此言下血谵语也。夫冲任二脉皆起于胞中，而冲任为经脉之海，与阳明合，而阳明为之长，故阳明亦有热入血室之证，无分于男妇也。阳明多气多血，热迫于经，故必下血。血者，神气也。血脱神昏，故必谵语，此血室空虚而热邪内入也。夫血即汗，汗即血，血失于下，汗自不能周遍，故但头汗出。肝统诸经之血，故刺肝之期门以泻其热。濈然汗出者，热从血室而外出于皮肤，故愈也。男女俱有此血室，在男子络唇口而为髭须，在女子月事以时下。

阳明病，汗出谵语者，以有燥屎在胃中，此为实也，须过经乃可下之。下之若早，语言必乱，以表虚里实故也。下之，宜大承气汤。

刘昆湘：此示汗出谵语为燥屎内结之证，所以明汗出为荣气之和，辨腑热分血气之异。曰汗出谵语者，以有燥屎在胃中，此为实也。谓病在阳明，若血结谵语之证，但有头汗。今周身汗出而谵语者，自为糟粕内结，胃热外蒸，病在气分之象，故知已为内实，应须下之。又须待其过经，过经必不恶风寒，内实当续自汗出。下之若早，指微恶风寒仍在。下早则燥屎虽除，荣卫必陷，荣卫陷则气血必乱，气血乱则神乱而语言亦乱。所以然者，表虚里实故也。表虚谓自汗不止，里实谓热邪内结。必复下之始愈，宜大承气汤。不言主之者，仍有较量之意。

伤寒四五日，脉沉而喘满，沉为在里，而反发其汗，津液越出，大便为难，表虚里实，久则谵语。

张路玉：伤寒四五日，正热邪传里之时，况见脉沉喘满，里证已具，而反汗之，必致燥结谵语矣。盖燥结谵语，颇似大承气证，此以过汗伤津，而不致大实、大满腹痛，止宜小承气为允当耳。

张隐庵：合上两节，同是表虚里实，汗出谵语之证，一言过经乃下，一言久则谵语，其虑终谋始之意为何如耶。

三阳合病，腹满身重，难以转侧，口不仁，面垢。若发汗则谵语遗尿，下之则手足逆冷，额上出汗。若自汗者，宜白虎汤。自利者，宜葛根黄连黄芩甘草汤。

张令韶：此言三阳合病而为谵语也。三阳合病者，太阳、阳明、少阳相合而为病也。《经》曰：阳明病则贲响腹胀。又曰：浊气出于胃，走唇舌而为味，是腹满、口不仁者，病阳明之气也。少阳枢转不利，则身重不能转侧，甚则面有微尘，是难以转侧，面垢者，病少阳之气也。膀胱不约为遗溺，是遗尿者，病太阳之气也。谵语者，合三阳之病而言也，若发汗则谵语不止。下之则下者益下、上者益上，两不相交，故额上生汗。四肢为诸阳之本，三阳不能旁达于四肢，故手足逆冷。若不经汗下而唯自汗出者，三阳热甚，熏蒸津液而外出也，宜白虎汤以清三阳之热。

汪苓友：或问：白虎汤何以能解三阳之热。答曰：病至自汗出，则太少之邪总归阳明矣，安得不从阳明而专治之耶。

白虎汤方　见太阳病上篇

葛根黄连黄芩甘草汤方　见太阳病中篇

二阳并病，太阳证罢，但发潮热，手足漐漐汗出，大便难而谵语者，下之则愈，宜大承气汤。

成无己：本太阳病，并于阳明，名曰并病。太阳证罢，是无表证；但发潮热，是热并阳明。一身汗出为热越，今手足漐漐汗出，是热聚于胃也，必大便难而谵语。经曰：手足濈然而汗出者，必大便已硬也。与大承气汤，以下胃中实热。

阳明病，脉浮而大，咽燥口苦，腹满而喘，发热汗出，不恶寒，反恶热，身重。若发汗则躁，心愦愦，反谵语；若加温针，必怵惕烦躁不得眠；若下之，则胃中空虚，客气动膈，心中懊憹，舌上苔者，栀子豉汤主之。

刘昆湘：此示阳明伤寒之证。曰阳明病，脉浮而大，咽燥口苦，腹满而喘者，颇似阳明中风，但以发热汗出、脉大不缓，知为阳明中寒。寒邪在脉络肌肉之间，分腠寒凝，必迫令卫反泄荣，外出为汗。假令续自汗出，濈濈不止，不恶寒而反恶热，则已过太阳之经，转属阳明外证。唯身重，知经热而腑气未实，不可遽下，此白虎汤所宜与也。以下三变，皆直承首节加以误治之逆。若以脉浮与喘认为表邪未解，竟发其汗，则汗出过多，津液外越，胃枯而转内躁，必心中愦愦无奈，反神昏而谵语。若以脉浮与喘认为肺寒气逆，径与温针，温针伤荣，邪循脉陷，热灼血分，必至怵然惊惕，烦躁不眠，此热邪之干心也。若以腹满而喘为热实在里，便与峻下，则腑热未实，必糟粕去而胃中空虚，正气陷而客气上逆，筑动膈间，懊侬烦热，若舌上有白苔者，此邪结上焦，宜栀子豉汤，清浮热而解郁结。

沈尧封：此条当与风温证及三阳合病参看，皆无形之燥热为病，而胃无宿食也。故未经误治之时，本是白虎汤主治。

栀子豉汤方　见太阳病中篇

阳明病，渴欲饮水，口干舌燥者，白虎加人参汤主之。

刘昆湘：凡证属阳明，若渴欲饮水，即为胃热。口干舌燥，便属津枯。盖饮水指思饮冷水，口干舌燥乃津干而非热亢，此为虚候，故宜白虎汤加人参以救真精之竭。

白虎加人参汤方　见太阳病上篇

阳明病，脉浮发热，渴欲饮水，小便不利者，猪苓汤主之。

刘昆湘：此亦承上推论之辞。若证象阳明，脉浮发热，渴饮冷水而小便不利者，乃血虚化燥，水气内停，以脉浮知热浮经合之间，以溺涩知浊留经脉之内，宜以猪苓汤滋阴渗湿，导热邪出自水腑。

程郊倩：热在上焦，故用栀子豉汤。热在中焦，故用白虎加人参汤。热在下焦，故用猪苓汤。

猪苓汤方

猪苓一两（去皮）　茯苓一两　泽泻一两　阿胶一两　滑石一两（碎）

上五味，以水四升，先煮四味取二升，去滓，内阿胶烊消。温服七合，日三服。

赵羽皇：仲景制猪苓汤以行阳明、少阴二经水热，然其旨全在益阴，不专利水。盖伤寒表虚最忌亡阳，而里虚又患亡阴，亡阴者，亡肾中之阴与胃家之津液也，故阴虚之人，不但大便不可轻动，即小水亦忌下通，倘阴虚过于渗利，则津液反致耗竭。方中阿胶质膏养阴而滋燥，滑石性滑，去热而利水。佐以二苓之渗泻，既疏浊热而不留其壅瘀，亦润真阴而不苦其枯燥，是利水而不伤阴之善剂也。

阳明病，汗出多而渴者，不可与猪苓汤，以汗多胃中燥，猪苓汤复利其小便故也。

成无己:《针经》曰：水谷入于口，输于肠胃，其液别为五，天寒衣薄则为溺，天热衣厚则为汗，是汗溺一液也。汗多为津液外泄，胃中干燥，故不可与猪苓汤利小便也。

阳明病，脉浮而迟，表热里寒，下利清谷者，四逆汤主之。

张隐庵：此论阳明之有虚寒也。脉浮而迟，浮为表虚，迟为里寒，乃下焦生气不上合于阳明，故表有阳明之热，里有少阴之寒。生气不升，故下利清谷。宜四逆汤启少阴之生阳，助阳明之土气。

黄竹斋：此节言阳明病，则必有汗出恶热之阳明外证也。其脉举浮而按之迟，故曰表热里寒。下利清谷，不谓阴证者，以阴不得有汗。今自汗出而下利清谷，故用四逆汤，不特温里以止利，而且固表以止汗也。

四逆汤方 见太阳病上篇

阳明病，胃中虚冷，不能食者，不可与水饮之；饮则必哕。

张令韶：此论阳明中焦虚冷也。夫胃气壮则谷消而水化，若胃中虚冷则谷不消而不能食。夫既不能食则水必不化，两寒相得，是以发哕。

阳明病，脉浮发热，口干鼻燥，能食者，衄。

张隐庵：脉浮发热，阳明之表热也。口干鼻燥，经脉之里热也。能食则阳明胃气自和，故经脉充溢而为衄。

魏念庭：热盛则上逆，上逆则引血，血上则衄，热邪亦随之而泄。

阳明病下之，其外有热，手足温，不结胸，心中懊侬，饥不能食，但头汗出者，栀子豉汤主之。

张令韶：阳明病下之者，外证未解而下之也。故其外有热而手足温，热在外故不结胸。胃络不能上通于心，故心中懊侬，下后胃虚，故饥不能食。阳明之津液主灌溉于上下，今阳明气虚，津液不能流通周遍，唯上蒸于头，故但头汗出也。宜栀子豉汤以清虚热而交通上下也。

阳明病，发潮热，大便溏，小便自可，胸胁满不去者，与小柴胡汤。

张云岐：此是邪从少阳而入阳明者，何以见之，潮热者，阳明证也。然阳明犹未实也，又何以见之，曰大便溏，小便自可，岂有胃已实而二便如此者乎？胸胁苦满而用小柴胡和之，使热邪仍自少阳而解，可不复入阳明也。

阳明病，胁下硬满，不大便而呕，舌上白苔者，可与小柴胡汤。上焦得通，津液得下，胃气因和，身濈然汗出而解也。

张令韶：阳明之气，由下而上，由内而外，出入于心胸，游行于腹胃，靡不借于少阳之枢。今阳明病，胁下硬满者，不得由枢以出也。不得由枢以出，遂致三焦相混，内外不通矣。不大便者，下焦不通，津液不得下也。呕者，中焦不治，胃气不和也。舌上白苔者，上焦不通，火郁于上也。可与小柴胡汤，调合三焦之气。上焦得通，而白苔去，津液得下而大便利，胃气因和而呕止。三焦通畅，气机旋转，身濈然汗出而解也。

阳明中风，脉弦浮大，而短气，腹郁满，胁下及心痛，久按之气不通，鼻干不得涕，嗜卧，一身及目悉黄，小便难，有潮热，时时哕，耳前后肿，刺之小差，外不解，病过十日，脉续浮者，与小柴胡汤。脉但浮，无余证者，与麻黄汤。若不尿，腹满加哕者不治。

尤在泾：此条虽系阳明而已兼少阳，虽名中风而实为表实，乃阳明、少阳邪气闭郁于经之证也。阳明闭郁，故短气腹满，鼻干不得涕，嗜卧，一身及面目悉黄，小便难，有潮热。少阳闭郁，故胁下及心痛，久按之气不通，时时哕，耳前后肿。刺之小差，外不解者，脉证少平而大邪不去也。病过十日而脉续浮，知其邪犹在经，故与小柴胡和解邪气。若脉但浮而无少阳证兼见者，则但与麻黄汤发散邪气而已。盖以其病兼少阳，故不与葛根而与柴胡。以其气实无汗，故虽中风而亦用麻黄。若不得尿，故腹加满，哕加甚者，正气不化而邪气独盛，虽欲攻之，神不为使，亦无益矣，故曰不治。

柯韵伯：弦为少阳脉，耳前后、胁下为少阳部。阳明中风而脉证兼少阳者，以胆为风腑故也。若不兼太阳、少阳脉证，只是阳明病而不名中风矣。参看口苦咽干，知阳明中风从少阳转属者居多。

《伤寒绪论》：伤寒汗出不彻，热遗少阳，结于耳后或耳下，其形硬肿者，名曰发颐。见之速宜消散，缓则成脓为害也。外用赤小豆末，鸡子清调敷。慎不可用寒凉敷药。

动作头痛，短气，有潮热者，属阳明也。原本“属阳明也”下有“白蜜煎主之”五字，今从湘古本移到下节。

三阳经脉，皆上于头，头项强痛，发热恶寒者，属太阳也。头角掣痛，往来寒热者，属少阳也。阳明之经，起于头维，位在额前，胃中悍气逆上冲脑，以致动作头痛，短气，有潮热者，属阳明也。

阳明病，津液竭者，虽不大便，不可下，人参干地黄麻仁白蜜煎与之。腹中痛者，加厚朴与之。此节原本脱阙，其方则附上节后，名白蜜煎，今从湘古本补正。

刘昆湘：此示阳明病津竭化燥之治例也。阳明病津液竭者，盖燥胜而非热实。《经》云：燥以干之。胃燥则肠液内枯，便难不下，虽不更衣，不可荡实，故曰：不可下也，宜人参干地黄麻仁白蜜煎与之。人参益气以生精，地黄养阴而滋液，麻仁、白蜜润燥滑肠，津液内濡，便秘自畅。凡大便不通，脉虚大而微涩者，皆为合剂。若腹中痛者，此气结也，汤中加厚朴以降气。

人参干地黄麻仁白蜜煎方

人参一两　干地黄六两　麻仁一升　白蜜八合

上四味，以水一斗，先煮三味取五升，去滓，内蜜再煎一二沸。每服一升，日三夜二。腹中痛者，加厚朴二两先煎。

阳明病，自汗出，若发汗，小便自利者，此为津液内竭，便虽硬，不可攻之，当须自欲大便，宜蜜煎导而通之，若王瓜根及大猪胆汁，皆可为导。

王肯堂：凡多汗伤津，或屡汗不解，或尺中脉迟弱，元气素虚人，便欲下而不能出者，并宜导法，但须分津液枯者用蜜导，邪热盛者用胆导，湿热痰饮固结，姜汁麻油浸栝楼根导。唯下旁流水者，导之无益，非诸承气汤攻之不效，以实结在内而不在下也。至于阴结便闭者，宜于蜜煎中加姜汁生附子末，或削陈酱姜导之。凡此皆善于推广仲景之法者也。

蜜煎导方

食蜜七合

上一味，内铜器中，微火煎之，稍凝如饴状，搅之勿令焦着，可丸时，并手捻作挺，令头锐，大如指，长二寸许，当热时急作，冷则硬，内谷道中，以手紧抱，欲大便时乃去之。

李时珍：仲景治阳明结燥，大便不通，蜜煎导法，诚千古神方也。

猪胆汁方

大猪胆一枚

上一味，泻汁，和醋少许，灌谷道中。如一食顷，当大便出，宿食甚多。今用注射器颇便。

王晋三：猪胆导者，热结于下，肠满胃虚，承气等汤恐重伤胃气，乃用猪胆之寒，苦酒之酸，收引上入肠中，非但导去有形之垢，并能涤尽无形之热。

阳明病，脉迟，汗出多，微恶寒者，表未解也，可发汗，宜桂枝汤。

汪苓友：此条言阳明病非胃家实之证，乃太阳病初传阳明经中有风邪也。脉迟者，太阳中风缓脉之所变，传至阳明，邪将入里，故脉变迟。汗出多者，阳明热而肌腠疏也。微恶寒者，太阳在表之风邪未尽解也。治宜桂枝汤以解肌发汗，以其病从太阳经来，故乃从太阳经例治之。

阳明病，脉浮，无汗而喘者，发汗则愈，宜麻黄汤。

尤在泾：此二条乃风寒初中阳明之证，其见证与太阳中风、伤寒相类，而阳明比太阳稍深，故中风之脉不浮而迟，伤寒之脉不紧而浮，以风寒之气入肌肉之分，则闭固之力少，而壅遏之力多也。而其治法则必与太阳少异，见有汗而恶寒者必桂枝可解，无汗而喘者非麻黄不发矣。

柯韵伯：此阳明之表证表脉也。二证全同太阳，而属之阳明者，不头项强痛故也。

阳明病，发热汗出者，此为热越，不能发黄也；但头汗出，身无汗，剂颈而还，小便不利，渴引水浆者，此为瘀热在里，身必发黄，茵陈蒿汤主之。

程郊倩：发热汗出，此为热越，有二证：一则病人烦热，汗出则解是也；一则津液越出，大便为难是也。俱非发黄证。今则头汗出，身无汗，剂颈而还，足征阳热之气郁结于内而不得越，故但上蒸于头，头为诸阳之首故也。气不下达，故小便不利。腑热过燥，故渴饮水浆。瘀热在里指无汗言，无汗而小便利者属寒。无汗而小便不利属湿热。两邪交郁，不能宣泄，故罨而发黄，解热除郁无如茵陈、栀子清上，大黄涤下，通身之热得泄，何黄之不散也。

茵陈蒿汤方

茵陈蒿六两　栀子十四枚（擘）　大黄二两（去皮）

上三味，以水一斗二升，先煮茵陈，减六升，内二味，煮取三升，去滓，分温三服。小便当利，尿如皂荚汁状，色正赤。一宿病减，黄从小便去也。

钱天来：茵陈性虽微寒而能治湿热黄疸，及伤寒滞热通身发黄，小便不利；栀子苦寒，泻三焦火，除胃热、时疾黄病，通小便，解消渴、心烦懊侬、郁热结气更入血分；大黄苦寒下泄，逐邪热，通肠胃。三者皆能蠲湿热，去郁滞，故为阳明发黄之首剂云。

徐灵胎：茵陈为主药，先煮茵陈则大黄从小便出，此秘法也。

阳明病，其人善忘者，必有蓄血。所以然者，本有久瘀血，故令善忘。屎虽硬，大便反易，其色必黑，宜抵当汤下之。

尤在泾：善忘即喜忘。蓄血者，热与血蓄于血室也。以冲任之脉并阳明之经，而其人又本有瘀血久留不去，适与邪得，即蓄积而不解也。蓄血之证，其大便必硬，然虽硬，其出反易者，热结在血而不在粪也。其色必黑者，血瘀久而色变黑也。是宜入血破结之剂，下其瘀血，血去则热亦不留矣。

抵当汤方　见太阳病中篇

阳明病，下之，心中懊侬而烦，胃中有燥屎者，可攻。腹微满，大便初硬后溏者，不可攻之。若有燥屎者，宜大承气汤。

尤在泾：阳明下后，心中懊侬而烦，胃中有燥屎者，与刚明下后心中懊侬，饥不能食者，有别矣。彼为邪扰于上，此为热实于中也。热实则可攻，故宜大承气。若腹微满，初头硬，后必溏者，热而不实，邪未及结则不可攻，攻之，必胀满不能食也。

《本事方》：有人病伤寒八九日，身热无汗，时时谵语，时因下后，大便不通三日矣。非燥非烦，非寒非痛，终夜不得卧，但心中没晓会处，或时发一声，如叹息之状。医者不知作何证。予诊之曰：此懊侬、怫郁二证俱作也。胃中有燥屎者，服承气汤。下燥屎二十余枚，得利而解。

病人不大便五六日，绕脐痛，烦躁，发作有时者，此有燥屎，故使不大便也。

张令韶：此承上文“胃中有燥屎者，可攻”而言也。言何以知其有燥屎必也，病人不大便五六日，绕脐痛，烦躁，发作有时，则非若微满初硬后溏之证矣，此有燥屎故使然也。

病人烦热，汗出则解，又如疟状。日晡所发热者，属阳明也。脉实者，宜下之；脉浮大者，宜发汗。下之与大承气汤，发汗宜桂枝汤。

喻嘉言：病人得汗后，烦热解，太阳经之邪将尽未尽，其人复如疟状，日晡时发热，乃邪入阳明审矣。盖日晡者，申酉时，乃阳明之旺时也；发热即潮热，乃阳明之本候也。热虽已入阳明，尚恐未离太阳，故必重辨其脉。脉实者，方为正阳阳明，宜下之；若脉浮大者，仍是阳明而兼太阳，更宜汗而不宜下矣。发汗宜桂枝汤，宜字最妙，见前既得汗而烦热解，此番只宜用桂枝和荣卫以尽阳明兼带之邪，断不可用麻黄汤矣。

徐灵胎：一证而治法迥别，全以脉为凭，此亦从脉而不从证之法。

大下后，六七日不大便，烦不解，腹满痛者，此有燥屎也，所以然者，本有宿食故也，宜大承气汤。

程郊倩：烦不解，指大下后之证。腹满痛，指六七日不大便后之证。从前宿食经大下而栖泊于回肠曲折之处，胃中尚有此，故烦不解。久则宿食结成燥屎挡住去路，新食之浊秽总蓄于腹，故满痛。下后亡津液亦能令不大便，然烦有解时，腹满不痛可验。

病人小便不利，大便乍难乍易，时有微热，喘息不能卧者，有燥屎也，宜大承气汤。

钱天来：凡小便不利，皆由三焦不运，气化不行所致。唯此条小便不利则又不然，因肠胃壅塞，大气不行，热邪内瘀，津液枯燥，故清道皆涸也。乍难，大便燥结也；乍易，旁流时出也。时有微热，潮热之余也。喘息者，中满而气急也。胃邪实满，喘息不宁，故不得卧，《经》所谓“胃不和则卧不安”也。若验其舌苔黄黑，按之痛而脉实大者，有燥屎在内故也，宜大承气汤。

食谷欲呕者，属阳明也，吴茱萸汤主之；得汤反剧者，属上焦也，小半夏汤主之。

黄竹斋：胃司消化水谷，其气以下行为顺，今食谷而反上逆欲呕者，以中焦虚寒，气化不行，属阳明胃病也，以吴茱萸汤主之；得汤反剧者，必其人心下有支饮停蓄胸膈，吴茱萸汤只能温胃补虚，不能消饮燥湿，此病属上焦也，宜以小半夏汤主之。

吴茱萸汤方

吴茱萸一升　人参三两　生姜六两（切）　大枣十二枚（擘）

上四味，以水七升，煮取二升，去滓。温服七合，日三服。

汪苓友：呕为气逆，气逆者必散之。吴茱萸辛苦味重下泄，治呕为最；兼以生姜又治呕圣药，非若四逆中干姜守而不走也。

陈古愚：此阳明之正方也。或谓吴茱萸降浊阴之气，为厥阴专药，然温中散寒，又为三阴并用之药，而佐以人参、姜、枣，又为胃阳衰败之神方。

《伤寒辑义》：吴茱萸汤之用有三：阳明食谷欲呕用之，少阴吐利用之，厥阴干呕吐涎沫者用之。要皆以呕吐逆气为主。

小半夏汤方

半夏一升　生姜半斤

上二味，以水七升，煮取一升半，去滓，分温再服。

太阳病，寸缓、关浮、尺弱，其人发热汗出后，恶寒，不呕，但心下痞者，此以医下之。如其未下，病人不恶寒而渴者，此转属阳明也。小便数者，大便必硬，不更衣十日，无所苦也。渴欲饮水者，少少与之，以法救之。渴而饮水多，小便不利者，宜五苓散。

张隐庵：太阳病，尺寸缓弱而关脉浮，则病在心胸。其人发热汗出者，阳明也。复恶寒不呕者，太阳也。太阳之气，从胸出入，心下者，胸之部也，但心下痞者，此以医下之，邪气内陷于胸，故心下痞也。如其不下者，则邪不内陷，病人不恶寒则邪去太阳，渴则属于阳明，故曰此转属阳明，而为太阳阳明也。夫病属阳明胃家则实，小便频数则津液下泄，故大便必硬，此实在肠胃，虽不更衣，十日无所苦也。若津液不行而渴欲饮水者，须少少与之以滋阴液。但以法救之者，或滋其燥渴，或行其津液。夫五苓散既行津液，复滋燥渴，故又曰渴者宜五苓散。

五苓散方　见太阳病中篇

脉阳微而汗出少者，为自和；汗出多者，为太过。阳脉实，因发其汗，出多者，亦为太过。太过者，为阳绝于里，亡津液，大便因硬也。

成无己：脉阳微者，邪气少，汗出少者为适当，故自和；汗出多者，反损正气，是汗出太过也。阳脉实者，表热甚也。因发汗，热乘虚蒸津液外泄，致汗出太过。汗出多者，亡其阳，阳绝于里，肠胃干燥，大便因硬也。

危亦林：此虽指太阳转属，然阳明表证亦有之。

汪苓友：总于后条用麻仁丸以主之。

脉浮而芤，浮为阳，芤为阴，浮芤相搏，胃气生热，其阳则绝。

沈明宗：此辨阳明津竭之脉也。浮为邪气强，芤为阴血虚，阳邪盛而阴血虚，为浮芤相搏。胃气生热，故曰：其阳则绝，即亡津液之互词也。若见此脉，当养津液，不可便攻也。

趺阳脉浮而涩，浮则胃气强，涩则小便数，浮数相搏，大便因硬，其脾为约，麻子仁丸主之。

成无己：趺阳者，脾胃之脉诊。浮为阳，知胃气强；涩为阴，知脾为约。约者，俭约之约，又约束之约。《内经》曰：饮入于胃，游溢精气，上输于脾，脾气散精，上归于肺，通调水道，下输膀胱，水精四布，五经并行，是脾主为胃行其津液者也。今胃强脾弱，约束津液，不得四布，但输膀胱，致小便数，大便难，与脾约丸通肠润燥。

麻子仁丸方

麻子仁二升　芍药半斤　枳实半斤（炙）　大黄一斤（去皮）　厚朴一尺（炙）　杏仁一升（去皮尖）

上六味，蜜为丸，如梧桐子大。饮服十丸，日三服。渐加，以知为度。

《医心方》引《小品方》云：厚朴一尺及数寸者，厚三分，广一寸半，为准。

陈灵石：脾为胃行其津液也，今胃热而津液枯，脾无所行而为之穷约。故取麻仁、杏仁多脂之物以润燥，大黄、芍药苦泄之药以破结，枳实、厚朴顺气之药以行滞。以蜜为丸者，治在脾而取缓，欲脾不下泄其津液而小便数已，还津液于胃中而大便难已也。

徐灵胎：此润肠之主方。

太阳病二日，发汗不解，蒸蒸发热者，属阳明也，调胃承气汤主之。

程郊倩：何以发汗不解，便属胃，盖以胃燥素盛，故表证虽罢，而汗与热不解也。第征其热如炊笼蒸蒸而盛，则知汗必连绵濈濈而来，此即大便已硬之征，故曰属胃也。热虽聚于胃，而未见潮热谵语等证，主以调胃承气汤者，于下法内从乎中治，以其为日未深故也。表热未除而里热已待，病势久蕴于前矣，只从发汗后一交替耳。凡本篇中云太阳病，云伤寒，而无“阳明病”字者，皆同此病机也。要之脉已不浮而大可知。

伤寒吐后，腹胀满者，与调胃承气汤。

尤在泾：吐后腹胀满者，邪气不从吐而外散，反因吐而内陷也。然胀形已具，自必攻之使去，而吐后气伤，又不可以大下，故亦宜大黄、甘草、芒硝调之，俾反于利而已。设遇庸工见其胀满，必以枳、朴为急矣。

太阳病，若吐、若下、若发汗后，微烦，小便数，大便因硬者，与小承气汤和之愈。

程郊倩：吐下汗后而见烦证，征之于大便硬，固非虚烦者比。然烦既微而小便数，当由胃家失润，燥气客之使然，胃虽实，非大实也。和以小承气汤，取其滋液以润肠胃，和也，非攻也。

黄竹斋：吐下则胃及大肠中之实已去，而微烦者，知其小肠尚遗有热邪，而上冲与其合之心也。此与不经吐下而烦属胃者殊矣。

得病二三日，脉弱，无太阳柴胡证，烦躁，心下硬，至四五日，虽能食，以小承气汤少少与，微和之，令小安，至六日，与小承气汤一升。若不大便六七日，小便少者，虽不大便，但初头硬，后必溏，未定成硬，攻之必溏，须小便利，屎定硬，乃可攻之，宜大承气汤。

柯韵伯：得病二三日，尚在三阳之界，其脉弱，恐为无阳之征。无太阳桂枝证，无少阳柴胡证，则病不在表，而烦躁心下硬，是阳邪入阴，病在阳明之里矣，辨阳明之虚实，在能食不能食。若病至四五日，尚能食，则胃中无寒而便硬可知，少与小承气汤微和其胃，令烦躁少安。不竟除之者，以其人脉弱，恐大便之易动故也，扰太阴脉弱，当行大黄、芍药者减之之意。至六日，复与小承气一升。至七日仍不大便，胃家实也。欲知大便之燥硬，既审其能食不能食，又当问其小便之利不利。而能食必大便硬，后不能食，是有燥屎。小便少者，恐津液还入胃中，故虽不能食，初头硬，后必溏。小便利者，胃必实，屎定硬，乃可攻之。所以然者，脉弱是太阳中风，能食是阳明中风，非七日后不敢下者，以此为风也，须过经乃可下之，下之若早，语言必乱，正谓此也。

伤寒六七日，目中不了了，睛不和，无表里证，大便难，身微热者，此为实也，急下之，宜大承气汤。

张令韶：此言阳明悍热为病，是当急下，又不可拘于小便利而后下之也。《灵枢·动输》云：胃气上注于肺，其悍气上冲头者，循咽，上走空窍，循眼系，入络脑，出顑，下客主人，循牙车，合阳明，并下人迎。此卫气别走于阳明者也。故阴阳上下，其动也若一。伤寒六七日，一经已周也。目中不了了，睛不和者，悍热之气别走阳明，上循空窍，不在表而亦不在里也。唯其无里证，故大便难而不硬。唯其无表证，故身微热而不大热。此悍气为病，故为实也。急以大承气下之，以救其阴，缓则水津竭，阴津亡，下亦无及矣。

阳明病，发热汗多者，急下之，宜大承气汤。

程郊倩：发热而复汗多，阳气大蒸于外，虑阴液暴亡于中，虽无内实之兼证，宜急下之以大承气汤矣。此等之下，皆为救阴而设，不在夺实，夺实之下可缓，救阴之下不可缓。不急下防成五实，《经》曰：五实者死。

发汗不解，腹满痛者，急下之，宜大承气汤。

张隐庵：此言悍气之在腹者，急下之。《灵枢·卫气》曰：气在头者，止之于脑，气在腹者，止之背俞。与冲脉于脐左右之动脉，言胃之悍气上从头脑，而下至于脐腹，复从气街而外出于皮肤。发汗不解，腹满痛者，言悍热之邪不从皮肤之汗解，而留于脐腹之间，不能下出于气街而满痛者，急下之，若不急下，脐筑湫痛，命将难全矣。

喻嘉言：少阴经有急下三法以救肾水，一本经水竭，一木邪涌水，一土邪凌水。而阳明经亦有急下三法以救津液，一汗多津越于外，一腹满津竭于内，一目睛不慧，津枯于中。合两经下法以观病情生理，恍觉身在冰壶腹饮上池矣。

腹满不减，减不足言，当下之，宜大承气汤。

张令韶：承上文而言腹满痛者，固宜急下，若不痛而满，即满亦不减，即减亦不足言其减者，虽不甚急，亦当下之。以其病阳明之悍气，而非病阳明之本气，非下不足以济之也。又曰：阳明有胃气，有燥气，有悍气。悍气者，别走阳明，而下循于脐腹。《素问·痹论》云：卫气者，水谷之悍气也。其气慓疾滑利，不入于脉，循皮肤之中，分肉之间，熏于肓膜，散于胸腹。目中不了了，睛不和者，上走空窍也。发热汗多者，循皮肤分肉之间也。腹满痛者，熏肓膜而散胸腹也。慓悍之气伤人甚捷，非若阳明燥实之证内归中土，无所复传，可以缓治也。故下一急字，有急不容待之意焉。

伤寒腹满，按之不痛者，为虚；痛者为实，当下之，舌黄未下者，下之黄自去，宜大承气汤。

黄竹斋：原本无此节，今从《玉函经》补入。《金匮要略》“伤寒”作“病者”。

沈明宗：此以手按辨腹满虚实也。按之不痛，内无痰食，燥屎壅滞，即知虚寒而满，当以温药。若按之痛，乃以外手而就内结食痰燥屎，则知内实，是可下之。而又以舌黄验定虚实，若舌有黄苔，即是湿热内蒸，为未经下过，必须下之则黄自去，而胀满自除；舌无黄苔，是近虚寒又非下法矣。

阳明少阳合病，必下利，其脉不负者为顺也；负者，失也。互相克责宋本、湘古本作“互相克贼”，**名为负也。脉滑而数者，有宿食也，当下之，宜大承气汤。**

程郊倩：阳明少明合病之证，必见下利，以土中乘木疏泄之令，妄行于阳明也。见滑数之脉，为不负为顺；见弦直之脉，为负为失。以证已下利而脉中更见木邪，证脉互相克贼，胃气虚而土败，故名为负。若见滑数，是为水谷有余之诊，缘食入于胃，散精于肝，淫气于筋，土邪盛而无木制，反不能输化水谷，以致宿食留中。通因通用，宜大承气汤平其敦阜矣。

病人无表里证，发热七八日，虽脉浮数者，可下之。假令已下，脉数不解，合热则消谷善饥，至六七日不大便者，有瘀血也，宜抵当汤。若脉数不解，而下利不止，必协热便脓血也。

尤在泾：无表里证，无头痛恶寒，而又无腹满谵语等证也。发热七八日，而无太阳表证，知其热盛于内，而气蒸于外也。脉虽浮数，亦可下之，以除其热，令身热去，脉数解则愈。假令已下，脉浮去而数不解，知其热不在气而在血也；热在血则必病于血，其变亦有二。合犹并也，言热气并于胃为消谷善饥。至六七日不大便者，其血必蓄于中。若不并于胃而下利不止者，其血必走于下。蓄于中者，为有瘀血，宜抵当汤。结者散之，亦留者攻之也。走于下者，为协热而便脓血，则但宜入血清热而已。

伤寒发汗已，身目为黄，所以然者，以寒湿在里，不解故也。不可汗也宋本、湘古本作“不可下”，**当于寒湿中求之。**

汪苓友：伤寒发汗已，热气外越，何由发黄！今者发汗已，身目为黄，所以然者，以其人在里素有寒湿，在表又中寒邪，发汗已，在表之寒邪虽去，在里之寒湿未除，故云不解也。且汗为阳液，乃中焦阴气所化，汗后中气愈虚，寒湿愈滞，脾胃受寒湿所伤而色见于外。此与湿热发黄不同，故云不可下。或问云：湿夹热则郁蒸，故发黄，今夹寒，何以发黄？余答云：寒湿发黄，譬之秋冬阴雨，草木不应黄者亦黄，此冷黄也。

王海藏：阴黄其证身冷汗出，脉沉，身如熏表，色黯，终不阳黄之明如橘子色。治法：小便利者，术附汤；小便不利，大便反快者，五苓散。

陈修园：此章论阳明之热合太阴之湿，而为发黄证。

伤寒七八日，身黄如橘子色，小便不利，腹微满者，茵陈蒿汤主之。

成无己：当热甚之时，身黄如橘子色，是热毒发泄于外。《内经》曰：膀胱者，津液藏焉，气化则能出。小便不利，小腹满者，热气甚于外，而津液不得下行也。与茵陈汤，利小便，退黄逐热。

喻嘉言：黄色鲜明，其为三阳之热邪无疑。小便不利，腹微满，乃湿家之本证，不得因此指为伤寒之里证也。方中用大黄者，取佐茵陈、栀子，建驱湿除热之功以利小便，非用下也。

伤寒身黄发热者，栀子柏皮汤主之。

尤在泾：此热瘀而未实之证，热瘀故身黄，热未实故发热而腹不满。栀子彻热于上，柏皮清热于下，而中未实，故须甘草以和之耳。

《金鉴》：伤寒身黄发热者，设有无汗之表，宜用麻黄连轺赤小豆汤汗之可也；若有成实之里，宜用茵陈蒿汤下之可也。今外无可汗之表证，内无可下之里证，故唯宜以栀子柏皮汤清之也。

栀子柏皮汤方

栀子十五枚（擘）　甘草一两（炙）　黄柏二两

上三味，以水四升，煮取一升半，去滓，分温再服。

钱天来：栀子苦寒，泻三焦火，除胃热，时疾黄病，通小便，治心烦懊侬，郁热结气；柏皮苦寒，治五脏肠胃中结热黄疸，故用之以泻热邪；又恐苦寒伤胃，故以甘草和胃保脾，而为调剂之妙也。

柯韵伯：栀、柏、甘草皆色黄而质润，栀子以治内烦，柏皮以治外热，甘草以和中气，形色之病，仍假形色以通之。神乎神矣。

《肘后方》：此药亦治温病发黄。

伤寒瘀热在里，其身必黄，麻黄连轺（即连翘根）赤小豆汤主之。

程郊倩：凡伤寒瘀热在里者，由湿蒸而来，故身必发黄。此之瘀热未深，只从表一边开其郁滞，而散热除湿佐以获效，麻黄连轺赤小豆汤是其主也。

张令韶：太阳之发黄，乃太阳之标热下合太阴之湿气。阳明之发黄，亦阳明之燥热内合太阴之湿化。若止病本气而不合太阴，俱不发黄。故曰：太阴者，身当发黄，若小便自利者，不能发黄也。

麻黄连轺赤小豆汤方

麻黄二两　连轺二两　杏仁四十个（去皮尖）　赤小豆一升　大枣十二枚（擘）　生梓白皮一斤（切）　生姜一两（切）　甘草二两（炙）

上八味，以潦水一斗，先煮麻黄再沸，去上沫，内诸药，煮取三升，去滓。分温三服，半日服尽。

徐灵胎：连轺即连翘根，气味相近，今人不采，即以连翘代可也。

张路玉：《伤寒论》瘀热在里而发黄有二方，茵陈蒿汤治瘀热在里不得发越，而头汗身黄，故用茵陈、栀子、大黄引之下泄。此治伤寒之邪失于表散，或汗之不彻，瘀热在里而身发黄，故借用麻黄汤法，于中减却桂枝，增入连翘、梓皮、赤小豆清热利水，生姜、大枣开发肌腠，使湿热之气半从元府而解，半从渗道而解。不可泥词害义，以为瘀热在里，反用表药致惑也。

唐容川：麻黄、杏仁发皮毛以散水于外，用梓白皮以利水于内，此三味是去水分之瘀热也。连翘散血分之热，赤豆疏血分之结，此二味是去血分之瘀热也。尤必用甘、枣、生姜宣胃气，协诸药使达于肌肉。妙在潦水是云雨既解之水，用以解水火之蒸郁，为切当也。

尤在泾：茵陈蒿汤是下热之剂，栀子柏皮汤是清热之剂，麻黄连轺赤小豆汤是散热之剂。

阳明病，身热不能食，食则头眩，心胸不安，久久发黄，此名谷疸，茵陈蒿汤主之。

魏念庭：谷疸之为病，寒热不食，此寒热因内发外，与表邪无涉也。故食即头眩，心胸不安，知为内伤，非外感也。久久内蕴酿而热与湿相搏，面目身体发黄，又不同于风寒外袭内涸，因变热之速而发黄之捷也。主之以茵陈蒿汤，湿盛则除，热盛则清之义也。服后以小便利，溺如皂角汁状，色正赤，腹减黄退为度也。

阳明病，身热发黄，心中懊侬，或热痛，因于酒食者，此名酒疸，栀子大黄汤主之。

赵以德：酒热内结，心神昏乱作懊侬，甚则热痛。栀子、香豉皆能治心中懊侬，大黄荡涤实热，枳实破结逐停去宿积也。《伤寒论》：阳明病无汗，小便不利，心中懊侬者，身必发黄。是知热甚于内者，皆能成是病，非独酒也。

栀子大黄汤方

栀子十四枚　大黄一两　枳实五枚　豉一升

上四味，以水六升，煮取三升，去滓。温服一升，日三服。

尤在泾：栀子、淡豉彻热于上，枳实、大黄除实于中，亦上下分消之法也。

张路玉：此即枳实栀子豉汤之变名也。大病后劳复发热，服枳实栀子豉三味复令微汗，使余热从外而解。若有宿食则加大黄，从内而解。此治酒疸之脉沉弦者，用此以下之。其脉浮当先吐者，则用栀子豉汤，可不言而喻矣。

酒疸心中热，欲吐者，吐之愈。此节从《金匮要略》补入。

黄坤载：酒疸心中烦热，欲作呕吐者，吐之则愈。缘其湿热郁蒸，化生败浊，浊气熏心故欲作吐，吐其腐败则恶心呕哕止矣。

酒黄疸者，或无热，靖言了了，腹满欲吐，鼻燥；其脉浮者先吐之，沉弦者先下之。此节亦从《金匮要略》补入。

尤在泾：酒黄疸者，心中必热，或亦有不热，靖言了了者，则其热不聚于心中，而或从下积为腹满，或从上冲为欲吐、鼻燥也。腹满者可下之，欲吐者可因其势而越之，既腹满且欲吐，则可下亦可吐。热必审其脉浮者，邪近上宜先吐；脉沉弦者则邪近下，宜先下也。

阳明病，身黄，津液枯燥，色暗不明者，此热入于血分也，猪膏发煎主之。

赵以德：《伤寒类要》云：男子、女人黄疸，饮食不消，胃中胀热生黄衣、胃中有燥屎使然，猪脂煎服则愈。因明此方乃治血燥者也。诸黄所感之邪、所变之脏虽不同，然至郁成湿热则悉干于脾胃。胃之阳明经更属于肺金，金主燥，若湿热胜则愈变枯涩，血愈耗干，故诸黄起于血燥者皆得用之。考之本草，猪脂利血脉，解风热，润肺瘘热毒，五疸身肿不得卧者，非燥之在上欤？胃中黄衣干屎，非燥之在中欤？小腹满，小便难，非燥之在下欤？三焦之燥，皆将猪脂润之。而燥在下，小便难者，又须乱发消瘀开关格，利水道，故用为佐。此与硝石矾石散同治膀胱小腹满之血病，然一以除热去瘀，一以润燥。矾石之性燥走血，安可治血燥乎。又太阳证，身尽黄，脉沉结，小便自利，其人如狂者，血证谛也，抵当汤主之，乃重剂也；此则治血燥之轻剂也。

猪膏发煎方

猪膏半斤　乱发如鸡子大三枚

上二味，和膏煎之，发消药成，分再服。病从小便出。

徐忠可：此为黄疸之谷气实者设也。仲景于妇人胃气下泄，阴吹而正结者，亦用此方，注曰：此谷气之实也。予友骆天游，黄疸，腹如大鼓，百药不效，用猪膏四两，发灰四两，一剂而愈，仲景岂欺我哉！

诸黄，瓜蒂散主之。此节依涪古本补，《金匮要略》附方作“瓜蒂汤，治诸黄”。

赵以德：古方多用此治黄，或作散，或吹鼻，皆取黄水为效。此治水饮郁热在膈上者，何也？盖瓜蒂吐剂也。《内经》曰：在上者因而越之。仲景云：湿家，身上疼而黄，内药鼻中。是亦邪浅之故也。

瓜蒂散方 见太阳病下篇

《本事方》：一舟艄病伤寒发黄，鼻内酸痛，身与目如金，小便赤而数，大便如金。或者欲行茵陈五苓，予曰：非其治也。小便和，大便如常，则知病不在脏腑。今眼睛疼，鼻頞痛，是病在清道中，华盖肺之经也，若下大黄则必腹胀为逆。用瓜蒂散，先饮水，次搐之，鼻中黄水尽乃愈。

黄疸腹满，小便不利而赤，自汗出，此为表和里实，当下之，宜大黄硝石汤。

李珥臣：腹满小便不利而赤，里病也。自汗出，表和也。里病者，湿热内甚，用栀子清上焦湿热，大黄泻中焦湿热，黄柏消下焦湿热，硝石则于苦寒泄热之中而有燥烈发散之意，使药力无所不至而湿热悉清散矣。

张路玉：黄疸最难得汗，自汗则从汗解，故曰此为表和里实。方用大黄、硝石解散在里结血，黄柏专去下焦湿热，栀子轻浮，能使里热从渗道而泄。

大黄硝石汤方

大黄四两　黄柏四两　硝石四两　栀子十五枚

上四味，以水六升，先煮三味取二升，去滓，内硝，更煮取一升，顿服。

魏念庭：大黄硝石汤，为实热内盛者主治也。大黄、黄柏、栀子之苦寒兼用不害，加以硝石引从小便得出。服法，煮后去滓，内硝，更煮者，所以化苦寒之烈性为柔顺，清热邪而不致伤胃阳也。内硝顿服，治湿热必尽除其根，防其复作增剧也。前言下之不出方，此乃宜下者之方也。

诸黄，腹痛而呕者，宜大柴胡汤。

徐忠可：邪高痛下，此少阳证也。是黄虽脾胃之伤，实少阳郁热，故以柴胡汤仍去其本经之邪，此必黄之不甚而未久者也。

大柴胡汤方　见太阳病中篇

黄病，小便色不变，自利，腹满而喘者，不可除热；　除热必哕，哕者，小半夏汤主之。

赵以德：此言黄疸中有真寒假热者，谓内实小便必赤，今色不变加自利，虚寒也。虽腹热能满，虚亦满，实证有喘虚亦喘，误以为热而攻除之，则虚其胃而哕，哕由胃虚而气逆，逆则痰壅，故曰：小半夏汤主之。谓哕非小故，唯姜、半能行痰下逆而调胃，胃调然后消息治之，非小半夏即能治黄疸也。

陈灵石：若中虚发黄者，余每用理中汤、真武汤等，加茵陈蒿多效。

诸黄家，但利其小便，五苓散加茵陈蒿主之。假令脉浮，当以汗解者，宜桂枝加黄芪汤。

赵以德：黄家大约从水湿得之，《经》云：治湿不利小便非其治也。《本草》茵陈治热结黄疸、小便不利，故主之也。茵陈五苓散非徒治湿而已，亦润剂也，此用五苓散佐者，因湿热郁成燥也。然脉浮者，湿不在里而在表，表热乘虚入里，亦作癃闭，故须以脉别之，汗解、攻下，各有所宜也。而攻下之法既有浅深轻重，利小便与发汗之方何独不然乎。是方所主，唯和荣卫，非有发汗峻剂，必表之虚者用之。麻黄连轺赤小豆汤，又是里之虚者用之。

五苓散加茵陈蒿方

即五苓散，加茵陈蒿十分，同末。

陈灵石：五苓散攻专发汗利水，助脾转输，茵陈蒿功专治湿退黄，合五苓散为解郁利湿之用也。盖黄疸病由湿热瘀郁熏蒸成黄，非茵陈蒿推陈致新不足以除热退黄；非五苓散转输利湿不足以发汗利水。二者之用取其表里两解，为治黄之良剂也。

《本事方》：有一人病伤寒七八日，身体洞黄，鼻目皆痛，两髀及项颈腰脊强急，大便涩，小便如金。予曰：脉紧且数，脾元受湿，暑热蕴蓄于太阳之经，宿谷相搏，郁蒸而不得散，故使头面有汗，至颈以下无之，若鼻中气冷，寸口近掌无脉则不疗。急用茵陈汤调五苓散，数服而差。

桂枝加黄芪汤方

桂枝三两　芍药三两　甘草二两（炙）　生姜三两（切）　大枣十二枚（擘）　黄芪二两

上六味，以水八升，煮取三升，去滓。温服一服，日三服。

王肯堂：桂枝加黄芪汤，治黄疸脉浮，而腹中和者宜汗之。若腹满欲呕吐，懊侬而不和者，宜吐之，不宜汗。

诸黄，小便自利者，当以虚劳法，小建中汤主之。

尤在泾：小便利者，不能发黄，以热从小便去也。今小便利而黄不去，知非热病，乃土虚而色外见，宜补中而不可除热者也。不热而寒，不实而虚，则变攻为补，变寒为温，如小建中之法也。

《金鉴》：妇人产后，经崩发黄色者，乃脱血之黄色，非黄疸也。男子黄而小便自利，则知非湿热发黄也。询知其人，必有失血、亡血之故，以致虚黄之色外现。斯时汗下渗利之法，俱不可施，唯当与虚劳失血同治，故以小建中汤调养荣卫，黄自愈矣。

小建中汤方 见太阳病中篇

黄疸病，麻黄醇酒汤主之。依涪古本补，《金匮要略》附方引《千金》。

沈明宗：外感风寒湿热，在表郁而成黄，或脉自浮，当以汗解者，用此一味煮酒，使其彻上彻下，行阳开腠而驱荣分之邪，则黄从表解矣。

陈灵石：麻黄轻清走表，乃气分之药，主无汗表实证。黄疸病不离湿热之邪，用麻黄醇酒汤者，以黄在肌表荣卫之间，非麻黄不能走肌表，非美酒不能通荣卫，故用酒煮，以助麻黄发汗，汗出则荣卫通，而内蕴之邪悉从外解耳。

麻黄醇酒汤方 白本、桂本均无此方

麻黄三两（去节）

上一味，以美清酒五升，煮取二升半，顿服尽。冬月用酒、春月用水煮之。

魏念庭：麻黄醇酒汤治黄疸，为宜汗者补开鬼门之法也。冬月用酒，春月用水，防其春温助热也。然要不外仲景除湿清热之旨。

《千金方》：治伤寒热出表发黄疸方：麻黄三两，以醇酒五升，煮取一升半，尽服之。温复汗出即愈。冬月寒时用清酒，春月宜用水。

《三因方》：麻黄醇酒治伤寒瘀血不解，郁发于表为黄疸。其脉浮紧者，以汗解之。

阳明病腹满，小便不利，舌萎黄燥，不得眠者，此属黄家。

赵以德：瘀热内积，为腹满。舌痿黄燥者，心脾脉络舌上下，凡舌本黄燥，即是内热，况舌痿乎？湿热结积，虽不行于肌表，然已见于舌。身热气烦，血少荣微，夜不入

阴，故不睡。属黄家者，其虽不似黄疸之黄，亦由积渐所致也。

黄疸病，当以十八日为期，治之十日以上差，反剧者为难治。

尤在泾：土无定位，寄旺于四季之末各十八日。黄者，土气也，内伤于脾，故即以土旺之数为黄病之期，盖谓十八日脾气至而虚者当复，即实者亦当通也。治之十日以上差者，邪浅而正胜之则易治，否则邪反胜正而增剧，所谓病胜脏者也，故难治。

夫病脉沉，渴欲饮水，小便不利者，后必发黄。

《金鉴》：脉沉主里也。渴欲饮水，热瘀也。小便不利，湿郁也。热瘀湿郁于里，故发黄也。脉浮，发黄是得之于外因也；脉沉，发黄是得之于内因也。故治黄有汗、下二法也。

疸而渴者，其疸难治；疸而不渴者，其疸可治。发于阴部，其人必呕；阳部，其人振寒而发热也。此节依《金匮要略》补。

沈明宗：此言表病易治，里病难治也。胃中湿热蒸越皮肤则一身尽黄，虽发于外，当以表里阴阳辨证，则知可治与难治。若疸而渴者，邪虽外越，胃中湿热半居于内，耗竭津液则渴，津枯血燥，阳火亢极，表里皆邪，故曰难治。不渴者，热邪一发，尽越于表，里无余蕴，一解表而即散，故曰可治。然邪在胸膈胃腑之里为发阴部，内逆上冲，其人必呕。其邪尽发皮壳之表为阳部，乃太阳所主，故振寒而发热也。

陈修园：此以渴不渴别疸之难治可治。以呕与寒热辨黄之在表在里也。

趺阳脉微而弦，法当腹满，若不满者，必大便难，两胠疼痛，此为虚寒，当温之，宜吴茱萸汤。

喻嘉言：趺阳脾胃之脉而见微弦，为厥阴肝木所侵侮，其阴气横聚于腹，法当胀满有加。设其不满，阴邪必转攻而决无轻散之理。盖阴邪既聚，不温必不散，阴邪不散，其阴窍必不通，故知其便必难，势必逆攻两胠，而致疼痛，较腹满更进一步也。虚寒之气从下而上，由腹而胠，才见一斑，亟以温药服之，俾阴气仍从阴窍走散，而不至上攻则善矣。

黄竹斋：吴茱萸汤不特温胃散寒，且平肝气之上逆也。

夫病人腹痛绕脐，此为阳明风冷，谷气不行，若反下之，其气必冲；若不冲者，心下则痞，当温之，宜理中汤。

周禹载：脐位乎阴，绕之而痛，必有所闷而不通者，或风或冷，其有袭之者矣。风冷既入，则必阳不盛，阳既不盛，孰为消腐水谷治之者，必以辛温之味鼓散其邪，庶几可也。乃反以寒药下之，则其邪必不服，犹之太阳反下其气上冲也。经谓气上冲胸，邪在大肠；若不上冲，则其邪尚在于胃。经又谓客气上逆，而心下痞也。

理中汤方 见霍乱篇

阳明病，发热十余日，脉浮而数，腹满，饮食如故者，厚朴七物汤主之。

周禹载：此有里复有表之证也。腹满而能饮食，亦热邪杀谷之义，发热，脉浮数，此表邪正炽之时，故以小承气治其里，桂枝去芍药以解其表，内外两解，涣然冰释，即大柴胡之意也。以表见太阳，故用桂枝耳。

厚朴七物汤方

厚朴半斤　甘草三两（炙）　大黄三两　枳实五枚　桂枝二两　生姜五两　大枣十枚

上七味，以水一斗，煮取四升，去滓。温服八合，日三服。

张路玉：腹满者，邪气入于里也。发热者，阳气达于外也。虽病经十日而脉浮数，邪犹未全入里，况能食，以证胃气之有权，故用小承气合桂枝去芍药汤两解表里之法，较之桂枝加大黄汤多枳朴而少芍药，以枳朴专泄壅滞之气故用之，芍药专收耗散之阴，此腹但满而不痛，与阴血无预故去之。

痛而闭者，厚朴三物汤主之。此节从《金匮要略》补。《脉经》作“腹满痛”。

尤在泾：痛而闭，六腑之气不行矣。厚朴三物汤与小承气同，但承气意在荡实，故君大黄，三物意在行气，故君厚朴。

厚朴三物汤方

厚朴八两　大黄四两　枳实五枚

上三味，以水一斗二升，先煮二味取五升，内大黄煮取三升，去滓，温服一升。以利为度。

张路玉：痛而闭塞，无雷鸣、呕逆之证者，为实当下之。即用小承气倍厚朴而易其名，以其无亢极之火，故不用承气二字，与理中汤之易名人参汤一义。

陈灵石：此方不减大黄者，以行气必先通便，便通则肠胃畅而腑脏气通，通则不痛也。

按之心下满痛，有潮热者，此为实也，当下之，宜大柴胡汤。此节依涪古本补。《金匮要略》脱“有潮热”三字。

尤在泾：按之而满痛者，为有形之实邪，实则可下。而心下满痛则结处尚高，与腹中满痛不同，故不宜大承气而宜大柴胡。承气独主里实，柴胡兼通阳痹也。

阳明病，腹中切痛雷鸣，逆满呕吐者，此虚寒也，附子粳米汤主之。

喻嘉言：腹中阴寒奔迫，上攻胸胁，以及于胃而增呕逆，顷之胃气空虚，邪无所砥，辄入阳位则殆矣。是其除患之机，所重全在胃气，乘其邪初犯胃，尚自能食，而用附子粳米之法温饱其胃，胃气温饱则土厚而邪难上越，胸胁逆满之浊阴，得温无敢留恋，必还从下窍而出，旷然无余，此持危扶颠之手眼也。

尤在泾：下焦浊阴之气，不特肆于阴部，而且逆于阳位，中土虚而堤防撤矣。故以附子辅阳驱阴，半夏降逆止呕，而尤赖粳米、甘、枣培令土厚而使敛阴气也。

徐忠可：此方妙在粳米。鸣而且痛，腹中有寒气也。乃满不在腹而在胸胁，是邪高痛下，寒实从下上，所谓肾虚则寒动于中也，故兼呕逆而不发热。以附子温肾散寒，半夏去呕逆，只用粳米合甘枣调胃建立中气。不用术，恐壅气也。

附子粳米汤方

附子一枚（炮）　半夏半升　甘草一两　大枣十枚　粳米半升

右五味，以水八升，煮米熟汤成，去滓。温服一升，日三服。

阳明病，腹中寒痛，呕不能食，有物突起，如见头足，痛不可近者，大建中汤主之。

尤在泾：心腹寒痛，呕不能食者，阴寒气盛而中土无权也。上冲皮起，出现有头足，上下痛而不可触近者，阴凝成象，腹中虫物乘之而动也。是宜大建中脏之阳以胜上逆之阴，故以蜀椒、干姜温胃下虫，人参、饴糖安中益气也。

大建中汤方

蜀椒二合（去目、汗）　干姜四两　人参一两　胶饴一升

上四味，以水四升，先煮三味，取二升，去滓，内胶饴，微火煮取一升半，分温再服。如一炊顷可饮粥二升，后更服，当一日食糜粥，温覆之。

费晋卿：非人参不能大补心脾，非姜椒不能大祛寒气，故名曰大建中。又有饴糖之

甘缓以杀姜椒之辛燥，非圣于医者，不辨有此。

阳明病，腹满、胁下偏痛，发热，其脉弦紧者，当以温药下之，宜大黄附子细辛汤。

尤在泾：胁下偏痛，而脉紧弦，阴寒成聚，偏著一处，虽有发热，亦是阳气被郁所致。是以非温不能已其寒，非下不能去其结，故曰：宜以温药下之。

魏念庭：经云肝主司泄，开窍于两阴，胁下痛而便闭，其脉紧弦者，乃肝家寒热之邪结不通也，故用大黄附子细辛等，寒热并济以和之。此发热或有形之物积在肠胃，而皮肤热作，故在可下之例，未必为假热之证。

大黄附子细辛汤方

大黄三两　附子三两（炮）　细辛二两

上三味，以水五升，煮取二升，去滓。分温三服，一服后，如人行四五里，再进一服。

程氏：大黄苦寒，走而不守，得附子细辛之大热，则寒性散而走泄之性存是也。

徐忠可：附子、细辛与大黄合用，并行而不悖，此即大黄附子泻心汤之法也。

《衷中参西录》：大黄附子细辛汤为开结良方，愚尝用之，以治肠结腹疼而甚效。

问曰：阳明宿食，何以别之？师曰：寸口脉浮而大，按之反涩，尺中亦微而涩，故知其有宿食也。大承气汤主之。

章虚谷：脉浮而大，本阳明之病脉也，以兼宿食里结，故按之反涩。尺中者，下焦之气也，食滞肠胃，下焦气不宣通，故脉微涩。

徐灵胎：有食而反微涩，此气结不通之故。

《巢氏病源》：宿食不消候：宿谷未消，新谷又入，脾气既弱，故不能磨之，则经宿而不消也，令人腹胀气急，噫气醋臭，时复憎寒壮热是也。

寸口脉数而滑者，此为有宿食也。

魏念庭：滑与涩相反，何以俱为实宜下？滑者涩之浅而实邪欲成未成者，涩者滑之深而实邪已成者，故不论为滑为涩，兼大而见，则有物积聚，宜施攻治无二理也。

下利，不欲食者，此为有宿食也。

程郊倩：伤食恶食，故不欲食，与不能食者自别。下利有此，更无别样虚证，知非三阴之下利，而为宿食之下利也，故当下之。

脉紧如转索，此为有宿食也。

尤在泾：脉紧如转索者，紧中兼有滑象，不似风寒外感之紧为紧而带弦也。故寒气所束者，紧而不移；食气所发者，乍紧乍滑，如以指转索之状。

脉紧，腹中痛，恶风寒者，此为有宿食也。

李珥臣：此脉与证似伤寒，而非伤寒者，以身不痛，腰脊不强故也。然脉紧亦有辨浮而紧者为伤寒，沉而紧者为伤食。

宿食在上脘者，法当吐之，宜瓜蒂散。

《金鉴》：胃有三脘，宿食在上脘者，膈间痛而吐，可吐不可下也；在中脘者，心中痛而吐，或痛不吐，可吐可下也；在下脘者，脐上痛而不吐，不可吐可下也。今食在上脘，故当以瓜蒂散吐之也。

《东垣试效方》：若有宿食而烦者，仲景以栀子大黄汤主之。气口三盛，则食伤太阴，填塞闷乱，极则心胃大疼，兀兀欲吐，得吐则已，俗呼食迷风是也。

第五节　辨少阳病脉证并治

少阳之为病，口苦、咽干、目眩是也。

陈修园：此节为少阳证之提纲，主少阳之气化而言也。《内经》云：少阳之上，相火主之，苦从火化，火胜则干，故口苦咽干。

柯韵伯：太阳主表，头项强痛为提纲，阳明主里，胃家实为提纲，少阳居半表半里之位，仲景特揭口苦、咽干、目眩为提纲。盖口、咽、目三者，不可谓之表，又不可谓之里，是表之入里，里之出表处。所谓半表半里也。三者能开能合，恰合枢机之象，故两耳为少阳经络出入之地。苦、干、眩者，皆相火上走空窍而为病也。此病自内之外，人所不知，唯病人独知，诊家所以不可无问法，三证为少阳一经病机，兼风寒杂病而言，但见一证即是，不必悉具。

黄竹斋：少阳者，皮腠里，脏腑外，连网三焦之符语，满布全身之空隙，而司半表半里者也。其致病之因，必间接于太阳或阳明之转属；或由口鼻直接之传入。然邪之至少阳，无不郁而化热，致三焦腠理干燥者。其为病郁热于阳明之里，致肝气不舒，热蒸胆液随胃气而上逆，故口苦；津液受灼，不达于上，则咽干；脏腑郁热，致元真不荣于目，而虚火上熏，故目眩。《内经》云：少阳为枢。又云，少阳之上，相火主之。三证皆少阳之气化太过，虚火上炎而枢机失和之病也。

少阳中风，两耳无所闻，目赤，胸中满而烦者，不可吐下，吐下则悸而惊。

尤在泾：此少阳自中风邪之证，不从太阳传来者也。少阳之脉，起于目锐眦，其支从目后入耳中，以下胸中，少阳受邪，壅热于经，故耳聋、目赤，胸中满而烦也，是不在表，故不可吐，复不在里，故不可下，吐则伤阳，阳虚而气弱则悸，下则伤阴，阴虚而火动则惊。

唐容川：胸中满句，最是少阳关键处。胸前有膈，膈膜上循腔子为胸中，此膈膜连于心包而附近胃中。邪在膈膜中，故胸中满；僭入心包故心烦。此在膜中，不在胃中，故不可吐下。若吐下伤胃之阳，则膀胱水气上凌而悸；伤胃之阴，则心包之火，飞越而惊。

伤寒，脉弦细，头痛发热者，属少阳，不可发汗；发汗则谵语，烦躁，此属胃不和也，和之则愈。

尤在泾：《经》曰少阳之至，其脉弦。故头痛，发热者，三阳表证所同，而脉弦细则少阳所独也。少阳经兼半里，热气已动，是以不可发汗；发汗则津液外亡，胃中干燥，必发谵语。云此属胃者，谓少阳邪气并于阳明胃腑也。若邪去而胃和则愈。

王肯堂：凡头痛、发热俱为在表，唯此头痛、发热为少阳者，以其脉弦细故知邪入少阳之界也。可汗不可汗，当以此为法。又曰：此少阳阳明，宜重则小承气，轻则大柴胡。盖少阳不可下，阳明不可不下，故与小承气，少少与之，取微利也。成氏以调胃承气主之，误矣。调胃承气，太阳阳明药也。不可不审。

陈修园：此言少阳自受之寒邪，戒其不可发汗也。合上节所谓少阳有汗、吐、下三禁是也。汉文辞短意长，读者当以互文见意。

吴绶：少阳经头痛，头角或耳中痛，脉弦数，口苦，发热，往来寒热者，不分有汗无汗，并用小柴胡汤和之。

本太阳病，不解，转入少阳者，胁下硬满，干呕不能食，往来寒热，脉沉弦者，不可吐下，与小柴胡汤。

张隐庵：此太阳受病，而转入少阳也。胁下者，少阳所主之分部，病入少阳，枢转不得，故胁下硬满。干呕、不能食者，上下之气不和也。往来寒热者，开阖之机不利也。如吐下而脉沉紧则病入于阴，今尚未吐下，中土不虚，脉沉弦者，乃太阳本寒，内与少阳火热相搏，故与小柴胡汤从枢转而达太阳之气于外也。

黄竹斋：少阳证所以胁下硬满者，胁下为肝脾二脏，其中为腹，肠胃在焉。邪在腑则行，在脏则留故也。以上三节，首节胸中满，邪在上焦也；次节胃不和，邪在中焦也；本节胁下硬满，脉沉弦，邪在下焦也。而小柴胡汤可以通治之者，以上焦得通，津液得下，胃气因和，是其效用也。

小柴胡汤方　见太阳病中篇

少阳病，气上逆，令胁下痛，甚则呕逆，此为胆气不降也。柴胡芍药枳实甘草汤主之。

刘昆湘：亦示少阳腑邪上逆之证，曰：少阳病，气上逆，令胁下痛，痛甚则呕逆者，明胆阳以两胁为升降之道路，其气则布于三焦，其液则游于络脉。凡脏腑之生化皆以气为用，以液为体。气无质则无所生，质无气则无所用；质以生气，气以使质。六腑之气，行于脉外，为五脏之外卫，故曰：六腑者，传化物而不藏。唯胆藏精汁，是为奇恒之府。故其气内畅心荣，外疏肝络，常并脉而行。卫气逆则荣郁而不通，不通则真邪相攻。神伤为痛，胆气不得通降，必内陷而上溢于胃，故令呕逆不止。所以然者，以少阳气上逆，胆腑不降故也。《经》曰：胆气溢则口苦，胃气逆则呕苦，名曰呕胆，宜柴胡芍药枳实甘草汤主之。柴胡疏胆，芍药平肝，枳实下气，甘草和中也。

柴胡芍药枳实甘草汤方 见伤风篇

若已吐、下、发汗、温针，谵语，柴胡汤证罢者，此为坏证。知犯何逆，以法救之，柴胡汤不中与也。

张隐庵：此总结上文之意。夫少阳不可吐下，吐下则悸而惊；少阳不可发汗，发汗则谵语。若已吐、下、发汗，则温针谵语，夫温针者，惊也。本论云：太阳伤寒，加温针必惊。夫惊而谵语，病非少阳。如柴胡汤证罢者，此为里虚自败之病。知犯何逆，随其病之所在而以法治之。又不可与小柴胡汤。所以结上文三节之意也。

陈修园：此言已犯吐、下、发汗之禁，当审其救治之法也。补出温针，见温针虽不常用，而其为祸更烈也。时医辄用火灸，更以人命为戏矣。

三阳合病，脉浮大，上关上，但欲眠睡，目合则汗，此上焦不通故也，宜小柴胡汤。

成无己：关脉已候少阳之气，太阳之脉浮，阳明之脉大，脉浮大，上关上，知三阳合病。胆热则睡，少阴病但欲眠睡，目合则无汗，以阴不得有汗。但欲眠睡，目合则汗，知三阳合病，胆有热也。

舒驰远：脉浮大，上关上，阳盛之诊也。欲眠睡者，热盛神昏之意也。寒中少阴，但欲寐者，其人恶寒。热盛神昏者，不恶寒，反恶热也。

程郊倩：大为阳明主脉，太阳以其脉合，故浮大上关上，从关部连上寸口也。少阳以其证合，故但欲眠睡，目合则汗。但欲眠为胆热，盗汗为半表里也。当是有汗则主白虎，无汗则主小柴胡汤也。

伤寒四五日，无大热，其人烦躁者，此为阳去入阴故也。

黄竹斋：伤寒三日，三阳为尽，至四五日，正当太阴、少阴主气之期，外无大热，其人烦躁者，是邪由表传里，涉于少阴之候。故曰：此为阳去入阴故也。

柯韵伯：阴者，主里而言。或入太阳之本而热结膀胱；或入阳明之本而胃中干燥；或入少阳之本而胁下硬满，或入太阴而暴烦下利；或入少阴而口燥舌干；或入厥阴而心中疼热。皆入阴之谓。

伤寒三日，三阳为尽，三阴当受邪。其人反能食而不呕者，此为三阴不受邪也。

柯韵伯：三阴受邪病为在里，故邪入太阴则腹满而吐，食不下。邪入少阴，欲吐不吐，邪入厥阴，饥而不欲食，食则吐蛔。所以然者，邪自阴经入脏，脏气实而不能容，则流于腑。腑者胃也。入胃则无所复传，故三阴受邪已入于腑者可下也。若胃阳有余，则能食不呕，可预知三阴之不受邪矣。

陈修园：此言少阳亦有以次而传，与上文互相发明，此当与太阳篇至七日以上自愈者以行其经尽合看，则传经了然。

伤寒三日，少阳脉小者，为欲已也。

张隐庵：此承上文而言，伤寒三日，乃少阳主气之期，若少阳脉小者，小则病退，其病欲已。不但三阴不受邪也。

少阳病，欲解时，从寅至辰上。

张隐庵：日出而阳气微，少阳之所主也。少阳乃阴中之初阳，秉阳春之木气，从寅至辰上，乃寅卯属木，又得少阳气旺之时而病解也。

黄竹斋：三阳病欲解时，皆在日间，魏氏谓乘正旺时如法治之者，如小柴胡汤云，日三服，从寅至戌也。桂枝汤云，半日许令三服尽，从巳至未也。大承气汤云，得下余勿服，不下明日更服，从申至戌也。然证有并合之殊，故诸方之例不必尽同也。少阳居太阳阳明之间，故日三服，历二阳之王时解。

唐容川：少阳之界，出则为阳明太阳，入则为少阴、太阴、厥阴，皆从膜中相通，故各经皆有少阳证。

第六节　辨太阴病脉证并治

太阴之为病，腹满而吐，食不下，自利益甚，时腹自痛，若下之，必胸下结硬。

张隐庵：太阳之气若天日，太阴之气犹地土。此言太阴受病地气不升，而自利自满也。太阴为病腹满者，腹为脾土太阴之所居也。脾气不能上交于胃，故腹满；胃气不能下交于脾，故吐；脾胃之气不相通贯，故食不下；自利益甚者，湿气下注也。时腹自痛者，脾络不通也。若下之则伤阳明胃土之气，故必胸下结硬。

张兼善：夫病自阳经发者，为外感风寒，邪从表入，故太阳先受之也。病自阴经起者，为内伤生冷，饮食过多，故从太阴入也。太阴者脾也，以饮食生冷则伤脾，故腹满而吐食，食不下，自利不渴。手足自温等证也。

程郊倩：腹满而吐，食不下，则满为寒胀，吐与食不下总为寒格也。

尤在泾：太阴之脉入腹，属脾，络胃，上膈夹咽。故其病有腹满而吐，食不下，自利腹痛等证。然太阴为病，不特传经如是，即直中亦如是。且不特伤寒如是，即杂病亦如是。但有属阴属阳，为盛为虚之分耳。

《金鉴》：此太阴病全篇之提纲，后凡称太阴病者，皆指此证而言之。

黄竹斋：太阴与阳明为表里，皆有腹满证，然阳明之腹满为肠胃中有宿食，燥屎，故下之大便利则腹满去。而太阴之腹满为肠胃外郁寒湿，故下利而满仍不除也。此证与霍乱相似，而以腹满别之，盖霍乱为阳明之卒中，此则太阴之慢发也。

太阴中风，四肢烦疼，阳微阴涩而长者，为欲愈。

柯韵伯：风为阳邪，四肢为诸阳之本，脾主四肢，阴气衰少则两阳相搏，故烦疼。脉涩与长不是并见，涩本病脉而转长，病始愈耳。风脉本浮，今而微，知风邪当去。涩则少气、少血，今而长则气治，故愈。四肢烦疼，是中风未愈，前证微涩而长是中风将愈之脉，作两截看。

太阴病，脉浮者，可发汗，宜桂枝汤。

唐容川：太阴病，是指腹满湿气为病也。湿在内，脉当沉，今脉浮者，是湿从外至，仍欲外出之象。故用桂枝汤从中外托，使自油网中而托出肌外以为汗也。

王肯堂：病在太阳，脉浮无汗，宜麻黄汤。此脉浮，盖亦无汗而不言者，谓阴不得有汗，不必言也，不用麻黄汤，而用桂枝汤，盖以三阴兼表病者，俱不当大发汗也。须识无汗，亦有用桂枝汤也。

桂枝汤方　见太阳病上篇

自利不渴者，属太阴，以其脏有寒故也。当温之，宜服理中、四逆辈。

成无己：自利而渴者，属少阴，为寒在下焦。自利不渴者属太阴，为寒在中焦，与四逆等汤以温其脏。

陈修园：以不渴一证认太阴，是辨寒热利之金针，脾不输津于上，亦有渴证，然却不在太阴提纲之内。

伤寒脉浮而缓，手足自温者，系在太阴，太阴当发身黄；若小便自利者，不能发黄，至七八日，虽暴烦下利日十余行，必自止，以脾家实，腐秽当去故也。

张令韶:《经》云：太阴之上，湿气主之，中见阳明。是以不得中见之化，则为脏寒之病。中见太过，湿热相并，又为发黄之证。此太阴之有寒有热也。伤寒脉浮而缓，手足自温者，系在太阴，而中见阳明之化者也。阳明之热合太阴之湿，当发身黄；若小便自利者，湿热得以下泄，不能发黄，至七八日，骤得阳热之化，故暴烦。阴湿在内，故下利。然虽下利日十余行，必当自止。所以然者，以太阴中见热化，脾家实，仓廪之腐秽当去故也。

秦皇士：脉浮阳脉也，脉缓太阴也。上章以自利不渴，定其太阴寒证下利；此章以脉浮手足自温，定其太阴湿热下利。太阴湿热当发身黄，若小便自利不发黄，至七八日，大便结硬，此外传阳明，湿热变燥而为脾约等证。若不外传，而发暴烦下利。虽每日十余行，湿热去尽，必自止而愈。以脾热腐秽当去者也。同一太阴热邪，以湿热系在太阴下利，则入太阴篇；以外传阳明，湿热变燥，大便干结，则入阳明篇，此千古未白。

本太阳病，医反下之，因而腹满时痛者，属太阴也，桂枝加芍药汤主之；大实痛者，桂枝加大黄汤主之。

柯韵伯：妄下后，外不解而腹满时痛，是太阳太阴并病。若大实痛，是太阳阳明并病。此皆因妄下而转属，非太阴阳明之本证也。脾胃同处中宫，位同而职异，太阴主出，太阴病则秽腐气凝不利，故腹时痛，阳明主纳，阳明病则秽腐燥结而不行。故大实而痛。仍主桂枝汤者，因表证未罢而阳邪已陷入太阴，故倍芍药以滋脾阴而除满痛，此用阴和阳法也。若表邪未解而阳邪陷入阳明，则加大黄以润胃燥而除其大实痛，此双解表里法也。凡妄下必伤胃气，胃肠虚即阳邪袭阴，故转属太阴，胃液涸则两阳相搏，故转属阳明。属太阴则腹满时痛而不实，阴道虚也，属阳明则腹大实而痛，阳道实也。满而时痛，下利之兆。大实之痛，是燥屎之征，桂枝加芍药小变建中之剂；桂枝加大黄，微示调胃之方也。

桂枝加芍药汤方

桂枝三两　芍药六两　甘草二两（炙）　生姜三两（切）　大枣十二枚（擘）

上五味，以水七升，煮取三升，去滓。温分三服。

桂枝加大黄汤方

桂枝三两　大黄二两　芍药六两　甘草二两（炙）　生姜三两（切）　大枣十二枚（擘）

上六味，以水七升，煮取三升，去滓，温服一升，日三服。

汪苓友：桂枝加大黄汤仲景虽入太阴例，实则治太阳阳明之药也，与大柴胡汤治少阳阳明证义同。

太阴病，脉弱，其人续自便利，设当行大黄、芍药者，宜减之，以其人胃气弱，易动故也。

程郊倩：前条之行大黄、芍药者，以其病为太阳误下之病，自有浮脉验之，非太阴为病也。若太阴自家为病，则脉不浮而弱矣。纵有腹满、大实痛等证，其来路自是不同，中气虚寒必无阳结之虑，目前虽不便利，只好静以俟之。大黄、芍药之宜行者减之，况其不宜行者乎！诚恐胃阳伤动，则泄泻不止。而心下痞硬之证成，虽复从事于温，所失良多矣。胃气弱对脉弱言，易动对续自便利言。太阴者，至阴也。全凭胃气鼓动为之生化。胃气不衰，脾阴自无邪入，故从太阴为病指出胃气弱来。

喻嘉言：此段叮咛与阳明篇中互发。阳明曰不转矢气，曰先硬后溏，曰未定成硬，皆是恐伤太阴脾气。此太阴证而脉弱便利，减用大黄、芍药，又是恐伤阳明胃气也。

太阴病，大便反硬，腹中胀满者，此脾气不转也，宜白术枳实干姜白蜜汤。若不胀满，反短气者，黄芪五物汤加干姜半夏主之。

刘昆湘：此示阴结便硬之证，复有津凝气结，气虚津陷之异。曰太阴病，大便反硬，腹中胀满，颇似胃实之象，但满而不痛，实而不热，且非伤寒传变之证。此脾家之自病也。胃气虚逆，则津不下行，脾气不濡，则肠结不润。此由气郁不能散津，宜白术枳实干姜白蜜汤主之。白术以散脾精，干姜以温胃阳，枳实以降气结，白蜜以滋肠燥，胃阳转运，气布津行，脾复转输之常，则胀满自和。而大便之硬亦解。若不胀满短气，此为脾气陷脉，当下坠，宜黄芪五物汤加干姜、半夏主之。虽云脾气下陷，实手足太阴之气俱陷，故上则气短、下则便硬。此由气虚津陷，脾阳不能上运，肺气失于下交。肺与大肠相表里，气陷则糟粕不转，故见短气便难之候。黄芪五物汤即桂枝汤去甘草，加黄芪。黄芪以升气陷，桂、芍以建荣郁，生姜、大枣宣胃补中。干姜、半夏温脾降逆，大气一转，液道自通，而短气便硬诸证解矣。假令津枯肠燥而脾约便难，又非本方所宜也。

白术枳实干姜白蜜汤方

白术三两　枳实一两半　干姜一两　白蜜二两

上四味，以水六升，先煮三味取三升，去滓，内白蜜烊消。温服一升，日三服。

黄芪五物加干姜半夏汤方

黄芪三两　桂枝三两　芍药三两　生姜六两（切）　大枣十二枚（擘）　干姜三两　半夏半升（洗）

上七味，以水一斗，煮取五升，去滓，再煎取三升，分温三服。

太阴病，渴欲饮水，饮水即吐者，此为水在膈上，宜半夏茯苓汤。

刘昆湘：此手足太阴俱病，肺燥脾寒之证，脾寒则津不输，肺燥则渴欲饮水。证由胃阳内衰，中焦失如沤之化，水下入肠不纳，故令饮水即吐。以纳精之用在脾，化气之功在胃，胃不消水，由于脾不纳津，太阴不开，因令阳明不降；脾精不上散于肺，则肺燥而津干；肺气不下通于肾，则气停而水积。方用干姜、半夏温脾降逆，泽泻、茯苓清燥利水，寒热并行而上燥下寒俱解，水能化气而渴亦自愈。

注：湘古本泽泻作竹茹，今依本论改正。

半夏茯苓汤方

半夏一升　茯苓四两　泽泻二两　干姜一两

上四味，以水四升，煮取二升，去滓，分温再服，小便利则愈。

太阴病，下利口渴，脉虚而微数者，此津液伤也，宜人参白术芍药甘草汤。

刘昆湘：此示脾津内竭之证。太阴为病，当自利不渴，今下利口渴，故知脾阴之内亡也。脉虚而微数者，此津液伤也。阴竭则阳不内秘，气泄则精不上散，故口渴下利。方用人参、白术救精气之脱，以运脾阳；芍药、甘草缓中府之急专滋脾液。不用辛温燥烈之剂者，恐阴尽而阳亦随亡也。

注：湘古本证有发热汗出，方作人参白术生姜大枣甘草饴胶汤。今依本论改正。

人参白术芍药甘草汤方

人参三两　白术三两　芍药二两　甘草二两（炙）

上四味，以水五升，煮取三升，去滓，温服一升，日三服。

太阴病，不下利吐逆，但苦腹大而胀者，此脾气实也，厚朴四物汤主之。

刘昆湘：此示脾实气结之证。不下利，则为病不在二肠；不吐逆，则病不在胃脘。大腹为太阴脾气运化之所，但苦腹大而胀，无痛满拒按，燥屎内结极欲吐下之情，知非胃实，乃脾络横塞而气结也。故主治皆用攻邪之剂，枳、朴以降气结，橘、夏通液道之阻。

注：湘古本橘皮作知母，今依本论改正。

厚朴四物汤方

厚朴二两（炙）　枳实三枚（炙）　半夏半升（洗）　橘皮一两

上四味，以水五升，煮取三升，去滓，温服一服，日三服。

太阴病，不吐、不满，但遗矢无度者，虚故也。理中加黄芪汤主之。

黄竹斋：此节言脾阳内衰，中气下陷之证治。邪不逆于胃腑，故不吐；气不郁于中焦，故不满。但遗矢无度者，乃脾阳内衰，中气下陷之故。用理中汤以补脾阳之虚，加黄芪以升中气之陷。

理中加黄芪汤方

人参三两　白术三两　干姜三两　甘草三两（炙）　黄芪三两

上五味，以水八升，煮取三升，去滓，温服一升，日三服。

太阳病，欲吐不吐，下利时甚时疏，脉浮涩者，桂枝去芍药加茯苓白术汤主之。

黄竹斋：此节言太阴中风，以致下利之证治。病在脾，不在胃，故欲吐不吐，本气之湿挟风下注二肠，故下利时甚时疏。用桂枝汤者，以脉浮为风邪外鼓之象。去芍药者，以按之涩，为血少而湿气内郁；故加苓术，健脾渗湿止利也。

桂枝去芍药加茯苓白术汤方

桂枝三两 甘草二两（炙） 茯苓三两 白术三两 生姜二两（切） 大枣十二枚（擘）

上六味，以水八升，煮取三升，去滓，温服一升，日三服。

太阴病，吐逆，腹中冷痛，雷鸣下利，脉沉紧者，小柴胡加茯苓白术汤主之。

黄竹斋：此节言太阴中寒，以致三焦不和之证治。吐逆者，上焦不和也；腹中冷痛，中焦不和也；雷鸣下利，下焦不和也。以脉沉紧，有弦象，知里不虚。故用小柴胡汤以调和三焦之气，加茯苓白术，温脾除湿，以止下利。此与甘草泻心汤证，其人下利日数十行，谷不化，腹中雷鸣，干呕相似。唯心下不痞硬，故用柴胡汤而不用泻心也。

小柴胡加茯苓白术汤方

柴胡半斤 黄芩三两 人参三两 半夏半升（洗） 甘草三两（炙） 生姜三两（切） 大枣十二枚（擘） 茯苓三两 白术三两

上九味，以水一斗二升，煮取六升，去滓，再煎取三升，温服一升，日三服。

太阴病，有宿食，脉滑而实者，可下之，宜承气辈；若大便溏者，宜厚朴枳实白术甘草汤。

黄竹斋：宿食之病，本属阳明，然阳明与太阴相表里。胃有宿食原由脾阳气弱，失健运之常，致气滞而为腹满之太阴病。脉滑而实者，为宿食之候，可以阳明病治法，随证微甚，以小承气或大承气下之。若大便溏者，知胃气素弱，宜厚朴枳实白术甘草汤，清导和平之剂。枳朴以行宿食而消腹满，术草以除湿滞而止便溏。诚良方也。

厚朴枳实白术甘草汤方

厚朴三两 枳实二两 白术二两 甘草二两

上四味，以水六升，煮取三升，去滓，温服一升，日三服。

太阴病，欲解时，从亥至丑上。

张令韶：太阴为阴中之至阴，阴极于亥，阳生于子。从亥至丑上，阴尽阳生也。阴得生阳之气，故解也。

第七节　辨少阴病脉证并治

少阴之为病，脉微细，但欲寐也。

张令韶:《经》云：少阴之上，君火主之。又云：阴中之阴，肾也。是少阴本热而标寒，上火而下水，神之变精之处也。精与神合而脉生焉，病则精气衰，神气少，故脉微细也。少阴主枢转，出入于外内，病则入而不出，内而不外，气行于阴，故但欲寐也。此先论少阴标本、水火、阴阳之气，其见脉证有如是也。

程郊倩：前太阴，后厥阴，俱不出脉象，以少阴一经可以该之也。少阴病六七日前，多与人以不觉，但起病喜厚衣近火、善瞌睡，凡后面亡阳发躁诸剧证，便伏于此处矣，最要提防。

丹波元简：太阳篇曰：太阳病，十日以去，脉浮细而嗜卧者，外已解也。此当以脉浮沉而别阴阳也。

黄竹斋：少阴者，血脉经络荣卫循环系统之符语。在上焦曰心、曰肺，心为循环原动力之中枢，肺为吐故纳新、滤清血液之器。在中焦曰肝、曰脾，肝为发生赤血球及分泌胆液之器，脾为发生白血球及分泌脺液之器。在下焦曰肾、曰胞，肾为排泄血液败质、泌溺之器，胞为血液化精生殖之器。《内经》云：少阴之上，热气治之。又云：少阴与太阳为表里。盖人身之体温，发生于血液循环之养化，而体温之保护及调节，端赖于皮肤也。若荣卫衰弱热气不足之为病，卫阳气衰则脉薄而微，荣阴血少则脉窄而细，阴阳两虚则精神志意昏愦、怠倦不振而但欲寐也。盖少阴与厥阴，如辅车之相依，以脑体神经之作用，全藉血液之滋养，是以血旺则精神爽，血衰则志意昏也。少阴病以虚证为提纲，而实证之衄及瘀热在里下血等治法，则详见于太阳篇也。

少阴病，欲吐不吐，心烦，但欲寐，五六日，自利而渴者，属少阴也，虚故饮水自救。若小便色白者，少阴病形悉具。小便白者，以下焦虚寒，不能制水，故令色白也。

陈修园：少阴上火而下水，水火济则阴阳交而枢机转矣。少阴病，其脉从肺出，络心注胸中，胸中不爽，欲吐而不能吐，心中热烦，不能寐而但欲寐，此水火不济，阴阳不交，机枢不转之象也。五日，正少阴主气之期，至六日，其数已足，火不下交而自利，水不上交而作渴者，此属少阴之水火虚也。水虚无以沃焚，火虚无以致水，虚故引水自救，此少阴病寒热俱有之证也。若少阴热则小便必赤，若小便色白者，白为阴寒，少阴阴寒之病形悉具，此确切不移之诊法也，原其小便之所以白者，以下焦虚而有寒，全失上焦君火之热化，不能制水，故令色白。此言少阴上火下水之病也。

黄竹斋：小便白，疑是白浊。每用真武汤治白浊，颇著奇效。

病人脉阴阳俱紧，反汗出者，亡阳也，此属少阴，法当咽痛而复吐利。

尤在泾：阴阳俱紧，太阳伤寒之脉也，法当无汗，而反汗出者，表虚亡阳，其病不属太阳而属少阴矣。少阴之脉，上膈循喉咙，少阴之脏，为胃之关，为二阴之司，寒邪直入，经脏俱受，故当咽痛而吐利也。此为寒伤太阳，阳虚不任，因遂转入少阴之证。盖太阳者，少阴之表，犹唇齿也，唇亡则齿寒，阳亡则阴及，故曰少阴之邪从太阳飞渡者多也。

黄竹斋：少阴以水火既济为用者也，水火不交则成病。阳亡于外，则火上炎而咽痛，及欲吐不吐；阴盛于里，则水下趋而下利。故此节为总冒，其义直贯至篇终。

少阴病，咳而下利谵语者，被火气劫故也，小便必难，以强责少阴汗也。

柯韵伯：上咳下利，津液丧亡而谵语，非转属阳明。肾主五液，入心为汗，少阴受病，液不上升，所以阴不得有汗也。少阴发热，不得已用麻黄发汗，即用附子以固里，岂可以火气劫之而强发汗也。少阴脉入肺，出络心，肺主声，心主言，火气迫心肺，故咳而谵语也。肾主二便，治下焦，济泌别汁，渗入膀胱，今少阴受邪，复受火侮，枢机无主，大肠清浊不分，膀胱水道不利，故下利而小便难也。小便利者，其人可治，此阴虚，故小便难。

陈修园：少阴原有灸法，而少阴之热证又以火为仇。少阴咳而下利，治有两法，寒剂猪苓汤，热剂真武汤之类，皆可按脉证而神明之。

张隐庵：此下三节，皆言少阴不可发汗之意。

少阴病，脉细沉数，病为在里，不可发汗。

尤在泾：少阴与太阳为表里，而少阴亦自有表里，经病为在表，脏病为在里也。脉沉而身发热为病在表，脉细沉数、身不发热为病在里。病在表者可发汗，如麻黄附子细辛汤之例是也；病在里而汗之，是竭其阴而动其血也，故曰：不可发汗。

唐容川：细是脉中血少，沉是气不上升，数则兼沉细二者言之。数脉不忌发汗，见于沉细之中则为少阴在里之病，故不可发汗。

少阴病，脉微，不可发汗，亡阳故也；阳已虚，尺脉弱涩者，复不可下之。

章虚谷：少阴病有麻附细辛汤发汗者，又有承气汤下之者。如其脉微为亡阳，尺又弱涩者则阳阴两虚矣，虽有汗下之证，要当以脉为凭，不可用汗下之法，必须权宜施治也。

《医垒元戎》：少阴脉微不可发汗，亡阳故也，宜附子汤。若阳已虚，尺脉弱涩者，复不可下之，宜小柴胡汤。

少阴病脉紧，至七八日，自下利，脉暴微，手足反温，脉紧反去者，为欲解也，虽烦下利，必自愈。

钱天来：脉紧见于太阳，则发热恶寒而为寒邪在表；见于少阴，则无热恶寒而为寒邪在里。至七八日，则阴阳相持已久，而始下利，则阳气耐久，足以自守矣。虽至下利，而以绞索之紧忽变而为轻细软弱之微脉，微则恐又为上文不可发汗之亡阳脉矣。为之奈何，不知少阴病，其脉自微，方可谓之无阳，若以寒邪极盛之紧脉忽见暴微，则紧峭化而为宽缓矣，乃寒邪弛解之兆也。曰手足反温，则知脉紧下利之时，手足已寒，若寒邪不解，则手足不当温，脉紧不当去，因脉本不微，而忽见暴微，故手足得温，脉紧得去，是以谓之反也。反温反去，寒气已弛，故为欲解也。虽其人心烦，然烦属阳而为暖气已回，故阴寒之利必自愈也。

少阴病，下利，若利自止，恶寒而蜷卧，手足温者，可治。

张隐庵：此病少阴而得火土之生气者，可治也。下利者，病少阴阴寒在下，若利自止，下焦之火气自生矣。恶寒而蜷卧者，病少阴阴寒在外。手足温者，中焦之土气自和矣。火土相生，故为可治。

钱天来：大凡热者偃卧而手足弛散，寒则蜷卧而手足敛缩。下文恶寒蜷卧而手足逆冷者，即为真阳败绝而成不治矣。若手足温，则知阳气未败，尚能温暖四肢，故曰可治。

王肯堂：少阳病，下利，恶寒而蜷，四逆汤、真武汤。

少阴病，恶寒而蜷，时自烦，欲去衣被者，可治。

张令韶：此论少阴得君火之气者，为可治也。少阴病恶寒而蜷，阴盛于外也。时自烦，欲去衣被者，君火在上也。阴寒之气见火而消，故为可治。

少阴中风，脉阳微阴浮者，为欲愈。

钱天来：少阴中风者，风邪中少阴之经也。脉法浮则为风，风为阳邪，中则伤卫，卫受风邪，则寸口阳脉当浮，今阳脉已微，则知风邪欲解。邪入少阴，唯恐尺部脉沉，沉则邪气入里，今阴脉反浮，则邪不入里。故为欲愈也。

少阴病欲解时，从子至寅上。

成无己：阳生于子。子为一阳，丑为二阳，寅为三阳，少阴解于此者，阴得阳则解也。

喻嘉言：各经皆解于所旺之时，而少阴独解于阳生之时，阳进则阴退，阳长则阴消，正所谓阴得阳则解也。少阴所重在真阳，可知也。

少阴病，吐利，手足不逆冷，反发热者，不死。脉不至者，灸少阴七壮。

程郊倩：少阴病吐而且利，里阴胜矣，以胃阳不衰，故手足不逆冷。夫手足逆冷之发热为肾阳外脱，手足不逆冷之发热为卫阳外持。前不发热，今发反热，自非死候，人多以其脉之不至而委弃之，失仁人之心与术矣；不知脉之不至，由吐利而阴阳不相接续，非脉绝之比。灸少阴七壮，治从急也。嗣是而用药，自当从事于温。

柯韵伯：少阴动脉在太溪，取川流不息之义也。其穴在足内踝，从跟骨上动脉中，主手足厥冷寒至节。是少阴之原，此脉绝则死。伏留在足内踝骨上二寸动脉陷中，灸之能还大脉是。

少阴病八九日，一身手足尽热者，以热在膀胱，必便血也。

喻嘉言：少阴病难于得热，热则阴病见阳，故前条谓手足不逆冷反发热者不死。然病至八九日，阴邪内解之时，反一身手足尽热，则少阴必无此候，当是脏邪传腑，肾移热于膀胱之证也。以膀胱主表，一身及手足，正躯壳之道，故尔尽热也。膀胱之血为少阴之热所逼，其出必趋二阴之窍，以阴主降故也。

柯韵伯：与太阳热结膀胱血自下者证同，而来因则异。少阴传阳证者有二：六七日腹胀不大便者，是传阳明；八九日一身手足尽热者，是传太阳。下利便脓血，指大便言。热在膀胱而便血，是指小便言。轻则猪苓汤，重则黄连阿胶汤可治。

少阴病，但厥无汗，而强发之，必动其血，未知从何道而出，或从口鼻，或从耳出者，是名下厥上竭，为难治。

张隐庵：此言强发少阴之汗，而动胞中之血也。少阴病，但四肢厥冷，则无汗矣，若强发之，则血液内伤，故必动其血。胞中者，血海也。经云：冲脉、任脉，皆起于胞中。未知从何道出者，未知从冲脉而出，从任脉而出也。冲脉会于咽喉，别而络唇口，出于颃颡，颃颡乃口鼻交通之窍，或从口鼻者，从冲脉而出也。任脉从少腹之内上行，系两目之下中央，至目下之承泣，或从目出者，从任脉而出也。此生气厥于下，血出竭于上，是名下厥上竭，经脉内伤，为难治。

程郊倩：五液皆主于肾，故太阳当汗之证，尺中一迟，辄不可汗，曰荣气不足，血少故也，况强发少阴汗乎！周身之气皆逆，血随奔气之促逼而见，故不知从何道出。难治者，下厥非温不可，而上竭则不能用温，故为逆中之逆耳。

《伤寒九十论》：一妇人得伤寒数日，咽干烦渴，脉弦细。医者汗之，其始衄血，继而脐中出血。医者惊骇而遁。予曰：少阴强汗之所致也。盖少阴不当发汗，仲景云：少阴强发汗，必动其血，未知从道而出，或从口鼻，或从耳目，是为下厥上竭。仲景云无治法。予投以姜附汤，数服血止，后得微汗愈。

陶节庵：当归四逆汤，仍灸太溪、三阴交、涌泉。

少阴病，恶寒身蜷而利，手足厥冷者，不治。

柯韵伯：伤寒以阳为主，不特阴证见阳脉者生，又阴病见阳证者亦可治。背为阳，腹为阴，阳盛则作痉，阴盛则蜷卧。若利而手足仍温，是阳回，故可治；若利不止而手足逆冷，是纯阴无阳，所谓六腑气绝于外者，手足寒，五脏气绝于内者，下利不禁矣。

舒驰远：此证尚未至汗出息高，犹为可治，急投四逆汤加人参，或者不死。

少阴病，吐利，躁烦，四逆者，死。

程郊倩：由吐利而躁烦，阴阳离绝而扰乱可知，加之四逆，胃阳绝矣，不知何待。使早知温中而暖土也，宁有此乎！此与吴茱萸汤证，只从躁逆先后上辨，一则阴中尚现阳神，一则阳尽唯存阴魄耳。

少阴病，下利止而头眩，时时自冒者，死。

喻嘉言：下利既止，其人自可得生，乃头眩时时自冒者，复为死候。盖人身阴阳相为依附者也，阴亡于下，则诸阳之上聚于头者纷然而动，所以头眩时时自冒，阳脱于上而主死也。可见阳回利止则生，阴尽利止则死矣。

章虚谷：下利止者，非气固也，是气竭也。阳既下竭，如残灯余焰上腾，则头眩时时自冒而死。自冒者，倏忽瞑眩之状，虚阳上脱也。

少阴病，四逆，恶寒而身蜷，脉不至，心烦而躁者，死。

注：宋本、湘古本作“不烦而躁者，死”，今依本论改正。

黄坤载：四逆恶寒而身蜷，阴盛极矣，脉又不至，则阳气已绝，如是则心烦而躁者，死。盖阳升则烦，阳脱则躁。《素问》云：阴气者，静则神藏，躁则消亡。盖神发于阳而根藏于阴，精者神之宅也，水冷精寒，阳根欲脱，神魂失藏，是以反静而为躁也。

陈修园：此言少阴有阴无阳者死也。少阴病，阳气不行于四肢，故四逆；阳气不布于周身，故恶寒而身蜷；阳气不运于经脉，故脉不至。且见心烦躁扰者，纯阴无阳之中忽呈阴证似阳，为火将绝而暴张之状，主死。

少阴病六七日，息高者，死。

柯韵伯：气息者，乃肾间动气，脏腑之本，经脉之根，呼吸之蒂，三焦生气之原也。息高者，但出心与肺，不能入肝与肾，生气已绝于内也。六经中，独少阴历言死证，他经无死证，甚者但曰难治耳，知少阴是生死关。

少阴病，脉微细沉，但欲卧，汗出不烦，自欲吐。至五六日，自利，复烦躁不得卧寐者，死。

喻嘉言：脉微细沉，但欲卧，少阴之本证也。汗出不烦，则阳证悉罢，而当顾虑其阴矣。乃于中兼带欲吐一证，欲吐明系阴邪上逆，正当急温之时，失此不图，至五六日，自利有加，复烦躁不得卧寐，非外邪至此转增，正少阴肾中真阳扰乱，顷刻奔散，即温之亦无及，故主死也。

少阴病，始得之，反发热，脉沉者，麻黄附子细辛汤主之。

尤在泾：此寒中少阴之经，而复外连太阳之证，以少阴与太阳为表里，其气相通故也。少阴始得本无热，而外连太阳则反发热，阳病脉当浮，而仍系少阴则脉不浮而沉，故与附子、细辛专温少阴之经，麻黄兼发太阳之表，乃少阴经温经散寒，表里兼治之法也。

《寒温条辨》：病发于阴者当无热，今少阴始病，何以反发热？此乃太阳、少阴之两感病也。盖太阳与少阴相为表里，寒邪感于少阴，故里有脉沉，由络连于太阳，故表有发热。有太阳之表热，故用麻黄以发汗；有少阴之里寒，故用附子、细辛以温中。

麻黄附子细辛汤方

麻黄二两　附子一枚（炮，去皮，破八片）　细辛二两上三味，以水一斗，先煮麻黄，减二升，去上沫，内诸药，煮取三升，去滓。温服一升，日三服。

钱天来：麻黄发太阳之汗，以解在表之寒邪；以附子温少阴之里，以补命之真阳；又以细辛之性温、味辛专走少阴者，以助其辛温发散。三者合用，温散兼施，虽发微汗，无损于阳气矣，故为温经散寒之神剂云。

少阴病，得之二三日，麻黄附子甘草汤微发汗。以二三日无里证，故微发汗也。

万密斋：此承上证而言，若得之二三日，只发热，脉沉无他证者，病还在经，不可用前汤发汗，当改此汤以微发汗也。

《金鉴》：此二证，皆未曰无汗，非仲景略之也，以阴不得有汗不须言也。

周禹载：此条当与前条合看，补出“无里证”三字，知前条原无吐利躁渴里证也。前条已有“反发热”三字，知此条亦有发热表证也。

麻黄附子甘草汤方

麻黄二两　附子一枚（炮，去皮，破八片）　甘草二两（炙）

上三味，以水七升，先煮麻黄一二沸，去上沫，内诸药，煮取三升，去滓。温服一升，日三服。

张隐庵：上节麻黄附子细辛汤主助太阳之阳内归于少阴，少阴之阴外通于太阳，非为汗也。此麻黄附子甘草汤主开通心肾之精血，合于中土而为汗。故此则曰微发汗，而上文不言也。

陆九芝：唐君春舲，盛夏畏冷，大父以麻黄附子甘草汤强之服，一服解一裘，两服而重裘皆弛矣。

少阴病，得之二三日以上，心中烦，不得卧者，黄连阿胶汤主之。

尤在泾：少阴之热，有从阳经传入者，亦有自受寒邪、久而变热者。曰二三日以上，谓自二三日至五六日，或八九日，寒极而变热也。至心中烦不得卧，则热气内动，尽入血中，而诸阴蒙其害矣。盖阳经之寒变，则热归于气，或入于血；阴经之寒变，则热入于血，而不归于气。此余历试之验也。故用黄连、黄芩之苦，合阿胶、芍药、鸡子黄之甘，并入血中以生阴气而除邪热。成氏谓“阳有余，以苦除之；阴不足，以甘补之”是也。

黄连阿胶汤方

黄连四两　黄芩二两　芍药二两　阿胶三两　鸡子黄二枚

上五味，以水六升，先煮三味，取二升，去滓，内胶烊尽，小冷，内鸡子黄，搅令相得。温服七合，日三服。

柯韵伯：此少阴之泻心汤也。凡泻心必借芩、连，而导引有阴阳之别。病在三阳，胃中不和而心下痞硬者，虚则加参、甘补之，实则加大黄下之。病在少阴而心中烦不得卧者，既不得用参、甘以助阳，亦不得用大黄以伤胃也，故用芩、连以折心火，用阿胶以补肾阴，鸡子黄佐芩、连于泻心中补心血，芍药佐阿胶于补阴中敛阴气，斯则心肾交合，水升火降，是以扶阴泻阳之方，而变为滋阴和阳之剂也。

吴遵程：此汤本治少阴温热之证，以其阳邪暴虐，伤犯真阴，故二三日以上便见心烦不得卧，所以始病之际，即用芩、连大寒之药，兼芍药、阿胶、鸡子黄以滋养阴血也。然伤寒六七日后，热传少阴，伤其阴血者，亦可取用。与阳明腑实用承气汤，法虽虚实补泻悬殊，而祛热救阴之意则一耳。

《精神病广义》：此养心液、清虚火之主方，一切心虚失眠之病多可用之。若挟有痰气者，可酌加茯神、枣仁、龟甲、竹黄之类。

少阴病，脉浮而弱，弱则血不足，浮则为风，风血相搏，则疼痛如掣，宜桂枝加当归汤主之。此节依湘古本补。

黄竹斋：此节言少阴中风之证治。少阴为太阳之里而主血，夫风邪之中人，未有不因气血之虚。气虚则太阳受之，血虚则少阴受之。今脉浮而按之弱，此血虚而中风之诊也。风入血分，与荣相搏，故周身疼痛如掣。是以用桂枝汤以祛风，加当归以补血。

桂枝加当归汤方

即桂枝汤加当归二两，煎服法同。

少阴病，得之一二日，口中和，其背恶寒者，当灸之，附子汤主之。

魏念庭："少阴病"三字中该脉沉细而微之诊，见但欲寐之证，却不发热而单背恶寒，此少阴里证之确据也。

成无己：少阴客热，则口燥舌干而渴。口中和者，不苦不燥，是无热也。背为阳，背恶寒者，阳气弱，阴气胜也。《经》曰：无热恶寒者，发于阴也。灸之，助阳消阴；与附子汤，温经散寒。

徐灵胎：但背恶寒，则寒邪聚于一处，故用灸法。白虎加人参汤亦有背微恶寒之证，乃彼用寒凉，此用温热，何也？盖寒既有微甚之不同，而其相反处全在口中和与口燥渴之迥别。故欲知里证之寒热，全在渴不渴辨之，此伤寒之要诀也。

汪苓友：《补亡论》常器之云：当灸膈俞、关元穴、背俞第三行。按：第三行者，当是膈关，非膈俞也。《图经》云：膈关二穴，在第七椎下，两傍相去各三寸陷中，正坐取之，足太阳脉气所发，专治背恶寒，脊强，俯仰难，可灸五壮。盖少阴中寒，必由太阳而入，故宜灸其穴也。又关元一穴，在腹部中行脐下三寸，足三阴任脉之会，灸之者，是温其里以助其元气也。

附子汤方

附子二枚（炮，去皮，破八片） 茯苓三两 人参二两 白术四两 芍药三两

上五味，以水八升，煮取三升，去滓。温服一升，日三服。

柯韵伯：此大温大补之方，乃正治伤寒之药，为少阴固本御邪第一之剂也。与真武汤似同而实异，倍术、附去姜加参，是温补以壮元阳，真武汤还是温散而利肾水也。

汪苓友：武陵陈氏曰：四逆诸方皆有附子，于此独名附子汤，其义重在附子，他方皆附子一枚，此方两枚可见也。附子之用不多，则其力岂能兼散表里之寒哉！邪之所凑，其气必虚，参、术、茯苓皆甘温益气，补卫气之虚；辛热与温补相合，则气可益而邪可散矣。既用附子之辛烈，而又用芍药者，以敛阴气，使卫中之邪，不遽全入于阴耳。

陈古愚：此方一以治阳虚，一以治阴虚。时医开口辄言此四字，其亦知阳指太阳，阴指少阴，一方统治之理乎。

少阴病，身体痛，手足寒，骨节痛，脉沉者，附子汤主之。

万密斋：此阴寒直中少阴真阴证也。若脉浮则属太阳麻黄汤证，今脉沉，知属少阴也。盖少阴与太阳为表里，证同脉异也。

钱天来：身体骨节痛，乃太阳寒伤荣之表证也。然在太阳，则脉紧而无手足寒之证，故有麻黄汤发汗之治；此以脉沉而手足寒，则知寒邪过盛，阳气不治，荣阴滞涩，故身体骨节皆痛耳。且四肢为诸阳之本，阳虚不能充实于四肢，所以手足寒，此皆沉脉之见证也，故以附子汤主之，以温补其虚寒也。

少阴病，脉微而弱，身痛如掣者，此荣卫不和故也，当归四逆汤主之。

黄竹斋：少阴病者，但欲寐也。脉微而弱，微为阳气衰，弱为阴血虚。证见身痛如掣者，此太阳之里少阴荣卫不和，气凝血滞之所致也。当归四逆汤主之，补血通脉，温经散寒，而身痛自愈矣。

当归四逆汤方

当归三两　芍药三两　桂枝三两　细辛三两　木通三两　甘草二两（炙）　大枣二十五枚（擘）

上七味，以水八升，煮取三升，去滓。温服一升，日三服。

尤在泾：夫脉为血之腑，而阳为阴之先，故欲续其脉必益其血，欲益其血必温其经。方用当归、芍药之润以滋之，甘草、大枣之甘以养之，桂枝、细辛之温以行之，而尤借通草之入经通脉，以续其绝而止其厥。

《医宗必读》：骆元宾十年患疝，形容枯槁。余诊之左胁有形，其大如臂，以热手握之沥沥有声，甚至上攻于心，闷绝者久之，以热醋熏灸方苏。余曰：此《经》所谓厥疝。用当归四逆汤，半月积形衰小。更以八味丸间服，半载积块尽消，后不复患。

刘廷实：一友患腰痛，医以杜仲、补骨脂等治之弗瘳，诊其脉浮细缓止，知为风伤血脉耳。定当归四逆汤，剂尽病除。

少阴病，下利便脓血者，桃花汤主之。

成无已：阳病下利便脓血者，协热也；少阴病下利便脓血者，下焦不约而里寒也。与桃花汤，固下散寒。《金匮》云：阳证内热则溢出鲜血，阴证内寒则紫黑如豚肝也。

汪苓友：此条乃少阴中寒，即成下利之证。下利便脓血，协热者多。今言少阴病下利，必脉微细，但欲寐，而复下利也；下利日久，至便脓血，乃里寒而滑脱也。

桃花汤方

赤石脂一斤（一半全用，一半筛末）　干姜一两　粳米一升

上三味，以水七升，煮米令熟，去滓。温服七合，内赤石脂末方寸匕，日三服。若一服愈，余勿服。

成无已：涩可去脱，赤石脂之涩，以固肠胃；辛以散之，干姜之辛，以散里寒；粳米之甘，以补正气。

李时珍：取赤石脂之重涩，入下焦血分而固脱；干姜之辛温，暖下焦气分而补虚；粳米之甘温，佐石脂、干姜而润肠胃也。

张隐庵：石脂色如桃花，故名桃花汤。

少阴病，二三日至四五日，腹痛，小便不利，下利不止便脓血者，桃花汤主之。

万密斋：此少阴自受寒邪，而下利之证也。为病在里属脏。

钱天来：二三日至四五日，阴邪在里，气滞肠间，故腹痛也。下焦无火，气化不行，故小便不利。且下利不止，则小便随大便而频去，不得潴蓄于膀胱而小便不得分利也。下利不止，气虚不固而大肠滑脱也。便脓血者，邪在下焦，气滞不流，而大肠伤损也。此属阴寒虚利，故以涩滑固脱、温中补虚之桃花汤主之。

柯韵伯：少阴病腹痛下利，是坎中阳虚，故真武有附子，桃花用干姜。不可以小便不利作热治。真武是引火归原法，桃花是升阳散火法。

少阴病，下利便脓血者，可刺足阳明。

张令韶：此复言下利便脓血者可刺，所以申明便脓血之在经脉也。

唐容川：下利不止，无后重之文，知是虚利。盖此证是脾土有寒，心经有热，热化脓血，寒为利不止。桃花汤专止利，刺法专治脓血，泻经脉而不动脏寒，温脏寒而不犯经脉，此分治之为至妙也。

少阴病，吐利，手足逆冷，烦躁欲死者，吴茱萸汤主之。

陈修园：此一节言少阴水火之气，皆本阳明之水谷以资生，而复交会于中土。若上吐下利则中土虚矣。中土虚则气不行于四末，故手足逆冷。中土虚不能导手少阴之气而下交则为烦，不能引足少阴之气而上交则为躁，甚则烦躁欲死。方用吴茱萸之大辛大温以救欲绝之阳，佐人参之冲和以安中气，姜、枣和胃以行四末。师于不治之证不忍坐视，专求阳明是得绝处逢生之妙。所以与通脉四逆汤、白通加猪胆汁汤，三方鼎峙也。

吴茱萸汤方 见阳明病篇

少阴病，下利，咽痛，胸满心烦者，猪肤汤主之。

柯韵伯：少阴病多下利，以下焦之虚也。阴虚则阳无所附，故下焦虚寒者，反见上焦之实热。少阴脉循喉咙，挟舌本，其支者，出络心，注胸中。凡肾精不足，肾火不藏，必循经上走于阳分也。咽痛，胸满心烦者，因阴并于下而阳并于上，水不上承于心，火不下交于肾，此未济之象。猪为水畜而津液在肤，取其肤以治上焦虚浮之火，和白蜜、白粉之甘泻心润肺和脾，滋化源，培母气。水升火降，上热不行，虚阳得归其部，不治利而利自止矣。

徐灵胎：此亦中焦气虚，阴火上炎之证。以甘咸纳之，引少阴之虚火下达。

猪肤汤方

猪肤一斤

上一味，以水一斗，煮取五升，去滓，加白蜜一升，白粉五合，熬香，和令相得，分温六服。

《本经逢原》：猪肤者，皮上白膏是也。取其咸寒入肾，用以调阴散热。故仲景“少阴病，下利，咽痛，胸满心烦”有猪肤汤。予尝用之，其效最捷。

王海藏：仲景猪肤汤用白粉，即白米粉也。猪皮味甘寒，猪，水畜也，其气先入肾，解少阴客热。加白蜜以润燥除烦，白粉以益气断痢。

《张氏医通》：徐君育素禀阴虚多火，且有脾约便血证。十月间患冬温，发热咽痛。里医用麻仁、杏仁、半夏、枳橘之属，遂喘逆倚息不得卧，声飒如哑，头面赤热，手足逆冷，右手寸关虚大微数。此热伤手太阴气分也。为制猪肤汤一瓯，令隔汤顿热，不时挑服。三日声清，终剂而痛如失。

少阴病，二三日，咽中痛者，可与甘草汤；不差，与桔梗汤。

柯韵伯：少阴之脉，循喉咙，挟舌本，故有咽痛证。若因于他证而咽痛者，不必治其咽。如脉阴阳俱紧，反汗出而吐利者，此亡阳也，当回其阳，则吐利止而咽痛自除。如下利而胸满心烦者，是下焦虚而上焦热也，升水降火，上下和调，而痛自止。若无他证而但咽痛者，又有寒热之别，见于二三日是虚火上冲，可与甘草汤，甘凉泻火以缓其热；不瘥者，配以桔梗，兼辛以散之。所谓奇之不去，而偶之也。二方为正治之轻剂，以少阴为阴中之阴，脉微细而但欲寐，不得用苦寒之剂也。

邹润庵：二三日，邪热未盛，故可以甘草泻火而愈。若不愈，是肺窍不利，气不宜泄也。以桔梗开之，肺窍既通，气遂宜泄，热自透达矣。

甘草汤方

甘草二两

上一味，以水三升，煮取一升半，去滓。温服七合，日二服。

徐忠可：甘草一味单行，最能和阴而清冲任之热。每见生便痛者，骤煎四两，顿服立愈。则其能清少阴客热可知，所以为咽痛专方也。

桔梗汤方

桔梗一两　甘草二两

上二味，以水三升，煮取一升，去滓，温分再服。

徐灵胎：夫甘为土之正味，能制肾水越上之火；佐以苦辛开散之品。《别录》云：桔梗疗咽喉痛。此方制少阴在上之火。

李时珍：仲景治肺痈唾脓用桔梗、甘草，取其苦辛清肺，甘温泻火，又能排脓血、补内漏也。其治少阴证，二三日，咽痛，亦用桔梗、甘草，取其苦辛散寒，甘平除热，合而用之能调寒热也。后人易名甘桔汤，通治咽喉、口舌诸痛。

少阴病，咽中伤，生疮，痛引喉旁，不能语言，声不出者，苦酒汤主之。

方中行：咽伤而生疮，比痛为差重也。不能语言者，少阴之脉，入肺络心，心通窍于舌，心热则舌不掉也。声不出者，肺主声而属金，金清则鸣，热昏而塞也。半夏主咽而开痰结，苦酒消肿而敛咽疮，鸡子甘寒而除伏热。

唐容川：此生疮即今之喉癣、喉蛾，肿塞不得出声。今有刀针破之者，有用巴豆烧焦烙之者，皆是攻破之使不壅塞也。仲景用生半夏，正是破之也。予亲见治重舌，敷生半夏立即消破，即知咽喉肿闭亦能消而破之也。

苦酒汤方

半夏（洗，破如枣核）十四枚　鸡子一枚（去黄，内上苦酒着鸡子壳中）

上二味，内半夏着苦酒中，以鸡子壳置刀环中，安火上，令三沸，去滓。少少含咽之。不差，更作三剂。

陈古愚：半夏洗，破十四枚，谓取半夏一枚，洗去其涎，而破为十四枚也。

《活人书》：苦酒，米醋是也。

王晋三：苦酒汤治少阴水亏，不能上济君火，而咽生疮，声不出者。疮者，疳也。半夏之辛滑，佐以鸡子清之甘润，有利窍通声之功，无燥津涸液之虞。然半夏之功能，全赖苦酒摄入阴分，劫涎敛疮；即阴火沸腾，亦可因苦酒而降矣，故以名其汤。

少阴病，咽中痛，脉反浮者，半夏散及汤主之。

成无已：甘草汤主少阴客热咽痛，桔梗汤主少阴寒热相搏咽痛，半夏散及汤主少阴客寒咽痛也。

《金鉴》：少阴病，咽痛者，谓或左、或右，一处痛也。咽中痛者，谓咽中皆痛也，较之咽痛而有甚焉。甚则涎缠于咽中，故主以半夏散，散风邪以逐涎也。

半夏散方

半夏（洗）　桂枝　甘草（炙）

上三味，等分，分别捣筛之，合治之。白饮和服方寸匕，日三服。若不能散服者，以水一升，煎七沸，内散两方寸匕，更煎三沸，下火令小冷，少少咽之。

王晋三：半夏散，咽痛能咽者用散，不能咽者用汤。少阴之邪，逆于经脉，不得由枢而出，用半夏入阴散郁热，桂枝、甘草达肌表，则少阴之邪由经脉而出肌表，悉从太阳开发。半夏治咽痛，可无劫液之虞。

徐灵胎：治上之药，当小其剂。《本草》半夏治咽肿痛，桂枝治喉痹，此乃咽喉之主药，后人以二味为禁药，何也?

少阴病，下利，白通汤主之。

钱天来：下利已多，皆属寒在少阴，下焦清阳不升，胃中阳气不守之病，而未有用白通汤者。此条但云下利而用白通汤者，以上有“少阴病”三字，则知有脉微细、但欲寐、手足厥之少阴证，观下文“下利，脉微者，与白通汤”则知之矣。利不止而厥逆无脉，又加猪胆、人尿，则尤知非平常下利矣。盖白通汤即四逆汤而以葱易甘草；甘草所以缓阴气之逆，和姜附而调护中州；葱则辛滑行气，可以通行阳气而解散寒邪；二者相较，一缓一速，故其治亦顺有缓急之殊也。

白通汤方

葱白四茎　干姜一两　附子一枚（生用，去皮，破八片）

上三味，以水三升，煮取一升，去滓，分温再服。

方中行：用葱白而曰“白通”者，通其阳则阴自消也。

柯韵伯：白通者，通下焦之阴气以达于上焦也。少阴病，自利而渴，小便色白者，是下焦之阳虚而阴不生，少火不能蒸动其水气而上输于肺，故渴；不能生土，故有利耳。法当用姜附以振元阳，而不得升腾之品，则利止而渴不能止，故佐葱白以通之。葱白禀西方之色味，入通于肺，则水出高源而渴自止矣。凡阴虚则小便难，下利而渴者小便必不利，或出涩而难，是厥阴火旺，宜猪苓、白头翁辈。此小便色白属少阴火虚，故曰下焦虚，又曰虚故引水自救。自救者，自病人之意，非医家之正法也。若厥阴病欲饮水者，少少与之矣。

少阴病，下利，脉微者，与白通汤。利不止，厥逆无脉，干呕烦者，白通加猪胆汁汤主之。服汤后，脉暴出者死，微续者生。

万密斋：此寒直中少阴本脏，为真阴证也。肾主水为胃之关，开窍于二阴，寒气中之，不能开藏出纳，故少阴证多吐利也。

柯韵伯：下利脉微，是下焦虚寒，不能制水故也，与白通汤以通其阳，补虚却寒而制水。服之利仍不止，更厥逆，反无服，是阴盛格阳也。如干呕而烦，是阳欲通而不得通也。法当取猪胆汁之苦寒为反佐，加入白通汤中，从阴引阳，则阴盛格阳者，当成水火既济矣。论中不及人尿，而方后又云无猪胆汁亦可服者，以人尿咸寒，直达下焦，亦能止烦除呕矣。脉暴出者，孤阳独行也，故死；微续者，少阳初生也，故生。

白通加猪胆汁汤方

葱白四茎　干姜一两　附子一枚（生用，去皮，破八片）　人尿五合　胆汁一合

上五味，以水五升，先煮三物，取一升，去滓，内人尿、猪胆汁，和令相得，分温再服。若无胆汁，亦可用。

成无己：若调寒热之逆，令热必行。则热物冷服，下嗌之后，冷体既消，热性便发，由是病气随愈，呕哕皆除，情且不违，而致大益，此和人尿、猪胆汁咸苦物于白通汤热剂中，要其气相从，则可以去格拒之寒也。

张隐庵：始焉下利，继则利不止，始焉脉微，继则厥逆无脉，更兼干呕、心烦者，乃阴阳水火并竭，不相交济。故以白通加猪胆汁汤。夫猪乃水畜，胆具精汁，可以滋少阴而济其烦呕。人尿乃入胃之饮，水精四布，五精并行，可以资中土而和其厥逆，中土相济烦呕自除。

少阴病，二三日不已，至四五日，腹痛，小便不利，四肢沉重疼痛，自下利者，此为有水气，其人或咳，或小便不利，或下利，或呕者，真武汤主之。

秦皇士：此少阴经寒湿传变太阴腹痛，用真武汤补土中之火，以制水气下利。

柯韵伯：为有水气，是立真武汤本意。小便不利是病根，腹痛下利、四肢沉重疼痛皆水气为患，因小便不利所致。然小便不利，实由坎中无阳，坎中火用不宣，故肾家水体失职，是下焦虚寒不能制水故也。法当壮元阳以消阴翳，逐留垢以清水道，因立此汤。末句语意，直接有水气来。后三项是真武汤加减证，不是主证。若虽有水气而不属

少阴，不得以真武主之也。

真武汤方

茯苓三两　芍药三两　白术二两　生姜三两（切）　附子一枚（炮，去皮，破八片）

上五味，以水八升，煮取三升，去滓。温服七合，日三服。若咳者，加五味子半升，细辛、干姜各一两。若小便不利者，加茯苓一两，若下利者，去芍药，加干姜二两。若呕者，去附子，加生姜足前成半斤。

方中行：真武者，北方阴精之宿，职专司水之神，以之名汤义取之水，然阴寒甚而水泛滥，由阳困弱而土不能制伏也。是故术与茯苓燥土胜湿，芍药、附子利气助阳，生姜健脾以燠土，则水有制而阴寒退。药与病宜，理至必愈。水寒相搏则咳，细辛、干姜之辛散水寒也，既散矣，肺主咳而欲收，五味子者酸以收之也。茯苓淡渗而利窍，芍药收阴而停滞，非下利者所宜，故去之；干姜散寒而燠土，土燠则水有制，故加之。呕，气逆也，去附子以其固气也，加生姜以其散气也。

张路玉：此方本治少阴病水饮内结，所以首推术、附，兼茯苓、生姜，运脾渗湿为要务，此人所易明也。至用芍药之微旨，非圣人不能。盖此证虽曰少阴本病，而实缘水饮内结，所以腹痛自利，四肢疼重，而小便反不利也。若极虚极寒，则小便必清白无禁矣，安有反不利之理哉！则知其人不但真阳不足，真阴亦已素亏，若不用芍药固护其阴，岂能胜附子之雄烈乎！即如附子汤、桂枝加附子汤、芍药甘草附子汤，皆芍药与附子并用，其温经护荣之法，与保阴回阳不殊，后世用药，能获仲景心法者几人哉！

《医学入门》：滑伯仁治一妇，暑月身冷自汗，口干烦躁，欲卧泥水中，脉浮而数，按之豁然虚散。公曰：脉至而从，按之不鼓，为阴盛格阳，得之饮食生冷、坐卧风露，乃与真武汤冷饮，三服而愈。

少阴病，下利清谷，里寒外热，手足厥逆，脉微欲绝，身反不恶寒，其人面色赤，或腹痛，或干呕，或咽痛，或利止脉不出者，通脉四逆汤主之。

柯韵伯：下利清谷，里寒外热，手足厥逆，脉微欲绝，此太阴坏证转属少阴之证，四逆汤所主也。而但欲寐是系在少阴，若反不恶寒，或咽痛干呕，是为亡阳。其人面赤色，是为戴阳，此下焦虚极矣，恐四逆之剂不足以起下焦之元阳，而续欲绝之脉，故倍加其味作为大剂，更加葱以通之。葱体空味辛，能入肺以行荣卫之气。姜、附、参、甘得此以奏捷于经络之间，而脉自通矣。脉通则虚阳得归其部，外热自解而里寒自除，诸证无虞矣。

喻嘉言：下利里寒，种种危殆，其外反热，其面反赤，其身反不恶寒，而手足厥逆，脉微欲绝，明系群阴格阳于外，不能内返也。故仿白通之法，加葱入四逆汤中，以入阴迎阳而复其脉也。前条云“脉暴出者死”，此条云“脉即出者愈”，其辨最细。盖暴出则脉已离根，即出则阳已返舍。繇其外反发热，反不恶寒，真阳尚在躯壳，然必通其脉，而脉即出，始为休征。设脉出艰迟，恐其阳已随热势外散，又主死矣。

秦皇士：此申明里真寒，外假热，咽中痛，虚阳上浮也。

通脉四逆汤方

甘草二两（炙） 附子大者一枚（生用，去皮，破八片） 干姜三两 人参一两

上四味，以水三升，煮取一升二合，去滓，分温再服。其脉即出者愈。面色赤者，加葱九茎；腰中痛者，去葱，加芍药二两；呕者，加生姜二两；咽痛者，去芍药，加桔梗一两；利止脉不出者，去桔梗，加人参二两。

陈修园：阳气不能运行，宜四逆汤；元阳虚甚，宜附子汤；阴盛于下，格阳于上，宜白通汤；阴盛于内，格阳于外，宜通脉四逆汤。盖以生气既离，亡在顷刻，若以柔缓之甘草为君，岂能疾呼散阳而使返耶！故倍用干姜，而仍不减甘草者，恐散涣之余，不能当姜、附之猛，还借甘草以收全功也。若面赤者，虚阳上浮也，加葱白引阳气以下行；腹中痛者，脾络不和也，去葱，加芍药以通脾络；呕者，胃气逆也，加生姜以宣逆气；咽痛者，少阴循经上逆也，去芍药之苦泄，加桔梗之开提；利止脉不出者，谷气内虚，脉无所禀而生，去桔梗，加人参以生脉。

《寓意草》：徐国祯伤寒六七日，身热目赤，索水到前，复置不饮，异常大躁，将门牖洞启，身卧地上，辗转不快，更求入井。一医汹汹，急以承气与服。余诊其脉，洪大无伦，重按无力。余曰：阳欲暴脱，外显假热，内有真寒，以姜、附投之，尚恐不胜回阳之任，况敢纯阴之药，重劫其阳乎！观其得水不欲咽，情已大露。岂水尚不欲咽，而反可咽大黄、芒硝乎？于是以附子、干姜各五钱，人参三钱，甘草二钱，煎成冷服。服后寒战，戛齿有声，以重绵和头覆之，缩手不肯与诊。阳微之状始著，再与前药一剂，微汗热退而安。

少阴病，四逆，其人或咳，或悸，或小便不利，或腹中痛，或泄利下重者，四逆散主之。

刘昆湘：此示少阴纯属水寒之证。少阴病至于四逆，则胃肾之阳俱亡，法当呕吐下利，因三焦尽属寒证，水隔在上，得汤不受而吐，故改汤为散，脉当沉滑而微。四逆散即四逆汤四味为散，白水和煎数沸，并渣服之。则虽呕而不得尽出，药力达胃，必呕吐渐疏，仍可以汤法继之。其随证加减之例，如咳者加五味子、干姜、并主下利，敛肺则

大肠自收摄也。悸者加桂，降冲气且导心阳使下行也。小便不利者加茯苓，淡味以渗泄也。腹中痛者加附子，温肾寒以启胃阳也。泄利下重者，以薤白煮汤下散，通肺与大肠之气痹也。

四逆散方

甘草二两（炙）　附子大者一枚　干姜一两半　人参二两

上四味，捣筛，白饮和服方寸匕。咳者，去人参，加五味子、干姜各五分，并主下利。悸者，加桂枝五分。小便不利者，加茯苓五分。泄利下重者，先以水五升，煮薤白三两，取三升，去滓；以散三方寸匕内汤中，煮取一升半，分温再服。

少阴病，下利六七日，咳而呕渴，心烦不得眠者，猪苓汤主之。

柯韵伯：少阴病，得之二三日，心烦不得卧，是上焦实热，宜黄连阿胶汤清之；少阴病，欲吐不吐，心烦但欲寐，至五六日，自利而渴者，是下焦虚寒，宜白通汤以温之；此少阴初病而下利，似为阴寒，至六七日，反见咳而呕渴，心烦不得眠者，此岂上焦实热乎？是因下多亡阴，精虚不能化气，真阳不藏，致上焦之虚阳扰攘，而致变证见也。下焦阴虚而不寒，非姜附所宜；上焦虚而非实热，非芩连之任。故制此方，二苓不根不苗，成于太空元气，用以交合心肾，通虚无氤氲之气也；阿胶味厚，乃气血之属，是精不足者，补之以味也；泽泻气味轻清，能引水气上升；滑石体质重坠，能引火气下降，水升火降，得既济之理矣。以此滋阴利水而升津液，斯上焦如雾而咳渴除，中焦如沤而烦呕静，下焦如渎而利自止矣。

汪苓友：下利咳而呕渴，心烦不得眠，焉知非少阳阳明之病，然少阳阳明若见此证，为里实，脉心弦大而长。此病脉必微细，故知其为少阴之病无疑也。此方乃治阳明病热渴引饮，小便不利之剂，此条病亦借用之，何也？盖阳明病发热，渴欲饮水，小便不利者，乃水热相结而不行。兹者少阴病，下利，咳而呕渴，心烦不得眠者，亦水热搏结而不行也。病名虽异而病源则同，故仲景用猪苓汤主之，不过是清热利水，兼润燥滋阴之义。

猪苓汤方　见阳明病篇

少阴病，得之二三日，口燥咽干者，急下之，宜大承气汤。

张路玉：伏气之发于少阴，其势最急，与伤寒之传经热证不同。得病才二三日，即口燥咽干，延至五六日始下，必枯槁难为矣，故宜急下以救肾水之燔灼也。

柯韵伯：热淫于内，肾水枯涸，因转属阳明，胃火上炎，故口燥咽干。急下之，火归于坎水，津液自升矣。此必有不大便证，若非本有宿食，何得二三日便当急下。

大承气汤方 见阳明病篇

少阴病，自利清水，色纯青，心下必痛，口干燥者，可下之，宜大承气汤。

唐容川：肝气有余，则生胆汁太多，呕苦不食，大便青色。心下是指胸前之膈膜，膈连于肝而通于胆系，胆火盛汁多从肝系而注入膈中，至心下，将膈中所行之水阻遏，使返还入胃中，从下而泄，是为清水，其色纯青也。盖膈膜是行水之道，水要从胃而入膈，胆之火汁要从膈而入胃，逆拒于心中下之膈，故心下必痛。胆汁泄入胃，而水不得入于膈，反随胆汁下泄为下利清水，其色纯青也。水既从胃中下泄，而膈膜中反无水，不能化气升津，故口干燥也。

秦皇士：此明凡用急下，必要见下证者，质清而无渣滓相杂，色青而无黄赤相间，热极假阴之候。然必得心下硬痛，口燥咽干而渴，方是里实下证的据。

少阴病六七日，腹胀不大便者，急下之，宜大承气汤。

钱天来：少阴病而至六七日，邪已入深。然少阴每多自利，而反腹胀不大便者，此少阴之邪复还阳明也。所谓阳明中土，万物所归，无所复传之地，故当急下，与阳明篇“腹满痛者，急下之”无异也。以阴经之邪，而能复归阳明之腑者，即《灵枢·邪气脏腑病形》所谓“邪入于阴经，则其脏气实，邪气入而不能客，故还之于腑。故中阳则溜于经，中阴则溜于腑”之义也。然必验其舌，察其脉，有不得不下之势，方以大承气下之耳。

柯韵伯：三阳唯少阳无承气证，三阴唯少阴有承气证。盖少阳为阳枢，阳精虚，邪便入于阴，故不可妄下以虚其阳；少阴为阴枢，阳有余，邪便伤其阴，故宜急下以存其阴。

少阴病，脉沉者，急温之，宜四逆汤。

汪苓友：少阴病，本脉微细，但欲寐，今者轻取之微脉不见，重取之细脉几亡，伏匿而至于沉，此寒邪深中于里，殆将入脏，温之不容以不急也。少迟则恶寒身蜷，吐利躁烦，不得卧寐，手足逆冷，脉不至等死证立至矣。四逆汤之用，其可缓乎。

成无己：既吐且利，小便复利，而大汗出，下利清谷，内寒外热，脉微欲绝者，不云急温；此少阴病沉而云急温者，彼虽寒甚，然而证已形见于外，治之则有成法；此初头脉沉，未有形证，不知邪气所之，将发何病，是急与四逆汤温之。

四逆汤方 见太阳病上篇

少阴病，饮食入口即吐，心中温温欲吐，复不能吐，始得之，手足寒，脉弦迟者，此胸中实，不可下也，当吐之。若膈上有寒饮，干呕者，不可吐也，当温之，宜四逆汤。

尤在泾：肾者，胃之关也，关门受邪，上逆于胃，则饮食入口即吐，或心中温温欲吐而复不能吐也。夫下气上逆而为吐者，原有可下之例，如《金匮》之食已即吐者，大黄甘草汤主之是也。若始得之，手足寒，脉弦迟者，胸中邪实而阳气不布也，则其病不在下而在上，其治法不可下而可吐，所谓因其高者而越之也。若膈上有寒饮而致干呕者，则复不可吐而可温，所谓病痰饮者，当以温药和之也。故实可下，而胸中实则不可下；饮可吐，而寒饮则不可吐。仲景立法，明辨详审如此。

《金鉴》：饮食入口即吐，且心中温温欲吐，复不能吐，恶心不已，非少阴寒虚吐也，乃胸中寒实吐也。故始得之，脉弦迟。弦者饮也，迟者寒也。而手足寒者，乃胸中阳气为寒饮所阻，不能通于四肢也。寒实在胸，当因而越之，故不可下也。若膈上有寒饮，但干呕有声而无物出，此为少阴寒虚之饮，非胸中寒实之饮也，故不可吐，唯急温之，宜四逆汤。

少阴病，下利，脉微涩，呕而汗出，必数更衣，反少者，当温其上，灸之。

方中行：微，阳虚也；涩，血少也。汗出，阳虚不能外固，阴弱不能内守也。更衣反少者，阳虚则气下坠，血少所以勤努责，而多空坐也。上，谓顶，百会是也，灸，升举其阳，以调养夫阴也。

舒驰远：此证阳虚气坠，阴弱津衰，故数更衣而出弓反少也。曾治一妇人，腹中急痛，恶寒厥逆，呕而下利，脉见微涩，予以四逆汤投之无效。其夫告曰，昨夜依然作泻无度，然多空坐，醡胀异常。尤可奇者，前阴醡出一物，大如柚子，想是尿脬，老妇尚可生乎？予即商之仲远，仲远踌躇曰：是证不可温其下，以逼迫其阴，当用灸法温其上，以升其阳，而病可愈。予然其言而依其法。用生姜一片，贴头顶百会穴上，灸艾火三壮，其脬即收。仍服四逆汤加芪、术、一剂而愈。

第八节　辨厥阴病脉证并治

厥阴之为病，消渴，气上撞心，心中疼热，饥而不欲食，食则吐蛔，下之，利不止。

沈尧封：此厥阴病之提纲也。然消渴，气上撞心，心中疼热，饥不欲食，食则吐蛔之外，更有厥热往来，或呕，或利等证，犹之阳明病胃家实之外，更有身热汗出，不恶寒反恶热等证。故阳明病必须内外证合见，乃是真阳明；厥阴病亦必内外证合见，乃是真厥阴。其余或厥，或利，或呕，而内无气上撞心，心中疼热等证，皆似厥阴而实非厥阴也。

张隐庵：厥阴者，阴之极也。夫两阴交尽，是为厥阴，阴极而阳生，故厥阴不从标本，从中见少阳之气化也。厥阴之为病，消渴者，《经》云厥阴之上，风气从之，所谓本也。病于本气，故风消而渴也。气上撞心，下焦之气不和也。心中疼热，中焦之气不和也。饥而不欲食，上焦之气不和也。夫三焦者，少阳也，《经》云本之下中之见也，厥阴中风少阳，故有三焦之病也。食则吐蛔，下之利不止者，乃厥阴标阴为病，《经》云见之下气之标也，厥阴以阴寒为标，蛔乃阴类，不得阳热之化，则顿生而吐；下之则阴极而阳不生，故利不止。

舒驰远：此条阴阳错杂之证也。消渴者，膈有热也。厥阴邪气上逆，故上撞心。疼热者，热甚也；心中疼热，阳热在上也。饥而不欲食者，阴寒在胃也。强与食之，亦不能纳，必与蛔俱出，故食即吐蛔。此证上热下寒，若因上热误下之，则上热未必即去，而下寒必更加甚，故利不止也。

黄竹斋：厥阴者，神经系统之符语，满布身体内外，以脑为中枢，可知觉运动，主节制诸器官之总轴也。在太阳部分者，知觉最敏，能随意运动。在少阳及阳明部分者，除九窍外，皆知觉迟钝，不能随意运动，名曰自和神经。如心之波动，肺之气息，肝脾之分泌胆脺液，肾之排尿，胃之消化，肠之传渣滓是也。《内经》曰：厥阴受少阳为表里。又曰：厥阴之上，风气治之。若少阳部分之自和神经，因受风邪，微生虫寄脏腑之为病，其发于胃则消渴。消渴者，饮水能消，小便数而渴不止。盖由饮食生冷，含有微生虫之遗卵，因人脾胃之虚，故遗卵得伏于胃襞，孵化变蛔，盘踞寄于其间，致胃之消化神经衰弱，饮食之精微只供蛔虫之荣养，久则胃膜坚强不能吸收水分，蛔饥求食而动则病作，胃中客气动膈上撞击于心，蛔啮胃襞，致心中疼而烦热，方书所谓心胃虫疾作痛也。小肠无病能消化水谷，故腹中饥。胃气为风邪所乱，故不欲食。食则蛔闻食臭出，既出则不能复归于原巢，故吐蛔也。胃不能消水而上输于肺，致水悉自小肠，而下输于肾，故小便多而胃阴之燥仍不解，此消渴之病所由成也。此病本在少阳中焦之半表半里及胃上脘，若不可下；故误下之，反致未病之小肠为苦寒药侵伤而下利不止矣。

厥阴中风，脉微浮，为欲愈；不浮，为未愈。

尤在泾：此厥阴自受风邪之证，脉微为邪气少，浮为病在经，经病而邪少，故为欲愈。或始先脉不微浮，继乃转前为浮者，为自阴之阳之候，亦为欲愈，所谓阴病得阳脉者生是也。然必兼有发热微汗等证候，仲景不言者，以脉该证也。若不浮，则邪着阴中，漫无出路，其愈正未可期，故曰：不浮，为未愈。

厥阴病，欲解时，从丑至卯上。

方中行：厥阴属木，旺于丑、寅、卯之三时，正气得其旺时，邪退而病解。在六经皆然。夫以六经各解于三时，而三阳解自寅至亥，三阴解自亥至卯。厥阴之解，至寅卯而终。少阳之解，自寅卯而始。何也？曰：寅为阳初动，阴尚强，卯为天地辟，阴阳分，所以二经同旺，其病之解，由此而终始也。然则三阳之旺时九，各不相袭，三阴之旺时五，太阴与少阴同子丑，少阴与厥阴同丑寅。何也？曰：阳行健，其道长，故不相及，阴行纯，其道促，故皆相蹑也。

厥阴病，渴欲饮水者，少少与之愈。

尤在泾：厥阴之病本自消渴，虽得水未必即愈，此云渴欲饮水，少少与之愈者，必热邪还返阳明之候也。热还阳明，津液暴竭，求救于水，少少与之，胃气则知，其病乃愈。若系厥阴，则热足以消水，而水岂能消其热哉！

万密斋：厥阴证异于六经者，以厥逆吐利也。所以别经则称某经病，而厥阴不称经者，以有厥逆吐利可识也。

诸四逆厥者，不可下之，虚家亦然。

尤在泾：成氏曰：四逆，四肢不温也；厥者，手足冷也。然本篇云：厥者，手足逆冷是也。又云：伤寒脉促，手足厥逆，可灸之。其他凡言厥逆之处不一，则四逆与厥本无分别，特其病有阴阳之异耳。此条盖言阴寒厥逆，法当温散养之，故云不可下之。后条云：厥应下之者，则言邪热内陷之厥逆也。学者辨之。虚家，体虚不足之人。虽非四逆与厥，亦不可下之。经曰：毋实实，毋虚虚，前遗人夭殃。此之谓也。

徐灵胎：以下所论诸条，皆指伤寒证手足逆冷而言，非气逆不知人之厥也。又曰：凡厥者，阴阳气不相顺接便为厥，此致厥之由。厥者，手足逆冷是也，此厥之象。

伤寒，先厥后发热而利者，必自止。见厥复利。

尤在泾：伤寒先厥者，阴先受邪也。后热者，邪从阴而出阳也。阴受邪而利，及邪出而之阳，故利必止。设复厥，则邪还入而之阴，故必复利。盖邪气在阳热则生热，在阴则为厥与利，自然之道也。

张隐庵：此节首论厥热，乃论厥阴，阴阳环转次递传变之意。夫病在厥阴，即以一日起厥阴者，从一而三，从阴而阳，先天之气始也；病在太阳，即以一日起太阳者，从三而一，从阳而阴，后天之气始也。

黄竹斋：此节为厥阴直中寒邪之证，故得病之初即厥而不省人事，今俗所谓鹘突伤寒是也，较少阴伤寒之但欲寐则病深势重矣。

伤寒始发热六日，厥反九日而利。凡厥利者，当不能食，今反能食者，恐为除中，食以索饼，不发热者，知胃气尚在，必愈，恐暴热来出而复去也。后日脉之，其热续在者，期之旦日夜半愈。所以然者，本发热六日，厥反九日，复发热三日，并前六日，亦为九日，与厥相应，故期之旦日夜半愈。后三日脉之，而脉数，其热不罢者，此为热气有余，必发痈脓也。

尤在泾：伤寒始发热六日，厥反九日而又下利者，邪气从阳之阴，而盛于阴也。阴盛则当不能食，而反能食者，恐为除中。中者，胃中之阳气也。除者，去而尽之也。言胃气为邪气所迫，尽情发露，不留余蕴也。不发热，不字当作若，谓试以索饼食之，若果胃气无余，必不能蒸郁成热。今反热者，知胃气尚在，非除中之谓矣。而又恐暴热暂来而复去，仍是胃阳发露之凶征也。后三日脉之，而其热仍在，则其能食者，乃为胃阳复振无疑，故期至旦日夜半，其病当愈。所以然者，本发热六日，厥反九日，热少厥多，其病当进。兹复发热三日，并前六日，亦为九日，适与厥日相应，故知其旦日夜半，其病当愈。旦日，犹明日也。然厥与热者，阴阳胜负之机，不可偏也，偏于厥则阴胜而碍阳矣，偏于热则阳胜而碍阴矣。后三日脉之，而脉反加数，热复不止，则阳气偏胜，必致伤及营血，而发为痈脓也。

钱天来：大凡厥冷下利者，因寒邪伤胃，脾不能散精以达于四肢，四肢不能禀气于胃而厥。厥则中气已寒，当不能食，今反能食者，似乎胃气已回，但恐为下文之除中，姑且食以索饼，索饼者，疑即今之条子面及馓子之类，取其易化也，食后不停滞而发热，则知已能消谷，胃气无损而尚在，其病为必愈也。期之旦日半阴极阳回之候，其病当愈，所谓厥阴病欲解时，自丑至卯上也。

柯韵伯：除中，如中空无阳，反见善食之状，今俗云食禄将尽者是也。发痈脓，是阳邪外溢于形身，俗所云伤寒留毒者是也。

黄竹斋：此节当分三段看，首段言厥多则阴盛而下利，食以索饼，验其是否为除中。中段言厥热相应，为阴阳平均而自愈。末段言热多则阳盛而发痈脓也。

伤寒六七日，脉迟，而反与黄芩汤彻其热，脉迟为寒，今与黄芩汤，复除其热，腹中应冷，当不能食，今反能食，此名除中，必死。

汪苓友：脉迟为寒，不待智者而后知也。六七日反与黄芩汤者，必其病初起，便发厥而利，至六七日阳气回复，乃乍发热而利未止之时，粗工不知，但见其发热下利，误认以为太少合病，因与黄芩汤彻其热。彻即除也。又脉迟云云者，申明除其热之误也。

程郊倩：上条脉数，此条脉迟，是题中二眼目。

伤寒先厥后发热，下利必自止，而反汗出，咽中痛者，其喉为痹。发热无汗，而利必自止，若不止，必便脓血。便脓血者，其喉不痹。

张隐庵：伤寒先厥者，始于厥阴也。后发热者，交于太阳也。下利必自止者，阳气上升也。夫先厥后热，下利且止，阴阳似和，其病当愈；而反汗出，咽中痛者，阴液虚而火气盛也。其喉为痹者，《经》云：一阴一阳结，谓之喉痹。一阴者，厥阴也；一阳者，少阳也。今厥阴为病，而见少阳之火热咽痛，故其喉为痹。夫始之下利必自止者，乃发热无汗而利必自止也。若发热无汗而利不止，则太阳阳热之气不能上升，必阴津下竭、热气内伤而便脓血。夫便脓血则火热下行，故其喉不痹。此明火热下行则便脓血，火热上升而为喉痹者如此。

伤寒一二日至四五日，厥者必发热。前热者后必厥，厥深者热亦深，厥微者热亦微。厥应下之，而反发汗者，必口伤烂赤。

黄坤载：伤寒一二日以至四五日而见厥者，此后必发热。既已发热，则此后必又厥。前之厥深者，后之热亦热；前之厥微者，后之热亦微。盖前之阴盛而为厥，后必阳复而发热，阴阳之胜复不偏，则厥热之浅深相等也。阳胜而热则病退，阴胜而厥则病进。是热本吉兆，然不可太过，厥将终而热将作，应当下之以救营血而息肝风，而反发汗者，亡其血液，风动火炎，必口伤烂赤。上章诸四逆厥者，不可下之，此曰厥应下之者，以其将发热也。缘今之厥深者，后之热亦必深，俟其热盛亡阴，所丧多亦。于其热未发时，应当下之，使阳与阴平，则热可不作，热去则厥亦不来，是至善之法也。不然，热来则伤肝臂之阴，厥来又伤心肺之阳，厥热之胜负不已，则正气之损伤为重，养虎遗患，非计之得者也。

《阴证略例》：夫厥有阴有阳，初得病身热，三四日后热气渐深，大便秘结，小便黄赤，或语言谵妄而反发热者，阳厥也。初得病身不热，三四日后阳气渐消，大便软利，小便清白，或语言低微而不发热者，阴厥也。二证人多疑之，以脉皆沉故也。然阳厥而沉者，脉当有力；阴厥而沉者，脉当无力也。若阳厥爪指有时而温，若阴厥爪指时时常冷也。

陶节庵：先发热而后厥者，扬手掷足，烦躁饮水，畏热，头汗，大便闭，小便赤，怫郁昏悸。当下失下，血气不通，所以谓热深则厥者此也。大柴胡汤、小承气汤选而用之。

伤寒病，厥五日，热亦五日，设六日当复厥，不厥者自愈。厥终不过五日，以热五日，知自愈。

黄坤载：阴胜而厥者五日，阳复而热者亦五日，设至六日，则阴当又胜而复厥，阴胜则病进，复厥者病必不愈。若不厥者，则阴不偏胜，必自愈也。盖天地之数，五日以后则气化为之一变，是以阴胜而厥，终不过乎五日，阴胜而阳不能复，则病不愈；以阳复而热者，亦是五日，阴不偏胜而阳不偏负，故知自愈。

凡厥者，阴阳气不相顺接，便为厥。厥者，手足厥冷者是也。

方中行：此揭厥而明其义，以申其状。按脉经流注，手之三阴，从腹走至手；手之三阳，从手走至头；足之三阳，从头下走至足；足之三阴，从足上走入腹。然则手之三阴与手之三阳相接于手，足之三阴与足之三阳相接于足。阴主寒，阳主热，故阳气内陷，不与阴气相顺接，则手足厥冷也。然手足为四肢，主之者脾也，脾为阴，阳不与阴相顺接，而手足逆冷又可知也。

陈平伯：本条推原所以致厥之故，不专指寒厥言也。看用“凡”字冠首，则知不独言三阴之厥，并赅寒热二厥在内矣。盖阳受气于四肢，阴受气于五脏，阴阳之气相贯，如环无端，若寒厥则阳不与阴相顺接，热厥则阴不与阳相顺接也。或曰：阴不与阳相顺接，当四肢烦热，何反逆冷也？而不知热邪深入，阳气壅遏于里，不能外达于四肢，亦为厥冷，岂非阴与阳不相顺接之谓乎！仲景立言之妙如此。

陆九芝：厥阴篇中，凡有厥而复有热者，其厥也定为热厥。唯有厥无热，甚则一厥不复热者，其厥也，方是寒厥。以此为辨。

伤寒，脉微而厥，至七八日肤冷，其人躁无暂安时者，此为脏厥，非蛔厥也。蛔厥者，其人当吐蛔。今病者静而复时烦，此为脏寒，蛔上入其膈，故烦，须臾复止，得食而呕又烦者，蛔闻食臭出，其人当自吐蛔。蛔厥者，乌梅丸主之。又主久利。

尤在泾：伤寒脉微而厥，寒邪中于阴也。至七八日，身不热而肤冷，则其寒邪未变可知。乃其人躁无暂安时者，此为脏厥发躁，阳气欲绝，非为蛔厥也。蛔厥者，蛔动而厥，其人亦躁，但蛔静则躁亦自止，蛔动则时复自烦，非若脏寒之躁无有暂安时也。然蛔之所以时动而时静者，何也？蛔性喜温，脏寒则蛔不安而上膈，蛔喜得食，脏虚则蛔复上而求食，甚则呕吐，涎液从口中出。古云：蛔得甘则动，得苦则安。又曰：蛔闻酸则静，得辛热则止。故以乌梅丸安蛔温脏，而止其厥逆。

柯韵伯：伤寒脉微厥冷烦躁者，在六七日，急灸厥阴以救之。此至七八日而肤冷，不烦而躁，是纯阴无阳，因脏寒而厥，不治之证矣。然蛔厥之证，亦有脉微肤冷者，是内热而外寒，勿遽认为脏厥而不治也。其显证在吐蛔，而细辨在烦躁，脏寒则躁而不烦，内热则烦而不躁，其人静而时烦，与躁而无暂安时者迥殊矣。此与气上撞心，心中疼热，饥不能食，食即吐蛔者，互文以见意也。夫蛔者，虫也，因所食生冷之物，与胃中湿热之气相结而成。今风木为患，相火上攻，故不下行谷道而上出咽喉。故用药亦寒热相须也。看厥阴诸证，与本方相符，下之利不止，与又主久利句合，则乌梅丸为厥阴主方，非只为蛔厥之剂矣。

乌梅丸方

乌梅三百枚　细辛六两　干姜十两　黄连十六两　当归四两　人参六两　附子六两（炮，去皮）　蜀椒四两（出汗）　桂枝六两（去皮）　黄柏六两

上十味，异捣筛，合治之。以苦酒渍乌梅一宿，去核，蒸之五斗米下，饭熟捣成泥，和药令相得，内臼中，与蜜杵二千下，丸如梧桐子大。先食饮服十丸，日三服，稍加至二十丸。禁生冷、滑物、臭食等。

吕榇村：此主治蛔厥，其妙处全在米饭和蜜，先诱蛔喜，及蛔得之，而乌梅及醋之酸，椒、姜、桂、附及细辛之辛，黄连、黄柏之苦，则蛔不堪而伏矣。但厥后气血不免扰乱，故加人参、当归奠安气血。此方虽寒热错杂，但温脏之力居多，又得乌梅之酸涩以固脱，故又主久利。

喻嘉言：乌梅丸中酸苦辛温互用，以安蛔温胃益虚。久利而便脓血亦主此者，能解阴阳错杂之邪故也。

伤寒，热少微厥，指头寒，嘿嘿不欲食，烦躁，数日，小便利，色白者，此热除也，欲得食，其病为愈；若厥而呕，胸胁烦满者，其后必便血。

成无己：指头寒者，是厥微热少也。嘿嘿不欲食，烦躁者，邪热初传里也。数日之后，小便色白，里热去，欲得食，为胃气已和，其病为愈。厥阴之脉，挟胃贯膈，布胁肋，厥而呕，胸胁烦满者，传邪之热甚于里也。厥阴肝主血，后数日热不去，又不得外泄，迫血下行，必致便血。

王肯堂：设未欲食，宜干姜甘草汤。呕而胸胁烦满者，少阳证也。少阳与厥阴为表里，邪干其腑，故呕而胸胁烦满也。

万密斋：厥而呕，胸胁烦满者，大柴胡汤证也。厥应下之，亦宜此汤。便血者，桃仁承气汤。

病者手足厥冷，不结胸，小腹满，按之痛者，此冷结在膀胱关元也。

尤在泾：手足厥冷，原有阴阳虚实之别。若其人结胸，则邪结于上而阳不得通，如后所云，病人手足厥冷，脉乍紧，邪结在胸中，当须吐之，以通其阳者也。若不结胸，但少腹按之痛者，则是阴冷内结，元阳不振，病在膀胱、关元之间，必以甘辛温药，如四逆、白通之属，以救阳气而驱阴邪也。

唐容川：关元即胞宫也，又名血室，又名血海。冷结膀膀，与寒疝癥瘕可会通。

伤寒发热四日，厥反三日，复热四日，厥少热多者，其病当愈；四日至七日，热不除者，必便脓血。

尤在泾：热已而厥者，邪气自表而至里也。乃厥未已，而热之日又多于厥之日，则邪复传而之表矣，故病当愈，其热则除。乃四日至七日而不除者，其热必侵入营中，而便脓血，所谓热气有余，必发痈脓也。

万密斋：凡阳厥热不除，在表者必发痈脓，在里者必便脓血者，以肝主血而风木易动也。其脉皆数，便脓血，黄芩汤。

吴人驹:《内经》言人之伤于寒也，则为病热，热虽甚不死，是伤寒以热为贵也。然热不及者病，太过者亦病，故此二节论寒热之多少，以明不可太过与不及也。

伤寒厥四日，热反三日，复厥五日，其病为进。寒多热少，阳气退，故为进也。

陆九芝：厥阴与少阳相表里，厥阴厥热之胜复，犹少阳寒热之往来。少阳之寒因乎热，故厥阴之厥亦因乎热，热为阳邪向外，厥为阳邪向内，厥之与热总是阳邪出入阴分。热多厥少而热胜于厥者，其伤阴也犹缓；厥多热少而厥胜于热者，其伤阴也更急。盖外寒客热化为阳邪，深入厥阴之脏，本以向外为吉，向内为凶。阳而向外则外热，阳而向内则外寒，故仲景以厥多为病进，热多为病愈。而复申之曰阳气退，故为进，盖谓阳之退伏于内，非阳之脱绝于外也。

陈修园：上节言热胜于厥而伤阴，此节言厥胜于热而伤阳也。

伤寒六七日，脉微，手足厥冷，烦躁，灸厥阴，厥不还者，死。

尤在泾：伤寒六七日，阳气当复，阴邪当解之时，乃脉不浮而微，手足不烦而厥冷，是阴气反进，而阳气反退也。烦躁者，阳与阴争，而阳不能胜之也。灸厥阴，所以散阴邪而复阳气，阳复则厥自还。设不还，则阳有绝而死耳。是故传经之邪至厥阴者，阴气不绝则不死；直中之邪入厥阴者，阳气不复则不生也。

张令韶：灸厥阴，宜灸荥穴、会穴、关元、百会等处。荥者，行间穴也，在足大指中缝间。会者，章门穴也，在季肋之端，乃厥阴、少阳之会。关元，在脐下三寸，足三阴经之会。百会，在顶上中央，厥阴、督脉之会也。

伤寒发热，下利厥逆，躁不得卧者，死。

喻嘉言：厥证，但发热则不死，以发热则邪出于表，而里证自除，下利自止也。若发热下利厥逆，烦躁有加，则其发热又为阳气外散之候，阴阳两绝，亦主死也。又曰：肾主躁，躁不得卧，肾中阳气越绝之象也。

伤寒发热，下利至甚，厥不止者，死。

钱天来：发热则阳气已回，利当自止，而反下利至甚，厥冷不止者，是阴盛极于里，逼阳外出，乃虚阳浮越于外之热，非阳回之发热，故必死矣。

伤寒六七日不利，便发热而利，其人汗出不止者，死，有阴无阳故也。

尤在泾：寒伤于阴，至六七日发热者，阳复而阴解，虽下利犹当自止，所谓伤寒先厥后发热而利者，必自止也。乃伤寒六七日本不利，而忽热与利俱见，此非阳复而热也，阴内盛而阳外亡也。若其人汗出不止，则不特不能内守，亦并无为外护矣，是谓有阴无阳，其死必矣。

张令韶：王元成曰：厥阴病发热不死，此三节热亦死者，首节在躁不得卧，次节在厥不止，三节在汗出不止。

伤寒五六日，不结胸，腹濡，脉虚复厥者，不可下也。此为亡血，下之则死。

尤在泾：伤寒五六日，邪气传里，在上则为结胸，在下则为腹满而实。若不结胸，腹濡（音 rú）而脉复虚，则表里上下都无结聚，其邪为已解矣。解则其人不当复厥，而反厥者，非阳热深入也，乃血不足而不荣于四末也。是宜补而不可下，下之是虚其虚也。《玉函》云：虚者重泻，其气乃绝。故死。

《医垒元戎》：宜当归四逆汤。下之则死，宜四逆加人参汤。

伤寒，发热而厥，七日下利者，为难治。

尤在泾：发热而厥者，身发热而手足厥，病属阳而里适虚也。至七日，正渐复而邪欲退，则当厥先已而热后除，乃厥如故，而反加下利，是正不复而里益虚矣。夫病非阴寒，则不可以辛甘温其里；而内虚不足，复不可以苦寒坚其下，此其所以为难治也。

伤寒，脉促，手足厥逆，不可灸之。

陈修园：阳盛则促，虽手足厥逆，亦是热厥，总用火攻。然有阴盛之极，反假见数中一止之促脉。但阳盛者，重按之指下有力；阴盛者，重按之指下无力。

伤寒，脉滑而厥者，里有热也，白虎汤主之。

尤在泾：伤寒脉微而厥者，阴邪所中，寒在里也。脉滑而厥者，阳邪所伤，热在里也，阳热在里，阴气被格，阳反在内，阴反在外，设身热不除，则其厥不已，故主白虎汤，以清里而除热也。

柯韵伯：此条明热厥之脉，并热厥之方。脉弱以滑，是有胃气；缓而滑，名热中；与寒厥之脉微欲绝者，大相径庭矣。当知有口燥舌干之证，与口伤烂赤者照应焉。

白虎汤方　见太阳病上篇

伤寒，手足厥逆，脉细欲绝者，当归四逆加人参附子汤主之；若其人内有久寒者，当归四逆加吴茱萸生姜附子汤主之。

刘昆湘：此示阴乘阳陷，荣寒卫郁之例，乃阴经之阴厥也。手足厥逆，较厥冷四逆之证为轻，但厥至手足而止，谓病人手足冷而自感四末寒侵者是也。此由三阴之邪外乘三阳，阴束阳郁，致表里失其顺接，令阳为阴阖，入而不出，故为手足厥逆之变。所以经系厥阴者，由络寒而经气始陷，亦厥阴病机内合少阴者也。脉细为荣气内束，细而欲绝乃形容应指萦萦如丝，而三部显然举按皆有之象，非应指乍见，绝而不至之谓。以证为邪乘而非正夺，故宜当归四逆法主之。桂、芍、当归和荣疏络，人参、附子温肾生精，细辛助荣气旁充而散脉内之寒，通草疏血脉阻滞且行经络之水，甘草、大枣和中，具通脉散寒之用，故以四逆名汤。通行本阙人参、附子，则散多补少，非脉细欲绝者所宜与矣。内有久寒，知病因已久，或其人素为寒中，或见小腹关元冷结之类，脉当细紧而迟。加吴茱萸以暖肝气，生姜以宣胃阳，用清酒和水煎服者，所以助药气之流传，此又法中法也。

陆九芝：手足厥逆，脉细欲绝者，为厥阴之表证。当归四逆汤即厥阴之表药。

当归四逆加人参附子汤方

当归三两　桂枝三两（去皮）　芍药三两　细辛三两　甘草二两（炙）　木通三两　大枣二十五枚（擘）　人参三两　附子一枚（炮，去皮，破八片）

上九味，以水八升，煮取三升，去滓。温服一升，日三服。

当归四逆加吴茱萸生姜附子汤方

当归三两　桂枝三两（去皮）　芍药三两　细辛三两　木通三两　甘草二两（炙）　枣二十五枚（擘）　吴茱萸二升　生姜半斤　附子一枚（炮，去皮，破八片）

上十味，以水六升，清酒六升和，煮取三升，去滓。温服一升，日三服。

柯韵伯：此厥阴伤寒发散表邪之剂也。厥阴居两阴之交尽，名曰阴之绝阳。外伤于寒，则阴阳之气不相顺接，故手足厥逆，脉细欲绝。然相火居于厥阴之脏，脏气实热则寒邪不能侵，只外伤于经而内不伤脏，故先厥者，后必发热。凡伤寒初起，内无寒证，而外寒极盛者，但当温散其表，勿遽温补其里。此方用桂枝汤以解外，而以当归为君者，因厥阴主肝为血室也。肝苦急，甘以缓之，故倍加大枣，犹小建中加饴糖法。肝欲散，当以辛散之，细辛甚辛，能通三阴之气血外达于毫端，比麻黄更猛，可以散在表之严寒。不用生姜，不取其横散也。木通能通九窍而通关节，用以开厥阴之阖而行气于肝。夫阴寒如此，而仍用芍药者，须防补火之为患也。是方桂枝得归、芍，生血于荣，细辛同木通，行气于卫，甘草得枣，气血以和，且缓中以调肝，则荣气得至于手太阴，而脉自不绝；温表以逐邪，则卫气行四末而手足自温矣。若其人内有久寒者，其相火亦不足，加吴茱萸之辛热，直达厥阴之脏；生姜之辛散，淫气于筋；清酒以温经络，经脉不沮弛。则气血如故，而四肢自温，脉息自至矣。此又治厥阴内外两伤于寒之剂也，冷结膀胱而少腹满痛，手足厥冷者宜之。

孟承意：四逆之名多矣，此名当归四逆者，因风寒中于血脉而逆，当云血中之邪。故用当归通脉散逆；桂枝、细辛散太阳、少阴血分之风寒；未有荣卫不和而脉道能通者，故以甘草、大枣、芍药调和荣卫；木通利九窍通关节。合而用之，破阻滞，散厥寒，诚为劲敌。前贤云：四逆汤全从回阳起见，当归四逆全从养血通脉起见。不入辛热之味者，恐灼阴也。厥阴职司藏血，不养血则脉不起。少阴重在真阳，阳不回则邪不退。成氏曰：手足厥寒者，阳气外虚，不温四末；脉细欲绝者，阴血内弱，脉行不利。与此汤复脉生阴。

《医学入门》：当归四逆汤，治厥阴病气弱，手足厥逆，小腹疼痛，或呕哕，或囊缩，血虚则脉细欲绝。亦阴毒要药也。如素有寒气，加吴茱萸、生姜。寒甚，加附子。脉不至，加人参。

大汗出，热不去，内拘急，四肢疼，复下利厥逆而恶寒者，四逆汤主之。

尤在泾：此过汗伤阳，病本热而变为寒之证。大汗出，热不去者，邪气不从汗解，而阳气反从汗亡也。阳气外亡，则寒冷内生，内冷则脉拘急而不舒也。四肢者，诸阳之本，阳虚不足，不能实气于四肢，则为之疼痛也。甚至下利厥逆而恶寒，则不特无与内守，亦并不为外护矣。故必四逆汤救阳驱阴为主。余谓传经之热，久亦成阴者，此类是也。

徐灵胎：此条诸证皆属阴寒，固为易辨。唯热不去三字，则安知非表邪未尽即恶寒，亦安知非太阳未罢之恶寒。唯下利厥逆则所谓急当救里，不论其有表无表，而扶阳不可缓矣。

四逆汤方 见太阳病上篇

大汗，若大下利而厥逆冷者，四逆汤主之。

尤在泾：此亦阳病误治而变阴寒之证。成氏所谓大汗，若大下利，表里虽殊，其亡津液、损阳气一也。阳虚阴胜，则生厥逆，虽无里急下利等证，亦必以救阳驱阴为急。《易》曰：履霜坚冰至。阴盛之戒，不可不凛也。

病人手足厥冷，脉乍紧者，邪结在胸中，心下满而烦，饥不能食者，病在胸中，当须吐之，宜瓜蒂散。

柯韵伯：手足为诸阳之本，厥冷则胃阳不达于四肢。紧则为寒，乍紧者，不厥时不紧，言紧与厥相应也，此寒结胸中之脉证。心下者，胃口也。满者，胃气逆。烦者，胃火盛。火能消物，故饥。寒结胸中，故不能食。此阴并于上，阳并于下，故寒伤形，热伤气也。非汗下温补之法所能治，必瓜蒂散吐之。

陈修园：此言痰之为厥也。厥虽不同，究竟统属于厥阴证内。

瓜蒂散方　见太阳病下篇

伤寒厥而心下悸者，宜先治水，当服茯苓甘草汤，却治其厥；不尔，水渍入胃，必作利也。

钱天来:《金匮》曰“水停心下，甚者则厥”，太阳篇中有“饮水多者，心下必悸”，此二语，虽皆仲景本文，然此条并不言饮水，盖以伤寒见厥则阴寒在里，里寒则胃气不行，水液不布，必停蓄于心下，阻绝气道，所以筑筑然而悸动，故宜先治其水，当服茯苓甘草汤以渗利之，然后却与治厥之药。不尔，则水液既不流行，必渐渍入胃，寒厥之邪在里，胃阳不守，必下走而作利也。

魏念庭：此厥阴预防下利之法。盖病至厥阴，以阳升为欲愈，邪陷为危机。若夫厥而下利，则病邪有陷无升，所以先治下利为第一义，无论其厥之为寒为热，而俱以下利为不可犯之证。

茯苓甘草汤方　见太阳病中篇

伤寒六七日，大下后，寸脉沉而迟，手足厥逆，下部脉不至，喉咽不利，唾脓血，泄利不止者，为难治，人参附子汤主之。不差，复以人参干姜汤主之。

刘昆湘：此示厥阴坏病，阴阳两竭，喉痹、厥利并见之候。曰伤寒六七日大下后者，明本为热厥当下之证，医虽知热深厥深，乃不辨腑脏之料度、热邪之轻重，辄与承气大下，伤其中腑，糟粕虽去，而阴精随之内竭，所谓下则亡阴者是也。假令寒厥更下，必致一厥不还，脉绝不至。今以本为热厥，但诛罚过当，不中病所，故因大下后寸脉沉而按迟，手足厥逆，阳气以误攻而下陷也。经气下陷而相火循络上冲，热深内郁之阳浮寄上乘于肺，以厥阴之脉贯膈上注肺，循喉咙故尔。脉热荣郁，内灼气道以侵咽门，故为咽喉不利，上唾脓血之变，此亦喉痹之类证也。阳浮于上，而阴寒独治于下，故见泄利不止。病至此，而升降出入之机皆乱其常，下部脉不至者，谓尺部应指不至。寸脉沉迟，知上焦亦非有余之热，故宜人参附子汤主之。干姜、附子温脾肾以回阳，人参、阿胶滋真精而救肺，半夏降逆以通液阻，柏叶清荣而止血溢。得汤厥还利减者生。若服汤病仍不差，则证为危殆，复以人参干姜汤救之，亦十全一二而已。

人参附子汤方

人参二两　附子一枚　干姜二两（炮）　半夏半升　阿胶二两　柏叶三两

上六味，以水六升，煮取二升，去滓，内胶烊消。温服一升，日再服。

人参干姜汤方

人参二两　附子一枚　干姜三两　桂枝二两（去皮）　甘草二两（炙）

上五味，以水二升，煮取一升，去滓。温顿服之。

黄竹斋：本方即四逆汤倍干姜加桂枝也。寸脉沉迟，手足厥逆，下部脉不至，泄利不止，皆四逆汤之本证。以咽喉不利，唾脓血，故加桂枝倍干姜也。

伤寒四五日，腹中痛，若转气下趋少腹者，此欲自利也。

尤在泾：伤寒四五日，正邪气传里之时，若腹中痛而满者，热聚而实，将成可下之证。兹腹中痛而不满，但时时转气下趋少腹者，然不得聚而从下注，将成下利之候也。而下利有阴阳之分，先发热而后下利者，传经之热邪内陷，此为热利，必有内烦脉数等证；不发热而下利者，直中之阴邪下注，此为寒利，必有厥冷脉微等证。要在审问明白也。

伤寒本自寒下，医复吐下之，寒格，更逆吐下，麻黄升麻汤主之。若食入口即吐，干姜黄芩黄连人参汤主之。

黄竹斋：此节方中行以"伤寒本自寒"为句，"下医复吐下之"为句。言伤寒本自感寒邪而成病，下工见其发热不食，误以为宿食所致，复以苦寒涌泄之剂，吐之、下之。因伤胃阳，寒格在中，阻其阴阳升降之机，更逆吐下，而成上热下寒之证。宜麻黄升麻汤主之。麻桂治其本寒，知母、黄芩清上焦之热，白术、甘草补中土之虚，而其用全借升麻以交通表里，启在下之阴以上通于阳，脾阳气下行，阴气上升，阴阳和而吐利止，故以之为君而名方也。

麻黄升麻汤方

麻黄二两半（去节）　升麻一两　知母一两　黄芩一两半　桂枝二两　白术一两　甘草一两（炙）

上七味，以水一斗，先煮麻黄去上沫，内诸药，煮取三升，去滓。温服一升，日三服。

干姜黄芩黄连人参汤方

干姜三两　黄芩三两　黄连三两　人参三两

上四味，以水六升，煮取二升，去滓。分温再服。

张隐庵：若食入口即吐，即客格之谓也。平脉篇曰：格则吐逆。干姜黄芩黄连人参汤主之者，厥阴风气在上，火热在中，标阴在下，故以芩连清中上之风热，干姜温下利之阴寒，人参补中土而调和其上下。

柯韵伯：伤寒吐下后，食入口即吐，此寒邪格热于上焦也。虽不痞硬而病本于心，故用泻心之半调其寒热，以至和平。去生姜、半夏者，心下无水气也。不用甘草、大枣者，呕不宜甘也。

徐灵胎：寒格自用干姜，吐下自用芩、连，因误治而虚其正气则用人参。分途而治，无所不包，又各不相碍。古方之所以入化也。此痢疾之正方也。

陈修园：凡呕家挟热，不利于橘、半者，服此而晏如。若汤水不得入口，去干姜，加生姜汁少许，徐徐呷之。此少变古法，屡验。

下利，有微热而渴，脉弱者，令自愈。

魏念庭：下利之证，无论为飧泄、为滞下，俱以胃阳为宗主，此有颓靡，则难于援救矣。所以下利有微热，知阳气未绝也；兼渴，阳气尚有余也；脉虽弱，正虽虚而邪热亦不盛，故知其人必自愈。

方中行：脉热，邪退也。令自愈，言不须治也。

下利，脉数有微热，汗出者，为欲愈；脉紧者，为未解。

成无已：下利，阴病也；脉数，阳脉也。阴病见阳脉者生。微热汗出，阳气得通也，利必自愈。诸紧为寒，设复脉紧，阴气犹胜，故云未解。

程郊倩：下利脉数，寒邪已化热也。微热而汗出，邪从热化而出表也。故令自愈。设复紧者，未尽之邪复入于里，故为未解。盖阴病得阳则解，故数与紧，可以定愈不愈。即阴阳胜复之下利，亦当以此为断。

下利手足厥冷，无脉者，灸之。不温，若脉不还，反微喘者，死；少阴负趺阳者，为顺也。

钱天来：阴寒下利而手足厥冷，至于无脉，是真阳已竭，已成死证，故虽灸之，亦不温也。若脉不还，反见微喘，乃阳气已绝，其未尽之虚阳随呼吸而上脱，其气有出无入，故似喘非喘而死矣。少阴，肾也，水中有火，先天之阳也；趺阳，胃脉也，火生之土，后天之阳也。此承上文下利而言。凡少阴证中诸阳虚阴盛之证，而至于下利及下利清谷之证，皆由寒邪太盛，非唯少阴命门真火衰微，且火不能生土，中焦胃脘之阳不守，故亦败泄而为下利，少阴脉虽微细欲绝，而为阴寒所胜，则为少阴之真阳负也。若趺阳脉尚无亏损，则是先天之阳虽为寒邪之所郁伏，而后天胃脘之阳尚在，为真阳犹未磨灭，所谓有胃气者生，故为顺也。若趺阳亦负，则为无胃气而死矣。

汪苓友：常器之云：当灸关元、气海二穴。

陈修园：脉之源始于少阴，生于趺阳，少阴脉不至，则趺阳脉不出，是处有脉，其证为顺也。

下利，寸脉反浮数，尺中自涩者，必圊脓血，柏叶阿胶汤主之。

魏念庭：下利，寸脉反浮数，尺中自涩者，热在下也。寸脉浮数，阳欲升也，尺脉自涩，为阴所陷而不能升也。浮数者，热之浅而易数者也。涩者，阴虚热盛，伤其下焦之血，血室中有胶凝之象，故尺脉见涩。人之肾水不足则尺脉见涩，不知血室中血胶凝则亦不足，故亦如水不足之涩也。因而熏灼肠胃，变为脓血，此又热入之深，急宜清其下焦之实热也。

柏叶阿胶汤方

柏叶三两　阿胶二两　干姜二两（炮）　牡丹皮三两

上四味，以水三升，先煮三味，取二升，去滓，内胶烊消。温服一升，日再服。

刘昆湘：此示传经化热，余邪下陷厥阴之证。盖由体秉上盛，因见下虚，热乘虚凑内燔阴络，令荣气枯燥，转圊脓血之变，乃上病之下移也。宜柏叶阿胶汤主之。炮姜温脾而止血，阿胶滋水以润燥，柏叶敛荣气之溢，牡丹皮通血痹之阻。

下利清谷，不可攻表，汗出必胀满。

张令韶：厥阴内合脏气，而中见少阳，不在于里，即在于中，故无表证。下利清谷，厥阴脏气虚寒也。脏气虚寒，当温其里，不可攻表。攻表汗出则表阳外虚，里阴内结，故必胀满。《经》曰“脏寒生满病”是也。

黄竹斋：下利赤白为湿热下注里实之证，有表邪者，当先发汗，以解其外，外解已，方可清其里之瘀热。若下利清谷，为阴寒内积里虚之证，虽有表邪，急当温里，俟利止后外证不解者，方可攻其表。是二证寒热虚实不同，而治法则大相径庭也。

下利，脉沉弦者，下重也；脉大者，为未止；脉微弱数者，为欲自止，虽发热，不死。

汪苓友：此辨热利之脉也，脉沉弦者，沉主里，弦主急，故为里急重，如滞下之证也。脉大者，邪热甚也。《经》云“大则病进”，故为利未止也。脉微弱数者，此阳邪之热已退，真阴之气将复，故为利自止也。下利一候，大忌发热，兹者脉微弱而带数，所存邪气有限，故虽发热，不至死耳。

下利，脉沉而迟，其人面少赤，身有微热，下利清谷者，必郁冒，汗出而解，病人必微厥。所以然者，其面戴阳，下虚故也。

汪苓友：下利脉沉而迟，里寒也；所下者清谷，里寒甚也；面少赤，身微热，下焦虚寒，无根失守之火浮于上，越于表也。以少赤微热之故，其人阳气虽虚，犹能与阴寒相争，必作郁冒，汗出而解。郁冒者，头目之际郁然昏冒，乃真阳之气能胜寒邪，里阳回而表和顺，故能解也。病人必微厥者，此指未汗出郁冒之时而言。面戴阳系下虚，此申言面少赤之故。下虚，即下焦元气虚。仲景虽云汗出而解，然于未解之时，当用何药？郭白云云：不解，宜通脉四逆汤。

黄竹斋：此节先言下利，后言下利清谷，盖谓下利鹜溏，或下利赤白，失治久而阳虚，皆可转为清谷也。

《伤寒绪论》：戴阳者，面赤如微酣之状，阴证冷极，发躁面赤，脉沉细，为浮火上冲，水极似火也。凡下元虚惫之人，阳浮于上，与在表之邪相合，则为戴阳，阳已戴于头面，而不知者更行发散，则孤阳飞越，危殆之至矣。大抵阳邪在表之怫郁，必面合赤色，而手足自温；若阴证虚阳上泛而戴阳，面虽赤，足胫必冷。不可但见面赤便以为热也。

下利脉数而渴者，令自愈；设不差，必清脓血，以有热故也。

尤在泾：此亦阴邪下利，而阳气已复之证。脉数而渴，与下利有微热而渴同意。然脉不弱而数，则阳之复者已过，阴寒虽解，热气旋增，将更伤阴而圊脓血也。

汪苓友：常器之云：可用黄芩汤。

下利后脉绝，手足厥冷，晬时脉还，手足温者生，脉不还者死。

成无己：晬时，周时也。

钱天来：寒邪下利而六脉已绝，手足厥冷，万无更生之理，而仲景犹云周时脉还、手足温者生，何也？夫利有新久，若久利脉绝而至手足厥冷，则阳气以渐而虚，直至水穷山尽，阳气磨灭殆尽，脉气方绝，岂有复还之时；唯暴注下泄，忽得之骤利而厥冷脉绝者，则真阳未至徒绝，一时为暴寒所中，致厥利脉伏，故阳气尚有还期。此条乃寒中厥阴，非久利也，故云：“晬时脉还，手足温者生。”若脉不见还，是孤阳已绝而死也。

喻嘉言：脉绝不唯无阳，而阴亦无矣。阳气破散，岂有阴气不消亡者。晬时脉还，乃脉之伏者出耳。仲景用灸法，正所以通气而观其脉之绝与伏耳。故其方即名通脉四逆汤，服后利止脉出，则加人参以补其亡血。若服药晬时，脉仍不出，是药已不应，其为脉绝可知。

伤寒下利，日十余行，脉反实者死。

成无已：下利者，里虚也。脉当微弱，反实者，病胜脏也，故死。《难经》曰：脉不应病，病不应脉，是为死病。

钱天来：所谓实者，乃阴寒下利，真阳已败，中气已伤，胃阳绝而真脏脉现也。

下利清谷，里寒外热，汗出而厥者，通脉四逆汤主之。

张令韶：夫谷入于胃，借中土之气，变化而黄，以成糟粕，犹奉心化赤而为血之义也。若寒伤厥、少二阴，则阴寒气甚，谷虽入胃，不能变化其精微，蒸津液而泌糟粕，清浊不分，完谷而出，故下利清谷也。在少阴则下利清谷，里寒外热，手足厥逆。脉微欲绝，身反不恶寒；在厥阴则下利清谷，里寒外热，汗出而厥。俱宜通脉四逆汤，启生阳之气而通心主之脉也。

喻嘉言：下利里寒，加以外热，是有里复有表也。热在阳虚之人，虽有表证，其汗仍出，其手足必厥，才用表药，立至亡阳，不用表药，终是外邪不服，故于四逆汤中加葱为治，丝丝必贯，为万世法程。

陈修园：此为下利阴内盛而阳外亡者出其方治也。里不通于外而阴寒内拒，外不通于里而孤阳外越，非急用大温之剂，必不能通阴阳之气于顷刻。此言里寒下利而为清谷，下言里热下利者为下重，二节以寒热作对子。

通脉四逆汤方 见少阴病篇

热利下重者，白头翁汤主之。

尤在泾：伤寒热邪入里，因而作利者，谓热利。下重即后重，热邪下注，虽利而不得出也。

陈修园：此节言里热下利而为下重，即《内经》所谓“暴注下迫，皆属于热”之旨也。

《伤寒论识》：热利与协热利，相似而异。里有热而下利欲饮水者，谓之热利；里有寒协合外热而下利者，谓之协热利。热利则脉数有力，协热利则脉微弱，此为其别也。

白头翁汤方

白头翁二两　黄连三两　黄柏三两　秦皮三两

上四味，以水七升，煮取二升，去滓。温服一升，不愈，更服一升。

尤在泾：此治湿热下注，及伤寒热邪入里作利者之法。白头翁汤，苦以除湿，寒以胜热也。

张隐庵：白头翁气味苦温，有风则静，无风独摇，其体能立，其用能行，性从下而上达者也。连苗柏叶经冬不凋，皆得冬冷寒水之气，能启水阴之气上滋火热，复能导火热以下行。秦皮气味苦寒，渍水和墨，其色青碧，亦得水阴之气而上行下泄者也。取白头翁之升，用二之偶；秦皮、连、柏之降，用三之奇；陷下之气上升，协热之邪下泄，则热利解而下重除矣。

下利，其人虚极者，白头翁加阿胶甘草汤主之。

魏念庭：下利虚极者，自当大补其气血矣，不知其人虽极虚，而下利者乃挟热之利，补之则热邪无出。其利必不能止也。主之以白头翁加甘草阿胶汤，清热燥湿，补中理气，使热去而利自止。亦治虚热下利之妙方。

白头翁加阿胶甘草汤方

白头翁二两　黄连三两　黄柏三两　秦皮三两　甘草二两　阿胶二两

上六味，以水七升，煮取二升半，去滓，内胶烊消，分温三服。

徐忠可：虚极不可无补，但非他味参、术所宜，恶其壅而燥也。亦非苓、泽淡渗可治，恐伤液也。唯甘草之甘凉，清中即所以补中，阿胶之滋润，去风即所以和血，以此治病，即以此为大补。方知凡治痢者，湿热非苦寒不除，故类聚四味之苦寒不为过。若和血安中，只一味甘草及阿胶而有余。治痢好用参、术者，正由未悉此理耳。

下利，腹胀满，身体疼痛者，先温其里，乃攻其表，温里宜四逆汤，攻表宜桂枝汤。

张景岳：此一条乃言表里俱病而下利者，虽有表证，所急在里，盖里有不实，则表邪愈陷，即欲表之，而中气无力亦不能散。故凡见下利中虚者，速当先温其里，里实气强则表邪自解，温中可以散寒，即此谓也。

尤在泾：四逆用生附，则寓发散于温补之中；桂枝有甘芍，则兼固里于散邪之内。仲景用法之精，如此。

陶节庵：胃寒，利白鸭溏，脐下必冷，腹胀满，便中清白或清谷，四逆汤、理中汤。

下利，欲饮水者，以有热故也，白头翁汤主之。

钱天来：此又申上文热利之见证，以证其为果有热者，必若此治法也。夫渴与不渴，乃有热无热之大分别也。里无热邪，口必不渴，设或口干，乃下焦无火，气液不得蒸腾，致口无津液耳，然虽渴亦不能多饮，若胃果热燥，自当渴欲饮水，此必然之理也。宁有里无热邪，而能饮水者乎？仲景恐人之不能辨也，故又设此条以晓之。

张令韶：此申明白头翁汤能清火热下利之义也。下利欲饮水者，少阳火热在中，阴液下泄而不得上滋也。故以白头翁汤清火热以下降，而引阴液以上升。

下利，谵语者，有燥屎也，宜小承气汤。

《金鉴》：下利里虚，谵语里实，若脉滑大，证兼里急，知其中必有宿食也。其下利之物，又必稠黏臭秽，知热与宿食合而为之也，此可决其有燥屎也，宜以小承气汤下之。于此推之，可知燥屎不在大便硬与不硬，而在里之急与不急，便之臭与不臭也。

汪苓友：要之，此证须以手按脐腹，当必坚痛，方为有燥屎之证。

小承气汤方　见阳明病篇

下利后更烦，按之心下濡者，为虚烦也，宜栀子豉汤。

徐忠可：虚实皆有烦，在下利已属虚边，云“后”，是利已止则下无病。更按之心下濡，则非痞结痛满之比。故以栀豉汤涌之以彻其热。盖香豉主烦闷，亦能调中下气；而栀子更能清心、肺、胃、大小肠郁火也。

张令韶：此言下利后水液竭，火热上盛不得相济，复更有此烦，乃更端而复起之证也。然按之心下濡者，非上焦君火亢盛之烦，乃下焦水饮不得上济之虚烦也，宜栀子豉汤以交济水火之气。

栀子豉汤方　见太阳病中篇

下利腹痛，若胸痛者，紫参汤主之。《金匮要略》作“下利肺痛”。

赵以德：下利，肠胃病也，乃云肺痛何哉？此大肠与肺合故也。大抵肠中积聚则肺气不行，肺有所积，大肠亦不固，二害互为病。大肠病而气塞于肺者痛，肺有积者亦痛，痛必通。用紫参，《本草》谓主心腹积聚，疗胃中热积，通九窍，利大小肠，逐其陈，开其道。佐以甘草，和其中外。气通则痛愈，积去则利止。

紫参汤方

紫参半斤　甘草三两

上二味，以水五升，先煮紫参，取二升，内甘草，煮取一升半，分温再服。

徐忠可：下利肺痛，此气滞也。紫参性苦寒，能通血肺，《本草》主心腹积聚，寒热邪气；而好古谓治血痢；故以此散瘀止痛耳。然太苦寒，故以甘草调之，即补虚益气矣。

气利，诃黎勒散主之。

尤在泾：气利，气与屎俱失也。诃黎勒涩肠而利气，粥饮安中益肠胃。顿服者，补下治下，制以急也。

诃黎勒散方

诃黎勒十枚（煨）

上一味，为散，粥饮和，顿服之。

赵以德：诃黎勒有通有涩，通以下涎液、消宿食、破结气，涩以固肠脱，佐以粥饮，引肠胃更补虚也。

程云来：寇宗奭曰：诃黎勒能涩便而又宽肠，涩能治利，宽肠能治气，故气利宜之。调以粥饮者，借谷气以助肠胃也。杜任方言气利里急后重，诃黎勒用以调气。盖有形之伤则便垢而后重，无形之伤则气坠而后重；便肠垢者得诸实，气下坠者得诸虚。故用诃黎勒温涩之剂也。唐贞观中，太宗苦气利，众医不效，金吾长宝藏以牛乳煎荜茇进服之，立差。荜茇，温脾药也。大都气利得之虚寒气下陷者多，其用温涩之药可见矣。

呕家有痈脓者，不可治呕，脓尽自愈。

张路玉：呕有胃中虚寒而呕，有肝气逆上而呕，皆当辛温治其逆气。此则热聚于胃，结成痈脓而呕，即《内经》所谓热聚于胃口不行，胃脘为痈之候。恐人误用辛热止呕之药，所以特申“不可治呕”，但俟“脓尽自愈”。言热邪既有出路，不必用药以伐其胃气也。

合信氏：胃痛，其痛甚剧而热，多生于胃之上下两口。食时则痛，食后痛止，痈在上口也。食时不痛，食后则痛者，是痈在下口也。

呕而胸满者，吴茱萸汤主之。

徐忠可：胸乃阳位，呕为阴邪，使胸之阳气足以御之，则未必呕，呕亦胸中无恙也。乃呕而胸满，是中有邪乘虚袭胸，不但胃不和矣。虚邪属阴，故以茱萸之苦温善驱浊阴者为君，人参补虚为佐，而以姜枣宣发上焦之正气也。

魏念庭：呕家多热，而胸满之呕非热也。热气必散而寒气斯凝，故凡胸满而呕，知非热呕而为寒呕必矣。

吴茱萸汤方 见阳明病篇

干呕，吐涎沫，头痛者，吴茱萸汤主之。

徐忠可：干呕者，有声无物也。物虽无而吐涎沫，仲景曰“上焦有寒，其口多涎”。上焦既有寒，寒为阴邪格阳在上，故头痛。比胸满而呕，似有轻重表里不同。然邪必乘虚，故亦用茱萸汤兼补以驱浊阴。谓呕有不同，寒则一也。

张路玉：凡用吴茱萸汤有三证：一为阳明食谷欲呕；一为少阴呕利，手足厥冷，烦躁欲死；此则干呕，吐涎沫，头痛。经络证候各殊，而治则一者。总之，下焦浊阴之气上乘于胸中清阳之界，真气反郁在下，不得安其本位，有时欲上不能，但冲动浊气，所以“干呕，吐涎沫”也。头痛者，厥阴之经与督脉会于巅也。食谷欲呕者，浊气在上也。吐利者，清气在下也。手足厥冷，阴寒内盛也。烦躁欲死者，虚阳扰乱也。故主吴茱萸汤，以茱萸专开豁胸中逆气，兼人参姜枣以助胃中之清阳，共襄祛浊之功。由是清阳得以上升，而浊阴自必下降矣。

呕而发热者，小柴胡汤主之。

钱天来：邪在厥阴，唯恐其厥逆下利。若见呕而发热，是厥阴与少阳脏腑相连，乃脏邪还腑，自阴出阳，无阴邪变逆之患矣，故当从少阳法治之，而以小柴胡汤和解其半表半里之邪也。

《金鉴》：呕而腹满，是有里也，主之大柴胡汤攻里以止呕也；今呕而发热，是有表也，主之小柴胡汤和表以止呕也。

呕而脉弱，小便复利，身有微热，见厥者，难治，四逆汤主之。

黄坤载：呕而脉弱，胃气之虚。小便复利，肾气之虚。肾司二便，寒则膀胱不约，故小便自利。里阳虚败，加以身热而见厥逆者，阴盛于内而微阳外格，故为难治。宜四逆汤以回里阳也。

汪苓友：诸条厥利证皆大便利，此条以呕为主病，独小便利而见厥，前后不能关锁，用四逆汤，以附子散寒下逆气，助命门之火，上以除呕，下以止小便，外以回厥逆也。

干呕，吐逆，吐涎沫，半夏干姜散主之。

尤在泾：干呕、吐逆，胃中气逆也。吐涎沫者，上焦有寒，其口多涎也。以半夏止逆消涎，干姜温中和胃，浆水甘酸调中，引气止呕哕也。

半夏干姜散方

半夏　干姜等分

上二味，杵为散，取方寸匕，浆水一升半，煮取七合，顿服之。

程云来：脾寒则涎不摄，胃寒则气上逆，故干呕、吐涎沫也。半夏之辛以散逆，干姜之热以温脾，煎以浆水者，借其酸温以通阳利膈也。此证与茱萸汤迥别，以不头痛也。

伤寒大吐大下之，极虚，复极汗者，以其人外气怫郁，复与之水，以发其汗，因得哕。所以然者，胃中寒冷故也。

尤在泾：伤寒大吐大下之，既损其上，复伤其下，极为虚矣。纵有外气怫郁不解，亦必先固其里，而后疏其表。乃复饮水，以发其汗，遂极汗出，胃气重虚，水冷复加，冷虚相搏，则必作哕。哕，呃逆也。此阳病误治而变为寒冷者，非厥阴本病也。

钱天来：其所以哕者，盖固吐下后，阳气极虚，胃中寒冷，不能运行其水耳，非水冷难消也。水壅胃中，中气遏绝，气逆而作呃忒也。治法当选用五苓散、理中汤，甚者四逆汤可耳。

《活人书》：若服药不差者，灸之必愈。其法：妇人屈乳头向下尽处骨间，灸三壮。丈夫及乳小者，以一指为率正，以男左女右。艾炷如小豆许。与乳相宜间陷中动脉处是。

伤寒哕而腹满，视其前后，知何部不利，利之则愈。

张令韶：夫伤寒至哕，非中土败绝，即胃中寒冷，然亦有里实不通，气不得下泄，反上逆而为哕者，《玉机真脏论》曰：脉盛，皮热，腹胀，前后不通，闷瞀，此为五实。身汗得后利，则实则活。今哕而腹满，前后不利，五实中之二实也，实者泻之。前后，大小便也。视其前后二部之中，何部不利，利之则气得通，下泄而不上逆，哕即愈矣。夫以至虚至寒之哕证，而亦有实者存焉；则凡系实热之证，而亦有虚者存焉。医者能审其寒热虚实，而为之温凉补泻于其间，则人无夭札之患矣。

《活人书》：前部宜猪苓汤，后部宜调胃承气汤。

病人胸中似喘不喘，似呕不呕，似哕不哕，彻心中愦愦然无奈者，生姜半夏汤主之。

尤在泾：寒邪搏饮，结于胸中而不得出，则气之呼吸往来、出入升降者阻矣。似喘不喘、似呕不呕、似哕不哕，皆寒饮与气相搏，互击之证也。且饮，水邪也。心，阳脏也。以水邪而逼处心脏，欲却不能，欲受不可，则彻心中愦愦然无奈也。生姜半夏汤，即小半夏汤，而生姜用汁，则降逆之力少，而散结之力多，乃正治饮气相搏，欲出不出者之良法也。

生姜半夏汤方

生姜汁一升　半夏半升

上二味，以水三升，先煮半夏，取二升，内生姜汁，煮取一升。小冷，分四服，日三夜一。呕止，停后服。

李珥臣：生姜、半夏辛温之气，足以散水饮而舒阳气。然待小冷服者，恐寒饮固结于中，拒热药而不纳，反致呕逆。今热药冷饮，下嗌之后，冷体即消，热性便发，情且不违而致大益，此《内经》之旨也。此方与前半夏干姜汤略同，但前温中气，故用干姜，此散停饮，故用生姜。前因呕吐上逆，顿服之则药力猛峻，足以止逆降气，呕吐立除；此心中无奈，寒饮内结，难以猝消，故分四服，使胸中邪气徐徐散也。

《外台秘要》：必效疗脚气方，大半夏三两，净削去皮，生姜汁三升，上二味，水五升，煮取二升，去滓，空腹一服尽。每日一剂，三剂必好。又文仲疗脚气入心，闷绝欲死者，半夏三两洗切，生姜汁一升半，上二味，内半夏煮取一升八合，分四服，极效。

干呕哕，若手足厥者，橘皮汤主之。

程云来：干呕哕，则气逆于胸膈而不行于四末，故手足为之厥。橘皮能降逆气，生姜为呕家圣药，小剂以和之也。然干呕非反胃，厥非无阳，故下咽气行即愈。

橘皮汤方

橘皮四两　生姜半斤

上二味，以水七升，煮取三升，去滓，温服一升。下咽即愈。

东洞翁：橘皮汤，治胸中痹，呕哕者。顾与小半夏证所异者，以本方有胸痹之证，彼则无之；又本方以呃逆为主，以呕为副，彼则以呕吐为主，以呃逆为副，此可判别之。

哕逆，其人虚者，橘皮竹茹汤主之。

赵以德：中焦者，脾胃也。土虚则下之木得以乘之，而谷气因之不宣，变为秽逆。用橘皮理中气而升降之，人参、甘草补土之不足，生姜、大枣宣发谷气更散其逆，竹茹性凉得金正，用之以降胆木之风热耳。

橘皮竹茹汤方

橘皮二斤　竹茹二升　人参一两　甘草五两　生姜半斤　大枣三十枚

上六味，以水一斗，煮取三升，去滓，温服一升，日三服。

魏念庭：哕逆者，胃气虚寒固矣；亦有少挟虚热作哕者，将何以为治？仲景主之橘皮竹茹汤。橘皮、竹茹行气清胃，而毫不犯攻伐寒凉之忌，佐以补中益气温胃之品，而胃气足，胃阳生，浮热不必留意也。

费晋卿：此则治胃痰火之呃，而不可以治胃寒之呃，若误用之，则轻者增剧。

诸呕，谷不得下者，小半夏汤主之。

赵以德：呕吐，谷不得下者，有寒有热，不可概论也。食入即吐，热也；朝食暮吐，寒也。此则非寒非热，由中焦停饮，气结而逆，故用小半夏汤。

沈明宗：此痰饮多而致呕之方也。外邪内入而呕，必自饮食稍进；此痰饮多，而外邪少，拒格胸胃之间，气逆而谷不得入。故用生姜散邪，半夏以消痰饮而止呕逆。

小半夏汤方 见阳明病篇

《外台秘要·伤寒呕哕方》：仲景《伤寒论》疗呕哕心下悸，痞硬不能食，小半夏汤。又疗呕哕心中痞硬者，以膈间有水，头眩悸，半夏加茯苓汤。

呕而肠鸣，心下痞者。半夏泻心汤主之。此以下五节，从《金匮要略》补。

赵以德：是证由阴阳不分，塞而不通，留结心下为痞，于是胃中空虚，客气上逆为呕，下走则为肠鸣。故用是汤分阴阳，水升火降而留者去、虚者实也。

半夏泻心汤方 见太阳病下篇

尤在泾：邪气乘虚陷入心下，中气则痞，中气既痞，升降失常，于是阳独上逆而呕，阴独下走而肠鸣。是虽三焦俱病，而中气为上下之枢，故不必治其上下，而但治其中。黄连、黄芩苦以降阳，半夏、干姜辛以升阴，阴升阳降，痞将自解；人参、甘草则补养中气，以为交阴阳、通上下之用也。

干呕而利者，黄芩加半夏生姜汤主之。

魏念庭：干呕而利者，邪又在中而不在上下也。呕为热逆之呕，利为挟热之利。主之以黄芩加半夏生姜汤，乃治中有实热，作上下呕利之善计也。

黄芩加半夏生姜汤方 见太阳病中篇

尤在泾：此伤寒热邪入里作利，而复上行为呕者之法。而杂病肝胃之火上冲下注者，亦复有之。半夏、生姜散逆于上，黄芩、芍药除热于里、上下俱病，中气必困，甘草、大枣合芍药、生姜以安中而正气也。

呕吐而病在膈上，后思水者解，急与之。思水者，猪苓散主之。

尤在泾：呕吐之余，中气未复，不能胜水，设过与之，则旧饮方去，新饮复生，故宜猪苓散以崇土而逐水也。

猪苓散方

猪苓　茯苓　白术各等分

上三味，杵为散。饮方寸匕，日三服。

徐忠可：呕吐而病在膈上，大约邪热搏饮。至于思水，则饮邪去，故曰解。急与之，恐燥邪不堪也。然元阳未复正，须防停饮再发，故以猪苓去水为君，茯苓、白术以培其正气。不用姜、半，其呕已止，恐宣之则正气虚，即降逆消痰亦非急务也。

胃反，呕吐者，大半夏汤主之。

高士宗：朝食暮吐，宿谷不化，名曰胃反。胃反但吐不呕，然吐不离乎呕，故曰胃反呕吐者。用半夏助燥气以消谷，人参补元气以安胃，白蜜入水扬之，使甘味散于水中，水得蜜而和缓，蜜得水而淡渗，庶胃反平而呕吐愈矣。

唐容川：此反胃，即脾阴不濡，胃气独逆，今之隔食病是矣。或粪如羊屎，或吐后微带血水。用半夏降冲逆即是降胃，用参、蜜滋脾液以濡化水谷，则肠润谷下。

大半夏汤方

半夏二升（洗完用）　人参三两　白蜜一升

上三味，以水一斗二升，和蜜扬之二百四十遍，煮药取二升半，温服一升，余分再服。

魏念庭：方以半夏为君，开散寒邪，降伏逆气，洵圣药也。佐以人参补胃益气，白蜜和中润燥。服法多煎白蜜，去其寒而用其润，使黏腻之性流连于胃底不速下行，而半夏、人参之力，亦可徐斡旋于中，其意固微矣哉。

李升玺：呕家不宜甘味，此用白蜜何也？不知此胃反自属脾虚，经所谓甘味入脾，归其所喜是也。况君以半夏，味辛而止呕，佐以人参，温气而补中，胃反自立止矣。

食已即吐者，大黄甘草汤主之。

徐忠可：食已即吐，非复呕病矣，亦非胃弱不能消，乃胃不容谷，食已即出者也。明是有物伤胃，荣气闭而不纳，故以大黄通荣分已闭之谷气，而兼以甘草调其胃耳。《外台》治吐水，大黄亦能开脾气之闭，而使散精于肺，通调水通，下输膀胱也。

大黄甘草汤方

大黄四两　甘草二两

上二味，以水三升，煮取一升，分温再服。

魏念庭：食入反出者，是有火也。主之以大黄甘草汤，为实热在胃者立法也。

便脓血，相传为病，此名疫利。其原因于夏，而发于秋，热燥相搏，逐伤气血，流于肠间，其后乃重，脉洪变数。黄连茯苓汤主之。

黄竹斋：此节言疫利便脓血之治法。其原因于夏时热令过食冷食，伏热于内，至秋乃发。热燥相搏，遂伤气血，流于肠间，乃便脓血，里急后重，所谓滞下者是也。因积热而得，故脉洪变数。治当清热润燥，宜黄连茯苓汤主之。黄连清脏热，坚肠而止利，故以为君；茯苓利水道以通三焦之气；黄芩、阿胶清少阳而滋血燥；芍药疏厥阴而行血痹，半夏通液而降胃逆。胸中热甚者，心火甚也，加黄连以泻心。腹满，脾气结也，加厚朴以行气滞。虚者，正气亏也，加甘草以补中益气。渴者，津液耗也，去半夏之燥，加栝楼根以生津止渴。此治疫利之大法也。

黄连茯苓汤方

黄连二两　茯苓三两　阿胶一两半　芍药三两　半夏一升

上四味，以水一斗，先煮五味，取三升，去滓，内胶烊消，分温三服。

若胸中热甚者，加黄连一两，合前成三两。腹满者，加厚朴二两。虚者，加甘草二两。渴者，去半夏，加栝楼根二两。

病人呕吐涎沫，心痛，若腹痛，发作有时，其脉反洪大者，此虫之为病也，甘草粉蜜汤主之。

程云来：巢元方曰：蛔虫长五寸至一尺，发则心腹作痛，口喜唾涎及清水，贯伤心则死。《灵枢经》曰：虫动则胃缓，胃缓则廉泉开，故涎下。是以令人吐涎也。心痛者，非蛔虫贯心，乃蛔虫上入胃脘即痛，下入胃中即止，是以发作有时也。用甘草粉蜜汤，从其性以治之。

甘草粉蜜汤方

甘草二两　白粉一两（即铅粉）　蜜四两

上三味，以水三升，先煮甘草，取二升，去滓，内粉、蜜，搅令和，煎如薄粥，温服一升。差，止后服。

魏念庭：虫之下行为腹痛，虫之上行为吐涎、心痛，其根皆出于胃虚，蛔不安耳。主之以甘草粉蜜汤。甘草、蜜，甘以养胃治其虚也；佐以粉者，取其体重以镇奠之也。煎如薄粥，温服，理胃安蛔之义晓然矣。此胃中虚而微热之治。

《外台秘要》：张文仲备急方：治寸白蛔虫。胡粉炒燥，方寸匕入肉臛中，空心服，大效。

黄竹斋：胡粉即铅粉，《汤液本草》名白粉。

寒气厥逆，赤丸主之。此节依《金匮要略》补。

徐忠可：此即伤寒直中之类也。胸腹无所苦而止厥逆，盖四肢乃阳气所起，寒气格之，故阳气不顺接而厥，阴气冲满而逆。故以乌头、细辛伐内寒，苓、半以下其逆上之痰气。真朱为色者，寒则气浮，故重以镇之，且以护其心也。真朱即朱砂也。

赤丸方

茯苓四两　半夏四两　乌头二两（炮）　细辛一两

上四味，末之，内真朱为色，炼蜜，丸如麻子大，先食，酒饮下三丸，日再夜一服。不知，稍增之，以知为度。

《资生篇》：赤丸，治胃有沉寒痼冷。

厥阴病，脉弦而紧，弦则卫气不行，紧则不欲食，邪正相搏，即为寒疝。绕脐而痛，手足厥冷，是其候也。脉沉紧者，大乌头煎主之。

徐忠可：此寒疝之总脉证也。其初亦止腹痛，脉独弦紧，弦则表中之卫气不行而恶寒，紧则寒气痹胃而不饮食。因而风冷注脐，邪正相搏而绕脐痛，是卫外之阳、胃中之阳、下焦之阳皆为寒所痹，因寒脐痛，故曰寒疝。寒重，故手足厥冷。其脉沉紧，是寒已直入于内也。故以乌头一味，合蜜顿服之。此攻寒峻烈之剂，后人所谓霹雳散也。

大乌头煎方

乌头大者五枚（熬，去皮）

上一味，以水三升，煮取一升，去滓，内蜜二升，煎令水气尽，取二升。强人服七合，弱人服五合。不差，明日更服。

程云来：乌头大热大毒，破积聚寒热，治脐间痛不可俯仰，故用之以治绕脐寒疝痛苦。治下焦之药味不宜多，多则气不专，此沉寒痼冷，故以一味单行，则其力大而厚。甘能解药毒，故内蜜以制乌头之大热大毒。

邹润庵：大乌头煎治寒疝，只用乌头一味，令其气味尽入蜜中，重用、专用，变辛为甘，变急为缓，实寒疝之主方矣。

寒疝，腹中痛，若胁痛里急者，当归生姜羊肉汤主之。

李珥臣：疝属肝病，肝藏血，其经布胁，腹胁并痛者，血气寒而凝注也。当归通经活血；生姜温中散寒；里急者，内虚也，用羊肉补之。《内经》云：形不足者，温之以气；精不足者，补之以味是也。

当归生姜羊肉汤方

当归三两　生姜五两　羊肉一斤

上三味，以水八升，煮取三升。温服七合，日三服。寒多者，加生姜成一斤。痛多而呕者，加橘皮二两，白术一两。加生姜者，亦加水五升，煮取三升，分温三服。

《古方选注》：寒疝，为沉寒在下，由阴虚得之。阴虚则不得用辛热燥烈之药重劫其阴，故仲景另立一法，以当归、羊肉辛甘重浊，温暖下元而不伤阴，佐以生姜五两，加至一斤，随血肉有情之品引入下焦温散祛寒。若痛多而呕，加陈皮、白术奠安中气以御寒逆。本方三味非但治疝气冲逆，亦治产后下焦虚寒，亦称神剂。

寒疝，腹中痛，手足不仁，若逆冷，若身疼痛，灸刺诸药不能治者，乌头桂枝汤主之。

徐忠可：起于寒疝腹痛而至逆冷、手足不仁，则阳气大痹，加以身疼痛，荣卫俱不和，更灸刺诸药不能治，是或攻其内，或攻其外，邪气牵制不服，故以乌头攻寒为主，而合桂枝汤以和荣卫，所谓七分治里，三分治表也。

乌头桂枝汤方

乌头五枚

上一味，以蜜二升，煮减半，去滓，以桂枝汤五合解之，令得一升。初服二合；不知，即服三合；又不知，加至五合。其知者，如醉状。得吐者，为中病。

程云来：乌头煎，热药也，能散腹中寒痛；桂枝汤，表药也，能解外证身疼。二方相合，则能达脏腑而利荣卫，和血气而燔阴阳。其药势翕翕行于肌肉之间，恍如醉状，如此则外之凝寒已行。得吐，则内之冷结将去，故为中病。

寒疝，腹中绞痛，贼风入攻五脏，拘急不得转侧，发作有时，令人阴缩，手足厥逆，乌头汤主之。即上大乌头煎。此节及下二节依涪古本补。《金匮要略》附方三节，同引《外台》。

徐忠可：云贼风入攻五脏，则知此为外邪内犯至急，然未至邪藏肾中，但刻欲犯肾，故肾不为其所犯则不发，稍一犯之即发，发则阴缩，寒气敛切故也。肾阳不发，诸阳皆微，故手足厥逆。

心腹卒中痛者，柴胡桂枝汤主之。方见太阳病下篇。

魏念庭：有表邪而挟内寒者，乌头桂枝汤证也；有表邪而挟内热者，柴胡桂枝汤证也。以柴胡、桂枝、生姜升阳透表，人参、半夏、甘草、大枣补中开郁，黄芩、芍药治寒中有热杂合，此表里两解，寒热兼除之法也。

中恶，心痛腹胀，大便不通，走马汤主之。

沈明宗：中恶之证，俗谓绞肠乌痧。即臭秽恶毒之气直从口鼻入于心胸肠胃，脏腑壅塞，正气不行，故心痛、腹胀。大便不通，是为实证，非似六淫侵入，而有表里虚实清浊之分。故用巴豆极热大毒峻猛之剂，急攻其邪；佐杏仁以利肺与大肠之气，使邪从后阴一扫尽除，则病得愈，若缓须臾，正气不通，荣卫阴阳机息则死，是取通则不痛之义也。

走马汤方

巴豆二粒（去皮心，熬）　杏仁二枚

上二味，以绵缠槌令碎，热汤二合，捻取白汁，饮之，当下，老小量之。通治飞尸鬼击病。

《肘后方》：飞尸者，五尸之一，其病游走皮肤，洞穿脏腑，每发刺痛，变作无常也。鬼击之病，得之无渐，卒着，如人力刺状，胸胁腹内绞急切痛，不可抑按，或即吐血，或鼻中出血，或下血。一名鬼排。

病人睾丸偏有小大，时有上下，此为狐疝，宜先刺厥阴之俞，后与蜘蛛散。

尤在泾：狐疝者，寒湿袭阴而睾丸受病，或左或右，大小不同，或上或下，出没无时，故名狐疝。蜘蛛有毒，服之能令人利，合桂枝辛温入阴，而逐其寒湿之气也。

蜘蛛散方

蜘蛛十四枚（熬）　桂枝一两

上二味，为散，以白饮和服方寸匕，日再服。蜜丸亦可。

陆九芝：道光二年壬午，值天行时疫，其证吐泻腹痛，脚麻转筋，一泻之后，大肉暴脱，毙者不可胜数。先祖少游公，乃取《金匮》方中蜘蛛散一法，另制汤液，全获无算。

寸口脉浮而迟，浮则为虚，迟则为劳；虚则卫气不足，劳则荣气竭。趺阳脉浮而数，浮则为气，数则消谷而大便坚；气盛则溲数，溲数则坚，坚数相搏，即为消渴。

魏念庭：浮者，浮取大而无力也。迟者，沉取涩而不滑也。寸口主肺属气，浮弱之诊，中气不足，而卫气何有于足乎。寸口又主膻中属血，涩迟之诊，心血不足，而荣气何得不竭乎。一言虚，阳虚气病也；一言劳，阴虚血病也。合言之，则虚劳内热，消渴之证甚明也。此其一诊也。再诊趺阳，阳明胃气也。脉浮而数，浮则气散而不收也，数者热盛而不熄也。气散不收则流注多而漫无检制，热盛不熄则谷虽消而津液日亡，所以气盛而小便常苦多，故溲数。溲数而津液日益耗，大便愈坚。以大便坚与小便数相搏，而正津亏竭，邪热炽盛，胸膈燥烦，口舌干裂，求救于水，水入气不足运，随波逐流，直趋而下，饮多溲多，无补于渴。此消渴之热，发于肾，冲于肝，而归结于胃，受害于肺也。

消渴，小便多，饮一斗，小便亦一斗者，肾气丸主之。

程云来：肾中之气，犹水中之火，地中之阳，蒸其精微之气达于上焦，则云升而雨降，上焦得以如雾露之溉，肺金滋润，得以水精四布，五经并行，斯无消渴之患。今其人也，摄养失宜，肾本衰竭，龙雷之火，不安于下，但炎于上而刑肺金，肺热叶焦则消渴引饮。其饮入于胃，下无火化，直入膀胱，则饮一斗，溺亦一斗也。此属下消，故与肾气丸治之。

肾气丸方 见虚劳篇

消渴，脉浮，有微热，小便不利者，五苓散主之。

魏念庭：有证亦消渴而因不同者，又不可概以虚劳目之也。如脉浮而小便不利，则非水无制而火衰，火升上而津耗之证矣。其脉亦浮者，必风湿外感之邪也。表外中风脉必浮。内有湿热，故小便不利。正津为湿邪所格，不能上于胸咽，故消渴。是饮多而不小便，水为内热所消，非同于虚劳之饮一斗，溲一斗，以小便为消也。主之以五苓散，导水清热滋干，且用桂枝驱风邪于表，表里兼治之道。为外感风湿、内生湿热者治消渴，与虚劳之消渴迥不同也。

消渴，欲饮水，胃反而吐者，茯苓泽泻汤主之。

李珥臣：吐而渴者，津液亡而胃虚燥也。饮水则水停心下，茯苓、泽泻降气行饮，白术补脾生津，此五苓散原方之义也。然胃反因脾气虚逆，故加生姜散逆，甘草和脾。

又五苓散治外有微热，故用桂枝，此胃反无表热而亦用之者，桂枝非一于攻表药也，乃彻上彻下达表里，为通行津液，和阳治水之剂也。

茯苓泽泻汤方

茯苓半斤　泽泻四两　甘草二两　桂枝二两　白术三两　生姜四两

上六味，以水一斗，煮取三升，去滓。温服一升，日三服。

程云来：此方乃五苓散去猪苓，加甘草、生姜。以猪苓过于制水，故去之；甘草、生姜长于和胃止呕，故加之。茯苓、白术、泽泻、桂枝相须，宣导、补脾而利水饮。

《千金方》：治消渴、胃反而吐食者方。六味㕮咀，以水一斗，煮小麦三升，取三升，去麦下药，煮取二升半，每服八合，日再服。

消渴，欲得水，而贪饮不休者，文蛤汤主之。

程云来：夫贪饮者，饮水必多，多则淫溢上焦，必有溢饮之患。故用此汤以散水饮。

尤在泾：有麻黄、杏仁等发表之药者，必兼有客邪郁热于肺不解故也。观方下云“汗出即愈”，可以知矣。

文蛤汤方

文蛤五两　麻黄三两　甘草三两　生姜三两　石膏五两　杏仁五十枚　大枣十二枚

上七味，以水六升，煮取二升，去滓。温服一升，汗出即愈。若不汗，再服。

程云来：此大青龙汤去桂枝，加文蛤。水停于里，文蛤之咸寒可以利水而消饮；水溢于外，青龙之辛热可以胜湿而解表。此汤与茯苓泽泻汤，皆预防水饮之剂。

陈灵石：水虽随吐而去，而热不与水俱去，故食饮不休。方中麻黄与石膏并用，能深入伏热之中，顷刻透出于外，从汗而解，热解则渴亦解，故不用止渴之品。

小便痛闷，下如粟状，少腹弦急，痛引脐中，其名曰淋，此热在下焦也，小柴胡加茯苓汤主之。

魏念庭：淋病者，亦津液病也。热在上焦，耗其津液则为消渴；热在下焦，耗其津液则为淋。淋者，气不足而邪热乘之，所化之溺，重浊而有渣滓，故溺道癃闭阻塞而不能畅利也。所以淋之为病，小便如粟状，乃邪热煎熬于膀胱之腑，致溺结成有形之块，如卤水煎熬而成盐块之理也。所结之块，有坚如金石，不可碎破者。大凡阳盛则软，阴盛则坚。膀胱气化不足，何非命门正阳有亏乎？肾阳亏者，肾水必先枯竭，所以火不能深藏而多焰，寒水之源先热矣，膀胱之中焉能不煎熬为块，成淋病之根也。其证应小腹弦急，痛引脐中。热邪癃闭于膀胱，故小腹之痛引脐中。其实火衰水竭于少阴，故腑有虚热而溺少气化耳。非大补其肾，如前方肾气丸之治，不足言通利也：又岂可专事利导，俾肾中水枯者愈枯，膀胱结者愈结，成不可救治之证乎？是淋家治淋，不全在导利明矣。此证亦有湿热合邪在于太阳而成者，导水清热为治，非肾气丸可用也。

小柴胡加茯苓汤方

即小柴胡汤加茯苓四两，煎服法同。

第五章 杂病脉证并治

第一节　辨霍乱吐利病脉证并治

问曰：病有霍乱者何？答曰：呕吐而利，此名霍乱。

成无己：三焦者，水谷之道路。邪在上焦，则吐而不利；邪在下焦，则利而不吐；邪在中焦，则既吐且利。以饮食不节，寒热不调，清浊相干，阴阳乖隔，遂成霍乱。轻者，止曰吐利；重者，挥霍撩乱，名曰霍乱。

张令韶：霍者，忽也，谓邪气忽然而至，防备不及，正气为之仓忙错乱也。胃居中土，为万物之所归，故必伤胃，邪气与水谷之气交乱于中，上呕吐而下利也。吐利齐作，正邪纷争，是名霍乱。

张隐庵：夫以霍乱接于六篇之后者，霍乱为病，从内而外，以证伤寒从外而内也。

师曰：霍乱属太阴。霍乱必吐利，吐利不必尽霍乱。霍乱者，由寒热杂合混乱于中也。热气上逆故吐，寒气下注故利。其有饮食不节，壅滞于中，上者竟上则吐，下者竟下则利，此名吐利，非霍乱也。

刘昆湘：此承上推论霍乱证治之详。师曰：霍乱属太阴者，太阴、阳明之所治也。霍乱之气乱于肠胃，必上吐而下利，故曰：霍乱必吐利。然吐利之因不一，故又曰：吐利不必尽霍乱。霍乱由寒热杂合混乱于中，热气上逆故吐，寒气下注故利，故曰霍乱。至若宿食，谷气不行，而失升降之职，胃寒脾湿，亦令吐利，非霍乱也。不属霍乱，当自无撩乱挥霍之情，则其治详于太阴、阳明之内，料度腑脏之辨，固不待本篇之烦言已。

病有发热、头痛、身痛、恶寒、吐利者，此属何病？答曰：此非霍乱。霍乱自吐下，今恶寒、身痛，复更发热，故知非霍乱也。

刘昆湘：此明辨霍乱不兼太阳之义。盖霍乱之邪由口鼻而入，乱于肠胃之间。其寒热杂合，而混乱于中者，由乱气阻于出入之分，外不得泄于皮毛，内不得通于经隧。经所谓荣气顺脉，卫气逆行者，即清气在阴，浊气在阳之义。脉内为阴，脉外为阳，荣不外交，卫不内入，二气相离，始为大悗撩乱之象。太阳主开，位列皮腠之表，若乱气得外通于皮毛，斯腑邪已外溜于经合，则在中断无霍乱之变，故霍乱正病，必不经连太阳。师因设问曰：病发热、头痛、身疼、恶寒、吐利者，此属何病？答曰：此非霍乱。霍乱自吐下，今恶寒、身疼，复更发热，故知非霍乱也。论旨最为明显，以发热、头痛、身疼、恶寒证属太阳之表，不当复兼吐利。今其人竟吐利者，乃伤寒表里两急之候，非中发霍乱之为病也。脉象浮实者，当仿太阳、阳明之例，解其表而里证自和。脉象沉弱者，法当先救其里，后攻其表。或疫气流行而发为吐利，亦当但治其疫气而吐利自止。总皆外兼太阳，便非霍乱正病之象。因霍乱之证当自吐下，兼少阴但恶寒，兼阳明但发热者，有之，必不兼太阳恶寒发热之表。今恶寒、身疼，复更与发热并见，故知病属伤寒，而决非霍乱也。

霍乱呕吐下利，无寒热，脉濡弱者，理中汤主之。

刘昆湘：此示纯寒霍乱之例。冠霍乱，则病情瞀乱，不言可知；外无寒热，脉又濡弱，脾寒之为病明甚。理中者，理中焦。参、术、姜、草，温运脾阳，升转大气之妙剂也。升降后则吐利止，而霍乱愈矣。

理中汤方

人参三两　白术三两　甘草三两　干姜三两

上四味，以水八升，煮取三升，去滓。温服一升，日三服。

程郊倩：阳之动，始于温，温气得而谷精运，谷气升而中气赡，故名曰理中，实以燮理之动予中焦之阳也。盖谓阳虚即中气失守，膻中无发宣之用，六腑无洒陈之功，犹如釜薪失焰，故下至清谷，上失滋味，五脏凌夺，诸证所由来也。参、术、炙甘所以守中州，干姜辛以温中，必假之以燃釜薪而腾阳气，是以谷入于阴，长气于阳，上输华盖，下摄州都，五脏六腑皆受气矣，此理中之旨也。

王晋三：人参、甘草，甘以和阴，白术、干姜，辛以和阳；辛甘相辅以处中，则阴阳自然和顺矣。

先吐后利，腹中满痛，无寒热，脉濡弱而涩者，此宿食也。白术茯苓半夏枳实汤主之。

刘昆湘：先吐后利，知邪始于胃气之逆。即吐利，复腹中满痛，知脾气结而谷气之不行也。吐利之后，宜谷气空虚，仍满痛不去，故知此伤于食。无寒热者，明其无外邪也。脉濡弱，为太阴本象，按之而涩，故知谷气之阻。治以白术茯苓半夏枳实汤，仍不外转运脾阳，兼解气结，复其升降运化之常，必客气无所容而病解。

白术茯苓半夏枳实汤

白术三两　茯苓四两　半夏一升　枳实一两半

上四味，以水六升，煮取三升，去滓，分温三服。

胸中满，欲吐不吐，下利时疏，无寒热，腹中绞痛，寸口脉弱而结者，此宿食在上故也。宜瓜蒂散。湘古本作"宜烧盐汤吐之，令谷气空虚，自愈"。

刘昆湘：此亦宿食霍乱之证。胸中满而欲吐不吐，乃中焦气结，令上焦闭塞之证。胃气郁而不能上达，阻其升降之用，则浊升而清陷。下利时疏者，脾气之下陷也。无寒热，知不关客邪之感。得利则传导，犹行腹中之糟粕，当有腐秽自去之意。乃既利，仍腹中绞痛，知中焦寒凝气滞，虽下利而太阴实不开也。脉象关尺俱弱，唯寸口上见结塞之象，此为食停上脘。邪实在上，虽用药亦力难下达，其高者，当因而越之，法宜用吐，以宣胃脘之阳。烧盐汤，古法也，引吐不伤胃气，得宿食吐出，则胃中谷气空虚，必惋乱之邪自愈。

《寿世保元》：干霍乱者，俗名绞肠痧，其证因宿食不消，肠绞痛，欲吐不吐，欲泻不泻，挥霍撩乱，所伤之物不得出泄故也。死在顷臾，急宜多灌盐汤探吐之，令物出尽。却服理中汤或理中丸亦可。

瓜蒂散方　见太阳病下篇

霍乱，往来寒热，胁下痛，下利，吐胆汁，此为兼少阳。脉弱而弦者，小柴胡加白术茯苓汤主之。此节依湘古本补。

刘昆湘：霍乱者，病之正因，兼少阳者，以其人胆气素郁故也。往来寒热，为邪气外郁腠理。胁下痛满，为邪气内郁膈膜。吐利者，霍乱之正象。以下利而上吐胆汁，故知为胆气上乘之证。盖胆汁上溢于胃，必呕不止，而吐出色似微绿之汁，经名之曰呕胆，此胆阳偏盛之为病也。兼少阳，当利少而呕多。脉弱而弦者，谓弱见于举而弦见于按，乃土虚木乘之候，宜小柴胡汤和少阳之邪，加苓、术以运脾利水。

小柴胡加白术茯苓汤方　见太阴病篇

霍乱呕吐，下利清谷，手足厥冷，脉沉而迟者，四逆汤主之。

刘昆湘：霍乱吐利，病之正象。清谷、手足厥冷，肾寒而胃阳内馁，土失命火之温，少阴水寒之气胜也。脉沉而迟，阳微阴阻之象。宜四逆汤峻温其下，救少阴即以治霍乱也。

四逆汤方 见太阳病上篇

吐利发热，脉濡弱而大者，白术石膏半夏干姜汤主之。

刘昆湘：霍乱吐下而复发热，外不恶寒，口渴，汗出，脉濡弱而按之实大者，此外证象阳明，内证象太阴，必其人体秉异常，脾湿胃燥。脾湿则下寒而利，胃燥故上热而吐。所以然者，本霍乱且证兼阳明故也。白术石膏半夏干姜汤，姜、术温脾以化湿，膏、夏降逆而清燥。化裁之妙至奇，亦复至庸。许学士温脾一方，后贤已叹难及，但温凉并用而已。

白术石膏半夏干姜汤方

白术三两　石膏半斤　半夏半升　干姜二两

上四味，以水六升，煮取三升，去滓，分温三服。口渴者，加人参二两、黄连一两。

呕吐甚则蛔出，下利时密时疏，身微热，手足厥冷，面色青，脉沉弦而紧者，四逆加吴茱萸黄连汤主之。

刘昆湘：霍乱吐下，病之本象。吐甚蛔出，知病兼厥阴。利而时密时疏，肝气之乍泄乍郁也。身微热，手足厥冷，厥热并见更为厥阴证谛。面色青者，肝气内寒，络色外见，此为霍乱病兼厥阴之候。脉沉弦而紧者，沉弦为肝气内郁，紧者肾寒而气结也。凡厥阴厥热并见，且兼吐蛔，当为寒热错杂之邪。故以四逆峻温其下，加吴茱萸以暖肝阳，佐黄连而清心火。

四逆加吴茱萸黄连汤方

附子一枚（生用，去皮，破八片）　干姜一两半　甘草二两（炙）　人参二两　吴茱萸半升　黄连一两

上六味，以水六升，煮取二升，去滓。温服一升，日再服。

霍乱吐利，口渴，汗出短气，脉弱而濡者，理中加人参栝楼根汤主之。“短气”下，湘古本有“此为兼暑气”五字。

刘昆湘：暑气霍乱，唯发于夏秋，他令无伤暑之候。暑熏分腠，壮火食气，故见吐

利、口渴、汗出气短之象。以外无厥冷，脉不沉微，应指势弱而象濡，故知为兼暑气。

理中加人参栝楼根汤方

人参四两　白术三两　甘草三两　干姜三两　栝楼根二两

上五味，以水八升，煮取三升，去滓。温服一升，日三服。

霍乱兼疫气，必霍乱死后，尸气流传，相染为病。当按法治之。但剂中宜加香气之品以逐之，沉香、丁香、香蒲入汤佳。此节依湘古本补。

刘昆湘：霍乱不必定属疫气，但兼疫气而发霍乱者为多。疫气之发，比户连城，老幼相染，病状若一，其死皆以数日之间。疫为天地疠气，中于人必内作吐利，外发寒热，故曰：兼疫气，必霍乱也。死后尸气流传，气交毒秽，由此传彼相染为病。病之暴烈，莫此为甚。所谓按法治之者，谓天地之变，无以脉诊，有寒疫、温疫、寒温杂合之殊，其发或夏或秋，证治之法，详疫论附温病之末，但治其疫气则霍乱自止。疫为秽毒之气，香以辟秽，故剂中宜香气之品逐之。沉香、丁香、香蒲，示例云尔。疫疠之发，居处宜燃苍术、雄黄之类可以逐疫，病室多爇香尤佳。

黄竹斋：疫气霍乱证治，除湘古本所载此节外，古书甚少概见，唯王清任《医林改错》，始详记其证候。盖自清道光元年后方盛流行，西人谓之亚细亚霍乱，日人谓之虎列拉，中医或称为瘪螺痧。最近于民国壬申夏，曾发现一次，伤人之速且多，实可畏怖。是“必霍乱”三字，宜属下句。盖谓其原因起于病霍乱者，死后尸气流传，相染为病也。

饮水即吐，食谷则利，脉迟而弱者，理中加附子汤主之。“食谷则利”下，湘古本有“此为胃寒，非霍乱也”八字。

刘昆湘：霍乱之吐下，由寒热二气混乱于中，热气上逆故吐，寒气下注故利，不必待纳谷饮水，亦自作吐利不休。今病者，饮水即吐，食谷则利，知不饮则吐亦不作，不食则利亦自疏，且无挥霍撩乱之情，此为胃中寒冷，非霍乱之为病也。脉来迟而按弱，无两邪格拒之象，病为胃中寒，主之以理中加附子汤宜矣。

理中加附子汤方

即理中汤加附子一两，煎服法同。

《三因方》：附子理中汤，治五脏中寒，口噤，四肢强直，失音不语。昔有武王守边，大雪，出帐外观瞻，忽然晕倒，时林继作随行医官，灌以此药，二剂遂醒，于理中汤加大附子，各等分。

《医学入门》：戴原礼治一人，六月患大热，谵语，发斑，六脉浮虚无力，用附子理中汤冷饮，大汗而愈。

腹中胀满，而痛时时上下，痛气上则吐，痛气下则利，脉濡而涩者，理中汤主之。

“痛气下则利”下，湘古本有“此为脾湿，非霍乱也”八字。

刘昆湘：此示脾寒吐利，证似霍乱之候。霍乱自吐利而无腹痛胀满，今腹中胀满而痛，此为脾湿中寒，谷气不化，脾气结而升降失常，故痛气时时上下。胃欲降而下格，则反而二逆，痛气上则胃逆为吐；脾欲升而上阻，则却而下趋，痛气下则脾陷而利。痛气者，因痛作而气上下行也。吐利，腹痛胀满而无惋乱之象，此为脾湿，非霍乱也。

霍乱证有虚实，因其人本有虚实，证随本变故也。虚者脉濡而弱，宜理中汤；实者脉急而促，宜葛根黄连黄芩甘草汤。 湘古本作：“实者，宜黄连黄芩干姜半夏汤主之。”

刘昆湘：此辨霍乱证有虚实之异，因其人本有虚实，证随本转。盖病由体变，固百病之通例也。虚者脉濡弱，太阴脏寒之正象也。实者脉急促，邪实脉势之上击也。虚则化寒，实者多热。但霍乱为寒热二气相杂，有纯寒之证，无但热之因，故虚以理中温运脾阳，实宜姜夏连芩温清并进。宜寒格吐下之治例也。

葛根黄连黄芩甘草汤方　见太阳病中篇

霍乱转筋，必先其时已有寒邪留于筋间，伤其荣气，随证而发。脉当濡弱，时一弦急，厥逆者，理中加附子汤主之。

《巢氏病源》：霍乱而转筋者，由冷气入于筋故也。冷入于足之三阴三阳，则脚转筋；入于手之三阴三阳，则手转筋。随冷入之筋，筋则转。转者，皆由邪冷之气击动其筋而移转也。

黄竹斋：此云必先其时已有寒邪留于筋间，伤其荣气，随霍乱证之吐利而发，即诸寒收引之义也。脉当濡弱，乃吐利后，正气虚之本象。时一弦急，厥逆者，寒邪盛之候。故用理中以治霍乱之吐利，加附子以温散转筋厥逆之寒邪。

转筋之为病，其人臂脚直，脉上下行，微弦。转筋入腹者，鸡屎白散主之。 此节依《金匮要略》补。《脉经》载霍乱篇后。

魏念庭：转筋之为病，风寒外袭而下部虚热也。诊其人，臂脚直，脉上下行，微弦。弦者，即紧也，风寒入而隧道空虚也。直上下行，全无和柔之象，亦同于痉病中直上下行之意也，风寒入而变热，热耗其荣血而脉遂直劲也。转筋本在腨中，乃有上连少腹入腹中者，邪热上行，由肢股而入腹里，病之甚者也。主之以鸡屎白散。鸡屎白性微寒，且善走下焦，入至阴之分，单用力专。《本草》谓其利便破淋，以之疗转筋，大约不出泄热之意耳。然此治其标病，转筋止而其本病又当图补虚清热之方矣。

鸡屎白散方

鸡屎白

上一味，取方寸匕，以水六合，和温服。

《肘后方》：食诸菜中毒，发狂烦闷，吐下欲死方。取鸡屎烧末，服方寸匕。不解更服。

霍乱已，头痛，发热，身疼痛，热多欲饮水者，五苓散主之；寒多不饮水者，理中丸主之。

章虚谷：霍乱吐利，病属脾胃，虽有发热、头痛、身疼之表证，必当治里为主，若攻表则内气不振，表气徒伤，而邪不解。故伤寒条云：下利清谷，不可攻表，汗出必胀满。同属一理也。此以吐利伤津液，而有邪热欲饮水，故主以五苓散。中有白术助脾以生津，桂枝解表以退热，使气化而水道行，则吐利止而津气升，表邪解而热自除矣。若寒邪多而不用水者，但以理中丸温中助脾胃，则寒邪去而吐利，身热亦止矣。

徐灵胎：霍乱之证，皆由寒热之气不和，阴阳拒格，上下不通，水火不济之所致。五苓所以分其清浊，理中所以壮其阳气，皆中焦之治法也。

五苓散方 见太阳病中篇

理中丸方

人参三两　干姜三两　白术三两　甘草二两（炙）

上四味，捣筛，蜜和为丸，如鸡子黄大。以沸汤数合和一丸，研碎温服，日三服，夜二服。腹中未热，可益至三四丸。

徐灵胎：理中丸与汤，本属一方，急则用汤。

伤寒，其脉微涩者，本是霍乱，今是伤寒，却四五日至阴经上，若转入阴者，必利；若欲似大便而反矢气，仍不利者，此属阳明也，便必硬，十三日愈。所以然者，经

尽故也。

《金鉴》：此承上条辨发热、头痛、身疼、恶寒、吐利等证，为类伤寒之义也。若有前证而脉浮紧，是伤寒也。今脉微涩，本是霍乱也。然霍乱初病，即有吐利；伤寒吐利，却在四五日后邪传入阴经之时，始吐利也。此本是霍乱之即呕吐、即下利，故不可作伤寒治之，俟之自止也。若止后似欲大便，而去空气，仍不大便，此属阳明也。然属阳明者，大便必硬，虽大便硬，乃伤津液之硬，未可下也，当俟至十三日经尽，胃和津回，便利自可愈矣。若过十三日大便不利，为之过经不解，下之可也。

下利后，便当硬，硬则能食者愈。今反不能食，到后经中颇能食，复过一经亦能食，过之一日当愈。不愈者，不属阳明也。

成无己：下利后，亡津液，当便硬。能食为胃和，必自愈；不能食者，为未和。到后经中，为复过一经，言七日后再经也。颇能食者，胃气方和，过一日当愈。不愈者，暴热使之能食，非阳明气和也。

伤寒脉微而复利，利自止者，亡血也，四逆加人参汤主之。

刘昆湘：此统论霍乱、伤寒病后，亡血救逆之治。盖脉微复利，少阴肾气已衰，即外证恶寒，亦卫阳内陷，而邪非在表，法当以救里为急。若利遂不止，则纯阴无阳，证为不治。假令下利虽止，仍脉微，恶寒不去，此非胃阳内复而下焦自开，乃津液已竭，而利无可利，故曰：利止亡血也。血者，精液之总名，后贤所谓利久亡阴者，正此亡血之证。恐四逆救里过于温烈，故加人参以救真精之竭。

四逆加人参汤方

甘草二两（炙）　附子一枚（生用，去皮，破八片）　干姜一两半　人参三两

上四味，以水三升，煮取一升二合，去滓，分温再服。

刘昆湘：四逆汤原有人参一两，通脉四逆汤加参至二两，此云四逆加人参汤，人参重至三两，亦犹桂枝加桂之例。

《景岳全书》：四味回阳饮，治元阳虚脱，危在顷刻（即本方）。

吐利止，而身痛不休者，当消息和解其外，宜桂枝汤。

成无己：吐利止，里和也；身痛不休，表未解。与桂枝汤小和之。《外台》云：里和表病，汗之则愈。

桂枝汤方 见太阳病上篇

吐利汗出，发热恶寒，四肢拘急，手足厥冷者，四逆汤主之。

张令韶：此言四逆汤能滋阴液也。夫中焦之津液，内灌溉于脏腑，外濡养于筋脉。吐则津液亡于上矣；利则津液亡于下矣；汗出则津液亡于外矣。亡于外则表虚而发热恶寒；亡于上下则无以荣筋而四肢拘急，无以顺接而手足厥冷也。宜四逆汤助阳气以生阴液，盖无阳则阴无以生也。

既吐且利，小便复利而大汗出，下利清谷，内寒外热，脉微欲绝者，四逆汤主之。

成无己：吐利亡津液，则小便当少。小便复利而大汗出，津液不禁，阳气大虚也。

脉微为亡阳。若无外热，但内寒下利清谷，为纯阴；此以外热为阳未绝，犹可与四逆汤救之。

吐已下断，汗出而厥，四肢拘急不解，脉微欲绝者，通脉四逆加猪胆汁汤主之。

张令韶：此合上两节之证而言也。上节以四逆汤滋阴液，次节以四逆汤助阳气，此节气血两虚，又宜通脉四逆加猪胆汁汤生气而补血也。吐已下断者，阴阳气血俱虚，水谷津液俱竭，无有可吐而自已，无有可下而自断也。故汗出而厥，四肢拘急之亡阴证，与脉微欲绝之亡阳证仍然不解，更以通脉四逆加猪胆汁汤，启下焦之生阳，而助中焦之津液。

通脉四逆加猪胆汁汤方

甘草二两（炙） 干姜三两 附子大者一枚（生，去皮，破八片） 人参二两 猪胆汁半合

上五味，以水三升，先取四味，取一升，去滓，内猪胆汁搅匀，分温再服。

吴遵程：汗出而厥，阳微欲绝，而四肢拘急全然不解，又兼无血以柔其筋，脉微欲绝固为阳之欲亡，亦兼阴气亏损，故用通脉四逆以回阳，而加猪胆汁以益阴，庶几将绝之阴，不致为阳药所劫夺也。注认阳极虚，阴极盛，故用反佐之法以通其格拒，误矣。

吐利后汗出，脉平，小烦者，以新虚不胜谷气故也。

张令韶：夫人以胃气为本，《经》曰：得谷气者昌，失谷者亡。霍乱吐利，胃气先伤，尤当固其胃气。故结此一条以终霍乱之义。吐利发汗者，言病在内而先从外以解之，恐伤胃气也。脉平者，外解而内亦和，外内相通也。小烦者，食气入胃，浊气归心，一时不能淫精于脉也。所以然者，以食气入胃，五脏六腑皆以受气，吐利者，脏腑新虚，不能胜受胃中之谷气，故小烦也。谷气足，经脉充，胃气复，烦自止矣。

第二节　辨痉阴阳易差后劳复病脉证并治

太阳病，发热无汗，而恶寒者，若脉沉迟，名刚痉。

太阳病，发热汗出，不恶寒者，若脉浮数，名柔痉。

陈修园：此言太阳病有刚、柔二痉。其病皆由血枯津少，不能养筋所致，燥之为病也。然《内经》谓“诸经强直，皆属于湿”，何其相反若是乎？而不知湿为六淫之一，若中于太阴，则从阴化为寒湿，其病流于关节而为痹。若中于阳明，则从阳化为湿热，热甚而阳明燥化之气愈烈，其病燥，筋强直而为痉。是言湿者，言其未成痉之前；言燥者，言其将成痉之际也。《经》又云：赫曦之纪上羽，其病痉。言热为寒抑，无汗之痉也。又云：肺移热于肾，传为柔痉。言湿蒸为热，有汗之痉也。《千金》谓温病热入肾中则为痉，小儿痫热盛亦为痉。圣经肾训可据，其为亡阴筋燥无疑。

黄竹斋:《难经》云：督脉起于下极之俞，并于脊里，上至风府，入属于脑。《素问·骨空论》云：督脉为病，脊强反折，即痉证也。西医谓之脑脊髓膜炎。其致病之原因，多由亡血筋燥，脊髓失所荣养，外为风寒湿热之邪所袭，致脊筋强直而不柔和也。所以伤寒汗下过多，与夫病疮人及产后破伤风，致斯疾者，概可见矣。而《活人书》谓刚痉属阳痉，柔痉属阴痉，然此节云：脉沉迟名刚痉，脉浮数名柔痉。是不必以阴阳分刚柔也。平脉法云：督脉为病，脊背强，治属太阳。此仲景以太阳病冠痉病之义也。

太阳病，发热，脉沉而细者，名曰痉。为难治。

钱天来：邪在太阳，若中风之脉，则当浮缓；伤寒之脉，则当浮紧。此则同是太阳发热之表证，而其脉与中风、伤寒特异，反见沉细者，因邪不独在太阳之表也。则表里皆有风寒邪气浸淫于皮肤筋骨脏腑经络之间，非中风、伤寒之邪，先表后里，以次传变之可比，乃邪之甚而病之至者，乃难治危恶之证也。

太阳病，发汗太多，因致痉。

风家，下之则痉；复发汗，必拘急。

疮家，不可发汗，汗出则痉。

尤在泾：此原痉病之由，有此三者之异。其为脱液伤津则一也。盖病有太阳风寒不解，重感寒湿而成痉者；亦有亡血竭气，损伤阴阳而病变成痉者。《经》云：气主煦之，血主濡之。又云：阳气者，精则养神，柔则养筋。阴阳既衰，筋脉失其濡养，而强直不柔矣。此痉病标本虚实之异，不可不辨也。

病者身热足寒，颈项强急，恶寒，时头热面赤，目赤，独头动摇，卒口噤，背反张者，痉病也。

钱天来：上文有脉无证，此条有证无脉，合而观之，痉病之脉证备矣。身热者，风寒在表也。足寒者，阴邪在下也。颈项急、背反张者，太阳之经脉四行，自巅下项夹背脊而行于两旁，寒邪在经，诸寒收引，其性劲急，邪发则筋脉抽掣，故颈项强急，背如角弓之反张，所谓筋所生病也。恶寒者，寒邪在表则当恶寒，在下焦而阳气虚衰，亦所当恶也，时头热面赤，目脉赤者，头为诸阳之会，阳邪独盛于上，所以足寒于下也。时者，时或热炎于上，而作止有时也。头面为诸阳之所聚，乃元首也，不宜动摇，因风火煽动于上，故独头面动摇，卒然口噤而不言也。

若发其汗，寒湿相得，其表益虚，则恶寒甚。发其汗已，其脉如蛇。暴腹胀大者，为未解。其脉如故乃伏弦者，痉。

刘昆湘：此承上痉病，论误汗转逆之变。

尤在泾：寒湿相得者，汗液之湿与外寒之气相得不解，而表气以汗而益虚，寒气得湿而转增，则恶寒甚也。其脉如蛇者，脉伏而曲，如蛇行也。痉脉本直，汗之则风去而湿存，故脉不直而曲也。风去不与湿相丽，则湿邪无所依着，必顺其下坠之性，而入腹作胀矣。乃其脉如故，而反加伏弦，知其邪内连太阴，里病转增而表病不除，乃痉病诸证中之一变也。

刘纯：发汗已如蛇，亡津液而无胃气之象也。

陈修园：师不出方，余于《伤寒论》发汗后腹胀条，悟出厚朴生姜甘草人参半夏汤。俟其胀稍愈，再以法治之。

夫痉脉，按之紧而弦，直上下行。

章虚谷：此明痉病之脉也，按之者，脉沉而不浮也。紧者，如绞索之状，阴邪凝敛故也。条长如弓弦，名弦，如弦之直而上下行者，有升降而无出入也。盖人身气血表里周流，故脉有升降出入之象。自尺而上于寸为升，自寸而下于尺为降；自沉而浮为出，自浮而沉为入。因邪闭于筋，经络之气不得外达周流，故其脉在沉部上下行；有升降，而无出入也。

痉病，有灸疮者，难治。

徐忠可：治痉，终以清表为主，有灸疮者，经穴洞达，火热内盛，阴气素亏。即后栝楼桂枝汤、葛根汤嫌不远热，大承气汤更意虑伤阴，故曰难治。

陈修园：火逆诸方，恐其过温。余用风引汤去桂枝、干姜一半，研末煮取，往往获效。

太阳病，其证备，身体强几几然，脉反沉迟，此为痉。栝楼桂枝汤主之。

徐忠可：此为痉证有汗，不恶寒者主方，大阳病，其证备者，身热，头痛，汗出也。身体强，即背反张之互辞。几几然，即颈项强之形状。脉反沉迟，谓阳证得阴脉，此痉脉之异于正伤寒也。其原由筋素失养而湿复挟风以燥之，故以桂枝汤为风伤卫主治，加栝楼根以清气分之热，而大润其太阳经既耗之液。则经气流通，风邪自解，湿气自行，筋不燥而痉愈矣。

尤在泾：沉本痉之脉，迟非内寒，乃津液少而荣卫之行不利也。伤寒项背强几几，汗出恶风，脉必浮数，为邪风盛于表；此证身体强几几然，脉反沉迟者，为风淫于外而津伤于内。故用桂枝则同，而一加葛根以助其数，一加栝楼根兼滋其内，则不同也。

栝楼桂枝汤方

栝楼根三两　桂枝三两（去皮）　甘草二两（炙）　芍药三两　生姜三两（切）　大枣十二枚（擘）

上六味，以水七升，微火煮取三升，去滓。适寒温服一升，日三服。

喻嘉言：栝楼根味苦入阴，擅生津彻热之长者为君，合之桂枝汤和荣卫、养筋脉而治其痉，乃变表法为和法也。

太阳病，无汗而小便反少，气上冲胸，口噤不得语，欲作刚痉者，葛根汤主之。

喻嘉言：太阳篇中，项背几几，无汗恶风者，用葛根汤；此证亦用之者，以其邪在太阳、阳明两经之界。两经之热并于胸中，必延伤肺金清肃之气，故水道不行而小便少，津液不布而无汗也。阳明之筋脉内结胃口，过人迎环口，热并阳明，斯筋脉牵引，口噤不得语也。然刚痉无汗，必从汗解，况湿邪内郁，必以汗出如故而止。故用此汤合解两经之湿热，与风寒之表法，无害其同也。

葛根汤方　见太阳病中篇

痉病，手足厥冷，发热间作，唇青目陷，脉沉弦者，风邪入厥阴也。桂枝加附子当归细辛人参干姜汤主之。

刘昆湘：痉病，外因之发起于太阳，内因之发属于血脏。以外风伤筋，内风动脏，外内合邪，故病发，即见厥阴直中之象。手足厥冷，发热间作，唇青目陷者，皆厥阴脏气外应之候。脉沉弦者，宜桂枝加附子当归细辛人参干姜汤，温脾固肾，以御病邪之传；益气养荣，而启风木之陷。桂枝佐当归，便入厥阴，参细辛，可以展荣气旁充之力，此与当归四逆法大旨相同。

桂枝加附子当归细辛人参干姜汤方

桂枝三两　芍药三两　甘草二两（炙）　生姜三两（切）　大枣十二枚（擘）　附子一枚（炮）　当归四两　细辛一两　人参二两　干姜一两半

上十味，以水一斗二升，煮取四升，去滓。温服一升，日三服，夜一服。

痉病本属太阳，若发热汗出，脉弦而实者，转属阳明也。宜承气辈与之。

刘昆湘：此示外因成痉，必始太阳之义。明痉邪内发于督，督脉外合太阳，故曰：痉病本属太阳。若其人胃腑阳盛，转阳明发热汗出，不恶寒之外证者，便知邪已过经，转属阳明之腑。脉弦而实者，举弦为风发之诊，按实为胃实之象，邪即入腑，于法当下，此言先具痉状，再加阳明外证之谓，非阳明本经之自发痉也。曰宜承气汤与之者，示当于三承气中随证消息焉。

痉病，胸满，口噤，卧不着席，脚挛急，必齘齿。宜大承气汤。

徐忠可：前用葛根汤，正防其寒邪内入，转而为阳明也。若不早图，至背项强直，外攻不已，内入而胸满，太阳之邪仍不解，气闭而口噤，角弓反张，而卧不着席，于是邪入内必热，阳热内攻而脚挛齘齿。盖太阳之邪并于阳明，阳明脉起于脚而络于齿也。故直攻其胃，而以硝、黄、枳、朴清其热，下其气，使太阳、阳明之邪，由中土而散，此下其热，非下其食也。

大承气汤方　见阳明病篇

徐灵胎：痉病乃伤寒坏证，小儿得之，犹有愈者，其余则百难疗一。其实者，或有因下而得生；虚者，竟无治法。

伤寒，阴阳易之为病，其人身体重，少气，少腹里急，或引阴中拘挛，热上冲胸，

头重不欲举，眼中生花，膝胫拘急者，烧裩散主之。

张令韶：此论伤寒余热未尽，男女交媾，毒从前阴而入，伤奇经冲、任、督三脉，而为阴阳易之病也。成氏云：男子病新差未平复，而妇人与之交得病，名曰阳易；妇人病新差未平复，而男子与之交得病，名曰阴易。言男女互相换易而为病也。其形相交，其气相感。形交则形伤而身体重，气感则气伤而少气也。夫奇经冲、任、督三脉，皆行少腹前阴之间。冲脉起于气街，并少阴之经挟脐上；任脉起于少腹以下骨中央，女子入系廷孔，男子循茎下至篡。今邪毒入于阴中，三脉受伤，故少腹里急，或引阴中拘挛也。热上冲胸，热邪循三经而上冲于胸也。脑为髓之海，精之窠为眼，膝胫者，筋之会也。《经》云：髓海不足，则脑转胫酸，眩冒，目无所见。又曰：入房太甚，宗筋弛纵，发为筋痿。今房劳失精，髓海不足，故头重不欲举也。精不灌目，故眼中生花也。精不荣筋，故膝胫拘急也，烧裩散主之，裩裆乃前阴气出之处，精气之所注也，取其所出之余气，引伤寒之余毒还从故道而出，使从阴而入者，即从阴而出也，故曰小便利，阴头微肿即愈。

烧裩散方

剪取妇人中裩近隐处，烧灰。以水和服方寸匕，日三服。小便即利，阴头微肿则愈。妇人病，取男子裩裆烧，和服如法。

王晋三：裩裆穿之日久者，久烧以洁其污，灰取其色黑下行。

《证治准绳》：伤寒病未平复，犯房室，命在须臾，用独参汤调烧裩散。

大病差后劳复者，枳实栀子豉汤主之；若有宿食者，加大黄如博棋子大五六枚。

成无己：病有劳复，有食复。伤寒新差，血气未平，余热未尽，早作劳动，病者，名曰劳复。病热少愈，而强食之，热有所藏，因其谷气留搏，两阳相合而病者，名曰食复。劳复，则热气淫越，与枳实栀子豉汤以解之；食复，则胃有宿积，加大黄以下之。

枳实栀子豉汤方

枳实三枚（炙）　栀子十四枚（擘）　香豉一升（绵裹）

上三味，以清浆水七升，空煮取四升，内枳实、栀子，煮取二升，内香豉，更煮五六沸，去滓。温分再服，覆令微似汗。

王晋三：枳实栀子豉汤，微汗、微下方也。大病瘥复，必虚实相兼，故汗之不欲其大汗，下之不欲其大下。栀、豉上焦药也，复以枳实宣通中焦，再用清浆水空煮减三升，则水性熟而沉，栀豉轻而清，不吐不下，必发于表，故覆之必有微汗。若欲微下，再加大黄、佐枳实下泄，助熟水下沉。则栀豉从上泻下，三焦通畅，荣卫得和，而劳复愈，故云微下。

徐灵胎：浆水，即淘米泔水，久贮味酸为佳。

伤寒差已后，更发热者，小柴胡汤主之。脉浮者，以汗解之；脉沉实者，以下解之。

张令韶：此下五节，论伤寒差后，余邪未尽，有虚实，有寒热，有水气，有在表者，有在里者，有在表里之间者，皆宜随证而施治之也。伤寒差已后，更发热者，余邪未尽，而在表里之间也。宜小柴胡汤以转枢。脉浮者，仍在表也，以汗解之。脉沉实者，犹在里也，以下解之。以汗解之，小柴胡汤加桂枝；以下解之，小柴胡汤加芒硝。

小柴胡汤方 见太阳病中篇

大病差后，从腰以下有水气者，牡蛎泽泻散主之。

钱天来：大病后，若气虚则头面皆浮肿；脾虚则胸腹胀满。此因大病之后，下焦之气化失常，湿热壅滞，膀胱不泻，水性下流，故但从腰以下水气壅积。膝胫足跗皆肿重也。以未犯中上二焦，中气未虚，为有余之邪，脉必沉数有力，故但用排决之法，而以牡蛎泽泻散主之。

牡蛎泽泻散方

牡蛎　泽泻　栝楼根　蜀漆（洗去腥）　葶苈（熬）　商陆根（熬）　海藻（洗去腥）

上七味，等分，异捣，下筛为散，更入臼中治之。白饮和服方寸匕，日三服。小便利，止后服。

尤在泾：大病新差，而腰以下肿满者，此必病中饮水过多，热邪虽解，水气不行，浸渍于下而肌肉肿满也。是当以急逐水邪为法，牡蛎泽泻散咸降之力居多，饮服方寸匕，不用汤药者，急药缓用，且不使助水气也。若骤用补脾之法，恐脾转滞而水气转盛，宁不泛滥为患。

陈修园：牡蛎、海藻生于水，故能行水，亦咸以软坚之义也，葶苈利肺气而导水之源；商陆攻水积而疏水之流；泽泻一茎直上，栝楼生而蔓延，二物皆引水液而上升，可升而后可降也；蜀漆乃常山苗，自内而出外，自阴而出阳，所以引诸药而达于病所。又散以散之，欲其散布而行速也。但其性甚烈，不可多服，故曰：小便利，止后服。又曰：此方用散，不可作汤，以商陆根水煎服杀人。

大病差后，喜唾，久不了了，胸上有寒也。当以丸药温之，宜理中丸。

尤在泾：大病差后，胃阴虚者，津液不生则口干欲饮；胃阳弱者，津液不摄则口不渴而喜唾。至久之而尚不了了，则必以补益其虚，以温益其阳矣，曰胃上有寒者，非必有寒气也，虚则自生寒耳。理中丸，补虚温中之良剂。不用汤者，不欲以水资吐也。

浅田栗园：此条论差后胃气虚寒，饮聚而成唾也。唾，口液也。寒，以饮言。不了了，谓无已时也。

理中丸方 见霍乱篇

伤寒解后，虚羸少气，气逆欲吐者，竹叶石膏汤主之。

张令韶：上节论虚寒证，此节论虚热证。伤寒解后，血气虚少，不能充肌肉，渗皮肤，故形体虚羸而消瘦也。少气者，中气虚也。胃上有寒则喜唾，胃中有热则气逆而欲吐，此虚热也。宜竹叶石膏汤主之。

竹叶石膏汤方

竹叶二把　石膏一斤　半夏半升（洗）　人参三两　麦冬一升　甘草二两（炙）　粳米半升

上七味，以水一斗，先煮六味，取六升，去滓，内粳米，煮米熟，汤成，去米。温服一升，日三服。

张路玉：此汤即人参白虎去知母，而益半夏、麦冬、竹叶也。病后虚烦少气，为余热未尽，故加麦冬、竹叶于人参、甘草之甘温益气药中，以清热生津。加半夏者，痰饮上逆欲吐故也。

方中行：羸，病而瘦也。少气，谓短气不足以息也。气逆欲吐，饮作恶阻也。盖寒伤形，故寒解则肌肉消削而羸瘦。热伤气，故热退则气衰耗而不足。病后虚羸，脾胃未强，饮食难化而痰易生，痰涌气逆，故欲吐也。竹叶清热，麦冬除烦，人参益气，甘草生肉，半夏豁痰而止吐，粳米病后之补剂，石膏有彻上彻下之功，故能佐诸品而成补益也。

徐灵胎：此仲景治伤寒愈后调养之方也。其法专于滋养肺胃之阴气，以复津液。盖伤寒虽六经传遍，而汗吐下三者皆肺胃当之。

大病已解，而日暮微烦者，以病新差，人强与谷，脾胃之气尚弱，不能消谷，故令微烦。损谷则愈。

喻嘉言：脉已解者，阴阳和适，其无表里之邪可知也。日暮微烦者，日中卫气行阳，其不烦可知也，乃因胸胃气弱，不能消谷所致。损谷则脾胃渐趋于旺而自愈矣。注家牵扯日暮为阳明之旺时，故以损谷为当小下，不知此论差后之证，非论六经转阳明之证也。日暮，即《内经》日西而阳气已衰之意，所以不能消谷也。损谷，当是减损谷食以休养脾胃，不可引前条宿食例，轻用大黄过伤脾胃也。

陈修园：此又结谷气一条，以明病后尤当以胃气为本，胃气又以谷气为本也。

第三节　辨百合狐惑阴阳毒病脉证并治

百合病者，百脉一宗，悉致其病也，意欲食，复不能食，常默默，欲卧不能卧，欲行不能行，饮食或有美时，或有不欲闻食臭时，如寒无寒，如热无热，口苦，小便赤，诸药不能治，得药则剧吐利，如有神灵者，身形如和，其脉微数。每溺时头痛者，六十日乃愈；若溺时头不痛，淅淅然者，四十日愈；若溺时快然，但头眩者，二十日愈。其证或未病而预见，或病四五日始见，或病至二十日，或一月后见者，各随其证，依法治之。

李珥臣：《活人书》云：伤寒大病后，血气未得平复，变成百合病。今由百脉一宗悉致其病观之，当是心肺二经之病也。如行卧、饮食、寒热等证，皆有莫可形容之状，在《内经》解㑊病似之。观篇中有如神灵者，岂非以心藏神、肺藏魄。人生神魂失守，斯有恍惚错妄之情乎。又曰，《内经》云：凡伤于寒则为病热，热气遗留不去。伏于脉中则昏昏默默，凡行卧饮食寒热皆有一种虚烦不耐之象矣。

程云来：经脉十二，络脉三百六十五。此缘大病后真阳已虚，余热未尽，周身百脉俱病，是为百脉一宗，悉致其病也，以其中外上下皆病，故饮食行卧不安，寒热无定，而诸药不能治，得之则吐利，如有神灵也。常默然则身形如和，余热不尽故脉微数，热在上则口苦，热在下则小便赤也。《伤寒续论》曰：溺者，人之津液也，注于膀胱，得阳气施化则溺出。故《内经》曰：膀胱者，州都之官，津液藏焉，气化则能出矣。是溺与阳气相依而为用者也。头者，诸阳之首。溺则阳气下施。头必为之摇功。曷不以老人小儿观之，小儿元气未足，血气未定，脑髓不满，溺将出，头为之摇而身为之动，此阳气不充故耳。老人气血衰，肌肉涩，脑髓清，故溺出时不能射远，将完必湿衣而头亦为之动者，此阳气已衰不能施射故耳。由此观之，溺出，头之痛与不痛，可以观邪之浅与深矣。故百合病溺出头痛者，言邪舍深而阳气衰也。内衰则入于脏腑，上则牵连脑髓，是以六十日愈。若溺出头不痛，淅淅然者，淅淅如水洒淅皮毛，外舍于皮肤肌肉，尚未入脏腑之内，但阳气微耳，是以四十日愈。若溺出快然，但头眩者，言邪犹浅，快则阴阳和畅、荣卫通利，脏腑不受邪。外不淅淅然则阳气尚是完固，但头眩者是邪在阳分，阳实则不为邪所牵，故头不疼而眩，是以二十日愈也。或未病而预见者，皆元气空虚之故。

黄竹斋：百合病者，精神病之一。《金鉴》云：百合瓣一蒂，如人百脉一宗，命名取治，皆此义也。盖血海为百脉所归宗，乃化精补髓之源，而脑为髓海，若经络瘀有热毒，则脑神失灵而志意昏愦，西医所谓神经衰弱也。百合质类脑髓，性善清热解郁，而气味甘平微苦，最宜于元气虚弱之证，而为此病之主药，犹伤寒中所谓桂枝证、柴胡证例也。此病与狂，均为血室瘀热，上干及脑之病，而阴阳虚实不同。《内经》云：邪入于阳则狂，邪入于阴则痹。痹盖脑髓神经不仁，知觉运动失常之谓，即百合病也。观其以溺出头痛及眩，验病势之轻重，可以知矣。赵氏以为血病，魏氏以为气病，皆非也。

百合病，见于发汗之后者，百合知母汤主之。

赵以德：日华子谓：百合安心定胆、益志养五脏，为能补阴也。治产后血眩晕，能去血中热也；除痞满、利大小便，为能导涤血之瘀塞也。而是证用之为主，益可见瘀积者矣。若汗之而失者，是涸其上焦津液，而上焦阳也，阳宜体轻之药，故用知母佐以救之。知母泻火、生津液、润心肺。

百合知母汤方

百合七枚（擘）　知母三两（切）

上二味，先以水洗百合，渍一宿，当白沫出，去其水，另以泉水二升，煮取一升，去滓；别以泉水二升煮知母，取一升，去滓；后合煎，取一升五合，分温再服。

陈载安：得之汗后者，其阳分之津液必伤，余热流连而不去。和阳必以阴，百合同知母、泉水以清其余热，而阳邪自化也。

黄竹斋：百合根质似人之脑，其花昼开夜合，乃草木之有情者，性能清热消郁，解脑髓之痹、补元气之虚，故用为百合病之主药。过汗则耗津血燥，故佐以知母之滋阴解毒。分煎合服，俾二性各致其功，以奏清上滋下之效也。《易》曰：山下出泉。是泉者水之源，故取以煎，清脑之药也。

百合病，见于下之后者，百合滑石代赭汤主之。

陈载安：其得之于下后者，下多伤阴，阴虚则阳往乘之，所以有下焦之热象。百合汤内加滑石、代赭，取其镇逆和窍以通阳也，是谓用阳和阴法。

百合滑石代赭汤

百合七枚（擘）　滑石三两（碎，绵裹）　代赭石如弹丸大一枚（碎，绵裹）

上三味，以水先洗，煮百合如前法，别以泉水二升，煮二味，取一升，去滓，合和，重煎，取一升五合，分温再服。

百合病，见于吐之后者，百合鸡子黄汤主之。

陈载安：其得之吐后者，吐从上逆，较发汗更伤元气，阴火得以上乘，清窍为之蒙蔽矣。故以鸡子黄之纯阴养血者，佐百合以调和心肺，是亦用阴和阳矣。

百合鸡子黄汤方

百合七枚（擘）　鸡子黄一枚

上二味，先洗，煮百合如前法，去滓，内鸡子黄，搅匀，顿服之。

尤在泾：《本草》：鸡子安五脏，治热疾。吐后脏气伤而病不去，用之不特安内，亦且攘外也。

百合病，不经发汗、吐、下，病形如初者，百合地黄汤主之。

陈载安：不经吐、下、发汗，正虽未伤，而邪热之袭于阴阳者，未必透解，所以致有百合病之变也。病形如初，指百合病首节而言。地黄取汁，下血分之瘀热，故云大便当如漆，非取其补也。百合以清气分之余热，为阴阳和解法。

百合地黄汤方

百合七枚（擘）　地黄汁一升

上二味，先洗、煮百合如上法，去滓，内地黄汁，煎取一升五合，分温再服。中病，勿更服。大便当如漆。

《金匮辑义》：地黄汁服之必泻利，故云中病勿更服。

百合病，一月不解，变成渴者，百合洗方主之。不差，栝楼牡蛎散主之。

徐忠可：渴有阳渴，有阴渴，若百合病一月不解而变成渴，其为阴虚火炽无疑矣。阴虚而邪气蔓延，阳不随之两病乎！故以百合洗其皮毛，使皮毛阳分得其平而通气于阴。即是肺朝百脉，输精皮毛，使毛脉合精，行气于腑之理。食煮饼，假麦气以养心液也。勿食盐豉，恐伤阴血也。渴不差，是虽百合汤洗而无益矣。明是内之阴气未复，阴气未复由于阳亢也。故以栝楼根清胸中之热，牡蛎清下焦之热，与上平阳以救阴同法。但此从其内治耳，故不用百合而作散。

百合洗方

百合一升

上一味，以水一斗，渍之一宿，以洗身。洗已，食煮饼，勿以盐豉也。

《活人书》：煮饼，即淡熟面条也。

栝楼牡蛎散方

栝楼根　牡蛎（熬）等分

上二味，捣为散，白饮和服方寸匕，日三服。

百合病，变发热者，百合滑石散主之。

《金鉴》：百合病，如寒无寒，如热无热，本不发热，今变发热者，其内热可知也。故以百合滑石散主之，使其微利，热从小便而除矣。

黄竹斋：以上诸节之证，均以脉微数、口苦、小便赤为主。诸方之治，虽有上下内外之殊，皆兼清热利小便也。

百合滑石散方

百合一两（炙）　滑石二两

上二味，为散，饮服方寸匕，日三服。当微利。热除则止后服。

百合病，见于阴者，以阳法救之；见于阳者，以阴法救之。见阳攻阴，复发其汗，此为逆；见阴攻阳，乃复下之，此亦为逆。

徐忠可：此段总结全篇，谓百合病同是内气与伤寒余邪相并，流连无已，不患增益而患因循，故病在下后及变渴，渴不止，所谓见于阴也，势必及阳，至阳亦病，则无可为矣。故以滑石通彻其毛窍之阳，百合利其皮毛之阳。在内之阳燥，栝楼、牡蛎养其腹内之阳，阳得其平，阴邪欲传之而不受，则阴中之邪渐消矣，所谓以阳法救之也。病在汗后及吐后，及病形如初，及变发热，皆所谓见于阳也，势必及阴，至阴亦病而无可为矣。故以知母固其肺胃之阴，鸡子养其血分之阴，生地壮其心中之阴，热发于肌表者，滑石以和其肠胃之阴，阴得所养，阳邪欲传之而不受，则阳中之邪渐消矣，所谓以阴法救之也。

郭白云：仲景以药之百合治百合病，与《神农本草经》主治不相当，千古难晓其义。是以孙真人言伤寒杂病自古有之，前古名贤，多所防御，至于仲景，时有神功，寻思旨趣，莫测其致，所以医人不能钻仰万一也。然百合之为物，岂因治百合之病而后得名哉？或是病须百合可治，因名曰百合乎！

狐惑之为病，状如伤寒，默默欲眠，目不得闭，卧起不安，蚀于喉为惑，蚀于阴为狐，不欲饮食，恶闻食臭，其面目乍赤、乍黑、乍白。蚀于上部则声嗄，甘草泻心汤主之。蚀于下部则咽干，苦参汤洗之。蚀于肛者，雄黄熏之。

尤在泾：狐惑虫病，即巢氏所谓䘌病也。默默欲眠，目不得闭，卧起不安，其躁扰之象有似伤寒少阴热证，而实为䘌之乱其心也。不欲饮食，恶闻食臭，有似伤寒阳明实证，而实为虫之扰其胃也。其面目乍赤、乍黑、乍白者，虫之上下，聚散无时，故其色变更不一，甚者脉也大小无定也。盖虽虫病而能使人惑乱而狐疑，故名曰狐惑。徐氏曰：蚀于喉为惑，谓热淫于上，如惑乱之气感而生蜮；蚀于阴为狐，谓热淫于下，柔害而幽隐如狐性之阴也。亦通。蚀于上部，即蚀于喉之谓，故声嗄；蚀于下部，即蚀于阴之谓，阴内属于肝，而咽门为肝胆之候，病自下而冲上，则咽干也。至生虫之由，则赵氏所谓湿热停久，蒸腐气血而成瘀浊，于是风化所腐而成虫者，当矣。甘草泻心不特使中气运而湿热自化，抑亦苦辛杂用足胜杀虫之任。其苦参、雄黄，则皆清燥杀虫之品，洗之、熏之，就其近而治之耳。

甘草泻心汤方　见太阳病下篇

苦参汤方

苦参一斤

上一味，以水一斗，煮取七升，去滓，熏洗，日三服。

雄黄散方

雄黄一两

上一味，为末，筒瓦二枚合之，内药于中，以火烧烟，向肛熏之。

徐忠可：下部毒盛，所伤在血而咽干，喉属阳，咽属阴也。药用苦参熏洗，以祛风清热而杀虫也。蚀于肛，则不独随经而上侵咽，湿热甚而糜烂于下矣。故以雄黄熏之，雄黄之杀虫祛风解毒更力也。

病者脉数，无热，微烦，默默但欲卧，汗出。初得之三四日，目赤如鸠眼；七八日，目四眦黑。若能食者，脓已成也，赤豆当归散主之。

尤在泾：脉数微烦，默默但欲卧，热盛于里也；无热汗出，病不在表也；三四日目赤如鸠眼者，肝藏血中之热，随经上注于目也。经热如此，脏热可知，其为蓄热不去，将成痈脓无疑。至七八日目四眦黑，赤色极而变黑，则痈尤甚矣。夫肝与胃互为胜负者也，肝方有热，势必以其热侵及于胃，而肝既成痈，胃即以其热并之于肝。故曰若能食者，知脓已成也。且脓成则毒化，毒化则不特胃和而肝亦和矣。赤豆当归，乃排脓血，除湿热之良剂也。

黄竹斋：此一条注家有目为狐惑病者，有目为阴阳毒者，要之亦是湿热蕴毒之病。其不腐而为虫者，则积而为痈；不发于身面者，则发于肠脏，亦病机自然之势也。仲景意谓与狐惑、阴阳毒同源而异流者，故特论列于此欤。

赤豆当归散方

赤小豆三升（浸令芽出，曝干）　当归十两

上二味，杵为散，浆水服方寸匕，日三服。

程云来：当归主恶疮疡；赤小豆主排痈脓；浆水，炊粟米熟，投冷水中浸五六日，生白花，色类浆者，能调理脏腑。三味为治痈脓已成之剂。此方蚀于肛门者当用之。

黄竹斋：后文先血后便，此近血也，亦用此汤。以大肠、肛门本是一源，病虽不同，其解脏毒则一也。

阳毒之为病，面赤斑斑如锦纹，咽喉痛，唾脓血。五日可治，七日不可治，升麻鳖甲汤主之。

阴毒之为病，面目青，身痛如被杖，咽喉痛。五日可治，七日不可治。升麻鳖甲汤去雄黄、蜀椒主之。

陈修园：此言阴阳二毒治之不可姑缓也。仲师所论阴毒、阳毒，言天地之疠气中人之阳气、阴气，非阴寒极、阳热极之谓也。盖天地灾疠之气便为毒气，人之血气昼行于阳、夜行于阴，疠气之毒值人身行阳之度而中人，则为阳毒。面者诸阳之会，阳毒上干阳位，故面赤斑斑如锦纹；阳毒上迫胸膈，故吐脓血，以阳气法天，本乎天者亲上也。值人身行阴之度而中人，则为阴毒。邪入于阴，则血凝泣，血不上荣于面而面目青；血不环周于一身而身痛如被杖，以阴气主静，凝而不流之象也。夫阴阳二毒皆从口毒而下入咽喉。咽喉者，阴阳之要会也，感非时之疠气，则真气出入之道路不无妨碍，故二毒俱有咽喉痛之证。要之异气中人，流毒最猛，五日经气未遍，尚可速治，若至七日，阴阳经气已周，而作再经，则不可治矣。方用升麻鳖甲汤以解之。

《金鉴》：此证即今世俗所谓痧证是也。中此气之人，不止咽喉痛、身痛，甚至有心腹绞痛，大满大胀，通身络脉青紫暴出，手足指甲色如靛叶，口噤牙紧，心中忙乱，死在旦夕者。若谓必从皮而入，未有为病如是之速者也。是必从口鼻而下入咽喉无疑。治是证者，不必问其阴阳，但刺其尺泽、委中、手足十指脉络暴出之处出血，轻则用刮痧法，随即用紫金锭，或吐、或下、或汗出而愈者不少。

升麻鳖甲汤方

升麻二两　蜀椒一两（去汗）　雄黄半两（研）　当归一两　甘草二两　鳖甲一片（炙）

上六味，以水四升，煮取一升，顿服之。不差，再服取汗。

升麻鳖甲去雄黄蜀椒汤方

升麻二两　当归一两　甘草二两　鳖甲一片（炙）

上四味，以水二升，煮取一升，去滓，顿服之。不差，再服。

陈修园：升麻，《本经》云气味甘平，苦微寒，无毒，主解百毒，辟瘟疫邪气，入口皆吐出，中恶腹痛，时气毒疠，诸毒喉痛、口疮云云。君以升麻者，以能排气分解百毒，能吐能升，俾邪从口鼻入者，仍从口鼻而出，鳖甲气味酸平，无毒，佐当归而入肝，肝藏血，血为邪气所凝，鳖甲禀坚刚之性，当归具辛香之气，直入厥阴而通气血，使邪毒之侵于营卫者，得此二味而并解；甘草气味甘平，解百毒，甘能入脾，使中土健旺，逐邪以外出；妙在使以蜀椒辛温，雄黄苦寒，禀纯阳之色，领诸药以解阳毒。其阴毒去雄黄、蜀椒者，以邪毒不在阳分，不若当归、鳖甲直入阴分之为得也。

第四节　辨疟病脉证并治

师曰：疟病，其脉弦数者，热多寒少；其脉弦迟者，寒多热少。脉弦而小紧者，可下之；弦迟者，可温之；弦紧者，可汗之，针之，灸之；浮大者，可吐之；弦数者，风发也，当于少阳中求之。

徐忠可：疟者，半表半里病，而非骤发之外病也。故《内经》曰：夏伤于暑，秋必痎疟。又曰：先伤于寒，后伤于风为寒疟；先伤于风，后伤于寒为温疟。又曰：在皮肤之内，肠胃之外，唯其半表半里，则脉必出于弦。盖弦者，东方甲木之气，经属少阳，乃伤寒之阴脉而杂证之阳脉也。证在表里之界，脉亦在阴阳之间，而兼数为热，兼迟为寒，此其大纲也。若治之法，紧亦寒脉也，小紧则内入矣。盖脉以大者为阳，则小紧而内入者为阴，阴不可从表散，故曰下之愈。迟既为寒，温之无疑。弦紧不沉，寒脉而非阴脉，非阴故可发汗、针灸也。疟脉概弦而忽浮大，知邪高而浅，高者越之，故曰可吐。虽然半表半里者，少阳之分也，少阳病禁汗、吐、下，而疟何独不然？乃仲景亦出汗、吐、下三法，谓邪有不同，略傍三法以为驱邪之出路，非真如伤寒之大汗、吐、下也。仲景既曰弦数者多热，又申一义曰弦数者风发也。见多热不已必至极热，热极生风，风生则肝木侮土而传热于胃，坐耗津液，阳愈偏而不返。须以梨汁蔗浆生津止渴。正《内经》风淫于内，治以甘寒之旨也。

黄竹斋：近世西医考察疟疾，由一种腐草败禾之毒菌，藉蚊吭之媒介，中人皮肤、传播血脉而致斯疾。与《素问》所云：夏伤于暑，秋为痎疟，夫痎疟皆生于风，疟之始发也，先起于毫毛之说暗合。然《素问·疟论》又云：以秋病者寒甚，以冬病者寒不甚，以春病者恶风，以夏病者多汗。盖蚊吭特致疟之一二因，而寒热湿温之邪，伏于少阳，皆能成疟。其治法自当审阴阳之偏盛，以施汗、吐、下、和解之治法也。

问曰：疟病，以月一日发者，当以十五日愈，甚者当月尽解，如其不差，当云何？师曰：此结为癥瘕，必有疟母，急治之，宜鳖甲煎丸。

尤在泾：天气十五日一更，人之气亦十五日一更，气更则邪当解也。否则三十日天人之气再更，而邪自不能留矣，设更不愈，其邪必假血依痰结为癥瘕，僻处胁下，将成负固不服之势，故宜急治，鳖甲煎丸行气逐血不嫌其峻，一日三服不嫌其急，所谓乘其未集而击之也。

魏念庭：寒热杂合之邪在少阳，而上下格阻之气结厥阴，聚肝下之血分，而实为疟病之母气，足于生疟而不已。此所以阴阳互盛，历月经年而病不除也，盖有物以作患于里，如草树之有根荄，必须急为拔去，不然旋伐旋生，有母在焉，未有不滋蔓难图者矣。

鳖甲煎丸方

鳖甲　柴胡　黄芩　大黄　牡丹皮　䗪虫　阿胶

上七味，各等分，捣筛，炼蜜为丸，如梧桐子大。每服七丸，日三服，清酒下，不能饮者，白饮亦可。

程云来：以鳖甲主癥瘕寒热，故以为君；邪结于血分，用大黄、䗪虫、牡丹皮攻逐血结为臣；调寒热，和阴阳，通荣卫，则有柴胡、黄芩，和气血则有阿胶以为使。

师曰：阴气孤绝，阳气独发，则热而少气烦悗，手足热而欲呕，此名瘅疟，白虎加桂枝人参汤主之。

赵以德:《内经》云：但热而不寒者，阴气先绝，阳气独发，则热而少气烦冤，手足热而欲呕，名曰瘅疟。又云：肺素有热，气盛于身，因而用力，风寒舍于分肉之间而发，发则阳气盛，盛而不衰，其气不及于阴，故但热而不寒，气内藏于心而外舍于分肉之间，令人消灼肌肉，故命曰瘅疟。此二者，一为先伤于风，一为肺素有热，所感之邪虽不一，然病是阳盛。又《内经》之阳盛逢风，两阳相得而阴气虚少，少水不能制盛火而阳独治，此热如火当灼肉也。由是观之，疟之寒热更作，因阳阴之气互为争并，若阴衰少，则离绝真阳，先自退处不与之并，而阳亦不并于阴，故阳独发，但热而已。此总论二者之瘅疟。其少气烦冤，肺主气，肺受火抑故也；手足热者，阳主四肢，阳盛则四肢热也；欲呕者，火邪上冲胃气逆也。白虎汤退热药也，分肉、四肢，内属脾胃，非切于其所舍者乎！又泻肺火非救其少气烦冤，肺主气，肺受火抑故也；手足热者，阳主四肢，阳盛则四肢热也；欲呕者，火邪上冲胃气逆也。白虎汤退热药也，分肉、四肢，内属脾胃，非切于其所舍者乎！又泻肺火非救其少气烦冤者乎！设其别有兼证，岂不可推加桂之例以加别药乎！

白虎加桂枝人参汤方

知母六两　石膏一斤　甘草二两（炙）　粳米六合　桂枝三两　人参三两

上六味，以水一斗，煮米熟汤成，去滓，温服一升，日三服。

陈修园：白虎清心救肺以除里热，加桂枝调和荣卫以驱外邪，诚一方而两扼其要也。即先热后寒，名为热疟，亦以白虎清其先，桂枝却其后，极为对证，此法外之法也。

疟病，其脉如平，身无寒但热，骨节疼烦，时作呕，此名温疟，宜白虎加桂枝汤方。

赵以德:《内经》名温疟，亦有二：一者谓先伤风后伤寒，风阳也，故先热后寒；一者为冬感风寒，藏于骨髓之中，至春夏邪与汗出，故病藏于肾，先从内出之外，寒则气复反入，是以先热后寒。二者之温疟，则皆有阴阳往来寒热之证，而此之无寒但热，亦谓之温疟，似与《内经》不侔，然绎其义，一皆以邪疟为重而名之。夫阴不与阳争，故无寒；骨节皆痹，不与阳通则疼痛；火上逆则时呕。用白虎治其阳盛也，加桂枝疗骨节痹痛、通血脉、散疟邪、和阴阳以取汗也。

白虎加桂枝汤方

即前方（白虎加桂枝人参汤）去人参一味。

唐容川：身无寒但热，为白虎汤之正证。加桂枝者，以有骨节烦痛，则有伏寒在于筋节，故加桂枝以逐之也。

疟病多寒，或但寒不热者，此名牝疟，蜀漆散主之；柴胡桂姜汤亦主之。

徐忠可：先寒后热既为寒疟，乃有心气素虚，外邪袭之，挟有形之涎为依傍，邪困心胞，气不能透肌表而多寒者，盖先伤无形之寒，邪复内入并涎为有形之寒，寒实伤心，故名牝疟，心为牝脏故也。后人以单寒为牝，误也。唯无形之寒挟有形之涎，则心包内之邪为外所困而不能出，故以蜀漆劫去其有形之涎。盖常山能吐疟，而蜀漆为常山之苗，性尤轻虚，为功于上也。云母甘平能内除邪气，外治死肌，有通达心脾之用。龙骨收湿安神，能固心气安五藏。故主以蜀漆，而以二药为佐也。又曰：胸中之阳气散行乎分肉之间，今以邪气痹之，则卫外之阳郁伏于内守之阴，而血之痹者既寒凝而不散，遇卫气行阳二十五度而病发，其邪之入荣者既无外出之势，而荣之素痹者亦不出而与阳争，所以多寒少热或但寒不热也。小柴胡本阴阳两停之方，寒多故加桂枝、干姜，则进而从阳，痹著之邪可以开矣。更加牡蛎，以软其坚垒，则阴阳豁然贯通而大汗解矣。

蜀漆散方

蜀漆（洗去腥）　云母（烧二日夜）　龙骨等分

上三味，杵为散。未发前，以浆水和服半钱匕。

程云来：蜀漆，常山苗也，得浆水能吐疟之顽痰；云母、龙骨取云龙属阳之义，入足三阴经可以驱残疟之阴，入手少阴心、太阴肺可以越酷热之阳。三阴者，其道远，故于未发之先服，令药入阴分以驱其邪。此方乃吐顽痰、和阴阳之剂。

柴胡桂姜汤方　见太阳病下篇

疟病发渴者，柴胡去半夏加栝楼根汤主之。亦治劳疟。此节依涪古本补，《金匮要略》附方引《外台秘要》。

张路玉：渴者，阳明津竭。而所以致阳明津竭者，本少阳木火之势劫夺胃津而然。

故疟邪进退于少阳，则以小柴胡汤进退而施治也。至于劳疟之由，亦木火盛而津衰致渴，故亦不外是方也。

柴胡去半夏加栝楼根汤方

柴胡八两　人参三两　黄芩三两　生姜三两　甘草三两（炙）　大枣十二枚（擘）　栝楼根四两

上七味，以水一斗二升，煮取六升，去滓，再煎取三升。温服一升，日三服。

《本草纲目》：庞元英谈薮云：张知合久病疟，热时如火，年余骨立。医用茸附诸药，热益甚。召医官孙琳诊之，琳投小柴胡汤一帖，热减十之九，三服脱然。琳曰：此名劳疟，热从髓出，加以刚剂气血愈亏。盖热有在皮肤、在脏腑、在骨髓，在骨髓者，非柴胡不可。若得银柴胡，只需一服。南方者力减，故三服乃效也。

第五节　辨血痹虚劳病脉证并治

问曰：血痹之病，从何得之？师曰：夫尊荣之人，骨弱肌肤盛，重因疲劳汗出，卧不时动摇，加被微风，遂得之。但以脉寸口微涩，关上小紧，宜针引阳气，令脉和紧去则愈。

周禹载：阳所以统夫阴者也，统阴则血必随气行矣。乃《经》言血痹而不言气，何哉？不知血之痹，由于气之伤也。《经》曰：入于脉则血凝而不流，夫所以不流者，气为邪阻也。然邪之足以伤者，必因于作劳，则卫气不能固外，而后邪得以入之。故仲景发其不流之故，以明得病之由。言天下唯尊荣人为形乐志苦，形乐故肌肤盛，志苦故骨弱；骨弱则不耐劳，肌盛则气不固。稍有劳困汗易出也。夫汗者血之液也，卫不固斯汗出，汗出斯阳气虚，虽微风且得以袭之，则血为之痹。故一见脉微则知阳之不足，一见脉涩则知其阴之多阻，此血痹之本脉也。而其邪入之处则自形其小紧，小为正气拘抑之象；紧为寒邪入中之征。然仲景明言微风，何以反得寒脉耶？盖邪随血脉上下，阻滞汁沫，未有不痛者，故痛为脉紧也。针以泄之，引阳外出，则邪去而正自伸也。

血痹阴阳俱微，或寸口关上微，尺中小紧，外证身体不仁，如风痹状，黄芪桂枝五物汤主之。

周禹载：此条是申上条，既痹之后未能针引以愈，遂令寸口微者今则阴阳俱微，且寸关俱微矣，且尺中小紧矣。夫小紧既见于尺，则邪之入也愈深，而愈不得出，何也？正虚之处，便是容邪之处也。《脉经》：内外谓之阴阳，上下亦谓之阴阳。今尺既小紧则微属内外也明矣。若言证以不仁概之，盖身为我身则体为我体，而或为疼痛，或为麻木，每于我相阻，其为不仁甚矣。故以风痹象之，非真风痹也。《经》曰：风寒湿三者合而成痹，然何以单言风痹也？邪有兼中，人之受者必有所偏，如多于风者，则其痛流行不常，淫于四末。盖血以养筋，血不通行则筋节为之阻塞。且血藏于肝，肝为肾子，肾既受邪，则血无不壅滞。于是以黄芪固卫，芍药养荣，桂枝调和荣卫、托实表里、驱邪外出，佐以生姜宜胃，大枣益脾，岂非至当不易者乎！

黄芪桂枝五物汤方

黄芪三两　桂枝三两　芍药三两　生姜六两　大枣十二枚

上五味，以水六升，煮取二升。温服七合，日三服。

魏念庭：黄芪桂枝五物汤在风痹可治，在血痹亦可治也。以黄芪为主，固表补中，佐以大枣；以桂枝治卫升阳，佐以生姜；以芍药入荣理血，共成厥美。五物而荣卫兼理，且表荣卫里胃肠亦兼理矣。推之中风于皮肤肌肉者，亦兼理矣，固不必多求他法也。

徐灵胎：此即桂枝汤以黄芪易甘草，乃卫虚荣弱之方。固卫即以护荣。

男子平人，脉大为劳，极虚亦为劳。

魏念庭：虚劳者，因劳而虚，因虚而病也。人之气通于呼吸，根于脏腑，静则生阴，动则生阳。阴阳本气之动静所生，而动静能生气之阴阳，此二神两化之道也。故一静一动互为其根，在天在人俱贵和平，而无取于偏胜。偏则在天之阳愆，阴伏而化育乖；在人则阳亢阴独而疾病作。然则虚劳者，过于动而阳烦，失于静而阴扰，阴日益耗而阳日益盛也，是为因劳而虚，因虚而病之由然也。虚劳必起于内热，终于骨蒸。有热者十有七八，其一二虚寒者，必邪热先见，而其后日久随正气俱衰也。夫脉大者，邪气盛也；极虚者，精气夺也。以二句揭虚劳之总，而未尝言其大在何脉，虚在何经，是在主治者随五劳七伤之故而谛审之，岂数言可尽者乎。

男子面色薄者，主渴及亡血。卒喘悸，脉浮者，里虚也。

魏念庭：仲景再为验辨之于色、于证、于脉以决之。男子面色薄，即不泽也，此五脏之精夺而面色失其光润也。然光必在面皮内蕴，润必在面皮内敷，方为至厚，若大见呈耀，则亦非正厚色矣。今言薄，则就无光润者言也。其人必患消渴，及诸失亡其血之疾，因而喘于胸而悸于心。卒者，忽见忽已之谓，此俱为邪盛之实，精夺之虚也。诊之必浮大者，邪盛也；大而浮，邪盛兼精夺也，故总归之于里虚而已。

男子脉虚沉弦，无寒热，短气里急，小便不利，面色白，时目瞑兼衄，少腹满，此为劳使之然。

魏念庭：仲景再为叙其脉证，诊之大而浮，必浮取盛而冗取衰之脉也。其言里虚可也，若浮诊之脉浮大为虚矣，沉诊之脉沉弦者，无乃非虚乎！不知此正所谓邪盛也。弦脉见于沉分，应身发寒热，今无寒热，则此弦乃血虚于肝之象。血虚于肝则热生于里、短气者，壮火食之而损也；小便不利，津液消也，面色白，荣气竭也；时目瞑，肝虚风动也；兼衄，血虚火动也；里急、少腹满，肾肝之火上盛，则下阳必虚，阴凝于下焦也。凡此脉证皆劳而虚，虚而病之征也。所以明之曰此为劳使之然。

劳之为病，其脉浮大，手足烦，春夏剧，秋冬差，阴寒精自出，酸削不能行。

李珥臣：脉浮大者，里虚而气暴于外也。四肢者，诸阳之本。劳则阳耗阴虚而生内热，故手足烦。凡劳伤多属阴虚，当春夏木火盛炎之际，气浮于外则里愈虚，故剧。秋冬金水相生之候，气敛于内则外不扰，故瘥也。肾藏精，精自出者，肾水不藏也。肾主骨，故酸削而不能行也。

男子脉浮弱涩，为无子，精气清冷。

沈明宗：此以脉断无子也。男精女血，盛而成胎。然精盛脉亦当盛，若浮弱而涩者，浮乃阴虚，弱为真阳不足，涩为精衰。阴阳精气皆为不足，故为精气清冷，则知不能成胎，为无子也。盖有生而不育者，亦是精气清冷所致。乏嗣者可不知之而守养精气者乎。

失精家，少阴脉弦急，阴头寒，目眩，发落。脉极虚芤迟者，为清谷、亡血、失精；脉得诸芤动微紧者，男子则失精，女子则梦交。桂枝龙骨牡蛎汤主之，天雄散亦主之。

周禹载:《经》曰：肾主水，受五脏六腑之精而藏之。又曰厥气接于阴器，则梦接内。盖阴器，宗筋之所系也，而脾胃肝胆之筋亦皆聚焉。故厥阴主筋则诸筋统于肝也。肾为阴，主藏精；肝为阳，主疏泄。故肾之阴虚则精不藏，肝之阳强则气不固。若遇阴邪客之，与所强之阳相感，则或梦或不梦而精脱矣。是肾虚则无有不虚者也。膀胱与肾为表里，故少腹弦急，为阴结而气不化者可知。水不生木，则血不养筋，致宗筋惫而阴头寒，以致虚风生则目眩，血不会则发脱。种种虚状，悉本诸此，而其脉则为虚、为芤、为迟，可想而知也。夫阳虚则水谷不化，阴虚则亡血失精。故芤为阴虚，复阴阳相搏而为动；微则阳微，又微紧相搏而为邪，皆《脉经》所云至虚者也。然则男子失精，女子梦交，皆起于肾之不固，遂令三焦皆底于极虚矣。于法必以固精为主治也。于是以桂枝和荣卫，芍药收阴，生姜散寒，甘草、胶、枣益脾补气，更用龙骨以涩其阳，牡蛎以涩其阴，庶肾肝既固，荣卫调和而诸证自愈。

桂枝龙骨牡蛎汤方

桂枝三两 芍药三两 甘草二两（炙） 生姜三两（切） 大枣十二枚（擘） 龙骨三两 牡蛎三两

上七味，以水七升，煮取三升，去滓，分温三服。

张路玉：夫亡血失精，皆虚劳内因之证，举世皆用滋补气血之药，而仲景独与桂枝汤，其义何居？盖人身之气血，全赖后天水谷以资生，水谷入胃，其清者为荣，浊者为卫；荣气不荣则上热而血溢，卫气不卫则下寒而精亡，是以调和荣卫为主。荣卫和则三焦各司其职。而火自归根。热者不热，寒者不寒，水谷之精微输化而精血之源有赖矣。以其亡脱既惯，恐下焦虚滑不禁，乃加龙骨、牡蛎以固敛之。

陈修园：此为阴虚者出其方也。其方看似失精梦交之专方，而实为以上诸证之总方也。

《汉药神效方》：桂枝加龙骨牡蛎汤本为治失精之方，一老医用此治愈老宫女之屡小遗者。用此治遗尿，屡效。

天雄散方

天雄三两（炮） 白术八两 桂枝六两 龙骨三两

上四味，杵为散，酒服半钱匕，日三服。不知稍增，以知为度。

尤在泾：此为补阳摄阴之用也。

魏念庭：天雄散一方，纯以温补中阳为主，以收涩肾精为佐。想为下阳虚甚而上热较轻者设也。

男子平人，脉虚弱细微者，喜盗汗也。

张路玉：平人脉虚弱细微，是卫虚不能鼓其脉气于外，所以不能约束津液。当卫气行阴目瞑之时，血气无以固其表，腠理开则汗。醒则行阳之气复行于表，则汗止矣。名曰盗汗，亦名寝汗。此属本虚，与伤寒邪在半表不同。

黄竹斋：卫气昼行于阳，夜行于阴，阴虚无以维阳，故卫阳妄泄。盖自汗者，太阳之里虚也；盗汗者，阳明之里虚也，虚则生血之源竭，故能致劳。桂枝汤能治自汗。加龙骨、牡蛎以治盗汗，固不必他求也。

人年五六十，其脉大者，病痹侠背行，若肠鸣，马刀侠瘿者，皆为劳得之也。其脉小沉迟者，病脱气，疾行则喘喝，手足逆寒者，亦劳之为病也。

周禹载：人生五十始衰，六十天癸竭，则已精少肾衰矣。使复有动作，遂令阳虚而邪得以客之，痹太阳经道。盖太阳行于背者也，《经》谓：阳气者，精以养神，柔以养筋，开阖不得，寒气从之，乃生大偻，故病痹侠背行也。又云：中气不足，肠为之苦鸣，至陷脉为瘘，流连肉腠为马刀侠瘿。瘿者，即瘰疬也。以其形长如蛤为马刀，或在耳前后连及颐颔颈下，或下连缺盆以及胸胁，皆谓之马刀，此手足少阳经主之也。总以动作忿怒，忧忿气郁过甚，而为风邪内腠，故其脉则大而举按不实，其因则劳而元气不足。仲景言之，恐后人复疑为有余而误攻其邪耳。人之所以运动无苦、四肢温和，食入自化者，皆吾身之真阳为之也。故阳固则流行于脉中者各安其部，而无阳衰阴见之象。今沉，少阴脉也，以其所处之位至下也。若寸关皆见，则各腑脏之阳何在乎！况其兼者曰小、曰迟。《脉经》云：小者气血俱少。又云：迟为荣中寒。彼此俱阴绝不见阳，则其气已大泄矣，故名脱也。夫尺虚之人，行走恇然，象其步履之不正也，而况于气脱者乎！故行稍疾则喘喝。虽曰呼出心肺，吸入肾肝，自非宗气行其呼吸则升降出入且无以安于自然矣，况勉强以动其气乎！是故人之阳盛于中焦者也，脾之阳不固则四肢上逆而冷矣。

虚劳里急，悸，衄，腹中痛，梦失精，四肢酸疼，手足烦然，咽干口燥者，小建中汤主之。

程云来：里急腹中痛，四肢酸疼，手足烦热，脾虚也；悸，心虚也；衄，肝虚也；失精，肾虚也；咽干口燥，肺虚也。此五脏皆虚，而土为万物之母，故先健其脾土。《内经》曰：脾为中央土以灌四旁，故能生万物而法天地，失其职则不能为胃行其津液，五脏失所养亦从而病也。建中者必以甘，甘草、大枣、胶饴之甘所以建中而缓诸急；通行卫气者必以辛，姜桂之辛用以走表而通卫；收敛荣血者必以酸，芍药之酸用以走里而收荣。荣卫流行，则五脏不失权衡，而中气始建矣。

小建中汤方 见太阳病中篇

虚劳里急，诸不足，黄芪建中汤主之。

尤在泾：里急者，里虚脉急，腹中当引痛也；诸不足者，阴阳诸脉并俱不足，而眩悸、喘喝、失精、亡血等证，相因而至也。急者缓之必以甘，不足者补之必以温，而充虚塞空则黄芪尤有专长也。

黄芪建中汤方

即小建中汤内加黄芪一两半，煎服法同。

气短胸满者加生姜一两；腹满者去大枣，加茯苓一两半；大便秘结者去大枣，加枳实一两；肺气虚损者加半夏三两。

魏念庭：气虚甚加黄芪，津枯甚加人参，以治虚劳里急。此言里急非里急后重之谓也，乃虚歉无主之谓也。故名其方为建中，正所以扶持其中气，使渐生阴阳，达于荣卫，布于肢骸，而消其独亢也。学者顾名思义，斯得之矣。

汪双池：虚劳不足，谓气血枯竭也。此方之意，主于补脾胃而达气血。

徐忠可：若气短胸满加生姜，谓饮气滞阳，故生姜以宣之。腹满去枣加茯苓，蠲饮而正脾气也。气不顺加半夏，去逆即所以补正也。

虚劳腰痛，少腹拘急，小便不利者，肾气丸主之。

程云来：腰者肾之外候，肾虚则腰痛。肾与膀胱为表里，不得三焦之阳以决渎，则小便不利而少腹拘急矣。与是方以益肾间之气，气强则便溺行而少腹拘急亦愈矣。

肾气丸方

地黄八两　薯蓣四两　山茱萸四两　泽泻三两　牡丹皮三两　茯苓三两　桂枝一两　附子一枚（炮）

上八味，捣筛，炼蜜和丸，如梧桐子大。酒下十五丸，渐加至二十五丸，日再服。不能饮者，白饮下之。

魏念庭：仲景出建中汤，为自上而损，脱气者主治也。其有自下而损，失精者，则又立一法主之，为八味肾气丸。虚劳腰痛，少腹拘急，小便不利，纯是肾中水火俱不足之证也。失精之故显然矣。以六味丸壮水之本，加桂附益火之源，水火兼理于肾。凡上无热而下虚者，建中汤为宜；上有热而下虚者，八味肾气丸为宜也。

李珥臣：方名肾气丸者，气属阳，补肾中真阳之气也。内具六味丸，壮肾水以滋小便之源；桂附益命门火以化膀胱之气，则熏蒸津液，水道以通而小便自利。

徐灵胎：此方专利小便，水去而阴不伤，扶阳而火不升。制方之妙，固非一端，但近人以此一方治天下之病，则有大失此方之义也。此方亦治脚气，乃驱邪水以益正水之法也。

虚劳，虚烦不得眠，酸枣仁汤主之。

李珥臣：虚烦不得眠者，血虚生内热而阴气不敛也。《内经》曰：气行于阳，阳气满不得入于阴，阴气虚，故目不得瞑。酸枣仁汤养血虚，而敛阴气也。

尤在泾：人寤则魂寓于目，寐则魂藏于肝。虚劳之人肝气不荣，则魂不得藏，魂不藏故不得眠。酸枣仁补肝敛气，宜以为君；而魂既不归，荣必有浊痰燥火乘间而袭其舍者，烦之所由作也，故以知母、甘草清热滋燥，茯苓、川芎行气除痰，皆所以求肝之治而宅其魂也。

酸枣仁汤方

酸枣仁二升　甘草一两　知母二两　茯苓二两　芎䓖二两

上五味，以水八升，煮酸枣仁得六升，内诸药，煮取三升，去滓。温服一升，日三服。

喻嘉言：虚劳虚烦，为心肾不交之病。肾水不上交心火，心火无制，故烦而不得眠。方用酸枣仁为君，而兼知母之滋肾为佐，茯苓、甘草调和其间，芎䓖入血分而解心火之燥烦也。

五劳虚极羸瘦，腹满不能饮食，食伤，忧伤，饮伤，房室伤，饥伤，劳伤，经络营卫气伤，内有干血，肌肤甲错，两目黯黑。缓中补虚，大黄䗪虫丸主之。

黄坤载：五劳，五脏之病劳也。《素问·宣明五气论》：久视伤血，久卧伤气，久坐伤肉，久立伤骨，久行伤筋。是谓五劳所伤。心主血，肺主气，脾主肉，肾主骨，肝主筋。五劳不同，其病各异，而总以脾胃为主，以其为四维之中气也。故五劳之病，至于虚极，必羸瘦腹满不能饮食，缘其中气之败也。五劳之外，又有七伤：饱食而伤，忧郁而伤，过饮而伤，房室而伤，饥馁而伤，劳苦而伤，经络荣卫气伤。其伤在气而病则在血，血随气滞则血瘀，血所以润身而华色，血瘀而干则肌胀甲错而不润，两目黯黑而不华。肝开窍于目，《灵枢·五阅五使》：肝病者，眦青。正此义也。血枯木燥，筋脉短缩，故中急而不缓也。大黄䗪虫丸养中而滋木，行血而清风，劳伤必需之法也。

程云来：此条单指内有干血而言。夫人或因七情，或因房劳，皆令正气内伤，血脉凝积，致有干血于中而虚羸见于外也。血积则不能以濡肌肤，故肌肤甲错；不能以荣于目，则两目黯黑。与大黄䗪虫丸以下干血，干血去则邪除正旺。是以谓之缓中补虚，非大黄䗪虫丸能缓中补虚也。

大黄䗪虫丸方

大黄十两　黄芩二两　甘草三两　桃仁一升　杏仁一升　芍药四两　地黄十两　干漆一两　虻虫一升　水蛭百枚　蛴螬一升　䗪虫半升

上十二味，末之，炼蜜和丸，如小豆大。酒饮服五丸，日三服。

王晋三：五劳虚极，痹而内成干血者，悉由伤而血瘀，由血瘀而为干血。本文云：腹满不能食，肌肤甲错，两目黯黑。明是不能内谷以通流荣卫，则荣卫凝泣，瘀积之血，牢不可破，即有新生之血，亦不得畅茂条达，唯有日渐羸瘦而成内伤干血劳，其有不死者几希矣！仲景乃出佛心仙手，治以大黄䗪虫丸，君以大黄，从胃络中宣瘀润燥；佐以黄芩清肺卫；杏仁润心荣；桃仁补肝虚；生地滋肾燥；干漆性急飞窜，破脾胃关节之瘀血；虻虫性升，入阳分，破血；水蛭性下，入阴分，逐瘀；蛴螬去两胁下之坚血；䗪虫破坚通络行阳，却有神功，故方名标而出之。芍药、甘草扶脾胃、解药毒。缓中补虚者，缓，舒也，绰也。指方中宽舒润之品而言也。

虚劳不足，汗出而闷，脉结心悸，行动如常，不出百日。危急者，二十一日死。炙甘草汤主之。

注：此节依涪古本补。《金匮要略》附方引《千金翼方》。

徐忠可：此虚劳中润燥复脉之神方也。谓虚劳不足者，使阴阳不至睽隔，荣卫稍能顺序，则元气或可渐复。若汗出由荣强卫弱，乃不因汗而爽，反得闷，是阴不与阳和也。脉者，所谓壅遏荣气，令无所避是为脉，言其行之健也。今脉结是荣气不行，悸则血亏而心失所养。荣气既滞而更外汗，岂不立槁乎！故虽内外之脏腑未绝，而行动如常，断云不出百日，知其阴亡而阳自绝也。若危急则心先绝，故二十一日死。故以桂、甘行身之阳；姜、枣宣其内之阳；而类聚参、胶、麻、麦、生地润养之物，以滋五脏之燥，使阳得复行于荣中，则脉自复。名曰炙甘草汤者，土为万物之母，故既以生地主心、麦冬主肺、阿胶主肝肾、麻仁主肝、人参主元气，而复以炙草为和中之总司。后人只喜用胶、麦而畏姜、桂，岂知阴凝燥气，非阳不能化耶。

炙甘草汤方　见太阳病下篇

《千金翼方》：名复脉汤。越公杨素因患失脉，七日服五剂而复。

冷劳，獭肝散主之。又主鬼连，一门相染。

注：此节依涪古本补，《金匮要略》附方引《肘后方》。

徐忠可：劳无不热而独言冷者，阴寒之气与邪为类，故邪挟寒入肝而搏其魂气，使少阳无权，生生气绝，故无不死。又邪气依正气而为病，药力不易及，故难愈。獭者，阴兽也，其肝独应月而增减，是得太阴之正。肝与肝为类，故以此治冷劳，邪遇正而化也。獭肉皆寒，唯肝性独温，故尤宜冷劳。又主鬼疰，一门相染，总属阴邪，须以正阳化之耳。

獭肝散方

獭肝一具，炙干，末之。水服方寸匕，日三服。

《汉药神效方》：骨蒸，劳瘵之证，煎獭肝服之。

女劳，膀胱急，少腹满，身尽黄，额上黑，足下热，其腹胀如水状，大便溏而黑。腹满者难治。硝石矾石散主之。

尤在泾：女劳，肾热所致。膀胱急，额上黑，足下热，大便黑，皆肾热之征。虽少腹满胀有如水状，而实为肾热而气内蓄，非脾湿而水不行也。唯是证兼腹满则阳气并伤，而其治为难耳。硝石咸寒除热；矾石除痼热在骨髓，骨与肾合，用以清肾热也；大麦粥和服，恐伤胃也。

唐容川：女劳疸是男女交媾，欲火结聚在胞宫精室之中，不在肾与膀胱，故曰非水病也。硝咸寒软坚速降，直达精室以攻其结热，矾能逐浊，有澄清之力，佐之以除其浊，令结污之邪从大小便出，故曰小便正黄，大便正黑。

硝石矾石散

硝石（熬黄） 矾石（烧）各等分

上二味，为散。大麦粥汁和服方寸匕，日三服。大便黑，小便黄，是其候也。

喻嘉言：此治女劳疸之要方也。夫男子血化为精，精动则一身之血俱动，以女劳而倾其精，血必继之。故因女劳而溺血者，其血尚行，犹易治也。因女劳而成疸者，血瘀不行，为难治也。甚者血瘀之久，大腹尽满而成血蛊，尤为极重而难治矣。味仲景之文及制方之意，女劳疸非亟去膀胱少腹之瘀血，万无生理。在伤寒热瘀膀胱之证，其人下血乃愈，血不下者，用抵当汤下之，亦因其血之暂结可峻攻也。此女劳疸蓄积之血，必非朝夕，峻攻无益，但取石药之悍，得以疾趋而下达病所。硝石咸寒走血，可消逐其热瘀之血，故以为君；矾石《本草》谓其能除锢热在骨髓，用以清肾及膀胱脏腑之热，并建消瘀除浊之功，此方之极妙者也。

《衷中参西录》：矾石，即染黑色所需之皂矾。盖黄疸之证，中法谓由脾中蕴蓄湿热，西法谓由胆汁溢于血中。皂矾能去脾湿热，其色绿而且青，能兼入胆经，藉其酸攻之味以敛胆汁之妄行。此物化学家原可用硫强水化铁而成，是知矿中所产之皂矾亦必多含铁质，尤可藉金铁之余气以镇肝胆之木也。硝石性寒能解脏腑之实热，味成入血分又善解血分之热，且其性善消，遇火即燃。又多含氧气，人身之血得氧气则赤，又藉硝之消力以消融血中之渣滓，则血之因胆汁而色变者，不难复于正矣。矧此证大便难者甚多，得硝石以软坚开结，湿热可以大便而解。而其咸寒之性，善清水府之热，即兼能使湿热自小便解也。至用大麦粥送服者，取其补助脾胃之土以胜湿，而其甘平之性兼能缓硝矾之猛峻，犹白虎汤中之用粳米也。

第六节　辨咳嗽水饮黄汗历节病脉证并治

师曰：咳嗽发于肺，不专属于肺病也。五脏六腑感受客邪，皆能致咳。所以然者，邪气上逆，必干于肺，肺为气动，发声为咳。欲知其源，必察脉息。为子条记，传与后贤。

刘昆湘：咳者，肺气逆冲之为病也。论病舍皆在肺部；论病因则腑脏皆可干移，六气皆可为病。所以然者，以肺司气府，人身之真气内藏于肺，人身之真精内藏于肾。十二经之气皆肺气之所布散也，五脏受邪皆可动气，令肺气逆冲，咳病以作。但脏气之体用不同，则脉变之效象可验。故同一外证为咳，乃能分其受气，决其病因，独见若神之功，悉假脉诊之变。师乃条记其法传示后贤，兹先明咳病之纲，后乃分列五脏而备论之。

肺咳，脉短而涩。假令浮短而涩，知受风邪；紧短而涩，知受寒邪；数短而涩，知受热邪；急短而涩，知受燥邪；濡短而涩，知受湿邪。此肺咳之因也。其状则喘息有音，甚则唾血。

刘昆湘：肺咳脉短涩者，短为气伤，涩则血痹，肺司气府，气伤则脉为之短，气为血帅，血痹则脉为之涩，故以短涩为肺病效象之诊。若脉浮短而涩者，知肺受风邪也。短涩为肺咳本象，兼浮故知属风。如紧短而涩，紧则为寒，寒邪在肺，当温而散之。数短而涩，数则为热，热邪在肺，当凉而清之。急短而涩，急则为燥，燥邪在肺，当滋而润之。濡短而涩，濡则为湿，湿邪在肺，当燥而渗之。《内经》述肺咳之状：咳而喘息有音，甚则唾血。此肺络内伤之候，当治血分。

心咳，脉大而散。假令浮大而散，知受风邪；紧大而散，知受寒邪；数大而散，知受热邪；急大而散，知受燥邪；濡大而散，知受湿邪。此心咳之因也。其状则心痛，喉中介介如梗。甚则咽肿喉痹。

刘昆湘：心咳脉大散者，以南方心脉，其象洪大而悠长，洪为气血俱盛，大则仅为气强。今心邪干肺为咳，咳则气动，气动则脉散，故心咳之脉必大而散。假令浮大而散，知受风邪者，大而散者属心，兼浮为风邪之感。假令紧大而散，知受寒邪者，大而散者属心，兼紧为寒邪之感。假令数大而散，知受热邪者，数为化热之诊，大、散为心邪之象，此心气热而干肺。假令急大而散，知受燥邪者，大、散在心，急则化燥。假令濡大而散，知受湿邪者，兼湿必濡而微滞。《经》曰：心咳之状，咳则心痛，喉中介介如梗状，甚则咽肿喉痹。所谓心咳者，乃心气乘肺，证属热化，但有虚实之别。介介如梗，似炙脔而中无痰气之阻。甚则咽肿喉痹者，心火之上干也。

肝咳，脉弦而涩。假令浮弦而涩，知受风邪；弦紧而涩，知受寒邪；弦数而涩，知受热邪；弦急而涩，知受燥邪；弦濡而涩，知受湿邪。此肝咳之因也。其状则两胁下痛，甚则不可以转，转则两胠下满。

刘昆湘：东方肝脉，应象为弦，弦涩者，血郁而气痹也。假令浮而弦，知受风邪，兼风故脉为之浮。假令弦而紧，知受寒邪，兼寒故脉象为紧。假令弦而数，知受热邪，化热故弦而按数。假令弦而急，知受燥邪，急则化燥，弦为在肝。假令弦而濡，知受湿邪，濡而微滞者为湿。《经》曰：肝咳之状，咳而两胁下痛，甚则不可以转，转则两胠下满。盖肝郁缘络血之内阻，络阻则经气不畅，郁而乘肺，乘肺则气动为咳。两胁为肝胆经气外布之所，故病则经气内痹而胁下痛甚，则不可以转侧。

脾咳，脉濡而涩。假令浮濡而涩，知受风邪；沉濡而涩，知受寒邪；数濡而涩，知受热邪；急濡而涩，知受燥邪；迟濡而涩，知受湿邪。此脾咳之因也。其状右胁下痛，隐隐引背，甚则不可以动，动则咳剧。

刘昆湘：脾咳脉濡涩者，濡涩为湿化之诊，脉为湿滞，则经气不畅，而小络迟缓，故成濡涩之象。假令浮濡而涩，知受风邪者，濡涩在脾，浮为风邪之感。假令濡涩而紧，知受寒邪者，濡涩以分太阴之经，兼紧故治寒中于里。假令濡而数，知受热邪者，濡属太阴，数为化热。假令濡而急，知受燥邪者，脉濡属脾，兼急则为燥化。假令濡而滞，知受湿邪者，濡而按滞，正属脾湿之象，此湿痰干肺为咳，《经》曰：脾咳之状，咳则右胁下痛，阴阴引肩背，甚则不可以动，动则咳剧。此言脾气左行，上归于肺，故咳则右胁下痛引肩背，阴阴然深慢而痛。脾主中府，咳则动气，身动则气动，故动则咳剧。

肾咳，脉沉而濡。假令沉弦而濡，知受风邪；沉紧而濡，知受寒邪；沉数而濡，知受热邪；沉急而濡，知受燥邪；沉滞而濡，知受湿邪。此肾咳之因也。其状则腰背相引而痛，甚则咳涎。

刘昆湘：肾咳脉沉濡者，肾居下焦，主蛰，封藏之本，脉象当下沉。濡属湿邪，肾为水脏，湿者水气之散，因咳动气变石为濡，故知沉而濡者，治属肾咳之诊。假令沉弦而濡，知受风邪，沉濡在肾，弦为风邪内动。假令沉濡，时一紧，知受寒邪，时紧亦间至异象法也。假令沉而数，知受热邪，沉而按数，知热为在里。假令沉而急，知受燥邪，燥伤于里，故沉而按急。假令沉濡而滞，知受湿邪，湿中于肾，当温下焦。《经》曰：肾咳之状，咳则腰背相引痛，甚则咳涎。凡具肾病之候而咳者，皆可属之肾咳。

肺咳不已，则流于大肠，脉与肺同。其状则咳而遗矢也。

刘昆湘：凡病皆由腑及脏，自阳入阴，为病邪浅深之次。乃咳病独云先脏后腑，以入腑为剧者，明五脏主血，六腑主气，外感之咳虽动气而气分未伤，入脏则气分之邪已伤血分，既成五脏之咳，久之乃二气交争，复自血分外出气分，气动为咳，气动斯邪随气动而外攻，脏邪出腑，因成气血两伤之证。《经》曰：五脏之久咳乃移于六腑。故咳病以入腑为剧也。

心咳不已，则流于小肠，脉与心同。其状则咳而失气，气与咳俱失也。

高士宗：小肠者，心之腑，故心咳不已则小肠受之。咳而失气。下气泄也，下气泄则咳平，故气与咳俱失。失，犹散也。

肝咳不已，则流于胆，脉与肝同。其状则呕苦汁也。

高士宗：胆者，肝之腑，故肝咳不已，则胆受之。咳呕胆汁，胆气上逆，呕出苦涎也。

脾咳不已，则流于胃，脉与脾同。其状则呕，呕甚则长虫出也。

高士宗：胃者，脾之腑，故脾咳不已，则胃受之。咳而呕，胃气逆也，呕甚则长虫出，胃中冷则吐蛔也。

肾咳不已，则流于膀胱，脉与肾同。其状则咳而遗溺也。

高士宗：膀胱者，肾之腑，故肾咳不已则膀胱受之。咳而遗溺，膀胱不约、水气泄也。

久咳不已，则移于三焦，脉随证易。其状则咳而腹满，不欲食饮也。

高士宗：《灵枢·本输》云：三焦者，中渎之腑也，属膀胱。故肾咳不已，始则膀胱受之；久咳不已，则三焦受之。三焦之气不能自下而中，故咳而腹满；不能从中而上，故不欲食饮也。

咳而有饮者，咳不得卧，卧则气急，此为实；咳不能言，言则气短，此为虚。咳病多端，治各异法，谨守其道，庶可万全。

刘昆湘：本论举痰饮为咳者，以痰饮为致咳之因，论治有虚实之辨。所谓痰饮之为咳，不得卧，卧则气急，此为实；不能言，言则气短，此为虚者，亦聊示辨证权衡之概。大抵肺胃俱逆则不得偃卧，卧则气急。若气短难以报息，声断续不能成言者，自为气虚之象。师示咳病多端，治无定法，邪异脉变，以意揣之，随证处方，自可万全。

注：以上各节，湘古本列于太阴病后。

咳家，其脉弦者，此为有水，十枣汤主之。

魏念庭：咳嗽者，因水饮而咳嗽也。有因外感风寒而咳嗽者，所谓形寒饮冷则伤肺也，此伤风感寒之咳嗽也；有因内伤劳倦而咳嗽者，所谓阴虚内热，火刑肺金也，此虚劳之咳嗽也。与此俱无涉也。仲景命之曰咳家，颛为水饮在内，逆气上冲之咳嗽言也。故其脉必弦，无外感家之浮，无虚劳家之数。但见弦者，知有水饮在中为患也，主之以十枣汤，使水邪有所折制，斯下注而免于上厥也。

尤在泾：脉弦为水，咳而脉弦知为水饮渍入肺也。十枣汤逐水气自大小便去，水去则肺宁而咳愈。

十枣汤方　见太阳病下篇

咳而气逆，喉中作水鸡声者，射干麻黄汤主之。

张路玉：上气而作水鸡声，乃是痰碍其气，气触其痰，风寒入肺之一验。故于小青龙方中除桂心之热、芍药之收、甘草之缓，而加射干、紫菀、款冬、大枣。专以麻黄、细辛发表；射干、五味下气；款冬、紫菀润燥；半夏、生姜开痰，四法萃于一方。分解其邪；大枣运行脾津，以和药性也。

徐忠可：凡咳之上气者，皆有邪也。其喉中水鸡声，乃痰为火所吸不能下，然火所风所生，水从风战而作声耳。故以麻黄、细辛驱其外邪为主；以射干开结热气、行水湿毒，尤善清肺气者为臣，而余皆降逆消痰、宣散药。唯五味一品，以收其既耗之气，令正气自敛，邪气自去，恐肺气久虚，不堪劫散也。

射干麻黄汤方

射干三两　麻黄三两　半夏半升　五味子半升　生姜四两　细辛三两　大枣七枚

上七味，以水一斗二升，先煮麻黄去上沫，内诸药，煮取三升。分温三服。

注:《金匮要略》《千金方》《外台秘要》本方有紫菀三两、款冬花三两，似不可少。

咳逆上气，时唾浊痰，但坐不得眠者，皂荚丸主之。

魏念庭：咳逆上气，时时吐浊，但坐不得眠，则较重于喉中水鸡声者矣。声滞者挟外感之因，唾浊则内伤之故，但坐不得卧。而肺痈之证将成矣。是上焦有热，痰血包裹，结聚成患，不可不急为宣通其结聚，而后可津液徐生、枯干获润也，皂荚丸主之。皂荚祛风理痹，正为其有除痰涤垢之能也。咳逆上气，时时唾浊，胸膈恶臭之痰血已结，可不急为涤荡，使之湔洗不留乎。如今用皂荚澡浴以除垢腻，即此理也。用丸俾徐徐润化，自上而下，而上部方清。若用汤直泻无余，不能治上部之胶凝矣。古人立法诚善哉！此为预治肺痈将成者主治也。

皂荚丸方

皂荚八两（刮去皮，酥炙）

上一味，末之，蜜丸如梧桐子大。以枣膏和汤，服三丸，日三服，夜一服。

张路玉：此肺痈涤除痰垢之方。皂荚辛咸，力专祛风拔毒，通关利窍，破积攻坚之峻药。酥炙蜜丸，润其燥烈；服用枣膏，通达脾津。然唯肥盛之人，肥痰支塞于窍络，始萌可救者为宜。若溃后过泄脓血，及元气瘠薄之人，难胜搜剔者，未可轻试。

咳而脉浮者，厚朴麻黄汤主之。

徐忠可：咳而脉浮，则表邪居多，但此非在经之表，乃邪在肺家气分之表也，故于小青龙去桂、芍、草、姜、半，而加厚朴以下气，石膏以清热。

厚朴麻黄汤方

厚朴五两　麻黄四两　石膏如鸡子大　杏仁半升　半夏半升　五味子半升

上六味，以水一斗，先煮麻黄去沫，内诸药，煮取三升，去滓。分温三服。

黄竹斋：此方即小青龙之变方。治表邪不除而水寒射肺，乃表里寒水两解之剂也。《内经·咳论》历举五脏六腑之咳而总结之曰：此皆聚于胃，关于肺。盖土能制水，地通壅塞则水不行，故君厚朴以疏敦阜之土，俾脾气健运而水自下泄；麻黄开皮毛之结以散表寒；杏仁、半夏、五味子以化痰涤饮而降逆；石膏反佐，领诸温药入寒饮之中，使水饮得遂就下之性，而防上逆水火相击之患，俾清升浊降而咳自息也。

咳而脉沉者，泽漆汤主之。

徐忠可：咳而脉沉，则里邪居多，但此非在腹之里，乃邪在肺家荣分之里也。故以泽漆之下水，功类大戟者为君，且邪在荣，泽漆兼能破血也；紫参能保肺；若余药即小柴胡去柴、芩、大枣，和解其膈气而已。

泽漆汤方

半夏半升　紫参五两　泽漆三升　生姜五两　人参三两　甘草三两（炙）

上六味，以东流水五斗，先煮泽漆取一斗五升，内诸药，煮取五升。温服五合，日夜服尽。

黄竹斋：此方即小柴胡之变方。治痰饮内盛，表证已罢，乃因势利导，以逐内饮之方也。论云脉得诸沉，当责有水。然水所以停留上焦而为饮者，以脾土衰不能节制，肺气逆不能通调也。故用生姜、半夏以安胃降逆，紫参以开肺散结，人参、甘草以护元真。君以泽漆而先煮者，取其气味浓厚，领诸药直达病所，以奏其消痰行水之功也。一日夜十服，俾药力继续，攻邪无余，免其复集也。

咳而上气，咽喉不利，脉数者，麦冬汤主之。

张路玉：此胃中津液干枯，虚火上炎之候。凡肺病有胃气则生，无胃气则死。胃气者，肺之母气也。故于竹叶石膏汤中，偏除方名二味，而加麦冬效倍为君；人参、甘草、粳米以滋肺母，使水谷之精微皆得上注于肺，自然沃泽无虞；当知火逆上气，皆是胃中痰气不清，上溢肺隧，占据津液流行之道而然，是以倍用半夏，更加大枣通津涤饮为先，奥义全在乎此。若浊饮不除，津液不致，虽曰用润肺生津之剂，乌能建止逆下气之勋哉！俗以半夏性燥不用，殊失仲景立方之旨。

麦冬汤方

麦冬七升　半夏一升　人参二两　甘草二两（炙）　粳米三合　大枣十二枚

上六味，以水一斗二升，煮取六升，去滓。温服一升，日三服，夜三服。

魏念庭：火逆上气，挟热气冲也，咽喉不利，肺燥津干也。主之以麦冬生津润燥；佐以半夏开其结聚；人参、甘草、粳米、大枣，概施补益于胃土，以资肺金之助，是为肺虚有热，津液短者立法也。亦所以预救乎肺虚而有热之痿也。

费晋卿：半夏之性，用入温燥药中则燥，用入清润药中则下气而化痰。胃气开通，逆火自降，与徒用清寒者真有霄壤之别。

《汉药神效方》：喘息剧者，于麻杏甘石汤，或麦冬汤加没食子有效。盖没食子能祛胸中胶痰，世医知者甚鲜。

咳逆倚息不得卧，脉浮弦者，小青龙汤主之。

沈明宗：此表里合邪之治也。肺主声，变动为咳。胸中素积支饮，招邪内入，壅逆肺气，则咳逆倚息不得卧，是形容喘逆不能撑持体躯，难舒呼吸之状也。故用小青龙之麻、桂、甘草开发腠理以驱外邪从表而出；半夏、细辛温散内伏之风寒，而逐痰饮下行；干姜温肺行阳而散里寒；五味、芍药以收肺气之逆，使表风内饮一齐而解。此乃寒风挟饮咳嗽者主方也。

小青龙汤方 见太阳病中篇

问曰：热在上焦者，因咳为肺痿。肺痿之病，从何得之？师曰：或从汗出，或从呕吐，或从消渴，小便利数，或从便难，又被快药下利，重亡津液，故得之。

曰：寸口脉数，其人咳，口中反有浊唾涎沫者何？师曰：为肺痿之病。若口中辟辟燥，咳即胸中隐隐痛，脉反滑数，此为肺痈，咳唾脓血。

脉数虚者为肺痿，数实者为肺痈。

注：此节及下节依《金匮要略》补。

黄坤载：热在上焦者，因咳嗽而为肺痿，肺痿之病由于津亡而金燥也。溯其由来，或从汗出而津亡于表；或从呕吐而津亡于里；或从消渴便数而亡于前；或从胃燥便难，津液原亏，又被快药下利，重亡津液而津亡于后，故得之也。寸脉虚数，咳而口中反有浊唾痰沫者，此为肺痿。若口中辟辟然干燥，咳即隐隐胸中作痛，脉又滑数，此为肺痈。脉数而虚者为肺痿，脉数而实者，为肺痈。肺痿因于燥热，故脉数而无脓。肺痈因于湿热，故脉实而有脓也。

周禹载：喻嘉言云：人身之气，禀命于肺，肺气清肃，则周身之气莫不服从而顺行也。肺气壅浊，则周身之气易致横逆而犯上。故肺痈者，肺气壅而不通也；肺痿者，肺气痿而不振也。才见久咳，先须防此两证。肺痈属于有形之血，血结宜骤攻；肺痿属于无形之气，气伤宜徐理。故痈为实，误以肺痿治之，是为实实；痿为虚，误以肺痈治之，是为虚虚。此辨证用药之大略也。

问曰：病咳逆，脉之何以知此为肺痈？当有脓血，吐之则死，其脉何类？师曰：寸口脉微而数，微则为风，数则为热；微则汗出，数则恶寒。风中于卫，呼气不入；热过于荣，吸而不出。风伤皮毛，热伤血脉。风舍于肺，其人则咳，口干喘满，咽燥不渴，多唾浊沫，时时振寒。热之所过，血为之凝滞，蓄结痈脓，吐如米粥。始萌可救，脓成则死。

尤在泾：此原肺痈之由，为风热蓄结不解也。凡言风脉多浮或缓，此云微者，风入荣而增热，故脉不浮而反微，且与数俱见也。微则汗出者，气伤于热也，数则恶寒者，阴反在外也。呼气不入者，气得风则浮，利出而艰入也。吸而不出者，血得热而壅，气亦为之不伸也。肺热而壅，故口干而喘满；热在血中，故咽燥而不渴，且肺被热迫而反从热化为多唾浊沫，热盛于里而外反无气为时时振寒，由是热蓄不解，血凝不通，而痈脓成矣。吐如米粥，未必便是死证，至浸淫不已，肺叶腐败，则不可治矣。故曰：始萌可救，脓成则死。

咳而胸满，振寒脉数，咽干不渴，时出浊唾腥臭，久久吐脓如米粥者，此为肺痈。桔梗汤主之。

周禹载：肺痈由热结而成，其浊唾腥臭因热瘀而致，故咳而胸满，是肺不利也；振寒，阳郁于里也；咽干不渴，阻滞津液也。彼邪热搏聚、固结难解之势，用桔梗开之，以散其毒；甘草解之，以消其毒，庶几可图无使滋蔓。即至久久吐脓之时，亦仍可用此汤者，一以桔梗可开之使下行，亦可托之俾吐出；一以甘草可以长血肉，更可以益金母也。

桔梗汤方　见少阴病篇

徐忠可：此乃肺痈已成，所谓热过于荣，吸而不出，邪热结于肺之荣分，故以苦梗下其结热，开提肺气；生甘草以清热解毒。此亦开痹之法，故又注曰：再服则吐脓血也。

邹润庵：肺痈非气停即饮停，饮停即热生，气血为之溃腐耶。主以桔梗汤，注其效曰：再服则吐脓血。岂非火清则热行，气宣则腐去也。

肺痈，喘不得卧，葶苈大枣泻肺汤主之。

注：此节依《金匮要略》补。

张路玉：肺痈已成，吐如米粥，浊垢壅遏清气之道，所以喘不得卧，鼻塞不闻香臭。故用葶苈破水泻肺，大枣护脾通津，乃泻肺而不伤脾之法。保全母气，以为向后复长肺叶之根本。然肺胃素虚者，葶苈亦难轻试，不可不慎。

赵以德：此治肺痈吃紧之方也。肺中生痈，不泻何待？恐日久痈脓已成，泻之无益，日久肺气已索，泻之转伤。唯血结而脓未成，当急以泻肺之法夺之。况喘不得卧，不亦甚乎。

咳有微热，烦满，胸中甲错，是为肺痈。苇茎汤主之。

注：此节以涪古本补，《金匮要略》附方引《千金方》。

徐忠可：此治肺痈之阳剂也。盖咳而有微热，是邪在阳分也；烦满则挟湿矣。至胸中甲错，是内之邪郁为病，故甲错独见于胸中，乃胸上之气血两病也。故以苇茎之轻浮而甘寒者，解阳分之气热；桃仁泻血分之结热；薏苡下气分之湿；瓜瓣清结热而吐其败浊，所谓在上者越之耳。

苇茎汤方

苇茎二升　薏苡仁半升　桃仁五十枚　瓜瓣半升

上四味，以水一斗，先煮苇茎得五升，去滓，内诸药，煮取二升。服一升，再服当吐如脓。

王孟英：邹氏《续疏》云：苇茎形如肺管，甘淳清肺，且有节之物生于水中，能不为津液阂隔者，于津液之阂隔而生患害者，尤能使之通行。薏苡色白味淡，气凉性降，秉秋金之全体，养肺气以肃清，凡湿热之邪客于肺者，非此不为功也。瓜瓣即冬瓜子，依于瓤内，瓤易溃烂，子能不浥，则其能于腐败之中，自全生气，即善于气血凝败之中全人生气，故善治腹内结聚诸痈，而涤脓血浊痰也。桃仁入血分而通气。合而成剂，不仅为肺痈之妙药，竟可瘳肺痹之危疴。

张路玉：肺痈初起，用苇茎汤。此方大疏肺气，服之使湿瘀悉趋溺孔而去，一二服即应。

咳而气喘，目如脱状，脉浮大者，此为肺胀，越婢加半夏汤主之。小青龙加石膏汤亦主之。

尤在泾：外邪内饮，填塞肺中，为胀，为喘，为咳而上气。目如脱状者，目睛胀突如欲脱落之状，壅气使然也。以脉浮且大，病属阳热，故利辛寒，不利辛热。越婢汤散邪之力多而蠲饮之力少，故以半夏辅其未逮。而心下寒饮，则非温药不能开而去之，用小青龙加石膏温寒并进，水热俱蠲，于法尤为密矣。

越婢加半夏汤方

麻黄六两　石膏半斤　甘草二两　生姜三两　大枣十五枚　半夏半升

上六味，以水六升，先煮麻黄去上沫，内诸药，煮取三升，分温三服。

陈灵石：此肺胀原风水相搏，热气奔腾，上蒸华盖，走入空窍，故咳而上气喘，目如脱状证。脉浮大者，风为阳邪，鼓荡于其间故也。方用麻黄、生姜直攻外邪；石膏以清内热；甘草、大枣以补中气；加半夏以开其闭塞之路，俾肺窍中之痰涎净尽，终无肺痈之患也。

《医宗必读》：孙芳其令爱，久嗽而喘，凡顺气化痰、清金降火之剂，几于遍尝，绝不取效。一日喘甚烦躁，余视其目则胀出，鼻则鼓扇，脉则浮而且大，肺胀无疑矣，遂以越婢加半夏汤投之，一剂而减，再剂而愈。

小青龙加石膏汤方

麻黄三两　芍药三两　桂枝三两　细辛三两　甘草三两　干姜三两　五味子半升　半夏半升（洗）　石膏二两

上九味，以水一斗，先煮麻黄，去上沫，内诸药，煮取三升。强人服一升，羸者减之，日三服。小儿服四合。

《衷中参西录》：他方中石膏皆用生者，而此独用煅者何也？曰：此方所主之证，外感甚轻，原无大热。方中用麻黄以祛肺邪，嫌其性热，故少加石膏以佐之，且更取煅者收敛之力，能将肺中痰涎凝结成块，易于吐出。此理从煅石膏点豆腐者悟出，试之果甚效验。后遇此等证，无论痰涎如何壅盛，如何堵塞，投以此汤，须臾药力行后，莫不将痰涎结成小块，连连吐出，此皆煅石膏与麻黄并用之效也。若以治寒温大热，则断不可煅。若更多用，则更不可煅也。

咳而气逆，喘鸣迫塞，胸满而胀，一身面目浮肿，鼻出清涕，不闻香臭，此为肺胀，葶苈大枣泻肺汤主之。

程云来：痈在肺则胸胀满。肺朝百脉而主皮毛，肺病则一身面目浮肿也。肺开窍于鼻，肺壅滞则畜门不开，但清涕渗出，而浊脓犹塞于鼻肺之间，故不向香臭酸辛也。以其气逆于上焦，则有喘鸣迫塞之证，与葶苈大枣汤以泻肺。

葶苈大枣泻肺汤方

葶苈（熬令黄色，捣丸如弹子大） 大枣十二枚

上二味，以水三升，先煮大枣取二升，去枣，内葶苈，煮取一升，顿服。

徐忠可：葶苈大枣汤治肺痈，喘不得卧，其壅气仅攻于内也。此则壅急走于经而缘一身面目浮肿；攻于肺窍而为鼻塞清涕出不闻香臭酸辛。则表里均平，故先用小青龙一剂，而后专泻肺家之实，亦拯危之巧思也。

尤在泾：葶苈苦寒入肺，泄气闭，加大枣甘温以和药力。亦犹皂荚丸之饮以枣膏也。

《楼氏纲目》：孙兆视雷道矩病吐痰，顷间已及一升，喘咳不已，面色郁黯，精神不快。兆与服仲景葶苈大枣汤，一服讫，已觉胸中快利，略无痰唾矣。

似咳非咳，唾多涎沫，其人不渴，此为肺冷，甘草干姜汤主之。

尤在泾：《经》云：上焦有寒，其口多涎。不渴者，非下虚即肺冷也。甘草、干姜，甘辛合用，为温肺复气之剂。

甘草干姜汤方 见太阳病上篇

程云来：但吐涎沫而不咳者，上焦无热也，无热则不渴。唯其上焦无热，则肺中虚冷，不能宣摄五液，但郁于肺经而为涎唾。肺冷者温以干姜，肺虚者补以甘草。

咳而唾涎沫不止，咽燥口渴，其脉浮细而数者，此为肺痿，炙甘草汤主之。

汪双池：肺痿者，肺虚气惫而肺叶枯萎。肺枯而反多唾者，肺燥之甚，不能复受津液，则胃气之上蒸，皆化痰涎而已。咽燥口渴，此乃清燥之甚如秋树之枯叶，非由火热，与肺痈大不相似。纵有热而咯血者，亦属燥淫所郁之阴火，非实火也。故仲景治肺痿用此汤。

炙甘草汤方 见太阳病下篇

徐忠可：肺痿证概属津枯热燥。此方乃桂枝汤去芍药，加人参、地黄、阿胶、麻仁、麦冬也。不急于去热而以生津润燥为主。盖虚回而津生，津生而热自化也。至桂枝乃热剂而不嫌峻者，桂枝得甘草，正所以行其热也。

肺痿，涎唾多，出血，心中温温液液者，甘草温液汤主之。

注：此节依涪古本补，《金匮要略》附方引《千金方》。下二节同。

徐忠可：肺痿之热由于虚，则不可直攻，故以生甘草之甘寒，频频呷之，热自渐化也。余妾病此，初时涎沫成碗，服过半月，痰少而愈。但最难吃，三四日内，猝无捷效耳。

汪双池：痰涎积于膻中，津液不复流布，故心中温温液液。

甘草温液汤方　《千金方》名甘草汤，《千金翼方》名温液汤。

甘草三两

上一味，以水三升，煮取一升半，分温三服。

喻嘉言：本方甘草一味，乃从长桑君以后相传之神方也。历代内府御院莫不珍之。盖和其偏，缓其急，化其毒，卓然奉之为先务，然后以他药匡辅其不逮，可得受功敏捷耳。

肺痿，咳唾涎沫不止，咽燥而渴，生姜甘草汤主之。

喻嘉言：此方即从前甘草一味方中而广其法，以治肺痿，胃中津液上竭，肺燥已极，胸咽之间干槁无耐之证。以生姜之辛润，上行为君；合之人参、大枣、甘草入胃，而大生其津液，于以回枯泽槁，润咽快膈，真神方也。

生姜甘草汤方

生姜五两　人参三两　甘草四两　大枣十二枚

上四味，以水七升，煮取三升，分温三服。

肺痿，吐涎沫，桂枝去芍药加皂荚汤主之。

汪双池：此证多吐涎沫而无脓，甚者毛悴色焦，自汗，盗汗，气息奄奄不振，嗽时必忍气须臾，轻轻吐痰，始觉膈上不痛，否则膈痛不止。其与肺痈大异，彼生于内热，此得于劳役；彼属实热，此属虚寒。劳役内虚，或多言伤肺，或乍卧乍起，腠理不密，而风寒清冷乘之。其始汗出恶风，咳嗽短气，鼻塞项强，胸膈胀满，久而不治则成痿矣。故仲景治法，始用生姜甘草汤，继用此方。

桂枝去芍药加皂荚汤方

桂枝三两　生姜三两　甘草二两（炙）　大枣十二枚　皂荚一枚（去皮子，炙焦）

上五味，以水七升，微火煮取三升，分温三服。

沈明宗：用桂枝汤嫌芍药酸收，故去之。加皂荚利涎通窍，不令涎沫壅遏肺气而致喘痿。桂枝和调营卫，俾营卫宣行，则肺气振而涎沫止矣。

徐忠可：此治肺痿中之有壅闭者，故加皂荚以行桂、甘、姜、枣之势。此方必略兼上气不得眠者宜之。

《张氏医通》：桂枝去芍药加皂荚汤，治肺痈吐涎沫，初起有表邪者。

尤在泾：以上诸方俱用辛甘温药，以肺既枯萎，非湿剂可滋者，必生气行气，以致其津。盖津生于气，气至则津亦至也。又方下俱云吐涎沫多不止，则非无津液也，乃有津液，而不能收摄分布也，故非辛甘温药不可。加皂荚者，兼有浊痰也。

问曰：饮病奈何？师曰：饮病有四，曰痰饮，曰悬饮，曰溢饮，曰支饮。其人素盛今瘦，水走肠间，沥沥有声，为痰饮。水流胁下，咳唾引痛，为悬饮。水归四肢，当汗不汗，身体疼重，为溢饮。水停膈下，咳逆倚息，短气不得卧，其形如肿，为支饮。

程云来:《圣济总录》曰：三焦者，水谷之道路，气之所终始也。三焦调适，气脉平匀，则能宣通水液，行入于经，化而为血，灌溉周身。若三焦气塞，脉道壅闭，则水饮停滞，不得宣行，聚成痰饮，为病多端。又因脾土不能宣达，致水饮流溢于中，布散于外，甚则五脏受病也。故《内经》曰：土郁之发，饮发于中。以其性流于不常，治法亦有汗、下、温、利之异。痰饮者何？以平人水谷之气入于胃，变化精微以充肌肉则形盛，今不能变化精微，但化而为痰饮，此其人所以素盛今瘦，故走肠间沥沥作声也。悬饮者，以饮水后水偏流于胁下，悬于肝经部分，肝脉入肺中，故一咳一唾必相引而痛也。溢饮者，以饮入于胃，当上输于脾，脾当散精，上归于肺，则能通调水道。今脾失宣化之令，水竟留溢于四肢，在四肢可汗而泄，以其当汗不汗，则水饮留于肌肤脉络之中，故身体疼重也。支饮者，支散于上焦心肺之间，寒饮之气薄于肺则咳逆倚息，薄于心则短气不得卧，其形若肿则水饮又支散于外，故谓之支饮也。

《金鉴》：痰饮者，水饮走肠间不泻，水精留膈间不输，得阳煎熬成痰，得阴凝聚为饮，凡所在处有声，故在上则喉中有漉漉之声，在下则肠间有沥沥之声，即今之遇秋冬则发，至春夏则止，久咳嗽痰喘病也。悬饮者，饮后水流在胁下，不上不下，悬结不散，咳唾引痛，即今之胁下有水气，停饮胁痛病也。溢饮者，饮后水流行归于四肢，当汗出而不汗出，壅塞经表，身体疼重，即今之风水水肿病也。支饮者，饮后水停于胸，咳逆倚息，短气不得卧，其形如水肿状，即今之停饮，喘满不得卧之病也。

徐灵胎：全部《内经》无一痰字，然世间痰饮之病最多。唯仲景大创厥论，而后万世治痰之法始备。

《金匮辑义》：痰字始见于《神农本经》巴豆条，而饮字则见于《内经·刺志论》。痰饮即津液为病之总称。

水在心，则心下坚筑，短气，恶水不欲饮；水在肺，则吐涎沫，欲饮水。水在脾，则少气身重。水在肝，则胁下支满，嚏则胁痛。水在肾，则心下悸。

徐忠可：前辨四饮现证，既已划然，但人之五脏或有偏虚，虚则病邪乘之，故皆曰在，自当随证分别为治，不得胶柱也。水既所在不定，言脏不及腑者，腑属阳，在腑则行矣；脏属阴，水与阴为类，故久滞也。

程云来：水停心下，甚者则悸，微者短气。坚筑，悸状也。火恶水，故恶水不欲饮。连绵不断曰涎，轻浮而白曰沫；涎者津液所化，沫者水饮所成。酿于肺经则吐，吐多则津液亦干，故欲饮水，脾恶湿，水饮，湿类也，湿胜则土不能生金，故少气；脾主身之肌肉，故身重也。肝脉布胁肋，故胁下支满。水在肝则条达之性为水郁，其气上走颃颡至畜门而出鼻孔，因作嚏也，嚏则痛引胁肋，故嚏而痛。水在肾则水气凌心，故筑筑然悸也。

心下有留饮，其人必背寒冷如掌大，则肋下痛引缺盆。

尤在泾：留饮，即痰饮之留而不去者也。背寒冷如掌大者，饮留之处，阳气所不入也。

魏氏：背为太阳，在易为艮止之象。一身皆动，背独常静，静处阴邪常客之，所以风寒自外入多中于背，而阴寒自内生亦多踞于背也。胁下痛引缺盆，饮留于肝而气连于肺也。

胸中有留饮，其人必短气而渴，四肢历节痛。

程云来：胸中者，属上焦也，今为留饮隔碍，则气为之短；津液不能上潮，则口为之渴。饮者，湿类也，流于关节，故四肢历节痛也。

尤在泾：四肢历节痛为风寒湿在关节，若脉不浮而沉，而又短气而渴，则知是留饮为病，而非外入之邪矣。

夫平人食少饮多，水停心下，久久成病，甚者则悸，微者短气；脉双弦者寒也，脉偏弦者饮也。

程云来：凡人食少饮多，则胃土不能游溢精气，甚者必停于心下而为悸，微者则填于胸膈而为短气也。

尤在泾：双弦者，两手皆弦，寒气周体也；偏弦者，一手独弦，饮气偏注也。

夫短气有微饮者，当从小便去之。

徐忠可：短气有微饮，即上文微者短气也。然支饮、留饮、水在心皆短气，总是水停心下，故曰当从小便去之。

病者脉伏，其人欲自利，利反快，虽利，心下续坚满，此为留饮，甘遂半夏汤主之。

徐忠可：仲景谓脉得诸沉，当责有水，又曰脉沉者为留饮，又曰脉沉弦者为悬饮。伏者，亦即沉之意。然有饮而痛者为胸痹，彼云寸口脉沉而迟，则知此脉字指寸口矣。欲自利者，不由外感内伤，亦非药误；利反快，饮减人爽也。然病根未拔，外饮加之，仍复坚满，故曰续坚满。虽坚满而去者自去，续者自续，其势已动。甘遂能达水所而去水，半夏燥水兼下逆气，故以为君，乘其欲去而攻之也；甘草反甘遂而加之，取其战克之力也；蜜能通三焦、调脾胃，又制其不和之毒，故加之；利则伤脾，故以芍药协甘草以补脾阴，固其本气也。

甘遂半夏汤方

甘遂大者三枚　半夏十二枚　芍药五枚　甘草如指大一枚（炙）

上四味，以水二升，煮取半升，去滓，以蜜半升和药汁，煎取八合，顿服。

程云来：留者行之，用甘遂以决水饮；结者散之，用半夏以散痰饮。甘遂之性直达，恐其过于行水，缓以甘草、白蜜之甘，收以芍药之酸，虽甘草、甘遂相反，而实有以相使，此酸收甘缓，约之之法也。

心下有痰饮，胸胁支满，目眩，脉沉弦者，茯苓桂枝白术甘草汤主之。

赵以德：心包络循胸出胁下，《灵枢》曰包络是动则胸胁支满，此痰饮积其处而为病也。目者心之使，心下有痰，水精不上注于目，故眩。《本草》茯苓能治痰水伐肾邪。痰，水类也，治水必自小便出之，然其水淡渗手太阴，引入膀胱，故用为君。桂枝乃手少阴经药，能通阳气开经络，况痰水得温则行，用之为臣。白术除风眩，燥痰水、除胀满，以佐茯苓。然中满勿食甘，用甘草何也？盖桂枝之辛得甘则佐其发散，和其热而使不僭也。复益土以制水，甘草有茯苓则不支满而反渗泄，《本草》曰甘草能下气除烦满也。

茯苓桂枝白术甘草汤方　见太阳病中篇

程云来：心下有痰饮，即支饮也。散于上焦则胸胁支满，支满则隔碍清气不得上达于头目，故目眩也，《经》曰心下有支饮，其苦眩冒。用苓桂术甘汤利水饮。脾胃虚则水谷化为痰饮，白术去湿健脾以为君，甘草和胃下气以为臣，茯苓淡渗以为佐，桂枝宣导以为使，使小便利而痰饮去。

悬饮内痛，脉沉而弦者，十枣汤主之。

赵以德：脉沉病在里也，凡弦者为痛、为饮、为癖。悬饮结积在内作痛，故脉见沉弦。

程云来：沉为水饮，弦为肝脉。此饮留于胁下而成悬饮。悬饮者咳唾引痛，故曰悬饮内痛。《本草》云：通可以去滞。芫花、甘遂、大戟之类是也，以三味过于利水，佐大枣之甘以缓之，则土有堤防而无崩溃暴决之祸。

病溢饮者，当发其汗，大青龙汤主之；小青龙汤亦主之。

尤在泾：水气流行，归于四肢，当汗出而不汗出，身体疼重，谓之溢饮。夫四肢阳也，水在阴者宜利，在阳者宜汗，故以大青龙发汗去水；小青龙则兼内饮而治之者耳。

徐灵胎：水在中当利小便，水在四肢当发汗，此亦总诀。

大青龙汤方　见太阳病中篇

徐氏：大青龙合桂麻而去芍药加石膏，则水气不甚而挟热者宜之；倘饮多而寒伏，则必小青龙为当也。

膈间支饮，其人喘满，心下痞坚，面色黧黑，其脉沉紧，得之数十日，医吐下之不愈者，木防己汤主之。不差，木防己去石膏加茯苓芒硝汤主之。

赵以德：心肺在膈上，肺主气，心主血。今支饮在膈间，气血皆不通利，气不利则与水同逆于肺而发喘满；血不利则与水杂揉结于心下而为痞坚。肾气上应水饮，肾水之色黑，血凝之色亦黑，故黧黑之色见于面也。脉沉为水，紧为寒，非别有寒邪，即水气之寒也。医虽以吐下之法治，然药不切于病，故不愈。用木防己者，味辛温能散留饮结气，又主肺气喘满，所以为主治。石膏味辛、甘、微寒，主心下逆气，清肺定喘。人参味甘、温，补心肺气不足，皆为防己之佐。桂枝辛、热，通血脉，开结气，且支饮得温则行，又宣导诸药，用之为使。若邪客之浅在气分多而虚者，服之即愈，若邪客之深在血分多而实者，则愈后必再发，以石膏为气分之药，故去之。芒硝味咸、寒，为血分药，能治痰实结，去坚消血癖；茯苓伐肾邪，治心下坚满，佐芒硝则行水之力益倍，故加之。

木防己汤方

木防己三两　石膏鸡子大二枚　桂枝二两　人参四两

上四味，以水六升，煮取二升，去滓，分温再服。

陈灵石：防己纹如车辐，运上焦之气，气化而水自行；桂枝蒸动水源，使决渎无壅塞之患，水行而气自化矣。二药并用，辛苦相需，所以行其水气，而散其结气也。水行结散，则心下痞坚可除矣。然病得数十日之久，又经吐下，可知胃阴伤而虚气逆，故人参以生既伤之阴，石膏以镇虚逆之气，阴复逆平，则喘满、面黧自愈矣。此方治其本来，救其失误，面面俱到。

木防己去石膏加茯苓芒硝汤方

木防己三两　桂枝二两　茯苓四两　人参四两　芒硝三合

上五味，以水六升，煮取二升，去滓，内芒硝，再微煎，分温再服，微利则愈。

魏念庭：后方去石膏加芒硝者，以其邪既散而复聚，则有坚定之物留作包囊，故以坚投坚而不破者，即以软投坚而即破也。加茯苓者，亦引饮下行之用耳。

心下有支饮，其人苦冒眩，泽泻汤主之。

《金鉴》：心下，膈下也。水在膈上则喘满，水在膈间则痞悸，水在膈下则唯苦眩晕。以泽泻汤之平和小剂主之，治支饮之轻者也。

尤在泾：水饮之邪，上乘清阳之位，则为冒眩。冒者，昏冒而神不清，如有物冒蔽之也；眩者，目眩转而乍见眩黑也。泽泻泻水气，白术补土气，以胜水也。

泽泻汤方

泽泻五两　白术二两

上二味，以水二升，煮取一升，分温再服。

林礼丰：心者，阳中之阳；头者，诸阳之会。人之有阳气，犹天之有日也。天以日而光明，犹人之阳气会于头而目能明视也。夫心下有支饮则饮邪上蒙于心，心阳被遏，不能上会于巅，故有头冒目眩之病。仲师特下一苦字，是水阴之气荡漾于内，而冒眩之苦有莫可言传者，故主以泽泻汤。泽泻气味甘寒，生于水中，得水阴之气而能利水；一茎直上，能以下而上，同气相求，领水阴之气以下走。然犹恐水气下而复上，故用白术之甘温崇土制水者以堵之，犹治水者，必筑堤防也。古圣用方之妙，有如此者。

支饮胸满者，厚朴大黄汤主之。

魏念庭：支饮而胸满者，实邪也。饮有何实？饮之所停必裹痰涎，涎沫结久为窝囊，所以为有形之邪。以厚朴大黄汤主之以治实邪，为有物无殒之义也。

陈修园：上节言心下支饮，用补土镇水法，不使水气凌心则眩冒自平。此节指支饮在胸，进一层立论，云胸满者胸为阳位，停于下，下焦不通，逆行渐高，充满于胸故也。主以厚朴大黄汤者，是调其气分，开其下口，使上焦之饮顺流而下。厚朴性温味苦，苦主降，温主散，能调上焦之气，使气行而水亦行也。继以大黄之推荡直通地道，领支饮以下行，有何胸满之足患哉。

厚朴大黄汤方

厚朴八两　大黄四两

上二味，以水五升，煮取二升，去滓，温服一升，不差再服。

支饮不得息，葶苈大枣泻肺汤主之。

徐忠可：支饮不得息，是肺因支饮满而气闭也。一呼一吸曰息，不得息是气既闭而肺气之布不能如常度也。葶苈苦寒，体轻象阳，故能泄阳分肺中之闭，唯其泄闭故善逐水，今气水相扰，肺为邪实，以葶苈泄之，故曰泻肺。大枣取其甘能补脾胃，且以制葶苈之苦，使不伤胃也。

支饮口不渴，作呕者，或吐水者，小半夏汤主之。

尤在泾：此为饮多而呕者言。渴者饮从呕去，故欲解；若不渴，则知其支饮仍在，而呕亦未止。半夏味辛性燥，辛可散结，燥能蠲饮，生姜制半夏之悍，且以散逆止呕也。

沈明宗：此支饮上溢而呕之方也。凡外邪上逆作呕必伤津液，应当作渴，渴则病从呕去，谓之欲解。若心下有支饮，停蓄胸膈致燥，故呕而不渴，则当治饮。

小半夏汤方　见阳明病篇

夫有支饮家，咳烦胸中痛者，不卒死，至一百日或一岁，宜十枣汤。

注：此节同下节，依《金匮要略》补。

《金鉴》：支饮，水在膈之上下也。水乘肺则咳，水乘心则烦，水结胸则痛。其人形气俱实，以十枣汤攻之可也。然病此卒不死，或至百日，或延至一年者，以饮阴邪，阴性迟，故不卒死也。

久咳数岁，其脉弱者可治；实大数者死；其脉虚者必苦冒。其人本有支饮在胸中故也，治属饮家。

尤在泾：久咳数岁不已者，支饮渍肺而咳，饮久不已，则咳久不愈也。咳久者，其气必虚，而脉反实大数者，则其邪犹盛，以犹盛之邪，而临已虚之气，其能久持乎？故死。若脉虚者正气固虚而饮气亦衰，故可治。然饮虽衰而正不能御，亦足以上蔽清阳之气，故其人必苦冒也。此病为支饮所致，去其饮则病自愈，故曰：治属饮家。

腹满，口舌干燥，肠间有水气者，防己椒目葶苈大黄丸主之。

尤在泾：水既聚于下则无润于上，是以肠间有水气而口舌反干燥也，后虽有水饮之入，只足以益下趋之势，口燥不除而腹满益甚矣。防己疗水湿，利大小便；椒目治腹满，去十二种水气；葶苈、大黄泄以去其闭也。

防己椒目葶苈大黄丸方

防己　椒目　葶苈（熬）　大黄各一两

上四味，捣筛，炼蜜为丸，如梧桐子大。先食饮服一丸，日三服，不知稍增。

陈修园：大抵可渐增至五丸及十丸。

程云来：此水气在小肠也。防己、椒目导饮于前，清者得从小便而出；大黄、葶苈推饮于后，浊者得从大便而下也。此前后分消，腹满减而水饮行，脾气转而津液生矣。

膈间有水气，呕吐眩悸者，小半夏加茯苓汤主之。

尤在泾：饮气逆于胃则呕吐，凌于心则悸，蔽于阳则眩。半夏、生姜止呕降逆，加茯苓去其水也。

小半夏加茯苓汤方

半夏一升　生姜半斤　茯苓四两

上三味，以水七升，煮取二升，分温再服。

陈灵石：方用半夏降逆，生姜利气，茯苓导水，合之为涤痰定呕之良方。

《和剂局方》：茯苓半夏汤（即本方）治停痰留饮，胸膈满闷，咳嗽呕吐，气短恶心，以致饮食不下。

先渴后呕，为水停心下，此属饮家，小半夏加茯苓汤主之。

注：此节依《金匮要略》补。

尤在泾：先渴后呕者，本无呕病，因渴饮水，水多不下而反上逆也，故曰：此属饮家。小半夏止呕降逆，加茯苓去其停水。盖始虽渴而终为饮，但当治饮而不必治其渴也。

病人脐下悸，吐涎沫而头眩者，此有水也，五苓散主之。

《金鉴》：悸者，筑筑然跳动病也。上条心下有悸，是水停心下为病也；此条脐下有悸，是水停脐下为病也。若欲作奔豚，则为阳虚，当以茯苓桂枝甘草大枣汤主之。今吐涎沫，水逆胃也；头眩，水阻阳也，则为水盛，故以五苓散主之也。

五苓散方　见太阳病中篇

尤在泾：脐下悸，则水动于下矣；吐涎沫，则水逆于中矣；甚则头眩，则水且犯于上矣。苓、术、猪、泽甘淡渗泄，使肠间之水从小便出；用桂者，下焦水气非阳不化也。曰多饮暖水汗出者，盖欲使表里分消其水，非挟有表邪而欲两解之谓。

胸中有停痰宿水，自吐出水后，心胸间虚，气满不能食，茯苓汤主之。消痰气，令能食。

注：此节依涪古本补，《金匮要略》附方作外台茯苓饮。

沈明宗：脾虚不与胃行津液，水蓄为饮，贮于胸膈之间，满而上溢，故自吐出水后，邪去正虚，虚气上逆，满而不能食也。所以参、术大健脾气，使新饮不聚；姜、橘、枳实以驱胃家未尽之饮，曰：消痰气令能食耳。

茯苓汤方

茯苓　人参　白术各三两　枳实二两　橘皮二两半　生姜四两

上六味，以水六升，煮取一升八合，去滓，分温三服，如人行八九里进之。

徐忠可：此为治痰饮善后最稳当之方。心胸之间，因大吐而虚，故加参；设非大吐，无参减枳实亦可。俗医谓用陈皮即减参之力，此不唯用陈皮且加枳实二两，补泻并行，何其妙也。

师曰：病有风水，有皮水，有正水，有石水，有黄汗。风水其脉自浮，其证骨节疼痛，恶风。皮水其脉亦浮，其证胕肿，按之没指，不恶风，腹如鼓，不渴，当发其汗；正水其脉沉迟，其证为喘；石水其脉自沉，其证腹满不喘，当利其小便；黄汗其脉沉迟，其证发热，胸满，四肢头面肿，久不愈，必致痈脓。

《金鉴》：风水得之内有水气，外感风邪。风则从上肿，故面浮肿，骨节疼痛恶风，风在经表也，皮水得之内有水气，皮受湿邪。湿则从下肿，故跗浮肿，其腹如鼓，按之没指，水在皮里也。非风邪，故不恶风，因水湿故不渴也。其邪俱在外，故均脉浮，皆当从汗从散而解也。正水，水之在上病也；石水，水之在下病也。故在上则胸满自喘，在下则腹满不喘也。其邪俱在内，故均脉沉迟，皆当从下从温解也。黄汗者，汗出柏汁色也。其脉沉迟，脏内有寒饮；身发热者，经外有伏热、寒饮，故胸满，四肢头面浮肿；伏热若久不愈，故必致痈脓也。由此推之，可知黄汗是内饮外热，蒸郁于中，从土化而成也。以黄汗而列水病之门者，亦因水之为病而肿也。

程云来：风水与皮水相类属表，正水与石水相类属里。但风水恶风，皮水不恶风；正水自喘，石水不自喘为异耳！皆由肾不主五液，脾不能行水，致津液充郭，上下溢于皮肤，则水病生矣。黄汗者脉亦沉，虽与正水相似，但其汗粘衣，色正黄如柏汁为异耳！

脉浮而洪，浮则为风，洪则为气，风气相搏，风强则为瘾疹，身体为痒，痒者为泄风，久为痂癞；气强则为水，难以俯仰，身体洪肿，汗出乃愈。恶风则虚，此为风水；不恶风者，小便通利，上焦有寒，其口多涎，此为黄汗。

徐忠可：此段详风之所以成水，并与黄汗分别之因，谓脉得浮而洪，浮为风是矣，洪乃气之盛也，风气相搏，是风与气两不相下也。其有风稍强者，则风主其病，故侵于血为瘾疹，因火动则痒。然风稍得疏泄，故曰泄风。久则荣气并风而生虫，为痂癞疠风之属，不成水也。若气强则风为气所使，不得泄于皮肤，逆其邪乘阴分以致阴络受伤而为水。难以俯仰者，成水后肿胀之状也。风气无所不到，故身体洪肿。洪肿者，大肿也。汗出则风与气皆泻，故愈。恶风为风家本证，既汗而仍恶风，则当从虚而不当从风，故补注一句曰恶风则虚，而总结之曰：此为风水。谓水之成，虽由于气，而实源于风也。其有不恶风者，表无风也，小便通利者，非三阴结也；更口多涎，是水寒之气缠绵上焦也。此唯黄汗之病因汗出而伤水，则内入胸膈，故即别之曰；上焦有寒，其口多涎，此为黄汗。不脱前黄汗证中胸满之意也。

《金鉴》：泄风即今之风燥疮是也。

寸口脉沉滑者，中有水气，面目肿大，有热，名曰风水。其人之目窠上微肿，如蚕新卧起状，其颈脉动，时时咳，按其手足上，陷而不起者，亦曰风水。

徐忠可：此一段从风水中之变异者，而仍正其名以示别也。谓风水脉本浮，今沉滑，是中有水气相结，似属正水，然而面目肿大有热。高巅之上，唯风可到，风为阳邪，故热。是脉虽沉不得外风而言之，故仍正其名曰风水。若目窠微壅如蚕，而且颈脉动咳，此正水之征也。乃按手足上陷而不起，则随手而起者，水也，今不起，知非正水，而为气水矣。风气必相系，故亦正其名曰风水。

太阳病，脉浮而紧，法当骨节疼痛，今反不痛，体重而酸，其人不渴，此为风水，汗出即愈。恶寒者，此为极虚发汗得之。

渴而不恶寒者，此为皮水。

身肿而冷，状如周痹，胸中窒，不能食，反聚痛，躁不得眠，此为黄汗。

痛在骨节，咳而喘，不渴者，此为正水。其状如肿，发汗则愈。

然诸病此者，若渴而下利，小便数者，皆不可发汗，但当利其小便。

徐忠可：此一段言风水中有类太阳脉而不出太阳证者，又有相似而实为皮水者，有相似而实为黄汗者，有相似而并非皮水、黄汗，实为正水者。如太阳病脉浮紧，在法当骨节疼痛，所以前叙风水亦曰外证骨节疼痛。此反不疼，又太阳病不重，今得太阳寒脉，身体反重而酸，却不渴，汗出即愈，明是风为水所柔，故不疼而重。风本有汗，乃因自汗而解，故正其名曰：此为风水。然既汗不宜恶寒，复恶寒，明是人为汗虚，故曰：此为极虚发汗得之。若前证更有渴而不恶寒者，渴似风水，然不恶寒则非风水矣！故又别之曰：此为皮水。但皮水身不热，故又注其的证曰：身肿而冷，状如周痹。周痹者，寒凝汁沫，排分肉而痛，通身皮肤受邪而不用，即前所谓外证胕肿，按之没指也。若前证更有胸中窒不能食，反聚痛，暮躁不得眠者，明是水入以伤心，致胸中受邪而窒，邪高妨食，又邪聚而痛，又心烦而暮躁不得眠，此唯黄汗证都在胸，故曰：此为黄汗。若前证之脉浮紧而骨节仍痛，且咳而喘，但不渴，则类于皮水，然而不甚胕肿。又非皮水，故曰：此为正水。乃肺主气，受邪而咳，其状如肿，实非肿也，此亦风之淫于肺者，故总曰发汗则愈，其证异而治宜同也。诸病此者四句，谓证虽不同似皆可发汗，然遇有渴者、下利者、小便数者，即为邪气内入，即非一汗所能愈，故曰：皆不可发汗。

尤在泾：或问前二条云风水外证骨节疼，此云骨节反不疼身体反重而酸；前条云皮水不渴，此云渴何也？曰：风与水合而成病，其流注关节者，则为骨节疼痛；其浸淫肌体者，则骨节不疼而身体酸重，由所伤之处不同故也。前所云皮水不渴者，非言皮水本不渴也；谓腹如鼓而不渴者，病方外盛，而未入里，犹可发其汗也；此所谓渴而不恶寒者，所以别于风水之不渴而恶风也。程氏曰：水气外留于皮，内薄于肺，故令人渴。是也。

心水为病，其身重而少气，不得卧，烦躁，阴肿。

魏念庭：仲景既明五水之专兼，又为明水气附于五脏，而另成一五水之证。盖水邪亦积聚之类也，贴近于其处则伏留于是脏，即可以脏而名证。水附于心，则心水也。心经有水，四肢百骸皆可灌注，故身重；气为水邪所阻，故少气，水邪逼处，神魂不安，故不得卧；神明扰乱，故烦而躁；心与小肠表里，水邪随心气下注于小肠、膀胱，故其人阴肿。见此知心经有水，当于心经治之也。

肝水为病，其腹大，不能自转侧，胁下痛，津液微生，小便续通。

魏念庭：肝水者，水附肝则肝水也。肝经有水，必存两胁，故腹大而胁下痛；少阳，阴阳往来之道路，有邪窒碍，故不能自转侧；肝有水，邪必上冲胸咽，故时时津液微生，口中有淡水之证也；及上升而下降，小便不利者又续通，此水邪随肝木往来，升降之气上下为患也。见此知肝经有水，当于肝脏治之也。

肺水为病，其身肿，小便难，时时鸭溏。

魏念庭：肺水者，水附于肺则肺水也。肺主气，气引水行亦能周身使之浮肿；肺不肃则气化壅，故小便难；小便难则清浊不分，故时便鸭溏。见此知为有水在肺，当于肺脏治之也。

脾水为病，其腹大，四肢苦重，津液不生，但苦少气，小便难。

魏念庭：脾水者，水附于脾则脾水也。脾专主腹，故腹大；脾主旋运，又主四肢，旋运不利故四肢苦重，津液不生；气不行于上下则阻碍不通，故上则苦少气，下则小便难。见此知有水在脾，当于脾脏治水也。

肾水为病，其腹大，脐肿，腰痛，不得溺，阴下湿如牛鼻上汗，其足逆冷，面反瘦。

魏念庭：肾水者，水附于肾则肾水也。肾主少腹，水湿固沍，故腹大、脐肿、腰痛；腰以下俱肾主之也，水湿在下焦，膀胱之气反塞，故不唯小便难而且竟不得溺；阴寒下盛，故阴下湿如牛鼻上汗，冷而且黏，其足皆逆冷也；面乃阳之部位，下阴盛，上阳衰，故面必瘦。见此知水在肾，当于肾脏治水也。

诸有水者，腰以下肿，当利小便；腰以上肿，当发汗乃愈。

沈明宗：此以腰之上下分阴阳，即风皮正水之两大法门也。腰以下主阴，水亦属阴，以阴从阴，故正水势必从于下部先肿，即腰以下肿。然阳衰气郁，决渎无权，水逆横流，疏凿难缓，利小便则愈，《经》谓洁净府是也。腰以上主阳，而风寒袭于皮毛，阳气被郁，风皮二水势必起于上部先肿，即腰以上肿。当开其腠理，取汗通阳则愈，《经》谓开鬼门是也。

寸口脉沉而迟，沉则为水，迟则为寒，寒水相搏，脾气衰则骛溏，胃气衰则身肿，名曰水分。

赵以德：此条寸口沉为水、迟为寒者，非外入之邪，即脾胃冲脉二海之病。因水谷之阳不布则五阳虚竭，虚竭则生寒；下焦血海之阴不生化则阴内结，内结则生水，水寒相搏，十二经脉尽从所禀而变见于寸口也。脾与胃为表里，脾气衰则不能与胃行其津液，致清浊不分于里而为骛溏。胃气衰则不能行气于三阳，致阳气不行于表，则身体分肉皆肿矣。

程云来：沉为水，迟为寒，水寒相搏则土败矣。是以脾衰则寒内著而为骛溏；胃衰则水外溢而为身肿也。

黄竹斋：即后皮水，防己茯苓汤之证也。

少阳脉卑，少阴脉细，男子则小便不利；妇人则经水不利，名曰血分。

程云来：少阳者，三焦也。《内经》曰：三焦者，决渎之官，水道出焉。今少阳脉卑，则不能决渎矣，在男子则小便不利。少阴者，肾也。《中藏经》曰：肾者，女子以包血，以其与冲脉并行。今少阴脉细，则寒气客于胞门矣，在妇人则经水不通。经虽为血，其体则水，况水病而血不行，其血亦化为水，名曰血分。

《金鉴》：少阳右尺脉陷下，少阴左尺脉细小，亦因寒水太甚，命火受制，故男子水精不化，小便为之不利；女子血化为水，经水为之不通也。经血而曰经水者，以水为血之体也，女子以血为主，故曰血分。

妇人经水，前断后病水者，名曰血分；此病难治；先病水，后经水断，名曰水分，此病易治，水去则经自下也。

魏念庭：血分经水前断，正气虚也；水分先病水，邪气盛也。邪气盛者祛邪可为，正气虚者养正不足，故治有难易。去水其经自下，因先病水致经断，此澄源以清其流也。

寸口脉沉而数，数则为出，沉则为入；出为阳实，入为阴结。趺阳脉微而弦，微则无胃气，弦则不得息。少阴脉沉而滑，沉则在里，滑则为实，沉滑相搏，血结胞门，其瘕不泻，经络不通，名曰血分。

魏念庭：寸口，肺脉也。肺主气，气行则血行，气滞则血亦滞。出入，作内外二字解。阳实，身形胀满也。阴结，血结胞门也。趺阳，胃脉也；胃多气多血，微则气血两虚，故无胃气。一呼一吸为息，不得息者，弦脉肝木侮土，胃气虚少不足以息，气不统血也。少阴肾脉也，肾藏精，精血同为一类。沉为在里，血结于内也；滑则为实，瘀血停留也。此血所由结而血分所由成也。

尤在泾：此合诊寸口、趺阳、少阴，而知气壅于阳、胃虚于中、而血结于阴也。出则为阳实者，肺被热而治不行也。弦则不得息者，胃受制而气不利也。夫血结在阴，唯阳可以通之；而胃虚受制，肺窒不行，更何恃而开其结，行其血耶？唯有凝聚癃闭，结成水病而已。故曰：血结胞门，其瘕不泻，经络不通，名曰血分。亦如上条所云也。但上条之结为血气虚少而行之不利也，此条之结为阴阳壅郁而欲行不能也。仲景并列于此，以见血分之病虚实不同如此。

黄竹斋：血分病虚者宜滑石乱发白鱼散、茯苓白术戎盐汤；实者宜大黄甘遂阿胶汤。

《本事续方》：治妇人经脉不通，即化黄水，水流四肢则遍身皆肿，名曰血分，其候与水肿相类。一等庸医不问源流，便作水疾治之，非唯无效，又恐丧命，此乃医杀之耳；宜用此方：人参、当归、瞿麦穗、大黄、桂枝、茯苓各半两，苦葶苈炒二分。上为细末，炼蜜丸如梧桐子大，每服十五丸，空心米饮下，渐加至三十丸，名无不效者。

问曰：病者苦水，面目身体皆肿，四肢亦肿，小便不利，脉之不言水，反言胸中痛，气上冲咽，状如炙肉，当微咳喘，审如师言，其脉何类？

师曰：寸口脉沉而紧，沉为水，紧为寒，沉紧相搏，结在关元，始时尚微，年盛不觉，阳衰之后，荣卫相干，阳损阴盛，结寒微动，肾气上冲，咽喉塞噎，胁下急痛。医以为留饮而大下之，沉紧不去，其病不除，复重吐之，胃家虚烦，咽燥欲饮水，小便不利，水谷不化，面目手足浮肿。又与葶苈下水，当时如小差，食饮过度，肿复如前，胸胁苦痛，象若奔豚，其水扬溢，则咳喘逆。当先攻其冲气令止，乃治其咳，咳止，喘自差。先治新病，水当在后。

徐忠可：此言正水之成，有真元太虚，因误治成水，又误治而变生新病，然当先治其新病者。谓水病至面目、身体、四肢皆肿，而小便不利，水势亦甚矣；乃病者似不苦水，反苦胸痛气冲，疑水病中所主有之变证，故问脉形何类。不知水气中原不得有此证，其先寸口脉必沉而紧，沉主有微水，紧主有积寒。但紧而沉是积寒挟微水搏结在关元。初时水与寒皆微，壮年气盛，邪不胜正，故不觉；阳衰则所伏之邪稍稍干于荣卫，阳日就损，阴日加盛，而所结之寒微动，能挟肾气上冲，不独相干已也。唯其挟肾，于是肾脉之直者，上贯膈入肺，中循喉咙挟舌本，其支者，从肺出、络心、注胸中，乃咽喉塞噎，胁下急痛。彼时温肾泻寒，病无不去；乃以为留饮而大下之，不治其本，病气不服，故相系不去。重复吐之，是诛伐无过，伤其中气矣，胃家乃虚而烦。吐伤上焦之阳而阴火乘之，故咽燥欲饮水，因而脾胃气衰，邪留血分，故小便不利，水谷不化。胃气不强，水气乘肺，面目手足浮肿。又以葶苈下水，虽非治本之剂，然标病既盛，先治其标，故亦能小差。小差者，肿退也。食饮不节而复肿，又加胸胁痛如奔豚，则肾邪大肆，且水气扬溢，咳且喘逆矣。然咳非病之本也，病本在肾，故曰当先攻其冲气令止，如痰饮门苓桂味甘汤是也。咳止，喘虽不治而自愈矣；此乃病根甚深不能骤除，故须先去暴病则原病可治，故曰先治新病，水当在后。要知冲气咳喘等，皆新病也。然关元结寒，则又为水病之本矣。

《医宗必读》：武林钱赏之酒色无度，秋初腹胀，冬杪遍体肿急，脐突背平，在法不治。用金匮肾气丸料大剂煎服，兼进理中汤，五日无效，勉用人参一两，生附子三钱，牛膝、茯苓各五钱，三日之间，小便解下约有四十余碗，腹有皱纹，约服人参四斤、附子一斤、姜桂各一斤余，半载而瘥。此水肿之虚者。

水之为病，其脉沉小者，属少阴，为石水；沉迟者，属少阴，为正水；浮而恶风者，为风水，属太阳；浮而不恶风者，为皮水，属太阳；虚肿者，属气分，发其汗即已。脉沉者，麻黄附子甘草汤主之；脉浮者，麻黄加术汤主之。

少阴，肾也，为水脏。太阳，膀胱也，为水腑。二者皆居下焦，相为表里。因命火衰微，气化不行，致下流壅塞而水邪泛滥，乘人表里上下正气之虚，袭于内外皮腠之间，停蓄不散，而为石水、正水、风水、皮水四者之病。此外，又有无水而虚肿者，乃属气分之病，与水病相似而不同，所谓风气相搏，气强则为水也。当发其汗，使停蓄之气由皮毛而外散，则肿自已。若脉沉者，知少阴之正气虚，宜麻黄附子甘草汤主之，而石水、正水亦可服也。若脉浮者，知太阳之邪气盛，宜麻黄加术汤主之，而风水、皮水亦可服也。

麻黄附子甘草汤方 见少阴病篇

麻黄加术汤方 见湿病篇

程云来：肾主水，少阴能聚水而生病，故脉沉小属少阴。而水之性本寒，非附子不足以逐其寒，非麻黄不足以散其水；佐甘草以益脾，令土能胜水也。

徐忠可：仲景于风水、皮水、里水兼出方，独所云石水不出方。此揭言水之为病，脉沉小者属少阴，后即承之曰：脉沉者，宜麻黄附子甘草汤。然则此方或即所谓石水之主方耶。

风水脉浮，身重，汗出恶风者，防己黄芪汤主之。

徐忠可：首节论风水有骨节疼痛，此处出方反无骨节疼而有身重汗出何也！前为风字辨，与他水不同，故言骨节痛，谓正水、皮水、石水皆不能骨节疼也。然骨节疼痛，实非水之证也，故前推广风水，一曰风气相系，身体洪肿；一曰面目肿大有热；一曰目窠微肿，颈脉动咳，按手足上陷而不起；一曰骨节反不疼，身体反重而酸，不渴，汗出。总不若身重为确，而合之脉浮汗出、恶风，其为风水无疑。前所推广之证，或兼或不兼，正听人自消息耳。

防己黄芪汤方 见湿病篇

程云来：风胜则脉浮，水胜则身肿。风水搏于皮肤之间，开其玄府，是以汗出而恶风也。《上经》曰：恶风则虚。此为风水，与黄芪、甘草以固表；防己以疗风水肿；白术以逐皮间风水结肿，为治风水表虚之剂。

风水恶风，一身悉肿，脉浮不渴，续自汗出，无大热者，越婢汤主之。

徐忠可：前证身重则湿多，此独一身悉肿，则风多气强矣。风为阳邪，脉浮为热；又汗非骤出，续自汗出，若有气蒸之者。然又外无大热，则外表少而内热多，故以越婢汤主之。麻黄发其阳，石膏清其热，甘草和其中，姜枣以通荣卫而宣阳气也。

越婢汤方

麻黄六两　石膏半斤　甘草二两　生姜三两　大枣十五枚

上五味，以水六升，先煮麻黄去上沫，内诸药，煮取三升，分温三服。

尤在泾：脉浮不渴句，或作脉浮而渴，渴者，热之内炽；汗为热逼，与表虚出汗不同。故得以石膏清热，麻黄散肿，而无事兼固其表邪。

皮水，四肢肿，水气在皮肤中，四肢聂聂动者，防己茯苓汤主之。

《金鉴》：此承皮水，互详其证，以明其治也。

沈明宗：此邪在皮肤而肿也。风入于卫，阳气虚滞，则四肢肿。经谓结阳者肿四肢，即皮水也。皮毛受风，气虚而肿，所谓水气在皮肤中，邪正相搏，风虚内鼓，故四肢聂聂而动，是因表虚也。盖三焦之气，同入膀胱，而行决渎，今水不行，则当使小便利而病得除。故防己、茯苓除湿而利水；以黄芪补卫而实表，表实则邪不能客；甘草安土而制水邪；桂枝以和荣卫，又行阳化气而实四末，俾风以外出，水从内泄矣。

防己茯苓汤方

防己三两　黄芪三两　桂枝三两　茯苓六两　甘草二两（炙）

上五味，以水六升，煮取三升，分温三服。

程云来：《本草》云：通可以去滞。防己之属是也。以防己能利九窍、血脉、关节，故以为君；桂枝能通血脉发汗，故以为臣；肺合皮毛，皮有水则气耗于外，故用黄芪、甘草益气以为佐，茯苓淡渗以为使。

《汉药神效方》：一男子头并两手振掉不已，得此已二三年，腹中和，饮食如故。是即仲师所谓四肢聂聂之类，投以防己茯苓汤而愈。

王晋三：余治太阳腰髀痛，备用此方，如鼓之应桴。

厥而皮水者，蒲灰散主之。

注：此节依《金匮要略》补。

赵以德：厥者逆也。由少阴经肾气逆上入肺，肺与皮毛合，故逆气溢出经络，经络之血泣与肾气合化而为水。充满于皮肤，故曰皮水。用蒲黄消经络之滞，利小便为君；滑石开窍通水道以佐之。小便利则下行，逆气降，与首章皮水二条有气血虚实之不同。只此可见仲景随机应用之治矣。

蒲灰散方

蒲灰七分　滑石三分

上二味，杵为散，饮服方寸匕，日三服。

《楼氏纲目》：蒲灰即蒲黄粉。

黄竹斋：皮水主之以蒲灰散者，即所谓腰以下肿当利小便之法也。厥谓水邪上逆而蔽其阳，故用以决其下流之壅塞，则滔天之祸可免也。

程云来：皮水在皮肤中，厥则水气浸淫于里，故用蒲灰散以利小便。

里水，一身面目黄肿，其脉沉，小便不利，甘草麻黄汤主之；越婢加术汤亦主之。

赵以德：《内经》三阴结谓之水。三阴乃脾、肺、少阴肾也。盖胃为五脏六腑之海，十二经皆受气焉。脾为之行津液者，脏腑经络必因脾乃得禀水谷气。今脾之阴不与胃之阳和，则阴气结伏，津液凝聚不行而关门闭矣。关闭则小便不利，不利则水积，积则溢面目一身。水从脾气所结不与胃和，遂从土色发黄肿。结自三阴，故曰里水，其脉沉也。

甘草麻黄汤方

甘草二两　麻黄四两

上二味，以水五升，先煮麻黄去上沫，内甘草，煮取三升，去滓，温服一升，覆令汗出，不汗再服。

尤在泾：甘草麻黄亦内助土气，外行水气之法也。麻黄能上宣肺气，下伐肾邪；外发皮毛之汗，内祛脏腑之湿，故仲景于水饮病用之为主药。

越婢加术汤方

即越婢汤加白术四两，煎服法同。

黄竹斋：仲景用越婢加半夏汤治肺胀，则知此方为治正水之主方也。加半夏者，以水饮聚于胃，关于肺，降胃逆所以治本也；加白术者，水气郁于脾、渍于肺，除脾湿亦以治本也。

问曰：黄汗之为病，身体肿若重，汗出而发热，口渴，状如风水，汗粘衣，色正黄如柏汁，脉自沉，从何得之？师曰：以汗出入水中浴，水从汗孔入得之，宜黄芪芍药桂枝汤。

《金鉴》：此承黄汗互详其证，以明其治也。

尤在泾：黄汗之病与风水相似。但风水脉浮而黄汗脉沉；风水恶风，黄汗不恶风为异。其汗粘衣，色正黄如柏汁，则黄汗之所独也。风水为风气外合水气；黄汗为水气内遏热气，热被水遏，水与热得，交蒸互郁，汗液则黄。前条云小便通利，上焦有寒，其口多涎，此为黄汗；又云身肿而冷，状如周痹；此云黄汗之病，身体肿，发热汗出而渴；后又云剧者不能食，身疼重，小便不利。何前后之不侔也？岂新久微甚之辨欤！夫病邪初受其未郁为热者，则身冷，小便利，口多涎；其郁久而热甚者，则身热而渴，小便不利，亦自然之道也。

黄芪芍药桂枝汤方

黄芪五两　芍药三两　桂枝三两

上三味，以苦酒一升，水七升，相合煮取三升，去滓，温服一升，当心烦，服至六七日乃解。若心烦不止者，苦酒阻故也，从美酒醯易之。

魏念庭：黄汗之证，专在血分，故汗出之色黄而身不黄，与发黄之证不同也，更与风水、皮水、风寒外感之气分大不同也。仲景主之以芪芍桂酒汤，用黄芪补气固表；芍药、苦酒治在血分；引桂枝入荣驱其水湿之邪。一方而专血分，兼表里，其义备矣。服后心烦，仍服勿疑，以苦酒湿热，未免与湿邪相阻，然非此无以入血分而驱邪，所谓从治之法也。至六七日湿邪渐除，苦酒之湿无所阻而心烦自止矣，此又用方之神理也。古人称醋曰苦酒，美酒醯即人家家制社醋是也。

黄汗之病，两胫自冷；假令发热，此属历节。食已汗出，暮盗汗，此荣气热也。若汗出已反发热者，久久身必甲错；若发热不止者，久久必生恶疮；若身重，汗出已，辄轻者，久久身必瞤，瞤即胸痛。又从腰以上汗出，以下无汗，腰髋弛痛，如有物在皮中状，剧则不能食，身疼重，烦躁，小便不利，此为黄汗，桂枝加黄芪汤主之。

尤在泾：两胫自冷者，阳被郁而不下通也。黄汗本发热，此云假冷发热，便为历节者，谓胫热非谓身热也。盖历节、黄汗病形相似，而历节一身尽热，黄汗则身热而胫冷也。食已汗出，又身尝暮卧盗汗出者，荣中之热因气之动而外浮，或乘阳之间而潜出也。然黄汗郁证也，汗出则有外达之机，若汗出已反发热者，是热与汗俱出于外，久而肌肤甲错，或生恶疮，所谓自内之外而盛于外也。若汗出已身重辄轻者，是湿与汗俱出也。然湿虽出而阳亦伤，久必身瞤而胸中痛。若从腰以上汗出下无汗者，是阳上通而不下通也，故腰髋弛痛，如有物在皮中状。其病之剧而未经得汗者，则窒于胸中而不能食，壅于肉理而身体重，郁于心而烦躁，闭于下而小便不利也。此其进退微甚之机不同如此，而要皆水气伤心之所致，故曰此为黄汗。桂枝黄芪亦行阳散邪之法，而尤顿饮热稀粥取汗，以发交郁之邪也。

桂枝加黄芪汤方　见阳明病篇

陈灵石：黄本于郁热，得汗不能透彻，则郁热不能外达。桂枝汤虽调和荣卫，啜粥可令作汗；然恐其力量不及，故又加黄芪以助之。黄芪善走皮肤，故前方得苦酒之酸而能收，此方得姜、桂之辛而能发也。前方止汗是治黄汗之正病法，此方令微汗，是治黄汗之变证法。

寸口脉沉而弱，沉即主骨，弱即主筋，沉即为肾，弱即为肝。汗出入水中，如水伤心。历节痛，黄汗出，故曰历节。

尤在泾：此为肝肾先虚而心阳复郁，为历节黄汗之本也。心气化液为汗，汗出入水中，水寒之气从汗孔侵入心脏，外水内火，郁为湿热，汗液则黄；浸淫筋骨，历节乃痛。历节者，遇节皆痛也。盖非肝肾先虚，则虽得水气，未必便入筋骨；非水湿内侵，则肝肾虽虚未必便成历节。仲景欲举其标而先究其本。以为历节多从虚得之也。前云黄汗之病以汗出入水中浴，水从汗孔入得之，合观二条，知历节、黄汗为同源异流之病。其瘀郁上焦者则为黄汗，其并伤筋骨者则为历节也。

味酸则伤筋，筋伤则缓，名曰泄。咸则伤骨，骨伤则痿，名曰枯。枯泄相搏，名曰断泄。荣气不通，卫气独行，荣卫俱微，三焦无御，四属断绝，身体羸瘦，独足肿大，黄汗出，两胫热，便为历节。

魏念庭：历节风病固为筋骨间之邪矣。然其病又有得之嗜味，病从口入于先，然后风从之也。饮食大欲，过嗜则伤，五味皆然。而就筋骨言之，则味酸伤筋也，酸能收阴而敛血，血常敛则筋常弛而无力，故缓，名之曰泄，泄者血亡也。咸能软坚而下气，气常下则骨常弱而不强，故痿，名之曰枯，枯者精败也。血亡则阴虚而热生，精败则阳虚而风入，风与热相煽，即枯与泄相搏也，名曰断泄。阳败风入则正气断，阴亡热生则正血泄，就其阴阳气血疏纵柔弱处形容病情也。再推之于荣卫，血既亡则荣气必不通，荣不通则卫必不独行，荣气涩滞于脉内，卫气疏散于脉外，则在表之气两微矣！三焦在内，更何所藉以为藩篱，此四属荣卫之气断绝，而股肱手足置若身外之物。若或身体羸瘦，独足肿大，兼黄汗出，胫发热，便为历节也。

少阴脉浮而弱，弱则血不足，浮则为风，风血相搏，即疼痛如掣。

黄竹斋：湘古本列此节于少阴病，宜桂枝汤加当归主之。

李珥臣：风在血中，则剽悍劲切，无所不至，为风血相搏。盖血主荣养筋骨者也，若风以燥之，则血愈耗而筋骨失其所养，故疼痛如掣。昔人云：治风先养血，血生风自灭。此其治也。

肥盛之人脉涩小，短气，自汗出，历节疼不可屈伸，此皆饮酒汗出当风所致也。

黄坤载：肥盛之人荣卫本盛旺，忽然脉涩小，短气自汗，历节疼痛不可屈伸，此皆饮酒汗出当风，感袭皮毛所致。风性疏泄，故自汗出；风泄而卫闭，故脉涩小；经脉闭塞，肺气不得下达，故气道短促。《素问》饮酒中风邪则为漏风，以酒行经络，血蒸汗出，盖以风邪疏泄，自汗常流是为漏风。汗孔不合，水湿易入，此历节伤痛之根也。

诸肢节疼痛，身体羸瘦，脚肿如脱，头眩短气，温温欲吐者，桂枝芍药知母甘草汤主之。

尤在泾：诸肢节疼痛，即历节也；身体羸瘦，脚肿如脱，形气不足而湿热下甚也；头眩短气，温温欲吐，湿热且从下而上冲矣，与脚气冲心之候颇同。桂枝、麻黄、防风散湿于表；芍药、知母、甘草除热于中；白术、附子祛湿于下；而用生姜最多，以止呕降逆。为湿热外伤肢节，而复上冲心胃之治法也。

桂枝芍药知母甘草汤方

桂枝三两　芍药三两　知母二两　甘草二两

上四味，以水六升，煮取四升，去滓，温服一升，日三服。

黄竹斋：本方只四味，《金匮要略》此方共九味，前人历用有效，谨附列后。

桂枝芍药知母汤方

桂枝四两　芍药三两　甘草二两　麻黄二两　生姜五两　白术五两　知母四两　附子二枚（炮）　防风四两

上九味，以水一斗，煮取二升，温服七合，日三服。《金匮要略》作“以水七升”，今依《千金方》《外台秘要》改正。

徐忠可：桂枝行阳，知、芍养阴，方中药品颇多，独挈此三味以名方者，以此证阴阳俱痹也。又云：欲制其寒，则上之郁热已甚；欲治其热，则下之肝肾已痹，故桂、芍、知、附寒热辛苦并用而各当也。

病历节疼痛，不可屈伸，脉沉弱者，乌头麻黄黄芪芍药甘草汤主之。

沈明宗：此寒湿历节之方也。《经》谓风寒湿三气合而为痹，此风少寒湿居多，痹于筋脉、关节、肌肉之间，以故疼痛不可屈伸，即寒气胜者为痛痹是也。所以麻黄通阳出汗散邪而开痹着；乌头祛寒而燥风湿；芍药收阴之正；以蜜润燥，兼制乌头之毒；黄芪、甘草固表培中，使痹着开而病自愈。谓治脚气疼痛，亦风寒湿邪所致也。

乌头麻黄黄芪芍药甘草汤方

乌头五枚，切　麻黄三两　黄芪三两　芍药三两　甘草三两

上五味，先以蜜二升煮乌头，取一升，去滓；别以水三升煮四味，取一升，去滓，内蜜，再煮一二沸，服七合，不知尽服之。

尤在泾：此治寒湿历节之正法也。寒湿之邪，非麻黄、乌头不能去，而病在筋节，又非如皮毛之邪可一汗而散者。故以黄芪之补、白芍之收、甘草之缓，牵制二物，俾得深入而去留邪，如卫瓘监钟邓入蜀，使其成功而不及于乱，乃制方之要妙也。

徐灵胎：其煎法精妙可师。风寒入节，非此不能通达阳气。

病历节疼痛，两足肿大，小便不利，脉沉紧者，甘草麻黄汤主之；脉沉而细数者，越婢加术汤主之。

黄竹斋：此节之历节证两足肿大，与前里水面目黄肿，其肿虽有上下之殊，而治法相同者，以皆脉沉而小便不利也。论云脉得诸沉，当责有水，沉紧者，湿寒之邪，宜甘草麻黄汤；沉而细数者，湿热之邪，宜越婢加术汤。

病如伤寒证，先发热恶寒，肢疼痛，独足肿大者，此非历节，名曰脚气，于寒湿中求之。若胫不肿而重弱者，湿热也，当责其虚。或痹，或痛，或挛急，或缓纵，以意消息调之。

注：依涪古本补。

孙思邈：夫人有五脏，心肺二脏经络所起在手十指，肝肾与脾三脏经络所起在足十趾。夫风毒之气皆起于地，地之寒暑风湿皆作蒸气。足常履之，所以风毒之中人也，必先中脚，久而不瘥，遍及四肢、腹背、头项也。微时不觉，痼滞乃知，《经》云次传、间传是也，夫脚气之病，先起岭南，稍来江东，得之无渐，或微觉痛痹，或两胫肿满，或行起涩弱，或上入腹不仁，或时冷热，小便秘涩，喘息，气冲喉，气急欲死，食呕不

下，气上逆者，皆其候也。

病脚气，疼痛不可屈伸者，乌头汤主之；服汤已，其气冲心者，复与矾石汤浸之。

注：此节依涪古本及《金匮要略》补。乌头汤即乌头麻黄黄芪芍药甘草汤。

陈修园：脚气疼痛不可屈伸，以乌头汤主之。至于冲心，是肾水挟脚气以凌心，而矾能却水兼能护心，所以为妙。

矾石汤方

矾石二两

上一味。以浆水一斗五升，煎三五沸，浸脚良。

黄竹斋：前云脚肿如脱，又云独足肿大，俱可以此汤浸脚从外治之。煎用浆水者，俾内湿得消而外水不入也。

魏念庭：药性矾石善收湿，能解毒，澄清降浊。

病脚气上冲，少腹不仁者，八味肾气丸主之。若上气喘急者危；加呕吐者死。

注：此节依涪古本补，《金匮要略》附方引崔氏八味丸，即肾气丸。

尤在泾：肾之脉起于足而入于腹，肾气不治，湿寒之气随经上入，聚于少腹为之不仁，是非驱湿散寒之所可治者，须以肾气丸补肾中之气，以为生阳化湿之用也。

徐忠可：历节病源与脚气相通，故前治历节乌头方兼治脚气，此方主治脚气可与历节相参。谓历节之因，概多足肿胫冷，是病在下焦，下焦属阴，阴虚而邪乘之正未可知。但脚气上入少腹不仁，以八味丸为主，盖脚气不必兼风，行阳祛湿，治正相类。

师曰：寸口脉迟而涩，迟则为寒，涩为血不足。趺阳脉微而迟，微则为气，迟则为寒。胃气不足，则手足逆冷；荣卫不利，则腹满肠鸣相逐；气转膀胱，荣卫俱劳；阳气不通即身冷，阴气不通即骨疼；阳前通则恶寒，阴前痛则痹不仁；阴阳相得，其气乃行，大气一转，寒气乃散；实则矢气，虚则遗溺，名曰气分。

赵以德：人之血气荣卫皆主于谷，谷入于胃，化为精微。脾与胃以膜相连主四肢，脾输谷气于三阴，胃输谷气于三阳，六经皆起于手足，故内外悉借谷气温养之也。寸口以候荣卫，趺阳以候脾胃，脾胃之脉虚寒，则手足不得禀水谷气，故逆冷也。手足逆冷则荣卫之运行于阴阳六经者皆不利，荣卫不利则逆冷之气入积于中而不泻，不泻则内之温气去，寒独留，寒独留则宗气不行而腹满。脾之募在季胁章门，寒气入于募。正当少阳经脉所过，且少阳为枢，主十二宫行气之使，少阳之腑三焦也，既不得行升发之气于三焦以化荣卫，必引留募之寒相逐于三焦之下输。下输，属膀胱也。当其时卫微荣衰，卫气不得行其阳于表，即身冷；荣气不得行其阴于里，即骨痛。阳虽暂得前通，身冷不能即温，斯恶寒也。阴既前通，痛应少愈，然荣气未与卫之阳合，孤阴独至，故痹而不仁。必从膻中气海之宗气通转，然后阴阳和，荣卫布，邪气乃从下焦而散也。下焦者，决渎之官，水道出焉，前后二窍皆属之。前窍属阳，后窍属阴，阳道实则前窍固，邪从后窍矢气而出；阳道虚则从窍遗尿而去矣。为大气一转而邪散，故曰气分。

陈修园：水与气虽分有形无形，而其源则非二也；肿与胀虽分在外在内，而其病则相因也。腹胀而四肢不肿，名曰单鼓胀。《内经》明胀病之旨而无其治，仲景于此节虽未明言胀病单鼓，而所以致此之由，所以治此之法，无不包括其中。下节两出其方，一主一宾，略露出鼓胀之机倪，令人寻绎其旨于言外。

气分，心下坚，大如盘，边如旋杯，桂枝甘草麻黄生姜大枣细辛附子汤主之。

徐忠可：此言气分病而大气不转，心下坚，大如盘者。盖心下属胃口之上，宜责上焦，然肾为胃关，假使肾家之龙火无亏，则客邪焉能凝结胃上，而坚且大耶！边如旋杯，乃形容坚结而气不得通，状如此也。唯真火不足，君火又亏，故上不能降，下不能升，所以药既用桂、甘、姜、枣以和其上，而复用麻黄、附子、细辛少阴之剂以治其下，庶上下交通而病愈。所谓大气一转，其气乃散也。

尤在泾：气分，即寒气乘阳之虚而结于气者。心下坚，大如盘，边如旋杯，其势亦已甚矣。然不直攻其气，而以辛、甘、温药行阳以化气，视后人之袭用枳、朴、香、砂者，工拙悬殊矣。

桂枝甘草麻黄生姜大枣细辛附子汤方

桂枝三两　甘草二两（炙）　麻黄二两　生姜三两（切）　大枣十二枚　细辛三两　附子一枚（炮）

上七味，以水七升，先煮麻黄去沫，内诸药，煮取三升，分温三服，汗出即愈。

邹润庵：桂甘姜枣麻辛附子汤所治之气分，在内者曰心下坚，大如盘，边如旋杯；其在外者曰手足逆冷，腹满肠鸣，身冷骨痛。其脉在寸口曰迟涩，在趺阳微迟，则其寒为与胸腹之津液相搏矣。是病也，上则心阳不纾，下则肾阳难达。是故桂枝汤畅心阳之剂也，麻黄附子细辛汤鼓肾阳之剂也，二方诸味分数无异，唯细辛则多用一两。夫补上治上制以缓，补下治下制以急，则此汤其治在下可知矣！且肾主分布五液于五脏，寒邪之依津液者虽在上在下不同，然其本莫不根于肾，细辛本入肾，能提散依附津液之邪，安得不重之耶。

水饮，心下坚，大如盘，边如旋杯，枳实白术汤主之。

赵以德：心下，胃上脘也。胃气弱则所饮之水入而不消，痞结而坚。必强其胃，乃可消痞。白术健脾强胃，枳实善消心下痞，逐停水、散滞血。

枳实白术汤方

枳实七枚　白术二两

上二味，以水五升，煮取三升，去滓，分温三服。

张路玉：枳术二味开其痰结，健其脾胃，而阳分之邪解之自易耳；人但知枳实太过而用白术和之，不知痰饮所积，皆由脾不健运之故，苟非白术豁痰利水，则徒用枳实无益耳。

小便不利，其人有水气，若渴者，栝楼瞿麦薯蓣丸主之。

尤在泾：此下焦阳弱气冷，而水气不行之证，故以附子益阳气，茯苓、瞿麦行水气。观方后云：腹中温为知，可以推矣。其人苦渴，则是水气偏结于下，而燥火独聚于上。夫上浮之焰，非滋不熄；下积之寒，非暖不消；而寒润辛温，并行不悖，此方为良法也。

栝楼瞿麦薯蓣丸方

栝楼根二两　瞿麦一两　薯蓣三两　附子一枚（炮）　茯苓三两

上五味，末之，炼蜜为丸，如梧子大，饮服二丸，日三服；不知，可增至七八丸，以小便利、腹中温为知。

程云来：薯蓣、栝楼润剂也，用以止渴生津；茯苓、瞿麦利剂也，用以渗泄水气。膀胱者，州都之官，津液藏焉，气化则能出矣。佐附子之纯阳，则水气宣行而小便自利，亦肾气丸之变制也。

小便不利，其人有水气，在血分者，滑石乱发白鱼散主之；茯苓白术戎盐汤亦主之。

赵以德：小便不利，为膀胱气不化也。气不化，由阴阳不和。阴阳有上下，下焦之阴阳，肝为阳，肾为阴；肾亦有阴阳，左为阳，右为阴；膀胱亦有阴阳，气为阳，血为阴。一有不和，气即不化。自三分观之，悉为膀胱血病涩滞，致气不化而小便不利也。滑石乱发白鱼者，滑石《本草》谓其利小便，消瘀血；发乃血之余，能消瘀血、通关便，《本草》治妇人小便不利，又治妇人无故溺血；白鱼去水气，理血脉，可见皆血剂也。茯苓戎盐者，即北海盐，膀胱乃水之海，以气相从，故咸味润下，佐茯苓利小便，然盐亦走血，白术亦利腰脐间血，故亦治血也。

滑石乱发白鱼散方

滑石　乱发烧　白鱼各等分

上三味，杵为散，饮服方寸匕，日三服。

《金匮辑义》:《尔雅》: 蟫，白鱼。《本经》: 衣鱼一名白鱼，主妇人疝瘕，小便不利。

《金鉴》: 滑石、白鱼利水药也，然必是水郁于血分，故主是方也。

茯苓白术戎盐汤方

茯苓半斤　白术二两　戎盐弹丸大二枚

上三味，先以水一斗，煮二味，取三升，去滓，内戎盐，更上微火一二沸化之，分温三服。

《金鉴》: 茯苓淡渗，白术燥湿，戎盐润下，必是水湿郁于下也。盐为渴者之大戒，观用戎盐，则不渴可知也。

《张氏医通》: 茯苓戎盐汤（即本方）治胞中精枯血滞，小便不利。

第七节　辨瘀血下血疮痈病脉证并治

病人胸满，唇痿舌青，口燥，但欲漱水不欲咽，无寒热，脉微大来迟，腹不满，其人言我满，为有瘀血。

赵以德：是证瘀血，何邪致之耶？《内经》有堕恐恶血留内，腹中满胀不得前后；又谓大怒则血菀于上。是知内外诸邪，凡有所搏积而不行者，即为瘀血也。唇者脾之外候，舌者心之苗；脾脉散舌下，胃脉环口旁；心主血，脾养血，积则津液不布，是以唇痿舌青也。口燥但欲嗽水不欲咽者，热不在内，故但欲漱以润其燥耳。脉大为热，迟为寒，今无寒热之病而微大者，乃气并于上，故胸满也。迟者血积膈下也，积在阴经之隧道，不似气积于阳之肓膜，然阳道显，阴道隐，气在肓膜者则壅胀显于外，血积隧道闭塞而已，故腹不满。因闭塞自觉其满，所以知瘀血使然也。

《药征》：按诊血证，其法有三焉：一曰少腹硬满而小便利者，此为有血，而不利者，为无血也；二曰病人不腹满而言腹满也；三曰病人喜忘，屎虽硬，大便反易，其色必黑，此为有血也。仲景诊血证之法，不外于兹矣。

病人如有热状，烦满，口干燥而渴，其脉反无热，此为阴伏，是瘀血也，当下之，宜下瘀血汤。

赵以德：血，阴也，配于阳，神得之以安，气得之以和，咽得之以润，经脉得之以行，身形之中不可须臾离也。今因血积，神无以养则烦，气无以和则满，口无以润则燥，脾胃无以泽则渴，是皆阳生所配，荣卫不行，津液不化，而为是病也。非阳之自强而生热者，故曰如热状。

徐忠可：以其证唇口干燥故知之，则此所谓唇痿口燥，即口干燥，足证瘀血无疑矣。然前一证言漱水不欲咽，后一证又言渴，可知瘀血证不甚则但漱水，甚则亦有渴者，盖瘀久而热郁也。

下瘀血汤方

大黄三两　桃仁二十枚　䗪虫二十枚（去足）

上三味，末之，炼蜜和丸，以酒一升，水一升，煮取八合，顿服之，血下如豚肝愈。

尤在泾：大黄、桃仁、䗪虫下血之力颇猛，用蜜丸者，缓其性不使骤发，恐伤上二焦也。酒煎顿服者，补下治下制以急，且去疾唯恐不尽也。

膈间停留瘀血，若吐血色黑者，桔梗汤主之。

膈间停留瘀血，即首节所谓病人胸满，唇痿舌青，口燥之证也。李时珍云：仲景治肺痈唾脓用桔梗、甘草，取其苦辛清肺，甘温泻火，又能排脓血，补内漏。故此用之以治胸膈瘀血，及吐血色黑之病也。

桔梗汤方 见少阴病篇

吐血不止者，柏叶汤主之；黄土汤亦主之。

程云来：中焦受气取汁，变化而赤是谓血。血者内溉脏腑，外行肌肤，周流一身，如源泉之混混。得热则迫血妄行而作吐衄，即后泻心汤之证是也。得寒则不与气俱行，渗于胃中而作吐，故有随渗随出而令不止。《内经》曰：太阳司天，寒淫所胜，血变于中，民病呕血。则寒亦令吐血也。柏叶汤者，皆辛温之剂，《神农经》曰：柏叶主吐血，干姜止唾血，艾叶止吐血。马通者，白马屎也，凡屎必达洞肠乃出，故曰通。亦微温，止吐血。四味皆辛温行阳之品，使血归经，遵行隧道而血自止。黄土汤者，灶中黄土得火气则性温，用以止血为君；附子辛热，主血瘕为臣，地黄、阿胶益阴血为佐；黄芩之苦以坚之，甘草、白术之甘以缓之为使。

柏叶汤方

柏叶三两　干姜三两　艾叶三把

上三味，以水五升，取马通汁一升，合煮，取一升，分温再服。

陈修园：马粪用水化开，以布滤，澄清，为马通水。如无，以童便代之。

魏念庭：柏叶性轻质清，气香味甘，治上部滞腻之圣药也。血凝于胸肺方吐，开斯行，行斯下注不上越矣。佐以姜、艾之辛温，恐遇寒而又凝也。合以马通汁破宿血，养新血，止吐衄有专功也。

黄土汤方

灶中黄土半斤　甘草三两　地黄三两　白术三两　附子三两（炮）　阿胶三两　黄芩三两

上七味，以水八升，煮取三升，去滓，内胶令烊，分温三服。

尤在泾：黄土温燥入脾，合白术、附子以复健行之气；阿胶、地黄、甘草以益脱竭之血；而又虑辛温之品转为血病之后，故又以黄芩之苦寒防其太过，所谓有制之师也。

心气不足，吐血，若衄血者，泻心汤主之。

徐忠可：吐血有因病久上热烦咳而致者，有因极饮过度者。若因心虚，虚则热收于内，而火盛烁阴，涌血上逆，出于清道为衄，出于浊道为吐，则主心气不足论治。故以黄连清其热，大黄下其瘀。而曰泻心汤，谓病既浸心恐因循则酿祸也。

泻心汤方

大黄二两　黄连一两

上二味，以水三升，煮取一升，去滓，顿服之。

陈修园：此为吐衄之神方也。妙在以黄连之苦寒泻心之邪热，即所以补心之不足；尤妙在大黄之通止其血而不使稍停余瘀，致血愈后酿成咳嗽虚劳之根，且釜下抽薪，而釜中之水自无沸腾之患。

下血，先便而后血者，此远血也，黄土汤主之。

程云来：先便后血，以当便之时血亦随便而下行。《内经》曰：结阴者便血一升，再结二升，三结三升。以阴气内结，不得外行，血无所禀，渗入肠间，故《上经》曰：小肠有寒者，其人下重、便血。夫肠有夹层，其中脂膜联络，当其和平则行气血，及其节养先宜，则血以夹层渗入肠中，非从肠外而渗入肠中，渗而即下则色鲜，渗而留结则色黯。《内经》曰：阴脉不和，则血留之。用黄土、附子之气厚者，血得温即循经而行也。结阴之属，宜于温补者如此。

下血，先血而后便者，此近血也，赤豆当归散主之。

程云来：先血后便，此《内经》所谓饮食不节，起居不时，则阴受之，阴受之则入五脏，为肠澼下血之属。故用当归以和血脉，赤豆以清脏毒。

尤在泾：下血先血后便者，由大肠伤于湿热，而血渗于下也。大肠与肛门近，故曰近血。赤小豆能行水湿，解热毒；当归引血归经，且举血中陷下之气也。

赤豆当归散方 见狐惑病篇

师曰：病人面无色，无寒热，脉沉弦者，必衄血；脉浮而弱，按之则绝者，必下血，烦咳者，必吐血。

赵以德：面色者，血之华也，血充则华鲜。若有寒热，则损其血，致面无色也。今无寒热，则自上下去血而然矣。夫脉浮以候阳，沉以候阴，只见沉弦，浮之绝不见者，是无阳也，无阳知血之上脱。脉止见浮弱，按之绝无者，是无阴也，无阴知血之下脱。烦咳吐血者，心以血安其神，若火扰乱，则血涌神烦，上动于膈则咳，所涌之血因咳而上越也。然则沉之无浮，浮之无沉，何便见脱血之证乎？以其面无色而脉弦弱也。衄血阳固脱矣，然阴亦损，所以浮之亦弱。《经》曰弱者血虚。脉者血之府，宜其脱血之处则无脉，血损之处则脉弦弱也。

从春至夏衄血者，属太阳也；从秋至冬衄血者，属阳明也。

尤在泾：血从阴经并冲任而出者，则为吐；从阳经并督脉而出者，则为衄。故衄病皆在阳经，但春夏阳气浮则属太阳，秋冬阳气伏则属阳明为异耳。少阳之脉不入鼻頞，故不主衄也。

尺脉浮，目睛晕黄者，衄未止也。黄去，睛慧了者，知衄已止。

尤在泾：尺脉浮，知肾有游火；目睛晕黄，知肝有蓄热。衄病得此，则未欲止。盖血为阴类，为肾肝之火热所逼而不守也。若晕黄去，目睛且慧了，知不独肝热除，肾热亦除矣，故其衄今当止。

夫吐血，咳逆上气，其脉数而有热，不得卧者，死。

注：此节及下节依《金匮要略》补。

徐忠可：凡吐血先由阳虚，后乃阴虚，至阴虚而火日以盛，有灼阴之火，无生阴之阳。咳则肺气耗散，逆而上气则肝挟相火上乘。脉数有热则无阴；不得卧则夜卧血不归肝，而木枯火燃，君火变为燥火。阴阳俱亏，凶证相并，有立尽之势，故曰死。

夫酒客咳者，必致吐血，此因极饮过度所致也。

徐忠可：此言吐血不必由于气不摄血，亦不必由于阴火炽盛。其有酒客而致咳，则肺伤已极，又为咳所击动，必致吐血。故曰极饮过度所致，则治之者，当以清酒热为主也。

问曰：寸口脉微浮而涩，法当亡血，若汗出，设不汗出者云何？师曰：若身有疮，被刀斧所伤，亡血故也，此名金疮。无脓者，王不留行散主之；有脓者，排脓散主之，排脓汤亦主之。

尤在泾：血与汗皆阴也，阴亡则血流不行而气亦无辅，故脉浮微而涩。《经》云：夺血者无汗，夺汗者无血。兹不汗出而身有疮，则知其被刀斧所伤而亡其血，与汗出不至者，迹虽异而理则同也。金疮，金刃所伤而成疮者。经脉斩绝，荣卫沮弛。治之者必使经脉复行，荣卫相贯而后已。王不留行散则行气血、和阴阳之良剂也。排脓散、排脓汤，亦行气血、和荣卫之剂。

王不留行散方

王不留行十分（烧）　蒴藋细叶十分（烧）　桑根白皮十分（烧）　黄芩二分　甘草十八分　蜀椒三分（去目）　厚朴二分　干姜二分　芍药二分

上九味，为散，饮服方寸匕，小疮即粉之，大疮但服之，产后亦可服。

魏念庭：金疮虽不原于脏腑而有伤于荣卫，则脏腑亦受病也。主之以王不留行散，以王不留行为君，专走血分，止血收痛而且除风散痹，是收而兼行之药，于血分最宜也；佐以蒴藋叶与王不留行性共甘平，入血分、清火毒、祛恶气，倍用甘草以益胃解毒，芍药、黄芩助清血热，川椒、干姜助行血瘀，厚朴行中带破，唯恐血乃凝滞之物，故不惮周详也；桑根白皮性寒，同王不留行、蒴藋细叶烧灰存性者，灰能入血分止血也，为金疮血流不止者设也。小疮则合诸药为粉以敷之，大疮则服之，治内以安外也。产后亦可服者，行瘀血也。

排脓散方

枳实十六枚　芍药六分　桔梗二分

上三味，杵为散，取鸡子黄一枚，以药散与鸡子黄相等，揉合令相得，饮和服之，日一服。

魏念庭：排脓散一方，为疮痈将成未成治理之法也。枳实为君，用在开痰破滞，佐以芍药凉血息热，桔梗降气宽胸，济以鸡子黄滋阴消火邪之毒。火郁于内，应远苦寒，而又善具开解调济之用，诚良法也。

黄竹斋：是方芍药行血分之滞而不伤阴，桔梗开气分之结而不损阳，枳实导水以消肿，鸡黄调胃以护心安神，允为排脓化毒之良剂也。

排脓汤方

甘草二两　桔梗三两　生姜一两　大枣十枚

上四味，以水三升，煮取一升，去滓，温服五合，日再服。

魏念庭：排脓汤一方，尤为缓治。盖上部胸喉之间，有欲成疮痈之机，即当急服也。甘草、桔梗，即桔梗汤也，已见用肺痈病中；加生姜、大枣以固胃气，正盛而邪火斯易为解散也。疮痈未成者服之则可开解，已成者服之，则可吐脓血而愈矣。

诸脉浮数，法当发热，而反洒淅恶寒，若有痛处，当发其痈。

周禹载：病之将发，脉必兆之。夫浮数阳也、热也，浮数兼见为阳中之阳，是其热必尽显于外矣。而反洒淅恶寒，证不相应何哉？必其气血凝滞，荣卫不和，如经所谓荣气不从，逆于肉理，乃生痈肿；阳气有余，荣气不行，乃发为痈是也。况其身已有痛处乎！夫脉之见者阳也，其将发而痛者，亦属阳，故曰：当发其痈。

脉滑而数，数则为热，滑则为实；滑即属荣，数即属卫，荣卫相逆，则结为痈；热之所过，则为脓也。排脓散主之；排脓汤亦主之。

此节依涪古本补。

邹润庵：排脓散即枳实、芍药加桔梗、鸡子黄；排脓汤即桔梗汤加姜、枣也。排脓何必取桔梗？盖皮毛者，肺之合，桔梗入肺畅达皮毛，脓自当以出皮毛为顺也。散之所至者深，汤之所至者浅。枳实芍药散本治产后瘀血腹痛，加桔梗鸡子黄为排脓散，是知所排者结于阴分、血分之脓。桔梗汤本治肺痈，吐脓喉痛，加姜、枣为排脓汤，是知所排者，阳分、气分之脓矣。

师曰：诸痈肿者，欲知有脓无脓，以手掩肿上，热者为脓；不热者，为无脓也。

周禹载：邪客经络则血必至于泣，泣则卫气归之，不得反复，于是寒郁则化热，热胜则肉腐而为脓。欲知成与否，以手掩其上，热则透出，否则未也。师之所以教人者，盖已成欲其溃，未成托之起也。

肠痈之为病，其身甲错，腹皮急，按之濡，如肿状，腹无积聚，身无热，脉数，此为肠内有痈也，薏苡附子败酱散主之。

黄坤载：夫肠痈者，痈之内及六腑者也。血气凝涩，外不华肤，故其身甲错；肠胃痞胀，故腹皮紧急；臃肿在内；故按之濡，腹形如肿状，其实肌肤未尝肿硬也；病因肠间痈肿，腹内原无积聚，瘀热在里，故身上无热，而脉却甚数，此为肠内有痈也。《灵枢·痈疽》：寒邪客于经络之中则血涩，血涩则不通，不通则甲错，卫气归之，不得复反，故痈肿；寒气化为热，热甚则腐肉，肉腐则为脓。是痈成为热而其先则寒也。寒非得湿则不凝，薏苡附子败酱散。薏苡祛湿而消滞，败酱破血而消脓，附子温寒而散结也。

薏苡附子败酱散方

薏苡仁十分　附子二分　败酱五分

上三味，杵为末，取方寸匕，以水二升，煮减半，去滓，顿服，小便当下血。

魏念庭：内热生痈，痈在肠间，主之以薏苡附子败酱散。薏苡下气则能泄脓、附子微用，意在直走肠中。屈曲之处可达；加以败酱之咸寒以清积热。服后以小便下为度者，小便者，气化也，气通则痈脓结者可开，滞者可行，而大便必泄污秽脓血，肠痈可已矣。顿服者，取其快捷之力也。

少腹肿痞，按之即痛如淋，小便自调，时时发热，自汗出，复恶寒，此为肠外有痈也。其脉沉紧者，脓未成也，下之当有血；脉洪数者，脓已成也，可下之，大黄牡丹汤主之。

尤在泾：前之痈在小肠，而此之痈在大肠也。大肠居小肠之下，逼处膀胱，致小腹肿痞，按之即痛如淋，而实非膀胱为害，故仍小便自调也。小肠为心之合而气通于血脉，大肠为肺之合而气通于皮毛，故彼脉数身无热，而此时时发热自汗出复恶寒也。脉沉紧者，邪暴遏而荣未变；脉洪数者，毒已聚而荣气腐，大黄牡丹汤肠痈已成未成皆得主之，故曰有脓者当下脓，无脓者当下血。

大黄牡丹汤方

大黄四两　牡丹一两　桃仁五十个　冬瓜子半升　芒硝三合

上五味，以水六升，煮取一升，去滓，顿服之。有脓者当下脓，无脓者当下血。

程云来：上证痈在小肠，以小肠在上，痈近于腹则位深，但腹皮急而按之有如肿形，故用前汤导其毒从小便而出。此证痈在大肠，以大肠在下，痈隐少腹其位浅则有痞肿之形，其迹易按，故用大黄牡丹汤排其脓血，从大便而下也。诸疮疡痛，皆属心火，大黄、芒硝用以下实热；血败肉腐则为脓，牡丹、桃仁用以下脓血；瓜子味甘寒，《雷公》云，血泛经过饮调瓜子，则瓜子亦肠胃中血分药也，故《别录》主溃脓血，为脾胃中内壅要药，想亦本诸此方。

浸淫疮，从口流向四肢者可治；从四肢流来入口者，不可治。

魏念庭：浸淫疮者，热邪而兼湿邪，客于皮肤，浸淫传染也。虽表分之病，而其入里分湿热可知矣。湿则阳气必不旺，热则阴血必受亏，所以治疗之间，亦必细审疮势衰盛开聚之故，而后可施医药之方。如浸淫疮从口流向四肢者，热开而湿散也，可以清其热，除其湿而治之；如先起四肢，渐上头面，及于口里，是湿热二邪相溷，上甚之极热无能开而结，湿无能散而聚耳，所以决其不可治也。不可治者，难治之义，非当委之不治也。

浸淫疮，黄连粉主之。

尤在泾：大意以此为湿热浸淫之病，故取黄连为粉粉之。苦以燥湿，寒以除热也。

《巢氏病源》：浸淫疮是心家有风热发于肌肤，初生甚小，先痒后痛而成疮，汁出侵溃肌肉，浸淫渐阔乃遍体。其疮若从口出流散四肢者轻，若从四肢生，然后入口者则重。以其渐渐增长，因名浸淫也。

黄连粉方

黄连十分　甘草十分

上二味，捣为末，饮服方寸匕，并粉其疮上。

陈修园：黄连为粉外敷之，甚者亦内服之。诸疮痛痒，皆属心火，黄连苦寒泻心火，所以主之。

黄竹斋：甘草能清热解毒，祛湿扶正，为疮家要药，故加之。

第八节　辨胸痹病脉证并治

师曰：夫脉当取太过不及，阳微阴弦，即胸痹而痛，所以然者，责其极虚也。今阳虚，知在上焦，胸痹而痛者，以其阴弦故也。

“阳虚”，涪古本作“阳微”。

徐忠可：此言治病当知虚之所在，故欲知病脉当先审脉中太过不及之形，谓最虚之处，即是容邪之处也。假令关前为阳，阳脉主阳，阳而微虚也；关后为阴，阴脉主阴，阴而弦虚邪也。然弦脉为阴之所有，虽云弦则为减，虚未甚也。阳宜洪大而微，则虚之甚矣，虚则邪乘之，即胸痹而痛。痹者，胸中之阳气不用也；痛者，阳不用则阴火刺痛也。然则不虚，阴火何能乘之，故曰：所以然者，责其极虚，然单虚不能为痛，今阳微而知虚在上焦。其所以胸痹心痛，以尺中之弦，乃阴中寒邪乘上焦之虚，则为痹、为痛，是知虚为致邪之因，而弦乃袭虚之邪也。但虽有邪亦同归于虚，阳微故也。

周禹载：痹者，痞闷而不通也。《经》云通则不痛，故唯痛为痹。而所以为痹者，邪入之，其所以为邪入者，正先虚也。故曰脉取太过不及，不及为阳微，太过即阴弦；阳虚故邪痹于胸，阴盛故心痛。乃知此证总因阳虚，故阴得以乘之。设或不弦，则阳虽虚而阴不上干可知也。然胸痹有微甚之不同，则为治因亦异，微者但通上焦不足之阳，甚者且驱其下焦厥逆之阴。通阳者，以薤白、白酒、半夏、桂枝、人参、杏仁之属，不但苦寒不入，即清凉尽屏，盖以阳通阳，阴分之药不得予也。甚者用附子、乌头、蜀椒大辛热以驱下焦之阴，唯阴退而阳可以渐复耳，可不留意乎！

平人无寒热，胸痹短气不足以息者，实也。

程云来：《经》曰趺阳脉微而紧，紧则为寒，微则为虚，微紧相搏则为气短，此因于虚寒而短气也。《经》曰短气腹满而喘，有潮热者，此外欲解，可攻里也，是因于实热而短气也。若平人无以上寒热二证，但短气不足以息，则胸中有邪阻隔，为上焦实也。

胸痹，喘息咳唾，胸背痛，寸脉沉迟，关上小紧数者，瓜蒌莲白白酒汤主之。

周禹载：寒浊之邪滞于上焦，则阻其上下往来之气，塞其前后阴阳之位，遂令为喘息，为咳唾，为痛，为短气也。阴寒凝泣，阳气不复自舒，故沉迟见于寸口，理自然也。乃小紧数复显于关上者何耶？邪之所聚，自见小紧，而阴寒所积，正足以遏抑阳气，故反形数。然阳遏则从而通之，瓜蒌最足开结豁痰，得薤白白酒佐之，既辛散而复下达，则所痹之阳自通矣。

瓜蒌薤白白酒汤方

瓜蒌一枚（捣） 薤白半斤 白酒七升

上三味，同煮，取二升，分温再服。

赵以德：瓜蒌性润，专以涤垢腻之痰，薤白臭秽，用以通秽浊之气，同气相求也。白酒，熟谷之液，色白上通于胸中。使佐药力上行极而下耳。

胸痹不得卧，心痛彻背者，瓜蒌莲白半夏汤主之。

尤在泾：胸痹不得卧，是肺气上而不下也；心痛彻背，是心气塞而不和也。其痹为尤甚矣！所以然者，有痰饮以为之援也。故于胸痹药中，加半夏以逐痰饮。

瓜蒌薤白半夏汤方

瓜蒌一枚（捣） 薤白三两 半夏半升 白酒一斗

上四味，同煮，取四升，去滓，温服一升，日三服。

周禹载：《经》云昼行于阳则寤，夜行于阴则寐，然则不得卧，以气之行于阳而不行于阴故也。《经》以小半夏汤覆杯即卧，非半夏为得寐药也，特以草生于夏，夏半为一阴初生，由阳入阴，使气归于肝而血亦入焉。故于本汤增此一味而能事毕矣，可不谓神乎！

胸痹心中痞，留气结在胸，胸满，胁下逆抢心者，枳实莲白桂枝厚朴瓜蒌汤主之；桂枝人参汤亦主之。

魏念庭：胸痹自是阳微阴盛矣，心中痞气，气结在胸，正胸痹之病状也。再连胁下之气俱逆而抢心，则痰饮水气俱乘阴寒之邪动而上逆，胸胃之阳气断难支拒矣。故用枳实薤白桂枝汤，行阳开郁、温中降气，犹必先后煮治以融和其气味，俾缓缓荡除其结聚之邪也。再或虚寒已甚，无敢恣为开破者，故桂枝人参汤亦主之，以温补其阳，使正气旺而邪气自消也。

张路玉：二汤一治胸中实痰外溢，用薤白桂枝以解散之；一以治胸中虚痰内结，即用人参理中以清理之。一病二治，因人素禀而施，两不移易之法也。

枳实薤白桂枝厚朴瓜蒌汤方

枳实四枚　薤白半斤　桂枝一两　厚朴四两　瓜蒌一枚（捣）

上五味，以水五升，先煮枳实厚朴取二升，去滓，内诸药，煮数沸，分温三服。

陈灵石：枳实、厚朴泄其痞满，行其留结，降其抢逆；得桂枝化太阳之气而胸中之滞自开。以此三药与薤白、瓜蒌之专疗胸痹者而同用之，亦去疾莫如尽之旨也。

桂枝人参汤方　见太阳病下篇

程云来：此即理中汤也。中气强则痞气能散，胸满能消，邪气能下。人参、白术所以益脾；甘草、干姜所以温胃，脾胃得其和，则中焦之气开发而胸痹亦愈。加桂枝者，所以助心之阳，而散其上焦阴霾之邪也。

胸痹者，胸中气塞或短气者，此胸中有水气也，茯苓杏仁甘草汤主之；橘皮枳实生姜汤亦主之。

《金鉴》：胸痹胸中急痛，胸痹之重者也；胸中气塞，胸痹之轻者也。胸为气海，一有其隙，若阳邪干之则化火，火性气开，不病痹也。若阴邪干之则化水，水性气阖，故令胸中气塞，短气不足以息，而为胸痹也。水盛气者，则息促，主以茯苓杏仁甘草汤，以利其水，水利则气顺矣。气盛水者，则痞塞，主以橘皮枳实生姜汤，以开其气，气开则痹通矣。

茯苓杏仁甘草汤方

茯苓二两　杏仁五十个　甘草一两（炙）

上三味，以水一斗，煮取五升，去滓，温服一升，日三服。不差，更服。

唐容川：气塞者，谓胸胃中先有积气阻塞，而水不得下，有如空瓶中全是气，欲纳水入，则气反冲出，不肯容水之入，此为气塞之形也。以泄其气为主，气利则水利，故主枳橘以行气，短气者，谓胸中先有积水停滞，而气不得通，肺主通调水道，又司气之出入，水道不通则碍其呼吸之路，故短气也。当以利水为主，水行则气通，故主苓杏以利水。

橘皮枳实生姜汤方

橘皮一斤　枳实三两　生姜半斤

上三味，以水五升，煮取二升，去滓，分温再服。

魏念庭：再或塞阻之甚，方用橘皮为君开郁行气，枳实除坚破积，生姜温中散邪。较前法从急治其标，亦未失治本之意也。

胸痹时缓时急者，薏苡附子散主之。

程云来：寒邪客于上焦则痛急；痛极则神归之，神归之则气聚，气聚则寒邪散，寒邪散则痛缓。此胸痹之所以有缓急者，亦心痛去来之义也。薏苡仁以除痹下气，大附子以温中散寒。

薏苡附子散方

薏苡仁十五两　大附子十枚（炮）

上二味，杵为散，日饮服方寸匕，日三服。

魏念庭：薏苡下气宽胸，附子温中散邪为邪盛甚而阳微亦甚者立法也。

胸痹心中悬痛者，桂枝生姜枳实汤主之。

魏念庭：胸痹气塞则逆，逆则诸气随之上逼于心，心为邪气所侵，斯悬而痛，俱为阳微而邪痞之故也。主之以桂枝生姜枳实汤，无非升阳散邪、开郁行气之治也，为胸痹而心痛者立法也。

桂枝生姜枳实汤方

桂枝五两　生姜三两　枳实五枚

上三味，以水六升，煮取三升，去滓，分温三服。

尤在泾：心悬痛，谓如悬物动摇而痛，逆气使然也。桂枝、枳实、生姜，辛以散逆，苦以泄痞，温以祛寒也。

胸痹，胸痛彻背，背痛彻胸者，乌头赤石脂丸主之。

尤在泾：心痛彻背，阴寒之气遍满阳位，故前后牵引作痛。沈氏云，邪感心包，气应外俞，则心痛彻背；邪袭背俞，气从内走，则背痛彻心；俞脏相通，内外之气相引，则心痛彻背，背痛彻心。即经所谓寒气客于背俞之脉，其俞注于心，故相引而痛是也。乌、附、椒、姜同力协济，以振阳气而逐阴邪；取赤石脂者，所以安心气也。

乌头赤石脂丸方

乌头一两　蜀椒一两　附子半两　干姜一两　赤石脂一两

上五味，末之，蜜为丸，如梧子大，先食服一丸，日三服。不知稍增，以知为度。

《金鉴》：上条心痛彻背尚有休止之时。故瓜蒌薤白白酒加半夏汤平剂治之；此条心痛彻背、背痛彻心，是连连痛而不休，则为阴寒邪甚，浸浸乎阳光欲熄，故以乌头赤石脂丸主之。方中乌、附、椒、姜一派大辛大热，别无他顾，峻逐阴邪而已。

程云来：上证必有沉寒在胃而虫动于膈，故用乌、附、石脂以温胃，干姜、蜀椒以杀虫。

九种心痛，九痛丸主之。兼治卒中恶，腹胀痛，口不能言；又治连年积冷，流注，心胸间，并冷冲上气；亦治落马、坠车、瘀血等疾。

注：此节依涪古本及《金匮要略》补。

程云来：九痛者，一虫心痛、二注心痛、三风心痛、四悸心痛、五食心痛、六饮心痛、七冷心痛、八热心痛、九去来心痛。虽分九种，不外积聚、痰饮、结血、虫注、寒冷而成。附子、巴豆散寒冷而破坚积；狼牙、茱萸杀虫注而除痰饮；干姜、人参理中气而和胃脘，相将治九种之心痛。巴豆除邪杀鬼，故治中恶，腹胀痛，口不能言；连年积冷，流注心胸痛，冷气上冲，皆宜于辛热。辛热能行血破血，落马、坠车、凝血积者，故并宜之。

九痛丸方

附子三两（炮）　生狼牙一两（炙香）（《千金方》用生狼毒四两）　巴豆一两（去皮心，熬，研如脂）　人参一两　干姜一两　吴茱萸一两

上六味，末之，炼蜜丸如梧子大，酒下，强人初服三丸，日三服，弱者二丸。忌口如常法。

胸痹，其人常欲蹈其胸上，先未苦时，但欲饮热者，旋覆花汤主之。

尤在泾：其人常欲蹈其胸上，胸者肺之位，蹈之欲使气内鼓而出。以肺犹橐龠，抑

之则气反出也。先未苦时但欲饮热者，欲痹着之气得热则行，迨既痹则亦无益矣。旋覆花咸温下气散结，新绛和其血，葱叶通其阳。结散阳通，气血以和，而痹愈肺亦和矣。

旋覆花汤方

旋覆花三两　葱十四茎　新绛少许

上三味，以水三升，煮取一升，顿服。

《别录》：绛，茜草也。

胸痹，心下悸者，责其有痰也，半夏麻黄丸主之。

赵以德：悸者，心中惕惕然动，怔忡而不安也。或因形寒饮冷得之。夫心主脉，寒伤荣则脉不利，饮冷则水停，水停则中气不宣，脉不利，由是心火郁而致动。用麻黄以散荣中寒，半夏以散心下水耳。

半夏麻黄丸方

半夏　麻黄各等分

上二味，末之，炼蜜和丸，如小豆大，饮服三丸，日三服。

徐忠可：悸则为阴邪所困而心气不足。阴邪者，痰饮也，故以半夏主之，而合麻黄，老痰非麻黄不去也。每服三丸，日三服，以渐去之。静伏之痰，非可骤却耳。

第九节　辨妇人各病脉证并治

一、妊娠病

师曰：妇人得平脉，阴脉小弱，其人呕，不能食，无寒热，此为妊娠，桂枝汤主之。于法六十日当有此证，设有医治逆者，却一月加吐下者，则绝之。

魏念庭：妇人男子同其脏腑而气血分主不同，故妇人三十六病，不列于凡病一百九十八证之内。此三十六病大约皆经血通闭，胎孕生产之故，悉男子所无者也，所以另立妇人病为一卷，而首言妊娠。妇人经血应乎月，故三十日一至；男子精气应乎日，故随时可得。男阳物也，阳静专而动直；妇人阴物也，阴静翕而动辟。妇人二十九日经血不至，静翕也；每月一至，动辟也。辟则能受矣。男子淡然无欲，则精气不知在何所以存，精专也；欲动情盛则精气不知自何而来，动直也。《易》云：天地细缊，万物化醇，男女媾精，万物化生，此妊娠之所由成也。

尤在泾：平脉，脉无病也，即《内经》身有病而无邪脉之意。阴脉小弱者，初时胎气未盛而阴方受蚀，故阴脉比阳脉小弱。至三四月经血久蓄，阴脉始强，《内经》所谓手少阴脉动者妊子，《千金》所谓三月尺脉数是也。其人呕，妊子者内多热也，今妊妇二三月往往恶阻不能食是也。无寒热者，无邪气也，夫脉无故而身有病，而又非寒热邪气，则无可施治，唯宜桂枝汤和调阴阳而已。

徐氏：桂枝汤外证得之为解肌和荣卫，内证得之为化气调阴阳也。六十日当有此证者，谓妊娠两月正当恶阻之时，设不知而妄治，则病气反增，正气反损，而呕泻有加矣。绝之，谓禁绝其医药也。

楼全善：尝治一妇恶阻病吐，前医愈治愈吐，因思仲景绝之之旨，以炒糯米汤代茶，止药月余渐安。

桂枝汤方　见太阳病上篇

妇人宿有癥病，经断未及三月，而得漏下不止，胎动在脐上者，此为癥痼害。妊娠

六月动者，前三月经水利时，胎也。下血者，断后三月衃也。所以血不止者，其癥不去故也，当下其癥，桂枝茯苓丸主之。

徐忠可：妇人行经时遇冷，则余血留而为癥。癥者，谓有形可征。然癥病女人恒有之，或不在子宫则仍行经而受孕，经断即是孕矣。未及三月，将三月也。既孕而仍见血，谓之漏下。今未及三月而漏下不止，则养胎之血伤，故胎动。假使动在脐下，则真欲落矣。今在脐上，是每月凑集之新血，因癥气相妨而为漏下，实非胎病，故曰癥痼害。宿疾难愈，曰痼。无端而累之，曰害。至六月胎动，此宜动之时矣，但较前三月经水利时胎动下血则已断血三月不行，乃复血不止是前之漏下新血去而癥反坚牢不去，故须下之为安。药用桂枝茯苓丸者，桂枝、芍药一阳一阴，茯苓、丹皮一气一血，调其寒温，扶其正气；桃仁以之破恶血，消癥癖，而不嫌伤胎血者，所谓有病则病当之也。每服甚少，而频更巧，要知癥不碍胎其结原微，故以渐磨之。

《楼氏纲目》：凡胎动多在当脐，今动在脐上，故知是癥也。

桂枝茯苓丸方

桂枝　茯苓　牡丹皮　桃仁　芍药各等分

上五味，末之，炼蜜为丸，如兔屎大。每日食前服一丸。不知，可渐加至二丸。

赵以德：桂枝、桃仁、丹皮、芍药能去恶血，茯苓亦利腰脐间血，即是破血。

程云来：牡丹、桃仁以攻癥痼，桂枝以和卫，芍药以和荣，茯苓以和中，五物相需为治妊娠有癥痼之小剂。

妇人怀孕六七月，脉弦发热，其胎愈胀，腹痛，恶寒，少腹如扇，所以然者，子脏开故也，当以附子汤温之。

徐忠可：怀孕至六七月，此胃与肺养胎之时也。脉弦者，卫气结则脉弦。发热者，内中寒亦作热也。寒固主张，弦脉使人胃胀。六七月胃肺养胎而气为寒所滞，故始胀尚可，至此则胎愈胀也。寒在内则腹痛恶寒，然恶寒有属表者，此连腹痛则知寒伤内矣。少腹如扇，阵阵作冷若或扇之也，此状其恶之特异者；且独在少腹，盖因子脏受寒不能阖，故少腹独甚。子脏者，子宫也。开者，不敛也。附子能入肾温下焦，故曰宜以附子汤温其脏。

附子汤方 见少阴病篇

师曰：妇人有漏下者，有半产后续下血都不绝者，假令妊娠腹中痛者，此为胞阻，

胶艾汤主之。

徐忠可：此段概言妇人下血宜以胶艾汤温补其血，而妊娠亦其一。但致病有不同，无端漏下者，此平日血虚而加客邪；半产后续下血不绝，此因失血血虚而正气难复；若妊娠下血如前之因癥者，固有之，而兼腹中痛，则是因胞阻。阻者，阻其欲行之血而气不相顺，非癥痼害也，故同以胶艾汤主之。盖芎、归、地、芍，此四物汤也，养阴补血莫出其上。血妄行必挟风而为痰浊，阿胶能去风澄浊，艾性温而善行，能导血归经，甘草以和之使四物不偏于阴，三味之力也。而运用之巧，实在胶艾。

胶艾汤方

地黄六两　芎䓖二两　阿胶二两　艾叶三两　当归三两　芍药四两　甘草二两

上七味，以水五升，清酒三升，煮六味取三升，去滓，内胶烊消。温服一升，日三服。

程云来：胶艾主乎安胎，四物主乎养血，和以甘草，行以酒势，血能循经养胎，则无漏下之患。

妇人怀妊，腹中㽲痛，当归芍药散主之。

尤在泾：《说文》：㽲，腹中急也。乃血不足，而水反侵之也。血不足而水浸，则胎失其所养，而反得其所害矣，腹中能无㽲痛乎？芎、归、芍药益血之虚，苓、术、泽泻除水之气。赵氏曰：此因脾土为木邪所客，谷气不举，湿气不流，挎于阴血而痛。故用芍药多他药数倍，以泻肝木，亦通。

当归芍药散方

当归三两　芍药一斤　茯苓四两　白术四两　泽泻半斤　芎䓖三两

上六味，杵为散。取方寸匕，温酒和，日三服。

陈灵石：怀妊腹痛多属血虚，而血生于中气，中者，土也，土过燥不生物，故以归、芎、芍药滋之；土过湿亦不生物，故以苓、术、泽泻渗之。燥湿得宜，则中气治而血自生，其痛自止。

程云来：和以酒服者，借其势以行药力。日三服，则药力相续而腹痛自止也。

妊娠呕吐不止，干姜人参半夏丸主之。

赵以德：此即后世所谓恶阻病也。先因脾胃虚弱，津液留滞蓄为痰饮，至妊娠二月之后，胚化成胎，浊气上冲，中焦不胜其逆，痰饮逐涌，呕吐而已，中寒乃起。故用干姜止寒，人参补虚，半夏、生姜治痰饮散逆也。

干姜人参半夏丸方

干姜二两　人参一两　半夏二两

上三味，末之，以生姜汁糊为丸，如梧子大，每服饮下五丸，日三服。

魏念庭：妊娠呕吐不止者，下实上必虚，上虚胸胃必痰饮凝滞而作呕吐，且下实气必逆而上冲，亦能动痰饮而为呕吐。方用干姜温益脾胃，半夏开降逆气，人参补中益气，为丸缓以收益补之功，用治虚寒妊娠家至善之法也。

程云来：寒在胃脘则令呕吐不止，故用干姜散寒，半夏生姜止呕，人参和胃。

陈修园：半夏得人参不唯不碍胎，且能固胎。

黄坤载：此方以生姜汁炼蜜为丸，治反胃呕吐；甚则加茯苓更妙。

妊娠小便难，饮食如故，当归贝母苦参丸主之。

赵以德：小便难者，膀胱热郁气结成燥，病在下焦不在中焦，所以饮食如故。用当归和血润燥；《本草》贝母治热淋，以仲景陷胸汤观之，乃治肺金燥郁之剂，肺是肾水之母，水之燥郁由母气不化也，贝母非治热，郁解则热散，非淡渗利水也，结通则水行；苦参长于治热利窍逐水，佐贝母入行膀胱以除热结也。

当归贝母苦参丸方

当归四两　贝母四两　苦参四两

上三味，末之，炼蜜为丸，如小豆大。饮服三丸，日三服。

妊娠有水气，小便不利，洒淅恶寒，起即头眩，葵子茯苓散主之。

尤在泾：妊娠小便不利与上条同，而身重、恶寒、头眩，则全是水气为病，视虚热液少者，霄壤悬殊矣。葵子茯苓散滑窍行水，水气既行，不淫肌体，身不重矣；不侵卫阳，不恶寒矣；不犯清道，不头眩矣。《经》曰“有者求之，无者求之”，盛虚之变，不可不审也。

葵子茯苓散方

葵子一斤　茯苓三两

上二味，杵为散。饮服方寸匕，日三服。小便利则愈。

程云来：葵子之滑可以利窍，茯苓之淡用以渗泄，二物为利水之轻剂。

妇人妊娠，身无他病，宜常服当归散，则临产不难，产后亦免生他病。

徐忠可：宜常服者，虽无病亦宜服之也。盖生物者土也，而土之所以生物者，湿也，血为湿化，胎尤赖之。故以当归养血；芍药敛阴；肝主血而以芎䓖通肝气；脾统血而以白术健脾土；安胎之法，唯以凉血利气为主，黄芩能清肺而利气之源，白术佐之则湿无热而不滞，故白术佐黄芩有安胎之能；胎产之难，皆由热郁而燥，机关不利，养血健脾君以黄芩，自无燥热之患。故曰：常服则临产不难，产后亦免生他病也。

当归散方

当归一斤　黄芩一斤　芍药一斤　芎䓖一斤　白术半斤

上五味，杵为散。酒服方寸匕，日再服。

《方氏丹溪心法附余》：此方养血清热之剂也。瘦人血少有热，胎动不安，素曾半产者，皆宜服之，以清其源而无患也。

妊娠身有寒湿，或腹痛，或心烦心痛，不能饮食，其胎跃跃动者，宜养之，白术散主之。

尤在泾：妊娠伤胎，有因湿热者，亦有因湿寒者，随人脏气之阴阳而各异也。当归散正治湿热之剂；白术散白术、牡蛎燥湿，川芎温血，蜀椒去寒，则正治湿寒之剂也。仲景并列于此，其所以诏示后人者深矣。

程云来：痰饮在心膈，故令人心烦、吐痛，不能食饮。白术主安胎为君，芎䓖主养胎为臣，蜀椒主温胎为佐，牡蛎主固胎为使。按瘦而多火者，宜用当归散；肥而有寒者，宜用白术散。不可混施也。

白术散方

白术　芎䓖　蜀椒（去目，汗）　牡蛎各等分

上四味，杵为散。酒服一钱匙，日三服，夜一服。

魏念庭：白术散为妊娠胃气虚寒，水湿痰饮逆于上而阴寒凝滞血气阻闭于下通治之方也。

妇人怀身七月，腹满不得小便，从腰以下如有水状，此太阴当养不养，心气实也，

宜泻劳宫、关元，小便利则愈。

尤在泾：腹满不得小便，从腰以下重，如有水气而实，非水也。所以然者，心气实故也。心君火也，为肺所畏，而妊娠七月，肺当养胎，心气实，则肺不敢降而胎失其养，所谓太阴当养不养也。夫肺主气化者也，肺不养胎则胞中之气化阻而水乃不行矣，腹满、便难、身重职是故也。是不可治其肺，当利劳宫以泻心气，刺关元以行水气，使小便微利则心气降，心降而脾自行矣。

程云来：七月手太阴肺经养胎，金为火乘则肺金受伤而胎失所养，又不能通调水道，故有腹满不得小便，从腰下如有水气状也。劳宫穴在手心，厥阴心主穴也，泻之则火不乘金矣。关元穴在脐下三寸，为小肠之募，泻之则小便通利矣。此穴不可妄用，刺之能落胎。

《脉经》：妇人怀胎，一月之时足厥阴脉养，二月足少阳脉养，三月手心主脉养，四月手少阳脉养，五月足太阴脉养，六月足阳明脉养，七月手太阴脉养，八月手阳明脉养，九月足少阴脉养，十月足太阳脉养。诸阴阳各养三十日，活儿。手太阳、少阴不养者，下主月水，上为乳汁，活儿养母。怀娠者，不可灸刺其经，必堕胎。

二、产后病

问曰：新产妇人有三病，一者病痉，二者郁冒，三者大便难，何谓也？师曰：新产血虚，多汗出，喜中风，故令病痉；亡血复汗，寒多，故令郁冒；亡津液，胃燥，故大便难。

程云来：产后颈项拘急，口噤，背反张者，为痉。以新产荣虚，卫气慓悍，但开其腠理，则汗易出而风寒易入，故令病痉。产后血晕者为郁冒，又名血厥。《经》曰：诸乘寒者则为厥，郁冒不仁，以亡血复汗则阳又虚，阳虚则寒，故令郁冒。大便难者，亡血则虚其阴，汗出则虚其阳，阴阳俱虚则津液内竭，肠胃干燥，故大便难。此新产妇人有三病也。

陈修园：此为产后提出三病以为纲，非谓产后止此三病也。

产妇郁冒，其脉微弱，呕不能食，大便反坚，但头汗出。所以然者，血虚而厥，厥则必冒。冒家欲解，必大汗出，以血虚下厥，孤阳上出，故头汗出。所以产妇喜汗出者，亡阴血虚，阴气独盛，故当汗出，阴阳乃复。大便坚，呕不能食者，小柴胡汤主之。

尤在泾：郁冒虽有客邪，而其本则为里虚，故其脉微弱也。呕不能食，大便反坚，但头汗出，津气上行而不下逮之象。所以然者，亡阴血虚，孤阳上厥而津气从之也。厥者必冒，冒家欲解，必大汗出者，阴阳乍离，故厥而冒，及阴阳复通，汗乃大出而解也。产妇新虚不宜多汗，而此反喜汗出者，血去阴虚，阳受邪气而独盛，汗出则邪去，阳弱而后与阴相合，所谓损阳而就阴是也。小柴胡主之者，以邪气不可不散，而正虚不可不顾，唯此法为解散客邪而和利阴阳耳。

徐忠可：此为郁冒与大便难之相兼者详其病因与治法也。大便坚，非热多，乃虚燥也。呕非寒，乃胆气逆也。不能食，非实邪，乃胃有虚热也。故以柴胡、参、甘、芩、半、姜、枣和之。

《金匮辑义》：产后血晕有两端：其去血过多而晕者，属气脱，其证眼闭口开，手撒手冷，六脉微细或浮是也；下血极少而晕者，属血逆，其证胸腹胀痛，气粗，两手握拳，牙关紧闭是也。二者证治霄壤，服药一差，生死立判，宜审辨焉。而本条所论小柴胡汤，是专治妇人草蓐伤风，呕而不能食者。若以为产后郁冒之方，则误人殆多矣。

小柴胡汤方　见太阳病中篇

病解能食，七八日更发热者，此为胃实，大承气汤主之。

沈明宗：此即大便坚，呕不能食，用小柴胡汤而病解能食也，病解者，谓郁冒已解。能食者，乃余邪隐伏胃中，风热炽盛而消谷，但食入于胃，助起余邪复盛，所以七八日而更发热，故为胃实。是当荡涤胃邪为主，故用大承气峻攻胃中坚垒，俾无形邪相随有形之滞一扫尽出，则病如失。仲景本意发明产后气血虽虚，然有实证即当治实，不可顾虑其虚，反致病剧也。

大承气汤方　见阳明病篇

产后腹中疞痛，若虚寒不足者，当归生姜羊肉汤主之。

魏念庭：妊娠腹中疞痛，胞阻于血寒也。产后腹中疞痛者，里虚而血寒也。一阻一虚而治法异矣，阻则用通而虚则用塞。主之以当归生姜羊肉汤，大约为血虚里虚者主治也。

程云来：产后血虚有寒，则腹中急痛。《内经》曰：味厚者为阴，当归羊肉味厚者也，用以补产后之阴，佐生姜以散腹中之寒，则疞痛自止。夫辛能散寒，补能去弱，三味辛温补剂也，故并主虚劳寒疝。

当归生姜羊肉汤方 见厥阴病篇

《丹溪心法》：当产寒月，脐下胀满，手不可犯，寒入产门故也。服仲景羊肉汤，二服愈。

产后腹痛，烦满不得卧，不可下也，宜枳实芍药散和之。

《金鉴》：产后腹痛，不烦不满，里虚也。今腹痛烦满不得卧，里实也。气结血凝而痛，故用枳实破气结，芍药调腹痛，佐以麦粥，恐伤产妇之胃也。

枳实芍药散方

枳实　芍药等分

上二味，杵为散。服方寸匕，日三服，麦粥下之。

师曰：产后腹痛，法当以枳实芍药散，假令不愈，必腹中有瘀血著脐下也，下瘀血汤主之。

尤在泾：腹痛服枳实芍药散，假令不愈者，以有瘀血在脐下著而不去，是非攻坚破积之剂不除矣。大黄、桃仁、䗪虫下血之力颇猛，用蜜丸者缓其性，不使骤发，恐伤上、中二焦也。酒煎顿服，治下制以急，去疾唯恐不尽也。

下瘀血汤方 见瘀血病篇

产后七八日，无太阳证，少腹坚痛，此恶露不尽也；若不大便，烦躁发热，脉微实者，宜和之；若日晡所烦躁，食则谵语，至夜即愈者，大承气汤方主之。

徐忠可：此条言产后恶露不尽，有血瘀而病实不在血，因腹内有热致血结膀胱，其辨尤在“至夜即愈”四字。谓产后七八日则本虚稍可矣，无太阳证则非头痛发热恶寒之表证矣。乃少腹坚痛，非恶露不尽而何。然而不大便，则为肠胃中燥热，烦躁发热则为实热上攻；脉微实则又非虚比，日晡烦躁则为脾胃郁热证，更食则谵语胃热尤确，诸皆热结肠胃之证，而非恶露不尽本证也。况至夜即愈，病果在阴则宜夜重，而夜反愈，岂非实热内结乎？故以大承气汤主之，意在通其热结以承接其元气，则恶露自行。不必如前之单下瘀血，恐单去血而热不除，则并血亦未必能去也。

尤在泾：大承气汤中大黄、枳实均为血药，仲景取之者，盖将一举而两得之欤。

合信氏：产后四五日内略见血露初红，六七日后渐变而黄而白。血露之用洗涤之宫，与平日经水不同。或二十日，或十余日不妨。

产后中风，数十日不解，头痛，恶寒发热，心下满，干呕，续自微汗出，小柴胡汤主之。

黄竹斋：此节中风，头痛，恶寒发热，干呕，汗出诸证皆是桂枝汤证，唯得之数十日之久不解，而心下满则邪已入少阳之半表半里矣，故以小柴胡汤主之也。

产后中风，发热面赤，头痛而喘，脉弦数者，竹叶汤主之。

魏念庭：产后中风，即伤风也。发热面赤，喘而头痛，似是阴虚阳盛之感风矣，不知热之所上炎者，携风势也，标也；而风之所以不能去者，无正阳气也，本也。主之以竹叶汤，竹叶、葛根、桔梗清热解其表热之风邪，人参、甘草、大枣、生姜补助其本虚之元气。

竹叶汤方

竹叶一把　葛根三两　桔梗一两　人参一两　甘草一两　生姜五两　大枣十五枚

上七味，以水八升，煮取三升，去滓。温服一升，日三服。

产后烦乱呕逆，无外证者，此乳中虚也，竹皮大丸主之。

唐容川：中焦受气取汁，上入心以变血，下安胃以和气。乳汁去多则中焦虚乏，上不能入心以化血，则心神无依而烦乱；下不能安胃以和气，则冲气上逆而为呕逆。其方君甘草、枣肉以填补中宫，化生津液；而又用桂枝、竹茹达心通脉络，以助生心血，则神得凭依而烦乱止；用石膏、白薇以清胃降逆，则气得安养而呕逆除。然此四药相辅而行，不可分论，必合致其用乃能调阴和阳，成其为大补中虚之妙剂也。

竹皮大丸方

竹茹二分　石膏二分　桂枝一分　甘草七分　白薇一分

上五味，末之，枣肉和丸，如弹子大。饮服一丸，日三服，夜二服。有热倍白薇。

程云来：竹茹甘寒以除呕啘；石膏辛寒以除烦逆；白薇咸以治狂惑邪气；夫寒则泥膈，佐桂枝以宣导；寒则伤胃，佐甘草以和中。有热倍白薇，白薇能除热也。用枣肉为丸者，统和诸药以安中益气也。

《济阴纲目》：中虚不可用石膏，烦乱不可用桂枝，此方以甘草七分，配众药六分，又以枣肉为丸，仍以一丸饮下。可想其立方之微，用药之难，审虚实之不易也。

产后下利，脉虚极者，白头翁加甘草阿胶汤主之。

魏念庭：产后下利虚极者，自当大补其气血矣。不知其人虽极虚，而下利者，乃挟热之利，补之则热邪无出，其利必不能止也。主之以白头翁加甘草阿胶汤，清热燥湿，补中理气，使热去而利止。亦治虚热下利之妙方，不止为产后论治矣。

白头翁加甘草阿胶汤方 见厥阴病篇

妇人在草蓐，自发露得风，四肢苦烦热，头痛，与小柴胡汤。头不痛但烦者，三物黄芩汤主之。

黄竹斋：此节同下节依涪古本补，《金匮要略》附方引《千金方》。

徐忠可：此言产妇有暂感微风，或在半表半里，或在下焦，风湿合或生虫，皆能见四肢烦热证，但以头之痛不痛为别耳，故为在草蓐，是未离产所也。自发露得风，是揭盖衣被稍有不慎而暂感也。产后阴虚，四肢在亡血之后，阳气独盛又得微风则苦烦热。然表多则上入而头痛，当以上焦为重，故主小柴胡和解。若从下受之，而湿热结于下，则必生虫，而头不痛。故以黄芩清热为君，苦参去风杀虫为臣，而以地黄补其元阴为佐。曰：多吐下虫，谓虫得苦参必不安，其上出下出正未可知也。

三物黄芩汤方

黄芩一两　苦参二两　干地黄四两

上三味，以水六升，煮取二升，去滓。温服一升，多吐下虫。

苦参、地黄皆能杀三虫，下䘌虫，而虫之生多因肠热，故用黄芩以清之也。

产后虚羸不足，腹中疞痛，吸吸少气，或苦少腹拘急，痛引腰背，不食。产后一月，日得服四五剂为善，令人强壮。宜内补当归建中汤主之。

沈明宗：产后体虽无病，血海必虚，若中气充实，气血虽虚，易能恢复。或后天不能生血充于血海，则见虚羸不足。但血海虚而经络之虚是不待言，因气血不利而瘀，则腹中疞痛。冲任督带内虚，则苦少腹拘急，痛引腰背。脾胃气虚，则吸吸少气不能食。故用桂枝汤调和荣卫，加当归欲补血之功居多。若大虚加胶饴，峻补脾胃而生气血。若去血过多，崩伤内衄，乃血海真阴大亏，故加地黄、阿胶汤以培之。方后云：无生姜以干姜代之，乃温补之中兼引血药入血分生血，其义更妙。

内补当归建中汤方

当归四两　桂枝三两　芍药六两　生姜三两　甘草二两（炙）　大枣十二枚

上六味，以水一斗，煮取三升，去滓。分温三服，一日令尽。若大虚，加饴糖六两，汤成内之，于火上暖令饴消。若去血过多，崩伤内衄不止，加地黄六两，阿胶二两，合八味，汤成内阿胶。若无当归，以芎藭代之。若无生姜，以干姜代之。

《巢氏病源》：吐血有三种，一曰内衄，出血如鼻血，但不从鼻孔出，或去数升乃至一斛是也。

三、妇人杂病

妇人咽中如有炙脔者，半夏厚朴茯苓生姜汤主之。

赵以德：上焦阳也，卫气所治，贵通利而恶闭郁，郁则津液不行，而积为涎。胆以咽为使，胆主决断，气属相火，遇七情至而不决，则火亦郁而不发，不发则焰不达，不达则气如咽，与痰涎结聚胸中，故若炙脔。用半夏等药散郁化痰而已。

半夏厚朴茯苓生姜汤方

半夏一升　厚朴三两　茯苓四两　生姜五两

上四味，以水一斗，煮取四升，去滓，温服一升，日三服，夜一服，痛者，加桔梗一两。《金匮要略》本方有干苏叶二两。

《金鉴》：即今之梅核气病也。此病得于七情郁气，凝涎而生。故用半夏、厚朴、生姜辛以散结，苦以降逆，茯苓佐半夏以利饮行涎，紫苏芳香以宣通郁气，俾气舒涎去，病自愈矣。此证男子亦有，不独妇人也。

妇人脏躁，悲伤欲哭，数欠伸，象如神灵所作者，甘草小麦大枣汤主之。

尤在泾：脏躁，沈氏所谓子宫血虚，受风化热者是也。血虚脏躁，则内火扰而神不宁，悲伤欲哭，使魂魄不安者，血气少而属于心也。数欠伸者，《经》云：肾为欠、为嚏。又肾病者善伸数欠、颜黑。盖五志生火，动必关心，脏阴既伤，穷必及肾也。小麦为肝之谷而善养心气，甘草、大枣甘润生阴，所以滋脏气而止其燥也。

《汉药神效方》：妇人脏躁，西医谓之子宫痫，即今舞蹈病。

甘草小麦大枣汤方

甘草三两　小麦一升　大枣十枚（擘）

上三味，以水六升，煮取三升，去滓，分温三服。

程云来：悲则心系急，甘草、大枣甘以缓诸急也。小麦谷之苦者，《灵枢经》曰：心病者，宜食麦，是谷先入心矣。

《本事方》：乡里有一妇人，数欠伸，无故悲泣不止。或谓之有祟，祈禳请祷备至，终不应。用麦甘大枣汤。尽剂而愈。

《妇人良方》：程虎卿内人妊娠四五个月，遇昼则惨戚悲伤泪下，数欠如有所凭。医巫兼治，皆无益。与大枣汤一投而愈。

妇人吐涎沫，医反下之，心下即痞，当先治其涎沫，后治其痞。治吐涎沫，宜桔梗甘草茯苓泽泻汤；治痞，宜泻心汤。

尤在泾：吐涎沫，上焦有寒也，不与温散而反下之，则寒内入而成痞，如伤寒下早例也。然虽痞而犹吐涎沫，则上寒未已，不可治痞，当先治其上寒，而后治其中痞。亦如伤寒例，表解乃可攻痞也。

桔梗甘草茯苓泽泻汤方

桔梗三两　甘草二两　茯苓三两　泽泻二两

上四味，以水五升，煮取三升，去滓。温服一升，日三服。

黄竹斋：水饮结于上焦胸肺之间则吐涎沫。仲景用桔梗、甘草治肺痈时出浊唾，本方再加以茯苓、泽泻，俾上溢之水饮由小便而去也。

泻心汤方　见吐衄病篇，据《千金》当是甘草泻心汤

妇人之病，因虚积冷结，为诸经水断绝，血结胞门。或绕脐疼痛，状如寒疝；或痛在关元，肌若鱼鳞；或阴中掣，少腹恶寒；或引腰脊，或下气街。此皆带下，万病一言。察其寒热，虚实紧弦，行其针药，各探其源。子当辨记，勿谓不然。

徐忠可：此段叙妇人诸病之由，所以异于男子，全从经起，舍此则与男子等也。因虚积冷结，为诸经水断绝，血结胞门数句，为一篇纲领。谓人不虚则邪不能乘之，因虚故偶感之冷不化而积。气热则行，冷则凝，冷气凝滞久则结。结者，不散也。血遇冷气

而不行则经水断绝，然有微甚不同，故曰诸。胞门，即子宫所通阴中之门也，为经水孔道，冷则瘀积而碍其月水之来矣。上焦之元气或盛，而无客邪并之，则寒邪不能上侵，盘结在中。脐主中焦，故绕脐寒疝。寒疝，寒痛也。若其人中气素热，下邪并之即为热中病，而关元之寒，客热不能消之，故痛仍在。而客热所至，荣气作燥，故肌若鱼鳞。鱼鳞者，肌粗不滑之状也。关元以下，寒冷或多，则冷低而经不全妨，但期候不调匀。冷近于阴，故阴痛掣抽痛，于是少腹阳气少则恶寒矣。或引腰脊，谓病侵下之经络，则自腰脊气冲膝胫无往不痛者有之。此皆带脉已下为病。其病之初发，各因形体之寒热为寒热，变虽万端，总不出乎阴阳虚实。而独以紧弦为言者，盖经阻之始大概属寒，故气结则为弦，寒甚则为紧耳。示人以二脉为主，而参之兼脉也。针药者，各有相宜也。然病形虽同，脉有各异，所异之部即为病源。此段为妇科辨证论治之最要语，故令辨记且戒之耳。

问曰：妇人年五十所，病下血数十日不止，暮即发热，少腹里急，腹满，手掌烦热，唇口干燥，何也？师曰：此病属带下。何以知之？曾经半产，瘀血在少腹不去，故唇口干燥也。温经汤主之。

程云来：妇人年逾七七则任脉虚，太冲脉衰少，天癸竭，地道不通。今病下血数十日不止，下多则亡阴，阴虚则暮发热也。任冲之脉皆起于少腹，任冲虚则少腹急，有瘀血则少腹满也。阴虚不能济火，故手掌烦热。血虚不足以荣唇口，故唇口干燥也。妇人五十而有此病，则属带下。以其人曾经半产，犹有瘀血著于少腹不去。故《内经》曰：任脉为病，女子则带下瘕聚也。既已经半产则任冲伤，年逾七七则任冲竭，任冲之脉不能以荣唇口，则唇口干燥，知有瘀血也。故以温经汤治之。

温经汤方

吴茱萸三两　当归二两　芎䓖二两　芍药二两　人参二两　桂枝二两　阿胶二两　牡丹皮二两　甘草二两　生姜二两　半夏半斤　麦冬一升

上十二味，以水一斗，煮取三升，去滓。日三服，每服一升，温饮之。原本无半夏、麦冬，作上十味，今依《金匮要略》补。

程云来：妇人有瘀血，当用前证下瘀血汤，今妇人年五十，当天癸竭之时，又非下药所宜，故以温药治之，以血得温即行也。经寒者，温以茱萸、姜、桂；血虚者，益以芍药、归、芎；气虚者，补以人参、甘草；血枯者，润以阿胶、麦冬；半夏用以止带下，牡丹用以逐坚癥。十二味为养血温经之剂，则瘀血自行而新血自生矣。故亦主不孕、崩中而调月水。

徐灵胎：此调经总方。

妇人少腹寒，久不受胎，或崩中去血，或月水来过多，或至期不来。温经汤主之。 此节依涪古本及《金匮要略》。

《金鉴》：曾经半产崩中，新血难生，瘀血未尽，风寒客于胞中，为带下，为崩中，为经水愆期，为胞寒不孕。均用温经汤主之者，以此方生新去瘀，暖子宫补冲任也。

经水不利，少腹满痛，或一月再经者，王瓜根散主之。阴肿者，亦主之。

程云来：胞中有寒，则血不行而经水不利，积于少腹则满痛也。妇人经水上应太阴之盈亏，下应海潮之朝夕，故月月经行相符而不失其常轨。今经一月再见，则经停积一月不行矣，故用王瓜根散以下积血。㿗疝亦凝血所成，故此方亦主之。

王瓜根散方

王瓜根三分　芍药三分　桂枝三分　䗪虫三枚

上四味，杵为散。酒服方寸匕，日三服。

赵以德：此亦因瘀血而病者，王瓜根能通月水，消瘀血，生津液，津生则化血也；芍药主邪气腹痛，除血痹，开阴寒；桂枝通血脉，引阳气；䗪虫破血积，以酒行之。非独血积冲任者有是证，肝藏血主化生之气，与冲任同病而脉循阴器，任督脉亦结阴下，瘀血流入作痛，下坠出阴户，故皆用是汤主之。

徐灵胎：此治瘀血伏留在冲脉之方。

妇人半产若漏下者，旋覆花汤主之；脉虚弱者，黄芪当归汤主之。

徐忠可：半产或下血而为漏下，此因虚而寒气结也，结则气不摄血，而为漏下矣。故以旋覆开结气而通其虚中之滞，加葱行其气也，加绛少许为血分引经耳。

旋覆花汤方　见胸痹病篇

黄芪当归汤方

黄芪二两半　当归半两

上二味，以水五升，煮取三升，去滓。温服一升，日三服。

黄竹斋：黄芪当归汤，《兰室秘藏》名为当归补血汤，《济阳纲目》取治一切去血过多之证。此用之以治半产漏下，其旨符合也。黄芪补益气分药也，当归补益血分药也。血无气则不行，故用五倍之黄芪以为当归之徒卒以引血归经，自无气不摄血漏下之患矣。

妇人陷经漏下，色黑如块者，胶姜汤主之。

李珥臣：陷经漏下，谓经脉下陷而血漏下不止，乃气不摄血也。黑不解者，瘀血不去则新血不生，荣气腐败也。然气血喜温恶寒，用胶姜汤温养气血，则气盛血充，推陈致新而经自调矣。

程云来：血与气俱行则活而红，血不行则死，死则黑也。此血凝于下焦，故下黑不解。胶姜汤，其亦温经行血剂欤。

胶姜汤方

阿胶三两　地黄六两　芎䓖二两　生姜三两　当归三两　芍药三两　甘草二两

上七味，以水五升，清酒三升，先煮六味取三升，去滓，内胶烊消，温服一升，日三服。

黄竹斋：本方即胶艾汤，以生姜易艾叶。

陈修园：阿胶养血平肝，祛瘀生新，生姜散寒升气。亦陷者举之，郁者散之，伤者补之、育之之义也。

妇人少腹满如敦状，小便微难而不渴，或经后产后者，此为水与血俱结在血室也，大黄甘遂阿胶汤主之。

尤在泾：《周礼》注：敦，以盛食，盖古器也。少腹满如敦状者，言少腹有形高起如敦之状。小便难，病不独在血矣。不渴，知非上焦气热不化。产后得此，乃是水血并结而病属下焦也。故以大黄下血，甘遂逐水，加阿胶者，所以去瘀浊而兼安养也。

大黄甘遂阿胶汤方

大黄四两　甘遂二两　阿胶三两

上三味，以水三升，煮取一升，去滓。顿服之。

程云来：苦以下结，大黄之苦以下瘀血，甘遂之苦以逐留饮；滑以利窍，阿胶之滑以利小便。为行水下结血之剂。

妇人时腹痛，经水时行时止，止而复行者，抵当汤主之。

魏念庭：妇人经水不利快而下，有瘀血在血室也。非得之新产后，则血之积于血室坚而成衃必矣。不同生后之积血易为开散也，必用攻坚破积之治，舍抵当不足以驱逐矣。

抵当汤方 见太阳病中篇

妇人经水闭，脏坚癖，下白物不止，此中有干血也，矾石丸主之。

尤在泾：脏坚癖者，于脏干血坚凝，成癖而不去也，干血不去，则新血不荣，而经闭不利矣。由是蓄泄不时，胞宫生湿，湿复生热，所积之血转为湿热所腐，而成白物，时时自下，是宜先去其脏之湿热，矾石却水除热，合杏仁破结润干血也。

矾石丸方

矾石三分（烧） 杏仁一分

上二味，末之，炼蜜为丸，枣核大，内脏中，剧者再内之。

程云来：矾石酸涩，烧则质枯，枯涩之品故《神农经》以能止白沃，非涩以固脱之意也。杏仁者非以止带，以矾石质枯，佐杏仁一分以润之，使其同蜜易以为丸，滑润易以内阴中也。此方专治下白物而设，未能攻坚癖下干血也。

《汉方解说》：治带球，治白带下，阴中瘙痒证。子宫膣部及膣黏膜之小溃疡，有奇效。明矾、蛇床子仁六分，樟脑三分，杏仁二分，白粉一分，上为末，以蜂蜜为膣球状，白粉为衣。隔日一个，插入膣中。

妇人六十二种风证，腹中气血如刺痛者，红蓝花酒主之。

尤在泾：妇人经尽、产后，风邪最易袭入腹中，与血气相搏而作刺痛，刺痛，痛如刺也。六十二种未详。红蓝花苦辛温，活血止痛，得酒尤良。不更用风药者，血行而风自去耳。

红蓝花酒方

红蓝花一两

上一味，以酒一斗，煎减半，去滓，分温再服。

张隐庵：红花色赤多汁，生血行血之品也。陶隐居主治胎产血晕，恶血不尽绞痛，胎死腹中。

妇人腹中诸病痛者，当归芍药散主之；小建中汤亦主之。

魏念庭：妇人腹中诸病，血气凝聚而痛作，以当归芍药散主之，生新血之中寓行宿血之义。再有妇人腹中痛，非养血行瘀所可愈者，则中虚之故也，中虚气自运行不快，气运不快则血行多滞，宜补其中生胃阳，而气旺血行痛不作矣，此建中汤之所以主中虚腹痛也。

小建中汤方　见太阳病中篇

问曰，妇人病饮食如故，烦热不得卧，而反倚息者，何也？师曰：此名转胞，不得溺也。以胞系了戾，故致此病，但利小便则愈，肾气丸主之。

尤在泾：饮食如故，病不由中焦也。了戾及缭戾同，胞系缭戾而不顺，则胞为之转。胞转则不得溺也。由是下气上逆而倚息，上气不能下通，而烦热不得卧。治以肾气者，下焦之气肾主之，肾气得理，庶缭者顺、戾者平而闭乃通耳。

肾气丸方　见虚劳病篇

妇人阴寒，蛇床子散主之。

沈明宗：此治阴掣痛，少腹恶寒之方也。胞门阳虚受寒现证不一，非唯少腹恶寒之一证也。但寒从阴户所受，当温其受邪之处则病得愈。故以蛇床子一味大热助其阳，纳入阴中俾子宫得暖，邪去而病自愈矣。

蛇床子散方

蛇床子一两

上一味，末之，以白粉少许，和合相得，如枣大。绵裹内阴中，自温。

赵以德：白粉即米粉，借之以和合也。

《汉药神效方》：妇人阴中痒痛，或白带，或子宫下垂，交合时发痛者，用蛇床子末，和熟艾，置绢袋中，其形如番椒，插入阴中，以尖头插入子宫为佳。

少阴病脉滑而数者，阴中疮也。蚀烂者，狼牙汤主之。

尤在泾：脉滑者湿也，脉数者热也，湿热相合而系在少阴，故阴中即生疮，甚则蚀烂不已。狼牙味酸苦，除邪热气、疥瘙恶疮，去白虫，故取治是病。

狼牙汤方

狼牙三两

上一味，以水四升，煮取半升，去滓。以绵缠箸如茧大，浸汤沥阴中洗之，日四遍。

《汉药神效方》：狼牙即野蜀葵或木兰。

《金鉴》：阴中，即前阴也。生疮蚀烂，乃湿热不洁而生䘌也。用狼牙汤洗之，除湿热 杀䘌也。狼牙非狼之牙，乃狼牙草也，如不得，以狼毒代之亦可。其疮深，洗不可及，则用后法也。

《金匮辑义》：阴蚀乃霉疮之属。

胃气下泄，阴吹而喧如矢气者，此谷道实也，猪膏发煎主之。

尤在泾：阴吹，阴中出声如大便矢气之状，连续不绝，故曰喧。谷道实者，大便结而不通。是以阳明下行之气不得从其故道，而乃别走旁窍也。猪膏发煎润导大便，便通气自归矣。

猪膏发煎方

附篇

六气主客

问曰：六气主客，何以别之？

师曰：厥阴生少阴，少阴生少阳，少阳生太阴，太阴生阳明，阳明生太阳，太阳复生厥阴，周而复始，久久不变，年复一年，此名主气；厥阴生少阴，少阴生太阴，太阴生少阳，少阳生阳明，阳明生太阳，复生厥阴，周而复始，此名客气。

问曰：其始终奈何？

师曰：初气始于大寒，二气始于春分，三气始于小满，四气始于大暑，五气始于秋分，终气始于小雪，仍终于大寒，主客相同，其差各三十度也。

问曰：司天在泉奈何？

师曰：此客气也。假如子午之年，少阴司天，阳明则为在泉，太阳为初气，厥阴为二气，司天为三气，太阴为四气，少阳为五气，在泉为终气；卯酉之年，阳明司天，少阴在泉，则初气太阴，二气少阳，三气阳明，四气太阳，五气厥阴，终气少阴；戌辰之年，太阳司天，太阴在泉；丑未之年，太阴司天，太阳在泉；寅申之年，少阳司天，厥阴在泉；己亥之年，厥阴司天，少阳在泉；其余各气，以例推之。

问曰：其为病也何如？

师曰：亦有主客之分也。假如厥阴司天，主胜，则胸胁痛，舌难以言；客胜，则耳鸣，掉眩，甚则咳逆。少阴司天，主胜，则心热，烦躁，胁痛支满；客胜，则鼽嚏，颈项强，肩背瞀热，头痛，少气，发热，耳聋，目瞑，甚则跗肿，血溢，疮，喑，喘咳。太阴司天，主胜，则胸腹满，食已而瞀；客胜，则首、面、跗肿，呼吸气喘。少阳司天，主胜，则胸满，咳逆，仰息，甚则有血，手热；客胜，则丹疹外发，及为丹熛，疮疡，呕逆，喉痹，头痛，嗌肿，耳聋，血溢，内为瘛疭。阳明司天，主胜，则清复内余，咳，衄，嗌塞，心膈中热，咳不止而白血出者死，金居少阳之位，客不胜主也。太阳司天，主胜，则喉嗌中鸣；客胜，则胸中不利，出清涕，感寒则咳也。厥阴在泉，主胜，则筋骨徭并，腰腹时痛；客胜，则关节不利，内为痉强，外为不便。少阴在泉，主胜，则厥气上行，心痛发热，膈中众痹皆作，发于胠胁，魄汗不藏，四逆而起；客胜，则腰痛，尻、股、膝、髀、腨、胻、足病，瞀热以酸，跗肿不能久立，溲便变。太阴在泉，主胜，则寒气逆满，食饮不下，甚则为疝；客胜，则足痿下肿，便溲不时，湿客下焦，发而濡泄，及为阴肿，隐曲之疾。少阳在泉，主胜，则热反上行，而客于心，心痛发热，格中而呕；客胜，则腰腹痛，而反恶寒，甚则下白溺白。阳明在泉，主胜，则腰重，腹痛，少腹生寒，下为鹜溏，寒厥于肠，上冲胸中，甚则喘满，不能久立；客胜，则清气动下，小腹坚满，而数便泄。太阳在泉，以水居水位，无所胜也。

问曰：其胜复何如？

师曰：有胜必有复，无胜则无复也。厥阴之胜，则病耳鸣，头眩，愦愦欲吐，胃膈如寒，胠胁气并，化而为热，小便黄赤，胃脘当心而痛，上及两胁，肠鸣，飧泄，少腹痛，注下赤白，甚则呕吐，膈不通；其复也，则少腹坚满，里急暴痛，厥心痛，汗发，呕吐，饮食不入，入而复出，筋骨掉眩，清厥，甚则入脾，食痹而吐。少阴之胜，则病心下热，善饥，脐下气动，气游三焦，呕吐，躁烦，腹满而痛，溏泄赤沃；其复也，则燠热内作，烦躁，鼽嚏，少腹绞痛，嗌燥，气动于左，上行于右，咳则皮肤痛，暴喑，心痛，郁冒不知人，洒淅恶寒振栗，谵妄，寒已而热，渴而欲饮，少气，骨痿，膈肠不便，外为浮肿，哕噫，痱疹，疮疡，痈疽，痤痔，甚则入肺，咳而鼻渊。太阴之胜，则火气内郁，疮疡于中，流散于外，病在胠胁，甚则心痛热格，头痛，喉痹，项强，又或湿气内郁，寒迫下焦，少腹满，腰椎痛强，注泄，足下湿，头重，跗肿，足胫肿，饮发于中，跗肿于上；其复也，则体重，中满，食饮不化，阴气上厥，胸中不便，饮发于中，咳喘有声，头项痛重，掉瘛尤甚，呕而密默，唾吐清液，甚则入肾，窍泄无度。少阳之胜，则病热客于胃，心烦而痛，目赤，呕酸，善饥，耳痛，溺赤，善惊，谵妄，暴热消烁，少腹痛，下沃赤白；其复也，枯燥，烦热，惊瘛，咳，衄，心热，烦躁，便数，憎风，厥气上行，面如浮埃，目乃瞤瘛，火气内发，上为口糜，呕逆，血溢，血泄，发而为疟，恶寒鼓栗，寒极反热，嗌络焦槁，渴饮水浆，色变黄赤，少气肺痿，化而为水，传为跗肿，甚则入肺，咳而血泄。阳明之胜，则清发于中，左胠胁痛，溏泄，内为嗌塞，外发㿗疝，胸中不便，嗌而咳；其复也，则病生胠胁，气归于左，善太息，甚则心痛痞满，腹胀而泄，呕苦，咳哕，烦心，病在膈中，甚则入肝，惊骇筋挛。太阳之胜，则病痔疟，发寒，厥入胃，则内生心痛，阴中乃疡，隐曲不利，亘引阴股，筋肉拘苛，血脉凝泣，络满血变，或为血泄，皮肤痞肿，腹满时减，热反上行，头项囟顶脑户中痛，目如脱，寒入下焦，则传为濡泄；其复也，则心胃生寒，胸膈不利，心痛痞满，头痛，善悲，时发眩仆，食减，腰椎反痛，屈伸不便，少腹控睾引腰脊上冲心，唾出清水，及为哕噫，甚则入心，善忘，善悲，寒复内余，则腰尻痛，屈伸不利，股胫足膝中痛。此六气为病，须谨识之，而弗失也。

师曰：子知六气，不知五运，未尽其道，今为子言。假如太阳司天，而运当甲己，夫甲己土运也，太阳寒水也，土能克水，太阳不能正其位也；又如厥阴司天，而逢乙庚金运；少阴少阳司天，而逢丙辛水运；太阴司天，而逢丁壬木运；阳明司天，而逢戊癸火运。其例同也。

问曰：其治法奈何?

师曰：风寒暑湿燥热各随其气，有假者反之，甚者从之，微者逆之，采取方法，慎毋乱也。

医圣张仲景传

张机，字仲景，南阳人也。学医于同郡张伯祖，尽得其传。工于治疗，尤精经方，遂大有时誉。汉灵帝时举孝廉，官至长沙太守。与同郡何颙客游洛阳，颙探知其学，谓人曰："仲景之术精于伯祖，起病之验，虽鬼神莫能知之，真一世之神医也。"孙鼎宜《仲景传略》云：今长沙城北有张公祠，民岁以祀焉。湘潭俗以正月十八日为仲景生日，群然举酒作乐乐神。**后在京师为名医，于当时为上手**《医说》引仲景方论序。**仲景见侍中王仲宣，时年二十余，谓曰："君有病，四十当眉落，眉落半年而死。"令服五石汤可免。仲宣嫌其言忤，受汤勿服。居三日见仲宣，谓曰："服汤否？"仲宣曰："已服。"仲景曰："色候固非服汤之诊，君何轻命也？"仲宣犹不信，后二十年果眉落，后一百八十七日而死，终如其言。此事虽扁鹊、仓公，无以加也**皇甫谧《甲乙经》序。《太平御览》卷七百三十九何永别传：张仲景遇山阳王仲宣，谓曰：君体有病，后年三十当眉落。仲宣时年十七，以其言实远，不治。后至三十，疾，果落眉。孙思邈《千金翼方》序云：仲景候色而验眉，盖本诸此。《抱朴子内篇》卷五云：仲景穿胸以纳赤饼。陆九芝曰：此不类仲景所为，或以华元化有涤脏缝肠之事，而仲景与之齐名，遂附会其说欤。**仲景垂妙于定方**《晋书·皇甫谧传》。**宗族二百余口，自建安以来，未及十稔，死者三之二，而伤寒居其七**《襄阳府志》。《后汉书·张堪传》云：张氏为南阳族姓。**感往昔之沦丧，伤横夭之莫救。乃勤求古训，博采众方**本书论集。**曰："凡欲和汤合药、针灸之法，宜应精思。必通十二经脉，辨三百六十孔穴，营卫气行。知病所在，宜治之法，不可不通。古者上医相色，色脉与形，不得相失。黑乘赤者死，赤乘青者生。中医听声，声合五音。火闻水声，烦闷干惊。木闻金声，恐畏相刑。脾者土也，生育万物，回助四旁，善者不见，死则归之。太过则四肢不举，不及则九窍不通，六识闭塞，犹如醉人。四季运转，终而复始。下医诊脉，知病源由，流转移动，四季逆顺，相害相生，审知脏腑之微，此乃为妙也。"又曰："欲疗诸病，当先以汤荡涤五脏六腑，开通经脉，理导阴阳，破散邪气，润泽枯槁，悦人皮肤，益人气血。水能净万物，故用汤也。若四肢病久风冷发动，次当用散。散能逐邪风湿痹，表里移走，居无常处者，散当平之。次当用丸，丸能逐风冷，破积聚，消诸坚癥。进饮食，调营卫，能参合而行之**

者，可谓上工。故曰：'医者意也。'" 又曰："不须汗而强与汗之者，夺其津液，令人枯竭而死。须汗而不与汗之者，使诸毛孔闭塞，令人闷绝而死。不须下而强与下之者，令人开肠洞泄，便溺不禁而死。须下而不与下之者，令人心内懊侬，胀满烦乱，浮肿而死。不须灸而强与灸之者，令人火邪入腹，干错五脏，重加其烦而死。须灸而不与灸之者，令人冷结重凝，久而弥固，气上冲心，无地消散，病笃而死。"《金匮玉函经》。此篇文二百五十八字，将一部《伤寒杂病论》汤液丸散之功用，汗下温灸之原理，阐发尽致，学者所当深玩也。

《千金方》引此，《中藏经》亦载此篇。**又须珍贵之药，非贫家野居所能立办，由是怨嗟，以为药石无验者，此弗之思也**《金匮玉函经》。此段叙经方所以不取珍贵药品之意，仁人之言其利溥哉。**又曰："人体平和，唯须好将养，勿妄服药。药势偏，有所助，令人脏气不平，易受外患。夫含气之类未有不资食以存生，而不知食之有成败，百姓日用而不知，水火至近而难识。余慨其如此，聊因笔墨之暇，撰《五味损益食治篇》，以启童稚。庶勤而行之，有如影响耳。" 撰用《素问》《九卷》《八十一难》《阴阳大论》《胎胪药录》，并平脉辨证，为《伤寒杂病论》合十六卷。**梁《七录》:《张仲景辨伤寒》十卷。

《隋书·经籍志》:《张仲景方》十五卷，《张仲景疗妇人方》二卷。《唐书·艺文志》：王叔和《张仲景药方》十五卷、《伤寒杂病论》十卷。《宋史·艺文志》：张仲景《脉经》一卷，《五脏营卫论》一卷，张仲景《伤寒论》十卷，《金匮要略方》三卷（张仲景撰，王叔和集），张仲景《疗黄经》一卷，《口齿论》一卷，《金匮玉函》八卷（王叔和集）。林亿等校正序曰：张仲景为《伤寒杂病论》合十六卷，今世但传《伤寒论》十卷，杂病未见其书，或于诸家方中载其一二矣。翰林学士王洙在馆阁日，于蠹简中得仲景《金匮玉函要略方》三卷，上则辨伤寒，中则论杂病，下则载其方，并疗妇人。乃录而传之士流，才数家耳。今先校定张仲景《伤寒论》十卷，总二十二篇，证外合三百九十七法，除复重，定有一百一十二方。次校定《金匮玉函经》。今又校成此书，仍以逐方次于证候之下，使仓卒之际便于检用也。又采散在诸家之方，附于逐篇之末，以广其法。以其伤寒文多节略，故所自杂病以下，终于饮食禁忌，凡二十五篇。除重复，合二百六十二方，勒成上、中、下三卷，依旧名曰《金匮方论》。此仲景书自汉建安十年至宋治平二年，上下八百五十六年中分合隐显之大概也。孙氏晚年始获《伤寒论》，收载《千金翼方》中。天宝时，王焘撰《外台秘要》，所载仲景《伤寒论方》，合今《金匮要略》，计一十八卷。与史志所载卷数皆不合。盖锓板印刷之术，始于五代冯道。其先书籍皆系抄写，故分卷各不同也。孙兆《外台秘要疏》云：张仲景《集验》《小品》最为名家，今多亡佚。是知仲景尚撰有《集验》《小品》二种，其书久佚，今唯于《外台秘要》中，得窥其崖略。**其文辞简古奥雅，古今治伤寒者，未有能出其外者也。最为众方之祖，又悉依本草。但其善诊脉，明气候，以意消息之耳。华佗读而喜曰："此真活人书也。"**《襄阳府志》。孙奇校《金匮方论》序云：臣奇尝读魏《华佗传》云：出书一卷曰：此书可以活人。每观华佗凡所疗病，多尚奇怪，不合圣人之经。臣奇谓活人者，必仲景之书也。《巢氏病源》：华佗之为治，或刳断肠胃，涤洗五脏，不纯任方也。仲景虽精不及于佗，至于审方物之候，论草石之宜，亦妙绝众医。**论者推为医中亚圣，而范蔚宗《后汉书》不为仲景立传，君子有遗憾焉**《襄阳府志》。丁仲祜《历代名医列传》谓考《后汉书》《三国志》，自孙坚为长沙太守后，灵献之间无仲景守长沙之日云云。今考《灵帝纪》，孙坚为长沙太守在中平四年，上距建宁纪元一十八年。盖仲景为长沙太守在建宁年间，值党锢事起，旋即致仕。故其佚事见于《何颙别传》也。《南阳人物志》：张机又得杨励公之传，精于治疗。一日入桐柏山觅药草，遇一病人求诊。仲景曰：子之腕有兽脉，何也？其人以实具对曰：吾乃峄山老猿也。仲景囊中丸药畀之，一服辄愈。明日肩一巨木至，曰：此万年桐也，聊以相报。仲景斫为二琴，一曰古猿，一曰万年（见《古琴记》）。元嘉冬，桓帝感寒疾，召玑调治，病经十七日，玑诊视曰：正伤寒也。拟投一剂，品味辄以两计，密覆得汗如雨，及旦身凉。留玑为侍中，玑见朝政日非，叹曰：君疾可愈，国病难医。遂挂冠遁去，隐少室山。及卒，葬宛城东二里许。后人尊为医圣。以上文又见《神仙通鉴》。所云仲景事迹怪诞，且名时不符，有类齐谐，无足辨也。

清顺治初，叶县训导冯应鳌，得仲景墓于南阳县东郭门外，仁济桥西，乃为祠祀焉《南阳县志》。徐忠可《金匮要略论注》张仲景灵应记云：兰阳诸生冯应鳌，崇贞戊辰初夏，病寒热几殆。夜梦神人金冠黄衣，以手抚其体，百节通畅。问之，曰：我汉长沙太守南阳张仲景也。今活子，我有憾事，盍为我释之。南阳城东四里有祠，祠后七十七步有墓，岁久湮没，将穿井于其上，封之唯子。觉而病良愈。是秋，应鳌即千里走南阳，城东访先生祠墓于仁济桥西。谒三皇庙，旁列古名医，内有衣冠须眉宛如梦中见者，拭尘视壁间，果仲景也。因步庙后求先生墓，已为明经祝丞蔬圃，语之故，骇愕不听。询之父老，云庙后有古冢，碑记为指挥郭云督修唐府烧灰焚毁。应鳌遂记石庙中而去。后四年，园丁掘井圃中，丈余得石碣，果先生墓，与应鳌所记不爽尺寸。下有石洞幽窈，闻风雷声，惧而封之。应鳌以寇盗充斥，不能行。又十余年，应鳌训叶，叶隶南阳，入都谒先生墓，墓虽封，犹在洫流畦壤间也。问其主，易祝而包，而杨，杨又复归包，包孝廉慨然捐其地。郡丞汉阳张三异，闻其事而奇之，为募疏，请之监司僚属，输金助工，立专祠，重门殿庑，冠以高亭，题曰：汉长沙太守医圣张仲景祠墓。耆老陈诚又云：祠后高阜，相传为先生故宅，迄今以张名巷。巷之西有张真人祠，名额存焉，祀张仙，或传之久而误也。祠墓成于顺治丙申年，距戊辰已三十稔云（节录桑芸《张仲景祀墓记》及冯应鳌《医圣张仲景灵应碑记》)。黄竹斋曰：仲景祀墓见于载籍者始此。兰阳，今名兰封，在开封东。仲景墓在今南阳东郭北隅医圣祠内，墓高八尺，东距郭垣仅五步。考南阳环城郭寨，建筑于清同治五年。三皇庙在祠南七十步，其中神像于民国十七年为驻军所毁。仁济桥在庙东郭寨外。而冯应鳌所刊之记事碑，淹没者三百年。余于癸酉孟冬获见，舁竖殿左，并撰制楹联，文曰：道缵农黄，德侔孔孟。悬诸殿前，籍表景仰之诚。嗣赴京沪，联合医界同人，发起募捐重修南阳医圣祠董事会，并订简章呈请中央国医馆暨第二届全国医药界代表大会提案。

杜度，仲景弟子，识见宏敏，器宇冲深，淡于矫矜，尚于救济，事仲景，多获禁方，遂为名医《医说》引仲景方序。**卫泛，好医术，少师仲景，有才识，撰《四逆三部厥经》及《妇人胎脏经》《小儿颅囟方》三卷，皆行于世。**《太平御览》引张仲景方序。

王叔和，高平人也，博好经方，尤精诊处，洞识摄养之道，深晓疗病之源。采摭群论，撰成《脉经》十卷。篇次《张仲景方论》为三十六卷，大行于世。东晋张湛《养生方》。皇甫谧《甲乙经》序：近代太医令王叔和，撰次仲景，选论甚精，指事施用。唐甘伯宗《名医传》：仲景作《伤寒论》错简，迨西晋高平人王叔和撰次成序，得成全书。

《伤寒杂病论》原序

伤寒者，外感病之总名。其余皆曰杂病。顾尚之曰：论集者，自论其集是书之意也。

论曰：余每览越人入虢之诊，望齐侯之色，未尝不慨然叹其才秀也。

览，观也。越人姓秦氏，号扁鹊。诊虢太子疾，望齐桓侯之色，并见《史记·扁鹊传》。医之见史传者，莫先于此。黄竹斋撰有《秦越人事迹考》，附《难经会通》后。慨然，叹息也。才秀，谓才能俊秀也。

怪当今居世之士，曾不留神医药，精究方术，上以疗君亲之疾，下以救贫贱之厄，中以保身长全，以养其生。但竞逐荣势，企踵权豪，孜孜汲汲，唯名利是务；崇饰其末，忽弃其本，华其外而悴其内。皮之不存，毛将安附焉？

怪，骇异也。士，学者之通称。曾，尝也。厄，艰也，困也。企踵，举足望也。孜，勤也。汲，剧也。孜孜汲汲，勉力欲速之谓。务，专力也。末，喻名利。本，谓身也。悴，病也。皮，喻身。毛，喻名利。医药、方术，性命所关，切身要务，处世之士所当用心也。

皇甫士安曰：若不精究于医道，虽有忠孝之心，仁慈之性，君父危困，赤子涂地，无以济之，此固圣贤所以精思极论尽其理也。

卒然遭邪风之气，婴非常之疾，患及祸至，而方震栗，降志屈节，钦望巫祝，告穷归天，束手受败。赍百年之寿命，持至贵之重器，委付凡医，恣其所措。咄嗟呜呼，厥身已毙，神明消灭，变为异物，幽潜重泉，徒为啼泣。

卒，通猝。婴，触也。震栗，惊惧战栗也。巫，女能事无形以舞降神者也。楚语：在男曰觋，在女曰巫。《说文》：祝，祭主赞词者也。赍，持也。庄子云：人上寿百岁。人受天地之中以生，万物皆备于我，贵莫大焉，故曰：重器。神明者，心之体用，所以具众理应万事者也。《史记·索隐》：死而形化，是为异物。重泉，地下也。伊川程子曰：病卧于床，委之庸医，比之不慈不孝，事亲者不可以不知医。

痛夫！举世昏迷，莫能觉悟，不惜其命，若是轻生，彼何荣势之足云哉！而进不能爱人知人，退不能爱身知己，遇灾值祸，身居厄地，蒙蒙昧昧，蠢若游魂。哀乎！趋势之士，驰竞浮华，不固根本，忘躯徇物，危若冰谷，至于是也！

爱身知己，仁智之本。蒙蒙昧昧，不聪明貌。游魂者，魂失而无记、悟、识性也。徇，以身从物也。冰谷者，《诗》"战战兢兢，如履薄冰；惴惴小心，如临于谷"之省文。

余宗族素多，向余二百，建安纪元以来，犹未十稔，其死亡者，三分有二，伤寒十居其七。

《后汉书·张堪传》云：张氏为南阳族姓。建安，后汉献帝即位七年改元年号，距民国纪元前一千七百一十六年。《袁术传》：董卓将欲废立，以术为后将军。术畏卓之祸，出奔南阳，会长沙太守孙坚杀南阳太守张咨，引兵从术，刘表上术为南阳太守。建安二年，遂僭号自称仲家。天旱岁荒，士民冻馁，江淮间相食殆尽。四年夏，乃烧宫室奔灊山。稔（音 rěn）谷一熟为一年也。《难经》：伤寒有五：有中风，有伤寒，有湿温，有热病，有温病。以伤寒为外感病之通称也。

感往昔之沦丧，伤横夭之莫救，乃勤求古训，博采众方，撰用《素问》《九卷》《八十一难》《阴阳大论》《胎胪药录》，并平脉辨证，为《伤寒杂病论》合十六卷，虽未能尽愈诸病，庶可以见病知源。若能寻余所集，思过半矣。

横，不顺理也。短折曰夭。《前汉书·艺文志》载：《五脏六腑痹十二病方》三十卷，《五脏六腑疝十六病方》四十卷，《五脏六腑瘅十二病方》四十卷，《风寒热十六病方》二十六卷，《泰始黄帝扁鹊俞拊方》二十三卷，《五脏伤中十一病方》三十一卷，《客疾五脏狂颠病方》十七卷，《金创瘛疭方》三十卷，《妇人婴儿方》十九卷，《汤液经法》三十二卷，《神农黄帝食禁》七卷，以其不可枚举，故曰众方。诸书尽佚，今唯于仲景书中见其梗概，然则博采之功大哉。《汉志》载《黄帝内经》十八卷。《汉志》：《扁鹊内经》九卷。《隋书·经籍志》：《黄帝八十一难经》二卷。《旧唐书·经籍志》云：《黄帝八十一难经》一卷，秦越人撰。黄竹斋曰：余得白云阁本，撰《难经会通》。《阴阳大论》今可考者，唯本论伤寒例所引一节耳，林亿等以王冰所补《素问》亡佚七篇谓乃《阴阳大论》，未知是否？张隐庵曰：《胎胪药录》者，如《神农本经》《长桑阳庆禁方》之类。胎胪者，罗列之谓。庶，近也，万病隐括于六经。见病知源者，知病之确属于何经也。

夫天布五行，以运万类；人禀五常，以有五脏；经络腑俞，阴阳会通：玄冥幽微，变化难极。自非才高识妙，岂能探其理致哉！

《尚书》“洪范”：初一曰，五行，一曰水，二曰火，三曰木，四曰金，五曰土。真西山曰：五行者，天之所生以养乎人者也。其气运乎天而不息；其材用于世而不匮；其理则赋予人而为五常。以天道言之莫大于此，故居九畴之首。礼运，人者其天地之德，阴阳之交，鬼神之会，五行之秀气也。《白虎通义》：五常者何？谓仁、义、礼、智、信也。五脏：肝仁、肺义、心礼、肾智、脾信也。《灵枢·脉度》：经脉为里，支而横者为络。经谓动脉，络谓静脉。府，气府也。俞，腧穴也。阴阳，表里六经也。易观其会通，朱子曰：会，谓理之所聚而不可遗处；通，谓理之可行而无碍处。玄，天象，谓高远也。幽，地府，谓深邃也。冥微，奥妙难测之意。《素问·天元纪大论》：物生谓之化，物极谓之变。极，至也。致，至极也。此假天地阴阳之变化，喻人身之理难穷也。

上古有神农、黄帝、岐伯、伯高、雷公、少俞、少师、仲文，中世有长桑、扁鹊，汉有公乘阳庆及仓公，下此以往，未之闻也。

《淮南子》：神农尝百草滋味，一日而七十毒，由是医方兴焉。梁《七录》:《神农本草》三卷。陶弘景曰:《神农本经》其所出郡县乃后汉时制，疑仲景、元化等所记。岐伯，黄帝之师。伯高、雷公、少俞、少师皆黄帝之臣，其问答见《灵枢》《素问》。仲文，史书医传无考，其名见《明堂》下经。长桑君，周时秦人，扁鹊之师，见《史记·扁鹊传》。公乘，官名，第八爵，言其得乘公之车。阳庆，字仲倩，齐临菑元里人也。仓公，姓淳于名意，汉文帝时人，师事阳庆，悉得其禁方及黄帝扁鹊之脉书，五色诊病知人死生，见《史记·仓公传》。

观今之医，不念思求经旨，以演其所知，各承家技，终始顺旧，省疾问病，务在口给，相对须臾，便处汤药。按寸不及尺，握手不及足；人迎、趺阳，三部不参；动数发息，不满五十。短期未知决诊，九候曾无仿佛；明堂阙庭，尽不见察，所谓窥管而已。

家技，家传方术也。省，察也。疾，急疾也。病，疾甚也。给，辨也。须臾，俄顷也。便，即也。《灵枢·脉结》：脉不满五十动而一止者，一脏无气。故诊脉法须候五十动。《十便良方》引王贶《脉诀》云：诊脉之法，其要有三：一曰人迎，在结喉两旁，法天；二曰三部，谓寸、关、尺，在于腕上侧，法人；三曰趺阳，在足面系鞋之所，法地。三者皆气之出入要会，所以能决吉凶死生。故曰：人迎、趺阳，三部不参；动数发息，不满五十。未知生死，所以三者决死生之要也。短期，死期也。决，判断也。《素问·三部九候论》：人有三部，部有三候，以决死生，以处百病，以调虚实而除邪疾。有下部，有中部，有上部，部各有三候。三候者，有天，有地，有人也。上部天，两额之动脉；上部地，两颊之动脉；上部人，耳前之动脉。中部天，手太阴也；中部地，手阳明也；中部人，手少阴也。下部天，足厥阴也；下部地，足少阴也；下部人，足太阴也。下部之天以候肝，地以候肾，人以候脾胃之气。中部之候，天以候肺，地以候胸中之气；人以候心。上部天以候头角之气，地以候口齿之气，人以候耳目之气。此遍身诊法也。《难经》云：十二经中皆有动脉，独取寸口，可决五脏六腑生死吉凶，何也？然：寸口者，脉之大会，手太阴之动脉也；为五脏六腑之终始，生死吉凶皆可决之也。仲景诊法取寸口、关上、尺中及趺阳、少阴，盖参取《素问》《难经》之法，变通而撮其要也。庞安常曰：伤寒必诊太溪、趺阳者，谓人以肾脉、胃脉为主也。《灵枢·五色》：明堂，鼻也。阙者，眉间也。庭者，颜也。诊明堂阙庭法，见《灵枢》五阅五使篇及本论平脉法上篇。

夫欲视死别生，实为难矣！孔子曰：生而知之者上，学则亚之，多闻博识，知之次也。余宿尚方术，请事斯语。

汉长沙太守南阳张机。

宿，素也。尚，谓心所希望也。长沙、南阳，皆郡名。《汉书》百官表：郡守秦官，掌治其郡，秩二千石，景帝更名太守。仲景虽云撰用《素问》《九卷》《八十一难》，然论中却未引用一句成语，所谓神而明之，变而通之，非具生知之圣，上智之才者能乎！程郊倩曰：古人作书，大旨多从序中提出。余读《伤寒论》仲景之自序，竟是一篇悲天悯人文字。从此处作论，盖即孔子惧作《春秋》之微旨也。

附录

伤寒医家简介（部分）

三　画

万密斋　即万全，字密斋。明代医家，湖北罗田县人。撰有《幼科发挥》《育婴秘诀》《广嗣纪要》等。对后世儿科医家有较大影响。

山田正珍　日本宽政中医家。字宗俊，号图南。著有《伤寒考》《伤寒论集成》等。

山田图南　即山田正珍。

四　画

王海藏　即王好古，字进之，号海藏。元代著名医家，赵州（今河北赵县）人。平生著述很多，主要有《医垒元戎》《仲景详论》《伤寒辨惑论》等。

王启玄　即王冰，自号启玄子。唐代医家。撰《重广补注黄帝内经素问》。

王肯堂　字宇泰，号损庵，自号念西居士。明代著名医家，金坛（今江苏金坛）人。著有《证治准绳》（又称《六科证治准绳》）四十四卷。

王孟英　即王士雄，字孟英。清代医家，浙江宁海人。著有《霍乱论》《温热经纬》等。

王朴庄　即王丙，字朴庄。清代医家。撰有《时节气候决病法》《脉诀引方论证》《校正王朴庄伤寒论注》《考正古方权量说》等。

王文禄　字世廉。明代医家，海盐人。著有《医先》一卷、《胎息经疏略》等。

王晋三　即王子接，字晋三。清代医家。撰《伤寒方法》《伤寒古方通》《古方选注》等。

尤在泾　即尤怡，字在泾，号拙吾，晚号饲鹤山人。清代医家，长洲（今江苏苏州）人。著有《伤寒贯珠集》《金匮要略心典》等。

丹波元简　日本汉医学家。一名丹波廉夫。著述甚多，主要有《素问汇考》《素问识》《素问解题》《灵枢识》《黄帝八十一难经解题》《伤寒论辑义》《金匮要略辑义》等。

方中行　即方有执，字中行。明代医家，歙县（今安徽歙县）人。著《伤寒论条辨》八卷，对《伤寒论》六经篇文的注释相当精当。

五 画

东洞翁 即日本医家吉益为则，一名吉益公言，又称东洞先生。著《东洞全集》十三种。

六 画

成无己 金代医学家。聊摄（今山东聊城西）人。著《注解伤寒论》十卷，为现存全面注解《伤寒论》最早的著作。还著有《伤寒明理论》三卷、《伤寒论方》一卷等。

吕椺村 即吕震名，字椺村。清代医家，浙江钱塘人。著《内经要论》《伤寒寻源》等。

朱丹溪 即朱震亨，字彦修，又称丹溪。元代著名医家，“金元四大家”之一，婺州义乌（今浙江义乌）人。著有《格致余论》《丹溪心法》《局方发挥》等。

朱 肱 字翼中。宋代医家，乌程（今浙江吴兴）人。著有《伤寒百问》《南阳活人书》等。

合信氏 英国传教士兼医生，著《西医五种》（现存咸丰年间刻本）、《全体新论》等。

刘河间 即刘元素，字守真，自号通玄处士。金代著名医家，“金元四大家”之一。河间（今河北河间）人，又称刘河间。著《素问玄机原病式》《素问病机气宜保命集》《宣明论方》《三消论》以及《伤寒直格》《伤寒标本心法类萃》等。

刘昆湘 即刘世桢，字昆湘。湖南浏阳人。发现湘古本《伤寒杂病论》。著有《伤寒杂病论义疏》《医理探源》等，刊于1934年。

刘廷实 即刘宏璧，字廷实。清代医家。曾删补周扬俊所辑《伤寒论三注》一书。

江 瓘 字民莹，明代医家，歙县（今安徽歙县）人。历时二十年，编成《名医类案》一书，后由其子江应宿增辑问世。

许鲁斋 未详，待考。

许 宏 字宗道。明代医家，建安（今福建建瓯）人。撰有《金镜内台方议》等。

孙思邈 唐代著名医学家。也称孙真人。京兆华原（今陕西铜川）人。所著《千金要方》《千金翼方》各三十卷，被称为我国现存最早的临床实用医学百科全书。

七 画

苏 颂 字子容，北宋官吏，兼通医术，曾编成《图经本草》一书，现已佚，该书内容在后世本草书中有所利用。

苏　恭　即苏敬，宋人以避讳故改称苏恭。唐代人，生平、居里不详。曾主编《新修本草》(世称《唐本草》)，又与唐临、徐思恭同撰《三家脚气论》一卷。

李东垣　即李杲，字明之，号东垣先生。金代著名医家，“金元四大家”之一，真定（今河北正定）人。著《脾胃论》《内外伤辨惑论》《兰室秘藏》《医学发明》《药象论》等。

李　梴　字健斋。明代医家，南丰（今江西南丰）人。著《医学入门》。

李玮西　未详，待考。

李时珍　明代杰出的医药科学家。字东璧，号濒湖。蕲州（今湖北蕲春）人，著《本草纲目》《濒湖脉学》《奇经八脉考》等。

李珥臣　未详，待考。

吴遵程　即吴仪洛，字遵程。清代医家，浙江海盐人。著《本草从新》《伤寒分经》《成方切用》等。

吴　绶　元代医家，钱塘（今浙江杭州）人。撰《伤寒蕴要全书》。

吴人驹　字灵樨。清代医家。著《医宗承启》六卷。

邹润庵　即邹澍，字润安。清代医家，江苏武进人。著述有《伤寒通解》《伤寒金匮方解》《医理摘要》等。刊行流传的有《本经疏证》《续疏证》《本经序疏要》等。

汪双池　即汪绂，字双池。清代医家，安徽婺源（今属江西）人。辑《医林纂要探源》。

汪苓友　即汪琥，字苓友。清代医家，江苏长州人。撰《伤寒论辨证广注》《痘疹广金镜录》《养生君主编》等。

汪讱庵　即汪昂，字讱庵。清代著名医家，安徽休宁人。撰述有《医方集解》《素问灵枢类纂约注》《汤头歌诀》《本草备要》等。

沈芊绿　即沈金鳌，字芊绿，号汲门，晚号尊生老人。清代医家，江苏无锡人。著《沈氏尊生书》等。

沈明宗　字目南，号秋湄。清代医家，携李（今浙江嘉兴西南）人。编注《伤寒六经辨证治法》《张仲景金匮要略》二十四卷。

沈尧封　即沈文彭，字尧封，清代医家，嘉善人。著《医经读》《伤寒论读》《女科辑要》等。

沈亮宸　即沈晋垣，字亮宸。清初医家。著《伤寒选方解》二卷。

沈丹彩　清代医家。著《医谱》。

尾台氏　即尾台榕堂。日本近代汉方医家。著《类聚方广义》等。

张子和　即张从正，字子和，自号戴人。金代著名医家，攻邪学派鼻祖，“金元四大家”之一。睢州考城（今河南睢县、兰考一带）人。著《儒门事亲》四十卷。

张令韶 即张锡驹，字令韶。清代医家，浙江钱塘人。撰《伤寒论直解》等。

张飞畴 即张倬，字飞畴。清代医家，江苏苏州人。为名医张璐的次子。撰《伤寒兼证析义》。

张景岳 即张介宾，字景岳，又字会卿。明代著名医家，山阴（今浙江绍兴）人。著《类经》《景岳全书》等。

张路玉 即张璐，字路玉，号石顽。清代医家，长州（今江苏苏州）人。著《伤寒缵论》《伤寒绪论》《张氏医通》等。

张兼善 明代医家。著《伤寒发明》二卷。

张隐庵 即张志聪，字隐庵。清代医家，浙江钱塘人。撰《素问集注》《灵枢集注》《伤寒论集注》等。

陆九芝 即陆懋修，字九芝。清代著名医家，江苏苏州人。撰《世补斋医书》三十三卷。

陈修园 即陈念祖，字修园，号慎修，另字良有。清代著名医家，福建长乐人。著述甚多，比较著名的有《灵素节要浅注》《伤寒论浅注》《金匮要略浅注》《医学从众录》《医学实在易》等。

陈无择 即陈言，字无择，南宋医家，青田（今浙江青田）人。著《三因极一病证方论》六卷。

陈古愚 未详，待考。

陈灵石 未详，待考。

陈载安 未详，待考。

陈藏器 唐代本草学家，四明（今浙江宁波）人。著《本草拾遗》十卷。

八 画

林 亿 北宋医家。先后参与并完成《素问》《灵枢》《难经》《伤寒论》《金匮要略》《脉经》《诸病源候论》《千金要方》《千金翼方》《外台秘要》等古医书的校订工作，对保存古代医学文献和促进医药学术的传播做出了重大贡献。

林礼丰 未详，待考。

抱朴子 即葛洪。葛洪字稚川，自号抱朴子。

周禹载 即周扬俊，字禹载。清代医家，江苏苏州人。撰《伤寒论三注》《金匮玉函经二注》等。

庞安常 即庞安时，字安常。北宋医家，蕲州蕲水（今湖北浠水）人。著《伤寒总病论》等。

郑在辛 即郑重元，字在辛。清代医家。撰《郑素圃医书五种》《伤寒论条辨续注》等。

浅田栗园 日本医家。又名浅田宗伯、唯常、识此。著《日本汉医伤寒名著合刻》《伤寒辨要》《伤寒论识》等。

九 画

赵以德 字良仁。元代医家。撰《金匮玉函经衍义》。该书后经清代周扬俊补注为《金匮玉函经二注》。

赵嗣真 元代医家。著《活人释疑》。

赵羽皇 未详，待考。

柯韵伯 即柯琴，字韵伯，号似峰。清初医家，原籍浙江慈溪，后迁居江苏常熟。著《伤寒论注》《伤寒论翼》《伤寒附翼》，合称《伤寒来苏集》。

皇甫士安 即皇甫谧，字士安，幼年名静，自号玄晏先生。魏晋间医家，安定朝那（今甘肃灵台）人。所著《针灸甲乙经》一书，是我国现存最早的一部针灸学专著。

费伯雄 字晋卿。清代医家，江苏武进人。撰《医醇賸义》《医方论》等。

十 画

秦皇士 即秦之桢，字皇士。清代医家，云间（今上海松江）人。撰《伤寒大白》，辑《女科切要》及其祖父秦景明之《症因脉治》等。

莫　氏 即莫枚士，字文泉。清代医家。撰《研经言》。

顾尚之 即顾观光，字尚之，又字漱泉。晚清医家，江苏金山人。所辑《神农本草经》，为流传至今之本草经辑本之一。

钱天来 即钱潢，字天来。清代医家，虞山（今江苏常熟附近）人。著《重编张仲景伤寒证治发明溯源集》。

徐灵胎 即徐大椿，字灵胎，又名大业，晚号洄溪。清代著名医家，江苏吴江人。著述有《难经经释》《医贯砭》《医学源流论》《伤寒论类方》《慎疾刍言》《兰台轨范》等。

徐忠可 即徐彬，字忠可，清代医家，浙江嘉兴人，为名医喻昌的弟子。著《伤寒图论》《伤寒一百十三方发明》《金匮要略论注》等。

徐旭升 未详，待考。

高士宗 字士宗。清代医家，浙江钱塘人。撰《素问直解》《医学真传》等。

高鼓峰 即高斗魁，字旦中，又号鼓峰。清代医家，浙江宁波人。著《医家心法》《四明心法》《四明医案》，后两书曾收入杨乘六（以行、云峰）所辑《医宗已任编》中。

郭白云　即郭雍，字子和，号白云先生。宋代医家，河南洛阳人。著《伤寒补亡论》二十卷。

唐容川　即唐宗海，字容川。晚清医家，四川彭州人。著《中西汇通医书五种》（包括《金匮要略浅注补正》《伤寒论浅注补正》）等。

海　藏　即王海藏。

陶弘景　字通明，晚号华阳隐居。南北朝时期宋梁间丹阳秣陵（今江苏镇江附近）人。著《本草经集注》《补阙肘后百一方》等。

陶节庵　即陶华，字尚文，号节庵。明代医家，浙江余杭人。撰《伤寒六书》，流行较广。

十一画

黄　炫　生平、居里不详，著《本草发明》《活人大全》等。

黄坤载　即黄元御，名玉路，字坤载，号研农，别号玉楸子。清代医家，山东昌邑人。著《四圣心源》《伤寒悬解》《金匮悬解》《素灵微蕴》等。

黄仲理　明代医家，乡溪马鞍山人。著《伤寒类证》十卷，已佚。

章虚谷　即章楠，字虚谷。清末医家，浙江会稽人，著《医门棒喝》等。

十二画

喻嘉言　即喻昌，字嘉言。清代医家，江西新建（今江西南昌）人。著《尚论张仲景伤寒论重编三百九十七法》（简称《尚论篇》）。

程　知　字扶生。清代医家，海阳人。著《伤寒经注》《医经理解》《医解》等。

程云来　即程林，字云来。清代医家，安徽休宁人。编《圣济总录纂要》、撰《金匮要略直解》等。

程郊倩　即程应旄，字郊倩。清初医家，新安人。著《伤寒论后条辨直解》十五卷、《医经句测》等。

舒驰远　即舒诏，字驰远。清代医家，安徽进贤人。撰《伤寒集注》《辨脉篇》《女科要诀》等。

十三画以上

楼全善　即楼英，字全善。明代医家。辑《医学纲目》四十卷。

雉间焕　日本医家。注《类聚方集览》二卷，刊于1803年。

蔡茗庄 即蔡宗玉，字茗庄。清代医家，泉州府人。著《医书汇参》《伤寒六经辨证》等。

管象黄 即管鼎，字象黄，号凝斋，又号佛客。清代医家。著《吴医汇讲》。

缪希雍 字仲淳，号慕台。明代医家，江苏常熟人。著《本草经疏》《先醒斋医学广笔记》等。

魏念庭 即魏荔彤，字念庭。清代医家，柏乡（河北赵县）人。撰《伤寒论本义》《金匮要略本义》。

魏子千 未详，待考。

常用参考书目简介

二 画

十便良方 即《近时十便良方》，又名《新编近时十便良方》《备全古今十便良方》。四十卷。宋代郭坦撰。

三 画

千金翼方 即《千金要方》。唐代孙思邈撰。

山海经 古代地理著作，十八篇。一般认为是先秦作品，作者不详。

万病回春 综合性医书，八卷。明代龚廷贤撰。

三因方 即《三因极一病证方论》。宋代陈言（无择）撰。对研究中医病因学说和各科临床治疗有一定参考价值。

卫生宝鉴 综合性医书，二十四卷。元代罗天益撰。

卫生宝鉴附遗 即《卫生宝鉴》中补遗部分，一卷。系后人增订。

卫生方 即《卫生易简方》，方书。明代胡淡撰。

口齿类要 一卷。明代薛己撰。书中记载了十二类口齿科疾病的验案与方剂。

小儿药证直诀 又名《钱氏小儿药证直诀》。宋代钱乙撰，阎孝忠编集。书中简要记述了小儿病的诊断与治疗，具有较高的实用价值。

小品方 方书，十二卷。东晋陈延之撰于4世纪初。原书已佚，其佚文散见于《外台秘要》《医心方》等书中。

四 画

中风斠诠 张山雷（寿颐）撰，初刊于1922年，是一部中西合璧论述中风的专书。

方函口诀 即《勿误药室方函口诀》。日本浅田宗伯氏著。见《皇汉医学》。

方舆輗 日本有持桂里氏著，见《皇汉医学》。

方 极 《皇汉医学丛书》之一。日本吉益为则（东洞）、品丘明著于1755年。

方氏丹溪心法附余 即《丹溪心法附余》，二十四卷 。明代方广（约之、古庵）撰。

方　议　即《金镜内台方议》。为明代许宏根据成无己的《注解伤寒论》对张仲景方剂加以注释所编。

内台方议　即《金镜内台方议》。

内经拾遗方论　八卷，宋代骆龙吉撰，该书为《内经》中六十二种病证拟定了处方。

内外伤辨惑论　又名《内外伤辨》，三卷，金代李杲撰。

内科简效方　方书，清代王士雄撰。

仁斋直指附遗　即《仁斋直指》一书每条之后的"附遗"部分，为明代嘉靖年间朱崇正所续增。

五行大义　五卷，隋代萧吉撰。现存知不足斋本、日本国佚存丛书本、许刊本，四库未收。

王氏易简方　即《易简方》。

丹溪心法　元代朱震亨述，明代程充校订。本书系朱氏的学生根据其学术经验和平素所述纂辑而成。

五　画

本　论　指《伤寒杂病论》。

本事方　方书，即《普济本事方》，又名《类证普济本事方》，宋代许叔微撰。

本草纲目　明代李时珍撰。全书共五十二卷，收载药物1892种，附方一万余首，插图一千多幅。本书不仅是一部中药学著作，而且是一部具有世界性影响的博物学著作。

本经逢原　药物学著作，四卷。清代张璐撰。全书共分32部，收载药物700余种。

本事续方　即《本事方续集》，又名《续本事方》，十卷。宋代许叔微撰，约刊于12世纪中期。本书收载300余方，为补充《本事方》而作。

本草拾遗　药物学著作。唐代陈藏器撰。原书已佚，但佚文可见于《证类本草》中。

礼　指《礼记》，十三经之一。

礼运疏　礼运，《礼记》篇名;《礼运疏》见于宋代卫湜所撰《礼记集说》，是集录东汉郑玄《礼记注》以后的各家注疏而成。

玉　函　指《金匮玉函经》，是《伤寒论》一种较早的古传本。

玉函经　即脉学著作，又名《广成先生玉函经》，三卷。原题唐代杜光庭撰。后世的流通本系宋代崔嘉彦引述古典医籍结合个人见解的注释本。

玉函经附遗　未详，待考。

玉机微义　综合性医学书籍，五十卷。明代徐彦纯撰，刘宗厚续增。

圣济总录　方书。又名《政和圣济总录》，二百卷，录方近二万首。宋徽宗时由朝廷组织人员编撰，成书于宋代政和（1111—1117）年间。

圣惠方　全称《太平圣惠方》，一百卷，北宋王怀隐等编。本书所辑方剂达一万余首，是总结10世纪以前的大型临床方书。

外台秘要　四十卷。唐代王焘撰。全书共一千一百零四门，载医方六千余首，书中引录各书均附出处，是研究我国唐以前医学的一部重要参考著作。

甲乙经　即《针灸甲乙经》。魏晋间皇甫谧撰。

叶氏录验　即《叶氏录验方》，三卷。宋代叶大廉辑。现有日本抄本。

叶氏避暑录话　叶氏，即叶梦得，字少蕴，号石林居士。宋代绍圣进士，善文辞。《避暑录话》为其所著之一。

兰室秘藏　综合性医书，三卷，金代李杲（东垣）撰。

兰台轨范　综合性医书，八卷，清代徐大椿撰。徐氏认为该书所辑内容足为治疗典范，故名。

汉药神效方　方书。日本石原保秀著于1929年，沈乾一编译于1935年。

汉方解说　日本汉方医书，余未详。

古方便览　日本六角重任氏著。见《皇汉医学》。

古今一统　综合性医书。又名《古今一统大全》，一百卷，明代徐春甫辑。

古方选注　方书。清代王子接撰，一名《绛雪园古方选注》。

北　史　史书。唐代李延寿撰，一百卷，记载从北魏到隋的历史。

东垣试效方　即《东垣先生试效方》，九卷。元代李杲原著，明代倪维德校订。

史　记　原名《太史公书》。西汉司马迁撰，一百三十篇，为我国第一部纪传体通史。

平脉法　即《伤寒杂病论》卷一、卷二《平脉法》。

生生堂治验　《皇汉医学丛书》之一。日本中神琴溪著，小野逊辑于1803年。

六　画

此事难知　元代王好古（海藏）撰。为王氏编集其老师李杲的医学论述，在一定程度上反映了李杲的学术思想。

伤寒论识 六卷。日本浅田惟常撰。

伤寒辑义 即《伤寒论辑义》。《聿修堂医学丛书》之一，七卷。日本丹波元简撰。

伤寒点睛 二卷。清代孟承意撰。

伤寒直格 又名《刘河间伤寒直格方论》。旧题金代刘元素撰；又有南宋代刘开撰《伤寒直格》五卷，书未见。

伤寒蕴要 一名《伤寒蕴要全书》。元代吴绶撰。

伤寒考 一卷。日本山田正珍撰。

伤寒绪论 二卷。清代张璐撰。

伤寒准绳 《六科证治准绳》之一，明代王肯堂撰。

伤寒六书 又名《陶氏伤寒全书》。明代陶华撰于15世纪中期。内容包括:《伤寒琐言》《伤寒家秘的本》《伤寒杀车捶法》《伤寒一提金》《伤寒截江网》《伤寒明理续论》。

伤寒辨要 日本浅田惟常著。

伤寒九十论 一卷。宋代许叔微撰。主要记载了作者治疗伤寒病的九十个医案。

伤寒类要 一卷。元代平晓卿著。又四卷，高若讷著。

伤寒摘锦 全称《万氏家传伤寒摘锦》。二卷，明代万全编撰。后收入《万密斋医学全书》中。

朱氏集验方 即《朱氏集验医方》。宋代朱佐（君辅）编。

传信适用方 方书。宋代吴彦夔编。

传信尤易方 方书。八卷。明代曹金辑。

名医类案 明代江瓘撰。该书为我国第一部比较系统和完备的医案著述。

成绩录 日本吉益南涯氏著。

成方集验 未详，待考。

阴证略例 一卷。元代王好古撰。该书主要为伤寒阴证而设，亦可作为内科杂病阴证的参考。

百疢一贯 日本和田东郭氏著。

产　宝 一卷。清代倪枝维撰，许琏校订。又有唐代昝殷《产宝》三卷，现传本作《经效产宝》，是我国现存最早的妇产科专书。

产乳方 即《产乳备要》方。该书为《妇人产育保庆集》下卷，内容论妇产科杂病，原撰者不详。

全生指迷方　方书。又名《济世全生指迷方》。宋代王贶撰于12世纪初。明代以后原书散佚，今本四卷，系编《四库全书》时自《永乐大典》中辑出后改编而成。

妇人良方　又名《妇人良方大全》《妇人大全良方》《妇人良方集要》。二十四卷。宋代陈自明撰。

后汉书　南朝宋代范晔撰。今本一百二十篇，分一百三十卷。为纪传体东汉史。

七　画

吴医汇讲　十一卷。清代唐大烈辑。是我国早期具有医学刊物性质的著作，共发表了江浙地区四十多位医家的文章一百篇左右。

吴氏方考　即明代吴昆所撰《医方考》。

医　原　医论著作。三卷。清代石寿棠撰，共载医论二十篇。

医宗必读　明代李士材撰。十卷。在中医门径书中卓有影响。

医学入门　综合性医学门径书。明代李梴编撰。

医门法律　综合性医书。清代喻昌撰。

医方集解　医方著作。清代汪昂撰。三卷。选解古今医籍中常用方剂六七百首。

医醇賸义　四卷。清代费伯雄撰。

医垒元戎　十二卷。元代王好古撰。

医方考　明代吴昆撰。该书选录历代常用医方七百余首，详加解释。属明代著名方书之一。

医学纲目　明代楼英（一名公爽，字全善）著。

医心方　综合性医著，三十卷。日本丹波康赖撰。该书征引资料比较丰富，是研究我国唐代以前医学文献的重要著作。

医经会解　八卷。邓星仪著。

医学从众录　医学门经书。八卷。清代陈念祖编撰。

医　贯　医论著作。明代赵献可撰，全书以保养“命门之火”贯串处理养生、治病及有关疾病的一切问题，故题名为“医贯”。

医林纂要　即《医林纂要探源》。综合性医书。明代李梴编撰。

医林改错　清代王清任撰。该书所载之脏腑图纠正了前人在脏腑论述方面的一些错误，所载活血化瘀诸方，至今仍为临床所沿用。

医　说　十卷，宋代张杲撰，为南宋以前有关医学典故、医史资料的类编。

诊家正眼　脉学著作。明代李中梓撰。

针　经　即《灵枢》。

针灸资生经　针灸著作。七卷。宋代王执中撰。

张氏医通　综合性医书。清代张璐撰，全书共十六卷，主要论述内、外、儿、妇、五官各科疾病的防治。

肘后方　方书。即《肘后备急方》，晋代葛洪撰。主要记述各种急性疾病的简便治法。

肘后附方　金代杨用道在葛洪《肘后方》及梁代陶弘景《补阙肘后百一方》的基础上，摘取《证类本草》中的单方作为附方而成。一名《附广肘后方》，即现存的《肘后备急方》。

证治大还　医学丛书。清代陈治撰。内容包括《医学近编》《伤寒近编》《幼幼新编》《济阴近编》《诊视近纂》《药理近考》等。

证治摘要　日本中川成章辑，后收入《皇汉医学丛书》。

证治准绳　一名《六科证治准绳》，明代王肯堂撰。其内容主要以阐述临床各科证治为主。

时还读我书　日本富士川游等编。

时病论　八卷。清代雷丰撰。阐述四时伏气、新感等急性热病，为有关温热病重要著作之一。

杨氏家藏方　方书。二十卷。宋代杨倓撰。全书共分四十九类，载方一千一百一十一首。

杨氏直指方　即《仁斋直指方》。宋代杨士瀛撰。

苏沈良方　方书。系后人将宋代苏轼《苏学士方》和沈括《良方》二书合编而成。

宋　本　即宋代林亿等据开宝时节度使高继冲所献的王叔和撰《伤寒论十卷》加以校正，于宋代治平二年（1065 年）出版的《伤寒论》第一次印刷本。已佚。现存为明代万历二十七年（1599 年）赵开美复刻本的影印本。

良方集腋　又名《良方集腋合璧》，清代谢元庆编集。属民间验方的汇编。

酉阳杂俎　二十卷，续集十卷。唐代段成式撰。《新唐书・艺文志》列入子录小说家类。对研究晚唐传奇文学及古代矿物、生物、医药等学科，有一定参考价值。

谷梁范注　即《春秋谷梁传注疏》。周代谷梁赤所述，晋代范宁注，唐代杨士勋疏。《谷梁传》《公羊传》《左传》同为解释《春秋》的“三传”。

寿世保元　综合性临床医著。十卷。明代龚廷贤撰，约成书于 17 世纪初期。

八 画

易 即《易经》，“五经”之一。

易简方 方书。宋代王硕撰。约刊于12世纪末期。

金 鉴 即《医宗金鉴》。凡九十卷，十五种。是清代乾隆年间由政府组织、吴谦主编的大型医学丛书。

金匮辑义 日本丹波元简撰。全书共六卷，乃采辑徐彬、程林、沈明宗、魏荔彤、吴谦等诸家之说，结合个人心得体会编辑而成，对研究《金匮要略》有一定的参考价值。

松心堂笔记 即《松心医案笔记》。二卷。清代缪松心著。

拔萃方 即《集验良方拔萃》，又名《集验良方》《拔萃良方》。二卷，清代恬素辑。该书选收以外科疾病为首的验方近二百首。

抱朴子 指《抱朴子·内外篇》。东晋葛洪（自号抱朴子）著。其内篇专讲炼丹术，外篇则为道教著作。

直指方 即《仁斋直指》，又名《仁斋直指方论》《仁斋直指方》。二十六卷。宋代杨士瀛撰，是一部以介绍内科杂病为重点的临床综合性医书。

和剂局方 一名《太平惠民和剂局方》。宋代太医局编。初刊于1078年以后，是宋代太医局所属药局的一种成药处方配本，属流传较广、影响较大的临床方书之一。

明理论 即《伤寒明理论》。三卷。金代成无己撰。

试效方 即《东垣先生试效方》。九卷。元代李杲撰。

经验良方 清代陆画邨辑。该书属民间验方汇编，其中收载了《孙真人海上方》等书的方药。

怪疾奇方 《古愚山房方书三种》之一。清代海阳竹林人辑。其余二种为《解毒编》《汇集经验方》。

图 经 即《图经本草》。宋代苏颂撰。

疡医大全 四十卷。清代顾世澄撰。是一部资料比较丰富的外科参考书。

周 书 《尚书》组成部分。相传是记载周代史事之书。本书所引当指唐代令狐德棻等撰的《周书》，系纪传体北周史，成书于贞观十年（636年），五十卷。

国 语 传为春秋时左丘明著。二十一卷。以记西周末年和春秋时期周鲁等国贵族的言论为主。

明皇杂录 二卷，别录一卷。唐代郑处海撰。所记多为唐玄宗轶事，故名。

九 画

脉 经 西晋王叔和撰，是我国现存最早的脉学专著。

保命集 即《素问病机气宜保命集》。三卷，金代刘完素撰。系作者于晚年总结其临床心得之作。

保幼大全 即《小儿卫生总微论方》，二十卷。

说 文 即《说文解字》。东汉许慎编纂。是我国最早的一部字典。

活人书 即《伤寒活人书》。宋代朱肱著。

活人大全 黄炫撰。日本丹波元简《伤寒论辑义》所引书目之一。

济生方 方书。又名《严氏济生方》。十卷。宋代严用和撰。收载四百五十余方，选方多经作者试用，切于实用。

济阳纲目 综合性医书。一百零八卷。明武之望撰。其内容包括内科杂病、外科、伤科、五官、口齿等病证。

济阴纲目 妇科医著。五卷。明代武之望撰。该书采摭丰富、分类详细、选方实用，对后世有一定影响。

洁古家珍 综合性医书。金代张元素撰。

洗冤录 即《洗冤集录》。法医学著作。宋代宋慈撰。

总病论 即《伤寒总病论》。宋代庞安时撰。是一部研究《伤寒论》较早而有相当影响的著作。

前汉书 即《汉书》。东汉班固撰。一百篇，分一百二十卷。是我国第一部纪传体断代史。

类聚方广义 日本尾台榕堂撰。

类方准绳 又名《杂病证治类方》《类方》《王损庵先生类方》。八卷。明代王肯堂辑。该书是《证治准绳》的一种。

宣明论 即《黄帝素问宣明论方》，又名《宣明论方》。金代刘完素撰。

施氏续易简方 方书。即《续易简方论》。六卷。宋代施发撰。是王硕《易简方》的续编。

神农本经 即《神农本草经》，简称《本草经》《本经》，是我国最早的药物学专著，约成书于秦汉时期。

姚和众至宝方 即《众童延令至宝方》。唐代姚和撰，见《宋以前医籍考》。

药 征 三卷。又称《药征全书》。日本吉益为则撰，李启贤校订。见《皇汉医学丛书》。

十 画

莫氏研经言 即《研经言》。医论著作。清代莫枚士（文泉）撰。主要内容为研究《内经》《伤寒论》《金匮要略》《神农本草经》的心得体会。

难 经 即《黄帝八十一难经》。原题秦越人撰。成书约在秦汉之际，是医经名著之一。

资生篇 疑为《资生集》。一卷。

准 绳 即《证治准绳》。

衷中参西录 即《医学衷中参西录》。三十卷。张锡纯著。

晋 书 纪传体晋代史。一百三十卷。唐代房玄龄等撰。

验方新编 十六卷。清代鲍相璈（云韶）辑。另有清代梅启照辑《验方新编》七卷，现存为1937年铅印本。

笔峰杂兴 即邓笔峰所著《卫生杂兴》。见《本草纲目》引用书目。

十一画

巢氏病源 即《诸病源候论》，又名《诸病源候总论》。隋代巢元方等撰。全书共五十卷，分六十七门，载列证候论一千七百二十条。是我国现存第一部论述病因和证候学专书。

涪古本 民国以来发现的《伤寒杂病论》古本之一。系四川刘熔经得于涪陵张齐五。1934年石印。

眼科锦囊 眼科医著。日本本庆俊笃撰。

得效方 即《世医得效方》。元代危亦林撰。

梅氏方 即《梅氏验方新编》。八卷，梅启照辑。

续医说 十卷，明代俞弁撰，是《医说》的续集。

十二画

御药院方 方书。今存本为1938年经许国祯等人修订的元代宫廷中药局成方配本，共十四门，一千零六十八方；其方多不见于其他方书。

温病条辨 六卷。清代吴鞠通撰，是一部切于实用、流传较广的温病著作。

温热经纬 清代王孟英撰，是一部较有影响的温热病专著。

寒温条辨 即《伤寒温疫条辨》。六卷。清代杨浚撰。

舒氏女科要诀 即《女科要诀》。清代舒驰远著。

集　韵　韵书。十卷。宋代丁度等奉诏修订，是研究文字训诂和宋代语音的重要资料。

集简方　即《集验简易良方》。四卷。清代德丰（怀庭）辑。

博闻类纂　《伤寒论辑义》所引书目之一。

博物志　笔记。西晋张华撰。多取材于古书，分类记载异境奇物及古代琐闻杂事。

湘古本　即湖南浏阳刘昆湘所得之古本《伤寒杂病论》。十六卷。1933年于长沙印行。

寓意草　医案著作。清代喻昌撰。全书收集以内科杂病为主的疑难治案六十余则。

景岳全书　综合性医著。六十四卷。明代张景岳（介宾）撰。

普济方　即《普济本事方》，宋代许叔微撰。

十三画以上

新　释　即《伤寒杂病论新释》。十六卷。黄竹斋撰，未刊行。

瘢论萃英　元代王好古（海藏）等撰。

精神病广义　二卷。周利川（岐隐）著。

溯洄集　医论著作。元代王履撰。

潘氏续焰　即明代潘辑所增注的王绍隆所著《医灯续焰》。

魏氏家藏方　方书。十卷。宋代魏岘撰。

熊氏补遗　即《黄帝内经素问灵枢运气音释补遗》。明代熊宗立撰。

懒真子　五卷。宋代马永卿撰。

增补内经拾遗方论　明代刘浴德、朱练在《内经拾遗方论》的基础上续补88种病症而成。

榕堂疗指示录　包括《榕堂疗指示前录》《榕堂疗指示后录》。日本尾台榕堂氏著。

薛氏医案　丛书。又名《薛氏医案二十四种》。明代薛己等撰，吴琯辑。初刊于明代万历年间。

楼氏纲目　即明代楼英（名公爽，字全善）撰《医学纲目》。

U0786063

博物馆工作手册

国家文物局博物馆与社会文物司（科技司） 编

科 学 出 版 社
北 京

内 容 简 介

博物馆事业的发展离不开博物馆工作制度的完善，依法合规、有序繁荣更是博物馆科学发展的应有之义。2007年出版的《博物馆工作手册》一书，对博物馆事业的发展起到了指导作用。自2008年博物馆免费开放以来，我国博物馆事业发生了一系列新的变化，宜将十几年来发布的与博物馆事业有关的法律、法规、规章、规范性的文件汇编成册，以进一步指导今后博物馆各项工作的发展。该书分为八个部分：第一部分是综合，第二部分是博物馆管理，第三部分是藏品管理，第四部分是陈列展览，第五部分是社会教育，第六部分是开放服务，第七部分是安全保卫，第八部分是附录（文物、博物馆领域相关国家、行业标准清单）。其中关于文物、博物馆领域相关国家、行业标准清单对当下文博领域开展工作具有更重要的参照意义。

本书可供从事文博专业相关学科的从业人员和大专院校相关专业师生阅读、参考。

图书在版编目（CIP）数据

博物馆工作手册 / 国家文物局博物馆与社会文物司（科技司）编.
—北京：科学出版社，2021.6
ISBN 978-7-03-068627-5

Ⅰ.①博… Ⅱ.①国… Ⅲ.①博物馆—工作—手册 Ⅳ.① G26-62

中国版本图书馆 CIP 数据核字（2021）第 069792 号

责任编辑：张亚娜　闫广宇 / 责任校对：邹慧卿
责任印制：肖　兴 / 封面设计：方舒弘

科 学 出 版 社 出版
北京东黄城根北街16号
邮政编码：100717
http://www.sciencep.com

中国科学院印刷厂 印刷
科学出版社发行　各地新华书店经销
*
2021年6月第　一　版　开本：787×1092　1/16
2023年3月第五次印刷　印张：27 3/4
字数：658 000

定价：158.00 元

（如有印装质量问题，我社负责调换）

目　　录

第一部分　综　　合

习近平总书记关于博物馆工作的重要论述和指示精神 ……（1）
中华人民共和国刑法（节选）……（3）
中华人民共和国文物保护法 ……（5）
中华人民共和国文物保护法实施条例 ……（19）
中华人民共和国宪法（节选）……（29）
中华人民共和国著作权法（节选）……（31）
中华人民共和国消防法（节选）……（34）
中华人民共和国慈善法（节选）……（37）
中华人民共和国公共文化服务保障法 ……（40）
中华人民共和国民法典（节选）……（48）
关于加快构建现代公共文化服务体系的意见 ……（49）
关于进一步加强文物工作的指导意见 ……（60）
关于加强文物保护利用改革的若干意见 ……（68）
关于加强革命文物工作的通知 ……（73）
关于实施中华优秀传统文化传承发展工程的意见 ……（76）
关于进一步加强文物安全工作的实施意见 ……（84）
关于实施革命文物保护利用工程（2018—2022 年）的意见……（88）
关于促进文物合理利用的若干意见 ……（93）

第二部分　博物馆管理

博物馆条例……（96）
关于贯彻执行《博物馆条例》的实施意见 ……（102）
事业单位登记管理暂行条例 ……（106）
民办非企业单位登记管理暂行条例 ……（109）

博物馆管理办法……………………………………………………………………………（115）
关于推进博物馆改革发展的指导意见 …………………………………………………（121）
博物馆定级评估办法………………………………………………………………………（127）
关于在博物馆领域落实“双随机一公开”监管的指导意见 …………………………（130）
关于促进生态（社区）博物馆发展的通知 ……………………………………………（134）
关于加强高校博物馆建设与发展的通知 ………………………………………………（137）
关于促进民办博物馆发展的意见 ………………………………………………………（140）
关于推进国有博物馆对口支援民办博物馆工作的意见 ………………………………（144）
关于民办博物馆设立的指导意见 ………………………………………………………（147）
关于进一步推动非国有博物馆发展的意见 ……………………………………………（151）
关于进一步规范非国有博物馆备案登记管理工作的意见 ……………………………（155）
非国有博物馆章程示范文本 ……………………………………………………………（158）
国有博物馆章程范本………………………………………………………………………（168）
国家文物保护专项资金管理办法 ………………………………………………………（177）
关于推进中央与地方财政事权和支出责任划分改革的指导意见 ……………………（185）
公共文化领域中央与地方财政事权和支出责任划分改革方案 ………………………（193）
关于进一步加强文博事业单位人事管理工作的指导意见 ……………………………（197）
关于深化文物博物专业人员职称制度改革的指导意见 ………………………………（201）
国际博物馆协会博物馆职业道德 ………………………………………………………（207）
中国文物、博物馆工作者职业道德准则 ………………………………………………（222）

第三部分 藏品管理

博物馆藏品管理办法………………………………………………………………………（223）
考古发掘品移交管理办法（试行）………………………………………………………（229）
依法没收、追缴文物的移交办法 ………………………………………………………（231）
文物藏品定级标准…………………………………………………………………………（233）
关于印发《近现代文物征集参考范围》和《近现代一级文物藏品定级标准（试行）》的通知…………………………………………………………………（239）
古人类化石和古脊椎动物化石保护管理办法 …………………………………………（248）
国有公益性收藏单位进口藏品免税暂行规定 …………………………………………（250）
关于实施《国有公益性收藏单位进口藏品免税暂行规定》的有关事宜 ………（252）

文物复制拓印管理办法 ……（255）
可移动文物修复管理办法 ……（257）
国有馆藏文物退出管理暂行办法 ……（261）
国有博物馆藏品征集规程 ……（263）
关于进一步规范国有文物收藏单位馆藏一级文物借展备案工作的通知 ……（265）
非国有文物收藏单位和其他单位借用国有馆藏一级文物许可指南 ……（268）
馆藏一级文物的修复、复制、拓印许可指南 ……（272）
博物馆一级藏品取样分析许可指南 ……（278）

第四部分　陈 列 展 览

文物出境展览管理规定 ……（282）
关于规范文物出入境展览审批工作的通知 ……（287）
首批禁止出国（境）展览文物目录 ……（289）
第二批禁止出国境展览文物目录（书画类）……（292）
第三批禁止出境展览文物目录 ……（294）
出国（境）文物展品包装工作规范 ……（299）
出国（境）文物展览展品运输规定 ……（303）
文物出境展览许可指南 ……（305）
文物出境许可指南……（315）
关于进一步加强博物馆宣传展示和社会服务工作的通知 ……（322）
关于加强博物馆陈列展览工作的意见 ……（325）
关于提升博物馆陈列展览质量的指导意见 ……（327）

第五部分　社 会 教 育

新时代公民道德建设实施纲要 ……（330）
新时代爱国主义教育实施纲要 ……（340）
中小学综合实践活动课程指导纲要 ……（349）
中小学德育工作指南……（360）
关于加强文教结合、完善博物馆青少年教育功能的指导意见 ……（369）
关于利用博物馆资源开展中小学教育教学的意见 ……（372）
关于全面加强和改进新时代学校美育工作的意见 ……（375）

第六部分　开 放 服 务

关于全国博物馆、纪念馆免费开放的通知 ……………………………………………（380）
关于进一步做好公共博物馆纪念馆免费开放工作的意见 ……………………………（384）
关于推动文化文物单位文化创意产品开发的若干意见 ………………………………（388）
关于贯彻落实国务院办公厅转发《关于推动文化文物单位文化创意产品开发的若干意见》的通知 ……………………………………………………………（393）
关于印发《博物馆馆藏资源著作权、商标权和品牌授权操作指引（试行）》的通知……………………………………………………………………………（396）

第七部分　安 全 保 卫

博物馆安全保卫工作规定 ……………………………………………………………（417）
突发事件应急工作管理办法 …………………………………………………………（422）
关于请及时上报文物案件和火灾事故的通知 ………………………………………（425）
关于加强馆藏文物展陈安全工作的通知 ……………………………………………（429）

第八部分　附　　录

文物、博物馆领域相关国家、行业标准清单 ……………………………………………（431）

第一部分　综　　合

习近平总书记关于博物馆工作的重要论述和指示精神

（1）2014 年 2 月 25 日，习近平在首都博物馆参观北京历史文化展览时强调："搞历史博物展览，为的是见证历史、以史鉴今、启迪后人。要在展览的同时高度重视修史修志，让文物说话、把历史智慧告诉人们，激发我们的民族自豪感和自信心，坚定全体人民振兴中华、实现中国梦的信心和决心。"

（2）2014 年 3 月 27 日，习近平在巴黎联合国教科文组织总部发表演讲中指出："每一种文明都延续着一个国家和民族的精神血脉，既需要薪火相传、代代守护，更需要与时俱进、勇于创新。中国人民在实现中国梦的进程中，将按照时代的新进步，推动中华文明创造性转化和创新性发展，激活其生命力，把跨越时空、超越国度、富有永恒魅力、具有当代价值的文化精神弘扬起来，让收藏在博物馆里的文物、陈列在广阔大地上的遗产、书写在古籍里的文字都活起来，让中华文明同世界各国人民创造的丰富多彩的文明一道，为人类提供正确的精神指引和强大的精神动力。"

（3）2015 年 2 月 15 日，习近平在西安博物院调研时强调："一个博物院就是一所大学校。要把凝结着中华民族传统文化的文物保护好、管理好，同时加强研究和利用，让历史说话，让文物说话，在传承祖先的成就和光荣、增强民族自尊和自信的同时，谨记历史的挫折和教训，以少走弯路、更好前进。"

（4）2016 年 11 月 10 日，习近平在致国际博物馆高级别论坛（在深圳举办）的贺信中指出："博物馆是保护和传承人类文明的重要殿堂，是连接过去、现在、未来的桥梁，在促进世界文明交流互鉴方面具有特殊作用。中国博物馆事业已有 100 多年历史。近年来，中国各类博物馆在场馆设施建设、藏品保护研究、陈列展示和免费开放、满足民众需求、推动中外文化交流等方面不断取得进展。中国各类博物馆不仅是中国历史的保存者和记录者，也是当代中国人民为实现中华民族伟大复兴的中国梦而奋斗的见证者和参与者。”

（5）2017 年 4 月 19 日，习近平在广西合浦汉代文化博物馆调研时指出：“博物馆建设不要‘千馆一面’，不要追求形式上的大而全，展出的内容要突出特色。”

中华人民共和国刑法（节选）

【1979年7月1日第五届全国人民代表大会第二次会议通过，1997年3月14日第八届全国人民代表大会第五次会议修订；根据1999年12月25日中华人民共和国刑法修正案、2001年8月31日中华人民共和国刑法修正案（二）、2001年12月29日中华人民共和国刑法修正案（三）、2002年12月28日中华人民共和国刑法修正案（四）、2005年2月28日中华人民共和国刑法修正案（五）、2006年6月29日中华人民共和国刑法修正案（六）、2009年2月28日中华人民共和国刑法修正案（七）、2009年8月27日《全国人民代表大会常务委员会关于修改部分法律的决定》、2011年2月25日中华人民共和国刑法修正案（八）、2015年8月29日中华人民共和国刑法修正案（九）、2017年11月4日中华人民共和国刑法修正案（十）、2020年12月26日中华人民共和国刑法修正案（十一）修正】

第一百五十一条 走私国家禁止出口的文物、黄金、白银和其他贵重金属或者国家禁止进出口的珍贵动物及其制品的，处五年以上十年以下有期徒刑，并处罚金；情节特别严重的，处十年以上有期徒刑或者无期徒刑，并处没收财产；情节较轻的，处五年以下有期徒刑，并处罚金。

第三百二十四条 【故意损毁文物罪；故意损毁名胜古迹罪；过失损毁文物罪】故意损毁国家保护的珍贵文物或者被确定为全国重点文物保护单位、省级文物保护单位的文物的，处三年以下有期徒刑或者拘役，并处或者单处罚金；情节严重的，处三年以上十年以下有期徒刑，并处罚金。

故意损毁国家保护的名胜古迹，情节严重的，处五年以下有期徒刑或者拘役，并处或者单处罚金。

过失损毁国家保护的珍贵文物或者被确定为全国重点文物保护单位、省级文物保护单位的文物，造成严重后果的，处三年以下有期徒刑或者拘役。

第三百二十五条 【非法向外国人出售、赠送珍贵文物罪】违反文物保护法规，将收藏的国家禁止出口的珍贵文物私自出售或者私自赠送给外国人的，处五年以下有期徒刑或者拘役，可以并处罚金。

单位犯前款罪的，对单位判处罚金，并对其直接负责的主管人员和其他直接责任人员，依照前款的规定处罚。

第三百二十六条 【倒卖文物罪】以牟利为目的，倒卖国家禁止经营的文物，情节严重的，处五年以下有期徒刑或者拘役，并处罚金；情节特别严重的，处五年以上十年以下有期徒刑，并处罚金。

单位犯前款罪的，对单位判处罚金，并对其直接负责的主管人员和其他直接责任人员，依照前款的规定处罚。

第三百二十七条 【非法出售、私赠文物藏品罪】违反文物保护法规，国有博物馆、图书馆等单位将国家保护的文物藏品出售或者私自送给非国有单位或者个人的，对单位判处罚金，并对其直接负责的主管人员和其他直接责任人员，处三年以下有期徒刑或者拘役。

第三百二十八条 【盗掘古文化遗址、古墓葬罪；盗掘古人类化石、古脊椎动物化石罪】盗掘具有历史、艺术、科学价值的古文化遗址、古墓葬的，处三年以上十年以下有期徒刑，并处罚金；情节较轻的，处三年以下有期徒刑、拘役或者管制，并处罚金；有下列情形之一的，处十年以上有期徒刑或者无期徒刑，并处罚金或者没收财产：

（一）盗掘确定为全国重点文物保护单位和省级文物保护单位的古文化遗址、古墓葬的；

（二）盗掘古文化遗址、古墓葬集团的首要分子；

（三）多次盗掘古文化遗址、古墓葬的；

（四）盗掘古文化遗址、古墓葬，并盗窃珍贵文物或者造成珍贵文物严重破坏的。

盗掘国家保护的具有科学价值的古人类化石和古脊椎动物化石的，依照前款的规定处罚。

第三百二十九条 【盗窃、抢夺国有档案罪；擅自出卖、转让国有档案罪】抢夺、窃取国家所有的档案的，处五年以下有期徒刑或者拘役。

违反档案法的规定，擅自出卖、转让国家所有的档案，情节严重的，处三年以下有期徒刑或者拘役。

有前两款行为，同时又构成本法规定的其他犯罪的，依照处罚较重的规定定罪处罚。

第四百一十九条 【失职造成珍贵文物损毁、流失罪】国家机关工作人员严重不负责任，造成珍贵文物损毁或者流失，后果严重的，处三年以下有期徒刑或者拘役。

中华人民共和国文物保护法

（1982 年 11 月 19 日第五届全国人民代表大会常务委员会第二十五次会议通过；根据 1991 年 6 月 29 日第七届全国人民代表大会常务委员会第二十次会议《关于修改〈中华人民共和国文物保护法〉第三十条、第三十一条的决定》第一次修正；2002 年 10 月 28 日第九届全国人民代表大会常务委员会第三十次会议修订；根据 2007 年 12 月 29 日第十届全国人民代表大会常务委员会第三十一次会议《关于修改〈中华人民共和国文物保护法〉的决定》第二次修正；根据 2013 年 6 月 29 日第十二届全国人民代表大会常务委员会第三次会议《关于修改〈中华人民共和国文物保护法〉等十二部法律的决定》第三次修正；根据 2015 年 4 月 24 日第十二届全国人民代表大会常务委员会第十四次会议《关于修改〈中华人民共和国文物保护法〉的决定》第四次修正；根据 2017 年 11 月 4 日第十二届全国人民代表大会常务委员会第三十次会议《关于修改〈中华人民共和国会计法〉等十一部法律的决定》第五次修正）

第一章　总　　则

第一条　为了加强对文物的保护，继承中华民族优秀的历史文化遗产，促进科学研究工作，进行爱国主义和革命传统教育，建设社会主义精神文明和物质文明，根据宪法，制定本法。

第二条　在中华人民共和国境内，下列文物受国家保护：

（一）具有历史、艺术、科学价值的古文化遗址、古墓葬、古建筑、石窟寺和石刻、壁画；

（二）与重大历史事件、革命运动或者著名人物有关的以及具有重要纪念意义、教育意义或者史料价值的近代现代重要史迹、实物、代表性建筑；

（三）历史上各时代珍贵的艺术品、工艺美术品；

（四）历史上各时代重要的文献资料以及具有历史、艺术、科学价值的手稿和图书资料等；

（五）反映历史上各时代、各民族社会制度、社会生产、社会生活的代表性实物。

文物认定的标准和办法由国务院文物行政部门制定，并报国务院批准。

具有科学价值的古脊椎动物化石和古人类化石同文物一样受国家保护。

第三条 古文化遗址、古墓葬、古建筑、石窟寺、石刻、壁画、近代现代重要史迹和代表性建筑等不可移动文物，根据它们的历史、艺术、科学价值，可以分别确定为全国重点文物保护单位，省级文物保护单位，市、县级文物保护单位。

历史上各时代重要实物、艺术品、文献、手稿、图书资料、代表性实物等可移动文物，分为珍贵文物和一般文物；珍贵文物分为一级文物、二级文物、三级文物。

第四条 文物工作贯彻保护为主、抢救第一、合理利用、加强管理的方针。

第五条 中华人民共和国境内地下、内水和领海中遗存的一切文物，属于国家所有。

古文化遗址、古墓葬、石窟寺属于国家所有。国家指定保护的纪念建筑物、古建筑、石刻、壁画、近代现代代表性建筑等不可移动文物，除国家另有规定的以外，属于国家所有。

国有不可移动文物的所有权不因其所依附的土地所有权或者使用权的改变而改变。

下列可移动文物，属于国家所有：

（一）中国境内出土的文物，国家另有规定的除外；

（二）国有文物收藏单位以及其他国家机关、部队和国有企业、事业组织等收藏、保管的文物；

（三）国家征集、购买的文物；

（四）公民、法人和其他组织捐赠给国家的文物；

（五）法律规定属于国家所有的其他文物。

属于国家所有的可移动文物的所有权不因其保管、收藏单位的终止或者变更而改变。

国有文物所有权受法律保护，不容侵犯。

第六条 属于集体所有和私人所有的纪念建筑物、古建筑和祖传文物以及依法取得的其他文物，其所有权受法律保护。文物的所有者必须遵守国家有关文物保护的法律、法规的规定。

第七条 一切机关、组织和个人都有依法保护文物的义务。

第八条 国务院文物行政部门主管全国文物保护工作。

地方各级人民政府负责本行政区域内的文物保护工作。县级以上地方人民政府承担文物保护工作的部门对本行政区域内的文物保护实施监督管理。县级以上人民政府有关行政部门在各自的职责范围内，负责有关的文物保护工作。

第九条 各级人民政府应当重视文物保护，正确处理经济建设、社会发展与文物保护的关系，确保文物安全。基本建设、旅游发展必须遵守文物保护工作的方针，其活动不得对文物造成损害。公安机关、工商行政管理部门、海关、城乡建设规划部门和其他有关国家机关，应当依法认真履行所承担的保护文物的职责，维护文物管理秩序。

第十条 国家发展文物保护事业。县级以上人民政府应当将文物保护事业纳入本级国民经济和社会发展规划，所需经费列入本级财政预算。国家用于文物保护的财政拨款随着财政收入增长而增加。国有博物馆、纪念馆、文物保护单位等的事业性收入，专门用于文物保护，任何单位或者个人不得侵占、挪用。国家鼓励通过捐赠等方式设立文物保护社会基金，专门用于文物保护，任何单位或者个人不得侵占、挪用。

第十一条 文物是不可再生的文化资源。国家加强文物保护的宣传教育，增强全民文物保护的意识，鼓励文物保护的科学研究，提高文物保护的科学技术水平。

第十二条 有下列事迹的单位或者个人，由国家给予精神鼓励或者物质奖励：

（一）认真执行文物保护法律、法规，保护文物成绩显著的；

（二）为保护文物与违法犯罪行为作坚决斗争的；

（三）将个人收藏的重要文物捐献给国家或者为文物保护事业作出捐赠的；

（四）发现文物及时上报或者上交，使文物得到保护的；

（五）在考古发掘工作中作出重大贡献的；

（六）在文物保护科学技术方面有重要发明创造或者其他重要贡献的；

（七）在文物面临破坏危险时，抢救文物有功的；

（八）长期从事文物工作，作出显著成绩的。

第二章 不可移动文物

第十三条 国务院文物行政部门在省级、市、县级文物保护单位中，选择具有重大历史、艺术、科学价值的确定为全国重点文物保护单位，或者直接确定为全国重点文物保护单位，报国务院核定公布。省级文物保护单位，由省、自治区、直辖市人民政府核定公布，并报国务院备案。市级和县级文物保护单位，分别由设区的市、自治州和县级人民政府核定公布，并报省、自治区、直辖市人民政府备案。尚未核定公布为文物保护单位的不可移动文物，由县级人民政府文物行政部门予以登记并公布。

第十四条 保存文物特别丰富并且具有重大历史价值或者革命纪念意义的城市，由国务院核定公布为历史文化名城。保存文物特别丰富并且具有重大历史价值或者革命纪念意义的城镇、街道、村庄，由省、自治区、直辖市人民政府核定公布为历史文化街区、村镇，并报国务院备案。历史文化名城和历史文化街区、村镇所在地的县级以上地方人民政府应当组织编制专门的历史文化名城和历史文化街区、村镇保护规划，并纳入城市总体规划。历史文化名城和历史文化街区、村镇的保护办法，由国务院制定。

第十五条 各级文物保护单位，分别由省、自治区、直辖市人民政府和市、县级人民政府划定必要的保护范围，作出标志说明，建立记录档案，并区别情况分别设置专门机构或者专人负责管理。全国重点文物保护单位的保护范围和记录档案，由省、自治区、直辖市人民政府文物行政部门报国务院文物行政部门备案。县级以上地方人民政府文物行政部门应当根据不同文物的保护需要，制定文物保护单位和未核定为文物保护单位的不可移动文物的具体保护措施，并公告施行。

第十六条 各级人民政府制定城乡建设规划，应当根据文物保护的需要，事先由城乡建设规划部门会同文物行政部门商定对本行政区域内各级文物保护单位的保护措施，并纳入规划。

第十七条 文物保护单位的保护范围内不得进行其他建设工程或者爆破、钻探、挖掘等作业。但是，因特殊情况需要在文物保护单位的保护范围内进行其他建设工程或者爆破、钻探、挖掘等作业的，必须保证文物保护单位的安全，并经核定公布该文物保护单位的人民政府批准，在批准前应当征得上一级人民政府文物行政部门同意；在全国重点文物保护单位的保护范围内进行其他建设工程或者爆破、钻探、挖掘等作业的，必须经省、自治区、直辖市人民政府批准，在批准前应当征得国务院文物行政部门同意。

第十八条 根据保护文物的实际需要，经省、自治区、直辖市人民政府批准，可以在文物保护单位的周围划出一定的建设控制地带，并予以公布。在文物保护单位的建设控制地带内进行建设工程，不得破坏文物保护单位的历史风貌；工程设计方案应当根据文物保护单位的级别，经相应的文物行政部门同意后，报城乡建设规划部门批准。

第十九条 在文物保护单位的保护范围和建设控制地带内，不得建设污染文物保护单位及其环境的设施，不得进行可能影响文物保护单位安全及其环境的活动。对已有的污染文物保护单位及其环境的设施，应当限期治理。

第二十条 建设工程选址，应当尽可能避开不可移动文物；因特殊情况不能避开的，对文物保护单位应当尽可能实施原址保护。实施原址保护的，建设单位应当事先确定保护措施，根据文物保护单位的级别报相应的文物行政部门批准；未经批准的，不得开工建设。无法实施原址保护，必须迁移异地保护或者拆除的，应当报省、自治区、直辖市人民政府批准；迁移或者拆除省级文物保护单位的，批准前须征得国务院文物行政部门同意。全国重点文物保护单位不得拆除；需要迁移的，须由省、自治区、直辖市人民政府报国务院批准。依照前款规定拆除的国有不可移动文物中具有收藏价值的壁画、雕塑、建筑构件等，由文物行政部门指定的文物收藏单位收藏。本条规定的原址保护、迁移、拆除所需费用，由建设单位列入建设工程预算。

第二十一条 国有不可移动文物由使用人负责修缮、保养；非国有不可移动文物由所有人负责修缮、保养。非国有不可移动文物有损毁危险，所有人不具备修缮能力的，当地人民政府应当给予帮助；所有人具备修缮能力而拒不依法履行修缮义务的，县级以上人民政府可以给予抢救修缮，所需费用由所有人负担。对文物保护单位进行修缮，应当根据文物保护单位的级别报相应的文物行政部门批准；对未核定为文物保护单位的不可移动文物进行修缮，应当报登记的县级人民政府文物行政部门批准。文物保护单位的修缮、迁移、重建，由取得文物保护工程资质证书的单位承担。对不可移动文物进行修缮、保养、迁移，必须遵守不改变文物原状的原则。

第二十二条 不可移动文物已经全部毁坏的，应当实施遗址保护，不得在原址重建。但是，因特殊情况需要在原址重建的，由省、自治区、直辖市人民政府文物行政部门报省、自治区、直辖市人民政府批准；全国重点文物保护单位需要在原址重建的，由省、自治区、直辖市人民政府报国务院批准。

第二十三条 核定为文物保护单位的属于国家所有的纪念建筑物或者古建筑，除可以建立博物馆、保管所或者辟为参观游览场所外，作其他用途的，市、县级文物保护单位应当经核定公布该文物保护单位的人民政府文物行政部门征得上一级文物行政部门同意后，报核定公布该文物保护单位的人民政府批准；省级文物保护单位应当经核定公布该文物保护单位的省级人民政府的文物行政部门审核同意后，报该省级人民政府批准；全国重点文物保护单位作其他用途的，应当由省、自治区、直辖市人民政府报国务院批准。国有未核定为文物保护单位的不可移动文物作其他用途的，应当报告县级人民政府文物行政部门。

第二十四条 国有不可移动文物不得转让、抵押。建立博物馆、保管所或者辟为参观游览场所的国有文物保护单位，不得作为企业资产经营。

第二十五条 非国有不可移动文物不得转让、抵押给外国人。非国有不可移动文物转让、抵押或者改变用途的，应当根据其级别报相应的文物行政部门备案。

第二十六条 使用不可移动文物，必须遵守不改变文物原状的原则，负责保护建筑物及其附属文物的安全，不得损毁、改建、添建或者拆除不可移动文物。对危害文物保护单位安全、破坏文物保护单位历史风貌的建筑物、构筑物，当地人民政府应当及时调查处理，必要时，对该建筑物、构筑物予以拆迁。

第三章 考古发掘

第二十七条 一切考古发掘工作，必须履行报批手续；从事考古发掘的单位，应当经国务院文物行政部门批准。地下埋藏的文物，任何单位或者个人都不得私自发掘。

第二十八条 从事考古发掘的单位，为了科学研究进行考古发掘，应当提出发掘计划，报国务院文物行政部门批准；对全国重点文物保护单位的考古发掘计划，应当经国务院文物行政部门审核后报国务院批准。国务院文物行政部门在批准或者审核前，应当征求社会科学研究机构及其他科研机构和有关专家的意见。

第二十九条 进行大型基本建设工程，建设单位应当事先报请省、自治区、直辖市人民政府文物行政部门组织从事考古发掘的单位在工程范围内有可能埋藏文物的地方进行考古调查、勘探。考古调查、勘探中发现文物的，由省、自治区、直辖市人民政府文物行政部门根据文物保护的要求会同建设单位共同商定保护措施；遇有重要发现的，由省、自治区、直辖市人民政府文物行政部门及时报国务院文物行政部门处理。

第三十条 需要配合建设工程进行的考古发掘工作，应当由省、自治区、直辖市文物行政部门在勘探工作的基础上提出发掘计划，报国务院文物行政部门批准。国务院文物行政部门在批准前，应当征求社会科学研究机构及其他科研机构和有关专家的意见。确因建设工期紧迫或者有自然破坏危险，对古文化遗址、古墓葬急需进行抢救发掘的，由省、自治区、直辖市人民政府文物行政部门组织发掘，并同时补办审批手续。

第三十一条 凡因进行基本建设和生产建设需要的考古调查、勘探、发掘，所需费用由建设单位列入建设工程预算。

第三十二条 在进行建设工程或者在农业生产中，任何单位或者个人发现文物，应当保护现场，立即报告当地文物行政部门，文物行政部门接到报告后，如无特殊情况，应当在二十四小时内赶赴现场，并在七日内提出处理意见。文物行政部门可以报请当地人民政府通知公安机关协助保护现场；发现重要文物的，应当立即上报国务院文物行政部门，国务院文物行政部门应当在接到报告后十五日内提出处理意见。依照前款规定发现的文物属于国家所有，任何单位或者个人不得哄抢、私分、藏匿。

第三十三条 非经国务院文物行政部门报国务院特别许可，任何外国人或者外国团体不得在中华人民共和国境内进行考古调查、勘探、发掘。

第三十四条 考古调查、勘探、发掘的结果，应当报告国务院文物行政部门和省、自治区、直辖市人民政府文物行政部门。考古发掘的文物，应当登记造册，妥善保管，按照国家有关规定移交给由省、自治区、直辖市人民政府文物行政部门或者国务院文物行政部门指定的国有博物馆、图书馆或者其他国有收藏文物的单位收藏。经省、自治区、直辖市人民政府文物行政部门批准，从事考古发掘的单位可以保留少量出土文物作为科研标本。考古发掘的文物，任何单位或者个人不得侵占。

第三十五条 根据保证文物安全、进行科学研究和充分发挥文物作用的需要，省、自治区、直辖市人民政府文物行政部门经本级人民政府批准，可以调用本行政区域内的出土文物；国务院文物行政部门经国务院批准，可以调用全国的重要出土文物。

第四章 馆藏文物

第三十六条 博物馆、图书馆和其他文物收藏单位对收藏的文物，必须区分文物等级，设置藏品档案，建立严格的管理制度，并报主管的文物行政部门备案。县级以上地方人民政府文物行政部门应当分别建立本行政区域内的馆藏文物档案；国务院文物行政部门应当建立国家一级文物藏品档案和其主管的国有文物收藏单位馆藏文物档案。

第三十七条 文物收藏单位可以通过下列方式取得文物：

（一）购买；

（二）接受捐赠；

（三）依法交换；

（四）法律、行政法规规定的其他方式。

国有文物收藏单位还可以通过文物行政部门指定保管或者调拨方式取得文物。

第三十八条 文物收藏单位应当根据馆藏文物的保护需要，按照国家有关规定建立、健全管理制度，并报主管的文物行政部门备案。未经批准，任何单位或者个人不得调取馆藏文物。文物收藏单位的法定代表人对馆藏文物的安全负责。国有文物收藏单位的法定代表人离任时，应当按照馆藏文物档案办理馆藏文物移交手续。

第三十九条 国务院文物行政部门可以调拨全国的国有馆藏文物。省、自治区、直辖市人民政府文物行政部门可以调拨本行政区域内其主管的国有文物收藏单位馆藏文物；调拨国有馆藏一级文物，应当报国务院文物行政部门备案。国有文物收藏单位可以申请调拨国有馆藏文物。

第四十条 文物收藏单位应当充分发挥馆藏文物的作用，通过举办展览、科学研究等活动，加强对中华民族优秀的历史文化和革命传统的宣传教育。国有文物收藏单位之间因举办展览、科学研究等需借用馆藏文物的，应当报主管的文物行政部门备案；借用馆藏一级文物的，应当同时报国务院文物行政部门备案。非国有文物收藏单位和其他单位举办展览需借用国有馆藏文物的，应当报主管的文物行政部门批准；借用国有馆藏一级文物，应当经国务院文物行政部门批准。文物收藏单位之间借用文物的最长期限不得超过三年。

第四十一条 已经建立馆藏文物档案的国有文物收藏单位，经省、自治区、直辖市人民政府文物行政部门批准，并报国务院文物行政部门备案，其馆藏文物可以在国有文物收藏单位之间交换。

第四十二条 未建立馆藏文物档案的国有文物收藏单位，不得依照本法第四十条、第四十一条的规定处置其馆藏文物。

第四十三条 依法调拨、交换、借用国有馆藏文物，取得文物的文物收藏单位可以对提供文物的文物收藏单位给予合理补偿，具体管理办法由国务院文物行政部门制定。国有文物收藏单位调拨、交换、出借文物所得的补偿费用，必须用于改善文物的收藏条件和收集新的文物，不得挪作他用；任何单位或者个人不得侵占。调拨、交换、借用的文物必须严格保管，不得丢失、损毁。

第四十四条 禁止国有文物收藏单位将馆藏文物赠与、出租或者出售给其他单位、个人。

第四十五条 国有文物收藏单位不再收藏的文物的处置办法，由国务院另行制定。

第四十六条 修复馆藏文物，不得改变馆藏文物的原状；复制、拍摄、拓印馆藏文物，不得对馆藏文物造成损害。具体管理办法由国务院制定。不可移动文物的单体文物的修复、复制、拍摄、拓印，适用前款规定。

第四十七条 博物馆、图书馆和其他收藏文物的单位应当按照国家有关规定配备防火、防盗、防自然损坏的设施，确保馆藏文物的安全。

第四十八条 馆藏一级文物损毁的，应当报国务院文物行政部门核查处理。其他馆藏文物损毁的，应当报省、自治区、直辖市人民政府文物行政部门核查处理；省、自治区、直辖市人民政府文物行政部门应当将核查处理结果报国务院文物行政部门备案。馆藏文物被盗、被抢或者丢失的，文物收藏单位应当立即向公安机关报案，并同时向主管的文物行政部门报告。

第四十九条 文物行政部门和国有文物收藏单位的工作人员不得借用国有文

物，不得非法侵占国有文物。

第五章　民间收藏文物

第五十条　文物收藏单位以外的公民、法人和其他组织可以收藏通过下列方式取得的文物：

（一）依法继承或者接受赠与；

（二）从文物商店购买；

（三）从经营文物拍卖的拍卖企业购买；

（四）公民个人合法所有的文物相互交换或者依法转让；

（五）国家规定的其他合法方式。

文物收藏单位以外的公民、法人和其他组织收藏的前款文物可以依法流通。

第五十一条　公民、法人和其他组织不得买卖下列文物：

（一）国有文物，但是国家允许的除外；

（二）非国有馆藏珍贵文物；

（三）国有不可移动文物中的壁画、雕塑、建筑构件等，但是依法拆除的国有不可移动文物中的壁画、雕塑、建筑构件等不属于本法第二十条第四款规定的应由文物收藏单位收藏的除外；

（四）来源不符合本法第五十条规定的文物。

第五十二条　国家鼓励文物收藏单位以外的公民、法人和其他组织将其收藏的文物捐赠给国有文物收藏单位或者出借给文物收藏单位展览和研究。国有文物收藏单位应当尊重并按照捐赠人的意愿，对捐赠的文物妥善收藏、保管和展示。国家禁止出境的文物，不得转让、出租、质押给外国人。

第五十三条　文物商店应当由省、自治区、直辖市人民政府文物行政部门批准设立，依法进行管理。文物商店不得从事文物拍卖经营活动，不得设立经营文物拍卖的拍卖企业。

第五十四条　依法设立的拍卖企业经营文物拍卖的，应当取得省、自治区、直辖市人民政府文物行政部门颁发的文物拍卖许可证。经营文物拍卖的拍卖企业不得从事文物购销经营活动，不得设立文物商店。

第五十五条　文物行政部门的工作人员不得举办或者参与举办文物商店或者经营文物拍卖的拍卖企业。文物收藏单位不得举办或者参与举办文物商店或者经营文物拍卖的拍卖企业。禁止设立中外合资、中外合作和外商独资的文物商店或者经营文物拍卖的拍卖企业。除经批准的文物商店、经营文物拍卖的拍卖企业外，其他单位或者个人不得从事文物的商业经营活动。

第五十六条 文物商店不得销售、拍卖企业不得拍卖本法第五十一条规定的文物。拍卖企业拍卖的文物，在拍卖前应当经省、自治区、直辖市人民政府文物行政部门审核，并报国务院文物行政部门备案。

第五十七条 省、自治区、直辖市人民政府文物行政部门应当建立文物购销、拍卖信息与信用管理系统。文物商店购买、销售文物，拍卖企业拍卖文物，应当按照国家有关规定作出记录，并于销售、拍卖文物后三十日内报省、自治区、直辖市人民政府文物行政部门备案。拍卖文物时，委托人、买受人要求对其身份保密的，文物行政部门应当为其保密；但是，法律、行政法规另有规定的除外。

第五十八条 文物行政部门在审核拟拍卖的文物时，可以指定国有文物收藏单位优先购买其中的珍贵文物。购买价格由文物收藏单位的代表与文物的委托人协商确定。

第五十九条 银行、冶炼厂、造纸厂以及废旧物资回收单位，应当与当地文物行政部门共同负责拣选掺杂在金银器和废旧物资中的文物。拣选文物除供银行研究所必需的历史货币可以由人民银行留用外，应当移交当地文物行政部门。移交拣选文物，应当给予合理补偿。

第六章 文物出境进境

第六十条 国有文物、非国有文物中的珍贵文物和国家规定禁止出境的其他文物，不得出境；但是依照本法规定出境展览或者因特殊需要经国务院批准出境的除外。

第六十一条 文物出境，应当经国务院文物行政部门指定的文物进出境审核机构审核。经审核允许出境的文物，由国务院文物行政部门发给文物出境许可证，从国务院文物行政部门指定的口岸出境。任何单位或者个人运送、邮寄、携带文物出境，应当向海关申报；海关凭文物出境许可证放行。

第六十二条 文物出境展览，应当报国务院文物行政部门批准；一级文物超过国务院规定数量的，应当报国务院批准。

一级文物中的孤品和易损品，禁止出境展览。

出境展览的文物出境，由文物进出境审核机构审核、登记。海关凭国务院文物行政部门或者国务院的批准文件放行。出境展览的文物复进境，由原文物进出境审核机构审核查验。

第六十三条 文物临时进境，应当向海关申报，并报文物进出境审核机构审核、登记。

临时进境的文物复出境，必须经原审核、登记的文物进出境审核机构审核查验；经审核查验无误的，由国务院文物行政部门发给文物出境许可证，海关凭文物出境许可证放行。

第七章　法律责任

第六十四条　违反本法规定，有下列行为之一，构成犯罪的，依法追究刑事责任：

（一）盗掘古文化遗址、古墓葬的；

（二）故意或者过失损毁国家保护的珍贵文物的；

（三）擅自将国有馆藏文物出售或者私自送给非国有单位或者个人的；

（四）将国家禁止出境的珍贵文物私自出售或者送给外国人的；

（五）以牟利为目的倒卖国家禁止经营的文物的；

（六）走私文物的；

（七）盗窃、哄抢、私分或者非法侵占国有文物的；

（八）应当追究刑事责任的其他妨害文物管理行为。

第六十五条　违反本法规定，造成文物灭失、损毁的，依法承担民事责任。违反本法规定，构成违反治安管理行为的，由公安机关依法给予治安管理处罚。违反本法规定，构成走私行为，尚不构成犯罪的，由海关依照有关法律、行政法规的规定给予处罚。

第六十六条　有下列行为之一，尚不构成犯罪的，由县级以上人民政府文物主管部门责令改正，造成严重后果的，处五万元以上五十万元以下的罚款；情节严重的，由原发证机关吊销资质证书：

（一）擅自在文物保护单位的保护范围内进行建设工程或者爆破、钻探、挖掘等作业的；

（二）在文物保护单位的建设控制地带内进行建设工程，其工程设计方案未经文物行政部门同意、报城乡建设规划部门批准，对文物保护单位的历史风貌造成破坏的；

（三）擅自迁移、拆除不可移动文物的；

（四）擅自修缮不可移动文物，明显改变文物原状的；

（五）擅自在原址重建已全部毁坏的不可移动文物，造成文物破坏的；

（六）施工单位未取得文物保护工程资质证书，擅自从事文物修缮、迁移、重建的。

刻划、涂污或者损坏文物尚不严重的，或者损毁依照本法第十五条第一款规定设立的文物保护单位标志的，由公安机关或者文物所在单位给予警告，可以并处罚款。

第六十七条 在文物保护单位的保护范围内或者建设控制地带内建设污染文物保护单位及其环境的设施的，或者对已有的污染文物保护单位及其环境的设施未在规定的期限内完成治理的，由环境保护行政部门依照有关法律、法规的规定给予处罚。

第六十八条 有下列行为之一的，由县级以上人民政府文物主管部门责令改正，没收违法所得，违法所得一万元以上的，并处违法所得二倍以上五倍以下的罚款；违法所得不足一万元的，并处五千元以上二万元以下的罚款：

（一）转让或者抵押国有不可移动文物，或者将国有不可移动文物作为企业资产经营的；

（二）将非国有不可移动文物转让或者抵押给外国人的；

（三）擅自改变国有文物保护单位的用途的。

第六十九条 历史文化名城的布局、环境、历史风貌等遭到严重破坏的，由国务院撤销其历史文化名城称号；历史文化城镇、街道、村庄的布局、环境、历史风貌等遭到严重破坏的，由省、自治区、直辖市人民政府撤销其历史文化街区、村镇称号；对负有责任的主管人员和其他直接责任人员依法给予行政处分。

第七十条 有下列行为之一，尚不构成犯罪的，由县级以上人民政府文物主管部门责令改正，可以并处二万元以下的罚款，有违法所得的，没收违法所得：

（一）文物收藏单位未按照国家有关规定配备防火、防盗、防自然损坏的设施的；

（二）国有文物收藏单位法定代表人离任时未按照馆藏文物档案移交馆藏文物，或者所移交的馆藏文物与馆藏文物档案不符的；

（三）将国有馆藏文物赠与、出租或者出售给其他单位、个人的；

（四）违反本法第四十条、第四十一条、第四十五条规定处置国有馆藏文物的；

（五）违反本法第四十三条规定挪用或者侵占依法调拨、交换、出借文物所得补偿费用的。

第七十一条 买卖国家禁止买卖的文物或者将禁止出境的文物转让、出租、质押给外国人，尚不构成犯罪的，由县级以上人民政府文物主管部门责令改正，没收违法所得，违法经营额一万元以上的，并处违法经营额二倍以上五倍以下的罚款；违法经营额不足一万元的，并处五千元以上二万元以下的罚款。文物商店、拍卖企业有前款规定的违法行为的，由县级以上人民政府文物主管部门没收违法所得、非法经营的文物，违法经营额五万元以上的，并处违法经营额一倍以上三倍以下的罚款；违法经营额不足五万元的，并处五千元以上五万元以下的罚款；情节严重的，由原发证机关吊销许可证书。

第七十二条 未经许可，擅自设立文物商店、经营文物拍卖的拍卖企业，或者擅自从事文物的商业经营活动，尚不构成犯罪的，由工商行政管理部门依法予以制止，没收违法所得、非法经营的文物，违法经营额五万元以上的，并处违法经营额二倍以上五倍以下的罚款；违法经营额不足五万元的，并处二万元以上十万元以下的罚款。

第七十三条 有下列情形之一的，由工商行政管理部门没收违法所得、非法经营的文物，违法经营额五万元以上的，并处违法经营额一倍以上三倍以下的罚款；违法经营额不足五万元的，并处五千元以上五万元以下的罚款；情节严重的，由原发证机关吊销许可证书：

（一）文物商店从事文物拍卖经营活动的；

（二）经营文物拍卖的拍卖企业从事文物购销经营活动的；

（三）拍卖企业拍卖的文物，未经审核的；

（四）文物收藏单位从事文物的商业经营活动的。

第七十四条 有下列行为之一，尚不构成犯罪的，由县级以上人民政府文物主管部门会同公安机关追缴文物；情节严重的，处五千元以上五万元以下的罚款：

（一）发现文物隐匿不报或者拒不上交的；

（二）未按照规定移交拣选文物的。

第七十五条 有下列行为之一的，由县级以上人民政府文物主管部门责令改正：

（一）改变国有未核定为文物保护单位的不可移动文物的用途，未依照本法规定报告的；

（二）转让、抵押非国有不可移动文物或者改变其用途，未依照本法规定备案的；

（三）国有不可移动文物的使用人拒不依法履行修缮义务的；

（四）考古发掘单位未经批准擅自进行考古发掘，或者不如实报告考古发掘结果的；

（五）文物收藏单位未按照国家有关规定建立馆藏文物档案、管理制度，或者未将馆藏文物档案、管理制度备案的；

（六）违反本法第三十八条规定，未经批准擅自调取馆藏文物的；

（七）馆藏文物损毁未报文物行政部门核查处理，或者馆藏文物被盗、被抢或者丢失，文物收藏单位未及时向公安机关或者文物行政部门报告的；

（八）文物商店销售文物或者拍卖企业拍卖文物，未按照国家有关规定作出记录或者未将所作记录报文物行政部门备案的。

第七十六条 文物行政部门、文物收藏单位、文物商店、经营文物拍卖的拍卖企业的工作人员，有下列行为之一的，依法给予行政处分，情节严重的，依法开除公职或者吊销其从业资格；构成犯罪的，依法追究刑事责任：

（一）文物行政部门的工作人员违反本法规定，滥用审批权限、不履行职责或者发现违法行为不予查处，造成严重后果的；

（二）文物行政部门和国有文物收藏单位的工作人员借用或者非法侵占国有文物的；

（三）文物行政部门的工作人员举办或者参与举办文物商店或者经营文物拍卖的拍卖企业的；

（四）因不负责任造成文物保护单位、珍贵文物损毁或者流失的；

（五）贪污、挪用文物保护经费的。

前款被开除公职或者被吊销从业资格的人员，自被开除公职或者被吊销从业资格之日起十年内不得担任文物管理人员或者从事文物经营活动。

第七十七条 有本法第六十六条、第六十八条、第七十条、第七十一条、第七十四条、第七十五条规定所列行为之一的，负有责任的主管人员和其他直接责任人员是国家工作人员的，依法给予行政处分。

第七十八条 公安机关、工商行政管理部门、海关、城乡建设规划部门和其他国家机关，违反本法规定滥用职权、玩忽职守、徇私舞弊，造成国家保护的珍贵文物损毁或者流失的，对负有责任的主管人员和其他直接责任人员依法给予行政处分；构成犯罪的，依法追究刑事责任。

第七十九条 人民法院、人民检察院、公安机关、海关和工商行政管理部门依法没收的文物应当登记造册，妥善保管，结案后无偿移交文物行政部门，由文物行政部门指定的国有文物收藏单位收藏。

第八章 附 则

第八十条 本法自公布之日起施行。

中华人民共和国文物保护法实施条例

（2003 年 5 月 18 日中华人民共和国国务院令第 377 号公布；根据 2013 年 12 月 7 日中华人民共和国国务院令第 645 号公布的《国务院关于修改部分行政法规的决定》第一次修正；根据 2016 年 2 月 6 日发布的国务院令第 666 号《国务院关于修改部分行政法规的决定》第二次修正；根据 2017 年 3 月 1 日国务院令第 676 号公布的《国务院关于修改和废止部分行政法规的决定》第三次修正）

第一章　总　　则

第一条　根据《中华人民共和国文物保护法》（以下简称文物保护法），制定本实施条例。

第二条　国家重点文物保护专项补助经费和地方文物保护专项经费，由县级以上人民政府文物行政主管部门、投资主管部门、财政部门按照国家有关规定共同实施管理。任何单位或者个人不得侵占、挪用。

第三条　国有的博物馆、纪念馆、文物保护单位等的事业性收入，应当用于下列用途：

（一）文物的保管、陈列、修复、征集；

（二）国有的博物馆、纪念馆、文物保护单位的修缮和建设；

（三）文物的安全防范；

（四）考古调查、勘探、发掘；

（五）文物保护的科学研究、宣传教育。

第四条　文物行政主管部门和教育、科技、新闻出版、广播电视行政主管部门，应当做好文物保护的宣传教育工作。

第五条　国务院文物行政主管部门和省、自治区、直辖市人民政府文物行政主管部门，应当制定文物保护的科学技术研究规划，采取有效措施，促进文物保护科技成果的推广和应用，提高文物保护的科学技术水平。

第六条 有文物保护法第十二条所列事迹之一的单位或者个人，由人民政府及其文物行政主管部门、有关部门给予精神鼓励或者物质奖励。

第二章 不可移动文物

第七条 历史文化名城，由国务院建设行政主管部门会同国务院文物行政主管部门报国务院核定公布。

历史文化街区、村镇，由省、自治区、直辖市人民政府城乡规划行政主管部门会同文物行政主管部门报本级人民政府核定公布。

县级以上地方人民政府组织编制的历史文化名城和历史文化街区、村镇的保护规划，应当符合文物保护的要求。

第八条 全国重点文物保护单位和省级文物保护单位自核定公布之日起1年内，由省、自治区、直辖市人民政府划定必要的保护范围，作出标志说明，建立记录档案，设置专门机构或者指定专人负责管理。

设区的市、自治州级和县级文物保护单位自核定公布之日起1年内，由核定公布该文物保护单位的人民政府划定保护范围，作出标志说明，建立记录档案，设置专门机构或者指定专人负责管理。

第九条 文物保护单位的保护范围，是指对文物保护单位本体及周围一定范围实施重点保护的区域。

文物保护单位的保护范围，应当根据文物保护单位的类别、规模、内容以及周围环境的历史和现实情况合理划定，并在文物保护单位本体之外保持一定的安全距离，确保文物保护单位的真实性和完整性。

第十条 文物保护单位的标志说明，应当包括文物保护单位的级别、名称、公布机关、公布日期、立标机关、立标日期等内容。民族自治地区的文物保护单位的标志说明，应当同时用规范汉字和当地通用的少数民族文字书写。

第十一条 文物保护单位的记录档案，应当包括文物保护单位本体记录等科学技术资料和有关文献记载、行政管理等内容。

文物保护单位的记录档案，应当充分利用文字、音像制品、图画、拓片、摹本、电子文本等形式，有效表现其所载内容。

第十二条 古文化遗址、古墓葬、石窟寺和属于国家所有的纪念建筑物、古建筑，被核定公布为文物保护单位的，由县级以上地方人民政府设置专门机构或者指定机构负责管理。其他文物保护单位，由县级以上地方人民政府设置专门机构或者指定机构、专人负责管理；指定专人负责管理的，可以采取聘请文物保护员的形式。

文物保护单位有使用单位的，使用单位应当设立群众性文物保护组织；没有使用单位的，文物保护单位所在地的村民委员会或者居民委员会可以设立群众性文物保护组织。文物行政主管部门应当对群众性文物保护组织的活动给予指导和支持。

负责管理文物保护单位的机构，应当建立健全规章制度，采取安全防范措施；其安全保卫人员，可以依法配备防卫器械。

第十三条 文物保护单位的建设控制地带，是指在文物保护单位的保护范围外，为保护文物保护单位的安全、环境、历史风貌对建设项目加以限制的区域。

文物保护单位的建设控制地带，应当根据文物保护单位的类别、规模、内容以及周围环境的历史和现实情况合理划定。

第十四条 全国重点文物保护单位的建设控制地带，经省、自治区、直辖市人民政府批准，由省、自治区、直辖市人民政府的文物行政主管部门会同城乡规划行政主管部门划定并公布。

省级、设区的市、自治州级和县级文物保护单位的建设控制地带，经省、自治区、直辖市人民政府批准，由核定公布该文物保护单位的人民政府的文物行政主管部门会同城乡规划行政主管部门划定并公布。

第十五条 承担文物保护单位的修缮、迁移、重建工程的单位，应当同时取得文物行政主管部门发给的相应等级的文物保护工程资质证书和建设行政主管部门发给的相应等级的资质证书。其中，不涉及建筑活动的文物保护单位的修缮、迁移、重建，应当由取得文物行政主管部门发给的相应等级的文物保护工程资质证书的单位承担。

第十六条 申领文物保护工程资质证书，应当具备下列条件：

（一）有取得文物博物专业技术职务的人员；

（二）有从事文物保护工程所需的技术设备；

（三）法律、行政法规规定的其他条件。

第十七条 申领文物保护工程资质证书，应当向省、自治区、直辖市人民政府文物行政主管部门或者国务院文物行政主管部门提出申请。省、自治区、直辖市人民政府文物行政主管部门或者国务院文物行政主管部门应当自收到申请之日起30个工作日内作出批准或者不批准的决定。决定批准的，发给相应等级的文物保护工程资质证书；决定不批准的，应当书面通知当事人并说明理由。文物保护工程资质等级的分级标准和审批办法，由国务院文物行政主管部门制定。

第十八条 文物行政主管部门在审批文物保护单位的修缮计划和工程设计方案前，应当征求上一级人民政府文物行政主管部门的意见。

第十九条 危害全国重点文物保护单位安全或者破坏其历史风貌的建筑物、构筑物，由省、自治区、直辖市人民政府负责调查处理。

危害省级、设区的市、自治州级、县级文物保护单位安全或者破坏其历史风貌的建筑物、构筑物，由核定公布该文物保护单位的人民政府负责调查处理。

危害尚未核定公布为文物保护单位的不可移动文物安全的建筑物、构筑物，由县级人民政府负责调查处理。

第三章 考古发掘

第二十条 申请从事考古发掘的单位，取得考古发掘资质证书，应当具备下列条件：

（一）有 4 名以上接受过考古专业训练且主持过考古发掘项目的人员；

（二）有取得文物博物专业技术职务的人员；

（三）有从事文物安全保卫的专业人员；

（四）有从事考古发掘所需的技术设备；

（五）有保障文物安全的设施和场所；

（六）法律、行政法规规定的其他条件。

第二十一条 申领考古发掘资质证书，应当向国务院文物行政主管部门提出申请。国务院文物行政主管部门应当自收到申请之日起 30 个工作日内作出批准或者不批准的决定。决定批准的，发给考古发掘资质证书；决定不批准的，应当书面通知当事人并说明理由。

第二十二条 考古发掘项目实行项目负责人负责制度。

第二十三条 配合建设工程进行的考古调查、勘探、发掘，由省、自治区、直辖市人民政府文物行政主管部门组织实施。跨省、自治区、直辖市的建设工程范围内的考古调查、勘探、发掘，由建设工程所在地的有关省、自治区、直辖市人民政府文物行政主管部门联合组织实施；其中，特别重要的建设工程范围内的考古调查、勘探、发掘，由国务院文物行政主管部门组织实施。

建设单位对配合建设工程进行的考古调查、勘探、发掘，应当予以协助，不得妨碍考古调查、勘探、发掘。

第二十四条 国务院文物行政主管部门应当自收到文物保护法第三十条第一款规定的发掘计划之日起 30 个工作日内作出批准或者不批准决定。决定批准的，发给批准文件；决定不批准的，应当书面通知当事人并说明理由。

文物保护法第三十条第二款规定的抢救性发掘，省、自治区、直辖市人民政府文物行政主管部门应当自开工之日起 10 个工作日内向国务院文物行政主管部门补办审批手续。

第二十五条 考古调查、勘探、发掘所需经费的范围和标准，按照国家有关规定执行。

第二十六条 从事考古发掘的单位应当在考古发掘完成之日起30个工作日内向省、自治区、直辖市人民政府文物行政主管部门和国务院文物行政主管部门提交结项报告，并于提交结项报告之日起3年内向省、自治区、直辖市人民政府文物行政主管部门和国务院文物行政主管部门提交考古发掘报告。

第二十七条 从事考古发掘的单位提交考古发掘报告后，经省、自治区、直辖市人民政府文物行政主管部门批准，可以保留少量出土文物作为科研标本，并应当于提交发掘报告之日起6个月内将其他出土文物移交给由省、自治区、直辖市人民政府文物行政主管部门指定的国有的博物馆、图书馆或者其他国有文物收藏单位收藏。

第四章 馆藏文物

第二十八条 文物收藏单位应当建立馆藏文物的接收、鉴定、登记、编目和档案制度，库房管理制度，出入库、注销和统计制度，保养、修复和复制制度。

第二十九条 县级人民政府文物行政主管部门应当将本行政区域内的馆藏文物档案，按照行政隶属关系报设区的市、自治州级人民政府文物行政主管部门或者省、自治区、直辖市人民政府文物行政主管部门备案；设区的市、自治州级人民政府文物行政主管部门应当将本行政区域内的馆藏文物档案，报省、自治区、直辖市人民政府文物行政主管部门备案；省、自治区、直辖市人民政府文物行政主管部门应当将本行政区域内的一级文物藏品档案，报国务院文物行政主管部门备案。

第三十条 文物收藏单位之间借用馆藏文物，借用人应当对借用的馆藏文物采取必要的保护措施，确保文物的安全。

借用的馆藏文物的灭失、损坏风险，除当事人另有约定外，由借用该馆藏文物的文物收藏单位承担。

第三十一条 国有文物收藏单位未依照文物保护法第三十六条的规定建立馆藏文物档案并将馆藏文物档案报主管的文物行政主管部门备案的，不得交换、借用馆藏文物。

第三十二条 修复、复制、拓印馆藏二级文物和馆藏三级文物的，应当报省、自治区、直辖市人民政府文物行政主管部门批准；修复、复制、拓印馆藏一级文物的，应当经省、自治区、直辖市人民政府文物行政主管部门审核后报国务院文物行政主管部门批准。

第三十三条 从事馆藏文物修复、复制、拓印的单位，应当具备下列条件：

（一）有取得中级以上文物博物专业技术职务的人员；

（二）有从事馆藏文物修复、复制、拓印所需的场所和技术设备；

（三）法律、行政法规规定的其他条件。

第三十四条 从事馆藏文物修复、复制、拓印，应当向省、自治区、直辖市人民政府文物行政主管部门提出申请。省、自治区、直辖市人民政府文物行政主管部门应当自收到申请之日起 30 个工作日内作出批准或者不批准的决定。决定批准的，发给相应等级的资质证书；决定不批准的，应当书面通知当事人并说明理由。

第三十五条 为制作出版物、音像制品等拍摄馆藏文物的，应当征得文物收藏单位同意，并签署拍摄协议，明确文物保护措施和责任。文物收藏单位应当自拍摄工作完成后 10 个工作日内，将拍摄情况向文物行政主管部门报告。

第三十六条 馆藏文物被盗、被抢或者丢失的，文物收藏单位应当立即向公安机关报案，并同时向主管的文物行政主管部门报告；主管的文物行政主管部门应当在接到文物收藏单位的报告后 24 小时内，将有关情况报告国务院文物行政主管部门。

第三十七条 国家机关和国有的企业、事业组织等收藏、保管国有文物的，应当履行下列义务：

（一）建立文物藏品档案制度，并将文物藏品档案报所在地省、自治区、直辖市人民政府文物行政主管部门备案；

（二）建立、健全文物藏品的保养、修复等管理制度，确保文物安全；

（三）文物藏品被盗、被抢或者丢失的，应当立即向公安机关报案，并同时向所在地省、自治区、直辖市人民政府文物行政主管部门报告。

第五章 民间收藏文物

第三十八条 文物收藏单位以外的公民、法人和其他组织，可以依法收藏文物，其依法收藏的文物的所有权受法律保护。

公民、法人和其他组织依法收藏文物的，可以要求文物行政主管部门对其收藏的文物提供鉴定、修复、保管等方面的咨询。

第三十九条 设立文物商店，应当具备下列条件：

（一）有 200 万元人民币以上的注册资本；

（二）有 5 名以上取得中级以上文物博物专业技术职务的人员；

（三）有保管文物的场所、设施和技术条件；

（四）法律、行政法规规定的其他条件。

第四十条 设立文物商店，应当向省、自治区、直辖市人民政府文物行政主管部门提出申请。省、自治区、直辖市人民政府文物行政主管部门应当自收到申请之日起 30 个工作日内作出批准或者不批准的决定。决定批准的，发给批准文件；决定不批准的，应当书面通知当事人并说明理由。

第四十一条 依法设立的拍卖企业，从事文物拍卖经营活动的，应当有 5 名以上取得高级文物博物专业技术职务的文物拍卖专业人员，并取得省、自治区、直辖市人民政府文物行政主管部门发给的文物拍卖许可证。

第四十二条 依法设立的拍卖企业申领文物拍卖许可证，应当向省、自治区、直辖市人民政府文物行政主管部门提出申请。省、自治区、直辖市人民政府文物行政主管部门应当自收到申请之日起 30 个工作日内作出批准或者不批准的决定。决定批准的，发给文物拍卖许可证；决定不批准的，应当书面通知当事人并说明理由。

第四十三条 文物商店购买、销售文物，经营文物拍卖的拍卖企业拍卖文物，应当记录文物的名称、图录、来源、文物的出卖人、委托人和买受人的姓名或者名称、住所、有效身份证件号码或者有效证照号码以及成交价格，并报省、自治区、直辖市人民政府文物行政主管部门备案。接受备案的文物行政主管部门应当依法为其保密，并将该记录保存 75 年。

文物行政主管部门应当加强对文物商店和经营文物拍卖的拍卖企业的监督检查。

第六章　文物出境进境

第四十四条 国务院文物行政主管部门指定的文物进出境审核机构，应当有 5 名以上取得中级以上文物博物专业技术职务的文物进出境责任鉴定人员。

第四十五条 运送、邮寄、携带文物出境，应当在文物出境前依法报文物进出境审核机构审核。文物进出境审核机构应当自收到申请之日起 15 个工作日内作出是否允许出境的决定。

文物进出境审核机构审核文物，应当有 3 名以上文物博物专业技术人员参加；其中，应当有 2 名以上文物进出境责任鉴定人员。

文物出境审核意见，由文物进出境责任鉴定人员共同签署；对经审核，文物进出境责任鉴定人员一致同意允许出境的文物，文物进出境审核机构方可作出允许出境的决定。

文物出境审核标准，由国务院文物行政主管部门制定。

第四十六条 文物进出境审核机构应当对所审核进出境文物的名称、质地、尺寸、级别，当事人的姓名或者名称、住所、有效身份证件号码或者有效证照号码，以及进出境口岸、文物去向和审核日期等内容进行登记。

第四十七条 经审核允许出境的文物，由国务院文物行政主管部门发给文物出境许可证，并由文物进出境审核机构标明文物出境标识。经审核允许出境的文物，应当从国务院文物行政主管部门指定的口岸出境。海关查验文物出境标识后，凭文物出境许可证放行。

经审核不允许出境的文物，由文物进出境审核机构发还当事人。

第四十八条 文物出境展览的承办单位，应当在举办展览前 6 个月向国务院文物行政主管部门提出申请。国务院文物行政主管部门应当自收到申请之日起 30 个工作日内作出批准或者不批准的决定。决定批准的，发给批准文件；决定不批准的，应当书面通知当事人并说明理由。

一级文物展品超过 120 件（套）的，或者一级文物展品超过展品总数的 20% 的，应当报国务院批准。

第四十九条 一级文物中的孤品和易损品，禁止出境展览。禁止出境展览文物的目录，由国务院文物行政主管部门定期公布。

未曾在国内正式展出的文物，不得出境展览。

第五十条 文物出境展览的期限不得超过 1 年。因特殊需要，经原审批机关批准可以延期；但是，延期最长不得超过 1 年。

第五十一条 文物出境展览期间，出现可能危及展览文物安全情形的，原审批机关可以决定中止或者撤销展览。

第五十二条 临时进境的文物，经海关将文物加封后，交由当事人报文物进出境审核机构审核、登记。文物进出境审核机构查验海关封志完好无损后，对每件临时进境文物标明文物临时进境标识，并登记拍照。

临时进境文物复出境时，应当由原审核、登记的文物进出境审核机构核对入境登记拍照记录，查验文物临时进境标识无误后标明文物出境标识，并由国务院文物行政主管部门发给文物出境许可证。

未履行本条第一款规定的手续临时进境的文物复出境的，依照本章关于文物出境的规定办理。

第五十三条 任何单位或者个人不得擅自剥除、更换、挪用或者损毁文物出境标识、文物临时进境标识。

第七章 法律责任

第五十四条 公安机关、工商行政管理、文物、海关、城乡规划、建设等有关部门及其工作人员，违反本条例规定，滥用审批权限、不履行职责或者发现违法行为不予查处的，对负有责任的主管人员和其他直接责任人员依法给予行政处分；构成犯罪的，依法追究刑事责任。

第五十五条 违反本条例规定，未取得相应等级的文物保护工程资质证书，擅自承担文物保护单位的修缮、迁移、重建工程的，由文物行政主管部门责令限期改正；逾期不改正，或者造成严重后果的，处5万元以上50万元以下的罚款；构成犯罪的，依法追究刑事责任。

违反本条例规定，未取得建设行政主管部门发给的相应等级的资质证书，擅自承担含有建筑活动的文物保护单位的修缮、迁移、重建工程的，由建设行政主管部门依照有关法律、行政法规的规定予以处罚。

第五十六条 违反本条例规定，未取得资质证书，擅自从事馆藏文物的修复、复制、拓印活动的，由文物行政主管部门责令停止违法活动；没收违法所得和从事违法活动的专用工具、设备；造成严重后果的，并处1万元以上10万元以下的罚款；构成犯罪的，依法追究刑事责任。

第五十七条 文物保护法第六十六条第二款规定的罚款，数额为200元以下。

第五十八条 违反本条例规定，未经批准擅自修复、复制、拓印馆藏珍贵文物的，由文物行政主管部门给予警告；造成严重后果的，处2000元以上2万元以下的罚款；对负有责任的主管人员和其他直接责任人员依法给予行政处分。

文物收藏单位违反本条例规定，未在规定期限内将文物拍摄情况向文物行政主管部门报告的，由文物行政主管部门责令限期改正；逾期不改正的，对负有责任的主管人员和其他直接责任人员依法给予行政处分。

第五十九条 考古发掘单位违反本条例规定，未在规定期限内提交结项报告或者考古发掘报告的，由省、自治区、直辖市人民政府文物行政主管部门或者国务院文物行政主管部门责令限期改正；逾期不改正的，对负有责任的主管人员和其他直接责任人员依法给予行政处分。

第六十条 考古发掘单位违反本条例规定，未在规定期限内移交文物的，由省、自治区、直辖市人民政府文物行政主管部门或者国务院文物行政主管部门责令限期改正；逾期不改正，或者造成严重后果的，对负有责任的主管人员和其他直接责任人员依法给予行政处分。

第六十一条 违反本条例规定，文物出境展览超过展览期限的，由国务院文物行政主管部门责令限期改正；对负有责任的主管人员和其他直接责任人员依法给予行政处分。

第六十二条 依照文物保护法第六十六条、第七十三条的规定，单位被处以吊销许可证行政处罚的，应当依法到工商行政管理部门办理变更登记或者注销登记；逾期未办理的，由工商行政管理部门吊销营业执照。

第六十三条 违反本条例规定，改变国有的博物馆、纪念馆、文物保护单位等的事业性收入的用途的，对负有责任的主管人员和其他直接责任人员依法给予行政处分；构成犯罪的，依法追究刑事责任。

第八章 附 则

第六十四条 本条例自 2003 年 7 月 1 日起施行。

中华人民共和国宪法（节选）

（1982 年 12 月 4 日第五届全国人民代表大会第五次会议通过，1982 年 12 月 4 日全国人民代表大会公告公布施行；根据 1988 年 4 月 12 日第七届全国人民代表大会第一次会议通过的《中华人民共和国宪法修正案》、1993 年 3 月 29 日第八届全国人民代表大会第一次会议通过的《中华人民共和国宪法修正案》、1999 年 3 月 15 日第九届全国人民代表大会第二次会议通过的《中华人民共和国宪法修正案》、2004 年 3 月 14 日第十届全国人民代表大会第二次会议通过的《中华人民共和国宪法修正案》和 2018 年 3 月 11 日第十三届全国人民代表大会第一次会议通过的《中华人民共和国宪法修正案》修正）

第十四条　国家合理安排积累和消费，兼顾国家、集体和个人的利益，在发展生产的基础上，逐步改善人民的物质生活和文化生活。

第二十二条　国家发展为人民服务、为社会主义服务的文学艺术事业、新闻广播电视事业、出版发行事业、图书馆博物馆文化馆和其他文化事业，开展群众性的文化活动。

国家保护名胜古迹、珍贵文物和其他重要历史文化遗产。

第二十四条　国家通过普及理想教育、道德教育、文化教育、纪律和法制教育，通过在城乡不同范围的群众中制定和执行各种守则、公约，加强社会主义精神文明的建设。

国家倡导社会主义核心价值观，提倡爱祖国、爱人民、爱劳动、爱科学、爱社会主义的公德，在人民中进行爱国主义、集体主义和国际主义、共产主义的教育，进行辩证唯物主义和历史唯物主义的教育，反对资本主义的、封建主义的和其他的腐朽思想。

第四十七条　中华人民共和国公民有进行科学研究、文学艺术创作和其他文化活动的自由。国家对于从事教育、科学、技术、文学、艺术和其他文化事业的公民的有益于人民的创造性工作，给以鼓励和帮助。

第一百一十九条 民族自治地方的自治机关自主地管理本地方的教育、科学、文化、卫生、体育事业，保护和整理民族的文化遗产，发展和繁荣民族文化。

第一百二十二条 国家从财政、物资、技术等方面帮助各少数民族加速发展经济建设和文化建设事业。

中华人民共和国著作权法（节选）

（1990年9月7日第七届全国人民代表大会常务委员会第十五次会议通过；根据2001年10月27日第九届全国人民代表大会常务委员会第二十四次会议《关于修改〈中华人民共和国著作权法〉的决定》第一次修正；根据2010年2月26日第十一届全国人民代表大会常务委员会第十三次会议《关于修改〈中华人民共和国著作权法〉的决定》第二次修正；根据2020年11月11日第十三届全国人民代表大会常务委员会第二十三次会议《关于修改〈中华人民共和国著作权法〉的决定》第三次修正）

第一条 为保护文学、艺术和科学作品作者的著作权，以及与著作权有关的权益，鼓励有益于社会主义精神文明、物质文明建设的作品的创作和传播，促进社会主义文化和科学事业的发展与繁荣，根据宪法制定本法。

第二条 中国公民、法人或者非法人组织的作品，不论是否发表，依照本法享有著作权。

外国人、无国籍人的作品根据其作者所属国或者经常居住地国同中国签订的协议或者共同参加的国际条约享有的著作权，受本法保护。

外国人、无国籍人的作品首先在中国境内出版的，依照本法享有著作权。

未与中国签订协议或者共同参加国际条约的国家的作者以及无国籍人的作品首次在中国参加的国际条约的成员国出版的，或者在成员国和非成员国同时出版的，受本法保护。

第三条 本法所称的作品，是指文学、艺术和科学领域内具有独创性并能以一定形式表现的智力成果，包括：

（一）文字作品；

（二）口述作品；

（三）音乐、戏剧、曲艺、舞蹈、杂技艺术作品；

（四）美术、建筑作品；

（五）摄影作品；

（六）视听作品；

（七）工程设计图、产品设计图、地图、示意图等图形作品和模型作品；

（八）计算机软件；

（九）符合作品特征的其他智力成果。

第二十二条 作者的署名权、修改权、保护作品完整权的保护期不受限制。

第二十三条 自然人的作品，其发表权、本法第十条第一款第（五）项至第（十七）项规定的权利的保护期为作者终生及其死亡后五十年，截止于作者死亡后第五十年的 12 月 31 日；如果是合作作品，截止于最后死亡的作者死亡后第五十年的 12 月 31 日。

法人或者非法人组织的作品、著作权（署名权除外）由法人或者非法人组织享有的职务作品，其发表权的保护期为五十年，截止于作品创作完成后第五十年的 12 月 31 日；本法第十条第一款第五项至第十七项规定的权利的保护期为五十年，截止于作品首次发表后第五十年的 12 月 31 日，但作品自创作完成后五十年内未发表的，本法不再保护。

视听作品，其发表权的保护期为五十年，截止于作品创作完成后第五十年的 12 月 31 日；本法第十条第一款第五项至第十七项规定的权利的保护期为五十年，截止于作品首次发表后第五十年的 12 月 31 日，但作品自创作完成后五十年内未发表的，本法不再保护。

第二十四条 在下列情况下使用作品，可以不经著作权人许可，不向其支付报酬，但应当指明作者姓名或者名称、作品名称，并且不得影响该作品的正常使用，也不得不合理地损害著作权人的合法权益：

（一）为个人学习、研究或者欣赏，使用他人已经发表的作品；

（二）为介绍、评论某一作品或者说明某一问题，在作品中适当引用他人已经发表的作品；

（三）为报道新闻，在报纸、期刊、广播电台、电视台等媒体中不可避免地再现或者引用已经发表的作品；

（四）报纸、期刊、广播电台、电视台等媒体刊登或者播放其他报纸、期刊、广播电台、电视台等媒体已经发表的关于政治、经济、宗教问题的时事性文章，但著作权人声明不许刊登、播放的除外；

（五）报纸、期刊、广播电台、电视台等媒体刊登或者播放在公众集会上发表的讲话，但作者声明不许刊登、播放的除外；

（六）为学校课堂教学或者科学研究，改编、汇编、播放或者少量复制已经发表的作品，供教学或者科研人员使用，但不得出版发行；

（七）国家机关为执行公务在合理范围内使用已经发表的作品；

（八）图书馆、档案馆、纪念馆、博物馆、文化馆等为陈列或者保存版本的需要，复制本馆收藏的作品；

（九）免费表演已经发表的作品，该表演未向公众收取费用，也未向表演者支付报酬且不以营利为目的；

（十）对设置或者陈列在公共场所的艺术作品进行临摹、绘画、摄影、录像；

（十一）将中国公民、法人或者非法人组织已经发表的以国家通用语言文字创作的作品翻译成少数民族语言文字作品在国内出版发行；

（十二）以阅读障碍者能够感知的无障碍方式向其提供已经发表的作品；

（十三）法律、行政法规规定的其他情形。

前款规定适用于对与著作权有关的权利的限制。

中华人民共和国消防法（节选）

（1998 年 4 月 29 日第九届全国人民代表大会常务委员会第二次会议通过；
2008 年 10 月 28 日第十一届全国人民代表大会常务委员会第五次会议修订）

第一条 为了预防火灾和减少火灾危害，加强应急救援工作，保护人身、财产安全，维护公共安全，制定本法。

第二条 消防工作贯彻预防为主、防消结合的方针，按照政府统一领导、部门依法监管、单位全面负责、公民积极参与的原则，实行消防安全责任制，建立健全社会化的消防工作网络。

第五条 任何单位和个人都有维护消防安全、保护消防设施、预防火灾、报告火警的义务。任何单位和成年人都有参加有组织的灭火工作的义务。

第六条 各级人民政府应当组织开展经常性的消防宣传教育，提高公民的消防安全意识。

机关、团体、企业、事业等单位，应当加强对本单位人员的消防宣传教育。

第九条 建设工程的消防设计、施工必须符合国家工程建设消防技术标准。建设、设计、施工、工程监理等单位依法对建设工程的消防设计、施工质量负责。

第十条 对按照国家工程建设消防技术标准需要进行消防设计的建设工程，实行建设工程消防设计审查验收制度。

第十四条 建设工程消防设计审查、消防验收、备案和抽查的具体办法，由国务院住房和城乡建设主管部门规定。

第十五条 公众聚集场所在投入使用、营业前，建设单位或者使用单位应当向场所所在地的县级以上地方人民政府消防救援机构申请消防安全检查。

消防救援机构应当自受理申请之日起十个工作日内，根据消防技术标准和管理规定，对该场所进行消防安全检查。未经消防安全检查或者经检查不符合消防安全要求的，不得投入使用、营业。

第十六条 机关、团体、企业、事业等单位应当履行下列消防安全职责：

（一）落实消防安全责任制，制定本单位的消防安全制度、消防安全操作规程，制定灭火和应急疏散预案；

（二）按照国家标准、行业标准配置消防设施、器材，设置消防安全标志，并定期组织检验、维修，确保完好有效；

（三）对建筑消防设施每年至少进行一次全面检测，确保完好有效，检测记录应当完整准确，存档备查；

（四）保障疏散通道、安全出口、消防车通道畅通，保证防火防烟分区、防火间距符合消防技术标准；

（五）组织防火检查，及时消除火灾隐患；

（六）组织进行有针对性的消防演练；

（七）法律、法规规定的其他消防安全职责。

单位的主要负责人是本单位的消防安全责任人。

第十七条 县级以上地方人民政府消防救援机构应当将发生火灾可能性较大以及发生火灾可能造成重大的人身伤亡或者财产损失的单位，确定为本行政区域内的消防安全重点单位，并由应急管理部门报本级人民政府备案。

消防安全重点单位除应当履行本法第十六条规定的职责外，还应当履行下列消防安全职责：

（一）确定消防安全管理人，组织实施本单位的消防安全管理工作；

（二）建立消防档案，确定消防安全重点部位，设置防火标志，实行严格管理；

（三）实行每日防火巡查，并建立巡查记录；

（四）对职工进行岗前消防安全培训，定期组织消防安全培训和消防演练。

第十八条 同一建筑物由两个以上单位管理或者使用的，应当明确各方的消防安全责任，并确定责任人对共用的疏散通道、安全出口、建筑消防设施和消防车通道进行统一管理。

第二十条 举办大型群众性活动，承办人应当依法向公安机关申请安全许可，制定灭火和应急疏散预案并组织演练，明确消防安全责任分工，确定消防安全管理人员，保持消防设施和消防器材配置齐全、完好有效，保证疏散通道、安全出口、疏散指示标志、应急照明和消防车通道符合消防技术标准和管理规定。

第二十六条 建筑构件、建筑材料和室内装修、装饰材料的防火性能必须符合国家标准；没有国家标准的，必须符合行业标准。

人员密集场所室内装修、装饰，应当按照消防技术标准的要求，使用不燃、难燃材料。

第二十八条 任何单位、个人不得损坏、挪用或者擅自拆除、停用消防设施、器材，不得埋压、圈占、遮挡消火栓或者占用防火间距，不得占用、堵塞、封闭疏散通道、安全出口、消防车通道。人员密集场所的门窗不得设置影响逃生和灭火救援的障碍物。

第三十九条 下列单位应当建立单位专职消防队，承担本单位的火灾扑救工作：

（一）大型核设施单位、大型发电厂、民用机场、主要港口；

（二）生产、储存易燃易爆危险品的大型企业；

（三）储备可燃的重要物资的大型仓库、基地；

（四）第一项、第二项、第三项规定以外的火灾危险性较大、距离国家综合性消防救援队较远的其他大型企业；

（五）距离国家综合性消防救援队较远、被列为全国重点文物保护单位的古建筑群的管理单位。

第四十条 专职消防队的建立，应当符合国家有关规定，并报当地消防救援机构验收。

专职消防队的队员依法享受社会保险和福利待遇。

第四十一条 机关、团体、企业、事业等单位以及村民委员会、居民委员会根据需要，建立志愿消防队等多种形式的消防组织，开展群众性自防自救工作。

第四十二条 消防救援机构应当对专职消防队、志愿消防队等消防组织进行业务指导；根据扑救火灾的需要，可以调动指挥专职消防队参加火灾扑救工作。

第七十三条 本法下列用语的含义：

（一）消防设施，是指火灾自动报警系统、自动灭火系统、消火栓系统、防烟排烟系统以及应急广播和应急照明、安全疏散设施等。

（二）消防产品，是指专门用于火灾预防、灭火救援和火灾防护、避难、逃生的产品。

（三）公众聚集场所，是指宾馆、饭店、商场、集贸市场、客运车站候车室、客运码头候船厅、民用机场航站楼、体育场馆、会堂以及公共娱乐场所等。

（四）人员密集场所，是指公众聚集场所，医院的门诊楼、病房楼，学校的教学楼、图书馆、食堂和集体宿舍，养老院，福利院，托儿所，幼儿园，公共图书馆的阅览室，公共展览馆、博物馆的展示厅，劳动密集型企业的生产加工车间和员工集体宿舍，旅游、宗教活动场所等。

中华人民共和国慈善法（节选）

（1998年4月29日第九届全国人民代表大会常务委员会第二次会议通过；2008年10月28日第十一届全国人民代表大会常务委员会第五次会议修订；根据2019年4月23日第十三届全国人民代表大会常务委员会第十次会议《关于修改〈中华人民共和国建筑法〉等八部法律的决定》修正）

第三条 本法所称慈善活动，是指自然人、法人和其他组织以捐赠财产或者提供服务等方式，自愿开展的下列公益活动：

（一）扶贫、济困；

（二）扶老、救孤、恤病、助残、优抚；

（三）救助自然灾害、事故灾难和公共卫生事件等突发事件造成的损害；

（四）促进教育、科学、文化、卫生、体育等事业的发展；

（五）防治污染和其他公害，保护和改善生态环境；

（六）符合本法规定的其他公益活动。

第二十三条 开展公开募捐，可以采取下列方式：

（一）在公共场所设置募捐箱；

（二）举办面向社会公众的义演、义赛、义卖、义展、义拍、慈善晚会等；

（三）通过广播、电视、报刊、互联网等媒体发布募捐信息；

（四）其他公开募捐方式。

慈善组织采取前款第一项、第二项规定的方式开展公开募捐的，应当在其登记的民政部门管辖区域内进行，确有必要在其登记的民政部门管辖区域外进行的，应当报其开展募捐活动所在地的县级以上人民政府民政部门备案。捐赠人的捐赠行为不受地域限制。

慈善组织通过互联网开展公开募捐的，应当在国务院民政部门统一或者指定的慈善信息平台发布募捐信息，并可以同时在其网站发布募捐信息。

第三十四条 本法所称慈善捐赠，是指自然人、法人和其他组织基于慈善目的，自愿、无偿赠与财产的活动。

第三十五条 捐赠人可以通过慈善组织捐赠，也可以直接向受益人捐赠。

第三十六条 捐赠人捐赠的财产应当是其有权处分的合法财产。捐赠财产包括货币、实物、房屋、有价证券、股权、知识产权等有形和无形财产。

捐赠人捐赠的实物应当具有使用价值，符合安全、卫生、环保等标准。

捐赠人捐赠本企业产品的，应当依法承担产品质量责任和义务。

第三十七条 自然人、法人和其他组织开展演出、比赛、销售、拍卖等经营性活动，承诺将全部或者部分所得用于慈善目的的，应当在举办活动前与慈善组织或者其他接受捐赠的人签订捐赠协议，活动结束后按照捐赠协议履行捐赠义务，并将捐赠情况向社会公开。

第三十八条 慈善组织接受捐赠，应当向捐赠人开具由财政部门统一监（印）制的捐赠票据。捐赠票据应当载明捐赠人、捐赠财产的种类及数量、慈善组织名称和经办人姓名、票据日期等。捐赠人匿名或者放弃接受捐赠票据的，慈善组织应当做好相关记录。

第三十九条 慈善组织接受捐赠，捐赠人要求签订书面捐赠协议的，慈善组织应当与捐赠人签订书面捐赠协议。

书面捐赠协议包括捐赠人和慈善组织名称，捐赠财产的种类、数量、质量、用途、交付时间等内容。

第四十条 捐赠人与慈善组织约定捐赠财产的用途和受益人时，不得指定捐赠人的利害关系人作为受益人。

任何组织和个人不得利用慈善捐赠违反法律规定宣传烟草制品，不得利用慈善捐赠以任何方式宣传法律禁止宣传的产品和事项。

第四十一条 捐赠人应当按照捐赠协议履行捐赠义务。捐赠人违反捐赠协议逾期未交付捐赠财产，有下列情形之一的，慈善组织或者其他接受捐赠的人可以要求交付；捐赠人拒不交付的，慈善组织和其他接受捐赠的人可以依法向人民法院申请支付令或者提起诉讼：

（一）捐赠人通过广播、电视、报刊、互联网等媒体公开承诺捐赠的；

（二）捐赠财产用于本法第三条第一项至第三项规定的慈善活动，并签订书面捐赠协议的。

捐赠人公开承诺捐赠或者签订书面捐赠协议后经济状况显著恶化，严重影响其生产经营或者家庭生活的，经向公开承诺捐赠地或者书面捐赠协议签订地的民政部门报告并向社会公开说明情况后，可以不再履行捐赠义务。

第四十二条 捐赠人有权查询、复制其捐赠财产管理使用的有关资料，慈善组织应当及时主动向捐赠人反馈有关情况。

慈善组织违反捐赠协议约定的用途，滥用捐赠财产的，捐赠人有权要求其改正；拒不改正的，捐赠人可以向民政部门投诉、举报或者向人民法院提起诉讼。

第四十三条 国有企业实施慈善捐赠应当遵守有关国有资产管理的规定，履行批准和备案程序。

中华人民共和国公共文化服务保障法

（2016 年 12 月 25 日第十二届全国人民代表大会常务委员会
第二十五次会议通过）

第一章　总　　则

第一条　为了加强公共文化服务体系建设，丰富人民群众精神文化生活，传承中华优秀传统文化，弘扬社会主义核心价值观，增强文化自信，促进中国特色社会主义文化繁荣发展，提高全民族文明素质，制定本法。

第二条　本法所称公共文化服务，是指由政府主导、社会力量参与，以满足公民基本文化需求为主要目的而提供的公共文化设施、文化产品、文化活动以及其他相关服务。

第三条　公共文化服务应当坚持社会主义先进文化前进方向，坚持以人民为中心，坚持以社会主义核心价值观为引领；应当按照“百花齐放、百家争鸣”的方针，支持优秀公共文化产品的创作生产，丰富公共文化服务内容。

第四条　县级以上人民政府应当将公共文化服务纳入本级国民经济和社会发展规划，按照公益性、基本性、均等性、便利性的要求，加强公共文化设施建设，完善公共文化服务体系，提高公共文化服务效能。

第五条　国务院根据公民基本文化需求和经济社会发展水平，制定并调整国家基本公共文化服务指导标准。

省、自治区、直辖市人民政府根据国家基本公共文化服务指导标准，结合当地实际需求、财政能力和文化特色，制定并调整本行政区域的基本公共文化服务实施标准。

第六条　国务院建立公共文化服务综合协调机制，指导、协调、推动全国公共文化服务工作。国务院文化主管部门承担综合协调具体职责。

地方各级人民政府应当加强对公共文化服务的统筹协调，推动实现共建共享。

第七条　国务院文化主管部门、新闻出版广电主管部门依照本法和国务院规定的职责负责全国的公共文化服务工作；国务院其他有关部门在各自职责范围内负责相关公共文化服务工作。

县级以上地方人民政府文化、新闻出版广电主管部门根据其职责负责本行政区域内的公共文化服务工作；县级以上地方人民政府其他有关部门在各自职责范围内负责相关公共文化服务工作。

第八条 国家扶助革命老区、民族地区、边疆地区、贫困地区的公共文化服务，促进公共文化服务均衡协调发展。

第九条 各级人民政府应当根据未成年人、老年人、残疾人和流动人口等群体的特点与需求，提供相应的公共文化服务。

第十条 国家鼓励和支持公共文化服务与学校教育相结合，充分发挥公共文化服务的社会教育功能，提高青少年思想道德和科学文化素质。

第十一条 国家鼓励和支持发挥科技在公共文化服务中的作用，推动运用现代信息技术和传播技术，提高公众的科学素养和公共文化服务水平。

第十二条 国家鼓励和支持在公共文化服务领域开展国际合作与交流。

第十三条 国家鼓励和支持公民、法人和其他组织参与公共文化服务。

对在公共文化服务中作出突出贡献的公民、法人和其他组织，依法给予表彰和奖励。

第二章 公共文化设施建设与管理

第十四条 本法所称公共文化设施是指用于提供公共文化服务的建筑物、场地和设备，主要包括图书馆、博物馆、文化馆（站）、美术馆、科技馆、纪念馆、体育场馆、工人文化宫、青少年宫、妇女儿童活动中心、老年人活动中心、乡镇（街道）和村（社区）基层综合性文化服务中心、农家（职工）书屋、公共阅报栏（屏）、广播电视播出传输覆盖设施、公共数字文化服务点等。

县级以上地方人民政府应当将本行政区域内的公共文化设施目录及有关信息予以公布。

第十五条 县级以上地方人民政府应当将公共文化设施建设纳入本级城乡规划，根据国家基本公共文化服务指导标准、省级基本公共文化服务实施标准，结合当地经济社会发展水平、人口状况、环境条件、文化特色，合理确定公共文化设施的种类、数量、规模以及布局，形成场馆服务、流动服务和数字服务相结合的公共文化设施网络。

公共文化设施的选址，应当征求公众意见，符合公共文化设施的功能和特点，有利于发挥其作用。

第十六条 公共文化设施的建设用地，应当符合土地利用总体规划和城乡规划，并依照法定程序审批。

任何单位和个人不得侵占公共文化设施建设用地或者擅自改变其用途。因特殊情况需要调整公共文化设施建设用地的，应当重新确定建设用地。调整后的公共文化设施建设用地不得少于原有面积。

新建、改建、扩建居民住宅区，应当按照有关规定、标准，规划和建设配套的公共文化设施。

第十七条 公共文化设施的设计和建设，应当符合实用、安全、科学、美观、环保、节约的要求和国家规定的标准，并配置无障碍设施设备。

第十八条 地方各级人民政府可以采取新建、改建、扩建、合建、租赁、利用现有公共设施等多种方式，加强乡镇（街道）、村（社区）基层综合性文化服务中心建设，推动基层有关公共设施的统一管理、综合利用，并保障其正常运行。

第十九条 任何单位和个人不得擅自拆除公共文化设施，不得擅自改变公共文化设施的功能、用途或者妨碍其正常运行，不得侵占、挪用公共文化设施，不得将公共文化设施用于与公共文化服务无关的商业经营活动。

因城乡建设确需拆除公共文化设施，或者改变其功能、用途的，应当依照有关法律、行政法规的规定重建、改建，并坚持先建设后拆除或者建设拆除同时进行的原则。重建、改建的公共文化设施的设施配置标准、建筑面积等不得降低。

第二十条 公共文化设施管理单位应当按照国家规定的标准，配置和更新必需的服务内容和设备，加强公共文化设施经常性维护管理工作，保障公共文化设施的正常使用和运转。

第二十一条 公共文化设施管理单位应当建立健全管理制度和服务规范，建立公共文化设施资产统计报告制度和公共文化服务开展情况的年报制度。

第二十二条 公共文化设施管理单位应当建立健全安全管理制度，开展公共文化设施及公众活动的安全评价，依法配备安全保护设备和人员，保障公共文化设施和公众活动安全。

第二十三条 各级人民政府应当建立有公众参与的公共文化设施使用效能考核评价制度，公共文化设施管理单位应当根据评价结果改进工作，提高服务质量。

第二十四条 国家推动公共图书馆、博物馆、文化馆等公共文化设施管理单位根据其功能定位建立健全法人治理结构，吸收有关方面代表、专业人士和公众参与管理。

第二十五条 国家鼓励和支持公民、法人和其他组织兴建、捐建或者与政府部门合作建设公共文化设施，鼓励公民、法人和其他组织依法参与公共文化设施的运营和管理。

第二十六条 公众在使用公共文化设施时，应当遵守公共秩序，爱护公共设施，不得损坏公共设施设备和物品。

第三章 公共文化服务提供

第二十七条 各级人民政府应当充分利用公共文化设施，促进优秀公共文化产品的提供和传播，支持开展全民阅读、全民普法、全民健身、全民科普和艺术普及、优秀传统文化传承活动。

第二十八条 设区的市级、县级地方人民政府应当根据国家基本公共文化服务指导标准和省、自治区、直辖市基本公共文化服务实施标准，结合当地实际，制定公布本行政区域公共文化服务目录并组织实施。

第二十九条 公益性文化单位应当完善服务项目、丰富服务内容，创造条件向公众提供免费或者优惠的文艺演出、陈列展览、电影放映、广播电视节目收听收看、阅读服务、艺术培训等，并为公众开展文化活动提供支持和帮助。

国家鼓励经营性文化单位提供免费或者优惠的公共文化产品和文化活动。

第三十条 基层综合性文化服务中心应当加强资源整合，建立完善公共文化服务网络，充分发挥统筹服务功能，为公众提供书报阅读、影视观赏、戏曲表演、普法教育、艺术普及、科学普及、广播播送、互联网上网和群众性文化体育活动等公共文化服务，并根据其功能特点，因地制宜提供其他公共服务。

第三十一条 公共文化设施应当根据其功能、特点，按照国家有关规定，向公众免费或者优惠开放。

公共文化设施开放收取费用的，应当每月定期向中小学生免费开放。

公共文化设施开放或者提供培训服务等收取费用的，应当报经县级以上人民政府有关部门批准；收取的费用，应当用于公共文化设施的维护、管理和事业发展，不得挪作他用。

公共文化设施管理单位应当公示服务项目和开放时间；临时停止开放的，应当及时公告。

第三十二条 国家鼓励和支持机关、学校、企业事业单位的文化体育设施向公众开放。

第三十三条 国家统筹规划公共数字文化建设，构建标准统一、互联互通的公共数字文化服务网络，建设公共文化信息资源库，实现基层网络服务共建共享。

国家支持开发数字文化产品，推动利用宽带互联网、移动互联网、广播电视网和卫星网络提供公共文化服务。

地方各级人民政府应当加强基层公共文化设施的数字化和网络建设，提高数字化和网络服务能力。

第三十四条 地方各级人民政府应当采取多种方式，因地制宜提供流动文化服务。

第三十五条 国家重点增加农村地区图书、报刊、戏曲、电影、广播电视节目、网络信息内容、节庆活动、体育健身活动等公共文化产品供给，促进城乡公共文化服务均等化。

面向农村提供的图书、报刊、电影等公共文化产品应当符合农村特点和需求，提高针对性和时效性。

第三十六条 地方各级人民政府应当根据当地实际情况，在人员流动量较大的公共场所、务工人员较为集中的区域以及留守妇女儿童较为集中的农村地区，配备必要的设施，采取多种形式，提供便利可及的公共文化服务。

第三十七条 国家鼓励公民主动参与公共文化服务，自主开展健康文明的群众性文化体育活动；地方各级人民政府应当给予必要的指导、支持和帮助。

居民委员会、村民委员会应当根据居民的需求开展群众性文化体育活动，并协助当地人民政府有关部门开展公共文化服务相关工作。

国家机关、社会组织、企业事业单位应当结合自身特点和需要，组织开展群众性文化体育活动，丰富职工文化生活。

第三十八条 地方各级人民政府应当加强面向在校学生的公共文化服务，支持学校开展适合在校学生特点的文化体育活动，促进德智体美教育。

第三十九条 地方各级人民政府应当支持军队基层文化建设，丰富军营文化体育活动，加强军民文化融合。

第四十条 国家加强民族语言文字文化产品的供给，加强优秀公共文化产品的民族语言文字译制及其在民族地区的传播，鼓励和扶助民族文化产品的创作生产，支持开展具有民族特色的群众性文化体育活动。

第四十一条 国务院和省、自治区、直辖市人民政府制定政府购买公共文化服务的指导性意见和目录。国务院有关部门和县级以上地方人民政府应当根据指导性意见和目录，结合实际情况，确定购买的具体项目和内容，及时向社会公布。

第四十二条 国家鼓励和支持公民、法人和其他组织通过兴办实体、资助项目、赞助活动、提供设施、捐赠产品等方式，参与提供公共文化服务。

第四十三条 国家倡导和鼓励公民、法人和其他组织参与文化志愿服务。

公共文化设施管理单位应当建立文化志愿服务机制，组织开展文化志愿服务活动。

县级以上地方人民政府有关部门应当对文化志愿活动给予必要的指导和支持，并建立管理评价、教育培训和激励保障机制。

第四十四条 任何组织和个人不得利用公共文化设施、文化产品、文化活动以及其他相关服务，从事危害国家安全、损害社会公共利益和其他违反法律法规的活动。

第四章 保障措施

第四十五条 国务院和地方各级人民政府应当根据公共文化服务的事权和支出责任，将公共文化服务经费纳入本级预算，安排公共文化服务所需资金。

第四十六条 国务院和省、自治区、直辖市人民政府应当增加投入，通过转移支付等方式，重点扶助革命老区、民族地区、边疆地区、贫困地区开展公共文化服务。

国家鼓励和支持经济发达地区对革命老区、民族地区、边疆地区、贫困地区的公共文化服务提供援助。

第四十七条 免费或者优惠开放的公共文化设施，按照国家规定享受补助。

第四十八条 国家鼓励社会资本依法投入公共文化服务，拓宽公共文化服务资金来源渠道。

第四十九条 国家采取政府购买服务等措施，支持公民、法人和其他组织参与提供公共文化服务。

第五十条 公民、法人和其他组织通过公益性社会团体或者县级以上人民政府及其部门，捐赠财产用于公共文化服务的，依法享受税收优惠。

国家鼓励通过捐赠等方式设立公共文化服务基金，专门用于公共文化服务。

第五十一条 地方各级人民政府应当按照公共文化设施的功能、任务和服务人口规模，合理设置公共文化服务岗位，配备相应专业人员。

第五十二条 国家鼓励和支持文化专业人员、高校毕业生和志愿者到基层从事公共文化服务工作。

第五十三条 国家鼓励和支持公民、法人和其他组织依法成立公共文化服务领域的社会组织，推动公共文化服务社会化、专业化发展。

第五十四条 国家支持公共文化服务理论研究，加强多层次专业人才教育和培训。

第五十五条 县级以上人民政府应当建立健全公共文化服务资金使用的监督和统计公告制度，加强绩效考评，确保资金用于公共文化服务。任何单位和个人不得侵占、挪用公共文化服务资金。

审计机关应当依法加强对公共文化服务资金的审计监督。

第五十六条 各级人民政府应当加强对公共文化服务工作的监督检查，建立反映公众文化需求的征询反馈制度和有公众参与的公共文化服务考核评价制度，并将考核评价结果作为确定补贴或者奖励的依据。

第五十七条 各级人民政府及有关部门应当及时公开公共文化服务信息，主动接受社会监督。

新闻媒体应当积极开展公共文化服务的宣传报道，并加强舆论监督。

第五章 法律责任

第五十八条 违反本法规定，地方各级人民政府和县级以上人民政府有关部门未履行公共文化服务保障职责的，由其上级机关或者监察机关责令限期改正；情节严重的，对直接负责的主管人员和其他直接责任人员依法给予处分。

第五十九条 违反本法规定，地方各级人民政府和县级以上人民政府有关部门，有下列行为之一的，由其上级机关或者监察机关责令限期改正；情节严重的，对直接负责的主管人员和其他直接责任人员依法给予处分：

（一）侵占、挪用公共文化服务资金的；

（二）擅自拆除、侵占、挪用公共文化设施，或者改变其功能、用途，或者妨碍其正常运行的；

（三）未依照本法规定重建公共文化设施的；

（四）滥用职权、玩忽职守、徇私舞弊的。

第六十条 违反本法规定，侵占公共文化设施的建设用地或者擅自改变其用途的，由县级以上地方人民政府土地主管部门、城乡规划主管部门依据各自职责责令限期改正；逾期不改正的，由作出决定的机关依法强制执行，或者依法申请人民法院强制执行。

第六十一条 违反本法规定，公共文化设施管理单位有下列情形之一的，由其主管部门责令限期改正；造成严重后果的，对直接负责的主管人员和其他直接责任人员，依法给予处分：

（一）未按照规定对公众开放的；

（二）未公示服务项目、开放时间等事项的；

（三）未建立安全管理制度的；

（四）因管理不善造成损失的。

第六十二条 违反本法规定，公共文化设施管理单位有下列行为之一的，由其主管部门或者价格主管部门责令限期改正，没收违法所得，违法所得五千元以上的，并处违法所得两倍以上五倍以下罚款；没有违法所得或者违法所得五千元以下的，可以处一万元以下的罚款；对直接负责的主管人员和其他直接责任人员，依法给予处分：

（一）开展与公共文化设施功能、用途不符的服务活动的；

（二）对应当免费开放的公共文化设施收费或者变相收费的；

（三）收取费用未用于公共文化设施的维护、管理和事业发展，挪作他用的。

第六十三条 违反本法规定，损害他人民事权益的，依法承担民事责任；构成违反治安管理行为的，由公安机关依法给予治安管理处罚；构成犯罪的，依法追究刑事责任。

第六章 附 则

第六十四条 境外自然人、法人和其他组织在中国境内从事公共文化服务的，应当符合相关法律、行政法规的规定。

第六十五条 本法自 2017 年 3 月 1 日起施行。

中华人民共和国民法典（节选）

（2020 年 5 月 28 日第十三届全国人民代表大会第三次会议通过）

第二百五十三条 法律规定属于国家所有的文物，属于国家所有。

第二百六十条 集体所有的不动产和动产包括：

（一）法律规定属于集体所有的土地和森林、山岭、草原、荒地、滩涂；

（二）集体所有的建筑物、生产设施、农田水利设施；

（三）集体所有的教育、科学、文化、卫生、体育等设施；

（四）集体所有的其他不动产和动产。

第一千零一十九条 任何组织或者个人不得以丑化、污损，或者利用信息技术手段伪造等方式侵害他人的肖像权。未经肖像权人同意，不得制作、使用、公开肖像权人的肖像，但是法律另有规定的除外。

未经肖像权人同意，肖像作品权利人不得以发表、复制、发行、出租、展览等方式使用或者公开肖像权人的肖像。

第一千零二十条 合理实施下列行为的，可以不经肖像权人同意：

（一）为个人学习、艺术欣赏、课堂教学或者科学研究，在必要范围内使用肖像权人已经公开的肖像；

（二）为实施新闻报道，不可避免地制作、使用、公开肖像权人的肖像；

（三）为依法履行职责，国家机关在必要范围内制作、使用、公开肖像权人的肖像；

（四）为展示特定公共环境，不可避免地制作、使用、公开肖像权人的肖像；

（五）为维护公共利益或者肖像权人合法权益，制作、使用、公开肖像权人的肖像的其他行为。

关于加快构建现代公共文化服务体系的意见

（中共中央办公厅　国务院办公厅　2015年1月14日印发）

近年来，在党中央、国务院高度重视下，我国公共文化建设投入稳步增长，覆盖城乡的公共文化服务设施网络基本建立，公共文化服务效能明显提高，人民群众精神文化生活不断改善，公共文化服务体系建设取得显著成效，呈现出整体推进、重点突破、全面提升的良好发展态势。但是，与当前经济社会发展水平和人民群众日益增长的精神文化需求相比，与基本建成公共文化服务体系的目标要求相比，公共文化服务体系建设水平仍然有待提高。在新的形势下，构建现代公共文化服务体系，是保障和改善民生的重要举措，是全面深化文化体制改革、促进文化事业繁荣发展的必然要求，是弘扬社会主义核心价值观、建设社会主义文化强国的重大任务。为贯彻党的十八届三中全会审议通过的《中共中央关于全面深化改革若干重大问题的决定》的有关要求，加快构建现代公共文化服务体系，现提出如下意见。

一、总体要求

（一）指导思想。以邓小平理论、“三个代表”重要思想、科学发展观为指导，贯彻落实党的十八大和十八届三中、四中全会精神，贯彻落实习近平总书记系列重要讲话精神，按照全面建成小康社会的总体要求，牢固树立以人民为中心的工作导向，以改革创新为动力，以基层为重点，构建体现时代发展趋势、适应社会主义初级阶段基本国情和市场经济要求、符合文化发展规律、具有中国特色的现代公共文化服务体系，促进基本公共文化服务标准化、均等化，推动社会主义文化大发展大繁荣，提高全民族文化素质，增强民族凝聚力，为实现中华民族伟大复兴中国梦提供强大的精神动力和文化支撑。

（二）基本原则

坚持正确导向。以人民为中心，以社会主义核心价值观为引领，发展先进文化，创新传统文化，扶持通俗文化，引导流行文化，改造落后文化，抵制有害文化，巩固基层文化阵地，促进在全社会形成积极向上的精神追求和健康文明的生活方式。

坚持政府主导。从基本国情出发，认真研究人民群众的精神文化需求，因地制宜，科学规划，分类指导，按照一定标准推动实现基本公共文化服务均等化，切实保障人民群众基本文化权益，促进实现社会公平。

坚持社会参与。简政放权，减少行政审批项目，引入市场机制，激发各类社会主体参与公共文化服务的积极性，提供多样化的产品和服务，增强发展活力，积极培育和引导群众文化消费需求。

坚持共建共享。加强统筹管理，建立协同机制，明确责任，优化配置各方资源，做到物尽其用、人尽其才，发挥整体优势，提升综合效益。

坚持改革创新。加快转变政府职能，完善管理体制机制，创新公共文化服务内容和形式，促进文化与科技深度融合，推动文化事业和文化产业协调发展。

（三）主要目标。到2020年，基本建成覆盖城乡、便捷高效、保基本、促公平的现代公共文化服务体系。公共文化设施网络全面覆盖、互联互通，公共文化服务的内容和手段更加丰富，服务质量显著提升，公共文化管理、运行和保障机制进一步完善，政府、市场、社会共同参与公共文化服务体系建设的格局逐步形成，人民群众基本文化权益得到更好保障，基本公共文化服务均等化水平稳步提高。

二、统筹推进公共文化服务均衡发展

（四）促进城乡基本公共文化服务均等化。把城乡基本公共文化服务均等化纳入国民经济和社会发展总体规划及城乡规划。根据城镇化发展趋势和城乡常住人口变化，统筹城乡公共文化设施布局、服务提供、队伍建设、资金保障，均衡配置公共文化资源。整合利用闲置学校等现有城乡公共设施，依托城乡社区综合服务设施，加强城市社区和农村文化设施建设。拓展重大文化惠民项目服务“三农”内容。加大对农村民间文化艺术的扶持力度，推进“三农”出版物出版发行、广播电视涉农节目制作和农村题材文艺作品创作。完善农家书屋出版物补充更新工作。统筹推进农村地区广播电视用户接收设备配备工作，鼓励建设农村广播电视维修服务网点。大力开展流动服务和数字服务，打通公共文化服务“最后一公里”。建立公共文化服务城乡联动机制。以县级文化馆、图书馆为中心推进总分馆制建设，加强对农家书屋的统筹管理，实现农村、城市社区公共文化服务资源整合和互联互通。推进城乡“结对子、种文化”，加强城市对农村文化建设的帮扶，形成常态化工作机制。

（五）推动革命老区、民族地区、边疆地区、贫困地区公共文化建设实现跨越式发展。与国家扶贫开发攻坚战略结合，编制老少边穷地区公共文化服务体系建设发展规划纲要。根据国家基本公共文化服务指导标准，明确老少边穷地区服务和资源缺口，按照精准扶贫的要求，以广播电视服务网络、数字文化服务、乡土人才培养、流动文化服务、农村留守妇女儿童文化帮扶等为重点，集中实施一批文化扶贫项目。落实对国家在贫困地区安排的公益性文化建设项目取消县以下（含县）及西部地区集中连片特困地区市地级配套资金的政策。加强边境地区基层公共文化设施建设。促进地区对口帮扶，加大人才交流和项目支援力度。深入实施边远贫困地区、边疆民族地区、革命老区人才文化工作者专项支持计划。支持老少边穷地区挖掘、开发、利用民族民间文化资源，充实公共文化服务内容。力争在较短时间内使老少边穷地区公共文化服务能力和水平有明显改善。

（六）保障特殊群体基本文化权益。将老年人、未成年人、残疾人、农民工、农村留守妇女儿童、生活困难群众作为公共文化服务的重点对象。积极开展面向老年人、未成年人的公益性文化艺术培训服务、演展和科技普及活动。开展学龄前儿童基础阅读促进工作和向中小学生推荐优秀出版物、影片、戏曲工作。指导互联网网站、互联网文化企业等开发制作有利于青少年身心健康的优秀作品。将中小学生定期参观博物馆、美术馆、纪念馆、科技馆纳入中小学教育教学活动计划。加强乡村学校少年宫建设。实施青少年体育活动促进计划。公共文化服务机构要为残疾人提供无障碍设施。实施盲文出版项目，开发视听读物，建设有声图书馆，鼓励和支持有条件的电视台增加手语节目或加配字幕。加强对残疾人文化艺术的扶持力度。加快将农民工文化建设纳入常住地公共文化服务体系，以公共文化机构、社区和用工企业为实施主体，满足农民工群体尤其是新生代农民工的基本文化需求。

（七）建立基本公共文化服务标准体系。以人民群众基本文化需求为导向，围绕看电视、听广播、读书看报、参加公共文化活动等群众基本文化权益，根据国家经济社会发展水平和供给能力，明确国家基本公共文化服务的内容、种类、数量和水平，以及应具备的公共文化服务基本条件和各级政府的保障责任，确立国家基本公共文化服务指导标准，明确政府保障底线，做到保障基本、统一规范。各地要根据国家指导标准，制定与当地经济社会发展水平相适应、具有地域特色的地方实施标准，逐步形成既有基本共性又有特色个性、上下衔接的标准指标体系。标准以县为基本单位推进落实。建立基本公共文化服务标准动态调整机制，根据经济社会的发展变化，适时调整提高具体指标。

（八）提升公共文化设施建设、管理和服务水平。健全公共文化设施布局、土地使用、建设规模、设计和施工规范以及技术要求等标准。按照城乡人口发展和分布，坚持均衡配置、严格预留、规模适当、功能优先、经济适用、节能环保的原则，合理规划建设各类公共文化设施。结合基层公共服务设施建设，制定村（社区）综合公共文化服务中心建设标准，充分利用现有城乡公共设施，统筹建设集宣传文化、党员教育、科技普及、普法教育、体育健身等多功能于一体的基层公共文化服务中心，配套建设群众文体活动场地。坚持设施建设和运行管理并重，健全公共文化设施运行管理和服务标准体系，规范各级各类公共文化机构服务项目和服务流程，完善内部管理制度，提高服务水平。

三、增强公共文化服务发展动力

（九）培育和促进文化消费。在公共文化服务体系建设中统筹考虑群众的基本文化需求和多样化文化需求，推动公共文化服务向优质服务转变，实现标准化和个性化服务的有机统一。广泛开展公益性文化艺术活动，培养健康向上的文艺爱好，扩大和提升文化消费需求。鼓励有条件的公共文化机构挖掘特色资源，加强文化创意产品研发，创新文化产品和服务内容。完善公益性演出补贴制度，通过票价补贴、剧场运营补贴等方式，支持艺术表演团体提供公益性演出。鼓励在商业演出和电影放映中安排低价场次或门票，鼓励出版适应群众购买能力的图书报刊，鼓励网络文化运营商开发更多低收费业务，推动经营性文化设施、非物质文化遗产传习场所和传统民俗文化活动场所等向公众提供优惠或免费的公益性文化服务。积极发展与公共文化服务相关联的教育培训、体育健身、演艺会展、旅游休闲等产业，引导和支持各类文化企业开发公共文化产品和服务，满足人民群众多层次的文化消费需求。

（十）鼓励和引导社会力量参与。进一步简政放权，减少行政审批项目，吸引社会资本投入公共文化领域。建立健全政府向社会力量购买公共文化服务机制。出台政府购买公共文化服务指导性意见和目录，将政府购买公共文化服务资金纳入财政预算。推广运用政府和社会资本合作等模式，促进公共文化服务提供主体和提供方式多元化。鼓励和支持社会力量通过投资或捐助设施设备、兴办实体、资助项目、赞助活动、提供产品和服务等方式参与公共文化服务体系建设。推动建立健全公开透明的社会捐赠管理制度。鼓励党政机关、国有企事业单位和学校的各类文体设施向社会免费或优惠开放。创新公共文化设施管理模式，有条件的地方可探索开展公共文化设施社会化运营试点，通过委托或招投标等方式吸引有实力的社会组织和企业参与公共文化设施的运营。

（十一）培育和规范文化类社会组织。加强对文化类行业协会、基金会、民办非企业单位等社会组织的引导、扶持和管理，促进规范有序发展。制定完善关于文化类社会组织的规章，明确功能定位。鼓励各类公共文化服务机构成立行业协会，发挥其在行业自律、行业管理、行业交流等方面的重要作用。加快推进文化行业协会与行政机关脱钩，将适合由社会组织提供的公共文化服务事项交由社会组织承担。引导文化类社会组织依法依规开展公共文化服务。加大政府向文化类社会组织购买服务力度。加强政府管理和社会监督，严格执行社会组织年检制度和信息公开制度，开展运营绩效评估和社会信用评估，实现依法管理、依法运营。

（十二）大力推进文化志愿服务。大力弘扬志愿服务精神，坚持志愿服务与政府服务、市场服务相衔接，奉献社会与自我发展相统一，社会倡导和自愿参与相结合，构建参与广泛、内容丰富、形式多样、机制健全的文化志愿服务体系。创新服务内容、工作方式和活动载体，探索具有地方或行业特色的文化志愿服务模式。完善文化志愿者注册招募、服务记录、管理评价和激励保障机制。动员组织专家学者、艺术家、优秀运动员等社会知名人士参加志愿服务，提高社会影响力。要建立“结对子、种文化”工作机制，推动专业艺术院团、体育运动队和艺术体育院校等到基层教、学、帮、带，建立志愿服务下基层制度。加强对文化志愿队伍的培训，提升文化志愿者的服务意识、服务能力和服务水平。

四、加强公共文化产品和服务供给

（十三）提升公共文化服务效能。完善公共文化设施免费开放的保障机制。深入推进公共图书馆、博物馆、文化馆、纪念馆、美术馆等免费开放工作，逐步将民族博物馆、行业博物馆纳入免费开放范围。推动科技馆、工人文化宫、妇女儿童活动中心以及青少年校外活动场所免费提供基本公共文化服务项目。建立群众文化需求反馈机制，及时准确了解和掌握群众文化需求，制定公共文化服务提供目录，开展“菜单式”、“订单式”服务。加强公共文化服务品牌建设，推动形成具有鲜明特色和社会影响力的服务项目。加大对跨部门、跨行业、跨地域公共文化资源的整合力度。以行业联盟等形式，开展馆际合作，推进公共文化机构互联互通，开展文化服务“一卡通”、公共文化巡展巡讲巡演等服务，实现区域文化共建共享。加强基层广播电视播出机构服务能力建设。充分利用广播、电视、网络双向互动功能，为各级政府部门便民服务提供窗口和平台。

（十四）丰富优秀公共文化产品供给。进一步发挥国家级评奖和艺术、出版等基金的引导带动作用，创作生产更多传播当代中国价值观念、体现中华文化精神、反映中国人审美追求，思想性、艺术性、观赏性有机统一的优秀文化产品。建立优秀传统文化传承和发展体系。加强戏曲等优秀文化艺术的普及推广工作。开展优秀文化遗产、高雅艺术进校园、进社区，推进送戏、送书、送电影下乡等项目和优秀出版物推荐活动。提高网络文化产品和服务供给能力，促进优秀传统文化瑰宝和当代文化精品网络传播。推动少数民族地区广播电视播出机构在推广国家通用语言文字的同时，开办少数民族语言的频率频道，提高少数民族语言节目译制、制作、播映和传输覆盖能力；继续实施少数民族新闻出版“东风工程”，加强少数民族文字及双语出版物的出版发行和少数民族语言文艺作品的创作；推进少数民族语言文字网站建设。加强知识产权审核和版权保护，防止侵权或盗版产品进入公共文化服务供给体系。大力发展公益广告，有效推广公益慈善理念。

（十五）活跃群众文化生活。深入开展全民阅读活动，推动全民阅读进家庭、进社区、进校园、进农村、进企业、进机关。积极开展全民艺术普及、全民健身、全民科普和群众性法治文化活动。实施基层特色文化品牌建设项目，以富有时代感的内容形式，吸引更多群众参与文化活动。引导广场文化活动健康、规范、有序开展。推进民间文化艺术之乡建设。以“我们的节日”为主题，组织开展群众性节日民俗活动；传承和发展民族民间传统体育，广泛开展形式多样的群众性体育活动。鼓励群众自办文化，支持成立各类群众文化团队。通过组织示范性展演等形式，为民间文化队伍提供展示交流的平台。推进红色文化、社区文化、乡土文化、校园文化、企业文化、军旅文化、家庭文化建设，培育积极健康、多姿多彩的社会文化形态。促进边疆少数民族地区和其他地区群众文化交往交流交融。加强群众性文化活动的国际交流，支持群众文化走出去，形成多层次的对外文化交流格局。

五、推进公共文化服务与科技融合发展

（十六）加大文化科技创新力度。围绕公共文化服务体系建设的重大科技需求，发挥文化和科技相互促进的作用，结合中央财政科技计划（专项、基金等）管理改革要求，将公共文化科技创新纳入科技发展专项规划，深入实施国家文化科技创新工程。研究制定公共文化服务领域科技标准规范。开展文化专用装备、软件、系统的研发应用，推进公共文化服务创新手段、提高效能。加强科技成果转化应用，实施一批公共文化服务科技创新应用示范项目；支持公共文化机构、科研院所、高科技企业合作开展各类关键技术研究。依托国家公共文化服务体系建设示范区（项目）、高新技术园区和可持续发展实验区，开展公共文化服务与科技融合示范工作。

（十七）加快推进公共文化服务数字化建设。结合“宽带中国”、“智慧城市”等国家重大信息工程建设，加快推进公共文化机构数字化建设。统筹实施全国文化信息资源共享、数字图书馆博物馆建设、直播卫星广播电视公共服务、农村数字电影放映、数字农家书屋、城乡电子阅报屏建设等项目，构建标准统一、互联互通的公共数字文化服务网络，在基层实现共建共享。提高资源供给能力，科学规划公共数字文化资源建设，建设分布式资源库群，鼓励各地整合中华优秀文化资源，开发特色数字文化产品。支持数字版权公共服务平台建设，实现公共数字文化资源有效保护。加强公共文化大数据采集、存储和分析处理。加快推进数字文化资源在智能

社区中的应用，实现“一站式”服务。

（十八）提升公共文化服务现代传播能力。着眼于形成与我国经济社会发展水平相称的传播能力，加快构建现代文化传播体系，保障信息传播的高效快捷和安全有序。灵活运用宽带互联网、移动互联网、广播电视网、卫星网络等手段，拓宽公共文化资源传输渠道。大力推进“三网融合”，促进高清电视、互动电视、交互式网络电视（IPTV）、手机电视等新业务发展，推广数字智能终端、移动终端等新型载体。推进数字出版，构建数字出版物传播平台。加强广播电视台、发射台（站）、监测台（站）建设，继续实施广播电视高山无线发射台站建设工程。积极推进有线电视网络建设和数字化双向化改造，加快推进直播卫星和地面数字电视覆盖建设，努力实现广播电视户户通。实施国家和地方应急广播工程，完善应急广播覆盖网络，打造基层政务信息发布、政策宣讲和灾害预警应急指挥平台。

六、创新公共文化管理体制和运行机制

（十九）建立公共文化服务体系建设协调机制。立足当前公共文化服务体系建设实际，完善党委领导、政府管理、部门协同、权责明确、统筹推进的公共文化服务体系建设管理制度。以国家公共文化服务体系建设协调组为平台，由文化部门牵头，充分发挥各部门职能作用和资源优势，在规划编制、政策衔接、标准制定和实施等方面加强统筹、整体设计、协调推进。各地要根据实际，建立相应的协调机制。推进国家公共文化服务体系示范区（项目）创建。发挥基层党委和政府作用，建立统一的基层公共文化服务平台，加强各类重大文化项目的统筹实施，探索整合基层公共文化服务资源的方式和途径，实现共建共享，提升综合效益。

（二十）加大公益性文化事业单位改革力度。按照关于深化文化体制改革和推进事业单位分类改革的要求，理顺政府和公益性文化事业单位之间的关系，探索管办分离的有效形式。进一步落实公益性文化事业单位法人自主权，强化公共服务功能，增强发展活力，发挥公共文化服务骨干作用。全面推进人事制度、收入分配制度、社会保障、经费保障制度改革。创新运行机制，建立事业单位法人治理结构，推动公共图书馆、博物馆、文化馆、科技馆等组建理事会，吸纳有关方面代表、专业人士、各界群众参与管理，健全决策、执行和监督机制。完善年度报告和信息披露、公众监督等基本制度，加强规范管理。加强和改进公益性文化事业单位党组织建设，充分发挥基层党组织的战斗堡垒作用和共产党员的先锋模范作用。

（二十一）创新基层公共文化管理机制。发挥城乡基层群众性自治组织的作用，推动开展公共文化服务参与式管理，推广居民、村民评议等行之有效的做法，健全民意表达和监督机制，引导城市社区居民和村民参与公共文化服务项目规划、建

设、管理和监督，维护群众的文化选择权、参与权和自主权。调动驻村（社区）单位、企业和社会组织等多方面力量，统筹资源，共同参与基层文化的管理和服务，形成多元联动格局。扎实推进社区文化志愿服务。推进将公共文化服务纳入基层社区服务网格进行管理，培育城乡社区互助文化，营造社区和谐环境。

（二十二）完善公共文化服务评价工作机制。以效能为导向，制定政府公共文化服务考核指标，作为考核评价领导班子和领导干部政绩的重要内容，纳入科学发展考核体系。建立公共文化机构绩效考评制度，考评结果作为确定预算、收入分配与负责人奖惩的重要依据。加强对重大文化项目资金使用、实施效果、服务效能等方面的监督和评估。完善服务质量监测体系，研究制定公众满意度指标，建立群众评价和反馈机制。探索建立公共文化服务第三方评价机制，增强公共文化服务评价的客观性和科学性。

七、加大公共文化服务保障力度

（二十三）加强组织领导。各有关部门和单位要进一步认识构建现代公共文化服务体系的重要意义，根据本意见的要求，结合“十三五”规划的编制，尽快制定完善相关配套政策，明确责任，统筹建设，协同推进，狠抓落实。地方各级党委和政府要将构建现代公共文化服务体系纳入本地区国民经济和社会发展总体规划，纳入重要议事日程，切实加强组织领导，并结合实际制定实施方案、规划或专项行动计划，明确责任和时间表、路线图，集中力量推进工作落实。做好宣传和舆论引导工作，形成全社会支持和参与现代公共文化服务体系建设的良好氛围。

（二十四）加大财税支持力度。合理划分各级政府基本公共文化服务支出责任，建立健全公共文化服务财政保障机制，按照基本公共文化服务标准，落实提供基本公共文化服务项目所必需的资金，保障公共文化服务体系建设和运行。进一步完善转移支付体制，加大中央财政和省级财政转移支付力度，重点向革命老区、民族地区、边疆地区、贫困地区倾斜，着力支持农村和城市社区基层公共文化服务设施建设，保障基层城乡居民公平享有基本公共文化服务。进一步拓展资金来源渠道，加大政府性基金与一般公共预算的统筹力度。创新公共文化服务投入方式，采取政府购买、项目补贴、定向资助、贷款贴息等政策措施，支持包括文化企业在内的社会各类文化机构参与提供公共文化服务。落实现行鼓励社会组织、机构和个人捐赠公益性文化事业所得税税前扣除政策规定。加强对公共文化服务资金管理使用情况的监督和审计，开展绩效评价。

（二十五）加强基层文化队伍建设。进一步完善选人用人机制，着力培养一批具有现代意识、创新意识的公共文化管理者和基层公共文化服务人才队伍。按照控制总量、盘活存量、优化结构、有减有增的要求，研究制定公共文化机构人员编制标准，并根据业务发展状况进行动态调整。对实行免费开放后工作量大量增加、现有机构编制难以满足工作需要的公益性文化事业单位，要结合实际和财力，合理增加机构编制。加强对农村文化队伍的管理和使用，在现有编制总量内，落实每个乡镇综合文化站（中心）编制配备不少于 1 至 2 名的要求，规模较大的乡镇适当增加。设立城乡基层公共文化服务岗位，配置由公共财政补贴的工作人员。将公共文化服务专业人才培养纳入国民教育体系。稳步推进基层公共文化服务队伍培训，建立培训上岗制度，全面提高从业人员素质。乡镇综合文化站（中心）从业人员应熟悉广播电视技术，具备组织群众文化活动等多方面的服务能力。完善基层公共文化服务人才激励和保障机制。加强基层乡土文化人才建设。发展壮大社会体育指导员队伍。

（二十六）建立健全公共文化服务法律体系。加快建立健全坚持社会主义先进文化前进方向、遵循文化发展规律、有利于激发文化创造力、保障人民基本文化权益的文化法律制度，依法保障公民的文化权利得到有效落实。加快出台公共文化服务保障法等相关法律法规，为现代公共文化服务体系建设提供法律支撑。加强公共文化立法与文化体制改革重大政策的衔接，加快制定地方性公共文化服务法律规范，提高公共文化服务领域法治化水平。

附件：国家基本公共文化服务指导标准（2015—2020 年）

一、服务项目与内容

项目	内容	标准
基本服务项目	读书看报	1. 公共图书馆（室）、文化馆（站）和村（社区）（村指行政村，下同）综合文化服务中心（含农家书屋）等配备图书、报刊和电子书刊，并免费提供借阅服务。 2. 在城镇主要街道、公共场所、居民小区等人流密集地点设置阅报栏或电子阅报屏，提供时政、“三农”、科普、文化、生活等方面的信息服务。
	收听广播	3. 为全民提供突发事件应急广播服务。 4. 通过直播卫星提供不少于 17 套广播节目，通过无线模拟提供不少于 6 套广播节目，通过数字音频提供不少于 15 套广播节目。
	观看电视	5. 通过直播卫星提供 25 套电视节目，通过地面数字电视提供不少于 15 套电视节目，未完成无线数字化转换的地区，提供不少于 5 套电视节目。
	观赏电影	6. 为农村群众提供数字电影放映服务，其中每年国产新片（院线上映不超过 2 年）比例不少于 1/3。 7. 为中小学生每学期提供 2 部爱国主义教育影片。

续表

项目	内容	标准
基本服务项目	送地方戏	8. 根据群众实际需求，采取政府采购等方式，为农村乡镇每年送戏曲等文艺演出。
	设施开放	9. 公共图书馆、文化馆（站）、公共博物馆（非文物建筑及遗址类）、公共美术馆等公共文化设施免费开放，基本服务项目健全。 10. 未成年人、老年人、现役军人、残疾人和低收入人群参观文物建筑及遗址类博物馆实行门票减免，文化遗产日免费参观。
	文体活动	11. 城乡居民依托村（社区）综合文化服务中心、文体广场、公园、健身路径等公共设施就近方便参加各类文体活动。 12. 各级文化馆（站）等开展文化艺术知识普及和培训，培养群众健康向上的文艺爱好。
硬件设施	文化设施	13. 县级以上（含县级，下同）在辖区内设立公共图书馆、文化馆，乡镇（街道）设置综合文化站，按照国家颁布的建设标准等进行规划建设。 14. 公共博物馆、公共美术馆依据国家有关标准进行规划建设。 15. 结合基层公共服务综合设施建设，整合闲置中小学校等资源，在村（社区）统筹建设综合文化服务中心，因地制宜配置文体器材。
	广电设施	16. 县级以上设立广播电视播出机构和广播电视发射（监测）台，按照广播电视工程建设标准等进行建设。
	体育设施	17. 县级以上设立公共体育场；乡镇（街道）和村（社区）配置群众体育活动器材设备，或纳入基层综合文化设施整合设置。
	流动设施	18. 根据基层实际，为每个县配备用于图书借阅、文艺演出、电影放映等服务的流动文化车，开展流动文化服务。
	辅助设施	19. 各级公共文化设施为残疾人配备无障碍设施，有条件的配备安全检查设备。
人员配备	人员编制	20. 县级以上公共文化机构按照职能和当地人力资源社会保障、编办等部门核准的编制数配齐工作人员。 21. 乡镇综合文化站每站配备有编制人员 1 至 2 人，规模较大的乡镇适当增加；村（社区）公共服务中心设有由政府购买的公益文化岗位。
	业务培训	22. 县级以上公共文化机构从业人员每年参见脱产培训时间不少于 15 天，乡镇（街道）和村（社区）文化专兼职人员每年参加集中培训时间不少于 5 天。

二、标准实施

（一）本标准是国家颁布的指导性标准，各省、自治区、直辖市和新疆生产建设兵团要根据国家指导标准，结合当地群众需求、政府财政能力和文化特色，制定适合本地区的实施标准，建立国家指导标准与地方实施标准相衔接的标准体系。

（二）国家基本公共文化服务指导标准从 2015 年起开始实施，各相关部门根据职能职责和任务分工，制定具体实施方案；各地根据国家指导标准以及本地制定的实施标准，明确具体的落实措施、工作步骤和时间安排，确保标准实施工作科学、规范、有序开展。标准以县为基本单位推进落实。

（三）县级以上各级政府按照标准科学测算所需经费，将基本公共文化服务保障资金纳入财政预算，落实保障当地常住人口享有基本公共文化服务所需资金。中央和省级财政通过转移支付对老少边穷地区基本公共文化服务保障资金予以补助，同时，对绩效评价结果优良的地区予以奖励。县级以上各级政府安排资金，面向社会力量购买公共文化服务。

（四）文化部、各省级文化行政部门会同有关部门建立对标准实施情况的动态监测机制和绩效评价机制，加强督促检查。积极引入社会第三方开展公众满意度测评，对公众满意度较差的要进行通报批评，对好的做法和经验及时总结、推广。

关于进一步加强文物工作的指导意见

（国务院　国发〔2016〕17 号）

各省、自治区、直辖市人民政府，国务院各部委、各直属机构：

为切实加强文物工作，进一步发挥文物资源在传承和弘扬中华优秀传统文化、实现中华民族伟大复兴中国梦中的重要作用，现提出如下意见。

一、重要意义

中华民族具有五千多年连绵不断的文明历史，创造了博大精深的中华文化，留下了极其丰厚的文化遗产。文物是不可再生的珍贵文化资源，是国家的“金色名片”，是中华民族生生不息发展壮大的实物见证，是传承和弘扬中华优秀传统文化的历史根脉，是培育和践行社会主义核心价值观的深厚滋养。加强文物保护，让收藏在博物馆里的文物、陈列在广阔大地上的遗产、书写在古籍里的文字都活起来，对于传承中华优秀传统文化、满足人民群众精神文化需求、提升国民素质、增强民族凝聚力、展示文明大国形象、促进经济社会发展具有十分重要的意义。

近年来，在党中央、国务院的高度重视下，我国文物事业取得了显著成就。全社会保护文物的意识进一步增强，文物保护基础工作不断夯实，资源状况基本摸清，保护经费和保护力量持续增长，保护状况明显改善，博物馆建设步伐加快，公共文化服务水平稳步提高，文物利用的广度深度不断拓展，文物拍卖市场管理逐步规范，文物对外交流合作日益扩大，文物事业呈现出前所未有的良好态势。同时也应看到，随着经济社会快速发展，文物保护与城乡建设的矛盾日益显现，随着文物数量大幅度增加，文物保护的任务日益繁重，文物工作面临着一些新的问题和困难。全社会保护文物的法治观念有待提升，文物保护的配套法规体系尚需完善；一些地方履行文物保护的责任不到位，法人违法行为屡禁不止；一些文物保护单位因自然和人为因素遭到破坏，一些革命文物的保护没有得到足够重视，尚未核定公布为文物保护单位的不可移动文物消失加快；文物建筑火灾事故多发，盗窃盗掘等文物犯罪屡打不止；文物执法力量薄弱，执法不严、违法不究现象时有发生；文物拓展利用不够，文物保护管理的能力建设有待加强。面对文物保护的严峻形势和突出问题，必须增强紧迫感和使命感，本着对历史负责、对人民负责、对未来负责的态度，采取切实有效措施，进一步加强新时期的文物工作。

二、总体要求

（一）指导思想。全面贯彻落实党的十八大和十八届二中、三中、四中、五中全会精神，按照党中央、国务院决策部署，坚持创新、协调、绿色、开放、共享的发展理念，坚持"保护为主、抢救第一、合理利用、加强管理"的文物工作方针，深入挖掘和系统阐发文物所蕴含的文化内涵和时代价值，切实做到在保护中发展、在发展中保护，努力为建设社会主义文化强国作出更大贡献。

（二）基本原则。

坚持公益属性。政府在文物保护中应发挥主导作用，公平对待国有和非国有博物馆，发挥文物的公共文化服务和社会教育功能，保障人民群众基本文化权益，拓宽人民群众参与渠道，共享文物保护利用成果。

坚持服务大局。始终把保护文物、传承优秀传统文化、建设共有精神家园作为文物工作服务大局的出发点和落脚点，统筹协调文物保护与经济发展、城乡建设、民生改善的关系，充分发挥文物资源传承文明、教育人民、服务社会、推动发展的作用。

坚持改革创新。深化行政管理体制改革，简政放权、放管结合、优化服务，破除影响文物事业发展的体制机制障碍。更新观念，协同创新，发挥社会各方面参与文物保护利用的积极性。

坚持依法管理。完善文物法律法规体系，全面落实法定职责，健全依法决策机制，强化责任追究。加大执法力度，严肃查处违法行为，严厉打击文物犯罪。

（三）主要目标。到2020年，文物事业在传承中华优秀传统文化、弘扬社会主义核心价值观、推动中华文化走出去、提高国民素质和社会文明程度中进一步发挥重要作用；文物资源状况全面摸清，全国重点文物保护单位、省级文物保护单位保存状况良好，市县级文物保护单位保存状况明显改善，尚未核定公布为文物保护单位的不可移动文物保护措施得到落实；馆藏文物预防性保护进一步加强，珍贵文物较多的博物馆藏品保存环境全部达标；文物保护的科技含量和装备水平进一步提高，文物展示利用手段和形式实现突破；主体多元、结构优化、特色鲜明、富有活力的博物馆体系日臻完善，馆藏文物利用效率明显提升，文博创意产业持续发展，有条件的文物保护单位基本实现向公众开放，公共文化服务功能和社会教育作用更加彰显；文物法律法规体系基本完备，文物保护理论架构基本确立，行业标准体系和诚信体系基本形成；文物行业人才队伍结构不断优化，专业水平明显提升；文物执法督察体系基本建立，执法力量得到加强，安全责任体系更加健全，安全形势明显好转；社会力量广泛参与文物保护利用格局基本形成，文物保护成果更多惠及人民群众，文物资源促进经济社会发展的作用进一步增强，促进中外人文交流的作用进一步发挥。

三、明确责任

（一）落实政府责任。各级人民政府要进一步提高对文物保护重要性的认识，敬重祖先留下来的珍贵遗产，依法履行管理和监督责任。地方人民政府要切实履行文物保护主体责任，把文物工作列入重要议事日程，作为地方领导班子和领导干部综合考核评价的重要参考；建立健全文物保护责任评估机制，每年对本行政区域的文物保存状况进行一次检查评估，发现问题及时整改。

（二）强化主管部门职责。要支持文物行政部门依法履行职责，加强文物行政机构建设，优化职能配置。文物保护，基础在县。县级人民政府应根据本地文物工作实际，明确相关机构承担文物保护管理职能。各级文物行政部门要深化行政管理体制改革，转变职能，强化监管，守土尽责，敢于担当。

（三）加强部门协调。各地要建立由主管领导牵头的文物工作协调机制，地方各级人民政府相关部门和单位要认真履行依法承担的保护文物职责。在有关行政许可和行政审批项目中，发展改革、财政、住房城乡建设、国土资源、文物等部门要加强协调配合。建立文物、文化、公安、住房城乡建设、国土资源、环境保护、旅游、宗教、海洋等部门和单位参加的行政执法联动机制，针对主要问题适时开展联合检查和整治行动。发挥全国文物安全工作部际联席会议作用，公安、海关、工商、海洋、文物等部门和单位要保持对盗窃、盗掘、盗捞、倒卖、走私等文物违法犯罪活动的高压态势，完善严防、严管、严打、严治的长效机制，结案后应及时向文物行政部门移交涉案文物。加强文物行政执法和刑事司法衔接，建立文物行政部门和公安、司法机关案情通报、案件移送制度。工业和信息化、文物等部门和单位要共同推进文物保护装备产业发展。教育部门要在文物工作急需人才培养方面给予支持和倾斜。

四、重在保护

（一）健全国家文物登录制度。完善文物认定标准，规范文物调查、申报、登记、定级、公布程序。抓紧制定不可移动文物的降级撤销程序和馆藏文物退出机制。建立国家文物资源总目录和数据资源库，全面掌握文物保存状况和保护需求，实现文物资源动态管理，推进信息资源社会共享。

（二）加强不可移动文物保护。对存在重大险情的各级文物保护单位应及时开展抢救性保护，在项目审批上开辟“绿色通道”，在资金安排上予以保障；组织实施一批具有重大影响和示范意义的文物保护重点项目；加强文物日常养护巡查和监测保护，提高管理水平，注重与周边环境相协调，重视岁修，减少大修，防止因维修不当造成破坏。文物保护工程要遵循其特殊规律，依法实行确保工程质量的招投标方式和预算编制规范。加强长城保护。注重革命文物的维修保护。加强大遗址保护和国家考古遗址公园建设。开展水下考古调查，基本掌握水下文物整体分布和保存状况，划定水下文物保护区，实施一批水下文物保护重点工程，加快建设国家文物局水下文化遗产保护中心南海基地，研究建立涵括水下文化遗产的海洋历史文化遗址公园。做好世界文化遗产申报和保护管理工作，加快世界文化遗产监测预警体系建设。

（三）加强城乡建设中的文物保护。高度重视城市改造和新农村建设中的文物保护，突出工作重点，区分轻重缓急，加强历史文化名城、村镇、街区和传统村落整体格局和历史风貌的保护，防止拆真建假、拆旧建新等建设性破坏行为；涉及各级文物保护单位建设控制地带和地下文物埋藏区的建设项目，应当严格按照文物保护法律法规的规定办理相关手续；不可移动文物不得擅自迁移、拆除，因建设工程确需迁移、拆除的，应当严格按照文物保护法律法规的规定办理相关手续。做好基本建设中的考古调查、勘探、发掘和文物保护工作，搞好配合，提高时效。研究制定文物保护补偿办法，依法确定补偿对象、补助范围等内容。利用公益性基金等平台，采取社会募集等方式筹措资金，解决产权属于私人的不可移动文物保护维修的资金补助问题，使文物所有者和使用者更好地履行保护义务。

（四）加强文物保护规划编制实施。要将文物行政部门作为城乡规划协调决策机制成员单位，按照“多规合一”的要求将文物保护规划相关内容纳入城乡规划。国务院文物行政部门统筹指导各级文物保护单位保护规划的编制工作。全国重点文物保护单位保护规划由省级人民政府组织编制，经国务院文物行政部门审核同意后公布实施。地方各级人民政府要及时核定本行政区域相应级别的文物保护单位和不可移动文物名录，依法划定文物保护单位保护范围和建设控制地带，并通过政务信息平台向社会公开，接受社会监督。

（五）加强可移动文物保护。实施馆藏文物修复计划，及时抢救修复濒危珍贵文物，优先保护材质脆弱珍贵文物，分类推进珍贵文物保护修复工程，注重保护修复馆藏革命文物。实施预防性保护工程，对展陈珍贵文物配备具有环境监测功能的展柜，完善博物馆、文物收藏单位的文物监测和调控设施，对珍贵文物配备柜架囊匣。要为处于地震带的博物馆的珍贵文物配置防震保护设备。实施经济社会发展变迁物证征藏工程，征集新中国成立以来反映经济社会发展的重要实物，记录时代发展，丰富藏品门类。

（六）加强文物安全防护。实施文物平安工程，完善文物建筑防火和古遗址古墓葬石窟寺石刻防盗防破坏设施，切实降低文物保护单位安全风险。落实文物管理单位主体责任。夯实基层文物安全管理，健全县（市、区）、乡镇（街道）、村（社区）三级文物安全管理网络，逐级落实文物安全责任；发挥乡镇综合文化站作用，完善文物保护员制度，推行政府购买文物保护服务，逐处落实文物安全责任单位或责任人。

（七）制定鼓励社会参与文物保护的政策措施。指导和支持城乡群众自治组织保护管理使用区域内尚未核定公布为文物保护单位的不可移动文物。制定切实可行的政策措施，鼓励向国家捐献文物及捐赠资金投入文物保护的行为。对社会力量自愿投入资金保护修缮市县级文物保护单位和尚未核定公布为文物保护单位的不可移动文物的，可依法依规在不改变所有权的前提下，给予一定期限的使用权。培育以文物保护为宗旨的社会组织，发挥文物保护志愿者作用。鼓励民间合法收藏文物，支持非国有博物馆发展。制定文物公共政策应征求专家学者、社会团体、社会公众的意见，提高公众参与度，形成全社会保护文物的新格局。

五、拓展利用

（一）为培育和弘扬社会主义核心价值观服务。挖掘研究文物价值内涵，以物知史，以物见人，传播优秀传统文化，引领社会文明风尚。推出一批具有鲜明教育作用、彰显社会主义核心价值观的陈列展览、文物影视节目和图书等多媒体出版物。推动建立中小学生定期参观博物馆的长效机制，鼓励学校结合课程设置和教学计划，组织学生到博物馆开展学习实践活动。

（二）为保障人民群众基本文化权益服务。完善博物馆公共文化服务功能，扩大公共文化服务覆盖面，将更多的博物馆纳入财政支持的免费开放范围。建立博物馆免费开放运行绩效评估管理体系。加强革命老区、民族地区、边疆地区、贫困地区博物馆建设，促进博物馆公共文化服务标准化、均等化。考古发掘单位要依法向博物馆移交文物。推动博物馆由数量增长向质量提升转变，完善服务标准，提升基本陈列质量，提高藏品利用效率，促进馆藏资源、展览的共享交流。实施智慧博物馆项目，推广生态博物馆、流动博物馆，有条件的地方可以建立社区博物馆。提升古遗址古建筑石窟寺展示利用水平，拓宽近现代文物的利用方式。推动有条件的行政机关、企事业单位管理使用的文物保护单位定期或部分对公众开放。

（三）为促进经济社会发展服务。发挥文物资源在文化传承中的作用，丰富城乡文化内涵，彰显地域文化特色，优化社区人文环境。发挥文物资源在促进地区经济社会发展、壮大旅游业中的重要作用，打造文物旅游品牌，培育以文物保护单位、博物馆为支撑的体验旅游、研学旅行和传统村落休闲旅游线路，设计生产较高文化品位的旅游纪念品，增加地方收入，扩大居民就业。实行文物保护的分类管理、精准管理，针对城市、乡村、荒野等不同地域，以考古勘探等工作为基础，合理划定古遗址的保护区划；对传统村落中的文物建筑分别实行整体保护、外貌保护、局部保护，实现文物保护与延续使用功能、改善居住条件相统一。切实加强文物市场和社会文物鉴定的规范管理，积极促进文物拍卖市场健康发展。

（四）大力发展文博创意产业。深入挖掘文物资源的价值内涵和文化元素，更加注重实用性，更多体现生活气息，延伸文博衍生产品链条，进一步拓展产业发展空间，进一步调动博物馆利用馆藏资源开发创意产品的积极性，扩大引导文化消费，培育新型文化业态。鼓励众创、众筹，以创新创意为动力，以文博单位和文化创意设计企业为主体，开发原创文化产品，打造文化创意品牌，为社会资本广泛参与研发、经营等活动提供指导和便利条件。实施“互联网＋中华文明”行动计划，支持和引导企事业单位通过市场方式让文物活起来，丰富人民群众尤其是广大青少年的精神文化生活。

（五）为扩大中华文化影响力服务。积极参与国际文化遗产保护事务，扩大与相关国际组织的合作，形成文物交流双边、多边合作机制。与更多国家和地区签署防止盗窃、盗掘和非法进出境文物双边协定，通过外交、司法、民间等多种形式推进非法流失海外文物的追索与返还。拓宽文物对外展示传播渠道，加强文物与外交、文化、海洋等部门和单位联动。推进与“一带一路”沿线国家文物保护领域的实质性合作。

（六）合理适度利用。任何文物利用都要以有利于文物保护为前提，以服务公众为目的，以彰显文物历史文化价值为导向，以不违背法律和社会公德为底线。文物景区景点要合理确定游客承载量；国有不可移动文物不得转让、抵押，不得作为企业资产经营，不得将辟为参观游览场所的国有文物保护单位及其管理机构整体交由企业管理。

六、严格执法

（一）完善文物保护法律法规。加快推进文物保护法、水下文物保护管理条例等法律法规修订工作。省级人民政府和具有立法权的市级人民政府要推动文物保护地方性法规规章制修订工作，健全法治保障体系。

（二）强化文物督察。完善文物保护监督机制，畅通文物保护社会监督渠道。加强层级监督，依法对地方履行文物保护职责情况进行督察，对重大文物违法案件和文物安全事故进行调查督办，集中曝光重大典型案例，对影响恶劣的要约谈地方人民政府负责人。优化国务院文物行政部门执法督察力量配置。

（三）加强地方文物执法工作。地方各级人民政府要结合综合行政执法改革，进一步加强文物执法工作，落实执法责任。加强省级文物行政部门执法督察力量。市县级文物行政部门要依法履行好行政执法职能，也可通过委托由文化市场综合执法队伍或其他综合行政执法机构承担文物执法职能。文物资源密集、安全形势严峻的地方可根据实际需要，设立专门的警务室。文物行政部门要强化预防控制措施，加大执法巡查力度，及时制止违法行为；建立案件分级管理、应急处置、挂牌督办等机制，建设文物执法管理平台。

（四）严格责任追究。地方各级人民政府、各有关部门和单位因不依法履行职责、决策失误、失职渎职导致文物遭受破坏、失盗、失火并造成一定损失的，要依法依纪追究有关人员的责任；涉嫌犯罪的，移送司法机关处理。造成国家保护的珍贵文物或者文物保护单位损毁、灭失的，要依法追究实际责任人、单位负责人、上级单位负责人和当地政府负责人的责任。建立文物保护责任终身追究制，对负有责任的领导干部，不论是否已调离、提拔或者退休，都必须严肃追责。建立健全文物保护工程勘察设计、施工、监理、技术审核质量负责制，对违反国家法律法规和相关技术标准，造成文物和国家财产遭受重大损失的，要依法追究相关单位和人员的责任。

（五）加大普法宣传力度。要将文物保护法的学习宣传纳入普法教育规划，纳入各级党校和行政学院教学内容。文化、新闻出版广电等部门和单位要主动做好文物保护法的宣传普及工作。落实“谁执法谁普法”的普法责任制，各级文物行政部门要将文物保护法的宣传普及作为重要工作任务常抓不懈，切实提高全民文物保护意识和执行文物保护法的自觉性。开展多种形式的以案释法普法教育活动。建立健全文物、博物馆、考古等有关企事业单位的守法信用记录，完善守法诚信行为褒奖机制和违法失信行为惩戒机制。

七、完善保障

（一）保障经费投入。县级以上人民政府要把文物保护经费纳入本级财政预算。要将国有尚未核定公布为文物保护单位的不可移动文物保护纳入基本公共文化服务范畴，积极引导和鼓励社会力量参与，多措并举，落实保护资金的投入。探索对文物资源密集区的财政支持方式，在土地置换、容积率补偿等方面给予政策倾斜。加强经费绩效管理和监督审计，提高资金使用效益。大力推广政府和社会资本合作（PPP）模式，探索开发文物保护保险产品，拓宽社会资金进入文物保护利用的渠道。

（二）加强科技支撑。发挥科技创新的引领作用，充分运用云计算、大数据、“互联网+”等现代信息技术，推动文物保护与现代科技融合创新。通过国家科技计划（专项、基金等），重点支持文物价值认知、保护修复和传统工艺科学化、考古综合技术、大遗址展示利用、文物预防性保护、智慧博物馆等方面的科技攻关，突破一批共性、关键、核心技术；针对土遗址、彩塑壁画、石质文物、纸质文物、纺织品的保护，实施一批重点科技示范工程，形成系统解决方案；建立跨部门跨地区的协同创新工作机制，在重点方向成立工程技术研究中心和技术创新战略联盟，全面提升集成创新、区域创新能力。提高文物保护装备制造能力。加快重要和急需标准制修订，支持有关企业、行业标准的制订，完善文物保护准则，进一步推广应用文物保护技术标准和行业规范，提升文物工作标准化、科学化水平。

（三）重视人才培养。实施人才培养“金鼎工程”，加快文博领军人才、科技人才、技能人才、复合型管理人才培养，形成结构优化、布局合理、基本适应文物事业发展需要的人才队伍。组织高等院校、科研院所以及文物大省的专业人才，实施保护项目与人才培养联动战略，加快文物保护修复、水下考古、展览策划、法律政策研究等紧缺人才培养。重视民间匠人传统技艺的挖掘、保护与传承。加强县级文物行政执法、保护修复等急需人才培训，适当提高市县文博单位中高级专业技术人员比例。加大非国有博物馆管理人员、专业人员培训力度，完善文物保护专业技术人员评价制度，加强高等院校、职业学校文物保护相关学科建设和专业设置。

各地、各有关部门和单位要根据本指导意见要求，结合工作实际，认真抓好贯彻落实。

关于加强文物保护利用改革的若干意见

（中共中央办公厅　国务院办公厅　2018 年 10 月 8 日印发）

为深入贯彻落实党的十九大精神，进一步做好文物保护利用和文化遗产保护传承工作，现就加强新时代文物保护利用改革提出如下意见。

一、重要意义

文物承载灿烂文明，传承历史文化，维系民族精神，是弘扬中华优秀传统文化的珍贵财富，是促进经济社会发展的优势资源，是培育社会主义核心价值观、凝聚共筑中国梦磅礴力量的深厚滋养。保护文物功在当代、利在千秋。

党的十八大以来，在以习近平同志为核心的党中央坚强领导下，各地区各部门扎实推进文物工作，文物事业取得显著进步。当前，面对新时代新任务提出的新要求，文物保护利用不平衡不充分的矛盾依然存在，文物资源促进经济社会发展作用仍需加强；一些地方文物保护主体责任落实还不到位，文物安全形势依然严峻；文物合理利用不足、传播传承不够，让文物活起来的方法途径亟需创新；依托文物资源讲好中国故事办法不多，中华文化国际传播能力亟待增强；文物保护管理力量相对薄弱，治理能力和治理水平尚需提升。要从坚定文化自信、传承中华文明、实现中华民族伟大复兴中国梦的战略高度，提高对文物保护利用重要性的认识，增强责任感使命感紧迫感，进一步解放思想、转变观念，深化文物保护利用体制机制改革，加强文物政策制度顶层设计，切实做好文物保护利用各项工作。

二、总体要求

（一）指导思想。以习近平新时代中国特色社会主义思想为指导，全面贯彻党的十九大和十九届二中、三中全会精神，认真落实习近平总书记关于文物工作系列重要论述精神，紧紧围绕统筹推进“五位一体”总体布局和协调推进“四个全面”战略布局，增强“四个意识”，坚定“四个自信”，坚持以人民为中心，坚持新发展理念，坚持社会主义核心价值体系，统筹推进文物保护利用传承，切实增强中华优秀传统文化的生命力影响力，更好促进经济社会发展，不断满足人民日益增长的美好生活需要，努力为决胜全面建成小康社会、加快推进社会主义现代化、实现中华民族伟大复兴的中国梦作出重要贡献。

（二）基本原则

——坚持党对文物工作的领导。树立保护文物也是政绩的科学理念，发挥党在文物工作中总揽全局、协调各方的领导作用，形成党委领导、政府负责、部门协同、社会参与的文物工作格局。

——坚持依法保护利用。健全文物保护利用法律制度和标准规范，划定文物保护利用的红线和底线，落实文物保护属地管理要求和地方各级政府主体责任，提升全社会文物保护法治意识。

——坚持问题导向。破解影响文物事业持续发展、制约文物作用更好发挥的体制机制问题，统筹好文物保护与经济社会发展，在保护中发展、在发展中保护。

——坚持创造性转化、创新性发展。强化国家站位、主动服务大局，加强文物价值的挖掘阐释和传播利用，让文物活起来，发挥文物资源独特优势，为推动实现中华民族伟大复兴中国梦提供精神力量。

——坚持整体推进、重点突破。全面深化文物领域各项改革，突出重点、分类施策，推出重大举措，推进重点工作，鼓励因地制宜、试点先行，积极探索、勇于创新。

（三）总体目标。到 2025 年，紧紧围绕走出一条符合我国国情的文物保护利用之路，文物依法保护水平显著提升，文物保护利用传承体系基本形成，文物安全形势明显好转，文物机构队伍更加优化，文物领域社会参与活力不断焕发，文物工作在坚定文化自信、推动中华文化走出去、促进经济社会发展中的重要作用进一步发挥，文物保护利用成果更多更好惠及人民群众，文物治理体系和治理能力现代化初步实现。

三、主要任务

（一）构建中华文明标识体系。深化中华文明研究，推进中华文明探源工程，开展考古中国重大研究，实证中华文明延绵不断、多元一体、兼收并蓄的发展脉络。依托价值突出、内涵丰厚的珍贵文物，推介一批国家文化地标和精神标识，增强中华民族的自豪感和凝聚力。

（二）创新文物价值传播推广体系。将文物保护利用常识纳入中小学教育体系和干部教育体系，完善中小学生利用博物馆学习长效机制。实施中华文物全媒体传播计划，发挥政府和市场作用，用好传统媒体和新兴媒体，广泛传播文物蕴含的文化精髓和时代价值，更好构筑中国精神、中国价值、中国力量。

（三）完善革命文物保护传承体系。实施革命文物保护利用工程（2018—2022年），保护好革命文物，传承好红色基因。强化革命文物保护利用政策支持，开展革命文物集中连片保护利用，助力革命老区脱贫攻坚。推进长征文化线路整体保护，加快长征文化公园建设。加强馆藏革命文物征集和保护，建设革命文物数据库，加强中国共产党历史文物保护展示。

（四）开展国家文物督察试点。加强国家文物督察力量，试行向文物安全形势严峻、文物违法犯罪案件和文物安全事故多发地区派驻文物督察专员，监督检查地方政府履行文物保护责任情况，督察督办重大文物违法犯罪案件办理和重大文物安全事故处理工作。强化省级文物部门督察职责。落实市、县文化市场综合执法队伍文物行政执法责任。

（五）建立文物安全长效机制。实施文物平安工程，建设全国文物安全监管平台，实现文物博物馆单位安全防护设施全覆盖。聚焦法人违法、盗窃盗掘、火灾事故三大风险，发挥全国文物安全工作部际联席会议制度作用，坚持专项行动和常态监管相结合，打赢文物安全防范攻坚战。

（六）建立文物资源资产管理机制。健全国有文物资源资产管理体系，制定国有文物资源资产管理办法，建立文物资源资产动态管理机制。实行文物资源资产报告制度，地方各级政府定期向本级人大常委会报告文物资源资产管理情况。完善常态化的国家文物登录制度，建设国家文物资源大数据库。

（七）建立健全不可移动文物保护机制。深入推进文物领域“放管服”改革，进一步简化面向社会的项目审批，提升管理能力和服务水平。国土空间规划编制和实施应充分考虑不可移动文物保护管理需要。完善基本建设考古制度，地方政府在土地储备时，对于可能存在文物遗存的土地，在依法完成考古调查、勘探、发掘前不得入库。强化考古项目监管，开展考古出土文物移交专项行动。健全世界文化遗产监测预警和巡查监管制度。建立国家文物保护利用示范区，依托不同类型文物资源，推动区域性文物资源整合和集中连片保护利用，创新文物保护利用机制，在确保文物安全的前提下，支持在文物保护区域因地制宜适度发展服务业和休闲农业。

（八）大力推进文物合理利用。充分认识利用文物资源对提高国民素质和社会文明程度、推动经济社会发展的重要作用。地方各级文物部门要加强统筹规划，依法加大本行政区域文物资源配置力度。文物博物馆单位要强化基本公共文化服务功能，盘活用好国有文物资源。支持社会力量依法依规合理利用文物资源，提供多样化多层次的文化产品与服务。

（九）健全社会参与机制。坚持政府主导、多元投入，调动社会力量参与文物保护利用的积极性。在坚持国有不可移动文物所有权不变、坚守文物保护底线的前提下，探索社会力量参与国有不可移动文物使用和运营管理。鼓励依法通过流转、征收等方式取得属于文物建筑的农民房屋及其宅基地使用权。加大文物资源基础信息开放力度，支持文物博物馆单位逐步开放共享文物资源信息。促进文物旅游融合发展，推介文物领域研学旅行、体验旅游、休闲旅游项目和精品旅游线路。

（十）激发博物馆创新活力。分类推进博物馆法人治理结构建设，赋予博物馆更大办馆自主权。发展智慧博物馆，打造博物馆网络矩阵。鼓励文物博物馆单位开发文化创意产品，其所得收入按规定纳入本单位预算统一管理，可用于公共服务、藏品征集、对符合规定的人员予以绩效奖励等。落实非国有博物馆支持政策，依法依规推进非国有博物馆法人财产权确权。

（十一）促进文物市场活跃有序发展。制定关于引导民间收藏文物保护利用促进文物市场健康发展的意见，开展文物流通领域登记交易制度试点。建立全国文物购销拍卖信息与信用管理系统，接入全国信用信息共享平台，开展守信联合奖励和失信联合惩戒。规范文物鉴定机构发展，多层次开展文物鉴定服务。适时扩大享受文物进口免税政策的文物收藏单位名单，促进海外文物回流。

（十二）深化“一带一路”文物交流合作。实施“一带一路”文化遗产保护与交流合作专项规划，健全丝绸之路和海上丝绸之路文化遗产保护与申遗跨国合作机制。推进中国援外文物保护工程和联合考古项目，将其纳入国家对外援助体系。开展文物外展精品工程，打造文物外交品牌。依托国家海外文化阵地和海外机构，搭建多层次机制性文物交流合作平台，与国外文物机构共建合作传播基地，增强中华文化国际传播力、影响力。深度参与文化遗产国际治理，提升中国话语权，展现负责任大国形象。

（十三）加强科技支撑。将“文化遗产保护利用关键技术研究与示范”纳入国家重点研发计划，建设文物领域国家技术创新中心和国家重点实验室。充分运用互联网、大数据、云计算、人工智能等信息技术，推动文物展示利用方式融合创新，推进“互联网 + 中华文明”行动计划。

（十四）创新人才机制。制定文物博物馆事业单位人事管理指导意见，健全人才培养、使用、评价和激励机制。实施新时代文物人才建设工程，加大对文物领域领军人才、中青年骨干创新人才培养力度。出台文物保护工程从业资格管理制度。按照国家有关规定，适时开展文物领域表彰奖励。建设文物领域国家智库。

（十五）加强文物保护管理队伍建设。按照优化协同高效的原则，加强国务院文物部门职能，充实力量，提升革命文物、社会文物、文物资源资产、文物国际合作与传播等方面的管理能力。地方党委和政府应依法履行文物保护主体责任，明确负责文物保护管理的机构，切实加强文物保护能力建设，使文物保护管理工作力量与其承担的职责和任务相适应，确保文物安全。未设置专门机构的文物保护单位可通过政府购买服务方式，加强文物保护巡查管理。

（十六）完善文物保护投入机制。支持文物保护由抢救性保护向抢救性与预防性保护并重、由注重文物本体保护向文物本体与周边环境整体保护并重转变。推动文物保护领域中央与地方财政事权和支出责任划分改革，落实各级政府支出责任。加快公布文物领域政府购买公共服务指导性目录。探索对文物资源密集区的支持方式，强化绩效管理。积极引导鼓励社会力量投入文物保护利用。

四、实施保障

（一）加强组织领导。地方党委和政府要全面贯彻党中央决策部署，按照本意见确定的文物改革目标和任务，着力抓好落实落细。各地区要将文物工作纳入地方党政领导班子和领导干部政绩考核综合评价体系，切实增强各级领导干部文物保护利用的意识。各部门要明确分工、形成合力，强化制度供给和资源要素支持，推进各项改革举措落地见效。文化和旅游部门、文物部门要履行好统筹协调职责，强化协作、积极推进。

（二）完善法律法规。修改文物保护法及相关配套行政法规。鼓励各省、自治区、直辖市及设区的市制定文物保护地方性法规。

（三）加强督促落实。加强对本意见落实情况的督导检查。各地区各部门在推进文物保护利用改革中遇到的重大问题要及时向党中央、国务院请示报告。做好文物保护利用改革政策宣传和舆论引导，营造文物事业改革发展的良好氛围。

关于加强革命文物工作的通知

（国家文物局　文物政发〔2016〕13号）

各省、自治区、直辖市文物局（文化厅），各计划单列市文物局（文化局），新疆生产建设兵团文物局：

革命文物是我国文物资源的重要组成部分，是激发爱国热情、振奋民族精神的深厚滋养，是弘扬革命传统、传承中华文化的重要载体。加强革命文物工作，对培育社会主义核心价值观、实现中华民族伟大复兴的中国梦具有重要意义。为切实加强革命文物工作，根据《国务院关于进一步加强文物工作的指导意见》（国发〔2016〕17号）和《中共中央办公厅 国务院办公厅印发〈关于加强革命历史类纪念设施、遗址和全国爱国主义教育示范基地工作的意见〉的通知》（中办发〔2016〕28号），现就有关事项通知如下。

一、夯实革命文物工作基础

各地文物部门要依托第三次全国文物普查和第一次全国可移动文物普查成果，梳理形成革命文物资源目录和专题数据库。做好馆藏革命文物的清理、定级、建账和建档工作。制定馆藏革命文物征集计划，加强革命文物调查征集工作。

各地文物部门要将价值突出的革命文物报经当地人民政府核定公布为相应级别的文物保护单位。落实“四有”工作，依法划定保护范围，作出标志说明，建立记录档案，设置专门机构或指定专人负责管理，及时上报完成情况。

各地文物部门要对本辖区革命文物保护情况进行一次全面排查，掌握革命文物的保存状况、保护需求、项目组织、基础设施和管理使用情况，建立排查档案，并将排查结果报国家文物局备案。对存在险情的革命文物，应视轻重缓急，制订保护修复计划。

二、切实加强革命文物保护

加强革命文物保护利用规划编制，鼓励革命文物分布密集地区、重点省份组织编制区域性革命文物保护利用专项规划，做好延安革命旧址、抗战文物、红军长征遗迹等具有重大影响和纪念意义的革命旧址群保护利用规划编制工作。对革命文物重点省份在项目立项、规划编制、业务指导和经费保障上予以支持鼓励。

实施革命旧址维修保护三年行动计划，组织实施一批具有重大影响和示范意义的革命旧址保护重点工程，显著改善革命文物的保护状况。实施馆藏革命文物修复计划，及时抢救修复濒危珍贵革命文物，优先保护材质脆弱的珍贵革命文物。对存在重大险情的革命旧址和馆藏革命文物，应及时开展抢救性保护和修复。各地文物部门要在项目报批上开辟“绿色通道”，在资金安排上予以保障。

加强革命文物的安全防范设施建设，完善革命文物监测调控设施，改善革命文物藏品保管、陈列展览条件，确保革命文物安全。新建改扩建纪念设施，要充分论证、从严控制，严格按程序履行报批手续。对与革命文物环境气氛不相协调的经营活动和娱乐设施，要进行清理整顿。

三、充分发挥革命文物的公共服务和社会教育作用

加强对革命文物的研究阐释，深入挖掘革命文物的思想内涵和时代价值。拓展革命文物的展示利用，被列为各级文物保护单位的革命旧址应尽可能对公众开放。尚不具备开放条件的，应在重点区域开辟宣传展示空间，或在合适位置设立纪念标志或铭牌说明。建立革命旧址、博物馆、纪念馆与周边学校、党政机关、企事业单位、驻地部队、城乡社区的共建共享机制，有计划地组织大中小学生、党员干部、部队官兵和各界群众到革命文物场所参观学习。

坚持有址可寻、有物可看、有史可讲、有事可说，策划一批主题突出、导向鲜明、内涵丰富的陈列展览精品。在保持博物馆、纪念馆基本陈列和革命旧址原状陈列相对稳定的前提下，深化研究、及时补充彰显时代精神的展陈内容。开展省际、馆际间革命文物馆藏资源、主题展览的交流与合作。改进展陈方式，加强大纲撰写、形式设计、实物制作、展品布置，应用现代科技手段，推广移动客户端导览服务，增强革命文物陈列展览的生动性、参与性和体验性。

将革命文物展示利用纳入“互联网 + 中华文明”行动计划的支持范围。大力发展红色旅游，培育以革命文物为支撑的研学旅行和体验旅游精品线路，打造文物旅游品牌，支持革命老区振兴发展。结合中国共产党成立 95 周年和红军长征胜利 80 周年纪念活动，精心设计活动内容和活动载体，拓展社会教育覆盖面。各地文物部门要结合重大历史事件和重要历史人物纪念活动、重要节庆活动，依托革命文物资源，举办面向社会特别是青少年的主题展览和流动展览，开展独具特色的宣传教育活动。

各地文物部门要切实落实保护责任，积极加强与相关部门的协调配合，齐抓共管，形成工作合力。国家文物局将加强对各地革命文物工作的督促检查，建立“双随机”抽查机制，实行革命文物保护情况通报制度。各地文物部门于2016年12月1日前将贯彻落实情况报送我局。

特此通知。

关于实施中华优秀传统文化传承发展工程的意见

（中共中央办公厅　国务院办公厅　2017年1月25日印发）

文化是民族的血脉，是人民的精神家园。文化自信是更基本、更深层、更持久的力量。中华文化独一无二的理念、智慧、气度、神韵，增添了中国人民和中华民族内心深处的自信和自豪。为建设社会主义文化强国，增强国家文化软实力，实现中华民族伟大复兴的中国梦，现就实施中华优秀传统文化传承发展工程提出如下意见。

一、重要意义和总体要求

1. 重要意义。中华文化源远流长、灿烂辉煌。在5000多年文明发展中孕育的中华优秀传统文化，积淀着中华民族最深沉的精神追求，代表着中华民族独特的精神标识，是中华民族生生不息、发展壮大的丰厚滋养，是中国特色社会主义植根的文化沃土，是当代中国发展的突出优势，对延续和发展中华文明、促进人类文明进步，发挥着重要作用。

中国共产党在领导人民进行革命、建设、改革伟大实践中，自觉肩负起传承发展中华优秀传统文化的历史责任，是中华优秀传统文化的忠实继承者、弘扬者和建设者。党的十八大以来，在以习近平同志为核心的党中央领导下，各级党委和政府更加自觉、更加主动推动中华优秀传统文化的传承与发展，开展了一系列富有创新、富有成效的工作，有力增强了中华优秀传统文化的凝聚力、影响力、创造力。同时要看到，随着我国经济社会深刻变革、对外开放日益扩大、互联网技术和新媒体快速发展，各种思想文化交流交融交锋更加频繁，迫切需要深化对中华优秀传统文化重要性的认识，进一步增强文化自觉和文化自信；迫切需要深入挖掘中华优秀传统文化价值内涵，进一步激发中华优秀传统文化的生机与活力；迫切需要加强政策支持，着力构建中华优秀传统文化传承发展体系。实施中华优秀传统文化传承发展工程，是建设社会主义文化强国的重大战略任务，对于传承中华文脉、全面提升人民群众文化素养、维护国家文化安全、增强国家文化软实力、推进国家治理体系和治理能力现代化，具有重要意义。

2. 指导思想。高举中国特色社会主义伟大旗帜，全面贯彻党的十八大和十八届三中、四中、五中、六中全会精神，坚持以马克思列宁主义、毛泽东思想、邓小平理论、“三个代表”重要思想、科学发展观为指导，深入贯彻习近平总书记系列重要讲话精神和治国理政新理念新思想新战略，紧紧围绕实现中华民族伟大复兴的中国梦，深入贯彻新发展理念，坚持以人民为中心的工作导向，坚持以社会主义核心价值观为引领，坚持创造性转化、创新性发展，坚守中华文化立场、传承中华文化基因，不忘本来、吸收外来、面向未来，汲取中国智慧、弘扬中国精神、传播中国价值，不断增强中华优秀传统文化的生命力和影响力，创造中华文化新辉煌。

3. 基本原则

——牢牢把握社会主义先进文化前进方向。坚持中国特色社会主义文化发展道路，立足于巩固马克思主义在意识形态领域的指导地位、巩固全党全国人民团结奋斗的共同思想基础，弘扬社会主义核心价值观，培育民族精神和时代精神，解决现实问题、助推社会发展。

——坚持以人民为中心的工作导向。坚持为了人民、依靠人民、共建共享，注重文化熏陶和实践养成，把跨越时空的思想理念、价值标准、审美风范转化为人们的精神追求和行为习惯，不断增强人民群众的文化参与感、获得感和认同感，形成向上向善的社会风尚。

——坚持创造性转化和创新性发展。坚持辩证唯物主义和历史唯物主义，秉持客观、科学、礼敬的态度，取其精华、去其糟粕，扬弃继承、转化创新，不复古泥古，不简单否定，不断赋予新的时代内涵和现代表达形式，不断补充、拓展、完善，使中华民族最基本的文化基因与当代文化相适应、与现代社会相协调。

——坚持交流互鉴、开放包容。以我为主、为我所用，取长补短、择善而从，既不简单拿来，也不盲目排外，吸收借鉴国外优秀文明成果，积极参与世界文化的对话交流，不断丰富和发展中华文化。

——坚持统筹协调、形成合力。加强党的领导，充分发挥政府主导作用和市场积极作用，鼓励和引导社会力量广泛参与，推动形成有利于传承发展中华优秀传统文化的体制机制和社会环境。

4. 总体目标。到 2025 年，中华优秀传统文化传承发展体系基本形成，研究阐发、教育普及、保护传承、创新发展、传播交流等方面协同推进并取得重要成果，具有中国特色、中国风格、中国气派的文化产品更加丰富，文化自觉和文化自信显著增强，国家文化软实力的根基更为坚实，中华文化的国际影响力明显提升。

二、主要内容

5. 核心思想理念。中华民族和中国人民在修齐治平、尊时守位、知常达变、开物成务、建功立业过程中培育和形成的基本思想理念，如革故鼎新、与时俱进的思想，脚踏实地、实事求是的思想，惠民利民、安民富民的思想，道法自然、天人合一的思想等，可以为人们认识和改造世界提供有益启迪，可以为治国理政提供有益借鉴。传承发展中华优秀传统文化，就要大力弘扬讲仁爱、重民本、守诚信、崇正义、尚和合、求大同等核心思想理念。

6. 中华传统美德。中华优秀传统文化蕴含着丰富的道德理念和规范，如天下兴亡、匹夫有责的担当意识，精忠报国、振兴中华的爱国情怀，崇德向善、见贤思齐的社会风尚，孝悌忠信、礼义廉耻的荣辱观念，体现着评判是非曲直的价值标准，潜移默化地影响着中国人的行为方式。传承发展中华优秀传统文化，就要大力弘扬自强不息、敬业乐群、扶危济困、见义勇为、孝老爱亲等中华传统美德。

7. 中华人文精神。中华优秀传统文化积淀着多样、珍贵的精神财富，如求同存异、和而不同的处世方法，文以载道、以文化人的教化思想，形神兼备、情景交融的美学追求，俭约自守、中和泰和的生活理念等，是中国人民思想观念、风俗习惯、生活方式、情感样式的集中表达，滋养了独特丰富的文学艺术、科学技术、人文学术，至今仍然具有深刻影响。传承发展中华优秀传统文化，就要大力弘扬有利于促进社会和谐、鼓励人们向上向善的思想文化内容。

三、重点任务

8. 深入阐发文化精髓。加强中华文化研究阐释工作，深入研究阐释中华文化的历史渊源、发展脉络、基本走向，深刻阐明中华优秀传统文化是发展当代中国马克思主义的丰厚滋养，深刻阐明传承发展中华优秀传统文化是建设中国特色社会主义事业的实践之需，深刻阐明丰富多彩的多民族文化是中华文化的基本构成，深刻阐明中华文明是在与其他文明不断交流互鉴中丰富发展的，着力构建有中国底蕴、中国特色的思想体系、学术体系和话语体系。加强党史国史及相关档案编修，做好地方史志编纂工作，巩固中华文明探源成果，正确反映中华民族文明史，推出一批研究成果。实施中华文化资源普查工程，构建准确权威、开放共享的中华文化资源公共数据平台。建立国家文物登录制度。建设国家文献战略储备库、革命文物资源目录和大数据库。实施国家古籍保护工程，完善国家珍贵古籍名录和全国古籍重点保护单位评定制度，加强中华文化典籍整理编纂出版工作。完善非物质文化遗产、馆藏革命文物普查建档制度。

9. 贯穿国民教育始终。围绕立德树人根本任务，遵循学生认知规律和教育教学规律，按照一体化、分学段、有序推进的原则，把中华优秀传统文化全方位融入思想道德教育、文化知识教育、艺术体育教育、社会实践教育各环节，贯穿于启蒙教育、基础教育、职业教育、高等教育、继续教育各领域。以幼儿、小学、中学教材为重点，构建中华文化课程和教材体系。编写中华文化幼儿读物，开展“少年传承中华传统美德”系列教育活动，创作系列绘本、童谣、儿歌、动画等。修订中小学道德与法治、语文、历史等课程教材。推动高校开设中华优秀传统文化必修课，在哲学社会科学及相关学科专业和课程中增加中华优秀传统文化的内容。加强中华优秀传统文化相关学科建设，重视保护和发展具有重要文化价值和传承意义的“绝学”、冷门学科。推进职业院校民族文化传承与创新示范专业点建设。丰富拓展校园文化，推进戏曲、书法、高雅艺术、传统体育等进校园，实施中华经典诵读工程，开设中华文化公开课，抓好传统文化教育成果展示活动。研究制定国民语言教育大纲，开展好国民语言教育。加强面向全体教师的中华文化教育培训，全面提升师资队伍水平。

10. 保护传承文化遗产。坚持保护为主、抢救第一、合理利用、加强管理的方针，做好文物保护工作，抢救保护濒危文物，实施馆藏文物修复计划，加强新型城镇化和新农村建设中的文物保护。加强历史文化名城名镇名村、历史文化街区、名人故居保护和城市特色风貌管理，实施中国传统村落保护工程，做好传统民居、历史建筑、革命文化纪念地、农业遗产、工业遗产保护工作。规划建设一批国家文化公园，成为中华文化重要标识。推进地名文化遗产保护。实施非物质文化遗产传承发展工程，进一步完善非物质文化遗产保护制度。实施传统工艺振兴计划。大力推广和规范使用国家通用语言文字，保护传承方言文化。开展少数民族特色文化保护工作，加强少数民族语言文字和经典文献的保护和传播，做好少数民族经典文献和汉族经典文献互译出版工作。实施中华民族音乐传承出版工程、中国民间文学大系出版工程。推动民族传统体育项目的整理研究和保护传承。

11. 滋养文艺创作。善于从中华文化资源宝库中提炼题材、获取灵感、汲取养分，把中华优秀传统文化的有益思想、艺术价值与时代特点和要求相结合，运用丰富多样的艺术形式进行当代表达，推出一大批底蕴深厚、涵育人心的优秀文艺作品。科学编制重大革命和历史题材、现实题材、爱国主义题材、青少年题材等专项创作规划，提高创作生产组织化程度，彰显中华文化的精神内涵和审美风范。加强对中华诗词、音乐舞蹈、书法绘画、曲艺杂技和历史文化纪录片、动画片、出版物等的扶持。实施戏曲振兴工程，做好戏曲“像音像”工作，挖掘整理优秀传统剧目，推进数字化保存和传播。实施网络文艺创作传播计划，推动网络文学、网络音乐、网络剧、微电影等传承发展中华优秀传统文化。实施中国经典民间故事动漫创作工程、中华文化电视传播工程，组织创作生产一批传承中华文化基因、具有大众亲和力的动画片、纪录片和节目栏目。大力加强文艺评论，改革完善文艺评奖，建立有中国特色的文艺研究评论体系，倡导中华美学精神，推动美学、美德、美文相结合。

12. 融入生产生活。注重实践与养成、需求与供给、形式与内容相结合，把中华优秀传统文化内涵更好更多地融入生产生活各方面。深入挖掘城市历史文化价值，提炼精选一批凸显文化特色的经典性元素和标志性符号，纳入城镇化建设、城市规划设计，合理应用于城市雕塑、广场园林等公共空间，避免千篇一律、千城一面。挖掘整理传统建筑文化，鼓励建筑设计继承创新，推进城市修补、生态修复工作，延续城市文脉。加强“美丽乡村”文化建设，发掘和保护一批处处有历史、步步有文化的小镇和村庄。用中华优秀传统文化的精髓涵养企业精神，培育现代企业文化。实施中华老字号保护发展工程，支持一批文化特色浓、品牌信誉高、有市场竞争力的中华老字号做精做强。深入开展“我们的节日”主题活动，实施中国传统节日振兴工程，丰富春节、元宵、清明、端午、七夕、中秋、重阳等传统节日文化内涵，形成新的节日习俗。加强对传统历法、节气、生肖和饮食、医药等的研究阐释、活态利用，使其有益的文化价值深度嵌入百姓生活。实施中华节庆礼仪服装服饰计划，设计制作展现中华民族独特文化魅力的系列服装服饰。大力发展文化旅游，充分利用历史文化资源优势，规划设计推出一批专题研学旅游线路，引导游客在文化旅游中感知中华文化。推动休闲生活与传统文化融合发展，培育符合现代人需求的传统休闲文化。发展传统体育，抢救濒危传统体育项目，把传统体育项目纳入全民健身工程。

13. 加大宣传教育力度。综合运用报纸、书刊、电台、电视台、互联网站等各类载体，融通多媒体资源，统筹宣传、文化、文物等各方力量，创新表达方式，大力彰显中华文化魅力。实施中华文化新媒体传播工程。充分发挥图书馆、文化馆、博物馆、群艺馆、美术馆等公共文化机构在传承发展中华优秀传统文化中的作用。编纂出版系列文化经典。加强革命文物工作，实施革命文物保护利用工程，做好革命遗址、遗迹、烈士纪念设施的保护和利用。推动红色旅游持续健康发展。深入开展“爱我中华”主题教育活动，充分利用重大历史事件和中华历史名人纪念活动、国家公祭仪式、烈士纪念日，充分利用各类爱国主义教育基地、历史遗迹等，展示爱国主义深刻内涵，培育爱国主义精神。加强国民礼仪教育。加大对国家重要礼仪的普及教育与宣传力度，在国家重大节庆活动中体现仪式感、庄重感、荣誉感，彰显中华传统礼仪文化的时代价值，树立文明古国、礼仪之邦的良好形象。研究提出承接传统习俗、符合现代文明要求的社会礼仪、服装服饰、文明用语规范，建立健全各类公共场所和网络公共空间的礼仪、礼节、礼貌规范，推动形成良好的言行举止和礼让宽容的社会风尚。把优秀传统文化思想理念体现在社会规范中，与制定市民公约、乡规民约、学生守则、行业规章、团体章程相结合。弘扬孝敬文化、慈善文化、诚信文化等，开展节俭养德全民行动和学雷锋志愿服务。广泛开展文明家庭创建活动，挖掘和整理家训、家书文化，用优良的家风家教培育青少年。挖掘和保护乡土文化资源，建设新乡贤文化，培育和扶持乡村文化骨干，提升乡土文化内涵，形成良性乡村文化生态，让子孙后代记得住乡愁。加强港澳台中华文化普及和交流，积极举办以中华文化为主题的青少年夏令营、冬令营以及诵读和书写中华经典等交流活动，鼓励港澳台艺术家参与国家在海外举办的感知中国、中国文化年（节）、欢乐春节等品牌活动，增强国家认同、民族认同、文化认同。

14. 推动中外文化交流互鉴。加强对外文化交流合作，创新人文交流方式，丰富文化交流内容，不断提高文化交流水平。充分运用海外中国文化中心、孔子学院，文化节展、文物展览、博览会、书展、电影节、体育活动、旅游推介和各类品牌活动，助推中华优秀传统文化的国际传播。支持中华医药、中华烹饪、中华武术、中华典籍、中国文物、中国园林、中国节日等中华传统文化代表性项目走出去。积极宣传推介戏曲、民乐、书法、国画等我国优秀传统文化艺术，让国外民众在审美过程中获得愉悦、感受魅力。加强“一带一路”沿线国家文化交流合作。鼓励发展对外文化贸易，让更多体现中华文化特色、具有较强竞争力的文化产品走向国际市场。探索中华文化国际传播与交流新模式，综合运用大众传播、群体传播、人际传播等方式，构建全方位、多层次、宽领域的中华文化传播格局。推进国际汉学交流和中外智库合作，加强中国出版物国际推广与传播，扶持汉学家和海外出版机构翻译出版中国图书，通过华侨华人、文化体育名人、各方面出境人员，依托我国驻外机构、中资企业、与我友好合作机构和世界各地的中餐馆等，讲好中国故事、传播好中国声音、阐释好中国特色、展示好中国形象。

四、组织实施和保障措施

15. 加强组织领导。各级党委和政府要从坚定文化自信、坚持和发展中国特色社会主义、实现中华民族伟大复兴的高度，切实把中华优秀传统文化传承发展工作摆上重要日程，加强宏观指导，提高组织化程度，纳入经济社会发展总体规划，纳入考核评价体系，纳入各级党校、行政学院教学的重要内容。各级党委宣传部门要发挥综合协调作用，整合各类资源，调动各方力量，推动形成党委统一领导、党政群协同推进、有关部门各负其责、全社会共同参与的中华优秀传统文化传承发展工作新格局。各有关部门和群团组织要按照责任分工，制定实施方案，完善工作机制，把各项任务落到实处。

16. 加强政策保障。加强中华优秀传统文化传承发展相关扶持政策的制定与实施，注重政策措施的系统性协同性操作性。加大中央和地方各级财政支持力度，同时统筹整合现有相关资金，支持中华优秀传统文化传承发展重点项目。制定和完善惠及中华优秀传统文化传承发展工程项目的金融支持政策。加大对国家重要文化和自然遗产、国家级非物质文化遗产等珍贵遗产资源保护利用设施建设的支持力度。建立中华优秀传统文化传承发展相关领域和部门合作共建机制。制定文物保护和非物质文化遗产保护专项规划。制定和完善历史文化名城名镇名村和历史文化街区保护的相关政策。完善相关奖励、补贴政策，落实税收优惠政策，引导和鼓励企业、社会组织及个人捐赠或共建相关文化项目。建立健全中华优秀传统文化传承发展重大项目首席专家制度，培养造就一批人民喜爱、有国际影响的中华文化代表人物。完善中华优秀传统文化传承发展的激励表彰制度，对为中华优秀传统文化传承发展和传播交流作出贡献、建立功勋、享有声誉的杰出海内外人士按规定授予功勋荣誉或进行表彰奖励。有关部门要研究出台入学、住房保障等方面的倾斜政策和措施，用以倡导和鼓励自强不息、敬业乐群、扶正扬善、扶危济困、见义勇为、孝老爱亲等传统美德。

17. 加强文化法治环境建设。修订文物保护法。制定文化产业促进法、公共图书馆法等相关法律，对中华优秀传统文化传承发展有关工作作出制度性安排。在教育、科技、卫生、体育、城乡建设、互联网、交通、旅游、语言文字等领域相关法律法规的制定修订中，增加中华优秀传统文化传承发展内容。加大涉及保护传承弘扬中华优秀传统文化法律法规施行力度，加强对法律法规实施情况的监督检查。充分发挥各行政主管部门在传承发展中华优秀传统文化中的重要作用，建立完善联动机制，严厉打击违法经营行为。加强法治宣传教育，增强全社会依法传承发展中华优秀传统文化的自觉意识，形成礼敬守护和传承发展中华优秀传统文化的良好法治环境。各地要根据本地传统文化传承保护的现状，制定完善地方性法规和政府规章。

18. 充分调动全社会积极性创造性。传承发展中华优秀传统文化是全体中华儿女的共同责任。坚持全党动手、全社会参与，把中华优秀传统文化传承发展的各项任务落实到农村、企业、社区、机关、学校等城乡基层。各类文化单位机构、各级文化阵地平台，都要担负起守护、传播和弘扬中华优秀传统文化的职责。各类企业和社会组织要积极参与文化资源的开发、保护与利用，生产丰富多样、社会价值和市场价值相统一、人民喜闻乐见的优质文化产品，扩大中高端文化产品和服务的供给。充分尊重工人、农民、知识分子的主体地位，发挥领导干部的带头作用，发挥公众人物的示范作用，发挥青少年的生力军作用，发挥先进模范的表率作用，发挥非公有制经济组织和社会组织从业人员的积极作用，发挥文化志愿者、文化辅导员、文艺骨干、文化经营者的重要作用，形成人人传承发展中华优秀传统文化的生动局面。

关于进一步加强文物安全工作的实施意见

（国务院办公厅　国办发〔2017〕81 号）

各省、自治区、直辖市人民政府，国务院各部委、各直属机构：

文物是中华文明、中国革命的精神标识和文化标识，是国家象征、民族记忆的情感依托和物质载体。保护文物就是保护国家与民族的历史，守护中华民族的根与魂。文物安全是文物保护的红线、底线和生命线，关系国家历史传承和民族团结，关系社会主义核心价值观培育，关系人民群众精神家园建设，是弘扬中华优秀传统文化、建设社会主义文化强国、维护国家文化安全的重要内容。党中央、国务院高度重视文物安全工作，作出一系列决策部署，推动文物安全状况不断好转。但也要看到，保护文物安全是一项长期而又艰巨的工作，当前文物遭受盗窃盗掘盗捞案件高发频发，法人违法屡禁不止，文物流通领域非法交易、非法收藏、拍假卖假乱象丛生，文物安全属地管理主体责任履行不到位、监管缺失，执法机构队伍薄弱、管理不到位。为牢固树立保护文物也是政绩的科学理念，严格落实文物安全保护责任，严密安保措施，严防监管漏洞，严打文物犯罪，严肃问责追责，坚决筑牢文物安全防线，经国务院同意，现就进一步加强文物安全工作提出如下实施意见。

一、健全落实文物安全责任制

（一）明确地方政府主体责任。地方各级政府要切实履行文物安全属地管理主体责任，坚持党政同责、一岗双责、齐抓共管、失职追责，完善文物安全责任体系。要将文物安全摆在重要位置，加强组织领导，建立由分管负责同志牵头的文物安全工作协调机制，将文物安全工作纳入地方政府年度考核评价体系。实施目标管理，强化源头治理，整治重大隐患，督促有关方面履职尽责。将文物安全经费纳入财政预算，保障文物安全经费投入。

（二）强化部门监管责任。坚持管行业必须管安全、管业务必须管安全、管生产经营必须管安全，厘清各有关部门文物安全工作职责。文物部门负责制定文物行政执法督察和案件查处的相关规定和标准，查处文物违法案件，督办行政责任追究；协同配合有关部门查处文物犯罪案件、安全事故，规范文物市场。公安部门负责打击文物犯罪，指导文物和博物馆单位开展消防和内部治安保卫工作。海关部门负责进出境文物监管和打击文物走私工作。工商部门负责依法对古玩旧货市场中文物经营活动进行检查，对其中未经许可开展的文物经营行为进行查处。国土资源、住房城乡建设、旅游、宗教、海洋等负有文物安全职责的部门和单位要依法依规认真履行职责。发展改革、教育、财政等其他有关部门和单位要在职责范围内为文物安全工作提供支持保障。

（三）落实文物管理使用者直接责任。坚持谁管理谁使用谁负责。文物和博物馆单位对本单位文物安全负全面责任，要自觉接受属地监管。文物和博物馆单位法定代表人或者文物所有人、使用人是文物安全的直接责任人，要明晰领导责任，明确文物安全管理人，健全文物安全岗位职责，配齐安全保卫人员，依照规定建立单位专职消防队或者微型消防站，完善安全防护设施和措施，确保责任到人、责任到岗。田野文物等无使用人的不可移动文物，由县级政府承担安全责任。

（四）完善责任落实机制。地方各级政府间、政府与部门间、文物部门与文物和博物馆单位间要签订文物安全责任书，明确责任目标，逐级落实文物安全责任。实行文物安全直接责任人公告公示制度，接受社会监督。文物部门要经常性对文物安全直接责任人进行培训，提高文物安全管理水平和能力。

二、加强日常检查巡查，严厉打击违法犯罪

（五）强化日常检查巡查。要将文物被盗、火灾、雷击等隐患以及安全设施运行维护、应急演练处置、文物安全责任制落实等情况作为重点，不间断进行日常检查巡查。地方各级政府要将文物安全纳入社会综合治理、文明城市建设，每年开展一次文物安全检查评估；文物、公安、住房城乡建设、旅游、宗教、海洋等有关部门和单位要在各自职责范围内加强文物安全日常检查及监视监测工作；文物和博物馆单位的上级主管部门要加强对文物安全责任制落实和关键岗位、关键环节的检查，文物管理使用单位要做到日日有巡查、次次有记录。

（六）严厉打击文物犯罪，惩治法人违法行为。公安、国土资源、住房城乡建设、海关、工商、旅游、宗教、海洋、文物等有关部门和单位要协同配合，建立长效机制，研判文物安全形势，适时开展专项行动，严厉打击盗掘古文化遗址、古墓葬，盗窃田野石刻造像、古建筑壁画和构件，盗捞水下文物以及倒卖、走私文物等犯罪活动；严厉查处非法交易文物、非法收藏文物、擅自从事文物经营活动等违法行为，清理非法经营主体；严厉查处未批先建、破坏损毁文物本体和环境、影响文物历史风貌等法人违法行为，对严重违法、社会影响极其恶劣的案件要约谈地方政

府负责人，并向社会曝光。

三、健全监管执法体系，畅通社会监督渠道

（七）提高监管执法能力。充实国务院文物行政部门安全督察力量，加强省级文物监管力量，建立健全督察机制。强化市县监管力量，市县级政府已设立文物局的，要加强文物监管执法力量，切实履行职责；未设立文物局的，要确定专管部门及专职人员。承担文物执法职能的综合执法机构要明确岗位职责。有文物分布的乡镇和街道，乡镇政府和街道办事处要明确人员负责文物安全。文物安全形势严峻的地方，经属地公安机关、文物部门联合评估后，可结合当地实际，在点多面广、重要的文物保护单位设立派出所或者警务室，配备专职人员，加强重点保护。

（八）引导社会力量参与。地方各级政府应通过政府购买服务等方式，确保无专门管理机构或管理机构力量不足的不可移动文物有专人负责巡查看护。加强文物保护法律法规宣传普及，充分利用文艺演出、公益广告、广播电视节目等形式，积极利用各类新闻媒体平台，引导全社会树立保护文物光荣、破坏文物违法的意识。树立正确文物收藏观，鼓励合法收藏，拒绝非法交易文物。加强社会监督，鼓励文物保护社会组织、志愿者等积极参与文物安全监督管理，向有关部门提供文物违法犯罪线索，畅通社会监督渠道。

四、强化科技支撑，提高防护能力

（九）完善安全防护设施。实施文物平安工程，健全文物安全防护标准，推广应用文物和博物馆单位安防、消防先进技术和装备。尚未建设安全防护设施的要尽快建设完善，逐步实现全覆盖。文物资源密集、专门机构人员短缺的地区，可集中设置安全防护综合控制中心。通过现有资金渠道，对文物保护单位、博物馆等风险单位的安全防护设施建设、运行及维护经费予以积极保障。鼓励和引导社会力量参与，健全多元化的文物安全防护设施资金投入渠道。

（十）加强信息平台建设。建立覆盖全国重点文物保护单位和世界文化遗产地的监控系统，实现远程监管、消防物联网监控和文物安全监管人员智能巡检，建设完善文物安全监管平台。完善全国文物犯罪信息平台，及时发布被盗文物信息，充分运用云计算、大数据、“互联网 +”等现代信息技术，推动文物安全保护与现代科技融合创新。

五、加大督察力度，严肃责任追究

（十一）加强督察。国务院文物行政部门组织全国文物安全工作部际联席会议

成员单位每年对各地文物安全工作落实情况开展一次督察，对安全和执法工作履职尽责情况进行评估和通报，确定重大文物案件和安全事故并挂牌督办。省级政府要加大对市县级政府文物安全工作落实情况的督察力度，将重大文物安全隐患、事故和违法案件列为政府督察重要事项，坚持原因不查清不放过、责任者得不到处理不放过、整改措施不落实不放过、教训不吸取不放过，切实提高督察实效，可对文物安全工作成绩显著的地区和单位给予表彰，对表现突出的个人予以奖励，对工作不力的地区和单位进行通报批评。

（十二）严肃追责。建立严格的文物案件和安全事故追责问责机制，制定文物案件和安全事故违法违纪处分办法，厘清责任单位和责任人员，界定违法违纪行为，明确处分种类和运用规则。地方各级政府、各有关部门和单位不依法履行职责、决策失误、失职渎职等导致文物遭受破坏、失盗、失火并造成损失的，对负有领导责任、监管责任和直接责任的人员必须严肃追责；涉嫌犯罪的，必须移送司法机关处理，让有权必有责、有责要担当、失责必追究成为工作常态。

各地区、各有关部门和单位要根据本实施意见要求，结合工作实际，认真抓好贯彻落实。

关于实施革命文物保护利用工程（2018—2022 年）的意见

（中共中央办公厅　国务院办公厅　2018 年 7 月 29 日印发）

为切实加强新时代革命文物工作，充分发挥革命文物在开展爱国主义教育、培育社会主义核心价值观、实现中华民族伟大复兴中国梦中的重要作用，现就实施革命文物保护利用工程（2018—2022 年）提出如下意见。

一、重要意义

革命文物凝结着中国共产党的光荣历史，展现了近代以来中国人民英勇奋斗的壮丽篇章，是革命文化的物质载体，是激发爱国热情、振奋民族精神的深厚滋养，是中国共产党团结带领中国人民不忘初心、继续前进的力量源泉。党的十八大以来，在以习近平同志为核心的党中央坚强领导下，各地区各部门扎实推进革命文物工作，革命文物家底基本摸清，革命文物保护状况持续改善，革命文物教育功能不断强化。与此同时，新时代党和国家事业的发展，迫切需要加强革命文物资源整合、统筹规划和整体保护，迫切需要深化革命文物价值挖掘阐释传播，迫切需要发挥革命文物服务大局、资政育人和推动发展的独特作用。要从巩固党的执政地位、筑牢意识形态阵地的战略高度，从坚定“四个自信”的战略高度，充分认识加强新时代革命文物工作的重大意义。

二、总体要求

（一）指导思想。高举中国特色社会主义伟大旗帜，全面贯彻党的十九大和十九届二中、三中全会精神，以习近平新时代中国特色社会主义思想为指导，围绕改革开放 40 周年、中华人民共和国成立 70 周年、全面建成小康社会、中国共产党成立 100 周年、迎接中国共产党第二十次全国代表大会召开等重要时间节点和重大事件，以开展爱国主义教育、培育社会主义核心价值观为根本，以弘扬革命精神、继承革命文化为核心，统筹推进革命文物保护利用传承，着力加强革命文物保护修复和展示传播，着力深化革命文物价值挖掘和利用创新，着力提升革命文物公共服务水平和社会教育效果，为实现“两个一百年”奋斗目标和中华民族伟大复兴中国梦作出重要贡献。

（二）基本原则。坚持全面保护、整体保护，统筹推进抢救性与预防性保护、文物本体与周边环境保护，确保革命文物的历史真实性、风貌完整性和文化延续性。坚持突出社会效益、重在传承，强化教育功能，提升传播能力，让革命文物活起来，把革命文物利用好、革命传统弘扬好、革命文化传承好。坚持创造性转化、创新性发展，大力推进体制机制、方法手段改革创新，推动革命文物保护利用与中小学教育、干部教育相结合，与脱贫攻坚、乡村振兴相结合，与文化建设、旅游发展相结合，与经济社会发展、民生福祉改善相结合，不断增强革命文化的生命力和影响力。

（三）发展目标。革命文物保护利用状况显著改善，革命文物保护利用传承体系基本健全，革命文化传承发展平台基本形成，中国共产党革命精神谱系和中华民族精神追求更好展现，革命文物资源在促进经济社会发展、实现中华民族伟大复兴中国梦中的独特作用更好发挥，革命文物保护利用成果更多惠及人民群众。

三、主要任务

（一）夯实革命文物基础工作。加强对革命文物保护利用的总体规划、宏观指导和制度建设。实行革命文物定期排查制度，各省（自治区、直辖市）宣传、文物部门要对本地区革命文物进行全面排查，并把排查结果报中央宣传部、国家文物局。加强对革命文物和革命文献档案史料、口述资料的调查征集工作，做好馆藏革命文物的认定、定级、建账和建档工作。分批公布全国革命文物名录，建立革命文物大数据库，推进革命文物资源信息开放共享。鼓励文物博物馆机构、高等学校、科研机构开展革命文物保护利用研究。

（二）加大革命文物保护力度。坚持抢救性和预防性保护并重，实施革命旧址维修保护行动计划和馆藏革命文物保护修复计划，加强革命文物安全防范设施建设。加强革命文物保养维护，开展革命文物研究性保护项目。各级政府应及时把新发现的革命文物依法纳入保护范畴，把具有重要价值的革命旧址核定公布为各级文物保护单位。县级政府应落实尚未核定公布为文物保护单位的革命文物保护措施，不得擅自迁移、拆除。新建改扩建革命纪念设施应严格履行报批手续，不得未批先建、边报边建。

（三）拓展革命文物利用途径。宣传、文化、文物部门管理使用的革命文物类文物保护单位应全部对外开放，其他部门管理使用的应尽可能对外开放。结合重大历史事件、重要历史人物和中华民族传统节庆，依托革命文物资源组织开展重大纪念活动，精心设计活动内容和载体，整体纳入中央统一规划。深入挖掘革命文物的价值内涵和文化元素，运用市场机制开发更多文化创意产品，促进文化消费。打造红色旅游品牌，推出一批研学旅行和体验旅游精品线路，促进革命老区振兴发展。加大军队系统革命文物展示利用力度，在做好安全保密工作的前提下，适时对外组织开展参观、瞻仰、纪念等活动。

（四）提升革命文物展示水平。坚持有址可寻、有物可看、有史可讲、有事可说，着力策划打造主题突出、导向鲜明、内涵丰富的革命文物陈列展览精品，做到见人见物见精神。完善革命文物改陈布展管理机制和支持政策，深化研究、及时补充体现时代精神的展陈内容，革命博物馆纪念馆基本陈列超过 5 年的可进行局部改陈布展，基本陈列超过 10 年的可进行全面改陈布展。建立展陈内容和解说词研究审查制度，宣传、文物、党史文献部门要按照意识形态工作责任制切实把好政治关和史实关，增强展陈说明和讲解内容的准确性、完整性、权威性，反对历史虚无主义和文化虚无主义。坚持展示方式与展陈内容相得益彰，适度运用现代科技手段，增强革命文物陈列展览的互动性体验性。坚持节俭办展、绿色办展，做到因地制宜、够用适用，力戒贪大求洋、富丽堂皇。

（五）创新革命文物传播方式。推动革命传统教育进学校进教材进课堂，编纂出版系列革命文物知识读本，鼓励学校、党校（行政学院）到革命旧址、革命博物馆纪念馆开展现场教学。建立革命旧址、革命博物馆纪念馆与周边学校、党政机关、企事业单位、驻地部队、城乡社区的共建共享机制，组织开展具有庄严感和教育意义的系列主题活动。融通多媒体资源，推进“互联网 +”革命文物，对革命文物进行全景式、立体式、延伸式展示宣传，传承革命传统，弘扬革命精神。

四、重点项目

（一）百年党史文物保护展示工程。以中国共产党的发展历程为主线，以中国共产党成立 100 周年为时间节点，系统开展百年党史文物、文献、档案、史料调查征集，全面提升反映百年党史的重大事件遗迹、重要会议遗址、重要机构旧址、重要人物旧居保护展示水平，创新阐释和广泛宣传中国共产党的历史贡献。

（二）革命文物集中连片保护利用工程。按照集中连片、突出重点、国家统筹、区划完整的原则，建设革命文物保护利用片区，创新革命文物保护利用体制机制，推进革命文物的整体规划、连片保护、统筹展示、示范引领，助力革命老区脱贫攻坚。革命文物保护利用片区分县名单由中央宣传部、财政部、国家文物局另行确定公布。

（三）长征文化线路整体保护工程。以中央红军长征路线为基础，统一规划、统一标识、统一保护标准、统一配套设施建设，显著改善长征文物的保存状况和环境风貌，丰富长征精神的展示主题和展示手段，打造全程贯通的“重走长征路”红色旅游精品线路。实施长征文化线路保护总体规划，建设长征文化线路保护利用示范段。

（四）革命文物主题保护展示工程。对见证近代以来中国人民抵御外来侵略、维护国家主权、捍卫民族独立、争取人民自由和中国共产党领导中国人民进行社会主义革命、建设、改革的遗址遗迹、纪念设施、文物藏品进行排查梳理，提升革命文物保护利用水平。重点推进辛亥革命、五四运动、中国人民抗日战争等重大历史事件的遗址遗迹、纪念设施、文物藏品保护展示项目，遴选展现社会主义革命、建设、改革的代表性遗址遗迹、纪念设施、文物藏品进行保护展示试点。

（五）革命文物陈列展览精品工程。推介一批庆祝改革开放40周年、庆祝中华人民共和国成立70周年、纪念中国人民抗日战争暨世界反法西斯战争胜利75周年、庆祝中国共产党成立100周年、迎接中国共产党第二十次全国代表大会召开的革命文物系列陈列展览精品，策划举办中国共产党百年党史文物大展。支持国家一级博物馆定期策划推出一批革命文物主题展览和流动展览，提升市县革命博物馆纪念馆陈列展览质量，组织联展巡展，拓展社会教育覆盖面。

（六）革命文物宣传传播工程。拍摄百集革命文物故事微视频、百集革命旧址短片、百集革命人物纪录片。支持地方制作传播当地革命文物故事短片。建设一批革命文物类全国爱国主义教育示范基地和中共党史教育基地，建成一批革命文物保护利用示范基地，推介一批红色旅游精品线路，开发一批革命文物宣传产品和文化产品。鼓励同一类型革命文物保护管理机构加强协作，成立革命文物保护展示联盟，举办革命文物保护利用论坛。推介一批革命文物保护利用优秀案例，发布革命文物保护利用白皮书。

五、实施保障

（一）加强组织领导。各级党委和政府应牢固树立保护文物也是政绩的理念，高度重视革命文物工作，以强烈的政治责任感和历史使命感，落实保护责任，加大工作力度。革命历史类纪念设施、遗址和全国爱国主义教育示范基地工作联席会议应将革命文物保护利用工程实施情况纳入工作重点，各地区应建立革命文物工作协调机制，加强统筹规划、协调指导和督促检查。统筹保护利用好军地革命文物资源，中央和地方组织实施的革命文物保护利用工程项目应将军队系统革命文物工作整体纳入和推进。

（二）加大财政投入。县级以上政府应将革命文物保护作为支持重点，进一步完善革命文物保护财政保障机制，强化革命文物保护利用政策支持。加强革命文物相关财政资金的绩效管理和监督审计，提升资金使用效益。健全革命文物保护利用多元投入体系，积极引导社会资金参与革命文物工作。

（三）完善法规政策。鼓励各省（自治区、直辖市）和设区的市制定革命文物保护地方性法规。加强全国红色旅游经典景区和红色旅游精品线路建设，统筹加大对革命文物保护利用的支持力度。加强革命文物保护利用科技创新和装备建设。加强革命文物保护、管理、利用和研究人才队伍建设。县级以上地方政府应强化革命文物保护利用职责，明确负责革命文物工作的机构和力量。

（四）加强督促检查。建立革命文物保护利用工程实施情况的督查评估机制和“双随机”抽查机制，加强对各地区革命文物工作的督促检查，实行革命文物保护利用情况通报制度。各省（自治区、直辖市）要按照本意见要求，结合本地区实际制定具体落实办法。中央和国家机关有关部门要对各地区贯彻落实情况进行督促检查，并将有关情况报党中央、国务院。

关于促进文物合理利用的若干意见

（国家文物局　文物政发〔2016〕21号）

各省、自治区、直辖市文物局（文化厅），新疆生产建设兵团文物局：

为全面贯彻“保护为主，抢救第一，合理利用，加强管理”的文物工作方针，深入落实《国务院关于进一步加强文物工作的指导意见》和国务院办公厅转发文化部等四部门《关于推动文化文物单位文化创意产品开发若干意见的通知》，充分发挥文物的历史、艺术、科学价值，传承弘扬中华优秀文化，促进社会文明进步，现就文物合理利用工作提出以下意见。

一、充分认识文物合理利用的重要意义

文物承载灿烂文明，传承历史文化，维系民族精神，是老祖宗留给我们的宝贵遗产，是中华优秀传统文化的重要载体。系统梳理传统文化资源，深入挖掘和阐发文物资源承载的历史文化价值和时代价值，让收藏在博物馆里的文物，陈列在广阔大地上的遗产，书写在古籍里的文字都活起来，对于展示中华文化独特魅力，弘扬社会主义核心价值观，增强全民族文化自信，促进经济社会发展具有十分重要的意义。

近年来，我国文物事业快速发展，文物工作在传承文明、服务社会、促进发展等方面的作用日益凸显，加大文物保护力度、推进文物合理适度利用日渐成为社会共识。同时，文物利用仍然存在着文物资源开放程度不高、利用手段不多、社会参与不够以及过度利用、不当利用等问题，各级文物部门、文博单位要进一步提高认识、创新实践，增强工作的主动性、创造性，努力走出一条符合国情的文物保护利用之路。

二、准确把握文物利用的基本原则

坚持把社会效益放在首位。注重发挥文物的公共文化服务和社会教育功能，传承弘扬中华优秀文化，秉持科学精神、遵守社会公德。

坚持依法合规。严格遵守文物保护等法律法规，注重规范要求，切实加强监管。

坚持合理适度。文物利用必须以确保文物安全为前提，不得破坏文物、损害文物、影响文物环境风貌。文物利用必须控制在文物资源可承载的范围内，避免过度开发。

三、多措并举，切实让文物活起来

（一）扩大文物资源社会开放度。认真组织对辖区内文物开放利用情况进行一次全面调查，准确掌握各级各类文物的开放利用情况。由文物部门管理使用的各级各类不可移动文物应尽可能向公众开放，已对公众开放的要进一步挖掘潜力、提升服务，未对公众开放的要明确开放时限；由机关、事业单位和企业等使用的国有文物保护单位，应创造条件实现局部或定时开放；非国有文物保护单位向公众开放、提供展览展示服务的，文物部门应当给予指导和帮助。建立健全文物信息平台，畅通文物信息渠道。国有文物收藏单位应主动向社会公开藏品信息和展览信息，完善管理与服务，满足公众的教育、研究、欣赏需要。

（二）促进馆际交流提高藏品利用率。支持博物馆间通过博物馆联盟、对口帮扶、总分馆制等，形成博物馆藏品资源共享平台；支持国有博物馆间通过调拨、交换、借用等方式，优化藏品结构，帮助藏品较少的博物馆形成有特色的陈列展览；支持各级各类博物馆开展联展、巡展和出国境展览，推进流动展览进乡村、进社区、进校园、进军营、进企业。

（三）加强革命文物展示利用。加大资金投入，制定革命文物专项规划，统筹革命文物保护利用。加大建设力度，支持革命文物丰富的地区依托革命旧址兴建博物馆、纪念馆、陈列馆，挖掘革命文物价值，改造提升陈列展览。加大合作力度，支持革命博物馆、纪念馆、陈列馆与党政机关、企事业单位、驻地部队、城乡社区、教育机构建立共建共享机制，结合重大历史事件、重要历史人物纪念活动以及重要节庆、红色旅游等，通过主题活动、专题研讨、互动教学等多种形式，丰富革命文物、革命历史、革命文化展示利用方法，拓展教育传播渠道，大力弘扬革命传统。

（四）创新利用方式。支持文博单位发挥资源优势和专业优势，加强文物研究，以中华优秀传统文化、革命文化和社会主义先进文化为主题，深入挖掘文物资源的历史文化内涵、思想精髓和时代价值，推动展陈策划专业化、社会化，打造精品陈列；支持文博单位利用信息、网络等现代科学技术，实施互联网 + 中华文明行动计划，建设“一带一路”文化遗产长廊，创新传播方式，提供更多更好的公共文化服务。鼓励有条件的文博单位利用自身人才优势，向社会提供文物鉴定等相关服务。

（五）落实文化创意产品开发政策。贯彻国务院国发〔2014〕10号、文化部等三部门文产发〔2014〕14号、财政部财文资〔2012〕4号关于财税支持、金融服务等政策，支持文博单位依托文物资源，采取合作、授权、独立开发等方式进行文化创意产品开发，面向社会提供知识产权许可服务。支持符合条件的企业、项目纳入扶持文化产业发展专项资金、税收政策范围，纳入文化产业投融资服务体系支持和服务范围。对经认定为高新技术企业的文化创意和设计服务企业，减按15%的税率征收企业所得税。文化创意和设计服务企业发生的职工教育经费支出，不超过工资薪金总额8%的部分，准予在计算应纳税所得额时扣除。企业发生的符合条件的创意和设计费用，执行税前加计扣除政策。鼓励众创、众包、众扶、众筹，以创新创意为动力，以文化创意设计企业为主体，开发文化创意产品，打造文化创意品牌。成效明显的文化创意产品开发试点单位，可参照《中华人民共和国促进科技成果转化法》相关条款的规定，适当增加绩效工资总量，在净收入中提取最高不超过50%的比例用于对在开发设计、经营管理等方面做出主要贡献的人员给予奖励，各地可结合实际制定具体办法。

（六）鼓励社会力量参与。支持公民、法人和其他组织通过认领认养等形式参与尚未建立文物保护管理机构、博物馆，或者辟为考古遗址公园等参观游览场所的国有市、县级文物保护单位和未核定为文物保护单位的不可移动文物的保护利用，文物部门要面向社会公开征集保护利用方案和实施主体，涉及审批事项的应依法履行报批程序。支持文博单位与社会力量深度合作，建立优势互补、互利共赢的合作机制，推广政府和社会资本合作（PPP）模式，明确参与范围、参与方法、参与程序，及时公开发布社会力量参与文物保护利用的项目清单，为社会力量广泛参与研发、生产、经营等活动提供便利条件。

各地文物部门要高度重视文物合理利用工作，进一步解放思想，加强分类指导，出台具体办法，积极探索有效途径，及时总结成功经验，推动文物合理利用工作迈上新台阶。

第二部分　博物馆管理

博物馆条例

（国务院令第659号，2015年1月14日国务院第78次常务会议通过，自2015年3月20日起施行）

第一章　总　　则

第一条　为了促进博物馆事业发展，发挥博物馆功能，满足公民精神文化需求，提高公民思想道德和科学文化素质，制定本条例。

第二条　本条例所称博物馆，是指以教育、研究和欣赏为目的，收藏、保护并向公众展示人类活动和自然环境的见证物，经登记管理机关依法登记的非营利组织。

博物馆包括国有博物馆和非国有博物馆。利用或者主要利用国有资产设立的博物馆为国有博物馆；利用或者主要利用非国有资产设立的博物馆为非国有博物馆。

国家在博物馆的设立条件、提供社会服务、规范管理、专业技术职称评定、财税扶持政策等方面，公平对待国有和非国有博物馆。

第三条　博物馆开展社会服务应当坚持为人民服务、为社会主义服务的方向和贴近实际、贴近生活、贴近群众的原则，丰富人民群众精神文化生活。

第四条　国家制定博物馆事业发展规划，完善博物馆体系。

国家鼓励企业、事业单位、社会团体和公民等社会力量依法设立博物馆。

第五条　国有博物馆的正常运行经费列入本级财政预算；非国有博物馆的举办者应当保障博物馆的正常运行经费。

国家鼓励设立公益性基金为博物馆提供经费，鼓励博物馆多渠道筹措资金促进自身发展。

第六条　博物馆依法享受税收优惠。

依法设立博物馆或者向博物馆提供捐赠的，按照国家有关规定享受税收优惠。

第七条 国家文物主管部门负责全国博物馆监督管理工作。国务院其他有关部门在各自职责范围内负责有关的博物馆管理工作。

县级以上地方人民政府文物主管部门负责本行政区域的博物馆监督管理工作。县级以上地方人民政府其他有关部门在各自职责范围内负责本行政区域内有关的博物馆管理工作。

第八条 博物馆行业组织应当依法制定行业自律规范，维护会员的合法权益，指导、监督会员的业务活动，促进博物馆事业健康发展。

第九条 对为博物馆事业作出突出贡献的组织或者个人，按照国家有关规定给予表彰、奖励。

第二章　博物馆的设立、变更与终止

第十条 设立博物馆，应当具备下列条件：

（一）固定的馆址以及符合国家规定的展室、藏品保管场所；

（二）相应数量的藏品以及必要的研究资料，并能够形成陈列展览体系；

（三）与其规模和功能相适应的专业技术人员；

（四）必要的办馆资金和稳定的运行经费来源；

（五）确保观众人身安全的设施、制度及应急预案。

博物馆馆舍建设应当坚持新建馆舍和改造现有建筑相结合，鼓励利用名人故居、工业遗产等作为博物馆馆舍。新建、改建馆舍应当提高藏品展陈和保管面积占总面积的比重。

第十一条 设立博物馆，应当制定章程。博物馆章程应当包括下列事项：

（一）博物馆名称、馆址；

（二）办馆宗旨及业务范围；

（三）组织管理制度，包括理事会或者其他形式决策机构的产生办法、人员构成、任期、议事规则等；

（四）藏品展示、保护、管理、处置的规则；

（五）资产管理和使用规则；

（六）章程修改程序；

（七）终止程序和终止后资产的处理；

（八）其他需要由章程规定的事项。

第十二条 国有博物馆的设立、变更、终止依照有关事业单位登记管理法律、行政法规的规定办理，并应当向馆址所在地省、自治区、直辖市人民政府文物主管部门备案。

第十三条 藏品属于古生物化石的博物馆，其设立、变更、终止应当遵守有关古生物化石保护法律、行政法规的规定，并向馆址所在地省、自治区、直辖市人民政府文物主管部门备案。

第十四条 设立藏品不属于古生物化石的非国有博物馆的，应当向馆址所在地省、自治区、直辖市人民政府文物主管部门备案，并提交下列材料：

（一）博物馆章程草案；

（二）馆舍所有权或者使用权证明，展室和藏品保管场所的环境条件符合藏品展示、保护、管理需要的论证材料；

（三）藏品目录、藏品概述及藏品合法来源说明；

（四）出资证明或者验资报告；

（五）专业技术人员和管理人员的基本情况；

（六）陈列展览方案。

第十五条 设立藏品不属于古生物化石的非国有博物馆的，应当到有关登记管理机关依法办理法人登记手续。

前款规定的非国有博物馆变更、终止的，应当到有关登记管理机关依法办理变更登记、注销登记，并向馆址所在地省、自治区、直辖市人民政府文物主管部门备案。

第十六条 省、自治区、直辖市人民政府文物主管部门应当及时公布本行政区域内已备案的博物馆名称、地址、联系方式、主要藏品等信息。

第三章 博物馆管理

第十七条 博物馆应当完善法人治理结构，建立健全有关组织管理制度。

第十八条 博物馆专业技术人员按照国家有关规定评定专业技术职称。

第十九条 博物馆依法管理和使用的资产，任何组织或者个人不得侵占。

博物馆不得从事文物等藏品的商业经营活动。博物馆从事其他商业经营活动，不得违反办馆宗旨，不得损害观众利益。博物馆从事其他商业经营活动的具体办法由国家文物主管部门制定。

第二十条 博物馆接受捐赠的，应当遵守有关法律、行政法规的规定。

博物馆可以依法以举办者或者捐赠者的姓名、名称命名博物馆的馆舍或者其他设施；非国有博物馆还可以依法以举办者或者捐赠者的姓名、名称作为博物馆馆名。

第二十一条 博物馆可以通过购买、接受捐赠、依法交换等法律、行政法规定的方式取得藏品，不得取得来源不明或者来源不合法的藏品。

第二十二条 博物馆应当建立藏品账目及档案。藏品属于文物的，应当区分文物等级，单独设置文物档案，建立严格的管理制度，并报文物主管部门备案。

未依照前款规定建账、建档的藏品，不得交换或者出借。

第二十三条 博物馆法定代表人对藏品安全负责。

博物馆法定代表人、藏品管理人员离任前，应当办结藏品移交手续。

第二十四条 博物馆应当加强对藏品的安全管理，定期对保障藏品安全的设备、设施进行检查、维护，保证其正常运行。对珍贵藏品和易损藏品应当设立专库或者专用设备保存，并由专人负责保管。

第二十五条 博物馆藏品属于国有文物、非国有文物中的珍贵文物和国家规定禁止出境的其他文物的，不得出境，不得转让、出租、质押给外国人。

国有博物馆藏品属于文物的，不得赠与、出租或者出售给其他单位和个人。

第二十六条 博物馆终止的，应当依照有关非营利组织法律、行政法规的规定处理藏品；藏品属于国家禁止买卖的文物的，应当依照有关文物保护法律、行政法规的规定处理。

第二十七条 博物馆藏品属于文物或者古生物化石的，其取得、保护、管理、展示、处置、进出境等还应当分别遵守有关文物保护、古生物化石保护的法律、行政法规的规定。

第四章 博物馆社会服务

第二十八条 博物馆应当自取得登记证书之日起6个月内向公众开放。

第二十九条 博物馆应当向公众公告具体开放时间。在国家法定节假日和学校寒暑假期间，博物馆应当开放。

第三十条 博物馆举办陈列展览，应当遵守下列规定：

（一）主题和内容应当符合宪法所确定的基本原则和维护国家安全与民族团结、弘扬爱国主义、倡导科学精神、普及科学知识、传播优秀文化、培养良好风尚、促进社会和谐、推动社会文明进步的要求；

（二）与办馆宗旨相适应，突出藏品特色；

（三）运用适当的技术、材料、工艺和表现手法，达到形式与内容的和谐统一；

（四）展品以原件为主，使用复制品、仿制品应当明示；

（五）采用多种形式提供科学、准确、生动的文字说明和讲解服务；

（六）法律、行政法规的其他有关规定。

陈列展览的主题和内容不适宜未成年人的，博物馆不得接纳未成年人。

第三十一条 博物馆举办陈列展览的，应当在陈列展览开始之日 10 个工作日前，将陈列展览主题、展品说明、讲解词等向陈列展览举办地的文物主管部门或者其他有关部门备案。

各级人民政府文物主管部门和博物馆行业组织应当加强对博物馆陈列展览的指导和监督。

第三十二条 博物馆应当配备适当的专业人员，根据不同年龄段的未成年人接受能力进行讲解；学校寒暑假期间，具备条件的博物馆应当增设适合学生特点的陈列展览项目。

第三十三条 国家鼓励博物馆向公众免费开放。县级以上人民政府应当对向公众免费开放的博物馆给予必要的经费支持。

博物馆未实行免费开放的，其门票、收费的项目和标准按照国家有关规定执行，并在收费地点的醒目位置予以公布。

博物馆未实行免费开放的，应当对未成年人、成年学生、教师、老年人、残疾人和军人等实行免费或者其他优惠。博物馆实行优惠的项目和标准应当向公众公告。

第三十四条 博物馆应当根据自身特点、条件，运用现代信息技术，开展形式多样、生动活泼的社会教育和服务活动，参与社区文化建设和对外文化交流与合作。

国家鼓励博物馆挖掘藏品内涵，与文化创意、旅游等产业相结合，开发衍生产品，增强博物馆发展能力。

第三十五条 国务院教育行政部门应当会同国家文物主管部门，制定利用博物馆资源开展教育教学、社会实践活动的政策措施。

地方各级人民政府教育行政部门应当鼓励学校结合课程设置和教学计划，组织学生到博物馆开展学习实践活动。

博物馆应当对学校开展各类相关教育教学活动提供支持和帮助。

第三十六条 博物馆应当发挥藏品优势，开展相关专业领域的理论及应用研究，提高业务水平，促进专业人才的成长。

博物馆应当为高等学校、科研机构和专家学者等开展科学研究工作提供支持和帮助。

第三十七条 公众应当爱护博物馆展品、设施及环境，不得损坏博物馆的展品、设施。

第三十八条 博物馆行业组织可以根据博物馆的教育、服务及藏品保护、研究和展示水平，对博物馆进行评估。具体办法由国家文物主管部门会同其他有关部门制定。

第五章 法律责任

第三十九条 博物馆取得来源不明或者来源不合法的藏品，或者陈列展览的主题、内容造成恶劣影响的，由省、自治区、直辖市人民政府文物主管部门或者有关登记管理机关按照职责分工，责令改正，有违法所得的，没收违法所得，并处违法所得2倍以上5倍以下罚款；没有违法所得的，处5000元以上2万元以下罚款；情节严重的，由登记管理机关撤销登记。

第四十条 博物馆从事文物藏品的商业经营活动的，由工商行政管理部门依照有关文物保护法律、行政法规的规定处罚。

博物馆从事非文物藏品的商业经营活动，或者从事其他商业经营活动违反办馆宗旨、损害观众利益的，由省、自治区、直辖市人民政府文物主管部门或者有关登记管理机关按照职责分工，责令改正，有违法所得的，没收违法所得，并处违法所得2倍以上5倍以下罚款；没有违法所得的，处5000元以上2万元以下罚款；情节严重的，由登记管理机关撤销登记。

第四十一条 博物馆自取得登记证书之日起6个月内未向公众开放，或者未依照本条例的规定实行免费或者其他优惠的，由省、自治区、直辖市人民政府文物主管部门责令改正；拒不改正的，由登记管理机关撤销登记。

第四十二条 博物馆违反有关价格法律、行政法规规定的，由馆址所在地县级以上地方人民政府价格主管部门依法给予处罚。

第四十三条 县级以上人民政府文物主管部门或者其他有关部门及其工作人员玩忽职守、滥用职权、徇私舞弊或者利用职务上的便利索取或者收受他人财物的，由本级人民政府或者上级机关责令改正，通报批评；对直接负责的主管人员和其他直接责任人员依法给予处分。

第四十四条 违反本条例规定，构成犯罪的，依法追究刑事责任。

第六章 附则

第四十五条 本条例所称博物馆不包括以普及科学技术为目的的科普场馆。

第四十六条 中国人民解放军所属博物馆依照军队有关规定进行管理。

第四十七条 本条例自2015年3月20日起施行。

关于贯彻执行《博物馆条例》的实施意见

（国家文物局　文物博发〔2015〕5号）

各省（自治区、直辖市）文物局（文化厅）、新疆生产建设兵团文物局：

《博物馆条例》（国务院令第659号，以下简称《条例》）是国务院发布的我国博物馆行业第一部全国性法规文件。《条例》根据全面深化改革、全面依法治国的新要求和我国博物馆事业发展的实际，针对亟待解决的一些重要问题作出了明确规定，为规范博物馆监督管理、加强行政执法提供了法律依据，对于推动我国博物馆事业可持续健康发展具有重要意义。各级文物主管部门要充分认识贯彻实施《条例》的重要意义，将认真学习宣传和贯彻执行《条例》，作为贯彻落实党的十八届三中、四中全会决定的重要举措，列入重要议事日程，进一步加强对属地内博物馆发展的管理，确保《条例》的各项规定真正落到实处。现就深入学习宣传、贯彻执行《条例》提出如下实施意见。

一、增强对博物馆公益属性的认识，进一步完善博物馆社会教育和公共文化服务功能

博物馆要始终坚持公益属性，积极培育和践行社会主义核心价值观，清晰诠释博物馆的教育目标、理念与宗旨，普及科学知识，弘扬科学精神。博物馆藏品受法律保护，列入清单账册的藏品归属博物馆法人所有，包括出资举办者在内的其他任何机构和个人均不得侵犯。应加强藏品保护及研究，拓展藏品征集，推动馆际藏品资源交流共享，盘活存量资源，提高利用效率。博物馆应自觉维护博物馆声誉，维护自身权益不受侵害，不得从事文物藏品的商业经营活动。凡存在文物等藏品商业经营活动的博物馆，都必须坚决纠正。博物馆要增加面向中小学生的陈列展览项目，常设陈列应清晰地标识适合未成年人认知、欣赏的重点展品，充实符合青少年认知特征的文字说明；要结合中小学课程和教学计划，创新富有特色的教育活动项目。要完善博物馆开放服务制度，尽可能降低开放门槛；增强陈列展览的学术性、知识性、趣味性和观赏性，增加文化内涵，丰富传播形式和手段；拓展博物馆的文

化休闲功能，营造良好参观氛围，使博物馆文化成果惠及更多人民群众。

二、国家大力发展博物馆事业，鼓励支持社会参与博物馆建设

国家公平对待国有和非国有博物馆。县级以上文物主管部门应按照属地管理原则，引导规划博物馆的规模、种类及布局，指导博物馆按照责权利相一致原则，承担应尽的社会责任和义务；指导新建博物馆建筑立足实际需求，注重实用功能，避免相互攀比、贪大求洋；加强历史建筑保护和文物保护单位的利用、开放。要按照博物馆行业标准和规范，依法分类开展博物馆的备案工作。国有博物馆按属地原则实行分级登记管理，由上级主管部门批准成立后，依法办理事业单位登记，并由举办者向省级文物主管部门提出备案。省级文物主管部门应向符合备案条件的出具“博物馆备案确认书”并及时向社会公告；对不符合备案条件的，应依据专业标准，出具具体的指导意见，并协助其整改完善。申请设立非国有博物馆的，举办者应当向省级文物主管部门备案；并凭省级文物主管部门出具的确认书依法办理法人登记手续；不符合备案条件的，省级文物主管部门应出具明确的文字意见。2016 年起，省级文物主管部门应在每年 3 月 1 日前，向社会公布上一年度本行政区域内已备案的博物馆名录，并向国家文物局报备。

三、确保博物馆质量和水平，强化行业指导和专业服务

博物馆通过建立在藏品体系基础上的陈列展览实现其社会价值，要加强对博物馆设立环节的指导监督，按照独立开展相关业务工作的需要，细化和准确把握博物馆设立条件。博物馆展厅（室）面积应与展览规模相适应，原则上不宜低于馆舍建筑面积的 40% 或小于 400 平方米。博物馆藏品应真实可靠且来源合法，原则上不应少于 300 件（套）。藏品应造册登记、建立档案并向社会公布。博物馆应配备具相关领域学术专长和一定博物馆从业经验、无不良从业记录的专职馆长或副馆长。博物馆举办者应深入评估、充分保障正常开放和发展所需经费。县级以上文物主管部门要在博物馆筹备阶段加强辅导。对暂不具备设立条件的，应严把质量关口，通过指导帮扶，推动条件达标。对当前不完全具备条件、但已经在文物主管部门备案的，应加强专业指导，帮助其在事业发展中逐步达标。

四、完善以理事会为核心的博物馆法人治理结构，推动事业可持续发展

落实关于分类推进事业单位改革的任务，建立具有中国特色的博物馆体系和博

物馆管理体制，推动公众和社会组织参与博物馆的决策和评价，强化博物馆的公益性、增加管理的公开透明度，使理事会成为公共参与监督管理博物馆建设发展的纽带，吸纳更多的社会参与。遵循“分类推行、循序渐进、积极稳妥、不断完善”的基本原则，推动博物馆订立章程，建立和完善以理事会及其领导下的管理层为主要架构的事业单位法人治理结构，把行政主管部门对事业单位的具体管理职责交给理事会，逐步实行理事会决策、馆长负责的运行机制。推动博物馆在有关部门和社会的监督下依法自主运作，优化组织结构，改进内部管理，创新服务方式，提高运营效率，独立承担民事责任，实现发展模式由封闭型向开放型转变。

五、积极发挥博物馆行业组织的作用，推动行业自律和博物馆专业化水平提升

博物馆行业组织应进一步开发利用其在专业资源、沟通联络、协调合作等方面的独特优势，在博物馆事业多元化、专业化发展进程中，继续发挥好博物馆行业与政府管理部门之间的桥梁和纽带作用，积极建言献策，服务改革发展；积极探索和拓展行业引导、自律、规范和反映行业诉求的新功能；进一步强化服务理念，提高服务行业的能力与水平，努力做到自我完善、自我发展。中国博物馆协会及各地各级博物馆行业组织应在博物馆专业评估的组织督导，推动评估规范化、科学化并提出针对性改进意见等方面发挥更大作用，要在博物馆设立辅导、教育项目创新指导、专家学术论证等活动中积极配合主管部门，提供专业化服务。

六、完善博物馆社会服务，加强博物馆文化产品开发

积极拓展博物馆的文化休闲、文化消费功能，丰富和完善博物馆社会服务，优化观众参观体验，增加博物馆自身发展动力，为博物馆的可持续发展发挥更大作用。支持、鼓励博物馆以体现办馆宗旨和扩大博物馆文化传播为目标，满足公众多层次、多元化、个性化文化消费和社会服务，增强博物馆自身可持续发展能力。博物馆文化产品开发应立足藏品的生动元素开发博物馆文化产品，更加注重实用性，更多体现生活气息。各级文物主管部门要大力支持博物馆文化产品的创意开发，推动博物馆联合社会资源，培育创造博物馆文化产品特色品牌，增强博物馆文化产品在文化产业和消费体系中的竞争力。

七、规范权力运行、严格依法行政

《条例》是我国文化遗产保护领域一部新的重要法规，是我国文化遗产保护法律体系建设的又一重要成果，是文物行政主管部门依法履行职责、开展博物馆领域

行政管理和社会服务的依据和标尺。各级文物行政管理部门必须严格依照法定权限和程序行使权力，牢固树立有法必依、执法必严、违法必究的施政理念。要认真依据《条例》，切实履行对博物馆的监督管理职责、设立备案职责、藏品建账建档管理职责、陈列展览备案制度等法定职责。对《条例》明确禁止的行为，要及时发现，依法查处。现有规定与《条例》不一致的，一律以《条例》为准；对与《条例》精神不符的具体规定要列出清单，逐一清理、废止、修订与完善。

各地贯彻实施《条例》过程中有关重要情况和问题，请及时报告我局。

事业单位登记管理暂行条例

（1998 年 10 月 25 日中华人民共和国国务院令第 252 号发布；根据 2004 年 6 月 27 日《国务院关于修改〈事业单位登记管理暂行条例〉的决定》修订）

第一章　总　　则

第一条　为了规范事业单位登记管理，保障事业单位的合法权益，发挥事业单位在社会主义物质文明和精神文明建设中的作用，制定本条例。

第二条　本条例所称事业单位，是指国家为了社会公益目的，由国家机关举办或者其他组织利用国有资产举办的，从事教育、科技、文化、卫生等活动的社会服务组织。

事业单位依法举办的营利性经营组织，必须实行独立核算，依照国家有关公司、企业等经营组织的法律、法规登记管理。

第三条　事业单位经县级以上各级人民政府及其有关主管部门（以下统称审批机关）批准成立后，应当依照本条例的规定登记或者备案。

事业单位应当具备法人条件。

第四条　事业单位应当遵守宪法、法律、法规和国家政策。

第五条　县级以上各级人民政府机构编制管理机关所属的事业单位登记管理机构（以下简称登记管理机关）负责实施事业单位的登记管理工作。县级以上各级人民政府机构编制管理机关应当加强对登记管理机关的事业单位登记管理工作的监督检查。

事业单位实行分级登记管理。分级登记管理的具体办法由国务院机构编制管理机关规定。

法律、行政法规对事业单位的监督管理另有规定的，依照有关法律、行政法规的规定执行。

第二章　登　　记

第六条　申请事业单位法人登记，应当具备下列条件：

（一）经审批机关批准设立；

（二）有自己的名称、组织机构和场所；

（三）有与其业务活动相适应的从业人员；

（四）有与其业务活动相适应的经费来源；

（五）能够独立承担民事责任。

第七条 申请事业单位法人登记，应当向登记管理机关提交下列文件：

（一）登记申请书；

（二）审批机关的批准文件；

（三）场所使用权证明；

（四）经费来源证明；

（五）其他有关证明文件。

第八条 登记管理机关应当自收到登记申请书之日起30日内依照本条例的规定进行审查，作出准予登记或者不予登记的决定。准予登记的，发给《事业单位法人证书》；不予登记的，应当说明理由。

事业单位法人登记事项包括：名称、住所、宗旨和业务范围、法定代表人、经费来源（开办资金）等情况。

第九条 经登记的事业单位，凭《事业单位法人证书》刻制印章，申请开立银行账户。事业单位应当将印章式样报登记管理机关备案。

第十条 事业单位的登记事项需要变更的，应当向登记管理机关办理变更登记。

第十一条 法律规定具备法人条件、自批准设立之日起即取得法人资格的事业单位，或者法律、其他行政法规规定具备法人条件、经有关主管部门依法审核或者登记，已经取得相应的执业许可证书的事业单位，不再办理事业单位法人登记，由有关主管部门按照分级登记管理的规定向登记管理机关备案。

县级以上各级人民政府设立的直属事业单位直接向登记管理机关备案。

第十二条 事业单位备案的事项，除本条例第八条第二款所列事项外，还应当包括执业许可证明文件或者设立批准文件。

对备案的事业单位，登记管理机关应当自收到备案文件之日起30日内发给《事业单位法人证书》。

第十三条 事业单位被撤销、解散的，应当向登记管理机关办理注销登记或者注销备案。

事业单位办理注销登记前，应当在审批机关指导下成立清算组织，完成清算工作。

事业单位应当自清算结束之日起15日内，向登记管理机关办理注销登记。事业单位办理注销登记，应当提交撤销或者解散该事业单位的文件和清算报告；登记管理机关收缴《事业单位法人证书》和印章。

第十四条 事业单位的登记、备案或者变更名称、住所以及注销登记或者注销备案，由登记管理机关予以公告。

第三章 监督管理

第十五条 事业单位开展活动，按照国家有关规定取得的合法收入，必须用于符合其宗旨和业务范围的活动。

事业单位接受捐赠、资助，必须符合事业单位的宗旨和业务范围，必须根据与捐赠人、资助人约定的期限、方式和合法用途使用。

第十六条 事业单位必须执行国家有关财务、价格等管理制度，接受财税、审计部门的监督。

第十七条 事业单位应当于每年 3 月 31 日前分别向登记管理机关和审批机关报送上一年度执行本条例情况的报告。

第十八条 事业单位未按照本条例规定办理登记的，由登记管理机关责令限期补办登记手续；逾期不补办的，由登记管理机关建议对该事业单位的负责人和其他直接责任人员依法给予纪律处分。

第十九条 事业单位有下列情形之一的，由登记管理机关给予警告，责令限期改正；情节严重的，经审批机关同意，予以撤销登记，收缴《事业单位法人证书》和印章：

（一）不按照本条例的规定办理变更登记、注销登记的；

（二）涂改、出租、出借《事业单位法人证书》或者出租、出借印章的；

（三）违反规定接受、使用捐赠、资助的。

事业单位违反法律、其他法规的，由有关机关依法处理。

第二十条 登记管理机关的工作人员在事业单位登记管理工作中滥用职权、玩忽职守、徇私舞弊构成犯罪的，依法追究刑事责任；尚不构成犯罪的，依法给予行政处分。

第四章 附则

第二十一条 《事业单位法人证书》的式样由国务院机构编制管理机关制定。

第二十二条 本条例实行前已经成立的事业单位，应当自本条例实行之日起 1 年内依照本条例有关规定办理登记或者备案手续。

第二十三条 本条例自发布之日起施行。

民办非企业单位登记管理暂行条例

（1998年9月25日国务院第8次常务会议通过；1998年10月25日中华人民共和国国务院令第251号发布，自发布之日起施行）

第一章　总　　则

第一条　为了规范民办非企业单位的登记管理，保障民办非企业单位的合法权益，促进社会主义物质文明、精神文明建设，制定本条例。

第二条　本条例所称民办非企业单位，是指企业事业单位、社会团体和其他社会力量以及公民个人利用非国有资产举办的，从事非营利性社会服务活动的社会组织。

第三条　成立民办非企业单位，应当经其业务主管单位审查同意，并依照本条例的规定登记。

第四条　民办非企业单位应当遵守宪法、法律、法规和国家政策，不得反对宪法确定的基本原则，不得危害国家的统一、安全和民族的团结，不得损害国家利益、社会公共利益以及其他社会组织和公民的合法权益，不得违背社会道德风尚。

民办非企业单位不得从事营利性经营活动。

第五条　国务院民政部门和县级以上地方各级人民政府民政部门是本级人民政府的民办非企业单位登记管理机关（以下简称登记管理机关）。

国务院有关部门和县级以上地方各级人民政府的有关部门、国务院或者县级以上地方各级人民政府授权的组织，是有关行业、业务范围内民办非企业单位的业务主管单位（以下简称业务主管单位）。

法律、行政法规对民办非企业单位的监督管理另有规定的，依照有关法律、行政法规的规定执行。

第二章　管　　辖

第六条　登记管理机关负责同级业务主管单位审查同意的民办非企业单位的登记管理。

第七条 登记管理机关、业务主管单位与其管辖的民办非企业单位的住所不在一地的，可以委托民办非企业单位住所地的登记管理机关、业务主管单位负责委托范围内的监督管理工作。

第三章 登 记

第八条 申请登记民办非企业单位，应当具备下列条件：

（一）经业务主管单位审查同意；

（二）有规范的名称、必要的组织机构；

（三）有与其业务活动相适应的从业人员；

（四）有与其业务活动相适应的合法财产；

（五）有必要的场所。

民办非企业单位的名称应当符合国务院民政部门的规定，不得冠以“中国”、“全国”、“中华”等字样。

第九条 申请民办非企业单位登记，举办者应当向登记管理机关提交下列文件：

（一）登记申请书；

（二）业务主管单位的批准文件；

（三）场所使用权证明；

（四）验资报告；

（五）拟任负责人的基本情况、身份证明；

（六）章程草案。

第十条 民办非企业单位的章程应当包括下列事项：

（一）名称、住所；

（二）宗旨和业务范围；

（三）组织管理制度；

（四）法定代表人或者负责人的产生、罢免的程序；

（五）资产管理和使用的原则；

（六）章程的修改程序；

（七）终止程序和终止后资产的处理；

（八）需要由章程规定的其他事项。

第十一条 登记管理机关应当自收到成立登记申请的全部有效文件之日起60日内作出准予登记或者不予登记的决定。

有下列情形之一的，登记管理机关不予登记，并向申请人说明理由：

（一）有根据证明申请登记的民办非企业单位的宗旨、业务范围不符合本条例

第四条规定的；

（二）在申请成立时弄虚作假的；

（三）在同一行政区域内已有业务范围相同或者相似的民办非企业单位，没有必要成立的；

（四）拟任负责人正在或者曾经受到剥夺政治权利的刑事处罚，或者不具有完全民事行为能力的；

（五）有法律、行政法规禁止的其他情形的。

第十二条 准予登记的民办非企业单位，由登记管理机关登记民办非企业单位的名称、住所、宗旨和业务范围、法定代表人或者负责人、开办资金、业务主管单位，并根据其依法承担民事责任的不同方式，分别发给《民办非企业单位（法人）登记证书》、《民办非企业单位（合伙）登记证书》、《民办非企业单位（个体）登记证书》。

依照法律、其他行政法规规定，经有关主管部门依法审核或者登记，已经取得相应的执业许可证书的民办非企业单位，登记管理机关应当简化登记手续，凭有关主管部门出具的执业许可证明文件，发给相应的民办非企业单位登记证书。

第十三条 民办非企业单位不得设立分支机构。

第十四条 民办非企业单位凭登记证书申请刻制印章，开立银行帐户。民办非企业单位应当将印章式样、银行帐号报登记管理机关备案。

第十五条 民办非企业单位的登记事项需要变更的，应当自业务主管单位审查同意之日起 30 日内，向登记管理机关申请变更登记。

民办非企业单位修改章程，应当自业务主管单位审查同意之日起 30 日内，报登记管理机关核准。

第十六条 民办非企业单位自行解散的，分立、合并的，或者由于其他原因需要注销登记的，应当向登记管理机关办理注销登记。

民办非企业单位在办理注销登记前，应当在业务主管单位和其他有关机关的指导下，成立清算组织，完成清算工作。清算期间，民办非企业单位不得开展清算以外的活动。

第十七条 民办非企业单位法定代表人或者负责人应当自完成清算之日起 15 日内，向登记管理机关办理注销登记。办理注销登记，须提交注销登记申请书、业务主管单位的审查文件和清算报告。

登记管理机关准予注销登记的，发给注销证明文件，收缴登记证书、印章和财务凭证。

第十八条 民办非企业单位成立、注销以及变更名称、住所、法定代表人或者负责人，由登记管理机关予以公告。

第四章　监 督 管 理

第十九条　登记管理机关履行下列监督管理职责：

（一）负责民办非企业单位的成立、变更、注销登记；

（二）对民办非企业单位实施年度检查；

（三）对民办非企业单位违反本条例的问题进行监督检查，对民办非企业单位违反本条例的行为给予行政处罚。

第二十条　业务主管单位履行下列监督管理职责：

（一）负责民办非企业单位成立、变更、注销登记前的审查；

（二）监督、指导民办非企业单位遵守宪法、法律、法规和国家政策，按照章程开展活动；

（三）负责民办非企业单位年度检查的初审；

（四）协助登记管理机关和其他有关部门查处民办非企业单位的违法行为；

（五）会同有关机关指导民办非企业单位的清算事宜。

业务主管单位履行前款规定的职责，不得向民办非企业单位收取费用。

第二十一条　民办非企业单位的资产来源必须合法，任何单位和个人不得侵占、私分或者挪用民办非企业单位的资产。

民办非企业单位开展章程规定的活动，按照国家有关规定取得的合法收入，必须用于章程规定的业务活动。

民办非企业单位接受捐赠、资助，必须符合章程规定的宗旨和业务范围，必须根据与捐赠人、资助人约定的期限、方式和合法用途使用。民办非企业单位应当向业务主管单位报告接受、使用捐赠、资助的有关情况，并应当将有关情况以适当方式向社会公布。

第二十二条　民办非企业单位必须执行国家规定的财务管理制度，接受财政部门的监督；资产来源属于国家资助或者社会捐赠、资助的，还应当接受审计机关的监督。

民办非企业单位变更法定代表人或者负责人，登记管理机关、业务主管单位应当组织对其进行财务审计。

第二十三条　民办非企业单位应当于每年 3 月 31 日前向业务主管单位报送上一年度的工作报告，经业务主管单位初审同意后，于 5 月 31 日前报送登记管理机关，接受年度检查。工作报告内容包括：本民办非企业单位遵守法律法规和国家政策的情况、依照本条例履行登记手续的情况、按照章程开展活动的情况、人员和机构变动的情况以及财务管理的情况。

对于依照本条例第十二条第二款的规定发给登记证书的民办非企业单位，登记管理机关对其应当简化年度检查的内容。

第五章　罚　　则

第二十四条　民办非企业单位在申请登记时弄虚作假，骗取登记的，或者业务主管单位撤销批准的，由登记管理机关予以撤销登记。

第二十五条　民办非企业单位有下列情形之一的，由登记管理机关予以警告，责令改正，可以限期停止活动；情节严重的，予以撤销登记；构成犯罪的，依法追究刑事责任：

（一）涂改、出租、出借民办非企业单位登记证书，或者出租、出借民办非企业单位印章的；

（二）超出其章程规定的宗旨和业务范围进行活动的；

（三）拒不接受或者不按照规定接受监督检查的；

（四）不按照规定办理变更登记的；

（五）设立分支机构的；

（六）从事营利性的经营活动的；

（七）侵占、私分、挪用民办非企业单位的资产或者所接受的捐赠、资助的；

（八）违反国家有关规定收取费用、筹集资金或者接受使用捐赠、资助的。

前款规定的行为有违法经营额或者违法所得的，予以没收，可以并处违法经营额 1 倍以上 3 倍以下或者违法所得 3 倍以上 5 倍以下的罚款。

第二十六条　民办非企业单位的活动违反其他法律、法规的，由有关国家机关依法处理；有关国家机关认为应当撤销登记的，由登记管理机关撤销登记。

第二十七条　未经登记，擅自以民办非企业单位名义进行活动的，或者被撤销登记的民办非企业单位继续以民办非企业单位名义进行活动的，由登记管理机关予以取缔，没收非法财产；构成犯罪的，依法追究刑事责任；尚不构成犯罪的，依法给予治安管理处罚。

第二十八条　民办非企业单位被限期停止活动的，由登记管理机关封存其登记证书、印章和财务凭证。

民办非企业单位被撤销登记的，由登记管理机关收缴登记证书和印章。

第二十九条　登记管理机关、业务主管单位的工作人员滥用职权、徇私舞弊、玩忽职守构成犯罪的，依法追究刑事责任；尚不构成犯罪的，依法给予行政处分。

第六章　附　　则

第三十条　民办非企业单位登记证书的式样由国务院民政部门制定。

对民办非企业单位进行年度检查不得收取费用。

第三十一条　本条例施行前已经成立的民办非企业单位，应当自本条例实施之日起 1 年内依照本条例有关规定申请登记。

第三十二条　本条例自发布之日起施行。

博物馆管理办法

（2005 年 12 月 22 日文化部部务会议审议通过，2005 年 12 月 22 日文化部令第 35 号公布，自 2006 年 1 月 1 日起施行）

第一章　总　　则

第一条　为贯彻落实科学发展观，规范博物馆管理工作，促进博物馆事业发展，根据《中华人民共和国文物保护法》、《中华人民共和国文物保护法实施条例》、《公共文化体育设施条例》、《事业单位登记管理暂行条例》和《民办非企业单位登记管理暂行条例》等相关法律法规，制定本办法。

第二条　本办法所称博物馆，是指收藏、保护、研究、展示人类活动和自然环境的见证物，经过文物行政部门审核、相关行政部门批准许可取得法人资格，向公众开放的非营利性社会服务机构。

利用或主要利用国有文物、标本、资料等资产设立的博物馆为国有博物馆。

利用或主要利用非国有文物、标本、资料等资产设立的博物馆为非国有博物馆。

第三条　国家扶持和发展博物馆事业，鼓励个人、法人和其他组织设立博物馆。

县级以上人民政府应当将博物馆事业纳入本级国民经济和社会发展规划，事业经费列入本级财政预算。

博物馆的数量、种类、规模以及布局，应当根据本地区国民经济和社会发展水平、文物等资源条件和公众精神文化需求，统筹兼顾，优化配置。鼓励优先设立填补博物馆门类空白和体现行业特性、区域特点的专题性博物馆。

第四条　国家鼓励博物馆发展相关文化产业，多渠道筹措资金，促进自身发展。

博物馆依法享受税收减免优惠，享有通过依法征集、购买、交换、接受捐赠和调拨等方式取得藏品的权利。

第五条　博物馆应当发挥社会教育功能，传播有益于社会进步的思想道德、科学技术和文化知识。

在博物馆参观或开展其他活动，应当爱护博物馆设施、展品和周边环境，遵守公共秩序。

第六条 国务院文物行政部门主管全国博物馆工作。

县级以上地方文物行政部门对本行政区域内的博物馆实施监督和管理。

第七条 县级以上文物行政部门应当促进博物馆行业组织建设，指导行业组织活动，逐步对博物馆实行分级、分类管理。

第八条 县级以上文物行政部门对发展博物馆事业做出突出贡献的机构、团体或个人，应当给予表彰或奖励。

第二章 博物馆设立、年检与终止

第九条 申请设立博物馆，应当具备下列条件：

（一）具有固定的馆址，设置专用的展厅（室）、库房和文物保护技术场所，展厅（室）面积与展览规模相适应，展览环境适宜对公众开放；

（二）具有必要的办馆资金和保障博物馆运行的经费；

（三）具有与办馆宗旨相符合、一定数量和成系统的藏品及必要的研究资料；

（四）具有与办馆宗旨相符合的专业技术和管理人员；

（五）具有符合国家规定的安全和消防设施；

（六）能够独立承担民事责任。

第十条 省级文物行政部门负责本行政区域内博物馆设立的审核工作。

博物馆名称一般不得冠以“中国”、“中华”、“国家”等字样（简称“中国”等字样）；特殊情况确需冠以“中国”等字样的，应由中央机构编制委员会办公室会同国务院文物行政部门审核同意。

非国有博物馆的名称不得冠以“中国”等字样。

第十一条 申请设立博物馆，应当由馆址所在地市（县）级文物行政部门初审后，向省级文物行政部门提交下列材料：

（一）博物馆设立申请书；

（二）馆舍所有权或使用权证明；

（三）资金来源证明或验资报告；

（四）藏品目录及合法来源说明；

（五）陈列展览大纲；

（六）拟任法定代表人的基本情况及身份证明；

（七）专业技术和管理人员的证明材料。

申请设立非国有博物馆的，应同时提交博物馆章程草案。章程草案应当包括下列主要事项：

（一）办馆宗旨及藏品收藏标准；

（二）博物馆理事会、董事会或其他形式决策机构的产生办法、人员构成、任期、议事规则等；

（三）出资人不要求取得经济回报的约定；

（四）博物馆终止时的藏品处置方式；

（五）章程修改程序。

第十二条 省级文物行政部门应当自收到博物馆设立申请材料之日起 30 个工作日内出具审核意见。审核同意的，应报国务院文物行政部门备案；审核不同意的，应当书面说明理由。

经审核同意设立博物馆的，申请人应持审核意见及其他申报材料，向相关行政部门申请取得博物馆法人资格。

博物馆应当自取得法人资格之日起 6 个月内向社会开放。

本办法实施前已批准设立的博物馆，应当在本办法实施之日起 6 个月内，向省级文物行政部门提交本办法第十一条第一款规定的除（一）项之外的全部材料；非国有博物馆应同时提交博物馆章程。

第十三条 博物馆的建筑设计应当符合国家和行业颁布的有关标准和规范。博物馆建筑应当划分为陈列展览区、藏品库房区、文物保护技术区、公众服务区和办公区等，相对自成系统。

第十四条 国有博物馆建设工程的设计方案，应当报请所在地省级文物行政部门组织论证。

第十五条 博物馆应当于每年 3 月 31 日前向所在地市（县）级文物行政部门报送上一年度的工作报告，接受年度检查。工作报告内容应当包括有关法律和其他规定的执行情况，藏品、展览、人员和机构的变动情况以及社会教育、安全、财务管理等情况。

市（县）级文物行政部门应当于每年 4 月 30 日前，将上一年度本行政区域内博物馆年度检查的初步意见报送省级文物行政部门。省级文物行政部门应当于每年 5 月 31 日前，将上一年度本行政区域内博物馆的年度检查情况进行审核，并汇总报国务院文物行政部门备案。

第十六条 博物馆的名称、馆址、藏品、基本陈列以及非国有博物馆的章程等重要事项发生变更前，应当报省级文物行政部门审核。

博物馆法定代表人发生变更的，应当自变更之日起 10 日内报省级文物行政部门备案。

第十七条 博物馆终止前，应当向省级文物行政部门提出终止申请及藏品处置方案，接受主管文物行政部门指导，完成博物馆资产清算工作。

省级文物行政部门应当自收到博物馆终止申请和藏品处置方案之日起 30 个工作日内出具审核意见。藏品处置方案等符合法定要求的，准予终止；藏品处置方案等不符合法定要求的，责令其改正后准予终止。相关行政部门根据省级文物行政部门的审核意见，给予办理博物馆法人资格注销登记手续。

第十八条 国有博物馆终止的，其藏品由所在地省级文物行政部门指定的国有博物馆接收。

非国有博物馆终止的，其藏品属于法律规定可以依法流通的，允许其以法律规定的方式流通；依法不能流通的藏品，应当转让给其他博物馆；接受捐赠的藏品，应当交由其他博物馆收藏，并告知捐赠人。

第三章 藏品管理

第十九条 博物馆藏品的收藏、保护、研究、展示等，应当依法建立、健全相关规章制度，并报所在地市（县）级文物行政部门备案。

博物馆应具有保障藏品安全的设备和设施。馆藏一级文物和其他易损易坏的珍贵文物，应设立专库或专柜并由专人负责保管。

第二十条 博物馆应建立藏品总账、分类账及每件藏品的档案，并依法办理备案手续。

博物馆通过依法征集、购买、交换、接受捐赠和调拨等方式取得的藏品，应在 30 日内登记入藏品总账。

第二十一条 依法调拨、交换、借用国有博物馆藏品，取得藏品的博物馆可以对提供藏品的博物馆给予实物、技术、培训或资金方面的合理补偿。补偿数额的确定，应当考虑藏品保管、修复、研究、展示等过程中原收藏博物馆发生的实际费用。调拨、交换、借用国有博物馆藏品的申请文件，应当包括合理补偿的方案。

第二十二条 博物馆不够本馆收藏标准，或因腐蚀损毁等原因无法修复并无继续保存价值的藏品，经本馆或受委托的专家委员会评估认定后，可以向省级文物行政部门申请退出馆藏。

退出馆藏申请材料的内容，应当包括拟不再收藏的藏品名称、数量和退出馆藏的原因，并附有关藏品档案复制件。

第二十三条 国有博物馆所在地省级文物行政部门应当在收到退出馆藏申请材料的 30 个工作日内，组织专家委员会复审。专家委员会复审未通过的，终止该藏品的退出馆藏程序。

专家委员会复审通过的，省级文物行政部门应当将有关材料在国务院文物行政部门和有关省级文物行政部门的官方网站上公示 30 个工作日。期间如有其他国有文物收藏单位愿意接收有关藏品，则以调拨、交换等方式处理；期间如没有其他国有文物收藏单位愿意接收有关藏品，则由省级文物行政部门统一处置。处置方案报国务院文物行政部门批准后实施，处置所得资金应当用于博物馆事业发展。

国有博物馆应当建立退出馆藏物品专项档案，并报省级文物行政部门备案。专项档案应当保存 75 年以上。

第二十四条 非国有博物馆申请藏品退出馆藏，申请材料应附理事会、董事会或其他形式决策机构的书面意见。博物馆所在地省级文物行政部门应当在收到申请材料的 30 个工作日内作出是否允许退出馆藏的决定，并报国务院文物行政部门备案。

第二十五条 博物馆应当以本馆藏品为基础，开展有关专业学科及应用技术的研究，提高业务活动的学术含量，促进专业人才的成长。在确保藏品安全的前提下，博物馆应当为馆外人员研究本馆藏品提供便利。

第四章 展示与服务

第二十六条 博物馆举办陈列展览，应当遵循以下原则：

（一）与本馆性质和任务相适应，突出馆藏品特色、行业特性和区域特点，具有较高的学术和文化含量；

（二）合理运用现代技术、材料、工艺和表现手法，达到形式与内容的和谐统一；

（三）展品应以原件为主，复原陈列应当保持历史原貌，使用复制品、仿制品和辅助展品应予明示；

（四）展厅内具有符合标准的安全技术防范设备和防止展品遭受自然损害的展出设施；

（五）为公众提供文字说明和讲解服务；

（六）陈列展览的对外宣传活动及时、准确，形式新颖。

第二十七条 博物馆应当根据办馆宗旨，结合本馆特点开展形式多样、生动活泼的社会教育和服务活动，积极参与社区文化建设。

鼓励博物馆利用电影、电视、音像制品、出版物和互联网等途径传播藏品知识、陈列展览及研究成果。

第二十八条 博物馆对公众开放，应当遵守以下规定：

（一）公告服务项目和开放时间；变更服务项目和开放时间的，应当提前 7 日公告；

（二）开放时间应当与公众的工作、学习及休闲时间相协调；法定节假日和学校寒暑假期间，应当适当延长开放时间；

（三）无正当理由，国有博物馆全年开放时间不少于10个月，非国有博物馆全年开放时间不少于8个月。

第二十九条 博物馆应当逐步建立减免费开放制度，并向社会公告。

国有博物馆对未成年人集体参观实行免费制度，对老年人、残疾人、现役军人等特殊社会群体参观实行减免费制度。

第三十条 鼓励博物馆研发相关文化产品，传播科学文化知识，开展专业培训、科技成果转让等形式的有偿服务活动。

第五章 附 则

第三十一条 博物馆违反本办法规定，情节严重的，由所在地省级文物行政部门撤销审核同意意见，由相关行政部门撤销博物馆法人资格。

博物馆违反其他法律、法规规定的，依照有关法律、法规的规定处罚。

第三十二条 本办法自2006年1月1日起施行。

关于推进博物馆改革发展的指导意见

（中央宣传部　国家发展改革委　教育部　科技部　民政部　财政部
人力资源社会保障部　文化和旅游部　国家文物局
文物博发〔2021〕16号）

党的十八大以来，我国博物馆在场馆建设、文物保护、藏品研究、陈列展览、开放服务、教育传播、国际交流等方面不断取得新进展，日益成为世界博物馆发展的中心和热点。但同时也要看到，博物馆发展不平衡不充分与人民美好生活需要之间的矛盾仍很突出，在发展定位、体系布局、功能发挥、体制机制等方面尚需完善提升。为深化改革，持续推进我国博物馆事业高质量发展，现提出如下意见。

一、总体要求

（一）指导思想。以习近平新时代中国特色社会主义思想为指导，坚持以人民为中心，坚持守正创新，坚持创造性转化和创新性发展，秉承新发展理念，将博物馆事业主动融入国家经济社会发展大局，加强考古成果和历史研究成果的转化与传播，为坚定文化自信、传承中华文明、推动中国特色社会主义文化繁荣发展、满足人民美好生活需要、建设社会主义文化强国、实现"两个一百年"奋斗目标和中华民族伟大复兴中国梦做出积极贡献。

（二）基本原则

——坚持正确方向。坚持党对博物馆事业的全面领导，牢牢把握意识形态工作主导权，以社会主义核心价值观为引领，突出公益属性和社会效益，更好地构筑中国精神、中国价值、中国力量。

——坚持改革创新。坚持问题导向、目标导向，上下联动、横向联合，鼓励先行先试，推进博物馆发展理念、技术、手段、业态创新，破除体制机制束缚，释放发展活力。

——坚持统筹协调。统筹不同地域、层级、属性、类型博物馆发展，提高博物馆内部管理和外部治理水平。坚持服务大众，提高博物馆公共服务均等化、便捷化、多样化、个性化水平，实现博物馆高品质、差异化发展。

——坚持开放共享。营造开放包容的发展环境，通过区域协同创新、社会参与、跨界合作、互联网传播等方式，促进资源要素有序流动，优化资源配置，多措并举盘活博物馆藏品资源。

（三）总体目标。到 2025 年，形成布局合理、结构优化、特色鲜明、体制完善、功能完备的博物馆事业发展格局，博物馆发展质量显著提升，在弘扬中华优秀传统文化、革命文化和社会主义先进文化，构建公共文化服务体系、服务人民美好生活，推动经济社会发展、促进人类文明交流互鉴中的作用更加彰显。到 2035 年，中国特色博物馆制度更加成熟定型，博物馆社会功能更加完善，基本建成世界博物馆强国，为全球博物馆发展贡献中国智慧、中国方案。

二、加强分类指导，优化体系布局

（四）统筹不同地域博物馆发展。配合“一带一路”倡议、京津冀协同发展、长江经济带发展、粤港澳大湾区建设、长三角一体化发展、推进海南全面深化改革开放、黄河流域生态保护和高质量发展等国家重大战略，以及长城、大运河、长征、黄河国家文化公园建设等国家重大文化工程，加强博物馆资源整合与协同创新。探索在文化资源丰厚地区建设“博物馆之城”“博物馆小镇”等集群聚落。

（五）整合不同层级博物馆发展。实施中国特色世界一流博物馆创建计划，重点培育 10-15 家代表中国特色中国风格中国气派、引领行业发展的世界一流博物馆。实施卓越博物馆发展计划，因地制宜支持省级、重要地市级博物馆特色化发展。实施中小博物馆提升计划，加强机制创新，有效盘活基层博物馆资源。实施类博物馆培育计划，鼓励将具有部分博物馆功能、但尚未达到登记备案条件的社会机构，纳入行业指导范畴，做好孵化培育。

（六）协调不同属性博物馆发展。探索建立行业博物馆联合认证、共建共管机制，将高校博物馆、国有企业博物馆等纳入行业管理体系，引导文物系统富余资源在运营管理、充实藏品、保护修复、开放服务等方面支持行业博物馆。规范和扶持并举，加强对非国有博物馆业务帮扶，推动落实土地、税收等优惠政策，指导非国有博物馆健全藏品账目及档案，依法依规推进博物馆法人财产权确权。按照“谁审批、谁监管，谁主管、谁监管”原则，加强对未经备案但以“博物馆”等名义开展活动的机构的管理。

（七）促进不同类型博物馆发展。充分利用现有资源，结合党史、新中国史、改革开放史、社会主义发展史教育，依托社会主义建设重大工程、重大项目、重要事件，推动建设一批反映党和国家建设成就的当代主题博物馆。鼓励依托文物遗址、历史建筑、工业遗产、农业遗产、文化景观和非物质文化遗产等设立博物馆。依法依规支持“一带一路”、黄河、大运河、长城、长江、长征、重大科技工程等专题博物馆（纪念馆）建设发展。重点支持反映中华文明发展历程的国家级重点专题博物馆建设。丰富自然科学、现当代艺术等博物馆品类，鼓励军队博物馆面向社会开放，倡导社区、生态、乡情村史博物馆等建设。

三、夯实发展基础，提升服务效能

（八）优化征藏体系。树立专业化收藏理念，强化党史、新中国史、改革开放史、社会主义发展史相关藏品征集，注重旧城改造、城乡建设等反映经济社会发展变迁物证的征藏，丰富科技、现当代艺术、非物质文化遗产等专题收藏，鼓励反映世界多元文化的收藏新方向。拓展藏品入藏渠道，健全考古出土文物和执法部门罚没文物移交工作机制，适时开展文物移交专项行动，推动优化国有公益性收藏单位进口藏品免税政策，鼓励公众向博物馆无偿捐赠藏品。

（九）提升保护能力。健全博物馆藏品登录机制，推进藏品档案信息化标准化建设，逐步推广藏品电子标识。实施馆藏珍贵濒危文物、材质脆弱文物保护修复计划。强化预防性保护，加强文物常见多发病害病理研究，提升藏品保存环境监测、微环境控制、分析检测等能力，完善博物馆安消防制度建设和设施配备，鼓励各地因地制宜加强文物中心库房建设。加快推进藏品数字化，完善藏品数据库，加大基础信息开放力度。

（十）强化科技支撑。加强对藏品当代价值、世界意义的挖掘阐发，促进研究成果及时转化为展览、教育资源。大力发展智慧博物馆，以业务需求为核心、以现代科学技术为支撑，逐步实现智慧服务、智慧保护、智慧管理。推动研究型博物馆建设，依法开展博物馆科技成果转化收益分配试点，推动符合条件的博物馆从业人员享受科技创新扶持政策。深化与高等院校、科研院所合作，鼓励建立联合实验室、科研工作站和技术创新联席机制，“博学研”协同开展文物保护利用科学研究与成果示范，将支持博物馆发展的共性关键技术研究纳入各类国家科技计划予以重点支持。

（十一）提高展陈质量。落实中办、国办《关于实施中华优秀传统文化传承发展工程的意见》等要求，深入挖掘展示中华优秀传统文化中跨越时空的思想理念、价值标准、审美风范，以古鉴今、古为今用、启迪后人。全面展示中华文明起源和发展的历史脉络，中华文明取得的灿烂成就，中华文明对人类文明的重大贡献。支持联合办展、巡回展览、流动展览、网上展示，提高藏品展示利用水平。探索独立策展人制度，优化展览策划制作流程，推出更多原创性主题展览。贴近实际、贴近生活、贴近群众，鼓励公开征集选题，推广以需定供的菜单式展览服务。

（十二）发挥教育功能。落实《新时代爱国主义教育实施纲要》《新时代公民道德建设实施纲要》要求，广泛深入开展博物馆里过传统节日、纪念日活动，加强对中华文明的研究阐发、教育普及和传承弘扬，加强爱国主义教育和革命传统教育，培育人民文化生活新风尚。制定博物馆教育服务标准，丰富博物馆教育课程体系，为大中小学生利用博物馆学习提供有力支撑，共建教育项目库，推动各类博物馆数字资源接入国家数字教育资源公共服务体系。支持博物馆参与学生研学实践活动，促使博物馆成为学生研学实践的重要载体。倡导博物馆设立教育专员，提升教育和讲解服务水平，鼓励省级以上博物馆面向公众提供专业研究人员的专家讲解服务。

（十三）优化传播服务。推进博物馆大数据体系建设，主动对接国家文化大数据体系建设，标注、解构和重构藏品蕴含的中华元素和标识，切实融入内容生产、创意设计和城乡建设，充分发挥博物馆在文旅融合发展、促进文化消费中的作用。推动博物馆文化扶贫，增加展览、教育活动进乡村频次。深化博物馆与社区合作，推动博物馆虚拟展览进入城市公共空间，鼓励有条件的博物馆错峰延时开放，服务十五分钟城市生活圈。加强与融媒体、数字文化企业合作，创新数字文化产品和服务，大力发展博物馆云展览、云教育，构建线上线下相融合的博物馆传播体系。强化观众调查，推广分众传播，优化参观全过程服务。

（十四）增进国际合作。实施中华文明展示工程，深入挖掘中华优秀传统文化精髓，弘扬中华文化蕴含的人类共同价值，打造一批中国故事、国际表达的文物外展品牌。实施世界文明展示工程，通过长期借展、互换展览、多地巡展等方式，共享人类文明发展成果。加强青年策展人培养，造就一批政治过硬、功底扎实、国际接轨的博物馆策展人队伍。支持中国专家学者参加国际博物馆组织，积极参与博物馆国际治理。

四、创新体制机制，释放发展活力

（十五）完善管理体制。推进博物馆法及配套法规体系立法研究，完善博物馆制度，推进博物馆治理体系和治理能力现代化。深化博物馆领域“放管服”改革，探索管办分离，赋予博物馆更大的自主权。分类推进国有博物馆、非国有博物馆理事会制度建设，建立健全权责对等、运转协调的决策执行或监督咨询机制。深化人事制度改革，切实增强博物馆干部人事管理、职称评审、岗位设置自主权。对于部分符合条件的新建博物馆，在不改变藏品权属、确保安全的前提下，经批准可以探索开展国有博物馆资产所有权、藏品归属权、开放运营权分置改革试点，提升博物馆公共服务效能。

（十六）健全激励机制。博物馆开展陈列展览策划、教育项目设计、文创产品研发取得的事业收入、经营收入和其他收入等，按规定纳入本单位预算统一管理，可用于藏品征集、事业发展和对符合规定的人员予以绩效奖励等。合理核定博物馆绩效工资总量，对上述工作取得明显成效的单位可适当增核绩效工资总量，单位内部分配向从事这些工作的人员倾斜。

（十七）鼓励社会参与。发展壮大博物馆之友和志愿者队伍，构建参与广泛、形式多样、管理规范的社会动员机制。推动博物馆公共服务市场化改革，引入竞争机制，鼓励社会力量参与展览、教育和文创开发。实施“博物馆＋”战略，促进博物馆与教育、科技、旅游、商业、传媒、设计等跨界融合。

五、优化发展环境，加强改革保障

（十八）加强组织领导。强化部际协作，进一步增强文物主管部门与宣传、发展改革、教育、民政、财政、人力资源社会保障等部门之间的协作关系，形成工作合力。各级宣传文化、发展改革、财政、人力资源社会保障等部门，要将博物馆发展纳入经济社会发展总体规划和基础设施建设、教育、科技、文化、旅游等相关专项规划，发挥博物馆在文明城市创建中的作用，支持博物馆事业发展。

（十九）加强政策支持。按照国办《公共文化领域中央与地方财政事权和支出责任划分改革方案》部署，落实博物馆有关支出责任，向财力困难地区倾斜，加强预防性保护和数字化保护项目支持。健全博物馆免费开放机制，督促落实地方主体责任。鼓励地方通过政府购买服务、项目补贴、以奖代补等方式，支持非国有博物馆持续发展。博物馆认定为非营利组织的，其符合条件的捐赠收入按规定享受免税政策。企业或个人等通过公益性社会组织、县级以上人民政府及其部门等国家机关，向博物馆进行公益性捐赠的，按规定享受所得税税前扣除政策。创新博物馆发展多元化投入机制，在加强监管、防范风险的前提下，鼓励社会资本以直接捐赠、设立基金会等形式支持博物馆发展。

（二十）加强队伍建设。健全博物馆人才激励机制，按照国家有关规定进行表彰奖励，加强博物馆管理人才、专业人才、研究人才、创新型人才培育，为人才发展营造良好的制度环境。加强国家文博领域高水平创新团队建设，培育跨领域、跨学科创新团队。按照人力资源社会保障部、国家文物局《关于进一步加强文博事业单位人事管理工作的指导意见》精神，拓宽人才汇集机制，支持博物馆设立流动岗，吸引相关专业技术人员兼职。加大博物馆专业人才引进力度，提高队伍专业化水平。推进文博行业相关职业资格制度建设。强化人才培训，根据不同岗位要求，开展分级分类培训，提高队伍整体素质能力。

（二十一）加强监督管理。通过日常巡查、“双随机一公开”检查、备案管理等方式，加强文物保护、陈列展览等事项事中事后监管。建立健全绩效考评、专业评价和第三方评估相结合的博物馆考评监督机制。健全博物馆质量评价体系，扩大国家一二三级博物馆占比，加强评估结果运用。加强博物馆行业协会建设，促进行业自律。建立博物馆年报制度和信用体系，主动接受社会监督。

各地要制定贯彻落实本意见的实施方案，落实任务分工，细化工作责任，明确时间表、路线图，着力推进实施，强化督导检查，确保改革措施落地见效。

博物馆定级评估办法

（国家文物局　文物博发〔2020〕2号）

第一条　为加强博物馆行业管理，提高博物馆质量，充分发挥博物馆的社会服务功能，促进博物馆事业发展，依据《中华人民共和国文物保护法》《中华人民共和国公共文化服务保障法》《博物馆条例》《博物馆管理办法》，制定本办法。

第二条　凡在中华人民共和国境内，正式登记、经所在地省级文物行政部门备案，具有文物、标本和其他藏品的收藏保管、科学研究、陈列展览、教育传播功能，向社会开放、正常运行36个月以上的各类博物馆，均可申请参加定级评估。

第三条　国家文物局负责制定博物馆定级评估办法、博物馆定级评估标准等，并对办法、标准等的实施进行监督检查。中国博物馆协会具体负责博物馆定级评估工作，可以委托地方省级博物馆行业组织协助开展相关工作。

第四条　博物馆定级评估工作遵循自愿申报、行业评估、动态管理、分级指导和公平、公正、公开的原则。

第五条　博物馆经定级评估确定相应等级，从高到低依次为国家一级博物馆、国家二级博物馆、国家三级博物馆。

第六条　申请参加评估的博物馆应依照博物馆评估标准开展自评，填写《博物馆定级评估申请书》，向中国博物馆协会提出申请。参评博物馆应确保数据信息真实可靠；填报的相关数据信息，应与全国第一次可移动文物普查数据库、全国博物馆信息年报系统、非国有博物馆藏品备案数据库等相关数据保持一致。

第七条　中国博物馆协会对博物馆的申请材料进行书面审查，还可根据需要组织专家小组进行现场评估。专家小组在审查材料、实地考察、咨询评议的基础上，提出现场评估报告。

第八条　中国博物馆协会根据申请单位的《博物馆定级评估申请书》和专家小组现场评估报告，进行综合评定并打分产生评定意见。

第九条　如评定意见与申请书存在重大差异，且申请单位或相关专家等对评定意见提出重大异议的，中国博物馆协会应对相关评定意见给予复核。复核工作由中国博物馆协会具体组织，并形成进一步评定意见。

第十条 中国博物馆协会可委托地方省级博物馆行业组织对所属行政区域申请参评的博物馆进行审核、提出评定建议。

第十一条 中国博物馆协会将评定意见报国家文物局备案后，以发布公告形式向社会公布。

第十二条 一个博物馆机构只能获得一个质量等级。

博物馆如因机构变化出现合并重组等情形，与现有国家一二三级博物馆存在隶属、包含关系的，合并重组前的博物馆等级一致的，合并重组后等级维持不变；合并重组前的博物馆等级不一致的，合并重组后，在下一次运行评估前，等级可暂维持在原先较高的等级。

已获得等级的博物馆如因机构变化出现拆分的，只能由一个机构保留原有质量等级。

博物馆质量等级变化信息，应于 1 个月内报中国博物馆协会备案。

已获质量等级博物馆发生终止的，其质量等级在依法完成注销登记后不再保留。

第十三条 博物馆等级标牌、证书由中国博物馆协会统一制作、颁发。

第十四条 被评定为相应等级的博物馆，须将等级标牌置于其主入口处的显著位置，接受社会监督。

第十五条 博物馆定级工作原则上每三年集中开展一次，也可根据实际需要临时组织，具体时间由中国博物馆协会决定。

第十六条 中国博物馆协会应对所评博物馆进行监督检查和运行评估。运行评估至少每三年进行一次。运行评估规则由国家文物局另行制定。

第十七条 经运行评估达不到已获等级标准的博物馆，中国博物馆协会根据具体情况，作出发出警告通知书、通报批评、降低或取消等级的处理，报国家文物局备案后对外公告。

博物馆接到警告通知书、通报批评、降低或取消等级的通知后，须认真整改，并在规定期限内将整改情况报中国博物馆协会。

凡被降低、取消等级的博物馆，自降低或取消等级之日起三年内，不得重新申请参加定级评估。相应等级标牌、证书由中国博物馆协会收回。

第十八条 中国博物馆协会应当将博物馆定级评估情况及相关资料，在其网站上公布，接受社会监督。

第十九条 中国博物馆协会及其委托、组织的地方省级博物馆行业组织、专家小组须严格遵守相关评估工作程序、规则和纪律，接受有关管理部门、博物馆行业、社会各界和公证机构的监督。参与博物馆评估工作的专家和工作人员如有违纪、违规行为，一经查实，由国家文物局依法根据相关规定给予相应处理。

第二十条 申请参加评估的博物馆，一经查实有弄虚作假、行贿舞弊等违法违规行为的，由中国博物馆协会报国家文物局备案后，取消其评估资格、撤销所获质量等级、收回等级标牌及证书。

第二十一条 本办法自公布之日起实施。

关于在博物馆领域落实“双随机一公开”监管的指导意见

（国家文物局　文物博函〔2020〕1048 号）

各省、自治区、直辖市文物局（文化和旅游厅/局），新疆生产建设兵团文物局：

根据《中华人民共和国文物保护法》及其实施条例、《博物馆条例》等法律法规，按照国家深化行政体制改革、开展“双随机一公开”检查工作总体要求，自 2017 年起，国家文物局连续开展博物馆领域“双随机一公开”检查工作，为加强馆藏一级文物、陈列展览规范化管理，提升博物馆专业化水平发挥了积极作用，取得了良好成效。根据《国务院办公厅关于推广随机抽查规范事中事后监管的通知》（国办发〔2015〕58 号）和《国家文物局关于公布〈国家文物局随机抽查事项清单〉和〈国家文物局随机抽查工作细则〉的决定》（文物政发〔2017〕1 号）、《国家文物局关于公布修订后〈国家文物局随机抽查事项清单〉的决定》（文物人发〔2018〕6 号）具体要求，结合博物馆工作实际，为进一步提升博物馆规范化、专业化水平，制定本指导意见。

一、工作目标

加快健全以“双随机一公开”监管为基本手段、以重点监管为补充、以信用监管为基础的博物馆领域新型监管机制，以监管方式创新提升博物馆领域事中事后监管效能，促进博物馆治理体系和治理能力现代化，全面推动博物馆高质量发展。

二、重点任务

（一）细化抽查事项清单

国家文物局编制《博物馆领域“双随机一公开”事项清单》（以下简称《清单》，见附件）。各省（区、市）文物主管部门依据《清单》，梳理本地区地方性法规、政府规章，增加相应内容，细化本行政区域博物馆领域随机抽查事项清单。

随机抽查事项清单，要明确抽查依据、主体、内容、方式等。国家文物局和各省（区、市）文物主管部门可以根据法律法规规章修订和工作实际情况对《清单》等进行动态调整，并及时通过相关网站和平台向社会公开。

随机抽查事项分为重点检查事项和一般检查事项。重点检查事项针对涉及馆藏文物规范管理、展览意识形态审核、可移动文物保护项目审批等领域，抽查比例可适当提高。一般检查事项针对博物馆日常监督管理相关事项，抽查比例应严格控制。

（二）建立健全随机抽查“两库”

国家文物局和各省（区、市）文物主管部门依据抽查事项清单，结合检查工作实际需要，建立本地区博物馆领域检查对象名录库和检查人员名录库（简称“两库”），并进行动态管理。在检查对象选取上，要兼顾不同层级、不同类别、不同属性的博物馆。在检查人员的选取上，可吸收高等学校、科研院所和专家学者等参与，通过听取专家咨询意见等方式辅助抽查，满足专业性抽查需要。

（三）统筹制定抽查计划

各省（区、市）文物主管部门按照国家文物局总体要求和本行政区域抽查事项清单，统筹制定本省（区、市）博物馆年度抽查工作计划，明确检查对象、检查人员、检查事项、检查内容、抽查比例和频次、检查方式和时间安排等。根据实际情况合理安排省级统一抽查和各市、县级自行抽查的分配比例，以及不同地区的抽查比重。

自 2021 年起，各省（区、市）文物主管部门应于每年 3 月底前统筹制定年度抽查工作计划，并报国家文物局备案。年度抽查工作计划以自然年为单位制定，可根据工作实际进行调整。

（四）科学实施抽查检查

各省（区、市）文物主管部门负责组织开展本行政区域“双随机一公开”检查工作，并将检查结果报告国家文物局。抽查检查可以采取实地核查、书面检查、网络监测等方式。可根据实际情况，制定详细的随机抽查工作细则和工作指引，对抽查工作程序、项目、方法等作出明确规定。针对抽查中发现的普遍性问题或存在突发性风险的问题，可以动态调整年度抽查计划，适当提高抽查比例和频次。

自 2021 年起，各省（区、市）文物主管部门应于每年 12 月底前，将年度检查结果报告国家文物局。国家文物局将在各省（区、市）检查的基础上，适时组织开展全国博物馆“双随机一公开”抽查工作。

（五）强化抽查检查结果公示运用

按照“谁检查、谁公开”的原则，对抽查检查结果进行公示，接受社会监督。实现“审管联动”，推动将数据应用于各领域“黑名单”管理机制、信用风险分类机制和跨部门联合奖惩机制。

三、保障措施

（一）强化组织保障

各级文物主管部门要高度重视、统一思想，优化制度设计，建立健全领导和协调机制，加强经费和人员保障，扎实推进博物馆领域“双随机一公开”监管工作。

（二）加强宣传培训

加强舆论宣传，提升博物馆领域“双随机一公开”监管的社会影响力和公众知晓度，逐步形成政府公正监管、行业诚信自律、社会公众监督的良好氛围。加强干部队伍建设，强化业务培训，提升博物馆领域“双随机一公开”监管能力和水平。鼓励各地结合实际大胆探索部门联合“双随机一公开”监管的新模式，及时总结推广先进经验。

（三）强化考核督查

各级文物主管部门要加强对博物馆领域“双随机一公开”监管工作的指导、督促和检查。可通过督查检查、网络监测、抽样复查等方式进行考核，必要时可以将相关情况通报地方人民政府。国家文物局将定期对各省（区、市）文物主管部门开展“双随机一公开”检查工作的情况进行检查。

自本指导意见印发之日起，各省（区、市）文物主管部门应尽快组织实施2020年度本省（区、市）博物馆领域“双随机一公开”检查工作，检查结果请于12月底前报告国家文物局，报告内容应包括检查实施情况（检查过程、方式、事项、内容）、检查结果（逐项说明基本情况、存在问题，要有数据统计、有案例分析），以及下一步工作思路等。

附件：博物馆领域“双随机一公开”事项清单

博物馆领域“双随机一公开”事项清单

序号	检查事项	检查依据	检查人员	检查对象	检查内容	检查方式
1	藏品保护管理检查	《中华人民共和国文物保护法》; 《中华人民共和国文物保护法实施条例》; 《博物馆条例》; 《博物馆藏品管理办法》; 《可移动文物修复管理办法》; 《文物复制拓印管理办法》。	国家文物局及省级文物行政部门工作人员	国有文物收藏单位	（一）藏品征集、保护、管理、利用、备案情况； （二）馆藏文物定级、建账、建档、备案情况； （三）馆藏文物修复、复制、拓印项目审批、实施、验收情况； （四）馆藏文物借用、调拨、交换事项。 （重点针对馆藏珍贵文物）	书面检查和实地核查相结合
2	可移动文物保护项目检查	《中华人民共和国文物保护法》; 《中华人民共和国文物保护法实施条例》; 《博物馆条例》; 《国家重点文物保护专项补助资金管理办法》; 《可移动文物修复管理办法》。	国家文物局及省级文物行政部门工作人员	财政经费支持的可移动文物保护项目所在单位（5年内）	（一）抢救性保护修复项目方案审批、项目实施及验收情况； （二）预防性保护项目方案审批、项目实施及验收情况； （三）数字化保护项目方案审批、项目实施及验收情况； （四）可移动文物修复资质审批、备案、管理情况。	书面检查和实地核查相结合
3	陈列展览备案管理检查	《中华人民共和国文物保护法》; 《中华人民共和国文物保护法实施条例》; 《博物馆条例》; 《文物出境展览管理规定》; 《出境展览文物安全规定（试行）》。	国家文物局及省级文物行政部门工作人员	已在文物部门备案的博物馆（含国有和非国有）	（一）基本陈列改陈、临时展览举办的备案情况； （二）出境展览审批、结项备案情况； （三）入境展览备案情况。	书面检查和实地核查相结合

关于促进生态（社区）博物馆发展的通知

（国家文物局　文物博发〔2011〕15 号）

各省、自治区、直辖市文物局（文化厅）：

生态（社区）博物馆是一种通过村落、街区建筑格局、整体风貌、生产生活等传统文化和生态环境的综合保护和展示，整体再现人类文明的发展轨迹的新型博物馆。当前，随着城市化进程加速，大规模城乡建设持续展开，文化遗产及其生存环境受到严重威胁。促进生态（社区）博物馆发展，对于调动全社会保护文化遗产的积极性，推动文化遗产的有效保护和传承发展，建设中华民族共有精神家园，增强民族自信心和凝聚力，延续中华文脉，促进文化与经济社会全面协调和可持续发展，具有十分重要的现实意义。现就促进生态（社区）博物馆发展有关问题通知如下：

一、提高认识，加强统筹规划。要按照科学发展观的要求，充分认识发展生态（社区）博物馆的重要性，立足保护地域文化遗产、维护文化多样性，完善公共文化服务体系，将生态（社区）博物馆纳入各地文博事业发展规划和经济社会发展规划。要以生态（社区）博物馆丰富新农村和城市现代化建设的内涵和成效，加强村落文化景观、历史文化街区等新型文化遗产的抢救、保护和利用、管理，使城乡建设规划的制定和实施与文化遗产保护和博物馆事业发展规划相协调，实现生态（社区）博物馆与当地经济社会发展的良性互动。

二、突出重点，发展具有中国特色的生态（社区）博物馆。要加强生态（社区）博物馆相关文化遗产和环境资源调查，紧紧围绕突出地域文化特色，科学制定生态（社区）博物馆发展规划。生态（社区）博物馆发展必须经过科学的条件评估与决策论证，要避免对生态（社区）博物馆理念的“误用”甚至“滥用”，不切实际一哄而上。要重点依托历史文化名村（镇）、街区等保存文化遗产特别丰富的村庄、街道，发展具有丰富文化内涵和鲜明个性特点的生态（社区）博物馆。

三、拓展视野，强化生态（社区）博物馆整体保护文化遗产的功能。生态（社区）博物馆要保护、展现历史文化村落、街区富有地方特色和集体记忆的文化空间，要将古民居及各类文物的保护、利用与相关的民俗活动、传统手工艺技能的保护、传承相结合，实现文化遗产的整体性和真实性保护。要做好原有村落、社区的文化氛围和活态多元风貌的保护，村落、社区文化传承人及原住居民的保留，村落、社区文化活动的挖掘与丰富等工作，并注重遗产所在地的自然环境保护，做到文化遗产与人们生活、自然环境和谐相处。

四、积极探索，创新生态（社区）博物馆发展途径。生态（社区）博物馆是一项理论创新性和实践创造性很强的工作，要遵循生态（社区）博物馆的基本规律，结合实际情况不断丰富和完善发展模式。鼓励经济发展水平较高的东中部地区试行灵活有效的政策措施，依托历史文化村（镇）、街区发展具有特色的生态（社区）博物馆，率先建立科学有效的民族民间文化遗产保护机制。要努力推进西部和民族地区发展民族文化类生态（社区）博物馆，切实维护地区文化的多样性和特殊价值。为加强引导，国家文物局将开展生态（社区）博物馆示范点建设，并组织编制相关发展规划，科学构建全国的生态（社区）博物馆体系。

五、以人为本，加强生态（社区）博物馆教育服务工作。生态（社区）博物馆作为一种社区性的文化遗产与生态环境的传承与教育中心，要重点做好传统民居及其原住居民生活习俗、历史古迹、传统手工技艺等文化遗产密集点及相关人文环境、生态环境的维护，并通过文物保护资料中心配套的高水平陈列展览及相关文化活动，普及科学的生存与发展理念，确立和增强当地居民对自身文化的自觉和文化认同感、文化自豪感，引导和规范当地居民在和谐和经过适当改善的条件下从事传统生产生活与文化传承，投身和参与文化遗产保护和生态（社区）博物馆发展逐步成为自觉行为。

六、坚持文物工作方针，将文化遗产保护与改善经济社会发展状况有机统一起来。坚持“保护为主、抢救第一、合理利用、加强管理”的方针，要通过生态（社区）博物馆的发展，充分挖掘相关文化遗产资源的内涵，依托旅游观光、文化休闲产业，科学、合理地发挥生态（社区）博物馆推动经济社会发展的特有作用，促进资源优势转化为经济优势，推动各地区特别是农村、民族地区的产业调整。生态（社区）博物馆在旅游发展中要坚持科学发展观，因地制宜，统筹规划，整合资源，务求实效，必须有助于文化遗产和生态环境的保护，必须有助于维护和改善为旅游者提供当地特色产品和服务的传统生活和生产环境，必须符合《中华人民共和国文物保护法》等有关法律法规的规定。

七、加强协作，建立生态（社区）博物馆发展的长效机制。推广和完善“政府支持，专家指导，居民主导”的生态（社区）博物馆发展模式。各地文物行政部门要在党委、政府的支持下，加强与发展和改革、财政、建设、旅游、环保、民族、文化、农业、水利、交通等相关部门的联动，并鼓励社会力量支援，加大投入，多方共同推进生态（社区）博物馆发展。社区居民的支持和参与是生态（社区）博物馆发展的关键因素。要加强宣传，积极探索按照责、权、利相一致的原则，多种方式调动社区居民特别是年轻人保护文化遗产、发展生态（社区）博物馆的积极性，形成“遗产保护人人有责，保护成果人人共享”的和谐局面。

八、深入研究，增强理论对实践的指导作用。充分调动和利用有关高等院校和科研单位的力量，组织有关专业机构深入研究生态（社区）博物馆工作规律，借鉴国际先进理论、理念和实践经验，形成符合中国国情、具有较强针对性和适用性的生态（社区）博物馆理论体系，提高对生态（社区）博物馆的认识水平。在此基础上抓紧制定和完善生态（社区）博物馆建设和发展的评估标准，建立相应的咨询、指导、协调、督察和管理考核机制，确保生态（社区）博物馆有效实现其运营目标，最大限度地追求自然与文化、遗产与现实以及相关方面的利益与和谐。

关于加强高校博物馆建设与发展的通知

（国家文物局　教育部　文物博发〔2011〕10号）

各省、自治区、直辖市文物局（文化厅）、教育厅（教委），教育部直属各高等学校：

高校博物馆是为了教育、研究、欣赏的目的，由高等学校利用所收藏的文物、标本、资料等文化财产设立并向公众开放，致力于服务高等教育发展和社会文化发展的社会公益性组织。改革开放以来，特别是进入21世纪以来，随着科教兴国和文化大发展大繁荣战略的实施，高校博物馆蓬勃发展，为满足广大人民群众日益增长的精神文化、教育学习需求做出了积极贡献。与此同时，高校博物馆发展中还存在一些问题，博物馆的建设、管理及运营状况与时代要求仍有较大差距，社会服务能力和水平尚待提高，这些问题在一定程度上制约了高校博物馆社会功能的发挥。

为加强高校博物馆建设与发展，充分发挥其在科教兴国、学习型社会和公共文化服务体系建设中的作用，现就加强高校博物馆建设与发展的有关事项通知如下：

一、各地、各有关部门应充分认识高校博物馆的重要意义，切实重视和支持高校博物馆建设与发展。高校博物馆具有鲜明特色，是现代教育体系和博物馆事业的重要组成部分，是探索和实践新型人才培养模式、实现高等教育现代化的重要机构，是开展探究式学习、参与式教学、实践教学的适宜场所，是开展原创科研的重要基地，也是构建公共文化服务体系，建设和谐社会的一支重要力量。高水平高校博物馆是大学深厚学术和文化积淀的重要标志，是优秀大学的重要标志。要将高校博物馆纳入国民经济和社会发展规划，纳入高等教育事业发展规划，纳入博物馆事业发展规划，因地制宜，制定符合各地高校博物馆发展的目标、措施，鼓励和引导具有中国特色的高校博物馆的科学发展。

二、教育部门要进一步明确高校博物馆在现代高等教育体系中的基础性地位，加强扶持和管理。教育部将会同国家文物局等有关部门制定“普通高等院校博物馆规程”，设立高校博物馆发展指导委员会，建立高校博物馆建设与发展联席工作会议，编制和实施高校博物馆发展规划，明确发展目标，确定发展任务，保障发展资源。并定期向社会发布高校博物馆建设与发展状况信息，增进社会对高校博物馆的认知，引领高校博物馆发展。

三、文物部门要加强履行博物馆业务指导职责，按照《博物馆管理办法》等规定，积极辅导协调高等学校做好高校博物馆的设立注册登记工作，指导高校博物馆业务活动，将高校博物馆纳入行业评估和质量监控体系。积极协调在高校博物馆之间，以及高校博物馆与区域其他博物馆建立长效的交流、协作机制，将高校博物馆纳入博物馆协作网，在藏品保护、陈列展览、社会教育、科学研究、人才培养等业务活动领域开展密切的交流合作，实现优势互补、资源共享。加强博物馆行业协会框架内的高校博物馆专业组织建设，制定行业规范，鼓励高校博物馆加入博物馆行业协会，促进行业自律。

四、要加强对高校博物馆发展的战略研究和统筹规划。高校博物馆建设应以保护、管理和发展文化遗产为基础，以激励和实现知识的创造、分享、传播为中心任务，以服务和支持高等教育发展为主导，以坚持高校博物馆自身特色为动力，以服务高等教育现代化、支持创建优秀大学为主要目标。要从实际出发，着力于凸显大学优势学科特色，完善博物馆功能，把增加博物馆的数量与提高质量结合起来，当前尤其要在提高质量上狠下功夫。要加强博物馆建设工程前期可行性研究、立项、实施等环节的协调指导和评估论证，促进科学决策。要避免不顾实际和可能，盲目追求建设规模的现象。要加强重点博物馆建设，使一批高校博物馆率先跻身国内一流博物馆行列，并向世界先进水平迈进。

五、加强博物馆基础工作，提高专业化水平。大力支持高校博物馆加强系统收藏相关学术领域的实物研究资料和实物性研究成果，提高和优化收藏品质量。建立健全藏品科学保护机制，加强藏品管理及信息化建设，完善建档备案、日常管理等制度体系。强化预防性保护理念，改善馆藏文物保存条件，遏制因环境不利和管理不善致使文物受损的现象。充分发挥藏品资源以及高校专业力量优势，搭建开放的高水平研究平台，大力推进博物馆的学术研究，以科技创新推动博物馆的管理创新和工作创新。

六、增强社会服务能力，提升社会服务效益。高校博物馆不仅要积极支持并辅助高校教学和学科建设，参与和融入大学校园文化建设，也要切实履行公共文化设施职能，充分实现社会教育功能。高校博物馆要积极创造条件，最大限度地向社会和公众开放，开放时间应符合《博物馆管理办法》规定。要努力提升高校博物馆在展览展示和宣传教育方面的工作水平，大力传播有益于社会进步的思想道德、科学技术和文化知识，不断丰富社会各界群众的精神文化生活。鼓励高校博物馆以各种形式参与公共文化服务体系建设，鼓励将高校博物馆纳入中小学教育内容，鼓励高校博物馆开展各种进社区活动，并积极探索博物馆数字化，通过现代信息技术增强博物馆文化传播、辐射影响力。鼓励高校博物馆积极参与对外文化交流。

七、加强高校博物馆队伍建设，实施人才强馆。支持高校博物馆科学设置岗位，完善职位管理，健全评价激励机制，注重学术梯队和优秀中青年队伍建设，稳定高水平专业技术队伍。同时不断壮大以广大学生为主体的博物馆志愿工作队伍，使志愿服务与素质培养、专业志向和公益精神有机结合。

特此通知。

关于促进民办博物馆发展的意见

（国家文物局　民政部　财政部　国土资源部　住房和城乡建设部
文化部　国家税务总局　文物博发〔2010〕11号）

民办博物馆是为了教育、研究、欣赏的目的，由社会力量利用非国有文物、标本、资料等资产依法设立并取得法人资格，向公众开放的非营利性社会服务机构。进入新世纪以来，文化体制改革逐步深化，民办博物馆发展迅速。但是由于民办博物馆在我国还是一个新事物，尚处于探索阶段，还存在着准入制度不完善、扶持政策不健全、管理运行不规范、社会作用不明显等问题，严重制约了民办博物馆的健康发展。

为贯彻党的十七大关于推动社会主义文化大发展大繁荣的精神，落实中央关于深化文化体制改革的总体部署，进一步调动社会力量参与文化遗产保护和社会主义先进文化建设的积极性，现就积极鼓励、大力支持民办博物馆发展提出以下意见：

一、高度重视，积极促进民办博物馆健康发展

（一）民办博物馆来自于民间、成长于民间、服务于民间，是我国经济社会持续稳定发展大背景下公民文化需求增长的必然结果，是具有文化普及鲜明特色的公共文化服务机构，是动员全社会广泛参与，共同构建公共文化服务体系，促进文化大发展、大繁荣，建设和谐社会的一支重要力量。

（二）各地、各有关部门要切实提高对支持民办博物馆发展重要性的认识，明确和坚持积极鼓励，大力支持，正确引导，依法管理的指导思想，将民办博物馆纳入国民经济和社会发展规划，纳入博物馆事业发展规划，因地制宜，分类指导，制定符合各地民办博物馆发展的目标、措施和相关政策，支持、鼓励和引导民办博物馆的科学发展。民政、财政、国土资源、住房城乡建设、文化、税务、文物等行政部门和行业组织要加强协调，形成合力，加强调查研究，对民办博物馆在创办、开放、发展中遇到的具体困难和问题，给予必要的关注，及时帮助切实解决，保障民办博物馆健康发展。

二、加强扶持，为民办博物馆创造良好的发展环境

（三）规范民办博物馆准入制度。加快出台《博物馆条例》，完善博物馆管理基本制度体系，明确民办博物馆与公立博物馆同等的法律地位。文物、民政行政部门制订民办博物馆登记管理办法，细化民办博物馆准入标准，完善审批程序，健全民办博物馆准入制度。依照《中华人民共和国文物保护法》等法规的规定，加强对拟申办民办博物馆藏品来源合法性和真实性审查，明确博物馆对藏品的合法所有权。鼓励社会力量兴办填补博物馆门类空白和体现行业特性、区域特点的专题性博物馆。兴办民办博物馆应符合城乡规划。对符合设立条件的民办博物馆，要按照《民办非企业单位登记管理暂行条例》和《博物馆管理办法》等有关规定，及时审核和给予登记注册。要加强对民办博物馆凭证执业、依法办馆的监督，按照法律法规和规章的规定，做好民办博物馆的登记、年检、执业和监督管理工作。要开展经常性的执法检查活动，严厉打击非法办馆行为，坚决取缔无证执业，规范竞争行为，营造公平有序的发展环境，保障合法博物馆的正当权益。

（四）切实帮助解决民办博物馆的馆舍与经费保障问题。推广民办公助、公建民营等形式，在有条件的地区，建立政府对民办博物馆单位的资助机制。各地可利用在布局结构调整后闲置的房产，支持民办博物馆发展。可在旅游景区和文化产业园区内规划建设民办博物馆，为民办博物馆提供馆舍和基础设施运行保障。对符合国家《划拨用地目录》规定的非营利性民办博物馆的建设用地，经县级以上人民政府批准，可以划拨方式供地。民办博物馆建设必须贯彻节约集约用地的原则，严格执行《博物馆建设用地指标》的规定，严禁改变博物馆用地的土地用途，不得以划拨土地使用权抵押。民办博物馆因故终止的，其用地由国家依法收回后继续作为博物馆建设用地。协调金融机构为符合条件的民办博物馆提供贷款。鼓励企业、事业单位、社会团体以及个人等社会力量向民办博物馆提供捐赠。鼓励民办博物馆依托藏品、展览研发推广博物馆文化产品。民办博物馆在接收捐赠、门票收入、非营利性收入等方面，可按照现行税法规定享受有关优惠政策。

（五）加强对民办博物馆的专业指导和扶持。文物行政部门要积极探索新形势下民办博物馆的管理体制、机制和办法，根据民办博物馆自愿办馆、自筹资金、自负责任、自主管理的特点，通过法规、政策、标准、评估、督导等措施为博物馆的目标管理和质量管理提供服务。民办博物馆在行业准入、等级评定、人员培训、职称评定、科研活动、陈列展览，以及人才、学术的交流、合作、奖励、政府政策信息服务等方面，与国有博物馆一视同仁，同等待遇。对具有门类特点、行业个性或地域文化、民族（民俗）唯一性的民办博物馆，以及致力于抢救濒危文化遗产、填

补某领域文化空白或稀缺的新建民办博物馆，给予必要和适当的倾斜性扶持。鼓励国有博物馆对民办博物馆的藏品保护、陈列展览、科学研究等业务活动实施帮扶。加强博物馆行业协会建设，制定行业规范，鼓励民办博物馆加入行业协会，促进行业自律。

（六）努力形成有利于民办博物馆健康发展的社会舆论氛围。要充分利用广播、电视、报纸、网络等媒体，大力宣传政府鼓励、支持、引导民办博物馆发展的方针政策，宣传民办博物馆在社会主义先进文化建设中的重要地位和作用，宣传民办博物馆中涌现出的先进典型，扩大民办博物馆的影响。对优秀民办博物馆以及在民办博物馆事业方面做出突出贡献的单位和个人，给予表彰。

三、依法办馆，全面提高民办博物馆的质量

（七）建立健全民办博物馆内部管理制度。文物、民政行政部门要把民办博物馆纳入质量监管体系，通过评估定级和年度检查、考评等方式，指导民办博物馆严格遵守国家相关政策法规和技术标准规范以及国际博物馆协会职业道德准则，健全以理事会（董事会）、监事会为核心的法人治理结构，完善博物馆章程和发展规划，依法自我管理、科学运行，承担相应的社会义务。要落实民办博物馆的法人财产权，对举办者和其他投资者投入民办博物馆的藏品、资产、国有资产、受赠的财产、收取的费用以及办馆积累，应当分别登记建账，并依法享有法人财产权。民办博物馆存续期间，对博物馆所有资产依法享有占有、使用、收益和处分的权力，任何组织和个人不得侵占和非法干涉。

（八）规范民办博物馆的藏品管理。藏品是博物馆赖以生存的物质基础，保障藏品安全并充分发挥其社会作用是博物馆的基本义务。民办博物馆应当依照《中华人民共和国文物保护法》、《博物馆管理办法》、《博物馆藏品管理办法》等法规和国际博物馆协会职业道德准则要求，加强藏品收集，建立、健全藏品收藏、保护、研究、展示等相关规章制度，建立健全藏品总账、分类账及每件藏品的档案，并报所在地市（县）级文物行政部门备案。民办博物馆处置无保存价值的藏品，以及民办博物馆终止时的藏品处置，必须进行严格的评估，并报所在地省级文物行政部门审批。民办博物馆不再收藏的藏品应优先转让给其他博物馆收藏。处置藏品所得应当用于博物馆收藏新的藏品、改善藏品保管条件和博物馆日常维护等用途。

（九）切实加强民办博物馆展示服务工作。民办博物馆要落实“以质量求生存、以特色求发展”的办馆理念，加强人才队伍建设，加强科学研究，大力提升展示服务水平。要把博物馆的特色和品牌建设作为直接关系民办博物馆生存的大事来抓紧抓好，满足社会对优质博物馆文化资源的需求。文物行政部门要加强对民办博物馆

陈列展览、社会教育和服务活动的指导，严格基本陈列内容审查，抵制低俗之风。民办博物馆要完善开放服务制度，开展进校园、进社区活动，纳入当地旅游线路，开展博物馆文化旅游活动。根据公平、择优的原则，采用公开招标和政府购买服务的方式，支持民办博物馆参与公共文化服务体系和国民教育体系建设。对于社会服务功能发挥良好、成绩突出的民办博物馆，可按规定命名为爱国主义教育基地和青少年教育基地。鼓励民办博物馆积极参与对外文化交流。

关于推进国有博物馆对口支援民办博物馆工作的意见

（国家文物局　文物博函〔2013〕818 号）

各省、自治区、直辖市文物局（文化厅）：

为贯彻落实国家文物局、民政部、财政部、国土资源部、住房和城乡建设部、文化部、国家税务总局《关于促进民办博物馆发展的意见》（文物博发［2010］11 号）精神，帮助民办博物馆提高专业化水平，现就推进国有博物馆对口支援民办博物馆工作提出以下意见：

一、充分认识推进国有博物馆对口支援民办博物馆工作的重要性

推进国有博物馆对口支援民办博物馆工作，提高民办博物馆质量和服务能力，是贯彻落实科学发展观、促进博物馆事业全面协调可持续发展的必然要求，是深化博物馆体制改革的重要内容，是落实《博物馆事业中长期发展规划纲要（2011-2020 年）》“民办博物馆帮扶工程”的重要举措。各级文物行政部门、博物馆要全面理解和把握支援民办博物馆工作的现实意义和深远的历史意义，统一认识，高度重视，加强领导，精心组织，积极推进，确保国有博物馆对口支援民办博物馆工作不断取得新的成效。

二、国有博物馆对口支援民办博物馆工作目标

完善国有博物馆对口支援民办博物馆工作制度，践行国有博物馆的社会责任，国有博物馆发挥资源优势，以自愿、无偿的方式，“一对一”的持续（一般不应短于三年）帮扶民办博物馆的藏品保护、陈列展览、科学研究、人才培养等业务活动和规范化管理，争取受援民办博物馆达到或接近国家三级博物馆的水平，培育一批法人治理结构规范、专业水平高、社会影响力大的优质民办博物馆。并积极推动民办博物馆与国有博物馆在合作中相互借鉴，共同进步，在竞争中优势互补，相互促进。

三、国有博物馆对口支援民办博物馆实施范围

凡依照《博物馆管理办法》登记注册，法人治理结构基本规范，藏品体系健全且产权明晰，展示服务工作基础较好，在本地区具有一定代表性，正常运行三年以上且年检合格的民办博物馆，可列入国有博物馆对口支援范畴。优先对口支援具有门类特点、行业个性或地域文化、民族（民俗）文化代表性的民办博物馆，以及致力于抢救濒危文化遗产、填补某领域文化空白的民办博物馆。

鼓励国家一级博物馆和省级博物馆等专业力量雄厚的国有博物馆与具备发展潜力的民办博物馆结成长期稳定的对口支援和协作关系，中央地方共建国家级博物馆在完成本省（自治区、直辖市）范围内对口支援任务的同时，承担一定的支援其他地区民办博物馆的任务。

四、国有博物馆对口支援民办博物馆工作内容

国有博物馆针对民办博物馆的实际需求，开展人才支援和技术支援。

以选派中级职称和副高级职称为主的经验丰富的专业人员定期到民办博物馆驻点指导民办博物馆业务和管理工作为主要形式，组织开展藏品清库、鉴定、定级、建账、建档、养护、修复、陈列内容设计和艺术设计、教育项目策划、文化产品开发等业务活动示范、专题讲座、技术培训，帮助民办博物馆提升藏品保护、完善展示服务，健全工作制度和技术操作规程，培养一批业务骨干和学术带头人，提高博物馆运行水平。

国有博物馆可以同时采取免费接收民办博物馆专业人员进修、培训等形式，对民办博物馆进行支援。

鼓励中央地方共建国家级博物馆、省博物馆等实力雄厚的国有博物馆通过托管、连锁合作等形式加强与民办博物馆合作，探索长效机制，推动优质博物馆资源辐射，促进民办博物馆能力建设。

五、国有博物馆对口支援民办博物馆工作要求

加强业务指导。省级文物行政部门要积极协调符合条件的国有博物馆和民办博物馆建立对口支援协作关系，组织双方协商制定切实可行的对口支援实施方案和年度计划，明确支援目标、项目内容、支援方式、工作任务和保障措施；签订协议书，明确双方职责，保证任务落实。国有博物馆对口支援民办博物馆的实施方案和协议草案，应当经主管的文物行政部门初审后，报省级文物行政部门组织评估、核准，并以适当方式向社会公开。

强化责任意识。对口支援双方都应确定负责对口支援工作的馆领导和组织机构，加强沟通协调，做到人员落实、任务落实和经费落实，认真组织实施对口支援的各项具体工作。国有博物馆要建立派驻人员管理制度，加强对派驻人员支援绩效的考核，确保受援单位长期有派驻人员帮助工作并真正发挥作用。民办博物馆应根据工作需要，为对口支援创造必要的支撑条件，确保对口支援工作顺利开展；要以对口支援为契机，更新思想观念，调动员工积极性，全面推动博物馆的各项工作，不断提高办馆实力和办馆效益。

受援民办博物馆要模范遵守博物馆法规和职业道德，不断完善法人治理结构，扩大博物馆理事会成员社会人士代表的比例；制定、公布藏品征集、保护、管理、处置的政策、标准，区分藏品等级，建立规范的藏品总账、分类账和藏品档案，并报主管的文物行政部门备案；无正当理由，全年向公众开放时间不得少于 8 个月；制定、公布中长期发展规划和年度工作计划；如博物馆终止，藏品优先转让给其他博物馆。

做好督查考核。省级文物行政部门要会同相关部门建立健全国有博物馆对口支援民办博物馆工作协调管理制度，定期对对口支援工作进行督导检查和绩效考核，对工作完成较好的单位，总结推广经验。主管的文物行政部门要将对口支援工作纳入国有博物馆目标责任制，加强对口支援工作的日常监督管理，定期向省级文物行政部门报告工作进展，并开展新闻宣传工作。国家文物局将对口支援纳入博物馆评估定级以及国家一级博物馆、中央与地方共建国家级博物馆的年度运行评估考核指标范畴。

落实保障措施。省级文物行政部门要抓住文化体制改革的机遇，坚持政府支持、统筹规划、提升能力、共同发展的原则，将对口支援纳入博物馆事业发展规划，制定对口支援的具体实施办法和计划。要积极争取各级政府的财政支持，积极争取将对口支援工作列入各级政府的民办博物馆发展专项资金优先支出范畴。鼓励公平竞争，政府委托民办博物馆承担有关遗产保护、研究、展示任务，拨付项目经费。同时积极鼓励社会力量捐助国有博物馆对口支援民办博物馆工作。

关于民办博物馆设立的指导意见

（国家文物局　文物博发〔2014〕21号）

各省、自治区、直辖市文物局（文化厅）：

近年来，民办博物馆发展迅速，已成为我国博物馆体系中的重要组成部分。为指导民办博物馆规范设立，提高办馆质量，促进健康发展，根据《中华人民共和国文物保护法》、《民办非企业单位登记管理暂行条例》和《博物馆管理办法》等法规、规章，结合民办博物馆发展的特点，特提出如下意见：

一、民办博物馆是指经过文物行政部门审核、民办非企业单位登记管理机关批准许可取得法人资格，利用非国有的具有历史、科学、艺术价值的人类活动和自然环境的见证物及其他非国有资产设立的博物馆。

民办博物馆的设立审核，应以属地管理为原则。

应优先发展具有门类特点、行业个性或地域文化、民族（民俗）文化代表性的民办博物馆，以及致力于抢救濒危历史见证物、填补某领域空白的民办博物馆。

二、设立民办博物馆，应当具备下列条件：

（一）具有固定的适宜的办馆场所。

馆舍应符合《博物馆建筑设计规范》等国家和行业颁布的有关标准和规范的要求，设置专用的展厅（室）、库房，以及符合国家规定的安全和消防设施。

展厅（室）面积与展览规模相适应，不低于馆舍建筑面积的40%，不低于400平方米，展厅（室）适宜对公众开放。依托历史建筑、故居、旧址等不可移动的文化遗产实物并以其原状陈列为主的博物馆，展厅（室）面积可适当放宽。

馆舍应以民办博物馆自有为主；租赁馆舍的，应提交有效的《房屋租赁证》，租期不得少于5年。由举办者或他人无偿提供使用馆舍的，应由所有者提供场地无偿使用证明。

不得租借其他博物馆作为办馆场地申请办馆。也不得使用居民住宅、餐饮场所、地下室和其它不适合办馆或有安全隐患的场地作为办馆场所。

民办博物馆的注册地，应与其馆舍地址相一致，与其章程中的地址相一致。

（二）具有与办馆宗旨相符合、构成体系的藏品及必要的研究资料。

藏品应当真实可靠且来源合法。

藏品不应少于300件（套）。依托历史建筑、故居、旧址等不可移动的文化遗产实物并以其为主要保护、研究、展示内容的博物馆，以及以大体量实物收藏为主的博物馆，藏品数量可适当放宽。

藏品应该进行造册登记。

（三）具有基本陈列计划，展览内容应当科学准确。

（四）具有必要的办馆资金和稳定的经费来源。办馆注册资金系指举办者在扣除用地、建筑、设备设施、藏品等投入外，能保证民办博物馆年度正常运作的流动资金，最低限额为50万元人民币。

举办者用实物、土地使用权、知识产权以及其他财产作为办馆出资的，所占比例不得超过其注册出资最低额度的40%，同时经具有评估资质的中介机构依法进行评估，并提供有效的权属证明。

（五）民办博物馆的名称应符合民政部《民办非企业单位名称管理暂行规定》有关要求，拟定名称需经登记管理机关预审。

（六）具有符合法律、法规规定的博物馆章程。制定章程要符合《民办博物馆章程示范文本（试行）》要求。

（七）具有依法设立由举办者或其代表、社会人士代表等人员组成的理事会（董事会）或其他形式的决策机构，其组成人数应在3人以上。其中三分之一以上的理事（董事）应当具有5年以上博物馆从业经验。民办博物馆接受政府资助或有政府财产投入的，其理事会宜有政府代表或政府指派的人员参加。

（八）配备符合条件的专职馆长或副馆长。民办博物馆的专职馆长或副馆长应具有大学专科以上学历，相关领域学术专长和5年以上博物馆从业经验，无不良博物馆从业记录，身体健康，能胜任博物馆管理工作。

（九）具有与办馆宗旨相符合、与办馆规模相适应的专业技术和管理人员，不应少于6人；其中专职人员占60%以上，且专职人员60%以上具有大专以上学历。

（十）建立符合博物馆专业要求的组织机构，具有健全的管理制度。法定代表人按章程规定产生。

（十一）举办民办博物馆的社会组织，应当具有法人资格；举办民办博物馆的个人，应当具有中国国籍，具有政治权利和完全民事行为能力。

非本地注册的社会组织，须在本地相应机构登记注册，获得许可。在本地办馆须是本地常住人口，或已在公安机关办理一年以上暂住证明的外地人口。

国家机关及国有博物馆在职人员不得以个人名义举办民办博物馆。

社会组织或者个人联合出资办馆的，须签署联合办馆协议并经公证机关公证，协议中应确定其中一方为主办者，并载明各方出资数额和方式、各方权利义务、合作期限、争议解决办法等。

属捐赠性质的藏品、资金等资产，须提交捐赠协议，载明捐赠人的姓名、捐资数额、用途和管理方法，以及相关有效证明文件。

三、设立民办博物馆，应当按照《博物馆管理办法》的相关规定，向所在地省级文物行政部门提交下列材料：

（一）博物馆设立申请书。内容包括：举办者名称或姓名，博物馆名称、地址、宗旨、业务范围、藏品与经费的来源和数额及管理使用、专业技术人员情况、内部管理体制等。

（二）博物馆章程。

（三）合法有效的藏品证明文件。包括藏品清册和图录（包括登记号、名称、类别、年代、质地、实际数量、质量、尺寸、现状、来源、藏品图片）及藏品合法来源说明、藏品鉴定证明，公证机关出具的证明藏品清册和图录中所涉及的藏品均已作为拟设立博物馆的固定资产的公证文书。

（四）基本陈列大纲（含专家论证意见）。

（五）理事会（董事会）成员名单、简历及首届筹备会议决议。

（六）拟任法定代表人，拟聘馆长、专业技术和管理人员的资格证明文件。

（七）合法有效的办馆资金证明文件（验资报告）及举办者在民办博物馆存续期间不抽逃注册资金的承诺书。

（八）举办者不要求取得经济回报（博物馆的盈利不得分配）的约定。

（九）办馆场所证明。

（十）公安、消防部门出具的办馆场所安全验收合格证明或消防备案受理凭证等文件。

（十一）登记管理机关出具的《民办非企业单位名称预登记通知书》。

（十二）举办者的资格证明文件。

（十三）所在地市（县）级文物行政部门的初审意见。

四、省级文物行政部门应当自受理申请之日起30个工作日内，组织专家或委托具有相应资质的博物馆评估机构，对举办者提供的办馆申请材料以及实际办馆条件和办馆能力，进行审核评议或评估论证，由专家或评估机构出具《审核评议意见》或《评估论证报告》。

省级文物行政部门依照法律法规规定以及《审核评议意见》或《评估论证报告》，作出“同意设立”或“不予同意设立”的审核意见，并将审核意见以书面形式在规定期限内送达申请人；作出不予同意设立意见的，应当说明理由。

审核意见应当包括对拟设立民办博物馆章程草案、财产情况（特别是藏品、资金的民办性）、藏品真实性、陈列展览科学性、拟任法定代表人基本情况、从业人员资格、场所设备、组织机构等内容的审查结论。

省级文物行政部门应及时将同意设立的民办博物馆的名称、地址、法定代表人、章程等主要信息，通过政府网站等媒体向社会公告。

五、民办博物馆经审核同意设立后，应当依据《民办非企业单位登记管理暂行条例》的规定，到主管的民办非企业单位登记管理机关申请办理法人登记。民办博物馆应当自取得法人资格之日起 6 个月内向社会开放，并应按规定参加文物行政部门组织的博物馆年检活动。

六、各省、自治区、直辖市文物行政管理部门或行业协会，要根据上述要求，结合实际制定本辖区民办博物馆设立的标准或办法。同时，对已设立但未达到相应条件的民办博物馆，进行整改。

特此通知。

关于进一步推动非国有博物馆发展的意见

（国家文物局　文物博发〔2017〕16号）

各省（自治区、直辖市）文物局（文化厅）：

非国有博物馆是指以教育、研究和欣赏为目的，收藏、保护并向公众展示人类活动和自然环境的见证物，由社会力量利用或主要利用非国有文物、标本、资料等资产设立，经登记管理机关依法登记的非营利组织。非国有博物馆是我国博物馆体系的重要组成部分，发展非国有博物馆，有利于优化我国博物馆体系、填补门类空白；有利于丰富公共文化服务供给方式，构建和完善现代公共文化服务体系；有利于激发社会活力，保护和传承中华优秀传统文化。为进一步推动非国有博物馆健康、可持续发展，加快现代博物馆制度建设、提高办馆质量、完善扶持政策，依据《博物馆条例》等法律法规，现提出如下意见：

一、加快现代博物馆制度建设

（一）依法加强内部管理。非国有博物馆应严格遵守《中华人民共和国文物保护法》、《中华人民共和国公共文化服务保障法》、《博物馆条例》、《民办非企业单位登记管理暂行条例》等有关法律法规，建立健全规章制度，切实加强对藏品、展览、教育活动、人事、财务等方面的规范管理，树立法治思维，依法依规办馆，独立承担法律责任。

（二）建立健全理事会制度。各级文物主管部门要指导非国有博物馆依照《非国有博物馆章程示范文本》（文物博发〔2016〕29号）建立健全以理事会为核心的法人治理结构，对理事会的人员构成、决策事项、议事规则、表决程序等予以规范，切实发挥理事会在博物馆运营中的作用，结合实际情况探索完善非国有博物馆监事会和监督机制建设。

（三）落实法人财产权。对于拟申请设立的非国有博物馆，省级文物主管部门要指导举办者在设立阶段完成与办馆宗旨、业务范围和馆舍规模相适应的藏品登记，登记的藏品应依照法定程序确认为其申请设立博物馆的法人财产；对于尚未完成藏品登记确权的非国有博物馆，省级文物主管部门应指导其补充完成藏品的登记和确权工作。非国有博物馆应建立完善法人财产内部审计制度，鼓励有条件的地方探索建立非国有博物馆社会审计制度，由第三方审计机构定期对非国有博物馆法人财产管理情况进行专项审计。非国有博物馆的藏品征集和注销处置方案，应依法履行相关程序，并向社会公示。

（四）健全退出机制。非国有博物馆设立应以永久性为目标，如因特殊原因确需终止的，不得向举办者、出资者或理事等分配剩余财产。剩余财产应当按照相关法律、法规和本馆章程的有关规定用于公益目的。非国有博物馆终止后的藏品应优先转让给宗旨相同或者相近的博物馆；没有宗旨相同或者相近博物馆接收的，应由省级文物主管部门主持转让给其他博物馆并向社会公告。省级文物主管部门负责结合本省实际制定具体办法。

（五）探索建立信息公开和信用档案制度。各级文物主管部门、博物馆行业组织要将建立信息公开制度作为博物馆等级评定、运行评估、绩效考评、资金安排等的重要评价指标。非国有博物馆应按年度公布其年度报告，报告内容包括藏品情况、展览活动情况、资产管理使用情况和接受、使用捐赠、资助的有关情况等，主动接受社会监督。落实《社会信用体系建设规划纲要（2014—2020 年）》的有关要求，探索由博物馆行业组织主导建立非国有博物馆信用档案制度，采集、记录非国有博物馆在藏品征集、陈列展览、观众接待、安全防范、商业经营活动等方面的信用情况，特别是要加强对失信行为和接受行政处罚信息的记录。信用记录与有关部门共享，定期向社会公开，并配套建立有关奖惩机制。

二、提高博物馆办馆质量

（六）坚持正确的办馆方向。非国有博物馆开展社会服务，应坚持为人民服务、为社会主义服务的方向和贴近实际、贴近生活、贴近群众的原则，丰富人民群众精神文化生活。举办陈列展览应当遵守有关法律法规和公序良俗，展览主题和内容应当坚持社会主义先进文化的前进方向，坚持维护国家安全与民族团结、弘扬爱国主义、倡导科学精神、普及科学知识、传播优秀文化、培养良好风尚、促进社会和谐、推动社会文明进步的要求，传承中华优秀传统文化，弘扬社会主义核心价值观，增强文化自信，促进中国特色社会主义文化繁荣发展。

（七）加强对征藏活动的指导。对非国有博物馆设立阶段举办者拟纳入藏品序列的文物，省级文物主管部门应加强对其合法性和真实性的审查，探索将非国有博物馆备案阶段藏品审查与文物认定登记相结合，凡经认定的文物藏品，依法建档备案。对非国有博物馆成立后新入藏的藏品，省级文物主管部门可以根据非国有博物馆的申请，组织文物鉴定机构提供鉴定服务，对符合定级条件的文物按程序确认其级别。非国有博物馆应认真践行博物馆职业道德，不得接收来源不明或来源不合法的藏品。

（八）提升藏品保护管理水平。各级文物主管部门要指导本辖区内的非国有博物馆根据《博物馆条例》和《博物馆藏品管理办法》的要求，做好藏品登记、建档、备案工作。有条件的地方，可探索建设非国有博物馆馆藏文物数据库，按照《馆藏文物登录规范》对藏品进行统一登录。对于藏品登记、建档、备案工作完成良好的非国有博物馆，应优先提供藏品管理、保护修复等方面的人员、技术支持和服务。

（九）增强公共文化服务能力。省级文物主管部门要探索建立馆藏资源共享机制，打破博物馆地域、级别、属性限制，鼓励资源丰富的国有博物馆通过联展、巡展、借展等方式，帮助符合条件的非国有博物馆充实陈列展览。博物馆行业组织要加强非国有博物馆专业委员会建设，积极推进非国有博物馆间的沟通协作与资源整合。各级文物主管部门要继续推进国有博物馆对口帮扶非国有博物馆工作，根据实际需求，确保在展览策划、社会教育、开放服务等方面对非国有博物馆给予专业指导和技术扶持。

三、完善扶持政策

（十）完善差别化支持体系。国家将非国有博物馆纳入博物馆质量评价体系，并积极支持符合条件的非国有博物馆纳入财政支持的博物馆免费开放经费补助范畴，在人员培训、经费安排、馆际交流共享机制建设等方面，根据需求情况优先考虑已纳入质量评价体系的非国有博物馆。各级文物主管部门要优先支持能够填补博物馆门类空白、体现行业特色或区域特点、反映民族（民俗）文化的非国有专题博物馆；对于评定为国家一、二、三级，尤其是运行评估结果为优秀的非国有博物馆，应给予重点支持。

（十一）完善培育机制。省级文物主管部门应细化非国有博物馆备案办法与设立指导标准，为社会力量筹建非国有博物馆、依法履行备案程序提供指引和便利。对新成立备案的非国有博物馆进行重点培育，自备案之日起一年内，应根据非国有博物馆的申请，在陈列展览、学术研究、藏品管理、社会教育、安全防护等业务活动方面，组织专家给予支持指导。

（十二）加强专业人才培养。国家文物局将非国有博物馆专业技术人员培训纳入全国文博人才培训体系。省级文物主管部门要积极推动将非国有博物馆职称评定纳入本省文物博物馆专业技术职称评定范围，定期举办非国有博物馆馆长及专业技术人员系列培训班。各级文物主管部门要创新人才培养的形式和机制，支持非国有博物馆专业人员到国有大型博物馆挂职、访学，探索将部分符合条件的非国有博物馆的优秀专业技术人员纳入“高层次文博人才提升计划”培养范围。鼓励有条件的地方探索建立“博物馆特派员”制度，选派国有博物馆专业技术人员到有需求的非国有博物馆，帮助提升藏品鉴定、保护修复、展览策划等业务水平。

（十三）完善政府购买服务机制。各地应按照国务院办公厅转发文化部等部门《关于做好政府向社会力量购买公共文化服务工作的意见》和财政部、民政部《关于支持和规范社会组织承接政府购买服务的通知》要求，坚持国有博物馆和非国有博物馆一视同仁，不得歧视或排斥符合条件的非国有博物馆承接政府购买公共文化服务事项。

（十四）探索多元主体合作办馆。各地应按照国务院办公厅转发财政部、国家发展改革委、人民银行《关于在公共服务领域推广政府和社会资本合作模式的指导意见》要求，探索在非国有博物馆领域积极开展政府与社会资本合作（PPP）的模式创新。支持各地因地制宜开展差别化试点，探索符合当地实际和博物馆行业特点的做法、经验，形成可复制、可推广的发展模式。鼓励有条件的地方在县级新建博物馆中探索多元主体合作办馆模式，在不改变国有藏品的所有权属性及馆舍土地使用性质的前提下，允许符合条件的社会力量依法参与博物馆基础设施建设与运营管理、提供专业化服务。同时，县级以上文物主管部门要按照属地管理原则，加强文物安全、展览内容的监管。

（十五）拓宽办馆筹资渠道。支持非国有博物馆依法申请登记为慈善组织，接受社会捐赠并享受相关税收优惠、金融政策支持。鼓励有条件的非国有博物馆依法取得公开募捐资格或发起设立基金会，多渠道筹措发展经费。对于非国有博物馆接受捐赠形成的财产应当根据《慈善法》、《公益事业捐赠法》的有关规定加以严格管理。支持非国有博物馆从事文化创意产品开发并享受相关扶持政策。支持非国有博物馆申请相关文化产业发展专项资金及税收、投融资服务等优惠政策。

（十六）落实土地和财税等优惠政策。各地要认真做好国家文物局、民政部、财政部、国土资源部、住房和城乡建设部、文化部、国家税务总局七部门《关于促进民办博物馆发展的意见》（文物博发〔2010〕11 号）的落实落地，明确非国有博物馆比照国有博物馆享受公益性事业单位土地、税收、规费等方面的优惠待遇，用电、用水、用气、供暖价格执行当地居民标准，帮助非国有博物馆降低运营成本。各级文物主管部门要加强沟通协调，配合相关部门做好政策“最后一公里”的落实。国家文物局将对各地贯彻落实情况进行调研指导，对创新举措扎实、落实成效显著的地区进行经验总结和宣传推广。

请各省文物主管部门根据本意见要求，结合本省实际情况制定出台具体措施，抓好贯彻落实工作。落实情况报告请于 2017 年 12 月 1 日前报送国家文物局。

关于进一步规范非国有博物馆备案登记管理工作的意见

（国家文物局办公室　民政部办公厅　办博发〔2020〕6号）

各省、自治区、直辖市文物局文化和旅游（厅/局）、民政厅（局），新疆生产建设兵团文物局、民政局：

近年来，全国非国有博物馆快速发展，质量显著提升，在优化博物馆体系布局、满足人民精神文化需求等方面发挥了积极作用。2019年12月，国家文物局、民政部联合开展了非国有博物馆登记备案检查工作，发现部分非国有博物馆在登记备案、可持续运营、高质量发展等方面尚需进一步完善。为进一步促进非国有博物馆健康有序发展，依据《博物馆条例》《民办非企业单位登记管理暂行条例》等有关法律法规及政策文件，现提出如下意见：

一、进一步明确非国有博物馆管理权责

（一）民政部门是非国有博物馆的登记管理机关，负责非国有博物馆的成立、变更、注销登记；对非国有博物馆实施年度检查；对非国有博物馆违反社会组织登记管理相关法律法规的行为进行监督检查，并依法予以行政处罚。

（二）文物部门是非国有博物馆的业务主管部门，负责非国有博物馆成立、变更、注销登记前的审查；监督、指导非国有博物馆遵守宪法、法律、法规和国家政策，按照章程开展活动；负责非国有博物馆年度检查的初审。省级文物部门负责非国有博物馆的设立、变更、终止的备案工作。

二、进一步理顺非国有博物馆备案登记程序

（一）申请。非国有博物馆举办者应向馆址所在地县级以上文物部门申请其作为业务主管单位。县级以上文物部门对非国有博物馆名称、宗旨、业务范围、发起人和拟任责任人审查把关，并出具同意作为业务主管单位的证明文件。

（二）备案。非国有博物馆举办者应凭县级以上文物部门的证明文件、设立备

案所需材料，向省级文物部门提出备案申请。省级文物部门审核确定是否予以备案，出具博物馆备案文件或不予备案通知，并抄送出具证明文件的县级以上文物部门。

（三）登记。县级以上文物部门接到省级文物部门的备案文件后，在《民办非企业单位法人登记申请表》等非国有博物馆登记申请材料上加盖印章。非国有博物馆举办者凭县级以上文物部门同意成立登记的相关文件及其他相关材料，向同级民政部门申请民办非企业单位法人登记。登记完成后，依法办理印章刻制、税务登记、开立银行账户，办理完毕后报申请登记的民政部门备案。

（四）变更。非国有博物馆登记事项需要变更的，应当经业务主管的文物部门审查同意之日起 30 日内，向申请登记的民政部门申请变更登记，并向馆址所在地省级文物部门备案。非国有博物馆修改章程，应当经业务主管的文物部门审查同意之日起 30 日内，报办理登记的民政部门核准。

（五）终止。非国有博物馆终止的，应当向办理登记的民政部门申请注销。办理注销前，应在业务主管的文物部门和其他有关机关指导下，成立清算组织，完成清算工作。清算期间不得开展清算以外的活动。在清算完成之日起 15 日内，向办理登记的民政部门办理注销登记，并向馆址所在地省级文物部门备案。

三、进一步健全非国有博物馆管理制度

（一）规范名称管理。民政部门应按照《民办非企业单位名称管理暂行规定》（民发〔1999〕129 号）要求进行名称审查。非国有博物馆名称应包含县级以上行政区划（或地名）、字号、行（事）业或业务领域和“博物馆”（或博物院）字样，不得冠以“中国”“中华”“全国”或“世界”“国际”等字样，不得含有全国性社会组织或国际性组织等可能引起公众误解字样。

（二）严格备案审查。省级文物部门应按照《关于民办博物馆设立的指导意见》（文物博发〔2014〕21 号）要求进行设立备案。设立非国有博物馆的，应具有必要的办馆资金和稳定的经费来源，办馆注册资金不低于 50 万元人民币；具有固定适宜的办馆场所，符合《博物馆建筑设计规范》等国家和行业颁布的有关标准和规范的要求，设置专用的展厅、库房、符合国家规定的安防和消防设施；展厅面积与展览规模相适应，不低于 400 平方米，不低于建筑面积的 40%，适宜对公众开放；具有与办馆宗旨相符合、构成体系的藏品及必要的研究资料，原则上不少于 300 件（套），藏品应确保真实可靠且来源合法；具有基本陈列计划，展览内容科学准确。

（三）健全理事会制度。各级文物部门要指导非国有博物馆依照《非国有博物馆章程示范文本》（文物博发〔2016〕29 号）建立健全以理事会为核心的法人治理

结构，对理事会的人员构成、决策事项、议事规则、表决程序等予以规范，切实发挥理事会在博物馆运营中的作用。结合实际情况探索完善非国有博物馆监事会和监督机制建设。

（四）强化藏品管理。省级文物部门要指导非国有博物馆在设立阶段完成与办馆宗旨、业务范围和馆舍规模相适应的藏品登记，按照资产管理要求将藏品逐件登入财务固定资产账，依法依规推进非国有博物馆法人财产权确权；建立藏品账目及档案，藏品属于文物的，应单独设置文物档案；建立完善法人财产内部审计制度，鼓励有条件的地方探索建立非国有博物馆社会审计制度；藏品征集和注销处置方案，应依法履行相关程序，并向社会公示。

（五）健全退出机制。鼓励非国有博物馆设立以永久性为目标。确需终止时，不得向出资人、设立人分配剩余财产。剩余财产应当按照法人章程的规定或者业务主管单位的决议用于公益目的；无法按照法人章程的规定或者权力机构的决议处理的，由省级文物部门主持转给宗旨相同或者相近的法人，并向社会公告。藏品属于国家禁止买卖的文物的，应当依照有关文物保护法律、行政法规的规定处理。

（六）建立信息共享机制。各级文物、民政部门应核定公布统一的非国有博物馆名录。各级文物部门应定期将非国有博物馆运行情况通报同级民政部门和省级文物行政部门。同级民政部门应将文物部门运行情况通报作为社会组织年检和评估的重要参考。非国有博物馆应按年度建立和公布年度报告，报告内容包括藏品情况、展览活动情况、资产管理使用情况和接受、使用捐赠、资助的有关情况等，主动接受社会监督。

（七）加强监督检查。对于未经省级文物部门备案和相应民政部门登记、擅自以非国有博物馆名义进行活动的，由所在地民政部门会同文物部门责令当事人限期整改并依法办理登记；期满达不到登记条件的，由所在地民政部门会同文物部门责令当事人自行解散或依法予以取缔。

非国有博物馆章程示范文本

（国家文物局　文物博发〔2016〕29 号）

〈说　　明〉

一、根据《博物馆条例》、《民办非企业单位登记管理暂行条例》、《民办非企业单位（法人）章程示范文本》等有关法律法规，制定本示范文本。

二、本示范文本旨在为非国有博物馆制定章程提供范例。

三、〔　〕内文字为基本要求，* 为可选项，可以根据实际情况作适当补充。

第一章　总　　则

第一条　本博物馆的名称是________________。

〔名称应当符合《博物馆条例》和《民办非企业单位名称管理暂行规定》的规定〕

第二条　本博物馆的性质是利用或者主要利用非国有资产自愿举办的，经登记管理机关依法登记的非营利组织。

第三条　本博物馆遵守宪法、法律、法规和国家政策，遵守社会道德风尚，信守博物馆职业道德，提供诚信服务。

本博物馆的宗旨是________________。

〔必须载明：以教育、研究和欣赏为目的，收藏、保护并向公众展示（概述基于本馆定位的藏品体系），为经济社会及人的可持续发展服务〕。

第四条　本博物馆的登记管理机关是________________；本博物馆的业务主管单位是________________。

本博物馆按照《博物馆条例》、《民办非企业单位登记管理暂行条例》的规定，自觉接受登记管理机关、业务主管单位及相关职能部门的监督管理。

〔业务主管单位为省级文物行政部门，下同〕

第五条　本博物馆的住所地是________________。

〔如：×× 省（自治区、直辖市）×× 市（区、县）〕

第六条 本章程中的各项条款与法律、法规、规章不符的，以法律、法规、规章的规定为准。

第二章 举办者、开办藏品、资金和业务范围

第七条 本博物馆的举办者是________________________________。

举办者享有下列权利：

（一）了解本博物馆经营状况和财务状况；

（二）推荐理事会、监事会的理事和监事人选；

（三）有权查阅理事会会议记录和本博物馆财务会计报告；

（四）可以依法以举办者的姓名、名称作为博物馆馆名；

…………………………。

举办者履行下列义务：

（一）遵守法律、行政法规及博物馆章程；

（二）协助理事会为博物馆运营提供保障经费；

（三）不得滥用举办者权利损害博物馆法人独立地位和利益；

（四）在博物馆办理登记注册手续后，不得抽回、撤回、转移所提供的藏品、资金等资产；

（五）不得要求分红；

…………………………。

第八条 本博物馆开办藏品：______件（套）；开办资金：__________元。

〔开办藏品、资金应符合有关法律法规的规定；若存在多个出资者，应分别载明每位出资者提供的藏品数量和出资金额〕

第九条 本博物馆的业务范围：

（一）藏品收藏：____；

（二）陈列展览：____；

（三）学术研究：____；

（四）社会教育：____；

……………………………………………。

〔必须具体明确，与业务主管单位确认的业务范围一致〕

第十条 举办者向博物馆提供的藏品，应依法办理财产权转移手续；举办者提供的开办资金，应通过会计师事务所办理验资。开办藏品、资金转移手续完成后，相应藏品、资金等资产即为本博物馆法人财产。

〔藏品财产权转移通过签订捐赠协议予以明确〕

第十一条 本博物馆成立后，向举办者签发接受出资证明书。

出资证明书内容包括：

（一）博物馆名称；

（二）博物馆成立日期；

（三）博物馆注册藏品、资金；

（四）举办者的名称及其提供的藏品、资金和出资日期；

（五）出资证明书的编号和核发日期。

出资证明书由博物馆盖章。

第三章 组织管理制度

第十二条 本博物馆设理事会，其成员为____名，理事会是本博物馆的决策机构。

理事每届任期____年，任期届满，连选可以连任。

〔理事会成员为3—25人，以单数为宜；理事每届任期3年或4年〕

第十三条 理事由举办者（包括出资者）代表、职工代表和社会人士代表（政府部门代表、专家代表、公众代表）组成，理事来源、名额和产生方式为：

举办者（包括出资者）代表____名，由举办者（包括出资者）推选产生；

职工代表____名，由全体职工推选产生；

社会人士代表____名，其中包括政府部门代表____名，由有关单位推选产生，其余通过邀请或征选的形式产生。

〔有关单位包括省级文物行政部门或博物馆所在地政府民政、财政、文物等相关部门，下同。凡接受政府资助或有政府财产投入的非国有博物馆，必须有业务主管单位推荐的理事参与治理〕

第十四条 理事会行使下列事项的决定权：

（一）制订、修改博物馆章程；

（二）制订、审议博物馆中长期发展规划和年度计划，确保博物馆的宗旨、业务范围和目的的持续性；

（三）制订、审议博物馆收藏、展览、科研、教育的方针政策，确保博物馆能最广泛地为公众服务；

（四）支持博物馆通过研究客观准确地诠释和传播有关藏品及文物的知识；

（五）根据博物馆的宗旨和业务范围审议和批准各项内部管理制度并监督制度的执行；

（六）审议、批准、监督博物馆财务预算、决算方案，对博物馆重大财务支出、募集资金、增加开办资金等事项行使决策权，监管博物馆法人财产，确保博物馆拥有独立、稳定的法人财产权；

（七）审议、批准、监督博物馆征集、接受捐赠和处置藏品的有关方案，监督博物馆藏品管理工作，确保博物馆藏品妥善管理和有序传承；

（八）选举产生理事长、副理事长，罢免、增补理事；

（九）聘任或解聘馆长，根据馆长提名聘任或者解聘本博物馆的副馆长和财务负责人；

（十）审议本馆内部薪酬分配方案、内部机构设置方案；

（十一）在本届理事会任期届满前拟定下届理事会组织方案，主持理事会换届事宜；

（十二）决定博物馆的分立、合并或终止，在博物馆终止时负责拟定藏品及法人财产处置方案；

（十三）为博物馆运营筹集保障经费；

（十四）履行法律法规及其它规定明确的理事会职责。

……………………………………。

第十五条 理事会设理事长 1 名，副理事长 1—2 名。理事长、副理事长由理事会以全体理事的过半数选举产生或罢免。

第十六条 副理事长协助理事长工作，理事长不能行使职权时，由理事长指定的副理事长代其行使职权。

第十七条 理事会会议每年召开____次〔至少两次〕。有下列情形之一的，应当召开理事会会议：

（一）理事长认为必要时；

（二）1/3 以上理事联名提议时。

第十八条 召开理事会会议，应于会议召开 10 日前将会议的时间、地点、内容等通知全体理事。理事因故不能出席的，可以书面委托其他理事代为出席理事会，委托书必须载明授权范围。

第十九条 理事会会议应由 1/2 以上的理事出席方可举行。理事会会议实行 1 人 1 票制。理事会决议一般事项必须经全体理事的半数以上通过。

下列重要事项的决议，须经全体理事的 2/3 以上通过方为有效：

（一）章程的修改；

（二）博物馆的分立、合并或终止；

（三）藏品注销及处置；

……………………………………。

凡接受政府资助的藏品、资金等资产的处置，需经政府部门代表理事的同意后，方为有效。

第二十条 理事会会议应当制作会议记录。形成决议的，应当当场制作会议纪要，并由出席会议的理事审阅、签名。理事会决议违反法律、法规或章程规定，致使本博物馆遭受损失的，参与决议的理事应当承担责任；但经证明在表决时有理事反对并记载于会议记录的，持反对意见的理事可免除责任。

理事会记录由理事长指定的人员存档保管。

第二十一条 理事长行使下列职权：

（一）召集和主持理事会会议；

（二）检查理事会决议的实施情况；

（三）法律、法规和本博物馆章程规定的其他职权。

第二十二条 本博物馆聘任馆长对理事会负责，并行使下列职权：

（一）主持本馆的日常工作，组织实施理事会的决议；

（二）组织实施本馆年度业务活动计划；

（三）拟订本馆内设机构方案；

（四）拟订内部管理制度；

（五）提请聘任或解聘副馆长和财务负责人；

（六）聘任或解聘内设机构负责人；

……………………………………………。

馆长列席理事会会议。

第二十三条 本博物馆设监事（或监事会），其成员为____人。

监事任期与理事任期相同，任期届满，可以连选连任。

〔监事会成员为不得少于 3 人的单数，并推选 1 名召集人。人数较少的非国有博物馆可不设监事会，但必须设 1—2 名监事〕

第二十四条 监事在举办者（包括出资者）、本博物馆职工或有关单位推荐的人员中产生或更换。监事会中的职工代表由博物馆全体职工民主选举产生。

理事、馆长及财务负责人，不得兼任监事。

第二十五条 监事会或监事行使下列职权：

（一）依法监督理事会、馆长按照章程开展活动；

（二）列席理事会会议，有权向理事会提出质询和建议；

（三）监督法定代表人的工作，检查财务和会计资料；

（四）有权向业务主管单位、登记管理机关及税务、会计主管部门反映情况；

（五）提议召开临时理事会会议，在理事长不履行本章程规定时召集和主持理事会会议；

……………………………………。

第二十六条 监事会会议实行1人1票制。监事会决议须经全体监事过半数表决通过，方为有效。

第二十七条 本博物馆根据业务建设、管理运行的需要，设置内部机构，内设机构的名称及其职能如下：

（一）________。职能：________________________________；

（二）________。职能：________________________________；

（三）________。职能：________________________________；

……………………………………。

＊**第二十八条** 本博物馆设置学术委员会作为业务咨询指导机构，学术委员会委员由理事会聘任。学术委员会包括本馆专家和馆外专家。

＊**第二十九条** 学术委员会主要行使以下职责：

（一）指导本馆业务工作长远规划和年度计划的拟定；

（二）指导重要藏品征集、借用；

（三）指导重要陈列展览举办和引进；

（四）指导藏品处置意见的拟定；

（五）指导重点课题研究及成果推广；

……………………………………。

第四章 法定代表人

第三十条 本博物馆的法定代表人为________________________。

〔法定代表人为理事长或馆长〕

第三十一条 有下列情形之一的，不得担任法定代表人：

（一）无民事行为能力或者限制民事行为能力的；

（二）因故意犯罪被判处刑罚，自刑罚执行完毕之日起未逾5年的；

（三）担任因违法被撤销登记证书的非国有博物馆的法定代表人，并负有个人责任的，自该博物馆被撤销登记之日起未逾3年的；

（四）非中国内地居民的；

（五）法律、法规规定不得担任法定代表人的其他情形。

第五章 藏品管理与展示服务

第三十二条 本博物馆为践行博物馆使命和服务于公众，以有限收藏为原则，制定收藏政策、标准和规划并向社会公告，健全具有自身特色的藏品体系。

藏品主要类别如下：

（一）____；

（二）____；

（三）____；

……………………………………。

第三十三条 本博物馆藏品取得方式包括：

（一）购买；

（二）接受捐赠；

（三）依法交换；

（四）法律、行政法规规定的其他合法方式。

第三十四条 本博物馆不接收来源不明或者来源不合法的藏品。

第三十五条 本博物馆的藏品属于博物馆所有，任何单位和个人不得非法侵占、私分和挪用。

第三十六条 本博物馆根据相关法律法规及专业标准为藏品提供恰当的存放和保管场所，对藏品进行恰当的保护、利用和管理。

第三十七条 本博物馆根据专业标准对藏品信息进行完整记录，建立藏品账目及档案。藏品属于文物的，区分文物等级，单独设置文物档案，建立严格的管理制度。

藏品账目及档案、文物藏品档案报业务主管单位备案。

第三十八条 本博物馆为藏品创造和保持适宜的安全控制措施，防范人为或自然因素对藏品安全的威胁。

使用藏品时，以藏品安全为前提；当利用与安全不能兼顾时，以服从安全为原则。

第三十九条 本博物馆的法定代表人对藏品安全负责。法定代表人、藏品管理人员离任前，必须办结藏品移交手续。

第四十条 本博物馆对藏品注销从严掌握、谨慎处理。只有在符合以下条件时，才可考虑依法注销藏品：

（一）不够本馆收藏标准的；

（二）因腐蚀损毁等原因无法修复并无继续保存价值的。

第四十一条 本博物馆注销藏品，需由馆长提出申请，组织专家组评估，经理事会审议、批准，报业务主管单位批准并向社会公示后方可执行。

注销文物藏品，应严格依照有关文物保护法律、行政法规的规定执行。

有政府部门代表参加的非国有博物馆理事会，在审议注销文物藏品议案时，政府部门代表享有一票否决权。

第四十二条 本博物馆对已注销的藏品，可通过捐赠、移交、交换、出售、返还或销毁等方式依法处置。

注销藏品处置方案应当与注销藏品申请一并经理事会审议、批准，报请业务主管单位批准并向社会公示。

注销藏品优先转让给其他博物馆。

本博物馆举办者、理事、监事、馆长、职工或其家庭成员及其他利益相关方，不得以直接或间接的方式获得注销的藏品。

有关注销决定、注销藏品处置方案、处置结果等全部记录，须永久妥善保存。

第四十三条 从对已注销藏品的处置中获得的资金或其他形式的补偿、收益，仅限用于本博物馆藏品的征集和保护，不得用于其他方面。

第四十四条 本博物馆努力推动分享藏品信息和知识。依托藏品及相关学术研究，举办符合专业标准的陈列展览和知识传播活动，清晰地诠释博物馆的教育目标、理念和措施，保证陈列展览等传播活动所呈现的信息完整、准确、科学，符合学术研究、社会信仰的普遍要求。

第四十五条 本博物馆保证每年向公众开放____个月以上（不得少于8个月）；并特别关注未成年人等有特殊需求的人群。

本博物馆积极促进与其他博物馆、教育科研机构及社区的交流合作。

第四十六条 本博物馆每年向社会发布年度报告，公开本博物馆的组织情况、藏品情况、展览活动情况、资产管理使用情况和接受、使用捐赠、资助的有关情况等，主动接受社会监督。

第六章 资产管理、使用原则及劳用工制度

第四十七条 本博物馆经费来源：

（一）开办资金；

（二）政府资助；

（三）在业务范围内开展服务活动的收入；

（四）利息；

（五）捐赠；

（六）其他合法收入。

第四十八条 本博物馆不从事文物等藏品的商业经营活动。从事其他商业经营活动不得与博物馆性质和宗旨相冲突，必须保证对相关工作项目（陈列、活动）的

内容及完整性的控制，不能有损于博物馆标准，不能损害观众利益。

第四十九条 本博物馆应当制定法人财产管理制度，并建立法人财产清单，清单应当报业务主管部门备案。本博物馆的法人财产任何单位、个人不得非法侵占、私分和挪用。

本博物馆资产用于章程规定的业务范围和事业发展，盈余不得分红。

第五十条 本博物馆执行国家规定的会计制度，依法进行会计核算，建立健全内部会计监督制度，保证会计资料合法、真实、准确、完整。

本博物馆接受税务、会计主管部门依法实施的税务监督和会计监督；接受业务主管部门委托审计机构开展的法人财产管理情况（包括藏品管理情况、资产管理使用情况和接受、使用捐赠、资助的有关情况）专项审计。

第五十一条 本博物馆配备具有专业资格的会计人员。会计不得兼出纳。会计人员调动工作或离职时，必须与接管人员办清交接手续。

第五十二条 本博物馆换届或更换法定代表人之前必须进行财务审计。

第五十三条 本博物馆按照《民办非企业单位登记管理暂行条例》的规定，自觉接受登记管理机关组织的年度检查。按照《博物馆条例》有关规定，主动向业务主管部门提交藏品、陈列展览等备案材料。

第五十四条 本博物馆根据业务建设、管理运行的需要，选聘专业工作人员和招募义工。

劳动用工、社会保险制度按国家法律、法规及国务院劳动保障行政部门的有关规定执行。

本博物馆工作人员不得从事违反国家法律法规、违背博物馆行业道德规范，损害公共利益或本馆利益的活动。

第七章 章程的修改

第五十五条 本博物馆有下列情形之一的，应修改章程：

（一）章程规定的事项与修改后的国家法律、行政法规的规定不符的；

（二）章程内容与实际情况不符的；

（三）理事会认为应当修改章程的其他情形。

第五十六条 本章程的修改，须经理事会决议通过后 15 日内，报业务主管单位审查同意，自业务主管单位审查同意之日起 30 日内，报登记管理机关核准。

第八章 终止程序和终止后资产的处理

第五十七条 本博物馆以永久性为目标，非因下列情形之一的，不得终止：

（一）完成章程规定宗旨和使命的；

（二）发生分立、合并的；

……………………。

第五十八条 本博物馆在理事会关于博物馆终止的决议通过后15日内，向登记管理机关和业务主管单位报告。

第五十九条 博物馆办理注销登记前，应当在登记管理机关、业务主管单位和有关机关的指导下成立清算组织，清理资产和债权债务，完成清算工作。清算期间，不进行清算以外的活动。

第六十条 本博物馆终止后，藏品优先转让给宗旨相同或者相近的博物馆。没有宗旨相同或者相近的博物馆接收，由业务主管单位主持转给其他博物馆，并向社会公告。

其他剩余财产，按照有关法律、法规的规定处理。

第六十一条 本博物馆自完成清算之日起15日内，向登记管理机关办理注销登记，并向业务主管单位报告。

第六十二条 本博物馆自登记管理机关发出注销登记证明文件之日起，即为终止。

第九章 附 则

第六十三条 本章程经×年×月×日理事会表决通过。

第六十四条 本章程的解释权属理事会。

第六十五条 本章程自登记管理机关核准之日起生效。

国有博物馆章程范本

（国家文物局　文物博函〔2016〕1080号，适用于建立理事会的国有博物馆）

序　言

（简要概述本馆的历史沿革、基本情况，体现本馆特色）

第一章　总　则

第一条　为促进和保障博物馆依法办馆、科学发展，规范本馆各项业务工作，确保公共文化服务、公共信托职能的实现，根据《中华人民共和国文物保护法》、《事业单位登记管理暂行条例》、《博物馆条例》及其他有关规定，制定本章程。

第二条　本馆名称为____________________（英文名称为____________）。

本馆住所为____，网址：______________________________________。

第三条　本馆的举办单位是________，登记管理机关是____________。

第四条　本馆的经费来源为__________，开办资金为__________________。

第五条　本馆是非营利性事业单位，具有独立法人资格，依法享有和履行相应权利义务，独立承担法律责任。

第六条　本馆的宗旨是：________________________________。

（示例：作为为社会及其发展服务的、向公众开放的非营利性常设机构，以教育、研究、欣赏为目的，收藏、保护并向公众展示人类活动和自然环境的见证物。）

第七条　本馆的业务范围是：

（一）征集、保管、保护、研究文物、标本、文献、艺术品；

（二）举办各类展览，开展社会教育活动；

（三）传播、弘扬历史、科学、文化和艺术知识；

（四）符合本章程的博物馆其它业务范围。

第二章 举 办 单 位

第八条 举办单位的权利：

（一）提出本馆的宗旨和业务范围；

（二）组建本馆第一届理事会；

（三）向本馆理事会委派有关理事；

（四）提名并任免馆长、副馆长；按照有关程序任免党组织负责人；

（五）审核本馆章程草案及章程修改草案；

（六）批准本馆理事会工作报告；

（七）支持理事会依照相关法律法规和本章程履行职责；

（八）监督本馆运行；

（九）履行法律法规及其它规定明确的举办单位职责。

第九条 举办单位的义务：

（一）支持本馆依照法律、法规、规章和本章程自主办馆，制止或者排除侵害或妨碍本馆行使自主权的行为；

（二）为本馆提供稳定增长的办馆资金和相关资源，提供必备的办馆保障条件和必要的政策支持；

（三）维护本馆合法权益，支持与引导本馆发展；

（四）法律、法规规定的其他义务。

第三章 理 事 会

第一节 理事会的构成和职责

第十条 理事会是本馆的决策、监督机构，理事会向举办单位报告工作。

理事会每届任期__________年。

（注：规模较大的博物馆可单独设立监事会。单独设立监事会的，应增加相应章节载明监事会职责、监事会会议规则，监事长及监事产生方式等。）

第十一条 本馆理事会成员________名，采用委派、征选或推选方式产生，由举办单位履行任免程序，其来源与名额、产生方式为：

举办单位或政府部门代表________名，由举办单位或相关政府部门委派产生；

社会公众代表________名，包括各利益相关方代表、专家代表、观众代表，由举办单位面向社会征选；

本馆代表________名，其中馆长、党组织负责人为当然理事，其余____名由本馆推选产生。

理事会设秘书1人，负责日常联络、会议记录、文稿起草、档案管理等工作。该职务没有发言权、提议权和表决权。

第十二条 理事会的基本职责：

（一）确保博物馆的宗旨、业务范围和目的的持续性；

（二）鼓励公众积极参与博物馆的各项业务活动；

（三）根据博物馆的宗旨和业务范围提供相应支持，确保藏品及文物在当前和未来的安全和维护；

（四）确保博物馆能最广泛地为公众服务；

（五）支持博物馆通过研究，客观准确地诠释和传播有关藏品及文物的知识；

（六）根据博物馆的宗旨和业务范围，监察和批准各项制度并监督这些制度的执行；

（七）审议博物馆中长期发展规划，审议和批准博物馆目标和实现途径，监督博物馆计划的执行；

（八）通过审查、批准、监督预算和财务报告，决策博物馆财政预算支出和募集资金，保证博物馆的财政稳定；

（九）选举产生理事长、副理事长，审议馆长、副馆长人选，评估管理层的工作；

（十）确保博物馆有充足的人员实施博物馆的各项功能；

（十一）审议本馆内部薪酬分配方案、内设和分支机构设置方案；

（十二）本届理事会任期届满前三个月负责组建下届理事会，并报举办单位审议；

（十三）履行法律法规及其它规定明确的理事会职责。

第十三条 理事会向举办单位提交年度工作报告和重大事项专题报告。理事会通过的决议按管理权限须报有关部门批准或备案的，应报有关部门批准或备案。

第十四条 第一届理事会由举办单位组织；理事会换届改选时，由举办单位、本届理事会共同组织，按程序选举新一届理事。

第二节 理 事

第十五条 理事每届任期与理事会任期相同。任期届满，根据工作需要可以连选连任，但任期最长不超过两届。举办单位或政府部门委派的理事年龄不得超过60岁，社会人士年龄原则上不超过70岁；

第十六条 理事为非受薪的社会公益职位，不得因理事资格领取薪酬；因履行理事职责产生的交通、通讯等相关补贴，可按有关规定从本馆经费中列支。

第十七条 理事任职资格：

（一）熟悉并遵守有关法律法规和国家政策；

（二）热心社会公益，热爱文博事业，能维护本馆的权益和社会声誉；

（三）在所在行业具有一定资历和良好声望，能客观、独立表达意见；

（四）无记过以上行政处分、无违法犯罪、失信记录，且具有完全民事行为能力。

第十八条 理事享有以下权利：

（一）出席理事会会议，享有发言权、提议权、表决权、选举权和被选举权；

（二）对理事会会议和本馆重大事项的知情权、建议权和监督权；

（三）提议召开临时理事会会议；

（四）理事会赋予的其他权利。

第十九条 理事应当履行以下义务：

（一）遵守有关法律、法规和本章程，在理事职责范围内行使权利，认真履行职责；

（二）及时向本馆反映社会各界的意见与建议，广泛引导和争取社会资源支持本馆事业发展；

（三）按时参加理事会会议及相关活动，遵守并执行理事会会议决议；

（四）遵守理事会规定的其他义务。

第二十条 理事履职过程中不得有以下情形：

（一）擅自公开或使用本馆涉密信息；

（二）凭借理事身份为本人或者他人谋取不当利益；

（三）以违背本章程规定和精神的方式干扰本馆正常运作；

（四）从事其他与理事身份不符的行为。

第二十一条 理事可以在任期内提出辞职。辞职应向理事会递交书面申请，经理事会表决通过后，理事资格方可终止。委派的理事辞职须经委派方同意。

第二十二条 理事发生以下情形的，理事会应按程序终止其理事资格：

（一）任期内无正当理由连续两次或累计三次不参加理事会会议的；

（二）因本人身体健康和工作等原因，无法继续履行理事职责的；

（三）不能履行理事职责与义务、损害公共利益或本馆利益的；

（四）违反法律法规，被追究行政或刑事责任的；

（五）法律法规和本章程规定的其他情形。

第二十三条 委派或推选的理事任期内因故变动需更换，由委派方或推选方提出人选，经理事会表决通过后，按理事原产生方式及程序予以更换。

第二十四条 理事出现空缺，应及时按原产生方式及程序填补缺额。新任理事任期为当届理事余下任期。

第三节 理 事 长

第二十五条 理事会设理事长一名，副理事长______名。理事长由举办单位提名，理事会选举任命；副理事长由理事长提名，理事会选举任命。

第二十六条 理事长行使以下职权：

（一）引导理事会完成其职权，支持本馆实现各项发展目标；

（二）确定理事会的议题，召集并主持理事会会议；

（三）督促、检查理事会决议的实施情况；

（四）代表理事会签署有关文件；

（五）法律法规和理事会授予的其他职权。

第二十七条 副理事长协助理事长工作。理事长可委托副理事长代行相关职权。

第四节 理事会会议

第二十八条 理事会会议一般由理事长召集和主持。每年应至少召开两次理事会会议，会议召开前十日书面通知全体理事。理事会会议应有三分之二以上的理事出席方可举行。

第二十九条 理事长认为必要时，或有三分之一以上理事联名提议时，可召开理事会临时会议，并于会议召开前五日书面通知全体理事。

第三十条 理事会实行民主集中制。采用记名方式投票表决，每名理事享有一票表决权。理事会决议一般事项须经全部理事的半数以上通过，重大事项须经全部理事的三分之二以上通过方可生效。

重大事项如下：

（一）拟定及修订本馆章程；

（二）审议本馆中长期发展战略和发展规划；

（三）审议本馆重大财务事项；

（四）审议本馆内部薪酬分配方案；

（五）审议本馆机构设置方案；

（六）审议馆长、副馆长人选；

（七）审议决定本馆理事会成员的聘任和解聘。

第三十一条 理事会会议应当制作会议记录。出席会议的理事和记录人，应当在会议记录上签名。形成决议的，应当制作会议纪要，并由出席会议的理事审阅、签名。理事会会议记录应当作为本馆重要档案妥善保管。

第三十二条 理事会会议记录应当载明以下内容：

（一）出席会议的理事人员、列席人员、缺席理事及缺席事由；

（二）会议的日期、地点；

（三）主要议题及议程；

（四）参会理事的发言要点；

（五）提交表决事项的表决结果；

（六）理事会认为应当载入会议记录的其他内容。

第三十三条 理事会决议违反法律、法规或本单位章程规定，致使本馆利益遭受损失的，参与决议的理事应当承担责任。经证明在表决时反对并记载于会议记录的，该理事可免除责任。

第四章 管 理 层

第三十四条 本馆管理层是理事会的执行机构，向理事会负责，由馆长、党组织负责人、副馆长和其他核心管理人员组成，实行馆长负责制。

第三十五条 馆长、副馆长由举办单位提名，经理事会审议同意后，由举办单位按干部管理权限任免；党组织负责人由举办单位按照有关程序任免。

第三十六条 管理层履行下列职责：

（一）组织实施理事会的决议，接受理事会的监督；

（二）编制博物馆发展规划，组织开展业务活动，实施年度工作计划等日常工作管理；

（三）编制并组织实施经费预算等财务资产管理；

（四）按照相关条例做好职工招聘、岗位晋升、人员管理、内设或分支机构的设置、薪酬发放等工作；

（五）做好文物安全工作、保障本馆内参观及活动人群的安全；

（六）根据工作需要可提议设立发展规划、薪酬与考核、展览陈列、藏品征集与保护等咨询委员会或专业委员会。

第三十七条 馆长作为拟任法定代表人人选，经登记管理机关核准登记后，取得本馆法定代表人资格。

馆长行使下列职责：

（一）全面负责本单位业务、人事、财务、资产、征集等各项管理工作；

（二）组织制定本馆内设机构设置方案和基本管理制度；

（三）按照理事会决议主持开展工作；

（四）法律法规和本章程规定的其他职责。

第三十八条 副馆长协助馆长工作。馆长因故临时不能行使职权时，指定副馆长代行其职权。

第五章 职 工

第三十九条 本馆职工由专业技术人员、管理人员、工勤人员等组成。

第四十条 本馆按照事业单位人事管理的有关规定对职工进行管理。招聘、聘用、考核、晋升、奖惩等具体办法由本馆或本馆授权的相关职能部门依法另行制定和实施。

第四十一条 职工根据法律、行政法规、规章以及本章程的规定享有下列基本权利：

（一）开展岗位要求的工作，按其岗位职责和贡献程度依据有关规定领取相应薪酬；

（二）对博物馆事务提出意见和建议，通过职工代表大会等参与民主管理；

（三）公平地获得个人发展所需的相应工作、学习和交流的机会；

（四）在工作业绩、工作能力等方面获得公正评价，公平地获得各级各类奖励及各种荣誉称号；

（五）对职称、待遇、纪律处分等涉及其切身利益的相关决定表达异议，提出申诉，并请求处理；

（六）法律、行政法规、规章、章程以及博物馆规章制度或者聘约规定的其他权利。

第四十二条 职工根据法律、行政法规、规章以及本章程的规定应当履行下列基本义务：

（一）遵守宪法、法律和博物馆职业道德，不断提高思想政治觉悟和业务水平；

（二）珍惜爱护博物馆声誉，维护博物馆利益，遵守博物馆各项规章制度；

（三）勤奋工作，恪尽职守，完成岗位要求的工作任务；

（四）法律、行政法规、规章、章程以及本馆规章制度或者聘约规定的其他义务。

第六章 藏品展示、保护、管理、处置

第四十三条 本馆坚持博物馆公共信托职责，所有藏品均为永久性收藏，按照有关法律法规合法保藏和利用。

第四十四条 本馆应当建立完备的藏品账目及档案，区分文物藏品等级、单独

设置文物档案，建立严格的管理制度，并报文物主管部门备案。

第四十五条 本馆法定代表人对藏品安全负责，法定代表人、藏品管理人员离任前，应当办结藏品移交手续。

第四十六条 本馆举办陈列展览，开展社会教育和公众服务，其主题和内容应当符合宪法所确定的基本原则和维护国家安全与民族团结、弘扬爱国主义、倡导科学精神、普及科学知识、传播优秀文化、培养良好风尚、促进社会和谐、推动社会文明进步的要求。

第四十七条 本馆不得从事文物等藏品的商业经营活动。从事其他商业经营活动，不得违反办馆宗旨，不得损害观众利益。

第四十八条 本馆终止后，藏品处置依照有关文物保护法律法规的规定处理。

第七章 资产的管理和使用

第四十九条 本馆的合法资产受法律保护，任何单位、个人不得侵占、私分、挪用。

第五十条 本馆的经费使用应符合本馆的宗旨和业务范围。

第五十一条 本馆执行国家统一的事业单位会计制度，依法接受税务、会计、审计等主管部门监督。

第五十二条 本馆的人员工资、社保、福利待遇按照国家有关规定执行。

第五十三条 理事会换届和本馆的法定代表人离任前，应当进行经济责任审计。

第八章 信 息 披 露

第五十四条 本馆承诺按照相关法律法规、政策和登记管理机关的规定，真实、完整、及时地披露应当公开的相关信息。

第五十五条 信息披露的主要形式：单位年报、职工大会、公示栏和相关新闻媒体及网站。

第九章 终止和剩余资产处理

第五十六条 本馆有以下情形之一，应当终止：

（一）经审批机关决定撤销；

（二）合并、分立；

（三）因其他原因依法应当终止的。

第五十七条 本馆在申请注销登记前，理事会在举办单位和有关机关的指导下，成立清算组织，开展清算工作。清算期间不开展清算以外的任何活动。

第五十八条 本馆所有藏品及文物，应由政府主管部门组织清点封存，可划拨其他博物馆等机构用于公益性目的，不得用于清算偿债。

第五十九条 清算工作结束，形成清算报告，经理事会通过，报举办单位审查同意后，向登记管理机关申请注销登记。

第六十条 本馆终止后的其他剩余资产，在相关政府部门的监督下，按照有关法律法规和本馆章程进行处置。

第十章 章程修改

第六十一条 本馆有下列情形之一的，应修改章程：

（一）章程规定的事项与修改后的国家法律、行政法规的规定不符的；

（二）章程内容与实际情况不符的；

（三）理事会认为应当修改章程的其他情形。

第六十二条 理事会决议通过的章程修改案，经举办单位审查同意后，报登记管理机关核准备案。涉及事业单位法人登记事项的，须向登记管理机关申请变更登记。

第十一章 附则

第六十三条 本章程经______年______月______日理事会表决通过。自事业单位登记管理机关核准备案之日起生效。

第六十四条 本章程中的各项条款与法律、法规不符的，以法律、法规的规定为准。涉及事业单位法人登记事项的，以登记管理机关核准颁发的《事业单位法人证书》刊载内容为准。

第六十五条 本章程解释权属于本馆理事会。

国家文物保护专项资金管理办法

（财政部　国家文物局　财文〔2018〕178号）

第一章　总　　则

第一条　为了规范和加强国家文物保护专项资金（以下简称专项资金）管理与使用，提高资金使用效益，根据《中华人民共和国预算法》《中华人民共和国文物保护法》等法律法规和财政管理有关规定，结合文物保护工作实际，制定本办法。

第二条　专项资金是中央财政为支持全国文物保护工作、促进文物事业发展设立的具有专门用途的补助资金。专项资金的年度预算，根据国家文物保护工作总体规划、年度工作计划及中央财政财力情况确定。

第三条　专项资金的管理与使用坚持“规划先行、突出重点、中央补助、分级负责、注重绩效、规范管理”的原则。

第四条　专项资金实行因素分配与项目管理相结合的方法，适当向革命老区、民族地区、边疆地区、贫困地区倾斜，向革命文物等党中央、国务院确定的重点支持方向倾斜。

第五条　专项资金的管理和使用应当严格执行国家有关法律法规、财务规章制度和本办法的规定，并接受财政、审计、文物等部门的监督检查。

第二章　补助范围和支出内容

第六条　专项资金的补助范围主要包括：

（一）全国重点文物保护单位保护。主要用于全国重点文物保护单位的维修、保护等，包括：保护规划编制，文物本体维修保护，安防、消防、防雷等保护性设施建设，文物本体保护范围内的保存环境治理，陈列展示，数字化保护，预防性保护，大遗址保护管理体系建设和世界文化遗产监测管理体系建设等。对非国有的全国重点文物保护单位，可以在其项目完成并经过评估验收后，申请专项资金给予适当补助。

（二）省级及省级以下文物保护单位保护。主要用于省级及省级以下国有文物保护单位的维修、保护等，包括：文物本体维修保护，革命文物保护利用片区整体陈列展示，安防、消防、防雷等保护性设施建设等。

（三）考古。主要用于考古（含水下考古）工作，包括：考古调查、勘探和发掘，重要考古遗迹现场保护以及重要出土（出水）文物现场保护与修复等。

（四）可移动文物保护。主要用于国有文物收藏单位馆藏一、二、三级珍贵文物的保护，包括：预防性保护，文物技术保护（含文物本体修复），数字化保护等。

（五）财政部和国家文物局批准的其他项目。

第七条 专项资金支出内容包括：

（一）文物本体维修保护工程支出，主要包括勘测费、规划及方案设计费、材料费、燃料动力费、设备费、施工费、监理费、劳务费、专家咨询费、测试化验加工费、管理费、资料整理和报告出版费等。

（二）文物考古调查、发掘支出，主要包括调查勘探费、测绘费、发掘费、发掘现场安全保卫费、青苗补偿费、劳务费、考古遗迹现场保护费、出土（出水）文物保护与修复费、资料整理和报告出版费等。

（三）文物安防、消防及防雷等保护性工程支出，主要包括规划及方案设计费、风险评估费、材料费、设备费、劳务费、施工费、监理费、资料整理和报告出版费等。

（四）文物技术保护支出，主要包括方案设计费、测试化验加工费、材料费、设备费、劳务费、专家咨询费、资料整理和报告出版费等。

（五）预防性保护支出，主要包括方案设计费、设备费、材料费、评估测试费、劳务费、专家咨询费、资料整理和报告出版费等。

（六）数字化保护支出，主要包括方案设计费、设备费、材料费、软件开发购置费、评估测试费、劳务费、专家咨询费、资料整理和报告出版费等。

（七）文物陈列展示支出，主要包括方案设计费、材料费、设备费、劳务费、施工费、监理费、专家咨询费、资料整理和报告出版费等。

（八）文物保护管理体系建设支出，主要包括规划及方案设计费、专项调研费等。

（九）其他文物保护支出。

第八条 专项资金补助范围不包括：征地拆迁、基本建设、日常养护、应急抢险、超出文物本体保护范围的环境整治支出、文物征集、数据库建设和运维等以及中央与地方共建国家级重点博物馆的各项支出。

第九条 专项资金不得用于支付各种罚款、捐款、赞助、投资等支出，不得用于编制内在职人员工资性支出和离退休人员离退休费，不得用于偿还债务，不得用于国家规定禁止列支的其他支出。

第三章　分 配 办 法

第十条　专项资金支持的项目应当是纳入国家文物保护工作总体规划、三年滚动规划或年度计划的项目，包括重点项目和一般项目。其中，重点项目指由国家文物局批复保护方案的项目或项目申报单位隶属于中央部门的项目。一般项目指由省级及省级以下文物行政主管部门批复保护方案的项目。国家文物局和财政部共同建立项目库，并实行分级管理。

重点项目应当符合党中央、国务院确定的重点支持方向，其中不可移动文物保护实施单位应当为全国重点文物保护单位或省级文物保护单位。一般项目应当优先安排用于党中央、国务院确定的重点支持方向。

第十一条　重点项目实行项目法分配。项目补助金额根据预算评审结果、预算执行情况、中央相关部门和各省级财政部门的申请情况等核定。

第十二条　一般项目实行因素法分配，分配因素包括基本因素、业务因素、绩效因素和财力因素。根据中央对地方均衡性转移支付办法规定的各省财政困难程度系数对基本因素分配金额进行调整，再按照基本因素占 40%、业务因素占 30%、绩效因素 30% 计算补助数额。

第十三条　基本因素及权重。包括全国重点文物保护单位数（权重 20%）、省级及省级以下文物保护单位数（权重 10%）和国有文物收藏单位馆藏珍贵文物数（权重 10%），根据全国文化文物业统计资料年度最新数据测算。

第十四条　业务因素及权重

（一）全国重点文物保护单位项目立项数（权重 10%），根据国家文物局批复的年度计划测算。

（二）文物安全指标（权重 6%），包括全国重点文物保护单位安全案件事故和文物行政执法工作情况两个基本指标（各占 3%），根据国家文物局发布的年度文物行政执法和安全监管工作情况通报测算。

（三）预防性保护指标（权重 14%），包括文物保护管理机构和文保机构从业人员两个基本指标（各占 7%），根据全国文化文物业统计资料年度最新数据测算。

第十五条　绩效因素及权重。根据绩效情况分配，包括专项资金执行率（权重 10%）、项目质量（权重 10%）和项目完成率（权重 10%），根据国家文物局统计数据和相关绩效情况测算。

第十六条　一般项目补助资金计算分配公式如下：

某省一般项目补助资金额度＝某省基本因素得分/∑各省基本因素得分 × 年度一般项目补助资金总额 ×40% ＋某省业务因素得分/∑各省业务因素得分 × 年度一般项目补助资金总额 ×30% ＋某省绩效因素得分/∑各省绩效因素得分 × 年度一般项目补助资金总额 ×30%；

其中：基本因素得分＝（某省全国重点文物保护单位数/全国重点文物保护单位总数 ×20+ 某省省级文物保护单位数/全国省级文物保护单位总数 ×10 ＋某省国有文物收藏单位馆藏珍贵文物数/各省国有文物收藏单位馆藏珍贵文物总数 ×10）× 某省财政困难程度系数；

业务因素得分＝某省全国重点文物保护单位项目立项数/全国该项因素最大值 ×10+ 文物安全基本指标Ⅰ得分 ×3 ＋文物安全基本指标Ⅱ得分 ×3 ＋预防性保护基本指标Ⅰ得分 ×7 ＋预防性保护基本指标Ⅱ得分 ×7；

绩效因素得分＝某省三年专项资金执行率/全国该项因素最大值 ×10+ 项目质量/全国该项因素最大值 ×10+ 项目完成率/全国该项因素最大值 ×10。

第四章　申报与审批

第十七条　专项资金的申报单位应当保证申报材料真实、准确、完整；申报项目应当具备实施条件，明确项目实施周期和分年度预算计划，短期内无法实施的项目不得申报；不得以同一项目申报多项中央专项转移支付资金。

第十八条　项目申报单位应当根据行政隶属关系和规定程序逐级申报。项目如涉及国土资源、城乡规划、环境保护、林业、水利及产业发展规划等，申报前应当获得相关部门批准。

（一）由国家文物局批复保护方案的项目。

项目实施单位隶属于地方的，应当逐级报送至省级财政部门和省级文物行政主管部门共同审核汇总后，报财政部和国家文物局。其中，项目实施单位主管部门属于非文物系统的，应当由其主管部门审核同意后报送同级财政部门和文物行政主管部门，由财政部门和文物行政主管部门逐级申报。

项目实施单位隶属于中央部门的，应当逐级报送至中央主管部门审核同意后，报财政部和国家文物局。

项目实施单位为非国有的，应当逐级报送至所在地方省级财政部门和省级文物行政主管部门，由省级文物行政主管部门对文物保护项目完成情况进行评估验收后，报财政部和国家文物局。

（二）由省级及省级以下文物行政主管部门批复保护方案的项目，应当根据行政隶属关系和规定程序逐级报送至省级财政部门和文物行政主管部门。其中，项目实施单位主管部门属于非文物系统的，应当由其主管部门审核同意后报送同级财政部门和文物行政主管部门，由财政部门和文物行政主管部门逐级申报。

凡越级申报的一律不予受理。

第十九条 国家文物局负责组织重点项目预算评审，省级文物行政主管部门负责组织一般项目预算评审。项目预算评审应当委托第三方机构或专家组，根据文物行政主管部门批准的项目保护方案和相关技术标准开展。对于第三方机构或专家组提交的项目预算评审意见，由委托方进行复核，并将复核通过的项目预算评审控制数纳入项目库。国家文物局可以根据需要对入库一般项目质量进行抽查。

第二十条 委托第三方机构开展预算评审的，第三方机构的遴选应符合政府购买服务相关规定，相关机构需具备工程造价咨询甲级资质、熟悉国家文物保护相关政策、拥有预算评审所必需的古建筑造价人员和文物保护相关专业人员。第三方机构评审应当按照文物保护利用最小干预、预防性保护和抢救性保护并重等原则，重点审核项目总预算和项目实施周期分年度预算安排的合规性、合理性、相符性和准确性。评审过程中可以根据需要对项目实施单位申报信息进行现场核查。

第二十一条 省级财政、文物行政主管部门综合考虑文物保护工作实际、年度工作计划，区分轻重缓急，对项目库一般项目进行排序。省级财政部门会同省级文物行政主管部门，根据项目排序和项目预算评审、执行情况，结合项目实施周期和年度预算需求，提出下年度资金申请，并于 8 月 31 日前将申请报告报送财政部和国家文物局，抄送当地财政监察专员办事处。

第二十二条 国家文物局依据国家有关方针政策和项目预算评审、执行情况，结合有关部门和地方文物保护工作情况和专项资金年度申请情况，对项目库项目排序进行调整，对一般项目相关因素进行测算，提出年度专项资金预算安排建议方案，报财政部审核。其中，分地区因素测算数不得高于该地区年度一般项目预算评审控制数规模，超出部分调减用于重点项目。

第二十三条 财政部根据国家文物局建议方案，综合考虑年度专项资金预算规模、项目排序和预算管理要求，审核确定当年专项资金预算分配方案，按照规定分别下达中央有关部门、省级财政部门，抄送国家文物局和有关财政监察专员办事处。同时会同国家文物局将项目预算安排数纳入项目库。

第二十四条 省级文物行政主管部门根据项目库项目排序和预算评审、执行情况，提出一般项目预算安排建议方案。省级财政部门根据省级文物行政主管部门建议方案，在综合考虑一般项目补助年度预算规模、项目排序和预算管理规定的基础上，审核确定当年一般项目补助预算分配方案。其中，省级及省级以下文物保护单位保护项目预算不超过本省一般项目补助的 15%；数字化保护支出预算不超过本省一般项目补助的10%。

第二十五条 省级财政部门应当在接到专项资金预算30日内，正式分解下达本级有关部门和本行政区域县级以上各级政府财政部门，将资金分配结果报财政部备案并抄送当地财政监察专员办事处。基层政府财政部门接到专项资金后，应当及时分解下达至项目实施单位。上述项目预算下达情况要及时纳入项目库。

第二十六条 财政部按规定将下一年度预计数提前下达省级财政部门，并抄送国家文物局和财政监察专员办事处。省级财政部门在接到预计数后30日内下达本行政区域县级以上各级财政部门，同时将下达文件报财政部备案，并抄送当地财政监察专员办事处。县级以上地方各级财政部门应当将上级财政部门提前下达的预计数编入本级政府预算。

第二十七条 专项资金下达后，地方各级相关部门和项目实施单位应当按规定加强预算执行管理，不得以重复评审等形式截留项目资金。

第五章　资金使用、管理

第二十八条 项目实施单位应当严格按照批准的专项资金补助范围和支出内容安排使用专项资金。如有特殊情况，需要调整补助范围和支出内容的，应当逐级报送至项目保护方案批复部门同意，并报同级财政部门备案。在确保完成当年文物保护项目基础上，省级财政部门可会同省级文物行政主管部门，在本办法规定的专项资金支出范围内，统筹使用资金。

第二十九条 专项资金支付应当按照国库集中支付有关规定执行。专项资金支出过程中按照规定需要实行政府采购的，按照《政府采购法》等有关规定执行。国家对相关支出事项有规定标准的，按照国家标准执行。专项资金上年项目结转资金可在下年继续使用；连续两年未用完的项目结转资金，应按照规定确认为结余资金，由项目实施单位同级财政部门按规定收回统筹使用。对因情况发生变化导致短期内无法继续实施的项目，项目实施单位应及时按程序向同级财政部门报告，由同级财政部门按规定收回统筹使用。

第三十条 项目实施单位使用专项资金形成的资产属于国有资产的，应当按照国家国有资产管理有关规定管理，防止国有资产流失。知识产权等无形资产的管理，应当按照国家相关知识产权法律法规执行。项目成果（含专著、论文、研究报告、总结、数据资料、鉴定证书及成果报道等），均应注明“国家文物保护专项资金补助项目”和项目编号。

第三十一条 专项资金实行年度财务报告制度。项目实施单位在项目实施年度终了后，应当通过专项资金系统逐级报送项目决算。中央有关部门、省级文物行政主管部门对专项资金决算进行审核汇总（地方单位实施的项目决算应经省级财政部门审核同意后报送），于每年 3 月 31 日前将上年度项目决算汇总情况报送国家文物局，并上传到专项资金项目库。国家文物局审核汇总后，将国家文物保护专项资金年度项目决算情况报财政部备案。

第三十二条 专项资金实行结项财务验收制度。项目实施完毕后，项目实施单位应当在 6 个月内分别向中央有关部门、省级文物行政主管部门提出财务验收申请。中央有关部门、省级文物行政主管部门委托第三方机构或专家组对项目进行财务验收，出具验收意见，并上传到专项资金项目库。项目通过财务验收后，项目实施单位应当在一个月内及时办理财务结账手续。未通过财务验收的，项目实施单位应当根据财务验收意见进行整改，在一个月内重新提出财务验收申请，按规定程序再次报请验收。

第三十三条 中央有关部门、省级文物行政主管部门应当在每年 3 月 31 日前，将上年度财务验收情况汇总报国家文物局备案，地方单位实施的项目财务验收情况须同时报省级财政部门备案。国家文物局将年度项目结项情况汇总后报送财政部。国家文物局可以根据需要对项目库中项目结项验收情况进行抽查，涉及具有重大社会影响和示范价值的重点项目，国家文物局可以直接委托第三方机构或专家组进行验收。

第六章　资金监管与绩效评价

第三十四条 各级财政、文物行政主管部门按照全面实施预算绩效管理的要求，完善绩效目标管理，做好绩效监控和绩效评价，确保财政资金安全有效。

第三十五条 财政部会同国家文物局按照预算绩效管理规定和资金管理需要，不定期对地方资金使用情况开展绩效评价。省级财政部门会同文物行政主管部门按照预算绩效管理规定和资金管理需要，对本地政策实施和资金使用情况开展绩效评价。

第三十六条 各级财政部门和文物行政主管部门应当按照有关规定，加强对专项资金使用的监督管理。财政部驻各地财政监察专员办事处应当按照工作职责和财政部要求，对专项资金的预算执行实施监管。项目实施单位应当建立健全内部监督约束机制，确保专项资金管理和使用安全、规范、有效。

第三十七条 专项资金实行“谁使用、谁负责”的责任机制，对于挤占、挪用、虚列、套取专项资金等行为，按照《中华人民共和国预算法》《财政违法行为处罚处分条例》等国家有关规定严肃处理。

第三十八条 各级财政、文物行政主管部门及相关单位、相关工作人员在国家文物保护专项资金审批工作中，存在违反规定分配资金、向不符合条件的单位（或项目）分配资金、擅自超出规定的范围或标准分配专项资金等，以及其他滥用职权、玩忽职守、徇私舞弊等违法违纪行为的，按照《中华人民共和国预算法》《中华人民共和国公务员法》《中华人民共和国监察法》《财政违法行为处罚处分条例》等国家有关规定和职责分工追究相应责任；涉嫌犯罪的，移送司法机关处理。

第七章　附　　则

第三十九条　根据《中央对地方专项转移支付管理办法》（财预〔2015〕230号）有关规定，国家文物保护专项资金实施期限为5年，具体为2019-2023年。财政部将会同国家文物局对专项转移支付开展定期评估，并结合评估结果，对专项资金实施期限进行调整。

第四十条　本办法自2019年1月1日起实施。《财政部 国家文物局关于印发〈国家重点文物保护专项补助资金管理办法〉的通知》（财教〔2013〕116号）、《财政部 国家文物局关于〈国家重点文物保护专项补助资金管理办法〉的补充通知》（财文〔2016〕26号）同时废止。

关于推进中央与地方财政事权和支出责任划分改革的指导意见

（国务院　国发〔2016〕49号）

各省、自治区、直辖市人民政府，国务院各部委、各直属机构：

合理划分中央与地方财政事权和支出责任是政府有效提供基本公共服务的前提和保障，是建立现代财政制度的重要内容，是推进国家治理体系和治理能力现代化的客观需要。根据党的十八大和十八届三中、四中、五中全会提出的建立事权和支出责任相适应的制度、适度加强中央事权和支出责任、推进各级政府事权规范化法律化的要求，按照党中央、国务院决策部署，现就推进中央与地方财政事权和支出责任划分改革提出如下指导意见。

一、推进财政事权和支出责任划分改革的必要性

财政事权是一级政府应承担的运用财政资金提供基本公共服务的任务和职责，支出责任是政府履行财政事权的支出义务和保障。改革开放以来，中央与地方财政关系经历了从高度集中的统收统支到“分灶吃饭”、包干制，再到分税制财政体制的变化，财政事权和支出责任划分逐渐明确，特别是1994年实施的分税制改革，初步构建了中国特色社会主义制度下中央与地方财政事权和支出责任划分的体系框架，为我国建立现代财政制度奠定了良好基础。总体看，我国财政事权和支出责任划分为坚持党的领导、人民主体地位、依法治国提供了有效保障，调动了各方面的积极性，对完善社会主义市场经济体制、保障和改善民生、促进社会公平正义，以及解决经济社会发展中的突出矛盾和问题发挥了重要作用。

但也要看到，新的形势下，现行的中央与地方财政事权和支出责任划分还不同程度存在不清晰、不合理、不规范等问题，主要表现在：政府职能定位不清，一些本可由市场调节或社会提供的事务，财政包揽过多，同时一些本应由政府承担的基本公共服务，财政承担不够；中央与地方财政事权和支出责任划分不尽合理，一些本应由中央直接负责的事务交给地方承担，一些宜由地方负责的事务，中央承担过

多，地方没有担负起相应的支出责任；不少中央和地方提供基本公共服务的职责交叉重叠，共同承担的事项较多；省以下财政事权和支出责任划分不尽规范；有的财政事权和支出责任划分缺乏法律依据，法治化、规范化程度不高。

这种状况不利于充分发挥市场在资源配置中的决定性作用，不利于政府有效提供基本公共服务，与建立健全现代财政制度、推动国家治理体系和治理能力现代化的要求不相适应，必须积极推进中央与地方财政事权和支出责任划分改革。

二、指导思想、总体要求和划分原则

（一）指导思想

高举中国特色社会主义伟大旗帜，全面贯彻党的十八大和十八届三中、四中、五中全会精神，深入贯彻习近平总书记系列重要讲话精神，适应、把握和引领经济发展新常态，坚持“五位一体”总体布局和“四个全面”战略布局，牢固树立和贯彻落实创新、协调、绿色、开放、共享的发展理念，遵循宪法和政府组织法的相关规定，按照完善社会主义市场经济体制总体要求和深化财税体制改革总体方案，立足全局、着眼长远、统筹规划、分步实施，科学合理划分中央与地方财政事权和支出责任，形成中央领导、合理授权、依法规范、运转高效的财政事权和支出责任划分模式，落实基本公共服务提供责任，提高基本公共服务供给效率，促进各级政府更好履职尽责。

（二）总体要求

1. 坚持中国特色社会主义道路和党的领导。通过合理划分中央与地方在基本公共服务提供方面的任务和职责，形成科学合理、职责明确的财政事权和支出责任划分体系，充分发挥中国特色社会主义制度在维护社会公平正义和促进共同富裕方面的优势，确保党的路线、方针、政策得到贯彻落实，为加强和改善党的领导提供更好保障。

2. 坚持财政事权由中央决定。在完善中央决策、地方执行的机制基础上，明确中央在财政事权确认和划分上的决定权，适度加强中央政府承担基本公共服务的职责和能力，维护中央权威。要切实落实地方政府在中央授权范围内履行财政事权的责任，最大限度减少中央对微观事务的直接管理，发挥地方政府因地制宜加强区域内事务管理的优势，调动和保护地方干事创业的积极性和主动性。

3. 坚持有利于健全社会主义市场经济体制。要正确处理政府与市场、政府与社会的关系，合理确定政府提供基本公共服务的范围和方式，将应由市场或社会承担的事务，交由市场主体或社会力量承担；对应由政府提供的基本公共服务，要明确承担财政事权和支出责任的相应政府层级，促进社会主义市场经济体制不断完善，使市场在资源配置中的决定性作用得到充分发挥。

4. 坚持法治化规范化道路。要将中央与地方财政事权和支出责任划分基本规范以法律和行政法规的形式规定，将地方各级政府间的财政事权和支出责任划分相关制度以地方性法规、政府规章的形式规定，逐步实现政府间财政事权和支出责任划分法治化、规范化，让行政权力在法律和制度的框架内运行，加快推进依法治国、依法行政。

5. 坚持积极稳妥统筹推进。要从积极稳妥推进中央与地方事权和支出责任划分改革的全局出发，先在财政事权和支出责任划分上突破，为建立科学规范的政府间关系创造基础性条件。要处理好改革与稳定发展、总体设计与分步实施、当前与长远的关系，准确把握各项改革措施出台的时机、力度和节奏，加强中央与地方之间以及各部门之间的协同合作，形成合力，确保改革扎实推进，务求实效。

（三）划分原则

1. 体现基本公共服务受益范围。体现国家主权、维护统一市场以及受益范围覆盖全国的基本公共服务由中央负责，地区性基本公共服务由地方负责，跨省（区、市）的基本公共服务由中央与地方共同负责。

2. 兼顾政府职能和行政效率。结合我国现有中央与地方政府职能配置和机构设置，更多、更好发挥地方政府尤其是县级政府组织能力强、贴近基层、获取信息便利的优势，将所需信息量大、信息复杂且获取困难的基本公共服务优先作为地方的财政事权，提高行政效率，降低行政成本。信息比较容易获取和甄别的全国性基本公共服务宜作为中央的财政事权。

3. 实现权、责、利相统一。在中央统一领导下，适宜由中央承担的财政事权执行权要上划，加强中央的财政事权执行能力；适宜由地方承担的财政事权决策权要下放，减少中央部门代地方决策事项，保证地方有效管理区域内事务。要明确共同财政事权中央与地方各自承担的职责，将财政事权履行涉及的战略规划、政策决定、执行实施、监督评价等各环节在中央与地方间作出合理安排，做到财政事权履行权责明确和全过程覆盖。

4. 激励地方政府主动作为。通过有效授权，合理确定地方财政事权，使基本公共服务受益范围与政府管辖区域保持一致，激励地方各级政府尽力做好辖区范围内的基本公共服务提供和保障，避免出现地方政府不作为或因追求局部利益而损害其他地区利益或整体利益的行为。

5. 做到支出责任与财政事权相适应。按照“谁的财政事权谁承担支出责任”的原则，确定各级政府支出责任。对属于中央并由中央组织实施的财政事权，原则上由中央承担支出责任；对属于地方并由地方组织实施的财政事权，原则上由地方承担支出责任；对属于中央与地方共同财政事权，根据基本公共服务的受益范围、影响程度，区分情况确定中央和地方的支出责任以及承担方式。

三、改革的主要内容

（一）推进中央与地方财政事权划分

1. 适度加强中央的财政事权。坚持基本公共服务的普惠性、保基本、均等化方向，加强中央在保障国家安全、维护全国统一市场、体现社会公平正义、推动区域协调发展等方面的财政事权。强化中央的财政事权履行责任，中央的财政事权原则上由中央直接行使。中央的财政事权确需委托地方行使的，报经党中央、国务院批准后，由有关职能部门委托地方行使，并制定相应的法律法规予以明确。对中央委托地方行使的财政事权，受委托地方在委托范围内，以委托单位的名义行使职权，承担相应的法律责任，并接受委托单位的监督。

要逐步将国防、外交、国家安全、出入境管理、国防公路、国界河湖治理、全国性重大传染病防治、全国性大通道、全国性战略性自然资源使用和保护等基本公共服务确定或上划为中央的财政事权。

2. 保障地方履行财政事权。加强地方政府公共服务、社会管理等职责。将直接面向基层、量大面广、与当地居民密切相关、由地方提供更方便有效的基本公共服务确定为地方的财政事权，赋予地方政府充分自主权，依法保障地方的财政事权履行，更好地满足地方基本公共服务需求。地方的财政事权由地方行使，中央对地方的财政事权履行提出规范性要求，并通过法律法规的形式予以明确。

要逐步将社会治安、市政交通、农村公路、城乡社区事务等受益范围地域性强、信息较为复杂且主要与当地居民密切相关的基本公共服务确定为地方的财政事权。

3. 减少并规范中央与地方共同财政事权。考虑到我国人口和民族众多、幅员辽阔、发展不平衡的国情和经济社会发展的阶段性要求，需要更多发挥中央在保障公民基本权利、提供基本公共服务方面的作用，因此应保有比成熟市场经济国家相对多一些的中央与地方共同财政事权。但在现阶段，针对中央与地方共同财政事权过多且不规范的情况，必须逐步减少并规范中央与地方共同财政事权，并根据基本公共服务的受益范围、影响程度，按事权构成要素、实施环节，分解细化各级政府承担的职责，避免由于职责不清造成互相推诿。

要逐步将义务教育、高等教育、科技研发、公共文化、基本养老保险、基本医疗和公共卫生、城乡居民基本医疗保险、就业、粮食安全、跨省（区、市）重大基础设施项目建设和环境保护与治理等体现中央战略意图、跨省（区、市）且具有地域管理信息优势的基本公共服务确定为中央与地方共同财政事权，并明确各承担主体的职责。

4. 建立财政事权划分动态调整机制。财政事权划分要根据客观条件变化进行动态调整。在条件成熟时，将全国范围内环境质量监测和对全国生态具有基础性、战略性作用的生态环境保护等基本公共服务，逐步上划为中央的财政事权。对新增及尚未明确划分的基本公共服务，要根据社会主义市场经济体制改革进展、经济社会发展需求以及各级政府财力增长情况，将应由市场或社会承担的事务交由市场主体或社会力量承担，将应由政府提供的基本公共服务统筹研究划分为中央财政事权、地方财政事权或中央与地方共同财政事权。

（二）完善中央与地方支出责任划分

1. 中央的财政事权由中央承担支出责任。属于中央的财政事权，应当由中央财政安排经费，中央各职能部门和直属机构不得要求地方安排配套资金。中央的财政事权如委托地方行使，要通过中央专项转移支付安排相应经费。

2. 地方的财政事权由地方承担支出责任。属于地方的财政事权原则上由地方通过自有财力安排。对地方政府履行财政事权、落实支出责任存在的收支缺口，除部分资本性支出通过依法发行政府性债券等方式安排外，主要通过上级政府给予的一般性转移支付弥补。地方的财政事权如委托中央机构行使，地方政府应负担相应经费。

3. 中央与地方共同财政事权区分情况划分支出责任。根据基本公共服务的属性，体现国民待遇和公民权利、涉及全国统一市场和要素自由流动的财政事权，如基本养老保险、基本公共卫生服务、义务教育等，可以研究制定全国统一标准，并由中央与地方按比例或以中央为主承担支出责任；对受益范围较广、信息相对复杂的财政事权，如跨省（区、市）重大基础设施项目建设、环境保护与治理、公共文化等，根据财政事权外溢程度，由中央和地方按比例或中央给予适当补助方式承担支出责任；对中央和地方有各自机构承担相应职责的财政事权，如科技研发、高等教育等，中央和地方各自承担相应支出责任；对中央承担监督管理、出台规划、制定标准等职责，地方承担具体执行等职责的财政事权，中央与地方各自承担相应支出责任。

（三）加快省以下财政事权和支出责任划分

省级政府要参照中央做法，结合当地实际，按照财政事权划分原则合理确定省以下政府间财政事权。将部分适宜由更高一级政府承担的基本公共服务职能上移，明确省级政府在保持区域内经济社会稳定、促进经济协调发展、推进区域内基本公共服务均等化等方面的职责。将有关居民生活、社会治安、城乡建设、公共设施管理等适宜由基层政府发挥信息、管理优势的基本公共服务职能下移，强化基层政府贯彻执行国家政策和上级政府政策的责任。

省级政府要根据省以下财政事权划分、财政体制及基层政府财力状况，合理确定省以下各级政府的支出责任，避免将过多支出责任交给基层政府承担。

四、保障和配套措施

（一）加强与相关改革的协同配套

财政事权和支出责任划分与教育、社会保障、医疗卫生等各项改革紧密相连、不可分割。要将财政事权和支出责任划分改革与加快推进相关领域改革相结合，既通过相关领域改革为推进财政事权和支出责任划分创造条件，又将财政事权和支出责任划分改革体现和充实到各领域改革中，形成良性互动、协同推进的局面。

（二）明确政府间财政事权划分争议的处理

中央与地方财政事权划分争议由中央裁定，已明确属于省以下的财政事权划分争议由省级政府裁定。明确中央与地方共同财政事权和中央委托地方行使的财政事权设置的原则、程序、范围和责任，减少划分中的争议。

（三）完善中央与地方收入划分和对地方转移支付制度

加快研究制定中央与地方收入划分总体方案，推动进一步理顺中央与地方的财政分配关系，形成财力与事权相匹配的财政体制。进一步完善中央对地方转移支付制度，清理整合与财政事权划分不相匹配的中央对地方转移支付，增强财力薄弱地区尤其是老少边穷地区的财力。严格控制引导类、救济类、应急类专项转移支付，对保留的专项转移支付进行甄别，属于地方财政事权的划入一般性转移支付。

（四）及时推动相关部门职责调整

按照一项财政事权归口一个部门牵头负责的原则，合理划分部门职责，理顺部门分工，妥善解决跨部门财政事权划分不清晰和重复交叉问题，处理好中央和省级政府垂直管理机构与地方政府的职责关系，为更好履行政府公共服务职能提供保障。

（五）督促地方切实履行财政事权

随着中央与地方财政事权和支出责任划分改革的推进，地方的财政事权将逐渐明确。对属于地方的财政事权，地方政府必须履行到位，确保基本公共服务的有效提供。中央要在法律法规的框架下加强监督考核和绩效评价，强化地方政府履行财政事权的责任。

五、职责分工和时间安排

（一）职责分工

财政部、中央编办等有关部门主要负责组织、协调、指导、督促推进中央与地方财政事权和支出责任划分改革工作。各职能部门要落实部门主体责任，根据本指导意见，在广泛征求有关部门和地方意见基础上，研究提出本部门所涉及的基本公共服务领域改革具体实施方案，按程序报请党中央、国务院批准后实施。

在改革实施过程中，有关部门要妥善处理中央与地方财政事权和支出责任划分带来的职能调整以及人员、资产划转等事项，积极配合推动制订或修改相关法律、行政法规中关于财政事权和支出责任划分的规定。

各省级人民政府要参照本指导意见的总体要求和基本原则，根据本地实际情况，结合财税体制改革要求和中央与地方财政事权和支出责任划分改革的进程，制定省以下财政事权和支出责任划分改革方案，组织推动本地区省以下财政事权和支出责任划分改革工作。

（二）时间安排

1. 2016 年。有关部门要按照本指导意见要求，研究制定相关基本公共服务领域改革具体实施方案。选取国防、国家安全、外交、公共安全等基本公共服务领域率先启动财政事权和支出责任划分改革。同时，部署推进省以下相关领域财政事权和支出责任划分改革。

2. 2017—2018 年。总结相关领域中央与地方财政事权和支出责任划分改革经验，结合实际、循序渐进，争取在教育、医疗卫生、环境保护、交通运输等基本公共服务领域取得突破性进展。参照中央改革进程，加快推进省以下相关领域财政事权和支出责任划分改革。

3. 2019—2020 年。基本完成主要领域改革，形成中央与地方财政事权和支出责任划分的清晰框架。及时总结改革成果，梳理需要上升为法律法规的内容，适时制修订相关法律、行政法规，研究起草政府间财政关系法，推动形成保障财政事权和支出责任划分科学合理的法律体系。督促地方完成主要领域改革，形成省以下财政事权和支出责任划分的清晰框架。

中央与地方财政事权和支出责任划分改革是建立科学规范政府间关系的核心内容，是完善国家治理结构的一项基础性、系统性工程，对全面深化经济体制改革具有重要的推动作用。各地区、各部门要充分认识推进这项改革工作的重要性、紧迫性、艰巨性，把思想和行动统一到党中央、国务院决策部署上来，以高度的责任感、使命感和改革创新精神，周密安排部署，切实履行职责，密切协调配合，积极稳妥推进中央与地方财政事权和支出责任划分改革，为建立健全现代财政制度、推进国家治理体系和治理能力现代化、落实“四个全面”战略布局提供有力保障。

公共文化领域中央与地方财政事权和支出责任划分改革方案

（国务院办公厅　国办发〔2020〕14号）

按照党中央、国务院有关决策部署，现就公共文化领域中央与地方财政事权和支出责任划分改革制定如下方案。

一、总体要求

以习近平新时代中国特色社会主义思想为指导，全面贯彻党的十九大和十九届二中、三中、四中全会以及中央经济工作会议精神，健全充分发挥中央和地方两个积极性体制机制，优化政府间事权和财权划分，建立权责清晰、财力协调、区域均衡的中央和地方财政关系，形成稳定的各级政府事权、支出责任和财力相适应的制度，健全公共文化服务财政保障机制，促进基本公共文化服务标准化、均等化，确保财政公共文化投入水平与国家经济社会发展阶段相适应，坚持和完善繁荣发展社会主义先进文化的制度，巩固全体人民团结奋斗的共同思想基础。

二、主要内容

（一）基本公共文化服务方面

1. 基层公共文化设施免费或低收费开放。将基层公共文化设施按照国家规定实行免费或低收费开放，确认为中央与地方共同财政事权，由中央与地方共同承担支出责任。主要包括地方文化文物系统所属博物馆、纪念馆、公共图书馆、美术馆、文化馆（站），以及全国爱国主义教育示范基地，按照国家规定实行免费开放；体育部门所属公共体育场馆按照国家规定实行免费或低收费开放等。

上述博物馆、纪念馆、公共图书馆、美术馆、文化馆（站）、全国爱国主义教育示范基地免费开放，所需经费由中央与地方财政分档按比例分担，其中：第一档中央财政分担80%；第二档中央财政分担60%；第三档中央财政分担50%；第四档中央财政分担30%；第五档中央财政分担10%。上述公共体育场馆免费或低收费开放，中央财政根据大型体育场馆开放数量、补助标准、绩效情况等确定对地方转移支付资金。

第一档包括内蒙古、广西、重庆、四川、贵州、云南、西藏、陕西、甘肃、青海、宁夏、新疆等12个省（自治区、直辖市）；第二档包括河北、山西、吉林、黑龙江、安徽、江西、河南、湖北、湖南、海南等10个省；第三档包括辽宁、福建、山东等3个省（不含计划单列市）；第四档包括天津、江苏、浙江、广东等4个省（直辖市）及大连、宁波、厦门、青岛、深圳等5个计划单列市；第五档包括北京、上海等2个直辖市。党中央、国务院明确规定比照享受相关区域政策的地区按相关规定执行。

2. 其他基本公共文化服务事项。将国家基本公共文化服务指导标准涉及的读书看报、收听广播、观看电视、观赏电影、送地方戏、文体活动等其他事项，确认为中央与地方共同财政事权，由中央与地方共同承担支出责任。中央财政根据基本公共文化服务工作任务量、补助标准、绩效情况、财力状况等统筹确定对地方转移支付资金。

（二）文化艺术创作扶持方面

将文化艺术创作扶持方面的有关事项按政策确定层级和组织实施主体分别划分财政事权和支出责任。主要包括为落实中央关于繁荣发展社会主义文艺的部署要求，由政府组织实施或支持开展的公益性文化活动、展览、文艺创作演出等，涉及文学、舞台艺术、美术、广播电视和网络视听节目、电影、出版等方面。

中央确定并由中央职能部门组织实施或支持开展的事项，确认为中央财政事权，由中央承担支出责任；中央确定并由中央职能部门、地方共同组织实施或支持开展的事项，确认为中央与地方共同财政事权，由中央与地方按照相关职责分工分别承担支出责任；地方确定并由地方组织实施或支持开展的事项，确认为地方财政事权，由地方承担支出责任。

（三）文化遗产保护传承方面

1. 物质文化遗产保护。主要包括文物保护单位保护、可移动文物保护、古籍保护、考古等。中央职能部门组织实施的物质文化遗产保护，确认为中央财政事权，由中央承担支出责任；纳入国家物质文化遗产保护有关规划，并由地方组织实施的文物保护单位保护、国有文物收藏单位馆藏珍贵可移动文物保护、考古等，确认为中央与地方共同财政事权，由中央与地方共同承担支出责任，中央财政根据保护需求、工作任务量、绩效情况、财力状况等确定对地方转移支付资金；其他物质文化遗产保护事项，确认为地方财政事权，由地方承担支出责任。

2. 非物质文化遗产保护。主要包括非物质文化遗产代表性项目保护、非物质文化遗产代表性传承人传习活动、文化生态保护区保护等。中央职能部门组织实施的国家级非物质文化遗产代表性项目和传承人传习活动等，确认为中央财政事权，由中央承担支出责任；地方组织实施的国家级非物质文化遗产代表性项目和传承人传习活动、文化生态保护区保护等，确认为中央与地方共同财政事权，由中央与地方共同承担支出责任，中央财政根据保护需求、工作任务量、绩效情况、财力状况等确定对地方转移支付资金；地方组织实施的省级及以下非物质文化遗产代表性项目和传承人传习活动、文化生态保护区保护等，确认为地方财政事权，由地方承担支出责任。

（四）文化交流方面

1. 对外及对港澳台文化交流合作。主要包括落实文化交流与合作协定及其执行计划，开展演出、展览、会展等对外及对港澳台文化交流和推广活动，涉及文学、舞台艺术、美术、广播电视和网络视听节目、电影、出版等方面。中央职能部门组织实施的事项，确认为中央财政事权，由中央承担支出责任；中央职能部门、地方共同组织实施的事项，确认为中央与地方共同财政事权，由中央与地方按照相关职责分工分别承担支出责任；地方组织实施的事项，确认为地方财政事权，由地方承担支出责任。

2. 海外中国文化中心建设。主要包括按照规划开展的海外中国文化中心建设、运行和相关交流活动。中央职能部门组织实施的事项，确认为中央财政事权，由中央承担支出责任；由中央职能部门指导地方组织实施的事项，确认为中央与地方共同财政事权，由中央与地方按照相关职责分工分别承担支出责任。

（五）能力建设方面

1. 公共文化机构改革和发展建设。主要包括按照国家规定对文化文物系统所属博物馆、公共图书馆、美术馆、广播电视节目制作播出传输机构、文艺院团等公共文化机构改革和发展建设的补助（地方基本公共文化服务除外）。按照隶属关系，对中央级公共文化机构改革和发展建设的补助，确认为中央财政事权，由中央承担支出责任；对地方级公共文化机构改革和发展建设的补助，确认为地方财政事权，由地方承担支出责任。

2. 公共文化管理。主要包括各级有关职能部门及所属机构承担的文化事业和文化市场、电影出版、广播电视和网络视听、文物保护管理，以及人才培养、文化志愿活动等。按照隶属关系，中央职能部门及所属机构承担的事项，确认为中央财政事权，由中央承担支出责任；地方职能部门及所属机构承担的事项，确认为地方财政事权，由地方承担支出责任。

中央预算内投资支出按国家有关规定执行，主要用于中央财政事权或中央与地方共同财政事权事项。中央与新疆生产建设兵团财政事权和支出责任划分，参照中央与地方划分原则执行；财政支持政策原则上参照新疆维吾尔自治区有关政策执行，并适当考虑新疆生产建设兵团的特殊因素。中央和地方通过政府购买服务等形式，支持社会力量参与公共文化服务。公共文化领域其他未列事项，按照改革的总体要求和事项特点具体确定财政事权和支出责任。

三、配套措施

（一）加强组织领导。各地区各有关部门要增强“四个意识”、坚定“四个自信”、做到“两个维护”，切实把思想和行动统一到党中央、国务院决策部署上来，加强组织领导，切实履行职责，密切协调配合，确保改革工作落实到位。

（二）强化投入保障。全面实施预算绩效管理，着力提高公共文化领域财政资源配置效率、使用效益和公共服务质量。中央财政加大对困难地区的均衡性转移支付力度，地方财政要统筹安排上级转移支付和自有财力，促进基本公共文化服务标准化、均等化。符合区域规划的公共文化机构基本建设等资本性支出可通过依法发行地方政府债券方式安排。

（三）协同推进改革。公共文化领域财政事权和支出责任划分改革，要与深化文化体制改革、文物保护利用改革等紧密结合，并根据改革发展形势以及相关条件成熟情况，适时优化调整财政事权事项，健全基础标准，进一步规范支出责任。省级政府要参照本方案的要求，合理划分省以下公共文化领域财政事权和支出责任。要将适宜由地方更高一级政府承担的基本公共文化服务支出责任上移，避免过多增加基层政府支出压力。

本方案自 2020 年 1 月 1 日起实施。

关于进一步加强文博事业单位人事管理工作的指导意见

（人力资源社会保障部　国家文物局　人社部发〔2019〕120号）

各省、自治区、直辖市人力资源社会保障厅（局）、文物局（文化和旅游厅/局），新疆生产建设兵团人力资源社会保障局、文物局：

为贯彻落实党的十九大和十九届三中全会精神，根据《中共中央办公厅、国务院办公厅印发〈关于加强文物保护利用改革的若干意见〉的通知》（中办发〔2018〕54号）、《中共中央办公厅、国务院办公厅印发〈关于进一步深化事业单位人事制度改革的意见〉的通知》（中办发〔2011〕28号）和《事业单位人事管理条例》（国务院令第652号）等有关政策法规，现就进一步加强文博事业单位人事管理工作提出如下指导意见。

一、总体要求

1. 指导思想。以习近平新时代中国特色社会主义思想为指导，全面贯彻党的十九大和十九届二中、三中、四中全会精神，加强党对文博事业单位的全面领导，坚持简政放权、放管结合、优化服务，强化文博事业单位公益属性，建设高素质专业化文博事业单位工作人员队伍，为文物事业发展提供强有力的人事人才支撑保障。

2. 基本原则。坚持党管干部、党管人才，贯彻落实党的干部路线方针政策；坚持正确选人用人导向，突出政治标准；坚持分级管理，充分体现文物事业发展的特点和规律；坚持严管与厚爱相结合、激励与约束并重，激励文博事业单位工作人员担当作为。

二、创新用人机制

3. 优化岗位结构。文博事业单位专业技术岗位一般不低于单位岗位总量的70%，承担较多文物修复工作的事业单位专业技术岗位比例可适当降低，不得低于50%。地方各级文博事业单位中，一级博物馆、文物保护及研究机构专业技术高级岗位比例按不超过40%控制，二级博物馆、文物保护及研究机构专业技术高级岗位比例按不超过35%控制，三级博物馆、文物保护及研究机构专业技术高级岗位比例按不超过30%控制。其他博物馆、文物保护及研究机构专业技术高级岗位比例按不超过25%控制。

4. 完善公开招聘条件和方式。拓宽引才渠道，具有特殊专长的人才参加文物保护和修复研究类专业技术岗位公开招聘的，学历要求可放宽至大学专科；参加文物保护和修复技能岗位公开招聘的，学历要求可放宽至高中、中专（含技工学校）。文博事业单位专业技术岗位、文物保护和修复技能岗位的考试，可以根据应聘人员报名、专业分布等情况适当降低开考比例，或不设开考比例，划定成绩合格线，对于急需紧缺的高层次人才，可采取直接考察的方式聘用。对文物保护和修复技能岗位的公开招聘重在“干什么、考什么”，着重采取实际操作能力测试的方式进行考试。

5. 打通各类人才内部转岗通道。严格按照干部人事管理权限，以公开公平公正、竞争择优为原则，以岗位职责能力为依据，允许文博事业单位专业技术人才、工勤技能人才比照管理岗位同等资历人员条件，通过竞聘上岗等方式，转聘相应的管理岗位。从专业技术人才、工勤技能人才中选拔任用事业单位领导人员的，按照有关规定执行。

6. 科学评价人才。深化文博系列职称制度改革。坚持以品德、能力、业绩为导向，不唯学历、不唯资历、不唯论文、不唯奖项，科学评价文博事业单位专业技术人才。考古发掘报告、文物修复方案、勘探报告、保护规划设计方案、文物绘图和文物摄影作品等成果形式可替代论文要求。直接从事文物保护和修复的专业技术人才参加职称评审，可适当放宽学历要求。从事文物保护工程的高技能人才，符合条件的可参加工程技术人才职称评审。对县以下基层文物博物专业技术人员，可以实行高级专业技术岗位“定向评价、定向使用”，总量控制、比例单列，不占各地高级岗位比例。促进文博系列职称制度与文博事业单位岗位聘用制度相衔接，把职称评审作为岗位聘用的重要依据和关键环节。完善文物保护工程水平评价类职业资格。根据文物保护工程工作实际，科学设置专业分类，完善各专业评价标准，充分发挥行业协会学会作用，实行全国统一考试，确保评价质量。

三、规范人事管理

7. 规范聘用合同管理。按照国家有关规定，规范聘用合同的订立、履行、变更、解除、终止，以聘用合同规范单位和工作人员双方的权利义务。根据文物工作特点，鼓励文博事业单位与工作人员订立5年以上期限的合同，对关键核心岗位和紧缺岗位上的工作人员，经双方协商一致，可与之订立聘用至退休的合同，鼓励其潜心研究、甘于奉献。合同履行期间，经双方协商一致，需变动岗位的，按规定变更聘用合同。单位可与主要技术负责人和专业骨干就是否完成所承担的省级以上重要文物研究、保护和修复专项任务，约定为工作人员解除聘用合同的限制性条款。

8. 加强考核工作。文博事业单位应当根据聘用合同规定的岗位职责任务，全面考核工作人员的表现，重点考核工作绩效，重点听取服务对象的意见。其中，对为单位正常运转提供支持保障的人员考核，应当听取本单位相关工作人员的意见和评价；对为公众直接提供服务的人员考核，应当采取以即时评价为主的方式进行；对其他工作人员的考核，应当根据其岗位和工作任务，听取相关单位和人员的意见。对领导人员考核，按照有关规定执行。

9. 完善奖惩制度。根据《中华人民共和国文物保护法》《中华人民共和国勋章和国家荣誉称号法》《事业单位人事管理条例》和《事业单位工作人员处分暂行规定》《事业单位工作人员奖励规定》等，对符合条件的文博事业单位工作人员，视情形给予嘉奖、记功、记大功、授予称号等奖励；对文博事业单位工作人员违反相关法律法规，非法侵占国有文物、不负责任造成珍贵文物损毁或流失、从事文物虚假鉴定获取收益或造成国有资产损失的，依法依规给予组织处理或处分，涉嫌违法犯罪的，移交司法机关处理。

四、强化能力建设

10. 健全培训机制。健全岗前培训、在岗培训、转岗培训、专项培训制度。坚持将学习贯彻习近平新时代中国特色社会主义思想摆在文博事业单位工作人员培训最突出的位置，教育引导工作人员增强“四个意识”，坚定“四个自信”，做到“两个维护”，重点提升工作人员的理想信念、思想觉悟、职业道德和综合素养。管理人员培训，注重提高文物保护利用管理能力、专业水平和职业素养；专业技术人员培训，注重提高文物保护利用专业技术水平和依法利用文物资源参与创新创造创业的能力；工勤技能人员培训，注重提高文物修复技能水平和服务保障能力。注重培养专业能力、专业精神，根据不同岗位的要求，编制工作人员培训计划，对工作人员进行分级分类培训，切实提高文博事业单位工作人员整体素质能力。

11. 提升创新能力。文博事业单位可根据创新工作需要设置开展文物保护科技研发工作的创新岗位，岗位不足的，可按规定申请设置特设岗位，不受岗位总量和结构比例限制。创新岗位人选可以通过内部竞聘上岗或者面向社会公开招聘等方式产生，任职条件要求具有与履行岗位职责相符的研发创新能力和水平。创新岗位可探索实行灵活、弹性的工作时间，便于工作人员合理安排利用时间开展创新工作。

绩效工资分配应当向在创新岗位做出突出成绩的工作人员倾斜。鼓励有条件的地方探索文博事业单位和工作人员文博创意产品收益分享机制。

12. 拓宽才智汇集机制。文博事业单位可设立流动岗位，吸引具有文物保护相关科技研发能力、文博创意产品开发和营销能力的企业人才以及具有传统技艺的民间匠人等进行兼职。流动岗位人员通过公开招聘、人才项目引进等方式被文博事业单位正式聘用的，其在流动岗位工作业绩可以作为职称评审和岗位聘用的重要依据。文博事业单位应当与流动岗位人员订立协议，明确工作期限、工作内容、工作时间、工作要求、工作条件、工作报酬、保密、成果归属等内容。

各级人力资源社会保障、文博主管部门以及文博事业单位要根据本指导意见和国家有关规定，结合实际抓好落实，促进新时代文物事业的新发展。

关于深化文物博物专业人员职称制度改革的指导意见

（人力资源社会保障部　国家文物局　人社部发〔2019〕122 号）

各省、自治区、直辖市及新疆生产建设兵团人力资源社会保障厅（局）、文物局（文化和旅游厅 / 局），国务院各部委、各直属机构人事部门：

文物博物（以下简称文博）专业人员是文物保护利用和文化遗产保护传承的中坚力量，是推动、引领文博事业蓬勃发展的重要战略资源。为贯彻落实中共中央办公厅、国务院办公厅印发的《关于深化职称制度改革的意见》，现就深化文博专业人员职称制度改革提出如下指导意见。

一、总体要求

（一）指导思想

以习近平新时代中国特色社会主义思想为指导，全面贯彻落实党的十九大和十九届二中、三中、四中全会精神，认真落实党中央、国务院决策部署，坚持党管人才原则，遵循人才成长规律，健全完善符合文博行业特点的职称制度，推动文博专业人员队伍结构更趋合理、能力素质不断提高，为促进文博事业全面发展提供人才支撑。

（二）基本原则

1. 坚持服务发展、激励创新。创新人才评价机制，充分发挥人才评价“指挥棒”作用，促进评以适用、以用促评，激发文博专业人员创新创造创业活力，满足各类用人单位选才用才需求，服务文博事业健康持续发展。

2. 坚持遵循规律、科学评价。遵循文博人才成长规律，突出文博行业特点，以品德、能力、业绩为导向，完善评价标准，丰富评价方式，破除唯学历、唯资历、唯论文、唯奖项倾向，科学、客观、公正评价文博专业人员。

3. 坚持问题导向、精准施策。针对文博专业人员职称评价存在的突出问题，根据不同专业、层级特点，加强研究，统筹推进，引导文博专业人员提高能力素质，增强事业心和职业归属感。

二、主要改革任务

通过健全制度体系、完善评价标准、创新评价机制、强化监管、优化服务等措施，建立健全符合文博行业特点、覆盖各级各类文博专业人员的职称制度。

（一）健全制度体系

1. 优化职称层级设置。文博专业人员职称设初级、中级、高级，初级职称只设助理级，高级职称分设副高级和正高级。初级、中级、副高级和正高级职称名称依次为助理馆员、馆员、副研究馆员和研究馆员。

2. 规范评审专业设置。根据文博行业特点，设置文物博物馆研究、文物保护、文物考古、文物利用四个专业类别。文物博物馆研究包括文物博物馆领域的基础理论研究、政策法规研究、标准规划研究、应用技术研究等；文物保护包括文物修缮、修复、复制、拓印、监测、鉴定、保管、安全等；文物考古包括考古调查、勘探、发掘等；文物利用包括陈列展示、教育传播、文创研发等。建立职称评审专业动态调整机制，根据文博行业发展实际需要，适时调整专业类别。

3. 文博专业人员各层级职称分别与事业单位专业技术岗位等级相对应。正高级对应专业技术岗位一至四级，副高级对应专业技术岗位五至七级，中级对应专业技术岗位八至十级，初级对应专业技术岗位十一至十三级。

（二）完善评价标准

1. 坚持德才兼备、以德为先。把品德放在文博专业人员职称评价的首位，通过考核测评、群众评议等方式，全面考察文博专业人员的职业道德和从业行为，倡导科学精神，坚守道德底线。

2. 推行代表作制度。将文博专业人员的代表性成果作为职称评审的重要内容，注重标志性成果的质量、贡献和影响力。代表作包括考古报告、专业研究或技术报告、出版的著作、发表的论文，包括已实施的展览策划方案、文物修复方案、文物保护规划、文物设计方案、文物安全设计方案、文物征集鉴定评估报告等。各地可根据本地实际情况，研究制定代表作清单，确定不同专业、不同层级职称评价的代表作类别和范围。

3. 突出业绩水平和实际贡献。注重考核文博专业人员的工作绩效、创新成果，增加技术创新、专利、技术推广、标准制定、决策咨询、公共服务等评价指标的权重，将取得的社会效益和经济效益作为职称评价的重要内容。不唯学历，对在艰苦边远地区和基层一线长期从事文博工作，实践证明能胜任相应岗位要求的，可适当放宽学历要求。不唯资历，对在文博事业发展中取得重大成果、解决重大工程技术难题、作出重大贡献的，可放宽资历等条件限制，直接申报评审高级职称。对引进的海外高层次人才和急需紧缺人才，可不受资历、年限等条件限制，建立职称评审绿色通道。不唯论文，对在艰苦边远地区和基层一线工作的文博专业人员，以及实践性、操作性强、研究属性不明显的专业，淡化或不作论文要求。不唯奖项，文博领域各级各类奖项、荣誉称号等不作为职称评定的限制性条件。

4. 实行国家标准、地区标准和单位标准相结合。人力资源社会保障部会同国家文物局研究制定《文博专业人员职称评价基本标准》（附后）。各地区可根据本地区文博事业发展情况，制定地区标准。具有自主评审权的用人单位可结合本单位实际，制定单位标准。地区标准和单位标准不得低于国家标准。

（三）创新评价机制

1. 丰富职称评价方式。建立以同行专家评审为基础的业内评价机制，灵活采用考试、评审、考核、考评结合、面试答辩、实践操作、业绩展示等多种评价方式，提高职称评价的科学性和针对性。对研究属性较强的文博专业人员，以同行学术评价为主；对应用性和技术性较强的文博专业人员，突出市场评价和社会评价。

2. 创新基层文博专业人员评价办法。鼓励文博专业人员服务基层、扎根基层，建立健全“定向评价、定向使用”制度，面向基层文博专业人员进行单独评价，评价结果限定在基层有效。根据基层一线岗位工作特点，提高技术推广、解决实际问题、基层服务年限、实际工作业绩等评价指标的权重。按有关政策规定，到基层单位从事帮扶、交流的文博专业人员，申报评审职称时可予以倾斜。鼓励各地根据实际情况，积极探索适合基层文博专业人员特点的评价办法。

3. 拓展评价范围。进一步打破户籍、地域、身份、档案等制约，畅通各类文博专业人员职称评价渠道。非国有文博机构、社会组织等单位的文博专业人员可按属地原则进行申报。在文博事业单位从事专业技术工作的编制外人员可按同等条件参加文博系列职称评价。文博事业单位中经批准离岗创业或兼职的文博专业人员，在离岗创业期间与原单位在岗人员享有同等的职称评价权利，离岗创业期间所取得的业绩成果可作为职称评价的依据。

4. 下放职称评审权限。发挥用人单位在职称评审中的主导作用，逐步下放文博专业人员职称评审权限。鼓励人才智力密集的省级及以上文博单位自主开展高级职称评审；鼓励条件具备的地市级文博单位自主开展中级和初级职称评审。经授权开展自主评审的单位，实行自主评价、自主聘任，评审结果实行事后备案管理。鼓励具备条件的地区和单位，探索开展职称评审结果互认，促进人才有序流动。

5. 促进与人才使用制度相衔接。用人单位要将职称评审与人才使用相结合，对于全面实行岗位管理的文博事业单位，一般应在岗位结构比例内开展职称评审；对尚不具备条件的单位，应强化岗位聘用管理，逐步实现在岗位结构比例内开展职称评审。

（四）强化监管、优化服务

1. 加强职称评审委员会建设。各地要按照有关规定组建各级职称评审委员会，按照程序进行核准备案后，规范开展职称评审工作。要完善评审专家遴选机制，推进评审专家共享，明确评审专家责任，强化评审考核，建立倒查追责机制。

2. 加强职称评审监督。健全职称评审公开制度，实行政策公开、标准公开、程序公开、结果公开，接受社会和群众监督。建立职称评审回避制度、公示制度和随机抽查、巡查制度，建立复查、投诉机制，强化对评审全过程的监督管理。加强对自主评审工作的监管，对不能正确行使评审权、不能确保评审质量的，将暂停自主评审工作直至收回评审权。

3. 加强职称评审服务平台建设。鼓励建立权利平等、条件平等、机会平等的职称评价公共服务平台，在文博系列政策咨询、职称申报、审核评审、查询验证等方面提供便捷化服务。合理确定申报职称所需材料种类和内容，可通过信息共享获取的，不再要求申报人另行提供，减轻文博专业人员负担。

三、加强组织实施

（一）提高认识，加强领导。文博专业人员职称制度改革是分系列推进职称制度改革的重要内容，各省（自治区、直辖市）人力资源社会保障部门和文物行政主管部门要高度重视，切实加强领导，明确改革进度和工作职责，确保文博行业职称制度改革平稳推进。

（二）周密部署，稳步实施。各省（自治区、直辖市）人力资源社会保障部门和文物行政主管部门要根据本意见精神，结合本地区实际，切实抓好改革的贯彻落实。各地在改革中要及时总结经验，发现、研究和解决改革中出现的新情况、新问题，妥善处理改革、发展和稳定的关系。

（三）加强宣传，积极引导。职称制度改革涉及广大文博专业人员的切身利益，政策性强，各级文物行政主管部门要深入细致地做好职称政策的宣传与解读，及时回应社会关切，做好舆论引导，营造有利于文博专业人员职称制度改革的良好氛围。

附件：文博专业人员职称评价基本标准

附件

文博专业人员职称评价基本标准

一、遵守中华人民共和国宪法和法律法规。

二、具有良好的职业道德，积极为文博事业贡献力量。

三、具备履行岗位职责的能力，认真履行岗位职责，按照要求参加继续教育。

四、文博专业人员申报各层级职称，除必须达到上述标准条件外，还应分别具备以下条件：

（一）助理馆员

1. 基本掌握本领域的基础理论和专业知识，或者具有基本操作技能，基本了解文博行业发展现状和相关政策法规。

2. 基本具备从事文物博物馆研究、文物保护、文物考古、文物利用等工作的能力，能够胜任各项日常基础性工作。

3. 具备硕士学位；或者具备大学本科学历或学士学位，1 年见习期满，经考察合格；或者具备大学专科学历，从事文博专业技术工作满 3 年；或高中毕业或中等职业学校毕业，从事文博专业技术工作满 5 年。

（二）馆员

1. 具有较为扎实的基础理论和专业知识，了解文博行业发展现状，在本专业技术领域内积累一定的实践经验，能够在高级专业技术人员的指导下独立开展本专业工作。

2. 在文物博物馆研究、文物保护、文物考古、文物利用等领域取得一定的研究成果；或者能够较为熟练解决常见的技术问题、取得某些技术成果；或者作为参与人完成一定的文物保护利用工作或项目，能够独立承担部分工作。

3. 具有指导助理馆员开展工作的能力。

4. 具备博士学位；或者具备硕士学位，取得助理馆员职称后，在相应专业技术岗位任职满 2 年；或者具备其他学历，取得助理馆员职称后，在相应专业技术岗位任职满 4 年。

（三）副研究馆员

1. 具有较高的专业理论水平和技术能力，具有较深的研究或丰富的实践经验，能够创造性开展工作，是专业领域内的骨干人才。

2. 在文物博物馆研究、文物保护、文物考古、文物利用等领域取得具有创新性和行业影响力的研究成果；或者具有较高的实践操作能力，参与解决关键性技术难题、取得有代表性的技术成果；或者作为主要参与人完成若干具有一定影响力的文物保护利用工作或项目。

3. 具有培养、指导馆员、助理馆员开展专业研究或实践操作的能力。

4. 具备博士学位，取得馆员职称后，在相应专业技术岗位任职满 2 年；或者具备其他学历，取得馆员职称后，在相应专业技术岗位任职满 5 年。

（四）研究馆员

1. 科研工作能力强，具有扎实的理论水平和丰富的专业知识，在相应学术、技术领域有独到见解，能够解决复杂的专业问题或指导完成重大科研任务、工程或项目，在专业领域内起带头作用和指导作用。

2. 在文物博物馆研究、文物保护、文物考古、文物利用等领域取得具有重要学术价值或广泛社会影响力的研究成果；或者具有突出的实践操作能力，成功解决关键性技术难题、取得重大影响力的技术成果；或者作为项目负责人或主要参与人完成具有广泛影响力的文物保护利用工作或项目。

3. 具有指导、培养副研究馆员、馆员等开展专业研究或实践操作的能力。

4. 一般应具有大学本科及以上学历或学士及以上学位，取得副研究馆员职称后，在相应专业技术岗位任职满 5 年。

国际博物馆协会博物馆职业道德

【国际博物馆协会 2004 年第 21 次全体大会（韩国汉城）通过；
宋向光据国际博物馆协会官方网站发布的英文文本翻译】

导　言

本《国际博物馆协会博物馆职业道德》（以下简称《博物馆职业道德》）文本经过 6 年的修订。在 2001 年文本的基础上，根据当代博物馆实践，对“国际博物馆协会职业道德”进行了全面修订，形成了本修订文本。正如前一文本所展望的，此次修订对文本格式作了全面调整，基于专业实践的关键原则，详尽阐明基本的道德准则，使之更具有博物馆的专业形式和感受。本“职业道德”文本已在协会会员中经过三次全面咨询，并于 2004 年在汉城举行的国际博物馆协会第 21 次全体大会上以鼓掌的方式通过。

《博物馆职业道德》的基本精神仍然是继续坚持服务于社会、社区、公众和各方面赞助者，以及博物馆从业人员的专业性。但本文本也有一个重要的变化，这就是文本格式的改变，突出了关键点，运用短的段落和短句，这都是全新的。这一新特点可在 2.11 和第 3、5、6 部分的原则部分看到。

这一文件为博物馆从业人员提供了在公共领域中自我规范的标准，各国在公共领域方面的法规是不一样的，而且也是不一致的。本“职业道德”明确了最基本的行为和工作标准，这是世界各国博物馆从业人员有理由追求的，并且是博物馆从业人员对公众合理期望的声明。

国际博物馆协会在 1970 年发布了“征集伦理”，并在 1986 年发布了全面的“博物馆专业工作人员职业道德”，于 2001 年发布本文本的草案，应该说，本文本的起草应归功于此前的多个职业道德规范。但是，本文本的修订和文本结构的重新调整，仍要归功于职业道德专业委员会全体成员在各次会议上——成员会议和网络会议——的奉献，以及他们对达成目标和按期完成的决心。我们对此深表谢意。职业道德专业委员会成员的名单附在文后。

与前几个职业道德规范一样，本《博物馆职业道德》提供了世界性的最低标准，基于这些标准，各国的和各专业的团体可以制定满足其特定要求的职业道德。国际博物馆协会鼓励制定各国和各专业的博物馆职业道德，以满足其特定需要。国际博物馆协会很高兴能够收到这些职业道德的文本。这些文本可寄给国际博物馆协会秘书长。

地址：Maison de I′ UNESCO，1 rue Miollis，75732 Paris Cedex 15，France.

电子信箱：secretariat@icom.museum.

国际博物馆协会职业道德专业委员会成员名单（2001-2004）：

主席：杰弗里·李维斯（Geoffrey Lewis）（英国）

成员：Gary Edson（美国）；Per Kåks（瑞典）；Byung-mo Kim（韩国）；Pascal Makambila（刚果，2002 年起）；Jean-Yves Marin（法国）；Bernice Murphy（澳大利亚，2002 年止）；Tereza Scheiner（巴西）；Shaje′ a Tshiluila（刚果民主共和国）；Michel Van-Praët（法国）。

前　　言

《博物馆职业道德》的地位

本《博物馆职业道德》由国际博物馆协会制定。它是关于博物馆职业道德的声明，这些博物馆是符合国际博物馆协会章程规定的。本职业道德所表述的是被国际博物馆界普遍接受的原则。具有国际博物馆协会会员资格和每年缴纳会费是本“职业道德”的基本前提。

博物馆最低标准

本“职业道德”规定了博物馆应遵循的最低标准。它阐明了由理想的职业行为准则所支持的一系列原则规定。在一些国家，特定最低标准以法律或政府规章的方式规定。在另外一些国家，有关最低职业标准的指导和评价可能以“认证”、“登记”或其他评估方式加以规定。在还没有制定此类最低标准的地方，可以通过国际博物馆协会秘书长、国际博物馆协会国家委员会、国际博物馆协会相关专业委员会获取有关文件。此外，希望各国和与博物馆有关的各专业团体能以本“职业道德”为基础，制定相关标准。

《博物馆职业道德》的翻译

国际博物馆协会的《博物馆职业道德》以三种语言文字出版，即英文、法文和西班牙文。国际博物馆协会欢迎以其他语言翻译本《博物馆职业道德》。但是，如果该翻译文本要想成为正式文本，则应被该国国家委员会承认，所用语言应为该国的首要语言。如果该语言在多个国家中使用，则应向相关国家的国家委员会征询意见。在进行正式文本的翻译工作中，不仅要注意语言方面的问题，也要注意专业方面的问题。翻译工作所依据的文本，以及参与翻译工作的委员会的名称，应在翻译完成的文本中予以说明。上述规定并不限制因教育或研究的需要而对本“职业道德”的全文或部分的翻译。

词汇表

鉴定：对物品或标本的鉴定和估价。在一些国家，鉴定一词是指对未获得税赋优惠而准备捐赠的物品进行的独立评价。

兴趣冲突：在工作环境中，存在着可能与原则发生冲突的个人兴趣，从而影响或可能影响决策的客观性。

交易：为个人或机构获利而收购或出售物品。

考证：在采取行动之前，尽各种努力以确定相关事实。特指在准备征集一件物品之前对其来源和历史的确认。

文保工作者—修复工作者：有能力从事技术性检验、保护、保存和修复文化财产的博物馆专业工作人员或独立工作者。更详尽信息可参看国际博物馆协会通讯39（1），5—6 页（1986）。

文化遗产：任何具有美学、历史、科学和精神意义的物或概念。

管理机构：制定博物馆规章，并对博物馆存续、战略发展和经费负责的个人或组织。

创收活动：为机构利益而获取财务收益或利润的活动。

所有权：国家关于财产所有关系的法定权利。在一些国家，这种权利可能是可商议的或非充足的权利，以满足从事考证研究的需要。

最低标准：有理由希望所有博物馆和博物馆专业工作人员都追求的标准。一些国家已制定了本国的最低标准。

自然遗产：任何被认为具有科学重要性或精神现象的自然物、现象或概念。

博物馆：博物馆是为社会和社会发展服务的非营利的常设机构，对公众开放，为研究、教育和欣赏的目的，收藏、保护、研究、传播和陈列关于人类及人类环境的实物或非实物证据。

博物馆专业工作人员：博物馆专业工作人员包括博物馆或符合国际博物馆协会章程第一条第 2、3 款规定的机构的工作人员（付薪或不付薪），他们接受过关于博物馆管理和运营的专门培训，或掌握同等的实践经验；以及遵守国际博物馆协会“博物馆职业道德”，并为博物馆及前述有关机构工作的自由职业者。但推销或交易博物馆所需商品、设施及博物馆所需服务的人员除外。

非营利组织：依法成立的法人的或非法人的团体，该团体的收入（包括所有盈余或利润）全部用于该团体的利益和其业务。“不以营利为目的”具有同样的意思。

出处：一件物品从其被发现或制作完成之日起到当前的全部的历史和所有权，确定其真确性和所有权。

有效权利：财产所有权的无可置疑的权利，并得到该物品从被发现或被制作完成之日起到当前的出处的清楚证明。

须注意，关于“博物馆”和“博物馆专业工作人员”的定义是暂时的解释，是为《国际博物馆协会博物馆职业道德》之需。在《国际博物馆协会章程》修改完成之前，该章程对“博物馆”和“博物馆专业工作人员”的定义仍然有效。

1、博物馆保护、解释和推广人类的自然和文化遗产

原则：博物馆应对实物的或非实物的自然和文化遗产负责。管理机构及其对博物馆战略方向和监督的人员应承担保护和推广上述遗产，以及保证实现这一目标所需人力、物资和经济资源的责任。

机构身份

1.1　授权文件

管理机构应保证博物馆有书面和公开出版的符合国家法律的章程或其他正式文件，这些文件要明确申明博物馆的法律身份、使命、永久性和非营利性质。

1.2　申明使命、目标和政策

管理机构应准备并公开申明关于博物馆使命、目标和政策，以及管理机构任务和构成情况，并以其为指导。

物资资源

1.3　馆舍

管理机构应保证博物馆具备在适宜环境中的馆舍，以完成由其使命规定的基本功能。

1.4　开放

管理机构应保证博物馆及其藏品定期的和合理开放时间中向所有人开放。特别要关注那些有特殊需要的人们。

1.5　健康与安全

管理机构应保证制定并实施有关博物馆专业工作人员及观众的健康、安全和进出便利的机构标准。

1.6　预防灾害

管理机构应制定并贯彻保护观众、工作人员、藏品及其他资源的政策，以预防自然和人为灾害。

1.7 安全保证

管理机构应保证适宜的安全保卫措施，保护藏品，防止其在展览、陈列、工作区、库房和运输中发生偷盗或破坏。

1.8 保险与理赔

当为藏品办理商业保险时，管理机构应保证保险是适宜的，并包括运输中、借用中的藏品，以及博物馆承担保护责任的物品。当进行理赔时，必须确保包括那些博物馆没有所有权的物品。

经济资源

1.9 资助

管理机构应保证有足够的资金，以开展和发展博物馆业务。所有资金必须以专业方式管理。

1.10 创收政策

管理机构应制定书面的有关自行创收或外部资源的收入来源的政策。不管来自何种资金渠道，博物馆必须保证对其工作项目、陈列和活动的内容及完整性的控制，创收活动不得有损于博物馆标准，不得有损于博物馆观众。

人员

1.11 人员招聘政策

管理机构应保证所有关于人员招聘的活动都必须符合博物馆政策，并遵循规范和合法程序。

1.12 聘用馆长或主要领导

馆长或主要领导是博物馆关键岗位。当聘用馆长时，管理机构应考虑胜任这一岗位需具备的知识和技能，这些条件包括适宜的学术能力和专业知识，以及高度的职业道德标准。

1.13 与管理机构的沟通

博物馆馆长或主要领导应对相关管理机构负责，并可与其直接沟通。

1.14 博物馆专业工作人员资质

招聘的博物馆专业工作人员必须具有完成其职责所需的经验（参看 2.18；2.24；8.12）。

1.15 人员培训

为保持高效率的工作队伍，应提供全体博物馆专业工作人员接受适宜继续教育和专业培训的机会。

1.16 道德冲突

管理机构永远不应要求博馆工作人员从事被认为可能与本职业道德或其他国家

法律和专业职业道德冲突的活动。

1.17　博物馆专业工作人员和义务工作者

管理机构应制定书面的有关义务工作者的政策，促进义务工作者与博物馆专业工作人员的积极关系。

1.18　义务工作者与职业道德

管理机构应保证义务工作者在从事博物馆工作及个人事务时，要严格遵循《国际博物馆协会博物馆职业道德》及其他适用的规范和法律。

2、博物馆为社会及社会发展利益，承担信托管理保护收藏品的责任

原则：博物馆承担着征集、保护和推广其藏品的责任，是其对安全保护自然、文化和科学遗产的贡献。博物馆藏品是重要的公共遗产，具有特殊的法律地位，受到国际法的保护。公共信托的核心观念是管理和服务，包括合法所有权、长久保藏、档案记录、提供利用和负责任的处理。

征集藏品

2.1　征集政策

每一所博物馆的管理机构应制定和公示书面的藏品征集政策。该政策应重点关注藏品的征集、保护和使用，还应明确规定未经登记、保护和陈列的物品的地位（参看 2.7；2.8）。

2.2　有效权利

在博物馆完全证明其有效权利前，任何物品或标本不应以购买、赠送、借用、遗赠或交换的方式进行征集。一个国家关于合法所有权的证据并不是必要的有效权利。

2.3　出处和考证

在确定以购买、赠送、借用、遗赠或交换的方式征集物品和标本之前，必须以各种方式保证其不是从其原物主国或任何该物品可能会被合法拥有（包括博物馆所在国）的中间国非法取得或非法进口的。基于上述原因，考证工作应准确了解该物品从发现或制作完成后的全部历史。

2.4　源于非法或非科学田野工作的物品或标本

博物馆不能征集有充分理由证明其涉及非法、非科学或蓄意拆解、破坏纪念物、考古或地质地点、生物和自然栖息地的物品和标本。同样，当不能准确说明该物品和标本与其原物主、土地占有者、合法权力机构、政府机构的关系时，也不应对其进行征集。

2.5 敏感的文化物品

对人类遗骸及宗教圣物，应只在其能得到安全存放和有尊严对待的前提下才能进行征集。这项工作必须符合职业标准，并符合其出处地的社区、族群或宗教群体的利益和信仰（参看 3.7；4.3）。

2.6 受保护的生物或地质标本

博物馆不能征集与保护野生动物或自然保护区的当地、国家、地区或国际法、公约规定冲突的处于被收藏、出售或转让中的生物或地质标本。

2.7 活的收藏

当收藏包括活的植物和动物标本时，应特别关注取得这些标本的地区的自然和社会环境，以及有关保护野生动物或自然保护区的当地、国家、地区或国际法律或公约。

2.8 业务用收藏

藏品政策可包括对特定业务所需收藏的专门规定，这些业务注重对文化、科学或技术过程的保护而不是物品本身；以及用于定期触摸和教学目的而收集的物品或标本。

2.9 藏品政策规定外的征集

对藏品政策规定外的物品或标本的征集只能是在例外的条件下。管理机构必须考虑与之有关的专家意见，以及与之有关的各个团体的看法。考虑因素应包括：该物品或标本的重要性，其在文化或自然遗产中的位置和关联条件，以及其他收藏此类物品的博物馆的特别兴趣。总之，即使上述条件都满足了，没有有效权利的物品也不应被征集（参看 3.4）。

2.10 管理机构成员和博物馆专业工作人员的征集

必须对管理机构成员、博物馆专业工作人员、其家庭成员或密切相关人员的出售、捐赠、为减免税而捐赠物品的行为特别关注。

2.11 作为最后手段的存放所

本职业道德的任何规定将不禁止博物馆作为合法的存放所保存那些来自其应被合法保护区域的出处不清、非法收藏或非法取得的标本和物品。

注销藏品

2.12 处理藏品的法律权利和其他权利

当博物馆具有允许处理藏品的合法权利，或当征集的藏品具备被处理的条件时，处理藏品必须严格遵守法律或其他规定，并严格遵循工作程序。当征集时该物品具有委托管理的规定，或具有其他限制条件时，这些条件必须被遵守，除非能够明确证明这些附加条件是不可能的或对机构造成实质性损害。如果这些证明是恰当的，应通过法律程序获得撤销附加条件的批准。

2.13 注销博物馆藏品

从博物馆收藏中注销一件藏品或标本，必须在彻底了解该藏品的意义、特点（可更新或不可更新）、法律身份以及此行为可能造成对公共信托的任何损害的前提下。

2.14 对注销应负的责任

决定注销是管理机构的责任，并得到博物馆馆长和相关藏品研究管理人员的合作。对业务用收藏的注销可另作专门安排。

2.15 注销藏品的处理

每一所博物馆都应制定永久性注销藏品的合法方式，包括捐赠、移交、交换、出售、返还或销毁，并允许接受这些物品的机构获得无限制的权利。有关注销决定、注销藏品和处理方式的全部记录都必须妥善保存。注销工作的必要先置条件是注销藏品应首先转让给其他博物馆。

2.16 注销藏品的收入

博物馆收藏的是置于其公共信托管理之下的藏品，不应被视同为普通物品。从博物馆藏品或标本的注销或处理中得到的货币或补偿应全部用于藏品的利益，通常用于藏品的征集。

2.17 购买注销藏品

博物馆专业工作人员、管理机构成员、或其家庭成员及关系密切人员不被允许购买由其服务的博物馆注销的藏品。

藏品保存

2.18 藏品的永续保存

博物馆应制定切实可行的政策，基于现有知识和资源，保证其收藏品（永久的和临时的）及相关信息得到妥善记录，要满足当代使用要求，并能以完好、安全和可利用的状态传之后世。

2.19 藏品管理责任的授权

保护藏品的专职责任应授权给掌握适宜知识和技能，或胜任管理责任的人。

2.20 藏品记录

博物馆藏品应根据可采纳的专业标准进行记录，藏品记录应包括每件物品的全部识别信息和状态描述、附件、出处、保存状况、处理措施和现在存放位置。这些信息应存放在安全环境中，并得到信息检索系统的支持，以方便博物馆专业工作人员和其他合法使用者查询使用。

2.21 预防灾害

应认真制定防灾政策，在武装冲突和人为或自然灾害中保护藏品的安全。

2.22 藏品及其信息的安全保卫

博物馆应采取控制措施，防止因公众使用藏品信息而造成泄露敏感的个人信息及相关信息以及其他保密事项。

2.23 预防性藏品保存

预防性藏品保存是博物馆政策和藏品保护的重要内容。这是博物馆专业工作人员的基本职责，创造和保持受其保护的藏品的保护性环境，不论是在库房、展厅还是运输途中。

2.24 藏品保存和修复

博物馆必须认真监测藏品的状况，以决定其何时需要进行藏品保存和修复处理，并得到有资质的保存技术人员或修复人员的处理，其基本目标是使藏品或标本处于稳定状态。所有保存业务程序应被记录在案，并尽可能是可逆的。所有的改变都应与藏品或标本原物有明显区别。

2.25 活的动物的福利

保有活的动物的博物馆应承担责任，使动物健康和具有良好的生存状态。应制定和贯彻安全规定，保护博物馆专业工作人员和观众，同时也要保护动物。这一安全规定要得到兽医专家的批准。遗传改变应有明确标识。

2.26 个人使用博物馆藏品

博物馆专业工作人员、管理机构、其家庭成员、关系密切人士，以及其他人不应被允许为任何个人目的而将博物馆藏品据为己有，哪怕只是暂时的。

3、博物馆掌握着用于建立和拓展知识的原始证据

原则：博物馆承担着为公众保护、提供利用和解释基于其藏品的原始证据的特殊责任。

原始证据

3.1 藏品是原始证据

博物馆收藏政策应明确指出藏品是原始证据的特点。收藏政策应申明这一特点不受当代研究趋势和博物馆使用的影响。

3.2 藏品的使用

博物馆负有以尽可能免费的方式提供使用藏品及所有相关信息的责任，除非因保密和安全原因的限制。

博物馆的征集与研究

3.3 田野征集

开展田野征集工作的博物馆应制定符合专业学术标准和遵循国家及国际法律、

公约规定的工作政策。田野征集必须尊重和考虑当地社区的意见、当地居民的环境资源和文化活动，同时应致力于增加其文化和自然遗产。

3.4　原始证据的例外征集

在极例外的案例中，即该物品出处不明，但却具有对知识的重要贡献，博物馆对其有根据公共利益而进行保护的责任。博物馆征集此类物品必须由相关领域的学术专家决定，并不得不利于国家和国际社会。

3.5　研究

博物馆专业工作人员的研究工作应与博物馆使命和任务有关，并符合法律、职业道德和学术规范。

3.6　有损分析

当采取有损分析技术时，应全面记录所分析的材料、分析结果和研究结果，这些记录，包括出版物，应作为藏品永久记录的一部分。

3.7　人类遗骸和宗教圣物

对人类遗骸和宗教圣物的研究，必须符合专业标准，并考虑其已知出处地的社区、族群或宗教群体的利益和信仰。

3.8　研究材料的留置权

当博物馆专业工作人员准备演示材料或记录田野调查情况，必须得到领导并已取得该项工作全部权利的博物馆的明确同意。

3.9　分享专业知识

博物馆专业工作人员负有与同事、相关领域学者和学生分享知识和经验的责任，他们应尊重并感谢所从获取知识的人，并应将这些可能有利于他人的先进技术和经验传授给其他的人。

3.10　博物馆与其他机构的合作

博物馆专业工作人员应认识并承认需要在具有相同利益和征集活动的机构间进行合作和咨询。特别是与高等教育和特定公共项目的机构合作，因其研究工作可能会产生重要的藏品，但其却不能长期安全保存它们。

4、博物馆提供欣赏、理解和推广自然和文化遗产的机会

原则：博物馆负有重要责任，加强其教育职能，吸引更广泛的来自社区、当地或服务群体的观众。与主导社区合作推广其遗产是博物馆教育职能的有机内容。

陈列与展览

4.1　陈列、展览与特别活动

实物的或电子化的陈列与临时展览都必须符合博物馆公示的使命、政策和目

的，不能对藏品质量及藏品的妥善保护和保存造成损害。

4.2 陈列的解释

博物馆应保证陈列与展览中呈现的信息必须是完善的、准确的，并充分考虑这些信息涉及的人群或信仰。

4.3 敏感材料的展陈

人类遗骸和宗教圣物的展陈必须符合专业标准，必须符合其已知出处地的社区、族群或宗教群体的利益和信仰。其展陈方式必须是得体的，且尊重所有人认同的人类尊严。

4.4 从公开展陈中移除

前述出处地社区提出的从公开展陈中移除人类遗骸或宗教圣物的要求，必须以尊重和敏感的态度迅速考虑，对返还的要求也应以同样态度对待。博物馆政策必须明确规定回应此类要求的程序。

4.5 无出处物品的陈列

博物馆应避免陈列或使用出处不清或出处不明的物品，博物馆应认识到对此类物品的陈列或使用是宽容和纵容文化财产的非法交易。

其他资源

4.6 出版

博物馆出版的信息，不论是何种形式，都应是完善和准确的，并对学术研究、社会或所表达的信仰负责任。博物馆出版物不能损害博物馆标准。

4.7 复制品

博物馆在制作藏品的仿制品、复制品或副本时，要尊重原物品的完整性。所有复制品都必须有标明其为复制品的永久性标识。

5、博物馆资源为其他公共机构和公共利益提供服务

原则：博物馆运用广泛的不同的专业知识、技能和实物资源，这些资源的使用可远超出博物馆范围，这可导致博物馆作为可分享资源，或扩大博物馆服务范围，开展这些活动不应有损于博物馆公示的使命。

鉴定服务

5.1 对非法或违禁取得物品的鉴定

当博物馆提供鉴定服务时，不应采取被认为可直接或间接从中获利的方式。在鉴定被相信或有嫌疑涉及违法或违禁取得、转让、进口或出口的物品时，应注意保密，直到告知有关政府机构。

5.2 鉴定和估值（估价）

估值可用于对博物馆藏品进行保险的目的。对其他物品进行估值，只能是应其他博物馆、法律赔偿、政府或其他主管公共权力组织的正式要求。此外，当博物馆可能获益时，对一件物品或标本的估价必须由独立人士进行。

6、博物馆工作应与其藏品出处地的社区，以及与其所服务的社区密切协作

原则：博物馆藏品反映着这些物品得以产生的社区的文化和自然遗产。正因为此，藏品与普通物品不同，可能与国家的、地区的、地方的、族群的、宗教的或政治的特征有密切关系，为此，博物馆政策中注意这些特点是非常重要的。

藏品来源地

6.1 协作

博物馆应推动与藏品来源地国家和社区的博物馆及文化组织间分享知识、藏品信息和藏品。应探讨与其遗产重要部分已丧失的国家或地区的博物馆建立协作关系的可能。

6.2 文化财产返还

博物馆应准备启动与文化财产来源地的国家或人民关于返还文化财产的对话。文化财产返还应基于科学、专业和人权准则，依据当前适用的地方、国家和国际法规，以公平的方式进行，最好是在政府或政治层面进行。

6.3 文化财产归还

当藏品来源地的国家或人民要求归还藏品或标本，当能够证明该藏品或标本是在违反国际和国家法规的情况下被出口或转让，并能证明是该国家或人民的文化或自然遗产的一部分，如果法律允许，该博物馆必须考虑采取迅速和负责任的行动协助归还该物品或标本。

6.4 来自被占领国家的文化物品

博物馆应不购买、不征集来自被占领土的文化物品，应全面遵守有关出口、进口和转让文化或自然物品的所有法律和公约。

尊重所服务的社区

6.5 当代社区

当博物馆工作涉及到一个当代社区或其遗产时，征集必须基于告知和双方同意，不能非法剥削物品所有者或告知者。尊重相关社区的愿望是首要的。

6.6 社区设施的资助

当寻求资助以开展涉及当代社区的活动时，社区利益不得被侵害（参看 1.10）。

6.7 使用来自当代社区的藏品

博物馆在使用来自当代社区的藏品时，应尊重人的尊严、传统及使用这些物品的文化。此类藏品的应用提倡多元社会、多元文化和多元语言的表达方式，增进人的福利、社会发展、宽容和尊重。

6.8 社区中的支持组织

博物馆应营造争取社区支持（如博物馆之友或其他支持团体）的良好环境，感谢他们的贡献，并推动建立社区与博物馆专业工作人员间的和谐关系。

7、博物馆合法运营

原则：博物馆必须全面遵守国际、地区、国家和地方的法律和公约规定。此外，博物馆管理机构应遵守与博物馆、藏品及运营有关的信托管理的法律和规定。

法律框架

7.1 国家和地方法规

博物馆应遵守国家和地方的所有法律，并尊重影响到博物馆活动的其他国家的法律。

7.2 国际法律

博物馆政策应认识到下列国际法被《国际博物馆协会博物馆职业道德》视为标准：

《联合国教科文组织关于武装冲突情况下保护文化财产公约（海牙公约。第一备忘录，1954；第二备忘录，1999）》；

《联合国教科文组织关于禁止和防止非法进出口文化财产和非法转让其所有权的办法的公约（1970）》；

《濒危野生动植物国际贸易公约（1973）》；

《联合国生物多样性公约（1992）》；

《国际私法协会关于被盗和非法出口文化物品公约（1995）》；

《联合国教科文组织保护水下文化遗产公约（2001）》；

《联合国教科文组织保护非物质文化遗产公约（2003）》。

8、博物馆职业化运营

原则：博物馆专业工作人员应遵守认同的标准和法律，坚持职业的尊严和忠诚。他们必须保护公共利益，反对非法或不道德的职业行为，每一个机会都应被用来宣传或教育公众有关博物馆的目标、目的和抱负，要使公众更好地理解博物馆对社会做出的贡献。

工作职业化

8.1 熟悉相关法规

每一位工作人员都应熟悉与其职业有关的国际、国家和地方性法律，他们应避免被认为是不适宜的行为。

8.2 职业责任

博物馆专业工作人员负有遵守其受雇机构的政策和程序的责任。但是，他们可以完全拒绝从事被认为有损于博物馆职业或职业道德的活动。

8.3 职业行为

忠诚于同事和受雇博物馆是重要的职业责任，这必须基于对职业基本道德规定的忠诚。博物馆专业工作人员应遵守国际博物馆协会职业道德的各项规定，并注意遵守与博物馆工作有关的职业道德或规范。

8.4 学术和科学责任

博物馆专业工作人员应推动研究、保护和利用藏品中的信息。但是，他们应制止任何可能导致学术和科学信息的丧失的行为或境况。

8.5 违法市场

博物馆专业工作人员应直接或间接地不支持自然和文化财产的违法运输和市场。

8.6 保密

博物馆专业工作人员必须保守其在工作中获得的秘密信息。此外，送到博物馆进行鉴定的物品的信息也应保密，未获得物主的特别授权，不得公开发布或泄露给其他机构或个人。

8.7 博物馆与藏品的安全

关于博物馆安全保卫系统，以及因公存放在博物馆中的私人收藏及存放地点的信息是高度机密，博物馆专业工作人员要严格保密。

8.8 保守秘密的例外

保密规定不妨碍配合警方或有关政府部门对可能的被盗、违法取得或非法转让财产的调查。

8.9 个人的独立性

当某一职业的工作人员被允许独立工作时，他们必须认识到个人事务或职业利益是不能与其受雇博物馆完全分开的。

8.10 工作人员的关系

博物馆专业工作人员与其受雇博物馆内外的许多人形成工作关系，他们被要求提供有效率和高标准的专业服务。

8.11 专业咨询

当博物馆缺乏制定决策所需的专业经验时，为博物馆内外的同事提供咨询是博物馆专业工作人员的责任。

利益冲突

8.12　礼品、纪念品、借用物或其他个人好处

博物馆雇员必须拒绝接受因其承担的博物馆工作而被赠送的礼品、纪念品、借用物或其他个人好处。有时，出于职业的友好交往，可能会赠送或接受礼品，但必须永远以机构的名义。

8.13　在雇用或事务利益之外

博物馆专业工作人员，尽管被赋予个人独立的权力，但必须认识到没有任何个人事务或职业利益可以与其受雇机构完全分开，他们不应接受其他付薪职务，或承担与博物馆利益冲突，或可被认为产生冲突的委托。

8.14　涉及自然或文化遗产的交易活动

博物馆专业工作人员不应直接或间接参与自然或文化遗产的交易（为营利而收购或出售）。

8.15　与交易商交往

博物馆专业工作人员不应收受交易商、拍卖商或其他人为了购买或处理博物馆物品，或为实施或终止官方行为而作为诱惑赠送的任何礼物、好处，或任何其他形式的报偿。此外，博物馆专业工作人员不应向公众推荐特定的交易商、拍卖商或鉴定估价人士。

8.16　个人收藏

博物馆专业工作人员不应在藏品征集或其他个人收藏行为上与博物馆竞争。博物馆管理机构和博物馆专业工作人员应签署有关任何私人收藏的协议，并严格执行。

8.17　使用国际博物馆协会的名称与标识

国际博物馆协会会员不应将“国际博物馆协会”、“I-COM”或其组织标识用于推广或推介任何营利性活动或产品。

8.18　其他利益冲突

当个人与博物馆建发生任何其他利益冲突时，博物馆利益应置于首要地位。

中国文物、博物馆工作者职业道德准则

（国家文物局　2012 年 7 月 5 日发布）

为加强文物、博物馆行业作风和职业道德建设，特制定本准则。

一、忠诚文物事业。以保护文化遗产、弘扬中华文化为己任；以奉献社会、服务人民为宗旨。

二、严格依法履责。坚决贯彻文物工作方针，坚定执行《中华人民共和国文物保护法》，勇于同文物违法犯罪行为作斗争。

三、追求科学精神。尊重知识，尊重人才，遵循规律，求真务实，改革创新。

四、恪尽职业操守。不收藏文物，不买卖文物，不违规占用文物及资料，不以文物、博物馆职业身份牟取私利。

五、树立文明新风。自觉遵纪守法，践行社会公德，艰苦奋斗，甘于奉献。

第三部分　藏 品 管 理

博物馆藏品管理办法

（文化部　文物字〔1986〕第730号，1986年6月19日公布）

第一章　总　　则

第一条　博物馆藏品是国家宝贵的科学、文化财富，是博物馆业务活动的物质基础。为了准确鉴别藏品的历史、艺术和科学价值，加强藏品的保护管理，确保藏品的安全，充分发挥藏品的作用，根据《中华人民共和国文物保护法》有关条款，制定本办法。

第二条　博物馆应根据本馆的性质和任务收集藏品。藏品必须具有历史的或艺术的或科学的价值。藏品必须区分等级，一般分为一、二、三级。其中，一级藏品必须重点保管。

第三条　博物馆对藏品负有科学管理、科学保护、整理研究、公开展出和提供使用（对社会主要是提供藏品资料、研究成果）的责任。保管工作必须做到：制度健全、账目清楚、鉴定确切、编目详明、保管妥善、查用方便。

第四条　藏品保管是博物馆一项经常性的重要业务工作，应由馆长分工负责领导。必须设立专门保管部门或配备专职保管人员。保管人员必须实行岗位责任制，并保持相对稳定。

第五条　保管工作人员必须认真学习马列主义，刻苦钻研业务，忠于职守，廉洁奉公。对于接触有毒药品、尘埃的保管工作人员，应按照当地有关工种享受相应的劳动保护福利待遇。

第六条　为保证藏品安全，进行科学研究或充分发挥藏品的作用，文化部文物局可以调拨或借用全国文物系统所属各博物馆的藏品；省、自治区、直辖市文物行政管理部门可以调拨或借用本行政区域内文物系统所属各博物馆的藏品，其中一级藏品的调拨、交换，须经文化部文物局批准。

第二章　藏品的接收、鉴定、登账、编目和建档

第七条　征集文物、标本时，必须注意收集原始资料，认真做好科学记录，及时办理入馆手续，逐件填写入馆凭证或清册，组织有关人员认真进行鉴定，确定真伪、年代、是否入藏并分类、定名、定级。鉴定记录应包括鉴定意见及重要分歧意见。凡符合入藏标准的，应连同有关原始资料一并入藏。各种凭证每年装订成册、集中保存。

第八条　登账

（一）藏品总登记账是国家科学、文化财产账，设专人负责管理，永久保存。登记时要严格按照文化部文物局规定的格式，逐件、逐项用不褪色墨水填写，字迹力求工整清晰。如有订正，用红墨水划双线，由经办人在订正处盖章。未登入藏品总登记账的大量重复品、参考品和作为展品使用的复制品、代用品、模型等，应另行建账，妥善保管。

管理藏品总登记账的人员不得兼管藏品库房。

（二）藏品定名

自然标本按照国际通用的有关动物、植物、矿物和岩石的命名法规定名；历史文物定名一般应有三个组成部分，即：年代、款识或作者；特征、纹饰或颜色；器形或用途。

（三）藏品计件

单件藏品编一个号，按一件计算。成套藏品按不同情况分别处理：组成部分可以独立存在的，按个体编号计件；组成部分不能独立存在的，按整体编一个号（其组成部分可列分号），也按一件计算，在备注栏内注明其组成部分的实际数量，以便查对或统计。

（四）藏品计量单位

按照国家计量总局公布的统一法定计量单位办理。

（五）藏品时代

按其所属的天文时代、地质时代、考古文化期、历史朝代或历史时期而定。中华人民共和国成立以前的文物，有具体纪年的写具体纪年，并加注公元纪年；具体纪年不明的写历史朝代或历史时期。中华人民共和国成立后的文物，一律写公元纪年。

（六）藏品现状

写明完残情况及重要附件等。

（七）藏品来源

写直接来自的单位、地区或个人，并注明“发掘”、“采集”、“收购”、“拨交”、“交换”、“拣选”、“捐赠”、“旧藏”等。自然标本应写明时代和产地；出土文物应写明出土时间、地点和发掘单位；近、现代历史文物应写明与使用者和保存者的关系。

（八）藏品总登记账、藏品分类账上的登记号，应用小字清晰地写在藏品的适当部位（不妨碍观瞻、不易摩擦之处）或标签上，并回注在入馆凭证（清册）和总登记账上。

第九条 编目、建档

（一）博物馆必须建立藏品编目卡片。编目卡片是反映藏品情况的基本资料，是藏品保管和陈列、研究的基础工作。除填写总登记账的项目外，还必须填写鉴定意见、铭记、题跋、流传经历等。文字必须准确、简明，并附照片、拓片或绘图。

（二）博物馆必须建立藏品档案，编制藏品分类目录和一级藏品目录。《一级藏品档案》和《一级藏品目录》的格式由文化部文物局规定。

各博物馆的《一级藏品档案》和《一级藏品目录》报本省、自治区、直辖市文物行政管理部门和文化部文物局备案。

（三）为加强博物馆的现代化建设，各地博物备可根据本馆经济及人才条件，逐步使用电子计算机管理藏品。

第三章 藏品库房管理

第十条 藏品应有固定、专用的库房，专人管理。库房建筑和保管设备要求安全、坚固、适用、经济。建立定期的安全检查制度，发现不安全因素或发生文物损伤要及时处理并报告主管文物行政部门。发生火灾、藏品失窃等案件，应保护好现场，并立即上报当地公安部门、文物行政管理部门和文化部文物局。发生一级藏品损伤等重大事故，应立即上报文物行政管理部门和文化部文物局，并查明原因，根据情节轻重给有关人员以必要的行政处分，直至追究法律责任。

第十一条 库房应有防火、防盗、防潮、防虫、防尘、防光（紫外线）、防震、防空气污染等设备或措施。库内及其附近应保持整洁，禁止存放易燃易爆物品、腐蚀性物品及其他有碍文物安全的物品，并严禁烟火。库房区无人时，应拉断该区所有电源开关和总闸。

第十二条 藏品要按科学方法分类上架，妥善庋藏。一级藏品、保密性藏品、经济价值贵重的藏品，要设立专库或专柜，重点保管。

第十三条 藏品出入库房必须办理出库、归库手续。对藏品的数量和现状，必须认真核对，点交清楚。藏品出库后，由接收使用部门负责保管养护，保管部门对使用情况进行监督和检查。使用部门应尊重藏品保管部门的意见，对发现的不安全因素，应及时予以纠正。

第十四条 严守库房机密，建立《库房日记》。非库房管理人员未经主管副馆长、馆长或藏品保管部门负责人许可，不得进库房。经许可者由库房管理人员陪同入库。库房一般不接待参观。

第十五条 建立健全各类藏品的保护管理制度和安全操作规程。每年均应从博物馆的业务经费中划出适当比例，用以更新和添置必要的藏品保护、藏品庋藏设备，改善库房条件，减少、防止自然的和人为的因素对藏品的损害。

第四章　藏品的提用、注销和统计

第十六条 馆内需要提用藏品时，必须填写提用凭证，一级藏品、保密性藏品、经济价值贵重的藏品经主管副馆长或馆长批准，其他藏品经保管部门负责人批准，始得办理出库手续，用毕应及时归库，按原凭证进行核对，办清手续。陈列的藏品，要以确保安全为原则，采取切实措施加强管理。纤维质素的文物要特别加强保护。每年提取的次数不宜过多，每次陈列的时间不宜过长，并应减少或避免紫外光照射。未用于陈列的藏品，必须及时归库。

第十七条 馆级负责人提用藏品，须经同级其他负责人同意。藏品保管部门负责人提用一级藏品，须经主管副馆长或馆长批准，提用其他藏品，须经本部门其他负责人同意，填写提用凭证后办理出库手续。

第十八条 馆外单位提用藏品时，一般应在馆内进行。一级藏品经主管副馆长或馆长批准，其他藏品经保管部门负责人批准后，由有关保管人员承办并负责藏品的安全，用后立即归库。

藏品借出馆外应从严掌握，一级藏品须经主管文物行政管理部门批准，其他藏品经主管副馆长或馆长批准后，办理借出手续。借用单位必须采取措施，确保藏品安全，并按期归还。

第十九条 藏品严禁出售或作为礼品。馆际之间藏品可相互支援、调剂余缺、互通有无。

调拨、交换一级藏品，须报文化部文物局批准，调拨、交换其他藏品，须报省、自治区、直辖市文物行政管理部门批准。

调拨、交换出馆的藏品，必须办理注销手续；进馆的藏品，必须办理登账、编目、入库手续。

第二十条 藏品总数及增减数字，每年年终应及时上报省、自治区、直辖市文物行政管理部门和文化部文物局。重要情况应附文字说明。

第二十一条 已进馆的文物、标本中，经鉴定不够入藏标准的，或已入藏的文物、标本中经再次鉴定，确认不够入藏标准、无保存价值的，应另行建立专库存放，谨慎处理。必须处理的，由本单位的学术委员会或社会上的有关专家复核审议后分门别类造具处理品清单，报主管文物行政部门批准后，妥善处理。

第五章 藏品的保养、修复、复制

第二十二条 积极开展藏品保护科学技术研究活动、运用传统保护方法和现代科学技术、设备，防止自然因素（温度、湿度、光线、虫害、污染等）对藏品的损害。根据需要与可能，建立藏品消毒、修复、复制、标本制作和科学实验等设施，培养专门技术人员，逐步加强藏品保护科技力量。

第二十三条 因藏品保护或科学研究的特殊需要，必须从藏品上取下部分样品进行分析化验时，由馆长或其授权的人员组织技术人员会同藏品保管部门共同制定具体方案。一级藏品一般不予取样，尽量使用时代、类型、质地相同的其他藏品替代。必须使用一级品原件进行分析化验的，其取样方案，须报文化部文物局审批。其他藏品的取样方案由省、自治区、直辖市文物行政管理部门审批。

第二十四条 凡采用新的藏品保护、修复技术，应先经过实验，通过主管文物行政管理部门组织有关技术人员和专家评定鉴定后推广运用。未经过实验和评审鉴定证明可确保藏品安全的新技术，博物馆不得随意采用。

第二十五条 藏品修复时，不得任意改变其形状、色彩、纹饰、铭文等。修复前、后要做好照相、测绘记录，修复前应由有关专家和技术人员制定修复方案；修复中要做好配方、用料、工艺流程等记录；修复工作完成后，这些资料均应归入藏品档案，并在编目卡片上注明。

一级藏品的修复方案由主管副馆长或馆长审核同意后报上一级主管文物行政管理部门批准。其他藏品的修复方案，国家博物馆和省、自治区、直辖市博物馆由藏品保管部门负责人批准或由藏品保管部门负责人会同科技修复部门负责人审批。其他博物馆由主管副馆长或馆长批准。

第二十六条 经常使用的一级藏品和容易损坏的藏品应予复制，作为陈列，研究的代用品。复制品应加标志，以免真伪混淆。复制品使用的材料、工艺程序、复制数量和复制时间等，均应做出详细记录归入藏品档案。

为藏品保管和陈列研究需要，复制一级藏品，由主管副馆长或馆长批准。这类复制品，不得作为商品对外提供。复制其他藏品，国家博物馆和省、自治区、直辖市博物馆由藏品保管部门负责人批准；其他博物馆由主管副馆长或馆长批准。

第六章 奖　惩

第二十七条 对在藏品保管工作中，有下列贡献的单位和个人，给予表扬或奖励：

（一）认真执行本办法，成绩显著的；

（二）库房保管措施落实，忠于职守，全年未发生文物损伤事故的；

（三）为保护藏品与违法犯罪行为坚决斗争的；

（四）在藏品保护科学和修复、复制技术方面有重要创造发明的；

（五）为博物馆征集文物、丰富馆藏做出特殊贡献的；

（六）长期从事藏品保管工作，贡献较大的。

第二十八条 有下列情形者，根据情节轻重给予批评教育或行政处分：

（一）违反本办法和《文物工作人员守则》的；

（二）发现藏品被盗、损坏或不安全因素，隐匿不报的；

（三）玩忽职守，违章操作，造成藏品损伤事故的；

（四）利用工作之便，以权谋私，中饱私囊但尚未构成刑事犯罪的。

第二十九条 有下列情形者，依法追究刑事责任：

（一）因渎职造成藏品（特别是一级藏品）重大损失，情节严重的；

（二）监守自盗藏品的或内外勾结、偷盗藏品的，依照《中华人民共和国刑法》有关条款从重制裁。

第七章 附　则

第三十条 本办法自公布之日起施行，适用于全国文物系统所属的各类型博物馆，同时也适用各级文物考古研究所和文物保管所。

第三十一条 本办法由馆长组织实施，当地主管文物行政管理部门和上级文物行政管理部门对实施的情况进行必要的指导、监督和检查。

第三十二条 各博物馆可根据本办法，结合具体情况，制定补充规定。原有规章制度中与本办法相违背的，以本办法为准。

第三十三条 各博物馆藏品保管部门或保管人员对违反本办法及馆内补充规章制度，妨碍文物安全的行为，有权不执行。双方认识无法统一时，由馆长决定。如仍存不同意见时，藏品保管部门可向主管文物行政管理部门反映并执行其最终决定。

考古发掘品移交管理办法（试行）

（国家文物局　文物保发〔1998〕038号）

第一条　为加强文物保护工作，健全考古工作管理体系，根据《中华人民共和国文物保护法》、《中华人民共和国文物保护法实施细则》和《国务院关于加强和改善文物工作的通知》，特制定本办法。

第二条　本办法适用于文物考古研究机构、博物馆和其他具备文物收藏条件的单位。

第三条　本办法中的考古发掘品是指在中华人民共和国境内地下、内水和领海所进行的考古调查、勘探、发掘活动中获得的所有实物资料。

考古发掘品属于国家所有。

第四条　本办法中的移交是指考古发掘单位将考古发掘品交至文物收藏单位，其不同于文物的调拨、交换、借用等。

国家文物局负责考古发掘品的移交工作。

第五条　考古发掘单位在考古发掘报告完成后一年内，应提出对考古发掘品的移交方案报告。

第六条　考古发掘品的移交方案报告包括下列内容：

1. 按考古发掘出土单位编制的出土文物登记表及必要的照片、绘图和文字资料；
2. 发掘单位申请留作研究之用的考古发掘品目录；
3. 发掘单位对考古发掘品分配的意见或建议。

第七条　属于下列情况之一的考古发掘品移交方案，须经考古发掘所在地的省、自治区、直辖市文物行政管理部门，报国家文物局批准。

1. 全国重点文物保护单位范围内获得的考古发掘品；
2. 重大考古发现中出土的考古发掘品；
3. 中华人民共和国海域内发现的考古发掘品；
4. 经鉴定属于一级文物的考古发掘品；

5. 国家文物局认为须经审批才能移交的考古发掘品。

第八条 本办法第七条规定范围之外的考古发掘品移交方案，须报考古发掘所在地的省、自治区、直辖市文物行政管理部门批准，报国家文物局备案。

第九条 审批部门在对考古发掘品移交方案报告进行研究后，应及时通知有关文物收藏单位并提出申请。

国家文物局可直接指定国家博物馆收藏将被移交的考古发掘品。

第十条 具备文物收藏条件的单位在接到通知后六十日内，应根据考古发掘品移交报告提出收藏申请，上报国家文物局或省、自治区、直辖市文物行政管理部门审批。

第十一条 除国家和省、自治区、直辖市所属的博物馆外，其它提出收藏考古发掘品申请的单位，必须经省、自治区、直辖市文物行政管理部门对其资格进行认定。

第十二条 考古发掘品的移交首先要考虑省、自治区、直辖市以上级别博物馆和考古研究、教学单位的需要，同时应照顾到考古发掘所在地的县、市级博物馆。

考古发掘品移交应按文物出土单位进行，不得将同一出土单位的文物分别收藏。

第十三条 发掘单位留作考古学研究、教学标本的考古发掘品，应按博物馆藏品收藏的有关规定妥善保管。

第十四条 考古发掘品移交时，发掘单位应向收藏单位提供文物登帐、编目和建档所必需的原始记录资料副本。

第十五条 考古发掘品移交后，收藏单位应保证原发掘单位的研究、教学之用。

移交后的考古发掘品在展览时应注明原发掘单位。

第十六条 移交后的考古发掘品赴境外展览时，在代表团和随展人员的组成上应根据展览需要充分考虑原发掘单位人员，外方提供的展览费用应按一定比例分配给原发掘单位。移交后的考古发掘品在权益上发生争议时，由原审批部门裁决。

第十七条 博物馆所属的考古部（队）的考古发掘品移交，参照本办法执行。

第十八条 考古发掘单位无故不提交考古发掘品移交报告，或不履行文物行政管理部门批准的移交方案，应追究其有关领导的责任，并给予通报批评。

第十九条 本办法由国家文物局负责解释。

第二十条 本办法自发布之日起施行。

依法没收、追缴文物的移交办法

（国家文物局　财政部　公安部　海关总署　国家工商行政管理局
文物保发〔1999〕017号）

一、根据《中华人民共和国文物保护法》及其实施细则第二、三十六、三十八、三十九、四十四条的有关规定，特制定本办法。

二、本办法规定的依法移交的文物，系指各级执法部门在查处违法犯罪活动中依法没收、追缴的除依法返还受害人以外的所有文物，包括珍贵文物和一般文物。依法移交的文物属于国有资产。

三、本办法规定的负责移交文物的执法部门，系指在查处违法犯罪活动中依法没收、追缴文物的各级公安部门、工商行政管理部门和海关等执法部门（以下统称移交部门）。

四、本办法规定的负责接收文物的部门，系指国家和各省、自治区、直辖市（以下简称省级）文物行政管理部门。经国家或省级文物行政管理部门授权，地、市、县的文物行政管理部门或有关国有博物馆可具体承办文物接收事宜（以下统称接收部门）。

五、依法移交文物的移交和接收，在结案后应立即全部无偿移交给接收部门。

六、移交部门应负责移交前的文物安全和保护工作。移交部门如果在结案前不具备保证文物安全无损的安全防范条件、防止自然力损害的保管条件和修复的技术力量，或者自没收、追缴之时起已逾一年未能结案的，应将文物及时移送接收部门指定的国有博物馆暂存。暂存单位应负责文物的安全，并为执法部门对有关文物的取证提供方便。

七、移交部门向接收部门移交文物，接收部门应及时组织国家或省级文物鉴定机构对移交文物进行鉴定，造具文物登记清单并评定级别。移交时由交接双方及承办机构负责确认移交文物登记清单，履行实物查点、交接和签字等完备手续。

八、交接情况每年年终由省级执法部门和接收部门汇总，分别向公安部、海关总署、国家工商行政管理局等有关执法部门和国家文物局报告，并报财政部备案。

九、接收的移交文物由国家文物局或省级文物行政管理部门根据文物保护、研究和利用等需要，指定具备条件的国有博物馆收藏保管，其中，一级文物应由省级文物行政管理部门报国家文物局备案。当地重复品较多的文物，可以由国家文物局组织，在跨省区的国有博物馆之间进行交换、调拨。确实没有收藏价值的一般文物，报经国家文物局批准，根据归口经营，统一管理的原则投入流通，办理文物标的的鉴定许可事宜，由国家文物局或指定省级文物行政管理部门依法委托具有文物拍卖经营资格权的拍卖行进行拍卖，所得收入全部缴拍卖文物所在地的省级财政部门。

十、按照《中华人民共和国文物保护法》及其实施细则关于奖励的规定，除执法部门对办案有功者予以表彰外，对移交文物总体价值较高、保护文物作出突出贡献的执法部门或单位，文物主管部门应当将鉴定结论如实报告其上级主管部门或人民政府，提请予以奖励。

十一、各级财政、公安、工商行政管理、文物行政管理部门和海关要加强对执行本办法的行政监督，违反本办法的依法给予行政处罚，构成犯罪的，追究其刑事责任。

文物藏品定级标准

（2001 年 4 月 5 日文化部部务会议审议通过，2001 年 4 月 9 日文化部令第 19 号公布，自 2001 年 4 月 9 日起施行）

根据《中华人民共和国文物保护法》和《中华人民共和国文物保护法实施细则》的有关规定，特制定本标准。

文物藏品分为珍贵文物和一般文物。珍贵文物分为一、二、三级。具有特别重要历史、艺术、科学价值的代表性文物为一级文物；具有重要历史、艺术、科学价值的为二级文物；具有比较重要历史、艺术、科学价值的为三级文物。具有一定历史、艺术、科学价值的为一般文物。

一、一级文物定级标准

（一）反映中国各个历史时期的生产关系及其经济制度、政治制度，以及有关社会历史发展的特别重要的代表性文物；

（二）反映历代生产力的发展、生产技术的进步和科学发明创造的特别重要的代表性文物；

（三）反映各民族社会历史发展和促进民族团结、维护祖国统一的特别重要的代表性文物；

（四）反映历代劳动人民反抗剥削、压迫和著名起义领袖的特别重要的代表性文物；

（五）反映历代中外关系和在政治、经济、军事、科技、教育、文化、艺术、宗教、卫生、体育等方面相互交流的特别重要的代表性文物；

（六）反映中华民族抗御外侮，反抗侵略的历史事件和重要历史人物的特别重要的代表性文物；

（七）反映历代著名的思想家、政治家、军事家、科学家、发明家、教育家、文学家、艺术家等特别重要的代表性文物，著名工匠的特别重要的代表性作品；

（八）反映各民族生活习俗、文化艺术、工艺美术、宗教信仰的具有特别重要价值的代表性文物；

（九）中国古旧图书中具有特别重要价值的代表性的善本；

（十）反映有关国际共产主义运动中的重大事件和杰出领袖人物的革命实践活动，以及为中国革命做出重大贡献的国际主义战士的特别重要的代表性文物；

（十一）与中国近代（1840—1949）历史上的重大事件、重要人物、著名烈士、著名英雄模范有关的特别重要的代表性文物；

（十二）与中华人民共和国成立以来的重大历史事件、重大建设成就、重要领袖人物、著名烈士、著名英雄模范有关的特别重要的代表性文物；

（十三）与中国共产党和近代其他各党派、团体的重大事件，重要人物、爱国侨胞及其他社会知名人士有关的特别重要的代表性文物；

（十四）其他具有特别重要历史、艺术、科学价值的代表性文物。

二、二级文物定级标准

（一）反映中国各个历史时期的生产力和生产关系及其经济制度、政治制度，以及有关社会历史发展的具有重要价值的文物；

（二）反映一个地区、一个民族或某一个时代的具有重要价值的文物；

（三）反映某一历史人物、历史事件或对研究某一历史问题有重要价值的文物；

（四）反映某种考古学文化类型和文化特征，能说明某一历史问题的成组文物；

（五）历史、艺术、科学价值一般，但材质贵重的文物；

（六）反映各地区、各民族的重要民俗文物；

（七）历代著名艺术家或著名工匠的重要作品；

（八）古旧图书中有具有重要价值的善本；

（九）反映中国近代（1840—1949）历史上的重大事件、重要人物、著名烈士、著名英雄模范的具有重要价值的文物；

（十）反映中华人民共和国成立以来的重大历史事件、重大建设成就、重要领袖人物、著名烈士、著名英雄模范的具有重要价值的文物；

（十一）反映中国共产党和近代其他各党派、团体的重大事件，重要人物、爱国侨胞及其他社会知名人士的具有重要价值的文物；

（十二）其他具有重要历史、艺术、科学价值的文物。

三、三级文物定级标准

（一）反映中国各个历史时期的生产力和生产关系及其经济制度、政治制度，以及有关社会历史发展的比较重要的文物；

（二）反映一个地区、一个民族或某一时代的具有比较重要价值的文物；
（三）反映某一历史事件或人物，对研究某一历史问题有比较重要价值的文物；
（四）反映某种考古学文化类型和文化特征的具有比较重要价值的文物；
（五）具有比较重要价值的民族、民俗文物；
（六）某一历史时期艺术水平和工艺水平较高，但有损伤的作品；
（七）古旧图书中具有比较重要价值的善本；
（八）反映中国近代（1840—1949）历史上的重大事件、重要人物、著名烈士、著名英雄模范的具有比较重要价值的文物；
（九）反映中华人民共和国成立以来的重大历史事件、重大建设成就、重要领袖人物、著名烈士、著名英雄模范的具有比较重要价值的文物；
（十）反映中国共产党和近代其他各党派、团体的重大事件，重要人物、爱国侨胞及其他社会知名人士的具有比较重要价值的文物；
（十一）其它具有比较重要的历史、艺术、科学价值的文物。

四、一般文物定级标准

（一）反映中国各个历史时期的生产力和生产关系及其经济制度、政治制度，以及有关社会历史发展的具有一定价值的文物；
（二）具有一定价值的民族、民俗文物；
（三）反映某一历史事件、历史人物，具有一定价值的文物；
（四）具有一定价值的古旧图书、资料等；
（五）具有一定价值的历代生产、生活用具等；
（六）具有一定价值的历代艺术品、工艺品等；
（七）其他具有一定历史、艺术、科学价值的文物。

五、博物馆、文物单位等有关文物收藏机构，均可用本标准对其文物藏品鉴选和定级。社会上其他散存的文物，需要定级时，可照此执行。

六、本标准由国家文物局负责解释。

附：一级文物定级标准举例

一、玉、石器　时代确切，质地优良，在艺术上和工艺上有特色和有特别重要价值的；有确切出土地点，有刻文、铭记、款识或其他重要特征，可作为断代标准的；有明显地方特点，能代表考古学一种文化类型、一个地区或作坊杰出成就的；能反映某一时代风格和艺术水平的有关民族关系和中外关系的代表作。

二、陶器　代表考古学某一文化类型，其造型和纹饰具有特别重要价值的；有确切出土地点可作为断代标准的；三彩作品中造型优美、色彩艳丽、具有特别重要价值的；紫砂器中，器形完美，出于古代与近代名家之手的代表性作品。

三、瓷器　时代确切，在艺术上或工艺上有特别重要价值的；在纪年或确切出土地点可作为断代标准的；造型、纹饰、釉色等能反映时代风格和浓郁民族色彩的；有文献记载的名瓷、历代官窑及民窑的代表作。

四、铜器　造型、纹饰精美，能代表某个时期工艺铸造技术水平的；有确切出土地点可作为断代标准的；铭文反映重大历史事件、重要历史人物的或书法艺术水平高的；在工艺发展史上具有特别重要价值的。

五、铁器　在中国冶铸、锻造史上，占有特别重要地位的钢铁制品；有明确出土地点和特别重要价值的铁质文物；有铭文或错金银、镶嵌等精湛工艺的古代器具；历代名人所用，或与重大历史事件有直接联系的铁制历史遗物。

六、金银器　工艺水平高超，造型或纹饰十分精美，具有特别重要价值的；年代、地点确切或有名款，可作断代标准的金银制品。

七、漆器　代表某一历史时期典型工艺品种和特点的；造型、纹饰、雕工工艺水平高超的；著名工匠的代表作。

八、雕塑　造型优美、时代确切，或有题记款识，具有鲜明时代特点和艺术风格的金属、玉、石、木、泥和陶瓷、髹漆、牙骨等各种质地的、具有特别重要价值的雕塑作品。

九、石刻砖瓦　时代较早，有代表性的石刻；刻有年款或物主铭记可作为断代标准的造像碑；能直接反映社会生产、生活，神态生动、造型优美的石雕；技法精巧、内容丰富的画像石；有重大史料价值或艺术价值的碑碣墓志；文字或纹饰精美，历史、艺术价值特别重要的砖瓦。

十、书法绘画　元代以前比较完整的书画；唐以前首尾齐全有年款的写本；宋以前经卷中有作者或纪年且书法水平较高的；宋、元时代有名款或虽无名款而艺术水平较高的；具有特别重要价值的历代名人手迹；明清以来特别重要艺术流派或著名书画家的精品。

十一、古砚　时代确切，质地良好、遗存稀少的；造型与纹饰具有鲜明时代特征，工艺水平很高的端、歙等四大名砚；有确切出土地点，或流传有绪，制作精美，保存完好，可作断代标准的；历代重要历史人物使用过的或题铭价值很高的；历代著名工匠的代表作。

十二、甲骨　所记内容具有特别重要的史料价值，龟甲、兽骨比较完整的；所刻文字精美或具有特点，能起断代作用的。

十三、玺印符牌　具有特别重要价值的官私玺、印、封泥和符牌；明、清篆刻中主要流派或主要代表人物的代表作。

十四、钱币　在中国钱币发展史上占有特别重要地位、具有特别重要价值的历代钱币、钱范和钞版。

十五、牙骨角器　时代确切，在雕刻艺术史上具有特别重要价值的；反映民族工艺特点和工艺发展史的；各个时期著名工匠或艺术家代表作，以及历史久远的象牙制品。

十六、竹木雕　时代确切，具有特别重要价值，在竹木雕工艺史上有独特风格，可作为断代标准的；制作精巧、工艺水平极高的；著名工匠或艺术家的代表作。

十七、家具　元代以前（含元代）的木质家具及精巧冥器；明清家具中以黄花梨、紫檀、鸡翅木、铁梨、乌木等珍贵木材制作、造型优美、保存完好、工艺精良的；明清时期制作精良的髹饰家具；明清及近现代名人使用的或具有重大历史价值的家具。

十八、珐琅　时代确切，具有鲜明特点，造型、纹饰、釉色、工艺水平很高的珐琅制品。

十九、织绣　时代、产地准确的；能代表一个历史时期工艺水平的具有特别重要价值的不同织绣品种的典型实物；色彩艳丽，纹饰精美，具有典型时代特征的；著名织绣工艺家的代表作。

二十、古藉善本　元以前的碑贴、写本、印本；明清两代著名学者、藏书家撰写或整理校订的、在某一学科领域有重要价值的稿本、抄本；在图书内容、版刻水平、纸张、印刷、装帧等方面有特色的明清印本（包括刻本、活字本、有精美版画的印本、彩色套印本）、抄本；有明清时期著名学者、藏书家批校题跋、且批校题跋内容具有重要学术资料价值的印本、抄本。

二十一、碑帖拓本　元代以前的碑帖拓本；明代整张拓片和罕见的拓本；初拓精本；原物重要且已佚失，拓本流传极少的清代或近代拓本；明清时期精拓套帖；清代及清代以前有历代名家重要题跋的拓本。

二十二、武器　在武器发展史上，能代表一个历史阶段军械水平的；在重要战役或重要事件中使用的；历代著名人物使用的、具有特别重要价值的武器。

二十三、邮品　反映清代、民国、解放区邮政历史的、存量稀少的；中华人民共和国建国以来具有特别重要价值的邮票和邮品。

二十四、文件、宣传品　反映重大历史事件，内容重要，具有特别重要意义的正式文件或文件原稿；传单、标语、宣传画、号外、捷报；证章、奖章、纪念章等。

二十五、档案文书　从某一侧面反映社会生产关系、经济制度、政治制度和土地、人口、疆域变迁以及重大历史事件、重要历史人物事迹的历代诏谕、文告、题本、奏折、诰命、舆图、人丁黄册、田亩钱粮簿册、红白契约、文据、书札等官方档案和民间文书中，具有特别重要价值的。

二十六、名人遗物　已故中国共产党著名领袖人物、各民主党派著名领导人、著名爱国侨领、著名社会活动家的具有特别重要价值的手稿、信札、题词、题字等以及具有特别重要意义的用品。

注：二、三级文物定级标准举例可依据一级文物定级标准举例类推。

关于印发《近现代文物征集参考范围》和《近现代一级文物藏品定级标准（试行）》的通知

（国家文物局　文物博发〔2003〕38号）

各省、自治区、直辖市文化厅局、文物局、文管会，直属博物馆，有关行业博物馆：

新中国成立以来，特别是改革开放以来，我国革命文物和革命纪念馆工作取得了令人瞩目的成绩。据不完全统计，目前全国收藏、展示1840年以来的近代文物（含革命文物）的博物馆、纪念馆已达400多所，征集、保管近代文物50多万件，举办丰富多彩的陈列展览和宣传教育活动，在社会主义政治文明、精神文明和物质文明建设中发挥了重要作用。但从全国总的情况看，当前近现代文物保护、研究和展示、宣传工作中还存在一些带有普遍性的问题。

一是收藏尚不够丰富，反映我国近现代社会发展变化的文物普遍收藏较少，反映社会主义革命和建设的文物收藏更少，有的地区，有的博物馆几乎是空白。这不仅难以全面反映一个半世纪艰难曲折、波澜壮阔的中国近现代历史，也导致许多博物馆、纪念馆的陈列展览缺乏珍贵实物的支撑，往往以相互雷同、重复的照片、复制品填充展面，达不到应有的吸引力和感染力。随着现代科学技术和经济建设的快速发展，社会生产、生活和物质条件迅猛改善，近现代历史上各类具有重要价值的实物资料加速灭亡。除与中共党史有关的革命文物较受重视外，1840-1949年间、新中国成立以来的许多颇具收藏意义的其他文物史料尚未得到系统征集，抢救保护工作日趋紧迫，刻不容缓。

二是涉及近现代文物管理的法制建设相对滞后，《文物保护法》、《革命纪念馆工作试行条例》、《博物馆藏品管理办法》、《文物藏品定级标准》等法规，均未具体规范近现代文物的保护范围和价值认定。面对浩如烟海的近现代实物资料，各地文博单位在实际工作中难以准确把握哪些属于有价值的近现代文物，征集范畴、价值判断的随意性较大，在一定程度上影响了近现代文物保护和宣传工作的健康发展。

为进一步加强近现代文物征集、保护基础工作，我局根据《文物保护法》、《文物藏品定级标准》等法规，结合1993～1999年开展全国近现代一级文物（革命文物）鉴定确认工作中积累的经验，组织起草了《近现代文物征集参考范围》（草案）、《近现代一级文物藏品鉴定标准（试行）》（草案），并在征求各地文物部门及博物馆、纪念馆意见的基础上，组织有关专家作了反复讨论和修改。

现将我局审定的《近现代文物征集参考范围》、《近现代一级文物藏品鉴定标准（试行）》印发给你们，供参照执行。执行过程中的意见和建议，请及时反馈我局。

附件：1、近现代文物征集参考范围；

2、近现代一级文物藏品鉴定标准（试行）。

附件一：近现代文物征集参考范围

中华人民共和国成立以来，特别是改革开放以来，近现代文物特别是革命文物征集、保护工作取得了令人瞩目的成绩。各地博物馆、纪念馆运用近现代文物向人民群众和青少年进行爱国主义、革命传统教育，普及科学文化知识，特别是传播近现代以来中国人民为民族独立和解放而艰苦拼搏的历史知识，在社会主义政治文明、精神文明和物质文明建设中发挥了重要作用。但从全国总的情况看，反映我国近现代社会发展变化的文物征集面较窄，收藏较少，反映社会主义革命和建设的文物收藏更少。这不仅难以全面反映1840年以来波澜壮阔、艰难曲折的中国近现代历史，也导致许多博物馆、纪念馆的陈列展览缺乏珍贵文物的支撑，吸引力和感染力受到局限。随着现代科学技术和经济建设的快速发展，社会生产、生活和物质条件迅猛改善，近现代历史上各类具有重要价值的在、实物资料加速灭亡，抢救保护工作日趋紧迫，刻不容缓。

为加强近现代文物的征集工作，特提出以下征集范围：

一、反映中国近现代社会历史变革及有关社会历史发展的文物。

1、近代中国（1840年—1919年“五四运动”爆发之前）重大事件、重要人物、著名烈士和爱国志士的有关文物。

2、现代中国（1919年“五四运动”爆发—1949年9月30日）重大事件、重要人物、著名英烈和爱国志士的有关文物。

3、当代中国（1949年10月1日中华人民共和国成立以来）重大事件、重要人物、著名英烈和爱国志士的有关文物。

重点征集：

——中国共产党成立以来重大历史事件、重要领袖人物、著名革命烈士的有关文物。

——近代以来中国各党派、团体的重大事件、重要人物和著名爱国侨领、社会知名人士的有关文物。

——近代以来中国著名的思想家、政治家、革命家、军事家、科学家、发明家、教育家、文学家、艺术家、企业家等和其他社会名流的有关文物。

——国际共产主义运动中的重大事件、重要人物，以及为中国革命和建设作出重大贡献的国际友人的有关文物。

二、反映中国近现代政治、经济、军事、科技、教育、文化、卫生、体育、宗教等方面发展的文物。

1、有关政权建设、政治制度、政策法令等的文物。

2、有关经济建设、经济制度、经济政策、生产技术、生产工具、重要产品等的文物。重点征集工业、农业、商品、财税、交通、海关、邮电、能源、金融（货币）等领域的代表性文物。

3、有关国防建设、军队建制武器装备等的文物。

4、有关科技体制、科技设备、科技发明、科技成果等的文物。

5、有关教育制度、教育发展、重大活动和重要成果等的文物。

6、有关文化（含艺术、新闻出版等）事业发展、重大活动和重要成果的文物。

7、有关卫生、体育事业发展、重大活动和重要成果等的文物。

8、有关宗教工作、宗教组织、宗教政策等的文物。

三、反映中国近现代各民族的社会发展及民族关系、民族团结、民族自治、维护祖国统一等方面的文物。

四、反映中国近现代各民族的生产活动、生活习俗、文化艺术和宗教信仰等方面的文物。

1、各民族有代表性的生产工具、生活用品和有关宗教信仰的典型物品。

2、各民族有代表性的年画、剪纸、风筝、皮影，雕刻、漆器。

附件二：近现代一级文物藏品定级标准（试行）

第一条 为加强对近现代文物的保护和管理，深入开展爱国主义和革命传统教育，促进社会主义政治文明、精神文明和物质文明建设，根据《中华人民共和国文物保护法》、《文物藏品定级标准》等，制定本标准。

第二条 近现代文物藏品是指博物馆、纪念馆和其他文物收藏单位收藏的1840年以来的文物，按照历史、艺术、科学价值区分为珍贵文物和一般文物，珍贵文物分为一级文物、二级文物、三级文物。

本标准适用于综合类博物馆、近现代历史类博物馆、纪念馆、名人故居陈列馆

（室）的近现代一级文物藏品。其他文物收藏单位、其他级别的近现代文物藏品可比照本标准确定等级。

第三条 一级文物必须是经过科学考证，确为原件、源流具有确凿依据且数量仅有或稀有的珍贵文物，并应具有以下一项或几项条件：

（一）对反映全国性重大历史事件、人物具有直接见证意义或重要佐证意义的；

（二）对反映地方性重大历史具有直接见证意义或重要佐证意义的；

（三）某一领域中的重大发明、发现，具有开创性、代表性或里程碑意义的；

（四）文物反映的物主明确并拥有很高知名度，且能反映物主主要业绩的；

（五）有确切、生动的形成经过和流传经过的；

（六）载有时代特征或特殊意义的铭文、注记或图案标志的。

第四条 近现代文物种类繁多，依其形式，用途和意义，可分为文献，手稿，书刊传单，勋章徽章证件，旗帜，印信图章，武器装备（含各种军用物品），反映社会发展的文物，反映祖国大陆与港、澳、台关系的文物，反映对外关系的文物，音像制品，名人遗物，艺术品、工艺美术品，货币、邮票等实用艺术类物品，实用器材，杂项等十六类。各类一级文物的定级壁画、蜡染、服饰、头饰、刺绣、地毯等民间艺术品、工艺品。

一、反映近代以来中国人民反抗剥削压迫的重大事件和重要人物的文物。

二、反映近代以来中国人民抵御外侮、反抗侵略的重大事件和重要人物的文物。

三、反映近代以来中外关系、友好往来和政治、经济、军事、科技、文化、艺术、卫生、体育、宗教等方面相互交流的文物。

1、中国参与创建联合国和参与联合国活动，以及参与其他国际组织、各种国际会议的有关文物。

2、中国与世界各国建立外交关系的有关文物。

3、中国对外交往、与其他国家合作交流的有关文物。

4、中国参与各类国际竞赛、评比活动并获奖的有关文物。

5、中国政府、政党及其领导人与外国政府、政党及其领导人友好交往，中国民间团体、知名人士与国际友好团体、友好人士交往的有关文物。标准，按不同种类分别确定。

第五条 文献：各种重要会议之决议、决定、宣言，各种机关（党派、政府、军队、团体及其他机构）的文书、布告、电报、报告、指示、通知、总结等原始正式文件，凡数量稀少并具有下列情况之一的，确定为一级文物：

（一）1840 年以来全国性党、政、军机构（包括太平天国、同盟会、中华民国临时政府、各民主党派等）成力后第一次印发的文告、宣言；

（二）1949年以前有影响的地方性党、政、军机关（包括各省、市军政府、都督府、苏维埃政府等）成立后第一次印发的文书、文告；

（三）1949年以前全国和省级以上群众团体（工会、农会、青年团等）第一次代表大会印发的重要文件；

（四）具有重大历史意义的会议的重要决议、决定、宣言等；

（五）国家首次颁布并有重要意义的法律、法规等；

（六）反映重大事件且有特殊形成经过和流传经过的文件；

（七）虽非第一次，但有重要内容，并盖有发文机关印信关防和发文者印章的，有张贴和使用痕迹的布告、文件；

（八）确知原件已无存，最早的翻印件并有特殊情节，现存数量为仅有或极其稀少的重要文献；

（九）其他具有重要历史意义或特殊意义的文献。

第六条 手稿：全国性领袖人物、著名军政人物、著名烈士、著名英雄模范人物、著名作家及各界公认的著名人物等亲笔起草的文件、电报、作品、信涵、题词等的原件，凡具有下列情况之一的，确定为一级文物：

（一）著名人物为重要会议、重要事件起草的文件、电报、文告原稿；

（二）著名人物为报刊所写的有广泛影响的新闻、社论、评论原稿；

（三）著名人物作有重要批语或重要修改并保留手迹的文稿；

（四）著名人物的日记、笔记或其他记录，有重要史料价值的；

（五）著名人物为重要会议、重要活动、著名英烈人物所写的有重要内容和广泛影响的题词；

（六）著名人物为具有重要历史地位的机构、书刊等提写的名称中有特殊意义的；

（七）著名人物所写具有重要内容或对重大事件有佐证价值的信涵；

（八）著名作家的代表性著作的手稿；

（九）其他具有重要历史意义或特殊意义的手稿。

第七条 书刊、传单：书刊包括书籍、报纸、期刊、号外、时事材料、文件汇编等印刷品；传单包括重大事件和历史大规模群众性运动中散发、张贴的传单、标语、漫画，重要战役的捷报，也包括交战双方向敌方散发的宣传品。数量稀少并有下列情况之一的，确定为一级文物：

（一）在全国或某一地区产生过重大影响，年代较早，存世已很稀少的书刊；

（二）具有重要历史意义的原始版本或最早版本、存世稀少的出版物；

（三）领袖或著名人物阅读过并写有重要眉批、评语和心得的书刊；

（四）反映重大历史事件，具有典型性，现存稀少或流传经过有特殊情节的书刊、传单；

（五）因战乱或其他原因，有些报刊已残缺，现存部分极珍贵，对重大史实有佐证作用的；

（六）其他具有重要历史意义或特殊意义的书刊、传单。

第八条 勋章、徽章、证件：各类奖章、勋章、奖状（立功喜报）、纪念章、机关（学校、团体）证章、证件、证书、代表证，以及其他标志符号等，有下列情况之一的，确定为一级文物：

（一）勋章（奖章）等级和受勋人身份很高，留存数量稀少的；

（二）中央级机关颁发给著名英雄模范、先进人物的勋章、奖章、奖状、证书、喜报（1949 年以前颁发机关可放宽至大战略区、大行政区）；

（三）在奥运会和世界性运动会上所得的金质奖章及证书，以及打破世界记录和全国记录的奖章及证书；

（四）反映重大历史事件，有特殊情节的勋章、奖章、奖状、纪念章、证章；

（五）著名人物出席重要会议的代表证，编号、发怔机关及印章齐全者；

（六）物主不详，但铭文、编号齐全，或设计图案独特新颖，由权威机关制发，对重大事件有佐证作用的纪念章、证章，数量稀少的；

（七）具有重大影响的著名学校、著名人物的毕业证书和学位证书；

（八）其他具有重要历史意义或特殊的勋章、徽章、证件。

第九条 旗帜：国旗、军旗、奖旗、舰旗、队旗、锦旗、贺幛等各种标志性、识别性旗帜，有下列情况之一的，确定为一级文物：

（一）立法机关通过的国旗、军旗设计图案及样品；

（二）在重大场合首次使用的国旗、军旗；

（三）在特殊场合使用过的国旗、军旗及其他旗帜（地球卫星第一次带上太空的国旗，第一次插上珠穆朗玛峰的国旗等）；

（四）著名英模单位在作战时或执行任务时使用的旗帜（红旗、国旗、军旗、队旗等）；

（五）高级领导机关授予著名英模单位的奖旗、锦旗；

（六）著名学校、军舰使用过的第一面校旗、舰旗等；

（七）其他具有重要历史意义或特殊意义的旗帜、贺幛、挽幛。

第十条 印信图章：国家机关、军队、政党、群众团体等使用过的关防、公章、各种印信，著名人物个人使用过的印章等，有下列情况之一的，确定为一级文物：

（一）中央国家机关（如太平天国、中华民国、北洋军阀政府、中华苏维埃共和国中央执行委员会、中华人民共和国中央人民政府、中央军委等）使用过的玺印、关防、印章；

（二）各省、市、自治区人民政府首次使用的印章；

（三）1949年以前各地军、政高级领导机关使用过的印章、关防；

（四）著名历史人物使用过的有代表性的个人印章；

（五）其他有特殊意义或流传经过的印信图章。

第十一条 武器装备：各种兵器、弹药和军用车辆、机械、器具、地图、通讯器材、防护器材、观测器材、医疗器材及其他军用物品，有下列情况之一的，确定为一级文物：

（一）高级将领、重大武装起义中的领袖人物或代表人物在重要军事行动中使用过的兵器、望远镜及其他物品；

（二）著名战斗英雄或英雄单位使用过的有特殊标志、特殊功勋或被授予称号的有关兵器、机械、器具、装备及其他物品；

（三）在军事史上具有重大意义的兵器、装备、舰船、航空航天器材及其他物品；

（四）在著名战争、战役、战斗中缴获敌人的有重要意义的兵器、装备及其他物品；

（五）1949年以前各根据地兵工厂制造的有代表性的兵器及相关物品；

（六）有铭文、有特殊流传经过和特殊意义的兵器、装备及其他物品；

（七）有重要历史佐证意义，可揭露敌方侵略罪行的武器和其他军用物品；

（八）其他具有重要历史意义或特殊意义的武器装备及军用物品。

第十二条 反映社会发展的文物：反映近现代中国社会、经济、文化、科技、民族、宗教信仰及生态等各方面发展变化的重要遗存和见证物，下列具有典型性、代表性的、确定为一级文物：

（一）反映中国近现代这会性质、社会制度变化的重要文物（如签定的不平等条约、设立租界的界碑、反映帝国主义对华经济文化侵蚀，太平天国、洋务运动、推翻帝制、建立民国，中华人民共和国成立，土地制度、土地改革、农业合作化、公私合营、人民公社、“革委会”、家庭联产承包责任制等社会变革的重要文物）；

（二）反映中国经济发展的重要文物（如反映生产力发展各阶段的代表性生产工具、近代老字号企业、经济特区、国有企业、民营企业、股份制企业、基础设施建设、资源、生态、人民生活水平等的重要文物）；

（三）反映中国科技发展水平的文物（包括有重要意义的各种仪器、科学实验、重大成果、发明专利等）；

（四）反映中国教育、卫生、文化、体育等事业发展的重要文物；

（五）反映中国民族关系、民族自治区建设等方面的重要文物；

（六）反映中国国防建设（军队、民兵、武警、国防设施、国防科技等）的重要文物；

（七）其他具有重要历史意义或特殊意义的反映社会发展的文物。

第十三条 反映祖国大陆与港、澳、台关系的文物，下列具有重大意义的，确定为一级文物：

（一）反映收回台湾主权和促进台湾回归祖国的重要文物；

（二）反映中国与英国、葡萄牙谈判及收回香港、澳门主权的重要文物；

（三）反映祖国大陆与港、澳、台地区经济、文化往来等方面的重要文物。

第十四条 反映对外关系的文物：中外友好往来及政治、经济、军事、科技、文化、艺术、卫生、体育、宗教等方面相互交流的文物，下列具有重大意义的，确定为一级文物：

（一）中国代表参与联合国创建和参与联合国工作的重要文物；

（二）中国代表参与各种国际组织、国际会议活动的重要文物；

（三）反映中国与外国签定条约、发表联合声明，以及中国发布宣言、文告、照会等的重要文物；

（四）反映中国与临国划定边界的重要文物（如界碑）；

（五）外国国家元首、政治首脑、各方面要员赠送中国领导人的有重大意义的礼品；

（六）中国与外国的城市间结为友好城市的代表性、标志性文物；

（七）与外国友好团体、民间组织交往中有典型意义的文物；

（八）其他具有重要历史意义或特殊意义的反映对外关系的文物。

第十五条 音像制品：照片（含底片）、录音带、录音唱片、记录片、录像带、光盘等，形成时间较早、存世稀少、能反映重要人物的重要活动、对重大历史事件有佐证意义的原版作品，或流传经过中有特殊情节的原版作品，确定为一级文物。

第十六条 名人遗物：领袖人物、著名烈士、著名英模及社会各界名人的遗存物，凡不能归入以上十类文物的，除名人日常生活的一般用品外，可酌情选取最能体现名人成长过程和生平业绩的，定为一级文物。

第十七条 艺术品、工艺美术品：从两个互相区别又互有联系的角度确定一级文物。一是从近代历史的角度出发，对享有盛誉的作者创作的表现近现代重大历史题材、堪称代表作的作品，或者有极特殊的情节、特殊意义的作品，确定为一级文物；二是从艺术水平和艺术发展史的角度出发，对极少数确已受到公认的、艺术价值极高、具有时代意义的作品，确定为一级文物。

第十八条 货币、邮票等实用艺术类物品：从两个互相区别有互有联系的角度确定一级文物。一是从近现代历史的角度出发，对表现近现代重大历史题材的，或者有极特殊情节、特殊意义的实用艺术类物品，确定为一级文物；二是从艺术水平和艺术发展史的角度出发，对极少数具有时代独创性、首创性和唯一性的，确已受到公认、价值极为突出的实用艺术类物品，确定为一级文物。

第十九条 金器、银器、铜器、玉器、漆器等实用器物：材质、工艺极其珍惜或经济价值特别昂贵的，确定为一级文物。

第二十条 杂项：不能归入以上十五类文物的，列为杂项。其中确定有重大历史意义或其他特殊意义的，确定为一级文物。

第二十一条 一级文物集品的确定。集品是指那些由若干部件构成的不可分割的组合式文物藏品，如成套的报纸、期刊，多卷本文集，著名人物的多本日记，名人书信、手稿合订本，成套的军装（含军帽、军上衣、军裤、帽徽、肩章、领章、胸章、臂章、腰带、佩剑）等。凡部件齐全的，作为一个完整集品，按各类一级文物的定级标准定为一级文物（一个编号下含若干分号）；凡部件不全的，作为残缺的集品，对其中确符合一级文物定级标准的，将现有部件尚不完整的集品定为一级文物，待发现尚缺的部件后再作补充，直到补充完整。

古人类化石和古脊椎动物化石保护管理办法

（2006年7月3日文化部部务会议审议通过，2006年8月7日文化部令第38号公布，自2006年8月7日起施行）

第一条 为加强对古人类化石和古脊椎动物化石的保护和管理，根据《中华人民共和国文物保护法》制定本办法。

第二条 本办法所称古人类化石和古脊椎动物化石，指古猿化石、古人类化石及其与人类活动有关的第四纪古脊椎动物化石。

第三条 国务院文物行政部门主管全国古人类化石和古脊椎动物化石的保护和管理工作。

县级以上地方人民政府文物行政部门对本行政区域内的古人类化石和古脊椎动物化石的保护实施监督管理。

第四条 古人类化石和古脊椎动物化石分为珍贵化石和一般化石；珍贵化石分为三级。古人类化石、与人类有祖裔关系的古猿化石、代表性的与人类有旁系关系的古猿化石、代表性的与人类起源演化有关的第四纪古脊椎动物化石为一级化石；其他与人类有旁系关系的古猿化石、系统地位暂不能确定的古猿化石、其他重要的与人类起源演化有关的第四纪古脊椎动物化石为二级化石；其他有科学价值的与人类起源演化有关的第四纪古脊椎动物化石为三级化石。

一、二、三级化石和一般化石的保护和管理，按照国家有关一、二、三级文物和一般文物保护管理的规定实施。

第五条 古人类化石和古脊椎动物化石地点以及遗迹地点，纳入不可移动文物的保护和管理体系，并根据其价值，报请核定公布为各级文物保护单位。

第六条 古人类化石和古脊椎动物化石的考古调查、勘探和发掘工作，按照国家有关文物考古调查、勘探和发掘的管理规定实施管理。

地下埋藏的古人类化石和古脊椎动物化石，任何单位或者个人不得私自发掘。

古人类化石和古脊椎动物化石的考古发掘项目，其领队及主要工作人员应当具有古生物学及其它相关学科的研究背景。

第七条 建设工程涉及地下可能埋藏古人类化石和古脊椎动物化石的调查、勘探和发掘工作的程序和要求，按照国家有关建设工程涉及地下可能埋藏文物的调查、勘探和发掘工作的规定执行。

第八条 在进行建设工程或者在农业生产中，任何单位或者个人发现古人类化石和古脊椎动物化石，应当保护现场，立即报告当地文物行政部门。文物行政部门应当按照《中华人民共和国文物保护法》第三十二条第一款规定的要求和程序进行处理。

第九条 除出境展览或者因特殊需要经国务院批准出境外，古人类化石和古脊椎动物化石不得出境。

古人类化石和古脊椎动物化石出境展览，按照国家有关文物出境展览的管理规定实施管理。

古人类化石和古脊椎动物化石临时进境，按照国家有关文物临时进境的管理规定实施管理。

第十条 对保护古人类化石和古脊椎动物化石作出突出贡献的单位或个人，由国家给予精神鼓励或者物质奖励。

第十一条 违反本办法规定的，依照有关规定追究法律责任。

第十二条 本办法自公布之日起施行。

国有公益性收藏单位进口藏品免税暂行规定

（财政部　海关总署　国家税务总局公告 2009 年第 2 号）

第一条　为贯彻落实科学发展观，弘扬和传承中外传统文化艺术，提高民族文化软实力，促进我国对文物和艺术品等进口藏品的收藏和保护事业的健康发展，特制定本规定。

第二条　国有公益性收藏单位以从事永久收藏、展示和研究等公益性活动为目的，以接受境外捐赠、归还、追索和购买等方式进口的藏品，免征进口关税和进口环节增值税、消费税。

第三条　本规定所称国有公益性收藏单位，是指：

（一）国家有关部门和省、自治区、直辖市、计划单列市相关部门所属的国有公益性图书馆、博物馆、纪念馆及美术馆（以下简称省级以上国有公益性收藏单位）。

省级以上国有公益性收藏单位的名单，由财政部会同国务院有关部门以公告的形式发布。

（二）财政部会同国务院有关部门核定的其他国有公益性收藏单位。

第四条　本规定所称的藏品，是指具有收藏价值的各种材质的器皿和器具、钱币、砖瓦、石刻、印章封泥、拓本（片）、碑帖、法帖、艺术品、工艺美术品、典图、文献、古籍善本、照片、邮品、邮驿用品、徽章、家具、服装、服饰、织绣品、皮毛、民族文物、古生物化石标本和其他物品。

第五条　国有公益性收藏单位进口与其收藏范围相应的藏品，方能享受本规定的税收政策。

第六条　符合规定的国有公益性收藏单位进口藏品，应持捐赠、归还、追索和购买等有效进口证明及海关规定的其他有关文件办理海关手续。免税进口藏品属于海关监管货物。

第七条　国有公益性收藏单位免税进口的藏品应依照《中华人民共和国文物保护法》、《中华人民共和国文物保护法实施条例》和《博物馆管理办法》进行管理，建立藏品登记备案制度。免税进口藏品入境30个工作日内须记入藏品总账——进口藏品子帐，列入本单位内部年度审计必审科目。同时按规定格式（见附表）报送主管文化文物行政管理部门备案，并抄报海关。

第八条 国有公益性收藏单位免税进口的藏品应永久收藏，并仅用于非营利性展示和科学研究等公益性活动，不得转让、抵押、质押或出租。

第九条 免税进口藏品如需在国有公益性收藏单位之间依照国家有关法律法规的规定进行调拨、交换、借用，应依照法律法规的规定履行相关手续，同时报送主管文化文物行政管理部门备案，并抄报海关。

国有公益性收藏单位将免税进口藏品转让、抵押、质押或出租的，由海关依照国家有关法律法规的规定予以处罚；构成犯罪的，依法追究刑事责任。

对于有上述违法违规行为的单位，在1年内不得享受本税收优惠政策；被依法追究刑事责任的，在3年内不得享受本税收优惠政策。

第十条 海关总署根据本规定制定具体实施细则。

第十一条 本规定由财政部会同海关总署和国家税务总局负责解释。

第十二条 本规定自公布之日起施行。

关于实施《国有公益性收藏单位进口藏品免税暂行规定》的有关事宜

（海关总署公告2010年第7号）

经国务院批准，对国有公益性收藏单位以从事永久收藏、展示和研究等公益性活动为目的，以接受境外捐赠、归还、追索和购买等方式进口的藏品，免征关税和进口环节增值税、消费税。为此，财政部、海关总署和税务总局联合发布了《国有公益性收藏单位进口藏品免税暂行规定》（财政部　海关总署　税务总局公告2009年第2号）。现将海关实施《国有公益性收藏单位进口藏品免税暂行规定》（以下简称《规定》）的有关事宜公告如下：

一、《规定》所称捐赠、归还、追索和购买的含义是：

捐赠，指境外机构、个人将合法所有的藏品无偿捐献给国有公益性收藏单位的行为；

归还，指境外机构、个人将持有的原系从中国劫掠、盗窃、走私或以其他方式非法出境的藏品无偿交还给国有公益性收藏单位的行为；

追索，指国家主管文化文物行政管理部门依据有关国际公约从境外索回原系从中国劫掠、盗窃、走私或以其他方式非法出境的藏品的行为；

购买，指国有公益性收藏单位通过合法途径从境外买入藏品的行为。

二、列入财政部会同国务院有关部门审定并以公告形式发布的《省级以上国有公益性收藏单位名单》（以下简称《名单》）的收藏单位，首次申请免税进口藏品前，应先持凭《事业单位法人证书》向单位所在地直属海关申请办理资格备案手续。

对于财政部会同国务院有关部门核定的其他国有公益性收藏单位，其所在地直属海关需验凭该单位的《事业单位法人证书》和海关总署下发的审核认定文件办理相关资格备案手续。

三、《名单》中所列收藏单位名称发生变更的，有关收藏单位应持主管部门的批复文件和更名后的《事业单位法人证书》到所在地直属海关办理资格备案变更手续。

四、国有公益性收藏单位进口藏品前，应先向所在地直属海关申请办理免税审批手续，并提供以下材料：

（一）相关机构、个人出具的境外捐赠、归还、追索藏品的书面证明材料或购买藏品的合同、发票；

（二）有关进口藏品的特征的详细资料及清晰的彩色图片；

（三）承诺接受的藏品将作为永久收藏，并仅用于向公众展示和科学研究等公益性活动的有关材料；

（四）海关认为需要提供的其他材料。

五、审批和进口免税藏品手续纳入海关《减免税管理系统》和 H2000 通关管理系统管理。国有公益性收藏单位所在地直属海关对收藏单位提交的有关单证进行审核后，符合免税条件的，出具《进出口货物征免税证明》，进口地海关凭以办理有关免税进口手续。

免税进口藏品的征免性质为：国有公益性收藏单位进口藏品（简称：公益收藏，代码：698）。对应的监管方式为：一般贸易（代码：0110，以购买方式进口的）；捐赠物资（代码：3612）；其他（代码：9900，以归还、追索方式进口的）。

六、国有公益性收藏单位应按照《规定》要求，将免税进口的藏品在入境后30个工作日内记入本单位藏品总账—进口藏品子账，并列入本单位内部年度审计必审科目。同时填写《免税进口藏品备案表》（格式详见《规定》附件 2）报送主管文化文物行政管理部门备案，并抄报单位所在地直属海关。

七、免税进口藏品如需在国有公益性收藏单位之间依照国家有关法律法规的规定进行调拨、交换、借用，应依照法律法规的规定履行相关手续，同时报送主管文化文物行政管理部门备案，并抄报单位所在地直属海关。

八、国有公益性收藏单位免税进口的藏品属于海关永久监管货物，进口藏品的国有公益性收藏单位应当按照《中华人民共和国海关法》、《中华人民共和国关税条例》和《中华人民共和国进出口货物减免税管理办法》的规定接受海关监管。进口藏品仅限用于非营利性展示和科学研究等公益性活动，不得转让、抵押、质押或出租。

对于违反上述规定的，海关按《中华人民共和国海关法》及其他有关法律法规予以处理；构成犯罪的，依法追究刑事责任。

九、有上述违法违规行为的国有公益性收藏单位，按照有关规定被处罚但未被追究刑事责任的，自违规行为发现之日起 1 年内不得享受本税收优惠政策；被依法追究刑事责任的，自违法行为发现之日起 3 年内不得享受本税收优惠政策。

在上述违法违规行为性质最终确定前，自违法违规行为发现之日起，海关不予受理相关单位进口藏品的免税审批申请，但可验凭相关单位提供的税款担保办理先予放行手续。待违法违规行为性质确定后，按前款规定处理。

十、在 2009 年 1 月 20 日至本公告发布之日期间，国有公益性收藏单位已征税进口或凭税款担保放行的藏品，如符合《规定》的免税条件，可按本公告的有关规定办理免税审批和退税、退保手续。

十一、《海关总署关于下发〈国有文物收藏单位接受境外捐赠、归还和从境外追索的中国文物进口免税暂行办法〉及有关问题的通知》（署税发〔2003〕32 号）自本公告发布之日起予以废止。

特此公告。

文物复制拓印管理办法

（国家文物局　文物政发〔2011〕1号）

第一条　为加强文物复制、拓印管理，根据《中华人民共和国文物保护法》、《中华人民共和国文物保护法实施条例》和国务院有关行政审批的决定，制定本办法。

第二条　馆藏文物的复制、拓印，适用本办法；馆藏文物的仿制，不适用本办法。

第三条　文物复制是指依照文物的体量、形制、质地、纹饰、文字、图案等历史信息，基本采用原技艺方法和工作流程，制作与原文物相同制品的活动；文物拓印是指在文物本体覆盖一定的材料，通过摹印文物上的纹饰、文字、图案等，制作拓片的活动。

第四条　文物本体及其内容涉及国家秘密的，复制、拓印活动应当按照国家保密法律法规的规定执行。

前款规定的文物及其内容的密级，按照国家保密法律法规的规定确定。

第五条　复制、拓印文物，不得对文物造成损害。

未依法区分等级的文物不得复制、拓印。因文物保存状况和文物本体特点不适宜复制、拓印的，不得复制、拓印。

为科学研究、陈列展览需要拓印文物的，元代及元代以前的，应当翻刻副版拓印；元代以后的，可以使用文物原件拓印。在文物原件上拓印的，禁止使用尖硬器具捶打。

批量制作文物复制品、拓片，不得使用文物原件。

第六条　利用文物原件进行复制、拓印应坚持少而精的原则，严格控制复制品、拓片数量。文物复制品应有表明复制的标识和数量编号，文物拓片应当标明拓印单位、时间和数量编号。

第七条　从事文物复制、拓印的单位，应当依法取得相应等级的资质证书。

第八条　复制、拓印文物，应当依法履行审批手续。

第九条 文物复制、拓印报批材料应当包括文物的收藏单位或管理机构名称，文物名称、等级、时代、质地，文物来源或所处地点，文物照片，复制品、拓片用途及数量，复制、拓印方案，文物复制、拓印单位资质等级以及合同草案等内容。

第十条 文物收藏单位或管理机构与从事文物复制、拓印的单位签订的文物复制、拓印合同草案，应当包括合作各方的名称和地址，复制品或拓片的种类、数量、质量，复制或拓印的时间、地点及方法，文物安全责任，文物资料的交接和使用方式，有关知识产权的归属，复制品或拓片的交付，违约责任，争议解决办法等内容。

第十一条 为陈列展览、科学研究等用途制作的文物复制品、拓片，应当予以登记并妥善保管，不得挪作它用。

第十二条 为销售等目的制作的文物复制品、拓片，应附有制作说明书。说明书内容应当包括文物名称、时代，文物收藏单位或管理机构名称，复制品、拓片的名称，复制或拓印单位名称，监制单位名称，制作时间，复制品或拓片数量编号。

第十三条 未经文物行政主管部门同意，国有文物收藏单位或管理机构及其工作人员不得向任何单位或个人提供文物复制、拓印模具和技术资料。

第十四条 违反本办法规定，造成文物或国家权益损害的，依法追究有关责任单位和个人的法律责任。

第十五条 不可移动文物的单体文物的复制、拓印，参照本办法执行。不可移动文物的单体文物的仿制、仿建、复建，按照国家有关规定执行。

第十六条 本办法自发布之日起施行。国家文物局 1979 年 9 月 4 日发布的《拓印古代石刻的暂行规定》，1998 年 8 月 20 日发布的《文物复制暂行管理办法》同时废止。

可移动文物修复管理办法

（国家文物局　文物博发〔2014〕25号，根据文物政发〔2020〕6号修改）

第一章　总　　则

第一条　为加强可移动文物修复管理，提高可移动文物修复的科学性和规范性，根据《中华人民共和国文物保护法》和《中华人民共和国文物保护法实施条例》，制定本办法。

第二条　本办法适用于博物馆、图书馆和其他文物收藏单位，以及国家机关、国有企事业单位收藏保管的可移动文物的修复。

第三条　修复可移动文物应当坚持不改变文物原状原则，全面保存和延续文物的历史、艺术、科学的信息与价值，将科学研究贯穿于修复的全过程，应认真执行文物修复操作规程和相关技术标准，采用先进、适用的技术手段和有效的管理方法，确保修复质量。

第四条　可移动文物修复包括价值评估、现状调查、病害评测、方案编制、保护修复实施、效果评估、档案建立、预防性保护等活动。

第五条　可移动文物修复应由取得可移动文物修复资质的单位承担。

第二章　资 质 管 理

第六条　从事可移动文物修复的单位应当经省、自治区、直辖市文物行政部门批准并取得资质。

第七条　申请可移动文物修复资质的单位应具备以下条件：

（一）有7名以上具有5年以上文物修复工作经验，曾主持或主要参与50件以上珍贵文物的保护修复工作，且取得中级以上文物博物专业技术职称的主要技术人员，其中具有高级技术职称的人员不少于2人；

聘用退休人员作为主要技术人员，不得超过主要技术人员总数的20%；

主要技术人员不得同时受聘于两家或两家以上可移动文物修复资质单位。

（二）工作场所和技术设备应满足《可移动文物保护修复室规范化建设与仪器装备基本要求》（GB/T 30238—2013）规定的区域技术中心以上的标准条件和功能。

（三）文物保管场所安全条件符合《文物系统博物馆风险等级和安全防护级别的规定（GA 27—2002）》。

（四）有健全的管理制度和质量管理体系。

第八条 可移动文物修复资质申报材料：

（一）可移动文物修复资质申请表。

（二）主要技术人员的职称证书、工作资历或业绩证明及聘用（任职）证明。

（三）承担过的主要可移动文物保护修复项目的相关文件。

（四）工作场所和技术设备符合《可移动文物保护修复室规范化建设与仪器装备基本要求》（GB/T 30238—2013）的证明资料。

（五）符合《文物系统博物馆风险等级和安全防护级别的规定（GA 27—2002）》条件的场所证明资料。

（六）主要管理制度和质量管理体系的相关文件。

（七）申请单位法人资格证书。

（八）省、自治区、直辖市文物行政部门需要的其他材料。

第九条 决定批准的，由省、自治区、直辖市文物行政部门颁发资质证书。

资质证书分为正本和副本，具有同等法律效力。资质证书只限于本单位使用，不得转让、转借。

第十条 自修复资质证书核发之日起30日内，省、自治区、直辖市文物行政部门应当将批准的修复资质单位向社会公布并报国务院文物行政部门备案。

第十一条 修复资质单位应在资质证书核定的业务范围内承揽业务，不受地域范围的限制。

第十二条 资质证书登记事项发生变更的，应当在变更后30个工作日内到原审批部门办理变更手续。

第十三条 因破产、停业或其他原因终止业务活动的，应当在终止业务活动30个工作日内到原审批部门办理注销手续。

第十四条 修复资质变更、注销等情况，由省、自治区、直辖市文物行政部门向社会公布并报国务院文物行政部门备案。

第三章 修复管理

第十五条 修复馆藏珍贵文物，应当报省、自治区、直辖市文物行政部门批准。修复馆藏一级文物，应当经省、自治区、直辖市文物行政部门批准后报国务院文物行政部门备案。

批准前，应出具独立第三方机构或专家评审意见。

第十六条 文物修复的申报材料应当包括：

（一）文物修复申请文件；

（二）文物修复方案；

（三）方案编制单位的资质证明；

（四）方案编制委托协议；

（五）审批部门需要的其他材料。

第十七条 文物修复的申报材料应符合下列条件，不符合的，不予批准或者要求申报单位补充齐全后审批。

（一）文物修复方案应当由具有资质的单位编制；

（二）文物修复事项属于修复资质单位业务范围；

（三）文物信息、修复的必要性和工作目标明确；

（四）修复程序及修复技术路线科学合理；

（五）预防性保护措施明确；

（六）符合我国法律、法规其他有关规定。

第十八条 文物修复工作应由具有修复资质的单位按照批准的修复方案实施。

必要时可以根据修复实际情况合理调整修复方案并报原审批部门备案。因特殊情况需要重大调整或者变更的，应当报原审批部门批准。

第十九条 修复完成后 3 个月内应进行验收。馆藏一级文物修复由省、自治区、直辖市文物行政部门组织验收，结果报国务院文物行政部门备案。

第二十条 文物收藏单位应当将修复方案、修复记录、验收报告、修复报告等文物修复的全部资料整理立卷，归入相应的文物档案。

第二十一条 文物收藏单位应当按照修复方案中的预防性保护措施，对修复的文物进行保护，并对文物的保存状况、保存环境，以及可能威胁到文物安全的异常情况或者其他危险因素进行定期监测并记录。

第四章 监督检查

第二十二条 可移动文物修复资质实行年度报告和公示制度。

每年 1 月 15 日前，修复资质单位应向所在地省、自治区、直辖市文物行政部门提交上一年度资质证书登记事项变动情况和开展业务活动情况的报告，并向社会公布。

第二十三条 国务院文物行政部门将组织行业协会或第三方机构对修复资质单

位开展运行评估。评估规则另行制定。

第二十四条 各省、自治区、直辖市文物行政部门应根据年度报告和运行评估结果对资质单位加强指导，建立健全资质单位的管理和退出机制。

第二十五条 每年3月1日前，各省、自治区、直辖市文物行政部门应当将上一年度行政区域内馆藏文物修复基本情况（包括修复文物名录、文物等级、修复单位等）向社会公布并报国务院文物行政部门备案。

第二十六条 国务院文物行政部门将组织行业协会或第三方机构，对馆藏文物修复及管理情况进行定期检查或抽查，结果向社会公布。

第五章 附 则

第二十七条 各省、自治区、直辖市文物行政部门可根据本办法制定具体实施细则。

第二十八条 本办法自2014年8月1日起施行。2007年国家文物局颁布的《可移动文物修复资质管理办法（试行）》和《可移动文物技术保护设计资质管理办法（试行）》同时废止。

国有馆藏文物退出管理暂行办法

（国家文物局　文物博发〔2018〕9号）

第一条　为加强对国有馆藏文物退出的管理，促进文物保护和合理利用，根据《中华人民共和国文物保护法》、《博物馆条例》等法律法规规定，制定本办法。

第二条　本办法所称国有馆藏文物退出（以下简称“文物退出”），是指国有文物收藏单位将馆藏文物退出本单位藏品序列并注销文物账目的行为。

第三条　国务院文物行政部门负责全国范围内文物退出的监督指导，县级以上地方文物行政部门具体负责本行政区域内文物退出的管理。

第四条　国有文物收藏单位拟将馆藏文物作退出处理的，应当从严掌握、谨慎执行。拟退出的馆藏文物，应当符合下列条件之一：

（一）因老化、腐蚀、损毁等原因造成文物无法修复且无继续保存价值；

（二）因地震、洪水等不可抗力造成文物灭失；

（三）被鉴定为无文物价值的现代复仿制品；

（四）在国有文物收藏单位之间进行交换、调拨；

（五）国有文物收藏单位终止或合并；

（六）法律法规规定的其他情形。

第五条　国有文物收藏单位拟将馆藏文物作退出处理的，应当组织专家组对拟退出的馆藏文物的基本情况、退出理由、退出后的处置方案等进行评估，并经本单位理事会或者集体研究同意。

第六条　国有文物收藏单位拟将接受捐赠的馆藏文物作退出处理的，应当按照与捐赠人约定的协议办理；无约定协议的，应当事先征得捐赠人同意。

第七条　国有文物收藏单位应当按照国有资产管理相关规定，对拟退出的馆藏文物履行备案或审批程序，并将拟退出的馆藏文物的基本情况、退出理由、退出后的处置方案等在本单位网站及所在地主要报刊、主管的文物行政部门网站上予以公示，接受社会监督。公示时间不少于30个工作日。

第八条　国有文物收藏单位拟将馆藏文物作退出处理的，应当在公示结束后，于实施退出行为30个工作日前，向主管的文物行政部门备案。属于馆藏二、三级文物的，应当逐级报省级文物行政部门备案。属于馆藏一级文物的，应当逐级报国务院文物行政部门备案。备案材料应当包括以下内容：

（一）评估报告或者相关书面证明材料；

（二）国有文物收藏单位理事会或者集体研究意见；

（三）馆藏文物退出后的处置方案，如属调拨、交换，应附相关意向书；

（四）退出的馆藏文物的档案复印件；

（五）公示情况。

第九条 文物行政部门应当对相关备案材料予以核查。对于不符合法律规定的，文物行政部门应当要求国有文物收藏单位停止文物退出。

因本办法第四条（一）、（二）规定情形拟将馆藏文物作退出处理的，国有文物收藏单位应当在主管的文物行政部门核查后，启动文物退出程序。属于馆藏二、三级文物的，应当在省级文物行政部门核查后，启动文物退出程序。属于馆藏一级文物的，应当在国务院文物行政部门核查后，启动文物退出程序。

第十条 国有文物收藏单位对馆藏文物作退出处理所取得的补偿或收入，应当用于博物馆事业发展。

第十一条 因本办法第四条（一）规定情形作退出处理的馆藏文物，应当优先提供给教学及科研单位保管使用。

第十二条 国有文物收藏单位对馆藏文物作退出处理后的账物处置，应当按文物保管和国有资产管理规定的程序办理。

国有文物收藏单位应当为退出馆藏的文物建立专项档案，并报主管的文物行政部门备案。属于馆藏二、三级文物的，应当逐级报省级文物行政部门备案。属于馆藏一级文物的，应当逐级报国务院文物行政部门备案。专项档案应当保存75年以上。

第十三条 本办法自公布之日起施行。

国有博物馆藏品征集规程

（国家文物局　财政部　文物博发〔2021〕21号）

第一条　为规范国有博物馆藏品征集工作，优化国有博物馆藏品体系，根据《中华人民共和国文物保护法》《博物馆条例》《博物馆藏品管理办法》等规定，制定本规程。

第二条　本规程所称藏品征集，是指国有博物馆（以下简称博物馆）根据本馆宗旨、定位、发展方向，通过购买或接受捐赠的方式取得藏品的业务活动。

第三条　博物馆应建立藏品征集管理制度，明确征集范围、方式、条件，进行公开征集；设立专门机构或明确责任部门（以下简称征集部门），拟订藏品征集总体规划、中长期规划和年度计划，规范有序开展征集工作。博物馆不得征集来源不合法或来源不明的藏品，征集活动不得有违博物馆职业道德。

第四条　藏品征集应当遵循统一领导、集体决策原则，并纳入本单位“三重一大”事项范围；涉及确定征集意向、定价、决策实施等环节，由馆务会议集体研究决策，并遵循利益相关方回避原则。

第五条　博物馆通过购买方式征集藏品的工作程序如下：

（一）征集调查。征集部门应多渠道寻找征集线索，对拟征集物的真实性、来源合法性、是否符合征集方向进行初审，提出拟征集物清单。

（二）专家鉴定。征集部门根据拟征集物类别，组织不少于3名相应研究方向的专家，对拟征集物的真伪，历史、艺术、科学价值，流传经历，估价（独立给出）等进行鉴定，出具专家鉴定意见。对真伪鉴定实行“一票否决”。

（三）估价建议。征集部门根据专家估价的平均值，参考本馆征集同类藏品价格、国有文物商店出售类似物品价格、文物拍卖公司拍卖类似标的成交价格，形成拟征集物估价建议。估价建议应严格保密。形成的估价建议价格较高的，应按照国家有关规定进行资产评估，并以资产评估结果作为估价建议。

（四）价格谈判或协商。征集部门、财务部门共同组成不少于3人的谈判或协商小组，以估价建议额为上限，与拟征集物所有者进行价格商谈。对于多个所有者能提供的拟征集物，按照竞争择优的原则，分别与多个所有者谈判后确定征集意向；对于只能由唯一所有者提供的拟征集物，由双方进行价格协商，达成一致后确定征集意向；如价格超出估价上限，则中止征集。谈判或协商中应做好会议记录、文件签字。

（五）征集实施。博物馆召开馆务会议，对谈判结果进行集体研究审议，形成征集决策意见。如确定征集，则由征集部门按照相关规定履行征集程序。征集双方应签订征集合同，明确征集物的名称、数量、价款、税费、交付期限及方式、权责约定等。凡有偿征集的，应要求被征集方开具发票、收据等有效凭证。

（六）支付验收。财务部门根据征集部门提交的合同、发票、征集物清单等征集凭证，办理支付手续。征集部门会同财务、保管部门共同办理验收、移交和入库等手续。

（七）登记入账。财务部门应按照政府会计制度和相关准则要求，于征集程序完成后，根据购买价格及时登记入账，确保不重不漏。

（八）建档备案。保管部门应于征集物入馆验收后尽快完成藏品编目、建档工作，属于文物的，应当区分文物等级，设置文物档案，并依法备案。征集部门应将征集过程所有原始资料整理归档，永久保存。

（九）监督检查。纪检、审计部门负责对征集中的重要事项进行监督，国有博物馆主管部门定期开展专项检查。

第六条 博物馆通过接受捐赠方式征集藏品的，可参照第五条规定的程序执行，并就捐赠物的名称、数量、用途以及各方权利义务等订立捐赠协议，根据估价建议登记入账。博物馆接受捐赠应以精神鼓励为主，如确有必要，可给予适当物质奖励。

第七条 博物馆委托国有文物商店等机构代为征集藏品的，应事先签订委托协议，明确双方权责，包括征集物类别、标准、价格范围、交付、验收、支付方式等。

第八条 博物馆应通过年报、网站、媒体等方式，及时向社会公布藏品征集价格，以及管理、使用等情况，主动接受社会监督。

第九条 地方各级文物主管部门、国有博物馆可依照本规程，结合工作实际，制定本地区（馆）藏品征集工作管理办法或实施细则。

第十条 本规程自印发之日起施行。

关于进一步规范国有文物收藏单位馆藏一级文物借展备案工作的通知

（国家文物局　办博函〔2020〕948 号）

各省、自治区、直辖市文物局（文化和旅游厅 / 局），新疆生产建设兵团文物局：

为进一步规范国有文物收藏单位出借馆藏一级文物备案工作，根据《中华人民共和国文物保护法》等规定，现就有关事项通知如下：

一、备案主体。国有文物收藏单位之间因举办展览、科学研究等需借用馆藏一级文物的，由出借单位向国家文物局提交备案报告及相关材料，并抄报省级文物主管部门。

二、备案材料。馆藏一级文物借展备案报告（附件包括展览协议书、借用文物安全保障方案、文物状况专家评估意见）及馆藏一级文物借展备案表，需加盖出借单位公章。

三、提交方式。上述材料纸质版请寄送国家文物局，电子版（备案报告 pdf 格式，备案表 excel 格式）发送至邮箱：gjwwjbwgc@163.com。纸质版与电子版标题需保持一致，如“（出借单位）关于出借馆藏文物赴（借入单位）参加（展览名称）的备案报告”。

专此函达。

附件 1

______（出借单位）关于出借馆藏文物赴______（借入单位）参加“______（展览名称）”的备案报告

国家文物局：

______（借入单位）拟于_____年___月___日至______年___月___日在______（展出地点）举办“______（展览名称）”，特向我馆商借文物___件 / 套，其中一级文物___件 / 套。经研究，我馆同意出借。

根据《中华人民共和国文物保护法》相关规定，特此呈报备案。

附件：1. 展览协议书
2. 借用文物安全保障方案
3. 文物状况专家评估意见
4. 借用一级文物备案表

出借单位名称

（公章）

_____年___月___日

（联系人：______电话：______）

借用一级文物备案表

序号	文件名称	展览名称	借出单位	借出单位所在省份	借入单位	借入单位所在省份	借用时间（起）	借用时间（止）	一级文物数量（件套）	一级文物名称	一级文物登记号／藏品编号

联系人： 电话： 填报单位（盖章）：

非国有文物收藏单位和其他单位借用国有馆藏一级文物许可指南

（国家文物局　2021年3月发布）

一、事项名称

非国有文物收藏单位和其他单位借用国有馆藏一级文物许可

二、办理依据

《中华人民共和国文物保护法》第四十条：“……非国有文物收藏单位和其他单位举办展览需借用国有馆藏文物的，应当报主管的文物行政部门批准；借用国有馆藏一级文物，应当经国务院文物行政部门批准”

三、申报主体和受理机构

申报主体：文物出借单位；受理机构：国家文物局

四、决定机构

国家文物局

五、审查类型

前审后批

六、数量限制

无数量限制

七、适用范围

馆藏一级文物

八、申请条件和材料目录

（一）文物借用协议书；
（二）借用文物的安全状况评估报告；
（三）借用单位的资信情况报告和场馆设施条件评估报告。
以上材料一式三份，并附光盘。

九、禁止性要求

无

十、办理基本流程

文物出借单位向国家文物局提交申请材料——受理申请材料——审核申请材料（可组织专业机构或者专家评审，必要时组织实地核查），提出审查意见及理由——作出准予许可或者不予许可的决定

十一、办理时限

20 个工作日（委托评估、专家评审时间除外）

十二、收费情况

不收取费用

十三、审批结果及送达方式

许可决定，邮寄送达

十四、办理进程和结果查询

国家文物局博物馆与社会文物司 010-56792127

十五、监督投诉渠道

国家文物局办公室 010-56792211

十六、办公时间、联系人、咨询电话、地点及乘车路线

工作日：上午 8：30-11：30；下午 13：30-17：00
国家文物局博物馆与社会文物司；010-56792127
北京市东城区北河沿大街 83 号；邮编：100009

地铁南锣鼓巷站向南 1200 米；公交车 82 路、60 路、112 路沙滩路口北站向北 100 米

十七、相关申请材料示范文本主要内容

1. 文物借用协议书

甲方:（文物出借单位）

乙方:（文物借用单位）

内容:

（1）文物基本信息，包括文物名称、总登记号、尺寸、数量等详细信息；

（2）借用用途、期限；

（3）文物包装运输、点交、展陈等技术内容和注意事项；

（4）法律责任。

（5）双方签章

2. 借用文物的安全状况评估报告（文物出借单位出具，须有参评人员签名）

（1）是否适宜展出、长途运输等情况；

（2）保管、展出、包装与运输的建议。

3. 借用单位的资信情况报告，借用单位出具，应无不良社会声誉。

4. 借用单位的场馆设施条件评估报告

基本条件应达到收藏单位提出的展出、保管等条件，场馆设施条件评估报告须有双方专业人员签名。

十八、常见错误示例

1. 文物借用单位所在地提出申请。

2. 借用单位场馆设施无法达到展出和保管条件。

十九、常见问题解答

1. 借用期限最长多少时间?

答：根据《中华人民共和国文物保护法》规定，文物收藏单位之间借用文物的最长期限不得超过三年。

二十、流程图

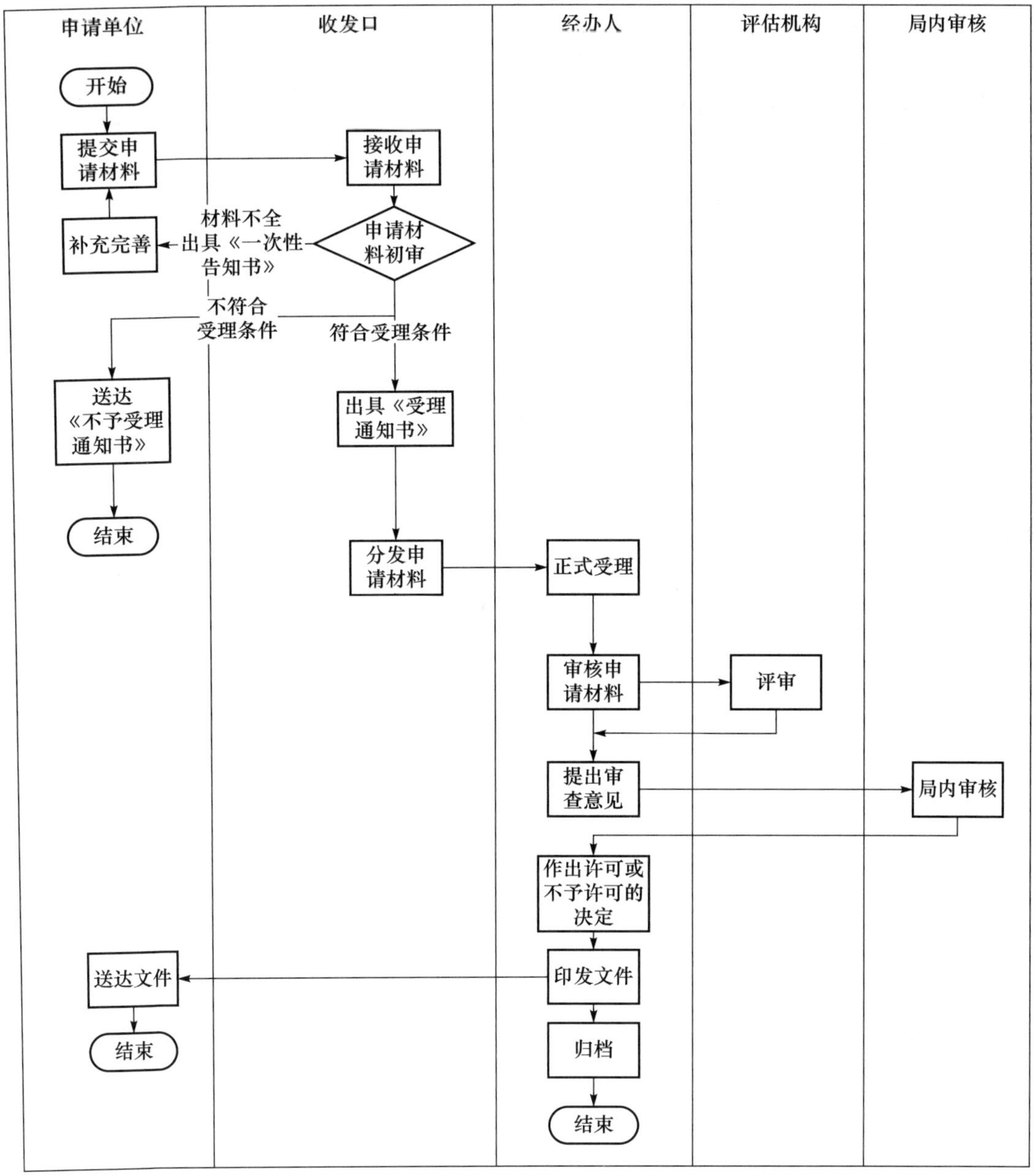
申请单位
收发口
经办人
评估机构
局内审核
开始
提交申请材料
接收申请材料
申请材料初审
材料不全出具《一次性告知书》
补充完善
不符合受理条件
符合受理条件
送达《不予受理通知书》
出具《受理通知书》
结束
分发申请材料
正式受理
审核申请材料
评审
提出审查意见
局内审核
作出许可或不予许可的决定
送达文件
印发文件
结束
归档
结束

馆藏一级文物的修复、复制、拓印许可指南

（国家文物局　2021 年 3 月发布）

一、事项名称

馆藏一级文物的修复、复制、拓印许可

二、办理依据

《中华人民共和国文物保护法实施条例》第三十二条：“……修复、复制、拓印馆藏一级文物的，应当报国务院文物行政主管部门批准。”

三、申报主体和受理机构

申报主体：文物收藏单位；受理机构：国家文物局

四、决定机构

国家文物局

五、审查类型

前审后批

六、数量限制

无数量限制

七、适用范围

馆藏一级文物

八、申请条件和材料目录

1. 馆藏一级文物修复、复制、拓印申请

2. 馆藏一级文物修复、复制、拓印计划书

九、禁止性要求

无

十、办事基本流程

文物收藏单位通过国家文物局综合行政管理平台提交申请材料——受理申请材料——审核申请材料（可组织专业机构或者专家评审，必要时可组织实地核查），提出审查意见及理由——作出准予许可或者不予许可的决定

十一、办理时限

20 个工作日（委托评估、专家评审时间除外）

十二、收费情况

不收取费用

十三、审批结果及送达方式

许可决定，邮寄送达

十四、办理进程和结果查询

国家文物局博物馆与社会文物司 010-56792127

十五、监督投诉渠道

国家文物局办公室 010-56792211

十六、办公时间、联系人、咨询电话、地点及乘车路线

工作日上午 8：30-11：30；下午 13：30-17：00

国家文物局博物馆与社会文物司；010-56792127

北京市东城区北河沿大街 83 号；邮编：100009

地铁南锣鼓巷站向南 1200 米；公交车 82 路、60 路、112 路沙滩路口北站向北 100 米

十七、相关申请材料示范文本

见附件

十八、常见错误示例

1. 文物主要病害描述及所附病害图片不够充分，无法证明修复的必要性和紧迫性。

2. 修复目标与病害缺乏针对性，技术路线不可行。

3. 复制、拓印缘由不够充分，如用于商业用途等。

十九、常见问题解答

1. 拟修复、复制、拓印的馆藏文物为新定级为一级，原系统中没有相关信息，如何申报?

答：新定级为馆藏一级文物的，应按《中华人民共和国文物保护法》相关要求，将藏品档案报国家文物局履行备案程序。

2. 文物修复计划一次可以申报一批馆藏文物吗?

答：可一并申报，每件（套）文物需有单独的计划书与图片。

二十、流程图

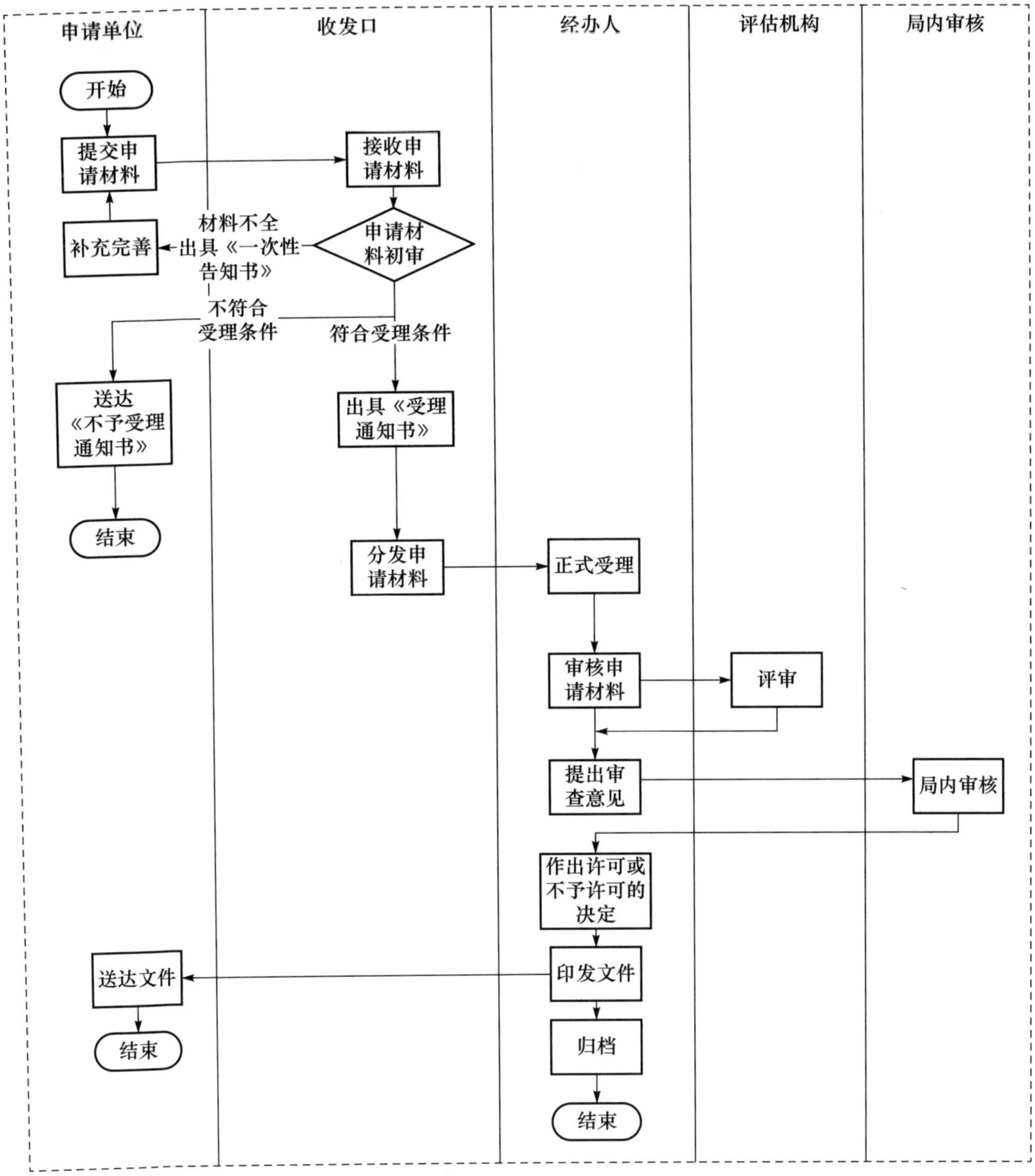
申请单位
收发口
经办人
评估机构
局内审核
开始
提交申请材料
接收申请材料
申请材料初审
材料不全
出具《一次性告知书》
补充完善
不符合受理条件
符合受理条件
送达《不予受理通知书》
结束
出具《受理通知书》
分发申请材料
正式受理
审核申请材料
评审
提出审查意见
局内审核
作出许可或不予许可的决定
印发文件
送达文件
结束
归档
结束

附件

馆藏一级文物修复计划书

文物收藏单位	×××
文物名称	×××
总登记号	×××
文物质地	石、玉……
项目类型	修复
价值评估	×××
保存状态	（应严谨如实地评价文物的保存现状，包括但不限于文物整体状态、稳定程度、保存环境、劣化发展情况等，充分说明进行保护修复的必要性。）
主要病害	（应提供病害调查及评估报告、分析检测数据；严格根据相关行业与国家标准，严谨描述文物存在的病害类型与程度，每类病害必须绘制并提供符合各类材质文物病害图示规范的文物病害图，如实反映各类病害在文物上的分布情况。每类病害应同时提供清晰可辨的能反映病害现状一张（或变化过程的多张）照片，病害照片分辨率不低于 72DPI，文件大小应不低于 3M，并放置色卡与标尺。）
主要目标	（修复主要目标的设定应符合文物保护修复基本理念与原则，应与亟待解决的病害问题具有对应性。）
拟采取的技术路线和主要材料工艺	（概述拟采用的技术路线和主要材料工艺，体现可行性与安全性。）

（图片另附。图片要求能准确反映文物现状，并附色卡和标尺。照片应清晰，分辨率不低于 72DPI，单张文件不小于 3M。）

馆藏一级文物复制（拓印）计划书

<table>
<tr><td>名称</td><td>×××</td><td>总登记号</td><td>×××</td><td>具体年代</td><td>×××</td><td>文物级别</td><td>一级</td></tr>
<tr><td>文物类别</td><td>××</td><td>质地</td><td>石、玉…</td><td>尺寸</td><td>长×宽×高</td><td>数量</td><td></td></tr>
<tr><td>收藏单位</td><td>××</td><td>收藏时间</td><td>××</td><td>文物来源</td><td colspan="3">××</td></tr>
<tr><td>保存状态</td><td>××</td><td>完残状况</td><td colspan="5">××</td></tr>
<tr><td>价值评估</td><td colspan="7">××××</td></tr>
<tr><td>复制（拓印）缘由</td><td colspan="7">××××［不支持商业目的的复制（拓印）］</td></tr>
<tr><td>复制（拓印）具体工艺与步骤</td><td colspan="7">××××（应体现技术路线的可行性与安全性）</td></tr>
<tr><td>风险评估与安全措施</td><td colspan="7">××××</td></tr>
</table>

（图片另附。图片要求能准确反映文物现状，并附色卡和标尺。照片应清晰，分辨率不低于72DPI，单张文件不小于3M。）

博物馆一级藏品取样分析许可指南

（国家文物局　2021 年 3 月发布）

一、事项名称

博物馆一级藏品取样分析许可

二、办理依据

《国务院对确需保留的行政审批项目设定行政许可的决定》附件第 464 项“博物馆藏品取样审批 国家文物局”

三、申报主体和受理机构

申报主体：文物收藏单位；受理机构：国家文物局

四、决定机构

国家文物局

五、审查类型

前审后批

六、数量限制

无数量限制

七、适用范围

馆藏一级文物

八、申请条件和材料目录

取样分析申请书

九、禁止性要求

无

十、办理基本流程

文物收藏单位向国家文物局提交申请材料——受理申请材料——审核材料（可组织专业机构或者专家评审，必要时组织实地核查），提出审查意见及理由——作出准予许可或者不予许可的决定

十一、办理时限

20 个工作日（委托评估、专家评审时间除外）

十二、收费情况

不收取费用

十三、审批结果及送达方式

许可决定，邮寄送达

十四、办理进程和结果查询

国家文物局博物馆与社会文物 010-56792127

十五、监督投诉渠道

国家文物局办公室 010-56792211

十六、办公时间、联系人、咨询电话、地点及乘车路线

工作日：上午 8：30-11：30；下午 13：30-17：00
国家文物局博物馆与社会文物司；010-56792127
北京市东城区北河沿大街 83 号；邮编：100009
地铁南锣鼓巷站向南 1200 米；公交车 82 路、60 路、112 路沙滩路口北站向北 100 米

十七、相关申请材料示范文本主要内容

取样分析申请书（一式三份，附光盘）

1. 文物基本信息

包括：文物名称、总登记号、年代、质地、类别、数量、尺寸、质量、级别、来源、完残状况、保存状态、入馆日期等。

2. 取样分析的必要性。

3. 取样分析的具体方法和技术路线。

4. 风险评估与安全措施。

十八、常见错误示例

1. 取样分析的必要性不充分，文物病害程度较轻，或取样分析与文物病害、修复措施无直接关系。

2. 样品选取面积较大，对文物损害较大。

十九、常见问题解答

1. 开展学术研究是否可对一级文物进行取样？

答：不可以。开展文物的学术研究，应采取对文物无损的检测方式，不应采取有损的取样分析方式。

二十、流程图

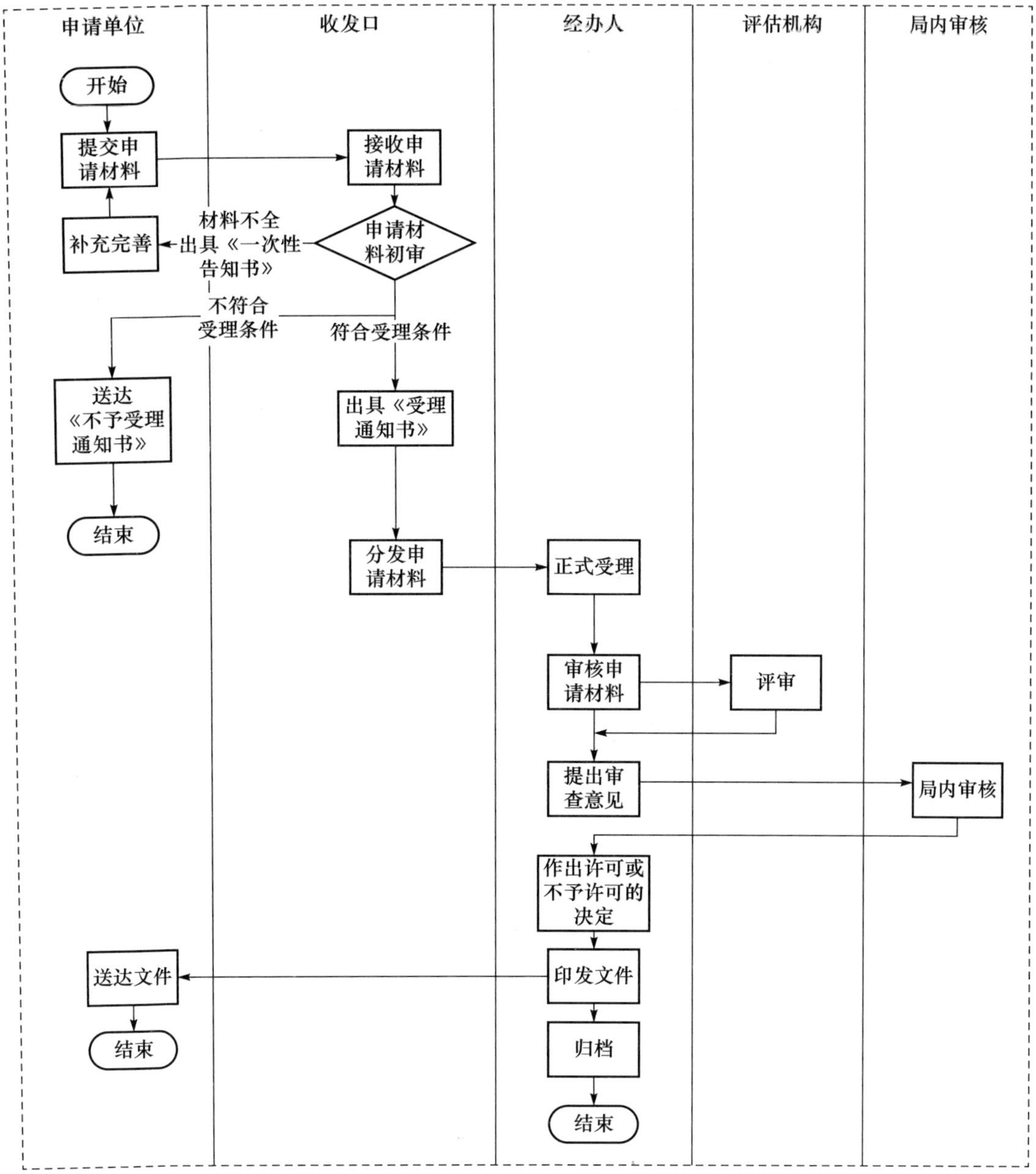
申请单位
收发口
经办人
评估机构
局内审核
开始
提交申请材料
接收申请材料
补充完善
材料不全出具《一次性告知书》
申请材料初审
不符合受理条件
符合受理条件
送达《不予受理通知书》
出具《受理通知书》
结束
分发申请材料
正式受理
审核申请材料
评审
提出审查意见
局内审核
作出许可或不予许可的决定
送达文件
印发文件
结束
归档
结束

第四部分　陈 列 展 览

文物出境展览管理规定

（国家文物局　文物办发〔2005〕13 号）

第一章　总　　则

第一条　为加强文物出境展览的管理，根据《中华人民共和国文物保护法》和《中华人民共和国文物保护法实施条例》，制定本规定。

第二条　本规定所称文物出境展览，是指下列机构在境外（包括外国及我国香港、澳门特别行政区和台湾地区）举办的各类文物展览：

（一）国家文物局；

（二）国家文物局指定的从事文物出境展览的单位；

（三）省级文物行政部门；

（四）境内各文物收藏单位。

第三条　出境展览的文物应当经过文物收藏单位的登记和定级，并已在国内公开展出。

第四条　国家文物局负责全国文物出境展览的归口管理，其职责是：

（一）审核文物出境展览计划，制定并公布全国文物出境展览计划；

（二）审批文物出境展览项目；

（三）组织或指定专门机构承办大型文物出境展览；

（四）制定并定期公布禁止和限制出境展览文物的目录；

（五）监督和检查文物出境展览的情况；

（六）查处文物出境展览中的违法、违规行为。

第五条　省级文物行政部门负责本行政区域文物出境展览的归口管理，其职责是：

（一）核报文物出境展览计划；

（二）核报文物出境展览项目；

（三）协调文物出境展览的组织工作；

（四）核报禁止和限制出境展览文物的目录；

（五）核报展览协议书及展览结项有关资料；

（六）监督和检查文物出境展览的情况；

（七）查处文物出境展览中的违法、违规行为。

第六条 文物出境展览应确保文物安全。文物出境展览的承办单位应落实文物安全责任制，并对文物安全负全责。

第七条 举办文物出境展览应适当收取筹展费、文物养护费等有关费用。

第二章 文物出境展览的审批和结项

第八条 文物出境展览，应当报国家文物局批准。其中一级文物展品超过120件（套），或者一级文物展品超过展品总数的20%的，由国家文物局报国务院审批。

第九条 年度计划的报批程序：

（一）国家文物局指定的从事文物出境展览的单位，各省级文物行政部门以及境内文物收藏单位，应在每年的5月底前向国家文物局书面申报下一年度文物出境展览计划。地方各级文物行政部门所辖的文物收藏单位的出境展览计划，应经省级文物行政部门提出意见后报国家文物局。

（二）国家文物局应于每年的6月底前制定并公布下一年度全国文物出境展览计划。

第十条 文物出境展览项目的报批程序：

（一）国家文物局指定的从事文物出境展览的单位，各省级文物行政部门以及境内文物收藏单位，应在展览项目实施的6个月前提出项目的书面申请报国家文物局审批。地方各级文物行政部门所辖的文物收藏单位举办出境展览，应经省级文物行政部门提出意见后报国家文物局审批。

（二）国家文物局应自收到申请之日起30个工作日内作出批准或者不批准的决定。决定批准的，发给批准文件；决定不批准的，应书面通知当事人并说明理由。

第十一条 文物出境展览项目的书面申请应包括下列内容：

（一）合作各方的有关背景资料、资信证明和境外合作方的邀请信。

（二）经过草签的展览协议书草案，内容包括：

1、举办展览的机构、所在地及国别；

2、展览的名称、时间、出展场地；

3、展品的安全、运输、保险，及赔偿责任和费用；

4、展品的点交方式及地点；

5、展览派出人员的安排及所需费用；

6、展览有关费用和支付方式；

7、有关知识产权问题。

（三）展品目录、文物出境展览展品申报表和展品估价。文物出境展览展品申报表应按国家文物局制定的统一格式填写，并附汇总登记表。

上述书面申请应另附电子文本一份。

第十二条 下列文物禁止出境展览：

（一）古尸；

（二）宗教场所的主尊造像；

（三）一级文物中的孤品和易损品；

（四）列入禁止出境文物目录的；

（五）文物保存状况不宜出境展览的。

第十三条 下列文物限制出境展览：

（一）简牍、帛书；

（二）元代以前的书画、缂丝作品；

（三）宋、元时期有代表性的瓷器孤品；

（四）唐写本、宋刻本古籍；

（五）宋代以前的大幅完整丝织品；

（六）大幅壁画和重要壁画；

（七）唐宋以前的陵墓石刻及泥塑造像；

（八）质地为象牙、犀角等被《濒危野生动植物物种国际贸易公约》列为禁止进出口物品种类的文物。

第十四条 未经批准，任何单位和个人不得对外作出文物出境展览的承诺或签订有关的正式协议书。

第十五条 经批准的文物出境展览协议书草案、展品目录、展品估价等，如需更改应重新履行报批程序。

第十六条 文物出境展览的承办单位应于展览协议书签订之日起 1 个月内将展览协议书报送国家文物局备案。

第十七条 文物出境展览的承办单位应于展览结束之日起 2 个月内向国家文物局提交文物出境展览结项备案表、结项报告及展览音像资料。

第三章　出境展览文物的出境及复进境

第十八条　出境展览的文物出境，应持国家文物局的批准文件，向文物进出境审核机构申请，由文物进出境审核机构审核、登记，并从国家文物局指定的口岸出境。海关凭国家文物局的批准文件和文物进出境审核机构出具的证书放行。出境展览的文物复进境，应向海关申报，经原文物进出境审核机构审核查验后，凭原文物进出境审核机构出具的证书办理海关结项手续。

第十九条　文物出境展览的期限不得超过1年。因特殊需要，经原审批机关批准可以延期；但是，延期最长不得超过1年。

第四章　文物出境展览的展品安全

第二十条　文物出境展览的承办单位应对出境展览的文物进行严格的安全检查，现状不能保证安全的文物一律不得申报出境展览。

第二十一条　出境展览的文物应当按照经批准的展品估价保险。出境展览文物保险的险种至少应包括财产一切险和运输一切险。

第二十二条　文物出境展览的点交应当在符合文物保管条件和安全条件的场地进行。点交现场应当采取有针对性的安全保卫措施，严格规定点交流程。点交记录应详尽准确。

第二十三条　出境展览文物的包装工作应严格按照技术规范执行。由包装公司承担文物出境展览的包装工作时，包装公司应具备包装中国文物展品的资信和能力，承办单位负责对包装工作进行监督和指导。

第二十四条　文物出境展览的运输工作应由具备承运中国文物展品的资信和能力的运输公司承担。承办单位负责对运输工作进行监督和指导。

第二十五条　文物出境展览的承办单位应确保境外展览的场地、设施和方式符合中国文物陈列的安全要求。

第二十六条　制作展览图录的照片原则上由出境展览的承办单位提供，不得允许外方合作者自行拍摄。重要文物展览的电视和广告宣传需要摄录展品的，由出境展览的承办单位根据《文物拍摄管理暂行办法》的规定执行。

第五章　文物出境展览人员的派出

第二十七条　文物出境应派出代表团参加展览开幕活动，并配备工作组参与展品点交，监督和指导陈列的布置和撤除，监督展览协议书的执行情况。根据展览工作的需要，展览承办单位应派出工作组评估境外展览的场地和设施是否符合中国文物陈列的要求。

第二十八条 文物出境展览工作人员应热爱祖国，维护国家的主权和利益，维护民族尊严，严格遵守外事纪律，熟悉展览及展品情况。工作组应由具有中级以上专业技术职务的人员（或从事文物保管等工作五年以上的人员）参加。大型文物展览工作组组长应由具有高级专业技术职务的人员担任。

第二十九条 出境展览的承办单位应当为文物出境展览工作人员在境外工作期间安排人身安全及紧急医疗保险。

第六章 罚 则

第三十条 违反本规定，有下列行为之一的，由国家文物局根据情节轻重，给予警告、通报批评、暂停文物出境展览等处罚：

（一）未经批准，签订文物出境展览协议书的；

（二）未如实申报文物出境展览项目有关内容的；

（三）工作人员玩忽职守，造成文物灭失、损毁，或其它恶劣影响的；

（四）未经批准，延长文物出境展览时间或在境外停留时间的；

（五）未在规定期限内报送文物出境展览协议书、结项备案表和结项报告，或未如实填写文物出境展览展品申报表及结项备案表的。

暂停文物出境展览的时间视情节轻重确定，最短时间为 1 年。

第七章 附 则

第三十一条 文物出境展览合同纠纷的解决适用中国法律。

第三十二条 其它收藏文物的单位举办文物出境展览，参照本规定执行。

第三十三条 国家文物局原发布的有关规定凡有与本规定相抵触的内容，以本规定为准。

第三十四条 本规定由国家文物局负责解释。

第三十五条 本规定自颁布之日起施行。

关于规范文物出入境展览审批工作的通知

（国家文物局　文物博函〔2012〕583 号）

各省、自治区、直辖市文物局（文化厅）：

近年来，各地积极贯彻落实国家文物局发布的《文物出国（境）展览管理规定》和《文物入境展览管理暂行规定》，文物出入境展览水平和质量不断提高。为进一步加强文物出入境展览管理，促进文物出入境展览交流的专业化、科学化，现就规范文物出入境展览审批有关事项通知如下：

一、加强策化展览能力建设，制订科学的展览大纲。博物馆等文物出入境展览举办单位，要坚持以我为主、为我所用的原则，加强与境外合作博物馆沟通协作，充分做好展览前期准备特别是展览大纲研究编制，强调展览的思想性、学术性。要积极组织我方专家主动参与展览选题、内容设计、形式设计和图录编制以及有关学术研讨、宣传推广各项活动的方案拟订及论证，充分体现我方最新研究成果，科学、准确传播中华文化和人类优秀文明成果，更好地满足公众多元化的精神文化需求。

二、科学遴选文物展品，确保文物展品安全。博物馆等文物出入境展览举办单位，要坚持文物安全第一的原则，从符合博物馆标准的角度，加强评估论证，强化安全措施，确保文物展品安全。一级文物中的孤品和易损品，未定级文物、未在国内正式展出过或未在国内报刊公开发表的文物和其他保存状况差不适宜出境展览的文物，以及处于休眠养护期的文物，一律不得出境展览。要避免选用博物馆基本陈列（含原状陈列）中的文物特别是核心文物出境展览，切实维护基本陈列（含原状陈列）的完整性。

三、完善交流机制，确定合适的合作办展主体。博物馆等文物出入境展览举办单位，要加强境外合作办展博物馆资格和条件的评估论证。鼓励深化与境外知名博物馆直接合作办展，积极创造条件逐步实现互换展览。加强出境展览中拟同场展出除我方文物之外的中国文物展品，以及入境展览中拟包含的非文博机构或私人的文物展品的真实性和来源合法性的评估论证，确保展览符合博物馆标准。

四、完善申报材料，严格按规定履行审批手续。博物馆等文物出入境展览举办单位，要编制严谨规范的展览项目申报文本，并附展览方案和展览大纲。省级文物行政部门要严把文物出入境展览项目初审关，对拟举办的文物出入境展览组织专家评估论证，重点针对展览方案和展览大纲、文物清单、安全保障、境外合作单位资质、展览协议草案、文物保险估价等提出明确意见，上报文件中应附专家评估论证意见。要严格遵循展览审批时限，确保做到出境展览项目实施前6个月、入境展览项目实施前3个月上报我局审批。今后凡不按规定时限申请许可的出入境展览项目，我局原则上不予受理。

五、加强资料收集，及时建立完善的档案。博物馆等文物出入境展览举办单位应加强展览全过程相关资料的系统收集，建立完备的展览档案，展览结束后要及时全面总结，并于展览结束之日起2个月内，将展览结项备案表、结项报告及相关音像资料报省级文物行政部门审核后报我局备案。今后凡不按规定及时办理文物出入境展览结项备案的，我局将暂停审批其新的文物出入境展览项目。

特此通知。

首批禁止出国（境）展览文物目录

（国家文物局　文物办发〔2002〕5号）

省份	时代	名称	级别	现藏
	新石器时代	彩绘鹳鱼石斧图陶缸	壹级	中国历史博物馆（现为中国国家博物馆）
	新石器时代	陶鹰鼎	壹级	中国历史博物馆（现为中国国家博物馆）
	商代	后母戊鼎	壹级	中国历史博物馆（现为中国国家博物馆）
	西周	利簋	壹级	中国历史博物馆（现为中国国家博物馆）
	西周	大盂鼎	壹级	中国历史博物馆（现为中国国家博物馆）
	西周	虢季子白盘	壹级	中国历史博物馆（现为中国国家博物馆）
	明代	凤冠	壹级	中国历史博物馆（现为中国国家博物馆）
	商代	嵌绿松石象牙杯	壹级	中国社会科学院考古研究所
上海市	西周	晋侯苏钟（一套14件）	壹级	上海博物馆
	西周	大克鼎	壹级	上海博物馆
天津市	西周	太保鼎	壹级	天津艺术博物馆
浙江省	新石器时代	河姆渡出土朱漆碗	壹级	浙江省博物馆
	新石器时代	河姆渡出土陶灶	壹级	浙江省博物馆
	新石器时代	良渚出土玉琮王	壹级	浙江省考古研究所
	战国	水晶杯	壹级	杭州市博物馆
河南省	春秋	淅川出土铜禁	壹级	河南博物院
	春秋	新郑出土莲鹤铜方壶	壹级	河南博物院
山东省	汉代	齐王墓青铜方镜	壹级	山东省淄博博物馆
安徽省	战国	铸客大铜鼎	壹级	安徽省博物馆（现为安徽博物院）

续表

省份	时代	名称	级别	现藏
	三国	朱然墓出土漆木屐		马鞍山市博物馆
	三国	朱然墓出土贵族生活图漆盘		马鞍山市博物馆
安徽省	北魏	司马金龙墓出土漆屏	壹级	大同市博物馆
	北齐	娄睿墓鞍马出行图壁画		山西省考古研究所
	唐代	涅槃变相碑	壹级	山西省博物馆（现为山西博物院）
	唐代	常阳太尊石像	壹级	山西省博物馆（现为山西博物院）
湖北省	商代	大玉戈	壹级	湖北省博物馆
	战国	曾侯乙编钟	壹级	湖北省博物馆
	战国	曾侯乙墓外棺	壹级	湖北省博物馆
	战国	曾侯乙青铜尊盘	壹级	湖北省博物馆
	战国	彩漆木雕小座屏	壹级	湖北省博物馆
辽宁省	新石器	红山文化女神像	壹级	辽宁省考古研究所
	北燕	鸭形玻璃注	壹级	辽宁省历史博物馆
四川省	商代	青铜神树		四川省考古研究所
	商代	三星堆出土玉边璋		四川省考古研究所
	东汉	摇钱树	壹级	绵阳市博物馆
甘肃省	东汉	铜奔马	壹级	甘肃省博物馆
陕西省	秦代	铜车马		秦俑博物馆
	西周	墙盘	壹级	周原博物馆
	西周	淳化大鼎	壹级	淳化县博物馆
	西周	何尊	壹级	宝鸡市青铜器博物馆
	西汉	茂陵石雕		茂陵博物馆
	唐代	大秦景教流行中国碑		西安碑林博物馆
	唐代	舞马衔杯仿皮囊式银壶	壹级	陕西历史博物馆
	唐代	兽首玛瑙杯	壹级	陕西历史博物馆
	唐代	景云铜钟		西安碑林博物馆
	唐代	银花双轮十二环锡杖	壹级	法门寺博物馆
	唐代	八重宝函	壹级	法门寺博物馆
	唐代	铜浮屠	壹级	法门寺博物馆
新疆维吾尔自治区	汉晋	“五星出东方”护膊		新疆区考古研究所
河北省	战国	铜错金银四龙四凤方案	壹级	河北省文物研究所

续表

省份	时代	名称	级别	现藏
	战国	中山王铁足铜鼎	壹级	河北省文物研究所
	汉代	刘胜金缕玉衣	壹级	河北省博物馆
	汉代	长信宫灯	壹级	河北省博物馆
广东省	西汉	铜屏风构件 5 件：D162-2，105-2，19-3，106-2，19-2	壹级	南越王墓博物馆
	西汉	角形玉杯	壹级	南越王墓博物馆
湖南省	战国	人物御龙帛画		湖南省博物馆
	战国	人物龙凤帛画		湖南省博物馆
	西汉	直裾素纱禅衣	壹级	湖南省博物馆
	西汉	马王堆一号墓木棺椁	壹级	湖南省博物馆
	西汉	马王堆一号墓 T 型帛画	壹级	湖南省博物馆
青海省	北朝	红地云珠日天锦		青海省考古研究所
宁夏回族自治区	西夏	西夏文佛经《吉祥遍至口和本续》纸本		宁夏区考古研究所
江西省	元代	青花釉里红瓷仓		江西省博物院
江苏省	南朝	竹林七贤砖印模画	壹级	南京博物馆

第二批禁止出国境展览文物目录（书画类）

（国家文物局　文物博函〔2012〕1345 号）

序号	名称	时代	收藏单位
	书法作品		
1	陆机《平复帖》卷	西晋	故宫博物院
2	王珣《伯远帖》卷	东晋	故宫博物院
3	冯承素摹王羲之《兰亭序》卷	唐	故宫博物院
4	欧阳询《梦奠帖》卷	唐	辽宁省博物馆
5	国诠书《善见律》卷	唐	故宫博物院
6	怀素《苦筍帖》卷	唐	上海博物馆
7	杜牧《张好好诗》卷	唐	故宫博物院
8	唐人《摹王羲之一门书翰》卷	唐	辽宁省博物馆
9	杨凝式《神仙起居法帖》卷	五代	故宫博物院
10	林逋《自书诗》卷	北宋	故宫博物院
11	蔡襄《自书诗》卷	北宋	故宫博物院
12	文彦博《三帖卷》	北宋	故宫博物院
13	韩琦《行楷信札卷》	北宋	贵州省博物馆
14	王安石《楞严经旨要》卷	北宋	上海博物馆
15	黄庭坚《诸上座》卷	北宋	故宫博物院
16	米芾《苕溪诗》卷	北宋	故宫博物院
17	赵佶《草书千字文》卷	北宋	辽宁省博物馆
	绘画作品		
18	展子虔《游春图》卷	隋	故宫博物院
19	韩滉《五牛图》卷	唐	故宫博物院
20	周昉《挥扇仕女图》卷	唐	故宫博物院
21	孙位《高逸图》卷	唐	上海博物馆
22	王齐翰《勘书图》卷	五代	南京大学

续表

序号	名称	时代	收藏单位
23	周文矩《重屏会棋图》卷	五代	故宫博物院
24	胡瓌《卓歇图》卷	五代	故宫博物院
25	顾闳中《韩熙载夜宴图》卷	五代	故宫博物院
26	卫贤《高士图》轴	五代	故宫博物院
27	董源《山口待渡图》卷	五代	辽宁省博物馆
28	黄筌《写生珍禽图》卷	五代	故宫博物院
29	王诜《渔村小雪图》卷	北宋	故宫博物院
30	梁师闵《芦汀密雪图》卷	北宋	故宫博物院
31	祁序《江山牧放图》卷	北宋	故宫博物院
32	李公麟《摹韦偃牧放图》卷	北宋	故宫博物院
33	张择端《清明上河图》卷	北宋	故宫博物院
34	王希孟《千里江山图》卷	北宋	故宫博物院
35	马和之《后赤壁赋图》卷	南宋	故宫博物院
36	赵伯骕《万松金阙图》卷	南宋	故宫博物院
37	宋人摹阎立本《步辇图》卷	宋代	故宫博物院

第三批禁止出境展览文物目录

（国家文物局　文物博函〔2013〕1320号）

序号	名称	时代	收藏单位	备注
一、青铜器类				
1	商子龙鼎	商	中国国家博物馆	
2	商四羊方尊	商	中国国家博物馆	1938年湖南宁乡月山铺出土
3	商龙纹兕觥	商	山西博物院	1959年山西石楼桃花庄出土
4	商大禾方鼎	商	湖南省博物馆	1959年湖南宁乡出土
5	商铜立人像	商	广汉三星堆博物馆	1986年四川广汉三星堆遗址2号祭祀坑出土
6	西周天亡簋	西周	中国国家博物馆	
7	西周伯矩鬲	西周	首都博物馆	1975年北京房山琉璃河燕国墓地251号墓地出土
8	西周晋侯鸟尊	西周	山西博物院	1992年山西曲沃北赵村晋侯墓地114号墓出土
9	西周害夫（hú）簋	西周	周原博物馆	1978年陕西扶风法门镇齐村出土
10	西周逨盘	西周	宝鸡青铜器博物院	2003年陕西眉县杨家村窖藏出土
11	春秋越王勾践剑	春秋	湖北省博物馆	1965年湖北江陵望山出土
12	战国商鞅方升	战国	上海博物馆	
13	战国错金银镶嵌丝网套铜壶	战国	南京博物院	1982年江苏盱眙南窑庄出土
14	西汉诅盟场面贮贝器	西汉	中国国家博物馆	云南晋宁石寨山出土
15	西汉彩绘人物车马镜	西汉	西安博物院	1963年陕西西安红庙坡出土
16	西汉杀人祭柱场面贮贝器	西汉	云南省博物馆	云南晋宁石寨山出土
二、陶瓷类				
1	新石器时代仰韶文化彩陶人面鱼纹盆	新石器时代	中国国家博物馆	1955年陕西西安半坡遗址出土

续表

序号	名称	时代	收藏单位	备注
2	新石器时代马家窑文化彩陶舞蹈纹盆	新石器时代	中国国家博物馆	1973年青海大通上孙家寨出土
3	新石器时代马家窑文化彩陶贴塑人纹双系壶	新石器时代	中国国家博物馆	1974年青海乐都柳湾墓葬出土
4	新石器时代仰韶文化彩陶网纹船形壶	新石器时代	中国国家博物馆	1958年陕西宝鸡北首岭遗址出土
5	新石器时代龙山文化彩绘蟠龙纹陶盘	新石器时代	中国社会科学院考古研究所	1980年山西襄汾陶寺遗址第3072号墓出土
6	新石器时代仰韶文化彩陶人形双系瓶	新石器时代	甘肃省博物馆	1973年甘肃秦安邵店大地湾出土
7	新石器时代大汶口文化彩陶八角星纹豆	新石器时代	山东省文物考古研究所	1974年山东泰安大汶口遗址出土
8	吴“永安三年”款青釉堆塑谷仓罐	三国吴	故宫博物院	1935年浙江绍兴出土
9	吴“赤乌十四年”款青釉虎子	三国吴	中国国家博物馆	1955年江苏省南京赵士岗吴墓出土
10	吴青釉褐彩羽人纹双系壶	三国吴	南京市博物馆	1983年江苏南京雨花区长岗村出土
11	西晋青釉神兽尊	西晋	南京博物院	1976年江苏宜兴周处家族墓出土
12	北齐青釉仰覆莲花尊	北齐	中国国家博物馆	1948年河北景县封氏墓群出土
13	北齐白釉绿彩长颈瓶	北齐	河南博物院	1971年河南安阳范粹墓出土
14	隋白釉龙柄双联传瓶	隋	天津博物馆	
15	唐青釉凤首龙柄壶	唐	故宫博物院	
16	唐鲁山窑黑釉蓝斑腰鼓	唐	故宫博物院	
17	唐代陶骆驼载乐舞三彩俑	唐	中国国家博物馆	1957年西安鲜于庭海墓出土
18	唐长沙窑青釉褐蓝彩双系罐	唐	扬州博物馆	1974年江苏扬州石塔路出土
19	唐越窑青釉褐彩云纹五足炉	唐	临安市文物馆	1980年浙江临安水邱氏墓出土
20	唐长沙窑青釉褐彩贴花人物纹壶	唐	湖南省博物馆	1973年湖南衡阳出土
21	唐三彩骆驼载乐俑	唐	陕西历史博物馆	1959年陕西西安中堡村唐墓出土
22	五代耀州窑摩羯形水盂	五代	辽宁省博物馆	1971年辽宁北票水泉辽墓出土
23	五代越窑莲花式托盏	五代	苏州博物馆	1956年江苏苏州虎丘云岩寺塔出土

续表

序号	名称	时代	收藏单位	备注
24	五代耀州窑青釉刻花提梁倒流壶	五代	陕西历史博物馆	1968年陕西彬县出土
25	北宋汝窑天青釉弦纹樽	北宋	故宫博物院	
26	北宋官窑弦纹瓶	北宋	故宫博物院	
27	北宋钧窑月白釉出戟尊	北宋	故宫博物院	
28	北宋定窑白釉刻莲花瓣纹龙首净瓶	北宋	定州市博物馆	1969年河北定县净众院塔基地宫出土
29	北宋官窑贯耳尊	北宋	吉林省博物院	
30	宋登封窑珍珠地划花虎豹纹瓶	宋	故宫博物院	
31	元青花萧何月下追韩信图梅瓶	元	南京市博物馆	江苏南京印堂村观音山沐英墓出土
32	元蓝釉白龙纹梅瓶	元	扬州博物馆	
三、玉器类				
1	新石器时代红山文化玉龙	新石器时代	中国国家博物馆	1971年内蒙古翁牛特旗赛沁塔拉村出土
2	新石器时代良渚文化神人兽面纹玉钺	新石器时代	浙江省博物馆	1986年浙江余杭反山12号墓出土
3	夏七孔玉刀	夏	洛阳博物馆	1975年河南偃师二里头遗址出土
4	西周晋侯夫人组玉佩	西周	山西博物院	1992年山西曲沃M63墓（晋穆侯次夫人墓）出土
5	战国多节活环套练玉佩	战国	湖北省博物馆	1978年湖北随县曾侯乙墓出土
6	西汉“皇后之玺”玉玺	西汉	陕西历史博物馆	1968年陕西咸阳汉高祖长陵附近发现
7	东汉镂雕东王公西王母纹玉座屏	东汉	定州市博物馆	1969年河北定州中山穆王刘畅墓出土
8	西晋神兽纹玉樽	西晋	湖南省博物馆	1991年湖南安乡西晋刘弘墓出土
9	元“统领释教大元国师之印”龙钮玉印	元	西藏博物馆	
四、杂项类				
1	商太阳神鸟金箔片	商	成都金沙遗址博物馆	2001年四川成都金沙遗址出土
2	商金杖		广汉三星堆博物馆	

续表

序号	名称	时代	收藏单位	备注
3	战国包金镶玉嵌琉璃银带钩	战国	中国国家博物馆	1951年河南辉县固围村5号战国墓出土
4	西汉“滇王之印”金印	西汉	中国国家博物馆	1956年云南晋宁石寨山古墓群出土
5	西汉错金银镶松石狩猎纹铜伞铤	西汉	河北省文物研究所	
6	唐龟负论语玉烛酒筹鎏金银筒	唐	镇江博物馆	1982年江苏丹徒丁卯桥唐代窖藏出土
7	战国彩绘乐舞图鸳鸯形漆盒	战国	湖北省博物馆	1978年湖北随县曾侯乙墓出土
8	西汉识文彩绘盝顶长方形漆奁	西汉	湖南省博物馆	1973年湖南长沙马王堆3号墓出土
9	西汉黑漆朱绘六博具	西汉	湖南省博物馆	1973年湖南长沙马王堆3号墓出土
10	吴彩绘季札挂剑图漆盘	三国吴	安徽省文物考古研究所	1984年安徽马鞍山三国吴朱然墓出土
11	吴皮胎犀皮漆鎏金铜釦耳杯（2件）	三国吴	安徽省文物考古研究所	1984年安徽马鞍山三国吴朱然墓出土
12	北宋木雕真珠舍利宝幢（含木函）	北宋	苏州博物馆	1978年江苏苏州瑞光寺塔出土
13	新石器时代大汶口文化象牙梳	新石器时代	山东省博物馆	1959年山东泰安大汶口遗址出土
14	新石器时代河姆渡文化双鸟朝阳纹象牙雕刻器	新石器时代	浙江省博物馆	1977年浙江余姚河姆渡遗址出土
15	隋绿玻璃盖罐	隋	中国国家博物馆	1957年陕西西安李静训墓出土
16	隋绿玻璃小瓶	隋	中国国家博物馆	1957年陕西西安李静训墓出土
17	汉红地对人兽树纹罽袍	汉	新疆维吾尔自治区文物考古研究所	1995年新疆尉犁营盘遗址墓地出土
18	北魏刺绣佛像供养人	北魏	敦煌研究院	1965年甘肃敦煌莫高窟出土
19	北朝方格兽纹锦	北朝	新疆维吾尔自治区博物馆	1968年新疆吐鲁番阿斯塔那北区99号墓出土
20	北宋灵鹫纹锦袍	北宋	故宫博物院	1953年新疆阿拉尔出土
21	战国石鼓（1组10只）	战国	故宫博物院	
22	唐昭陵六骏石刻（什伐赤、白蹄乌、特勒骠、青骓4幅）	唐	西安碑林博物馆	1950年原陕西历史博物馆移交
23	宋拓西岳华山庙碑册（华阴本）	宋	故宫博物院	

续表

序号	名称	时代	收藏单位	备注
24	明曹全碑初拓本（“因”字不损本）	明	上海博物馆	
25	唐写本王仁煦《刊谬补缺切韵》	唐	故宫博物院	
26	北宋刻开宝藏本《阿惟越致经》（1卷）	北宋	中国国家图书馆	
27	北宋刻本《范仲淹文集》（30卷）	北宋	中国国家图书馆	
28	唐章怀太子墓壁画马球图（1组）	唐	陕西历史博物馆	
29	唐章怀太子墓壁画狩猎出行图（1组）	唐	陕西历史博物馆	
30	唐懿德太子墓壁画阙楼图（1组）	唐	陕西历史博物馆	
31	唐永泰公主墓壁画宫女图（1组）	唐	陕西历史博物馆	
32	战国简《金縢》	战国	清华大学	
33	战国郭店楚简《老子（甲、乙、丙）》	战国	荆门市博物馆	
34	战国楚简《孔子诗论》	战国	上海博物馆	
35	秦云梦睡虎地秦简《语书》	秦	湖北省博物馆	
36	秦简《数》	秦	湖南大学	
37	西汉马王堆汉墓帛书《周易》	西汉	湖南省博物馆	

出国（境）文物展品包装工作规范

（国家文物局　文物办发〔2001〕036 号）

一、总　　则

第一条　为保证出国（境）文物展览包装工作规范化、科学化，保证文物在赴国（境）外展出过程中安全无损，制定本规范。

第二条　本规定所指“文物展品”，是指出国（境）文物展览中所展出的经文物部门注册、登记、确定级别的文物。

第三条　展品包装工作的要求是：结构合理、坚固耐用、拆卸方便、复位容易、美观简洁、一目了然，适合集装箱（车、飞机）装载，适于长途运输。

第四条　凡经国家文物局批准的出国（境）文物展览的展品必须按照本规范要求进行内、外包装。

二、包装单位和人员

第五条　举办出国（境）文物展览的单位，必须指定专门的从事文物展品包装工作的单位或由专人负责包装工作。

第六条　国家文物局认定有能力的单位可以从事专门的文物展品包装工作。从事包装工作的人员，必须经过国家文物局（或由国家文物局指定的培训机构）举办的专业技术培训班培训，并经考核获得资格证书后，方能从事文物展品包装工作。

第七条　包装工作人员应热爱本职工作，爱护文物，具有强烈的责任心。

第八条　未经国家文物局特别许可，外国团体、法人、自然人不得在文物展览单位从事文物包装工作。

三、包 装 技 术

第九条　包装材料的选用

（一）制作内、外包装箱均应使用目前国际通用的复合木质材料为板材，如多层板、夹心板等。禁止使用未经高温处理的原木为材料。

（二）内、外包装箱的防震层应选用质地柔韧、弹力好的高密度吹塑板及泡沫塑料为材料。

（三）填充物应以海绵、各种密度的聚氯板和高密度聚苯板等为材料。禁止使用旧报纸、卫生纸、纸屑、锯末、麦秸、砂土等作为填充材料。

第十条 外包装箱制作要求

（一）常规式外包装箱的制作要求

外包装箱应具有坚固性及较强的防震、防冲撞、抗压和防水性能。

1. 尺寸规格：按照运输方式不同，外包装箱的尺寸规格可分为空运、陆运两种。

空运外包装箱的尺寸规格：（长 × 宽 × 高 单位 cm）

① 157 × 105 × 160

② 157 × 105 × 80

③ 79 × 105 × 80

陆运外包装箱的尺寸规格：（长 × 宽 × 高 单位 cm）

①不超过 1190 × 220 × 225

②不超过 590 × 220 × 225

2. 箱体材料：多层板

3. 箱内壁防震层厚度应达 2—5cm，防水层所使用的塑料布应在 0.05mm 以上。

4. 箱外表显著位置要有防倒置、防雨、易碎标识并标明箱号。

5. 外包装箱与内包装箱之间应用防震减压的填充物填实，不得留有空隙。

6. 外包装箱表面不应该有突出的锁扣等装置，以避免箱体移位时发生拉挂等现象，影响箱体安全。

（二）直接式外包装箱的制作要求

直接式外包装系指一些份量较重（如大型石雕、陶塑、青铜器等）、体积较大（如屏风、宝座、家具等）的展品，需直接装箱运输。直装式外包装箱的制作要求与常规式有所不同。

1. 尺寸规格：应视展品的具体大小而定。但箱体的尺寸要比展品至少大出 5—10cm，以便防震层的制作。

2. 箱体材料：多层板。

直接式外包装箱应特别注意板材的选用，尤其是份量较重的展品，应选用质地坚实、承重力强的板材，复合板的厚度应达到 1.2—2cm。必要时可用木方作框架、横撑加固。避免发生包装箱变形，破损等现象。

3. 直接式外包装箱的防震层要加厚，四周及顶面应达到 3—5cm，底面应达到 7—8cm。

4. 其他要求与常规式外包装箱相同。

第十一条 内包装箱（盒）制作要求

1. 尺寸规格：内包装箱（盒）的尺寸应视展品的大小而定。

2. 箱体材料：多层板，或达到国际标准的瓦楞纸板。

3. 防震层：由于内包装箱的防震层直接接触展品，所以防震层材料应选用细密、柔软、弹性好的中密度吹塑板为宜。

4. 根据展品需要，箱（盒）内应放置防虫剂、干燥剂等。

5. 对于箱内结构复杂的内包装，须附装箱示意图或在箱体表加注警示性文字。

第十二条 几种常用的包装方式

（一）悬空减震法：箱内立支架，将展品置于支架上架空，然后固定于其上。

（二）捆扎法：先将两块多层板做成直角形框，将展品放置其上，用带子把展品捆扎在背板上。

注意底板和背板均应粘贴较厚防震层，背板的防震层还应依照器物的形状镟挖出大致凹槽，增大接触面，以便增加固定效果。

（三）点式固定法：在箱内壁选两组对称点，粘贴高、中密度吹塑板块，以使展品固定于箱中。

（四）紧压法：选定若干个受力部位，用包裹海绵或粘贴绒毡的木方将物体紧压、固定于箱体上。

（五）镟挖法：依照展品的形状，在较厚的中密度板、海绵板上镟挖出凹槽，将器物放置其中，使之不移位。

此种方法适用于小件玉器、瓷器、金银器，以及形状不规则的展品。

第十三条 展品包装程序

第一步根据展品的质地、形状、大小，制作内包装箱（盒），包括制作箱体、箱内防震层等。

第二步展品外面可根据需要包裹一层绵纸，以起到保护器物表层、增加防震、防止移位的作用。注意不得使用报纸、牛皮纸等。

第三步选用适当的包装方法将展品固定于内包装箱（盒）内，直接式展品则直接固定于外包装箱内。

第四步将若干个内包装箱（盒）码入外包装箱盒内。

第五步填实空隙，固定、封箱。

四、包装质量监督

第十四条 国家文物局可指定或委托有关单位为文物展品的指导、检查和质量监督单位，对出国（境）文物展览的展品包装进行质量检查，符合本规范要求的，方可出国（境）展览。

第十五条 凡违反本规定进行操作，而使展品存在不安全隐患的，一经查出，即令其重新包装；对仍达不到规范要求的，则禁止其出国（境）展览。

第十六条 对不采纳检查人员意见，或弄虚作假而使不合乎包装规范的展品出国（境）展览，并导致展品损伤或损毁、给国家造成损失的，要追究单位责任人和有关人员的行政责任，给予处罚，情节严重者，应追究有关人员的刑事责任。

第十七条 本规范自发布之日起施行。

出国（境）文物展览展品运输规定

（国家文物局　文物办发〔2001〕036号）

第一条　为了保证出国（境）文物展览的展品在国际、国内运输过程中的安全、准确、快捷，特制订本规定。

第二条　展品运输是指展品包装结束后，通过运输工具将展品移动至目的地的行为（包括展品装卸作业）。其责任范围为自出发地的展品包装箱离地时始，至到达目的地的展品包装箱落地时止。

第三条　展品运输实行承运人负责制并通过合同管理制度实现。

第四条　展品承运人的资格由国家文物局根据本规定认定并颁发资格证书，国家文物局得定期向社会公布展品承运人名单。

第五条　展品承运人的资格分为国内运输和国际运输两类。国内运输承运人不得从事国际运输业务。

第六条　展品国内运输承运人必须具有以下资格：

1. 在中国境内注册的能够独立承担经济责任和民事责任的企业；

2. 必须具备多年从事文物展览运输工作经验，可以确保文物运输的安全，并可承担由于运输而造成展品损坏的法律责任和经济责任。

3. 有固定的营业场所和健全的组织机构，有对文物运输业务熟悉的经营管理人员、专业技术人员及相应的运输设备。

第七条　展品国际运输承运人除必须具有展品国内运输承运人的资格外，还须具有以下资格：

1. 具有国家经济贸易部核发的国际货物运输代理企业批准证书；

2. 具有国家海关总署核发的代理报关企业注册登记证书及海关批准的展品货物进出口代理报关资格证书；

3. 具有国家交通管理部门和民航管理部门核发的运输经营许可证书。

第八条　国家文物局在认为有必要时可组成专家小组对申请承运人资格的企业进行考评和审核。

第九条 取得展品承运人资格的企业必须在每年度 3 月底以前到国家文物局办理年度检验手续。

第十条 国家文物局可视情况作出取消展品承运人资格或不办理年度检验手续的决定。

第十一条 出国（境）文物展览的境外展览方或国内参展单位在确定展品承运人后，应依照经国家文物局批准的文物展览协议书的有关内容，与展品承运人签订展品委托运输合同。此合同应报国家文物局备案。

第十二条 出国（境）文物展览展品委托运输合同应包括以下内容：

1. 展品的名称、数量、重量；
2. 展品委托方、接收方的名称，运输的起始和目的地及时间；
3. 使用的运输工具；
4. 展品运输需要办理的审批、检验和报关等手续；
5. 展品的内、外包装；
6. 押运人员的派出及责任；
7. 委托方、承运人及接收方对展品的点交和检验；
8. 保险及承运人的违约责任；
9. 其它相关内容。

第十三条 出国（境）文物展览展品的运输包装，应符合国家文物局发布的《出国（境）文物展览包装工作规范》。

第十四条 展品委托方以文字、照片或录相等形式记录展品在运输前的保存状况。展品承运人、展品接收方及其他相关检验人员根据记录对展品进行点交和检验。

第十五条 展品运输过程中应遵守如下要求：

1. 运输工具的选择以保障展品安全为前提；
2. 使用汽车或火车的运输，应有武装人员押运；
3. 国际运输过程中应有中方人员随行；
4. 运送展品的汽车在高速公路上的车速不应超过 90 公里 / 小时；
5. 装卸作业中，展品包装箱的倾斜角不得超过 30 度。

第十六条 出国（境）文物展览展品必须在北京、上海、天津、广州、西安、深圳等指定口岸出境。

第十七条 境外展览方或国内参展单位委托没有展品承运人资格的单位运输展品，或不与承运人签订展品运输合同，由国家文物局取消其举办展览或参加展览的资格。由此造成展品损失的，应依照法律追究其民事和刑事责任。

第十八条 本规定自发布之日起施行。

文物出境展览许可指南

（国家文物局　2021 年 3 月发布）

一、事项名称

文物出境展览许可

二、办理依据

《中华人民共和国文物保护法》第六十二条："文物出境展览，应当报国务院文物行政部门批准；一级文物超过国务院规定数量的，应当报国务院批准。一级文物中的孤品和易损品，禁止出境展览。出境展览的文物出境，由文物进出境审核机构审核、登记。海关凭国务院文物行政部门或者国务院的批准文件放行。出境展览的文物复进境，由原文物进出境审核机构审核查验。"

《中华人民共和国文物保护法实施条例》第四十八条："文物出境展览的承办单位，应当在举办展览前 6 个月向国务院文物行政主管部门提出申请。国务院文物行政主管部门应当自收到申请之日起 30 个工作日内作出批准或者不批准的决定。决定批准的，发给批准文件；决定不批准的，应当书面通知当事人并说明理由。一级文物展品超过 120 件（套）的，或者一级文物展品超过展品总数的 20% 的，应当报国务院批准。"

三、申报主体和受理机构

申报主体：文物出境展览的承办单位；受理机构：国家文物局

四、决定机构

国家文物局

五、审查类型

前审后批

六、数量限制

无

七、适用范围

文物出境展览

八、申请条件和材料目录

（一）申请条件

1. 出境展览必要性充分；
2. 展览举办双方具备相关基础条件，资信记录良好；
3. 文物展品真实及来源合法，具备长途运输和展出的条件。

（二）材料目录

1. 办展请示
2. 展览方案、大纲
3. 展览协议书草案
4. 汇总登记表
5. 展品申报表
6. 展品目录及估价
7. 馆方文物安全状况评估
8. 场馆考察报告（首次举办或三年未举办者）
9. 展览邀请函
10. 合作方介绍、资信证明
11. 标准设施报告
12. 全部展品目录
13. 藏品真实性及来源合法性证明
14. 电子文档

九、禁止性要求

无

十、办理基本流程

文物出境展览的承办单位向国家文物局提交申请材料——受理申请材料——材料审核（国家文物局组织第三方机构（或专家）对申报材料是否符合“申请条件和

材料目录”进行审核）——作出准予许可或者不予许可的决定

十一、办理时限

30 个工作日（委托评估、专家评审时间除外）

十二、收费依据

不收取费用

十三、审批结果及送达方式

许可决定，邮寄送达

十四、办理进程和结果查询

国家文物局博物馆与社会文物司 010-56792015

十五、监督投诉渠道

国家文物局办公室 010-56792211

十六、办公时间、联系人、咨询电话、地点及乘车路线

工作日：上午 8：30-11：30；下午 13：30-17：00

国家文物局博物馆与社会文物司；010-56792015

北京市东城区北河沿大街 83 号；邮编：100009

地铁南锣鼓巷站向南 1200 米；公交车 82 路、60 路、112 路沙滩路口北站向北 100 米

十七、部分申请材料示范文本

见附件

十八、常见错误示例

文物出境展览申报材料中由外方提供的邀请函、标准设施报告和外方资信证明等文件应附有中文翻译；办展单位与外方的展览协议应草签，以示双方对此协议的认可；如拟出境展览中有外方文物参展，应由外方提供展品的真实性和来源合法性证明。

十九、常见问题解答

（一）出境举办文物展览需要向国家文物局提交哪些材料？

1. 办展请示
2. 展览方案、大纲
3. 展览协议书草案
4. 汇总登记表
5. 展品申报表
6. 展品目录及估价
7. 馆方文物安全状况评估
8. 场馆考察报告（首次举办或三年未举办者）
9. 展览邀请函
10. 合作方介绍、资信证明
11. 标准设施报告
12. 全部展品目录
13. 藏品真实性及来源合法性证明
14. 电子文档

（二）申报文物出境展览应提前多久报国家文物局审批？

文物出境展览的承办单位应在展览项目实施的6个月前提出项目的书面申请报国家文物局审批。

二十、流程图

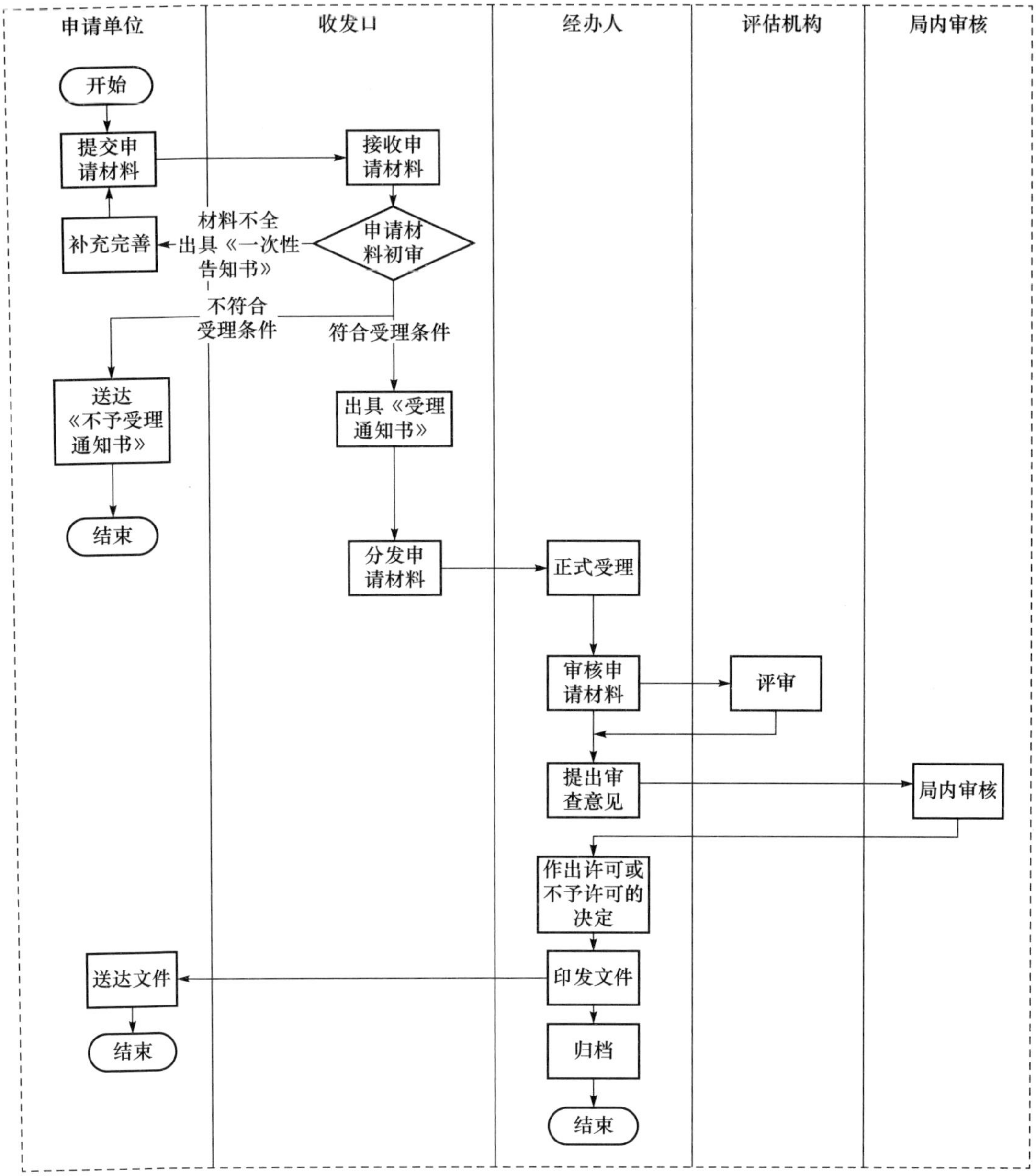
申请单位
收发口
经办人
评估机构
局内审核
开始
提交申请材料
接收申请材料
补充完善
材料不全出具《一次性告知书》
申请材料初审
不符合受理条件
符合受理条件
送达《不予受理通知书》
出具《受理通知书》
结束
分发申请材料
正式受理
审核申请材料
评审
提出审查意见
局内审核
作出许可或不予许可的决定
送达文件
印发文件
结束
归档
结束

附件　文物出境展览许可示范文本

（一）赴 XX《XXXXX　　　　展》

展品单项保险估价

编号	文物名称	数量	级别	保险估价 单位：XX
1	XXXXXXX	X	X	XXX

以上展品 XX 件（组），其中一级品 XX 件，占 XX%

（二）文物出境展览展品

申报表

展览名称：“XXXXXX”

拟展时间：201X 年 XX 月 XX 日至 201X 年 XX 月 XX 日

出展国家（地区）：XXX

申报单位（公章）：XXXXX

负责人（签字）XXXXX

XXXX 年 X 月 XX 日

国 家 文 物 局 制

编号 XXXXX（编号为送审文物序号，应与《文物出国展览汇总登记表》一致）

<table>
<tr><td>文物名称</td><td>XXXXX</td><td>出土地点</td><td>XX 省 XX 地</td><td>出土时间</td><td>XXXX 年</td></tr>
<tr><td>时代</td><td>XXXXX</td><td>尺寸</td><td colspan="3">长 XXX 宽 XXX 高 XXX</td></tr>
<tr><td>文物等级</td><td>X 级</td><td>质地</td><td>X 制</td><td>数量</td><td>1</td></tr>
<tr><td>发表书刊</td><td colspan="3">《XXXXXX》</td><td>发表时间</td><td>XXXX 年</td></tr>
<tr><td>收藏单位</td><td colspan="3">XXXXX</td><td>藏品编号</td><td>收藏单位的藏品登记号或考古报告发表的器物登记号</td></tr>
<tr><td colspan="3">曾于 XXXX 年赴　XXXX 国展览</td><td colspan="3">曾于　XXXX 年赴　XXXX　国展览</td></tr>
<tr><td colspan="3">曾于　XXXX 年赴　XXXX　国展览</td><td colspan="3">曾于　XXXX 年赴　XXXX 国展览</td></tr>
<tr><td colspan="6">简要说明：

主要为器物描述或其他需要说明的问题。</td></tr>
<tr><td colspan="6">照片：

照片一般应为计算器扫描照片，也可为 5 X 3.5 英寸彩色或黑白照片。</td></tr>
</table>

注：编号为送审文物序号，应与《文物出国展览汇总登记表》一致；藏品编号指收藏收藏单位的藏品登记号或考古报告发表的器物登记号；简要说明主要为器物描述或其他需要说明的问题；照片一般应为计算器扫描照片，也可为 5 X 3.5 英寸彩色或黑白照片。

（三）文物出境展览汇总登记表

编号	文物名称	数量	级别	保险估价 单位：XX	备注
XX	XXXXX	XX	XX 级	XXX	XX

以上展品 XX 件（组），其中一级品 XX 件，占 XX%

（四）赴XX《　　XXXX　　展》展品目录

序号	名称	数量	藏品号	时代	尺寸（cm）	来源 （出土时间和地点）	收藏单位
XX	XXXXX	XX	XXXXX	XXXXX	长X宽X高X	XXXXX	XXXXX

文物出境许可指南

（国家文物局　2021 年 3 月发布）

一、事项名称

文物出境许可

二、办理依据

《中华人民共和国文物保护法》第六十一条：“文物出境，应当经国务院文物行政部门指定的文物进出境审核机构审核。经审核允许出境的文物，由国务院文物行政部门发给文物出境许可证，从国务院文物行政部门指定的口岸出境。

任何单位或者个人运送、邮寄、携带文物出境，应当向海关申报；海关凭文物出境许可证放行。”

《中华人民共和国文物保护法实施条例》第四十五条：“运送、邮寄、携带文物出境，应当在文物出境前依法报文物进出境审核机构审核。文物进出境审核机构应当自收到申请之日起 15 个工作日内作出是否允许出境的决定。

文物进出境审核机构审核文物，应当有 3 名以上文物博物专业技术人员参加；其中，应当有 2 名以上文物进出境责任鉴定员。

文物出境审核意见，由文物进出境责任鉴定员共同签署；对经审核，文物进出境责任鉴定员一致同意允许出境的文物，文物进出境审核机构方可作出允许出境的决定。

文物出境审核标准，由国务院文物行政主管部门制定。”

《中华人民共和国文物保护法实施条例》第四十七条：“经审核允许出境的文物，由国务院文物行政主管部门发给文物出境许可证，并由文物进出境审核机构标明文物出境标识。经审核允许出境的文物，应当从国务院文物行政主管部门指定的口岸出境。海关查验文物出境标识后，凭文物出境许可证放行。

经审核不允许出境的文物，由文物进出境审核机构发还当事人。”

三、申报主体和受理机构

申报主体：运送、邮寄、携带文物出境的单位或个人；受理机构：国家文物进出境审核管理处

四、决定机构

国家文物局（国家文物进出境审核管理处）

五、审查类型

前审后批

六、数量限制

无数量限制

七、适用范围

任何单位或个人运送、邮寄、携带文物出境

八、申请条件和材料目录

1. 文物基本信息（1 份）
2. 文物照片（1 份）
3. 携运人身份信息（1 份）

（上述材料通过国家文物进出境审核信息管理系统网上提交）

4. 文物实物
5. 携运人身份证明文件
6. 申请表（1 份）

（上述材料在实物审核时提供）

九、禁止性要求

1. 凡在 1949 年以前（含 1949 年）生产、制作的具有一定历史、艺术、科学价值的文物，原则上禁止出境。其中，1911 年以前（含 1911 年）生产、制作的文物一律禁止出境。

2. 凡在 1966 年以前（含 1966 年）生产、制作的有代表性的少数民族文物禁止出境。

3. 现存我国境内的外国文物、图书，与我国的文物、图书一样，分类执行本标准。

4. 凡有损国家、民族利益，或者有可能引起不良社会影响的文物，不论年限，一律禁止出境。

5. 未列入本标准范围之内的文物，如经文物进出境审核机构审核，确有重大历史、艺术、科学价值的，应禁止出境。

十、办理基本流程

申报人登录国家文物综合行政管理平台，填写文物出境申请信息；国家文物进出境审核管理处对文物进行实物审核，对许可出境的文物颁发《文物出境许可证》，并在许可出境文物上标明相应的电子标签，对不予许可出境的文物出具《文物禁止出境登记表》，并将不予许可出境文物发还申报人。

十一、办理时限

15 个工作日

十二、收费情况

不收取费用

十三、审批结果及送达方式

许可证，现场送达

十四、办理进程和结果查询

各文物进出境审核管理处（联系方式详见“十六”）

十五、监督投诉渠道

国家文物局办公室 010-56792211

十六、办公时间、联系人、咨询电话、地点及乘车路线

办公时间：每周一至周五（节假日除外，具体办理时间以预约为准）

办公地点和电话：

01 北京管理处	北京市海淀区北三环西路甲 31 号	010-64014608
02 天津管理处	天津市和平区贵州路 58 号	022-23396363
03 河北管理处	石家庄市长安区东大街 4 号	0311-85377052
04 上海管理处	上海市徐汇区岳阳路 48 号	021-23128171

05 江苏管理处	南京市玄武区中山东路 321 号	025-84841206
06 浙江管理处	杭州市西湖区天目山路 99 号	0571-87081576
07 安徽管理处	合肥市庐阳区安庆路 268 号	0551-62827802
08 福建管理处	福州市鼓楼区东水路 76 号	0591-87118174
09 山东管理处	济南市历下区经十路 11899 号	0531-85058187
10 河南管理处	郑州市金水区顺河路 1 号	0371-65963945
11 湖北管理处	武汉市武昌区中北路 98 号	027-65399532
12 广东管理处	广州市天河区水荫四横路 32 号 5-7 楼	020-87047165
13 云南管理处	昆明市官渡区广福路 6393 号	0871-67204783
14 陕西管理处	西安市高新区科技一路 35 号	029-85360103
15 四川管理处	成都市青羊区东胜街 19 号	028-86120526
16 辽宁管理处	沈阳市浑南区智慧三街 157 号	024-24846318
17 山西管理处	太原市万柏林区滨河西路北段 13 号	0351-8789003
18 内蒙古管理处	呼和浩特市新城区新华东街 27 号	0471-4608271
19 西藏管理处	拉萨市城关区天海路 16 号	0891-6826332
20 海南管理处	海南省海口市龙昆南路 76 号	0898-66987097
21 重庆管理处	重庆市渝中区人民路 236 号	023-63679223

十七、相关申请材料示范文本

见附件

十八、常见错误示例

1. 申报人漏填或误填姓名、住址、证件号码、联系方式等重要信息。

2. 申报人未正确填写出境海关，例如：意图于天津海关出境，但出境申请表格中“文物出境海关”一栏误填为北京。

3. 申报人所填写申报物品名称、年代、质地、数量等信息与实物不符。

十九、常见问题解答

1. 文物出境许可如何申报？

答：任何单位或者个人申请办理文物出境许可，须通过国家文物进出境审核信息管理系统向文物出境口岸所在省（自治区、直辖市）的国家文物进出境审核管理处进行申报。

2. 通过系统提交申请信息后该如何办理下一步手续？

答：国家文物进出境审核管理处收到文物出境许可申请后，将通过系统消息告知申报人办理时间，申报人需按要求携带所申报文物、申报人身份文件和申请表到该管理处办理相关手续。

3. 允许出境的文物如何办理通关手续？

答：对经审核允许出境的文物，国家文物进出境审核管理处在发给文物出境许可证的同时，将在文物上标明文物出境标识。海关查验文物出境标识后，凭文物出境许可证放行。

4. 不允许出境的文物如何处理？

答：对经审核不允许出境的文物，由国家文物进出境审核管理处发还当事人。

5. 临时进境的文物为何要办理审核登记手续？

答：临时进境的文物不强制要求办理审核登记手续，但办理了临时进境登记手续的文物，在六个月内申报文物复出境许可，不受文物出境审核标准的限制。

6. 临时进境文物在申请复出境时，是否必须由审核机构进行审核？

答：临时进境的文物复出境，必须经原审核、登记的国家文物进出境审核管理处审核查验，审核查验无误后，方由管理处可发给文物出境许可证。

7. 邮寄文物出境是否不需要经过文物出境审批？

答：任何单位或者个人运送、邮寄、携带文物出境，都应当向海关申报，邮寄文物出境和携运、运送文物出境等同管理，都必须经过国家文物进出境审核管理处审核。

二十、流程图

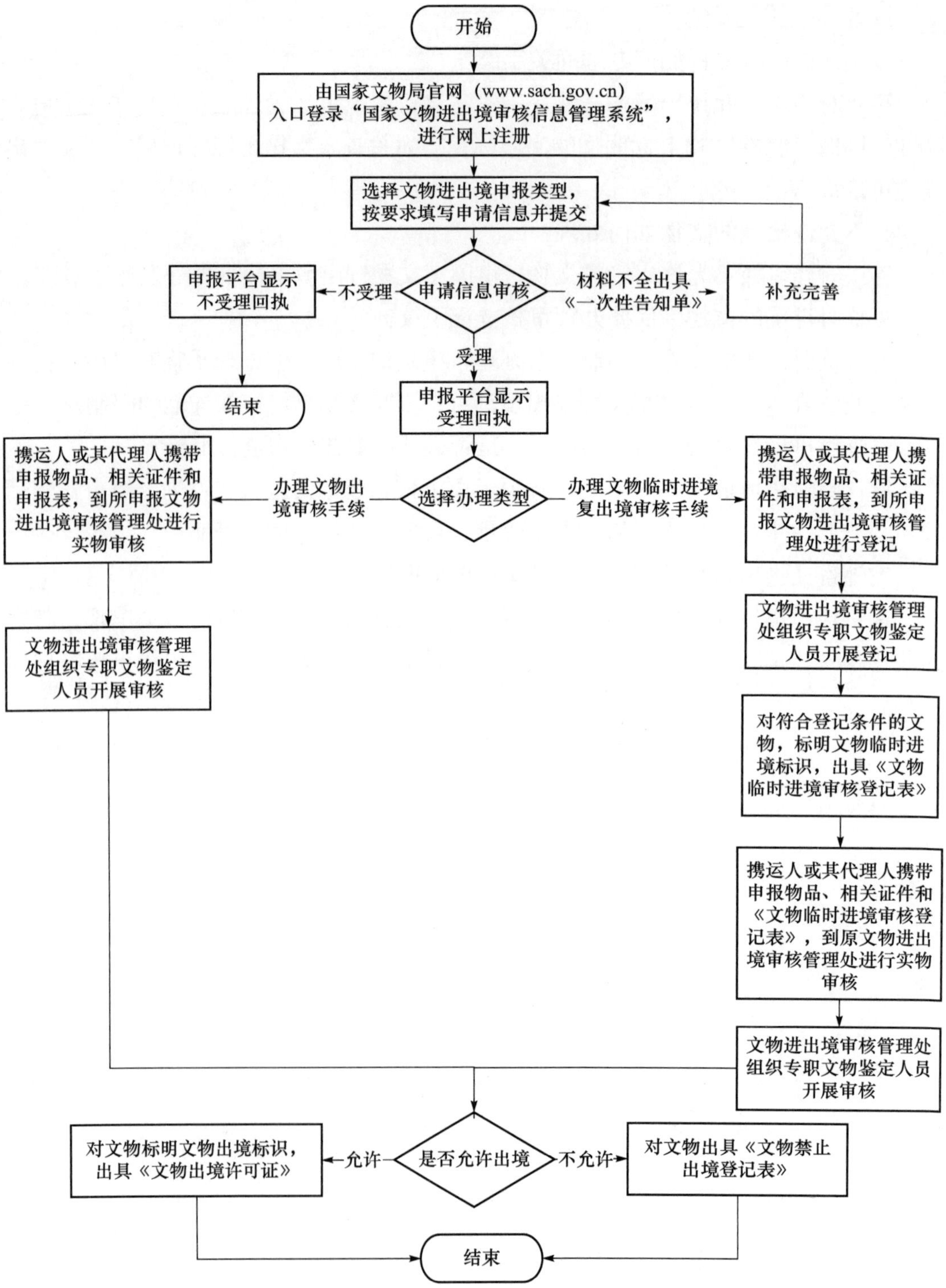
开始
由国家文物局官网（www.sach.gov.cn）入口登录“国家文物进出境审核信息管理系统”，进行网上注册
选择文物进出境申报类型，按要求填写申请信息并提交
申请信息审核
不受理
申报平台显示不受理回执
结束
材料不全出具《一次性告知单》
补充完善
受理
申报平台显示受理回执
选择办理类型
办理文物出境审核手续
携运人或其代理人携带申报物品、相关证件和申报表，到所申报文物进出境审核管理处进行实物审核
文物进出境审核管理处组织专职文物鉴定人员开展审核
办理文物临时进境复出境审核手续
携运人或其代理人携带申报物品、相关证件和申报表，到所申报文物进出境审核管理处进行登记
文物进出境审核管理处组织专职文物鉴定人员开展登记
对符合登记条件的文物，标明文物临时进境标识，出具《文物临时进境审核登记表》
携运人或其代理人携带申报物品、相关证件和《文物临时进境审核登记表》，到原文物进出境审核管理处进行实物审核
文物进出境审核管理处组织专职文物鉴定人员开展审核
是否允许出境
允许
对文物标明文物出境标识，出具《文物出境许可证》
不允许
对文物出具《文物禁止出境登记表》
结束

附件　文物出入境审核申请表示范文本

文物出入境审核申请表

<table>
<tr><td>携运人姓名：</td><td colspan="3">×××</td><td>国籍：</td><td>××</td></tr>
<tr><td>证件类型：</td><td colspan="2">×××</td><td colspan="2">证件号码：</td><td>××××××</td></tr>
<tr><td>住所：</td><td colspan="3">×××××××××</td><td>电话：</td><td>×××××</td></tr>
<tr><td>文物出境海关：</td><td colspan="2">×××</td><td colspan="2">出境目的地：</td><td>×××</td></tr>
<tr><td>文物临时进境时间：</td><td colspan="2">×××</td><td colspan="2">文物临时编号：</td><td>×××</td></tr>
<tr><td>文物名称</td><td>年代</td><td>质地</td><td>数量</td><td>尺寸</td><td>年代</td></tr>
<tr><td>×××</td><td>×××</td><td>×××</td><td>×××</td><td>×××</td><td>×××</td></tr>
<tr><td></td><td></td><td></td><td></td><td></td><td></td></tr>
<tr><td></td><td></td><td></td><td></td><td></td><td></td></tr>
<tr><td></td><td></td><td></td><td></td><td></td><td></td></tr>
</table>

携运人签名（盖章）：×××

申请时间：×年×月×日

以下栏目由文物进出境审核机构填写：

<table>
<tr><td>受理人</td><td>×××</td><td>审核时间</td><td>×年×月×日</td></tr>
<tr><td>备注</td><td colspan="3"></td></tr>
</table>

关于进一步加强博物馆宣传展示和社会服务工作的通知

（中共中央宣传部　文化部　国家文物局　文物博发〔2003〕77 号）

各省、自治区、直辖市党委宣传部，文化厅（局），文物局（文管会）：

为进一步发挥博物馆宣传展示和社会服务功能，更好地保护祖国优秀文化和自然遗产，增进人与社会、人与自然的亲融和谐，普及科学文化知识，促进社会全面进步，现就有关事项通知如下：

一、博物馆作为保护、展示历史文化遗产和人类环境物证的文化教育机构，是一个国家、一个民族宣传其文明成就和发展水平的重要窗口。新时期博物馆建设要以“三个代表”重要思想为指导，深入贯彻党的十六大精神，按照贴近实际、贴近生活、贴近群众的要求，坚持适应经济社会发展需要，满足人民群众精神文化生活需求的原则，紧紧把握时代脉搏，充分体现博物馆文化的先进性、科学性与群众性，唱响主旋律，打好主动仗，将文物藏品这一凝聚着丰富历史文化内涵的载体，转化为促进经济社会发展的精神动力和智力支持，激励广大人民群众振奋精神，团结进取，投身建设中国特色社会主义的伟大事业，为全面建设小康社会服务。

二、陈列展览是博物馆直接面向社会与公众的阵地和窗口，是进行宣传展示的重要手段。要认真总结、借鉴 1997 年国家文物局实施精品工程以来各地涌现出的优秀陈列展览的成功经验和做法，反映时代精神，强化精品意识，不断提高陈列展览的水平。要按照“三贴近”的要求，对已经举办和拟推出的陈列展览进行效益评估，提出改进意见和措施。举办陈列展览要加强预见性和计划性，从社会发展和群众实际需要出发，研究制订陈列展览中长期规划和年度实施计划，在创意、设计、制作和宣传推广等各个环节上，引进新理念，尝试新模式，运用新技术，做到导向正确、主题突出，手段先进、方法新颖，努力实现思想性与艺术性、科学性与观赏性、教育性与趣味性的完美结合。针对人民群众日益提高的欣赏品位和文化需求，当前陈列展览尤其要注重科学性和艺术性，深入挖掘文物藏品的丰富内涵，反映最新研究成果，增加文化含量，力求使陈列展览在品位、档次和水平上取得显著提高。要积极探索展示艺术和表现手法，注意高新技术和材料的合理运用，不断增强展览的吸引力、感染力。

三、加强规划和管理，为博物馆顺利开展工作提供保证。注意从自身资源优势和社会发展需求出发，因地制宜，对本地区的博物馆发展进行合理规划。要以加强宏观调控和依法管理为手段，以建设功能齐全、设施完善、作用明显的地区性文化保护中心为目标，着力完善现有博物馆的社会功能，重点发展各具特色的专题博物馆，改善博物馆的品类布局。新建、改建博物馆要把增加数量与提高质量结合起来，避免千馆一面和重复建设，切实扭转博物馆发展中重建筑轻功能、重硬件轻软件、重设施轻管理的不良倾向。对社会功能不健全的“挂牌馆”要提出整改措施，有计划地加以清理整顿。

四、坚持以人为本，强化服务意识，把社会和观众的需求作为博物馆工作的出发点和落脚点。面对观众文化需求的不断变化和文化市场的日益丰富，博物馆要做到定位准确，树立良好形象，改进服务理念，突出自身优势，向社会提供独具特色的文化产品。积极推出丰富多彩、生动活泼、引人入胜的社会普及活动，通过新闻媒体和其它方式进行广泛宣传，实现博物馆与观众的相互认识，建立良好的互动关系。要注意与人们日益增长的旅游休闲需求相结合，注意营造高雅的人文环境与舒适的参观环境，以优美环境、优质展览和优良服务奉献观众。善于借鉴国内外博物馆依靠社会力量，特别是借助博物馆之友、会员和志愿者促进博物馆发展的成功做法。激励和培养公众参与意识，积极探索博物馆联系公众、服务社会的新思路和新举措。把社会效益放在首位，有条件的博物馆，要对中小学生参观实行免费或优惠。

五、当前我国正进入完善社会主义市场经济体制，全面建设小康社会的战略机遇期，博物馆发展面临前所未有的大好机遇。各级各类博物馆要增强社会使命感和时代责任感，解放思想，转变观念，锐意创新，以改革的态度对待、分析和解决前进中的困难和问题，创造性地开展工作，积极探索符合形势发展，充满生机活力的博物馆新型管理体制、运行机制和运作模式，努力开创博物馆建设的新局面。

六、各地各部门要高度重视博物馆工作，把它作为发展先进文化的一项基础性工作，摆上应有位置。要在党委、政府的领导下，加大博物馆建设力度，纳入当地文物保护、文化发展和城乡建设总体规划，统筹安排。各级党委宣传部门要加强协调指导，会同有关部门定期研究工作，及时总结推广好经验、好做法。文化、文物部门要切实负起责任，加强对博物馆工作的领导，在人员、编制、待遇等方面给予关注和支持。教育部门要结合教学活动，组织学生到博物馆参观实习。工会、共青团、妇联等人民团体要根据各自特点，积极支持博物馆工作，利用博物馆开展活动。

各地各部门要根据本通知，抓紧制订具体可行的实施办法，把组织开展工作的情况，作为考核有关领导干部、衡量精神文明建设成果的重要内容。适当时候，中央有关部门将就贯彻落实情况进行一次督查。

关于加强博物馆陈列展览工作的意见

（国家文物局　文物博函〔2012〕2254 号）

各省、市、自治区文物局（文化厅）：

陈列展览是博物馆向社会奉献的最重要的精神文化产品，是博物馆开展社会教育和公共服务、实现社会职能的主要载体和手段。为深入贯彻党的十八大精神和全国文物工作会议精神，充分发挥博物馆在建设优秀传统文化传承体系、弘扬中华优秀传统文化、丰富人民精神文化生活中的重要作用，现就进一步做好博物馆陈列展览工作，提高展示服务水平提出如下意见：

一、坚持公益属性。博物馆举办陈列展览，要始终坚持社会效益第一的原则，积极培育和践行社会主义核心价值观，普及科学知识，弘扬科学精神，清晰地诠释博物馆的教育目标、理念与思想，着眼于中华文明和整个人类文明的发展，反映人类最美好的目标理想和价值追求。行业类博物馆和民办博物馆的陈列展览，要面向广大公众，从较为单一的行业发展历史、企业文化、个人收藏展示，提炼升华为表现中华文明和人类文明相关领域的共同成果和价值共识。

二、突出科学品质。深入挖掘文物、标本的丰富内涵，反映最新研究成果，增加文化含量，创造导向正确、主题突出、有丰富语境、观点和故事的陈列展览，避免缺乏价值观的所谓“精品文物展”。陈列展览应充分体现博物馆通过实物反映真实历史的特征，坚持以文物、标本原件为主；使用必要的复制品、仿制品和辅助展品的，应符合学术要求，并予明示。纪念类、行业类博物馆和民办博物馆要进一步明确收藏政策，不断充实藏品体系。

三、强化教育功能。紧密结合素质教育，与教育部门特别是中、小学校完善联系机制，丰富面向或配合学校教育的陈列展览，以博物馆之长补学校教育之不足，真正使博物馆成为学校教育的“第二课堂”。常设陈列应特别清晰地标识适合未成年人认知、欣赏的重点文物、标本，充实符合青少年认知习惯的文字说明。有条件的地方，可建立专门面向未成年人的博物馆（儿童博物馆）或教育类博物馆，增加面向学生的陈列展览项目。见证历史的陈列展览在弘扬爱国主义的同时，应更加重视体现文物、标本的美学价值和审美教育作用，强调对人的审美能力的培养和训练。

四、规范设计制作。建立健全博物馆陈列展览设计制作行业资格资质认证制度，提高专业化水平。努力实现形式设计与内容设计和谐统一，突出文物、标本主角地位和观赏性，突出陈列展览的真实性和知识性。科学运用具有较高艺术水准的辅助展品和声、光、电等现代科技手段；避免与文物、标本及展览内涵无关，花费超常、牵强附会的设计制作；杜绝无历史和科学事实依据的虚拟场景、蜡像或幻影成像等形式；杜绝不必要的装饰性设计和刻意文化符号叠加。

五、提高策展能力。博物馆要不断完善基本陈列和展览，确保陈列展览与博物馆使命相一致。借鉴国内外先进经验，创新运行机制，探索实行策展人制度。发扬学术民主、艺术民主，适应社会文化生活的新特点和人民群众的新期待，强化陈列展览策划的观众导向原则，把知识性、趣味性和观赏性有机结合起来，增强陈列展览的表现力、吸引力、感染力。同时，要促进馆际交流与合作，支持省级博物馆特别是中央地方共建国家级博物馆发挥示范引领和辐射带动作用，整合区域藏品、展览、人才、技术、资金等资源，策划优秀展览项目巡回展出，弥补中小型博物馆展览资源的不足。

六、加强专业指导。省级文物行政部门要加大对行业类博物馆和民办博物馆陈列展览的业务指导力度，依据《博物馆管理办法》，做好新建立行业类博物馆和民办博物馆陈列展览大纲的评估论证，确保展陈内容符合时代要求和先进的价值导向，尽可能体现中华文化特色。积极推动打破管理体制上的壁垒，充分发挥省级（含）以上博物馆、国家一级博物馆的人才和技术优势，实施对口帮扶行业类博物馆和民办博物馆陈列展览提升计划，完善常设陈列，培养人才队伍，提升专业化水平。

各地要根据本意见，抓紧制定具体措施和办法。我局将适时对各地贯彻落实的情况进行督查。

关于提升博物馆陈列展览质量的指导意见

（国家文物局　文物博函〔2015〕25号）

各省、自治区、直辖市文物局（文化厅）：

近年来，我国博物馆陈列展览数量和观众人数不断增加，社会影响力不断提高。优秀博物馆陈列展览对弘扬优秀传统文化、践行社会主义核心价值观起到了十分重要的作用。为深入学习贯彻党的十八大、十八届三中四中全会精神和习近平总书记一系列重要讲话精神，充分发挥文物引领社会风尚、践行核心价值、维护国家文化安全、提升国家文化软实力的积极作用，切实提升博物馆陈列展览的质量，扩大博物馆陈列展览的影响力和传播力，现提出如下指导意见：

一、提高馆藏文物利用率，让收藏在博物馆里的文物活起来

（一）建立文物藏品资源共享机制。各省文物部门要协调省、市、县（区）各级博物馆，在互利共赢的基础上，打破地域和行政级别限制，建立博物馆藏品交流共享平台，通过博物馆联盟、对口帮扶、总分馆制等办法，形成博物馆馆藏资源共享机制。国有博物馆可以通过调拨、交换、借用等方式，优化藏品体系结构，特别是一些藏品数量丰富的大馆，要帮助馆藏较少的博物馆形成有特色的藏品体系，支持其举办符合其使命与职能的陈列与展览。

（二）加强陈列展览项目交流。支持各地区、各级博物馆积极开展展览交流合作，举办各种联展、互换展览。各地文物行政部门要积极扶持学术水准高、社会反响好的临时展览做好巡展，扩大展览影响。资源丰富的大馆可以通过办分馆、长期借展藏品、在基层博物馆馆举办中长期陈列、帮助基层博物馆提高陈列展览策划、编写、设计和实施水平等方式，加强对中小博物馆的扶持。

（三）提高藏品展示利用率。鼓励各博物馆通过基本陈列改造提升与展品更换，适当增加临时展览数量、频次和时长，增加藏品展示数量等，扩大藏品展示范围。鼓励藏品数量众多、展示空间条件充分的博物馆，创新展示手段，合理提升展览频次，使更多的藏品有机会展示给广大观众。

（四）积极展示考古新成果。考古院所要向博物馆依法按期移交出土文物，适合进行展出的，要及时策划组织相关展览。有重大展示价值、但暂时无法办理移交手续的重要考古新发现，可采取暂不改变权属，交由博物馆代为保管并联合进行展示利用的方式，及时向公众传播推广。

（五）加强数字化展示手段。积极通过博物馆网站、数字博物馆、微博微信等新媒体，加强文物藏品的数字化展示。利用虚拟现实技术、3D 技术等，增强虚拟展示效果，丰富数字展品数量、展示信息及体验手段。

二、提升陈列展览质量，扶持原创性主题性展览

（六）积极策划实施主题性陈列展览。鼓励各地、各级博物馆，依托丰富文物资源，深入挖掘优秀传统文化的思想内涵，策划出一系列具有鲜明教育作用、彰显社会主义核心价值观的主题展览，讲好中国故事。国家文物局每年面向全国文博机构、陈列展示设计机构、策展人等征集遴选一批以弘扬优秀传统文化、践行社会主义核心价值观为主题的优秀陈列展览策划方案，给予一定的后补助性支持。鼓励多馆联合申报、跨级别跨地区联合申报。

（七）夯实原创性陈列展览的学术基础。加强博物馆学术研究，明确博物馆研究的公众服务目标功能，增强博物馆陈列展览的学术基础；提高陈列展览创意策划水平，完善陈列展览从研究、策划、实施到推广的工作流程，积极策划实施一批学术基础扎实、具有感染力和传播力的原创性陈列展览；将学术活动作为陈列展览的整体进行策划和实施，提升学术活动的影响力和效果。

（八）注重陈列展览配套青少年教育项目的策划与实施。原创性陈列展览要设计、开发相关的青少年教育项目，增强青少年教育项目的针对性、趣味性。博物馆基本陈列和重要展览要充分考虑博物馆青少年教育项目实施的需求，充分考虑中小学生利用博物馆开展课程学习、实践活动、研究性学习和研学旅行等的需求，设计针对不同学段的富有特色的教育项目体系，开发相关教具、学材和教材。

（九）依托展览开发文化创意产品。提高博物馆文化创意产品设计水平，围绕陈列展览开发基于展品文化元素、文化内涵的博物馆文化创意产品，利用社会力量参与博物馆文化创意产品的设计、开发、生产与经营，通过对文化创意产品的经营，增强博物馆陈列展览的影响力，让观众把博物馆带回家。

（十）建立博物馆陈列展览策展人制度。推动各级博物馆建立责任明确、权利清晰、人员专业、评价科学的策展人制度，加强策展团队建设，构建有利于发挥策展人和策展团队学术水准、业务能力、创意水平的内部环境机制；加强对策展人才的培养，通过举办策展人培训班、策展学术研讨会等，提升策展专业水准；建立策

展人行业组织和专业学术团体，促进策展人和策展机构间的学术交流。

三、完善评价机制，加强对优秀展览的推广力度

（十一）建立展览的批评机制。逐步建立中立、客观、科学的陈列展览批评体系，利用新媒体、互联网、传统媒体等途径建立规范严肃的展览批评机制。在《中国文物报》、《中国博物馆》杂志等专业媒体开设展评专栏、专号，邀请社会人士参与评价，构建良好的博物馆展览评价舆论环境。通过观众调查、社区意见反馈等途径，顺畅公众展览批评的渠道。

（十二）完善相关政策措施。完善细化免费开放补助资金中展示提升项目的补助办法，向具有原创性的主题展览倾斜。推动出境展览项目享受有关文化创意产业的优惠政策，鼓励优秀展览项目走出去。

新时代公民道德建设实施纲要

（中共中央　国务院　中发〔2019〕41号）

中华文明源远流长，孕育了中华民族的宝贵精神品格，培育了中国人民的崇高价值追求。中国共产党领导人民在革命、建设和改革历史进程中，坚持马克思主义对人类美好社会的理想，继承发扬中华传统美德，创造形成了引领中国社会发展进步的社会主义道德体系。坚持和发展中国特色社会主义，需要物质文明和精神文明全面发展、人民物质生活和精神生活水平全面提升。中国特色社会主义进入新时代，加强公民道德建设、提高全社会道德水平，是全面建成小康社会、全面建设社会主义现代化强国的战略任务，是适应社会主要矛盾变化、满足人民对美好生活向往的迫切需要，是促进社会全面进步、人的全面发展的必然要求。

2001年，党中央颁布《公民道德建设实施纲要》，对在社会主义市场经济条件下加强公民道德建设提供了重要指导，有力促进了社会主义精神文明建设。党的十八大以来，以习近平同志为核心的党中央高度重视公民道德建设，立根塑魂、正本清源，作出一系列重要部署，推动思想道德建设取得显著成效。中国特色社会主义和中国梦深入人心，践行社会主义核心价值观、传承中华优秀传统文化的自觉性不断提升，爱国主义、集体主义、社会主义思想广为弘扬，崇尚英雄、尊重模范、学习先进成为风尚，民族自信心、自豪感大大增强，人民思想觉悟、道德水准、文明素养不断提高，道德领域呈现积极健康向上的良好态势。

同时也要看到，在国际国内形势深刻变化、我国经济社会深刻变革的大背景下，由于市场经济规则、政策法规、社会治理还不够健全，受不良思想文化侵蚀和网络有害信息影响，道德领域依然存在不少问题。一些地方、一些领域不同程度存在道德失范现象，拜金主义、享乐主义、极端个人主义仍然比较突出；一些社会成员道德观念模糊甚至缺失，是非、善恶、美丑不分，见利忘义、唯利是图，损人利己、损公肥私；造假欺诈、不讲信用的现象久治不绝，突破公序良俗底线、妨害人民幸福生活、伤害国家尊严和民族感情的事件时有发生。这些问题必须引起全党全社会高度重视，采取有力措施切实加以解决。

加强公民道德建设是一项长期而紧迫、艰巨而复杂的任务，要适应新时代新要求，坚持目标导向和问题导向相统一，进一步加大工作力度，把握规律、积极创新，持之以恒、久久为功，推动全民道德素质和社会文明程度达到一个新高度。

一、总体要求

要以习近平新时代中国特色社会主义思想为指导，紧紧围绕进行伟大斗争、建设伟大工程、推进伟大事业、实现伟大梦想，着眼构筑中国精神、中国价值、中国力量，促进全体人民在理想信念、价值理念、道德观念上紧密团结在一起，在全民族牢固树立中国特色社会主义共同理想，在全社会大力弘扬社会主义核心价值观，积极倡导富强民主文明和谐、自由平等公正法治、爱国敬业诚信友善，全面推进社会公德、职业道德、家庭美德、个人品德建设，持续强化教育引导、实践养成、制度保障，不断提升公民道德素质，促进人的全面发展，培养和造就担当民族复兴大任的时代新人。

——坚持马克思主义道德观、社会主义道德观，倡导共产主义道德，以为人民服务为核心，以集体主义为原则，以爱祖国、爱人民、爱劳动、爱科学、爱社会主义为基本要求，始终保持公民道德建设的社会主义方向。

——坚持以社会主义核心价值观为引领，将国家、社会、个人层面的价值要求贯穿到道德建设各方面，以主流价值建构道德规范、强化道德认同、指引道德实践，引导人们明大德、守公德、严私德。

——坚持在继承传统中创新发展，自觉传承中华传统美德，继承我们党领导人民在长期实践中形成的优良传统和革命道德，适应新时代改革开放和社会主义市场经济发展要求，积极推动创造性转化、创新性发展，不断增强道德建设的时代性实效性。

——坚持提升道德认知与推动道德实践相结合，尊重人民群众的主体地位，激发人们形成善良的道德意愿、道德情感，培育正确的道德判断和道德责任，提高道德实践能力尤其是自觉实践能力，引导人们向往和追求讲道德、尊道德、守道德的生活。

——坚持发挥社会主义法治的促进和保障作用，以法治承载道德理念、鲜明道德导向、弘扬美德义行，把社会主义道德要求体现到立法、执法、司法、守法之中，以法治的力量引导人们向上向善。

——坚持积极倡导与有效治理并举，遵循道德建设规律，把先进性要求与广泛性要求结合起来，坚持重在建设、立破并举，发挥榜样示范引领作用，加大突出问题整治力度，树立新风正气、祛除歪风邪气。

要把社会公德、职业道德、家庭美德、个人品德建设作为着力点。推动践行以文明礼貌、助人为乐、爱护公物、保护环境、遵纪守法为主要内容的社会公德，鼓励人们在社会上做一个好公民；推动践行以爱岗敬业、诚实守信、办事公道、热情服务、奉献社会为主要内容的职业道德，鼓励人们在工作中做一个好建设者；推动践行以尊老爱幼、男女平等、夫妻和睦、勤俭持家、邻里互助为主要内容的家庭美德，鼓励人们在家庭里做一个好成员；推动践行以爱国奉献、明礼遵规、勤劳善良、宽厚正直、自强自律为主要内容的个人品德，鼓励人们在日常生活中养成好品行。

二、重点任务

1. 筑牢理想信念之基。人民有信仰，国家有力量，民族有希望。信仰信念指引人生方向，引领道德追求。要坚持不懈用习近平新时代中国特色社会主义思想武装全党、教育人民，引导人们把握丰富内涵、精神实质、实践要求，打牢信仰信念的思想理论根基。在全社会广泛开展理想信念教育，深化社会主义和共产主义宣传教育，深化中国特色社会主义和中国梦宣传教育，引导人们不断增强道路自信、理论自信、制度自信、文化自信，把共产主义远大理想与中国特色社会主义共同理想统一起来，把实现个人理想融入实现国家富强、民族振兴、人民幸福的伟大梦想之中。

2. 培育和践行社会主义核心价值观。社会主义核心价值观是当代中国精神的集中体现，是凝聚中国力量的思想道德基础。要持续深化社会主义核心价值观宣传教育，增进认知认同、树立鲜明导向、强化示范带动，引导人们把社会主义核心价值观作为明德修身、立德树人的根本遵循。坚持贯穿结合融入、落细落小落实，把社会主义核心价值观要求融入日常生活，使之成为人们日用而不觉的道德规范和行为准则。坚持德法兼治，以道德滋养法治精神，以法治体现道德理念，全面贯彻实施宪法，推动社会主义核心价值观融入法治建设，将社会主义核心价值观要求全面体现到中国特色社会主义法律体系中，体现到法律法规立改废释、公共政策制定修订、社会治理改进完善中，为弘扬主流价值提供良好社会环境和制度保障。

3. 传承中华传统美德。中华传统美德是中华文化精髓，是道德建设的不竭源泉。要以礼敬自豪的态度对待中华优秀传统文化，充分发掘文化经典、历史遗存、文物古迹承载的丰厚道德资源，弘扬古圣先贤、民族英雄、志士仁人的嘉言懿行，让中华文化基因更好植根于人们的思想意识和道德观念。深入阐发中华优秀传统文化蕴含的讲仁爱、重民本、守诚信、崇正义、尚和合、求大同等思想理念，深入挖掘自强不息、敬业乐群、扶正扬善、扶危济困、见义勇为、孝老爱亲等传统美德，并结合新的时代条件和实践要求继承创新，充分彰显其时代价值和永恒魅力，使之与现代文化、现实生活相融相通，成为全体人民精神生活、道德实践的鲜明标识。

4. 弘扬民族精神和时代精神。以爱国主义为核心的民族精神和以改革创新为核心的时代精神，是中华民族生生不息、发展壮大的坚实精神支撑和强大道德力量。要深化改革开放史、新中国历史、中国共产党历史、中华民族近代史、中华文明史教育，弘扬中国人民伟大创造精神、伟大奋斗精神、伟大团结精神、伟大梦想精神，倡导一切有利于团结统一、爱好和平、勤劳勇敢、自强不息的思想和观念，构筑中华民族共有精神家园。要继承和发扬党领导人民创造的优良传统，传承红色基因，赓续精神谱系。要紧紧围绕全面深化改革开放、深入推进社会主义现代化建设，大力倡导解放思想、实事求是、与时俱进、求真务实的理念，倡导“幸福源自奋斗”、“成功在于奉献”、“平凡孕育伟大”的理念，弘扬改革开放精神、劳动精神、劳模精神、工匠精神、优秀企业家精神、科学家精神，使全体人民保持昂扬向上、奋发有为的精神状态。

三、深化道德教育引导

1. 把立德树人贯穿学校教育全过程。学校是公民道德建设的重要阵地。要全面贯彻党的教育方针，坚持社会主义办学方向，坚持育人为本、德育为先，把思想品德作为学生核心素养、纳入学业质量标准，构建德智体美劳全面培养的教育体系。加强思想品德教育，遵循不同年龄阶段的道德认知规律，结合基础教育、职业教育、高等教育的不同特点，把社会主义核心价值观和道德规范有效传授给学生。注重融入贯穿，把公民道德建设的内容和要求体现到各学科教育中，体现到学科体系、教学体系、教材体系、管理体系建设中，使传授知识过程成为道德教化过程。开展社会实践活动，强化劳动精神、劳动观念教育，引导学生热爱劳动、尊重劳动，懂得劳动最光荣、劳动最崇高、劳动最伟大、劳动最美丽的道理，更好认识社会、了解国情，增强社会责任感。加强师德师风建设，引导教师以德立身、以德立学、以德施教、以德育德，做有理想信念、有道德情操、有扎实学识、有仁爱之心的好老师。建设优良校风，用校训励志，丰富校园文化生活，营造有利于学生修德立身的良好氛围。

2. 用良好家教家风涵育道德品行。家庭是社会的基本细胞，是道德养成的起点。要弘扬中华民族传统家庭美德，倡导现代家庭文明观念，推动形成爱国爱家、相亲相爱、向上向善、共建共享的社会主义家庭文明新风尚，让美德在家庭中生根、在亲情中升华。通过多种方式，引导广大家庭重言传、重身教，教知识、育品德，以身作则、耳濡目染，用正确道德观念塑造孩子美好心灵；自觉传承中华孝道，感念父母养育之恩、感念长辈关爱之情，养成孝敬父母、尊敬长辈的良好品质；倡导忠诚、责任、亲情、学习、公益的理念，让家庭成员相互影响、共同提高，在为家庭谋幸福、为他人送温暖、为社会作贡献过程中提高精神境界、培育文明风尚。

3. 以先进模范引领道德风尚。伟大时代呼唤伟大精神，崇高事业需要榜样引领。要精心选树时代楷模、道德模范等先进典型，综合运用宣讲报告、事迹报道、专题节目、文艺作品、公益广告等形式，广泛宣传他们的先进事迹和突出贡献，树立鲜明时代价值取向，彰显社会道德高度。持续推出各行各业先进人物，广泛推荐宣传最美人物、身边好人，让不同行业、不同群体都能学有榜样、行有示范，形成见贤思齐、争当先进的生动局面。尊崇褒扬、关心关爱先进人物和英雄模范，建立健全关爱关怀机制，维护先进人物和英雄模范的荣誉和形象，形成德者有得、好人好报的价值导向。

4. 以正确舆论营造良好道德环境。舆论具有成风化人、敦风化俗的重要作用。要坚持以正确的舆论引导人，把正确价值导向和道德要求体现到经济、社会、文化等各领域的新闻报道中，体现到娱乐、体育、广告等各类节目栏目中。加强对道德领域热点问题的引导，以事说理、以案明德，着力增强人们的法治意识、公共意识、规则意识、责任意识。发挥舆论监督作用，对违反社会道德、背离公序良俗的言行和现象，及时进行批评、驳斥，激浊扬清、弘扬正气。传媒和相关业务从业人员要加强道德修养、强化道德自律，自觉履行社会责任。

5. 以优秀文艺作品陶冶道德情操。文以载道，文以传情，文以植德。要把培育和弘扬社会主义核心价值观作为根本任务，坚持以人民为中心的创作导向，推出更多讴歌党、讴歌祖国，讴歌人民、讴歌英雄，讴歌劳动、讴歌奉献的精品力作，润物无声传播真善美，弘扬崇高的道德理想和道德追求。坚持把社会效益放在首位，倡导讲品位、讲格调、讲责任，抵制低俗、庸俗、媚俗，用健康向上的文艺作品温润心灵、启迪心智、引领风尚。要把社会主义道德作为文艺评论、评介、评奖的重要标准，更好地引导文艺创作生产传播坚守正道、弘扬正气。文艺工作者要把崇德尚艺作为一生的功课，把为人、做事、从艺统一起来，加强思想积累、知识储备、艺术训练，提高学养、涵养、修养，努力追求真才学、好德行、高品位，做到德艺双馨。

6. 发挥各类阵地道德教育作用。各类阵地是面向广大群众开展道德教育的基本依托。要加强新时代文明实践中心建设，大力推进媒体融合发展，抓好县级融媒体中心建设，推动基层广泛开展中国特色社会主义文化、社会主义思想道德学习教育实践，引导人们提高思想觉悟、道德水准、文明素养。加强爱国主义教育基地和革命纪念设施建设保护利用，充实展陈内容，丰富思想内涵，提升教育功能。民族团结、科普、国防等教育基地，图书馆、文化馆、博物馆、纪念馆、科技馆、青少年活动中心等公共文化设施，都要结合各自功能特点有针对性地开展道德教育。用好宣传栏、显示屏、广告牌等户外媒介，营造明德守礼的浓厚氛围。

7. 抓好重点群体的教育引导。公民道德建设既要面向全体社会成员开展，也要聚焦重点、抓住关键。党员干部的道德操守直接影响着全社会道德风尚，要落实全面从严治党要求，加强理想信念教育，补足精神之钙；要加强政德修养，坚持法律红线不可逾越、道德底线不可触碰，在严肃规范的党内政治生活中锤炼党性、改进作风、砥砺品质，践行忠诚老实、公道正派、艰苦奋斗、清正廉洁等品格，正心修身、慎独慎微，严以律己、廉洁齐家，在道德建设中为全社会作出表率。青少年是国家的希望、民族的未来，要坚持从娃娃抓起，引导青少年把正确的道德认知、自觉的道德养成、积极的道德实践紧密结合起来，善于从中华民族传统美德中汲取道德滋养，从英雄人物和时代楷模身上感受道德风范，从自身内省中提升道德修为，不断修身立德，打牢道德根基。全社会都要关心帮助支持青少年成长发展，完善家庭、学校、政府、社会相结合的思想道德教育体系，引导青少年树立远大志向，热爱党、热爱祖国、热爱人民，形成好思想、好品行、好习惯，扣好人生第一粒扣子。社会公众人物知名度高、影响力大，要加强思想政治引领，引导他们承担社会责任，加强道德修养，注重道德自律，自觉接受社会和舆论监督，树立良好社会形象。

四、推动道德实践养成

1. 广泛开展弘扬时代新风行动。良好社会风尚是社会文明程度的重要标志，涵育着公民美德善行，推动着社会和谐有序运转。要紧密结合社会发展实际，广泛开展文明出行、文明交通、文明旅游、文明就餐、文明观赛等活动，引导人们自觉遵守社会交往、公共场所中的文明规范。着眼完善社会治理、规范社会秩序，推动街道社区、交通设施、医疗场所、景区景点、文体场馆等的精细管理、规范运营，优化公共空间、提升服务水平，为人们增强公共意识、规则意识创造良好环境。

2. 深化群众性创建活动。各类群众性创建活动是人民群众自我教育、自我提高的生动实践。群众性精神文明创建活动要突出道德要求，充实道德内容，将社会公德、职业道德、家庭美德、个人品德建设贯穿创建全过程。文明城市、文明村镇创建要坚持为民利民惠民，突出文明和谐、宜居宜业，不断提升基层社会治理水平和群众文明素质。文明单位创建要立足行业特色、职业特点，突出涵养职业操守、培育职业精神、树立行业新风，引导从业者精益求精、追求卓越，为社会提供优质产品和服务。文明家庭创建要聚焦涵育家庭美德，弘扬优良家风。文明校园创建要聚焦立德树人，培养德智体美劳全面发展的社会主义建设者和接班人。各级党政机关、各行业各系统开展的创建活动，要把公民道德建设摆在更加重要的位置，以扎实有效的创建工作推动全民道德素质提升。

3. 持续推进诚信建设。诚信是社会和谐的基石和重要特征。要继承发扬中华民族重信守诺的传统美德，弘扬与社会主义市场经济相适应的诚信理念、诚信文化、契约精神，推动各行业各领域制定诚信公约，加快个人诚信、政务诚信、商务诚信、社会诚信和司法公信建设，构建覆盖全社会的征信体系，健全守信联合激励和失信联合惩戒机制，开展诚信缺失突出问题专项治理，提高全社会诚信水平。重视学术、科研诚信建设，严肃查处违背学术科研诚信要求的行为。深入开展“诚信建设万里行”、“诚信兴商宣传月”等活动，评选发布“诚信之星”，宣传推介诚信先进集体，激励人们更好地讲诚实、守信用。

4. 深入推进学雷锋志愿服务。学雷锋和志愿服务是践行社会主义道德的重要途径。要弘扬雷锋精神和奉献、友爱、互助、进步的志愿精神，围绕重大活动、扶贫救灾、敬老救孤、恤病助残、法律援助、文化支教、环境保护、健康指导等，广泛开展学雷锋和志愿服务活动，引导人们把学雷锋和志愿服务作为生活方式、生活习惯。推动志愿服务组织发展，完善激励褒奖制度，推进学雷锋志愿服务制度化常态化，使“我为人人、人人为我”蔚然成风。

5. 广泛开展移风易俗行动。摒弃陈规陋习、倡导文明新风是道德建设的重要任务。要围绕实施乡村振兴战略，培育文明乡风、淳朴民风，倡导科学文明生活方式，挖掘创新乡土文化，不断焕发乡村文明新气象。充分发挥村规民约、道德评议会、红白理事会等作用，破除铺张浪费、薄养厚葬、人情攀比等不良习俗。要提倡科学精神，普及科学知识，抵制迷信和腐朽落后文化，防范极端宗教思想和非法宗教势力渗透。

6. 充分发挥礼仪礼节的教化作用。礼仪礼节是道德素养的体现，也是道德实践的载体。要制定国家礼仪规程，完善党和国家功勋荣誉表彰制度，规范开展升国旗、奏唱国歌、入党入团入队等仪式，强化仪式感、参与感、现代感，增强人们对党和国家、对组织集体的认同感和归属感。充分利用重要传统节日、重大节庆和纪念日，组织开展群众性主题实践活动，丰富道德体验、增进道德情感。研究制定继承中华优秀传统、适应现代文明要求的社会礼仪、服装服饰、文明用语规范，引导人们重礼节、讲礼貌。

7. 积极践行绿色生产生活方式。绿色发展、生态道德是现代文明的重要标志，是美好生活的基础、人民群众的期盼。要推动全社会共建美丽中国，围绕世界地球日、世界环境日、世界森林日、世界水日、世界海洋日和全国节能宣传周等，广泛开展多种形式的主题宣传实践活动，坚持人与自然和谐共生，引导人们树立尊重自然、顺应自然、保护自然的理念，树立绿水青山就是金山银山的理念，增强节约意识、环保意识和生态意识。开展创建节约型机关、绿色家庭、绿色学校、绿色社区、绿色出行和垃圾分类等行动，倡导简约适度、绿色低碳的生活方式，拒绝奢华和浪费，引导人们做生态环境的保护者、建设者。

8. 在对外交流交往中展示文明素养。公民道德风貌关系国家形象。实施中国公民旅游文明素质行动计划，推动出入境管理机构、海关、驻外机构、旅行社、网络旅游平台等，加强文明宣传教育，引导中国公民在境外旅游、求学、经商、探亲中，尊重当地法律法规和文化习俗，展现中华美德，维护国家荣誉和利益。培育健康理性的国民心态，引导人们在各种国际场合、涉外活动和交流交往中，树立自尊自信、开放包容、积极向上的良好形象。

五、抓好网络空间道德建设

1. 加强网络内容建设。网络信息内容广泛影响着人们的思想观念和道德行为。要深入实施网络内容建设工程，弘扬主旋律，激发正能量，让科学理论、正确舆论、优秀文化充盈网络空间。发展积极向上的网络文化，引导互联网企业和网民创作生产传播格调健康的网络文学、网络音乐、网络表演、网络电影、网络剧、网络音视频、网络动漫、网络游戏等。加强网上热点话题和突发事件的正确引导、有效引导，明辨是非、分清善恶，让正确道德取向成为网络空间的主流。

2. 培养文明自律网络行为。网上行为主体的文明自律是网络空间道德建设的基础。要建立和完善网络行为规范，明确网络是非观念，培育符合互联网发展规律、体现社会主义精神文明建设要求的网络伦理、网络道德。倡导文明办网，推动互联网企业自觉履行主体责任、主动承担社会责任，依法依规经营，加强网络从业人员教育培训，坚决打击网上有害信息传播行为，依法规范管理传播渠道。倡导文明上网，广泛开展争做中国好网民活动，推进网民网络素养教育，引导广大网民尊德守法、文明互动、理性表达，远离不良网站，防止网络沉迷，自觉维护良好网络秩序。

3. 丰富网上道德实践。互联网为道德实践提供了新的空间、新的载体。要积极培育和引导互联网公益力量，壮大网络公益队伍，形成线上线下踊跃参与公益事业的生动局面。加强网络公益宣传，引导人们随时、随地、随手做公益，推动形成关爱他人、奉献社会的良好风尚。拓展“互联网＋公益”、“互联网＋慈善”模式，广泛开展形式多样的网络公益、网络慈善活动，激发全社会热心公益、参与慈善的热情。加强网络公益规范化运行和管理，完善相关法规制度，促进网络公益健康有序发展。

4. 营造良好网络道德环境。加强互联网管理，正能量是总要求，管得住是硬道理，用得好是真本事。要严格依法管网治网，加强互联网领域立法执法，强化网络综合治理，加强网络社交平台、各类公众账号等管理，重视个人信息安全，建立完善新技术新应用道德评估制度，维护网络道德秩序。开展网络治理专项行动，加大对网上突出问题的整治力度，清理网络欺诈、造谣、诽谤、谩骂、歧视、色情、低俗等内容，反对网络暴力行为，依法惩治网络违法犯罪，促进网络空间日益清朗。

六、发挥制度保障作用

1. 强化法律法规保障。法律是成文的道德，道德是内心的法律。要发挥法治对道德建设的保障和促进作用，把道德导向贯穿法治建设全过程，立法、执法、司法、守法各环节都要体现社会主义道德要求。及时把实践中广泛认同、较为成熟、操作性强的道德要求转化为法律规范，推动社会诚信、见义勇为、志愿服务、勤劳节俭、孝老爱亲、保护生态等方面的立法工作。坚持严格执法，加大关系群众切身利益重点领域的执法力度，以法治的力量维护道德、凝聚人心。坚持公正司法，发挥司法裁判定分止争、惩恶扬善功能，定期发布道德领域典型指导性司法案例，让人们从中感受到公平正义。推进全民守法普法，加强社会主义法治文化建设，营造全社会讲法治、重道德的良好环境，引导人们增强法治意识、坚守道德底线。

2. 彰显公共政策价值导向。公共政策与人们生产生活和现实利益密切相关，直接影响着人们的价值取向和道德判断。各项公共政策制度从设计制定到实施执行，都要充分体现道德要求，符合人们道德期待，实现政策目标和道德导向有机统一。科学制定经济社会政策和改革举措，在涉及就业、就学、住房、医疗、收入分配、社会保障等重大民生问题上，妥善处理各方面利益关系，充分体现维护社会公平正义的要求。加强对公共政策的道德风险和道德效果评估，及时纠正与社会主义道德相背离的突出问题，促进公共政策与道德建设良性互动。

3. 发挥社会规范的引导约束作用。各类社会规范有效调节着人们在共同生产生活中的关系和行为。要按照社会主义核心价值观的基本要求，健全各行各业规章制度，修订完善市民公约、乡规民约、学生守则等行为准则，突出体现自身特点的道德规范，更好发挥规范、调节、评价人们言行举止的作用。要发挥各类群众性组织的自我教育、自我管理、自我服务功能，推动落实各项社会规范，共建共享与新时代相匹配的社会文明。

4. 深化道德领域突出问题治理。道德建设既要靠教育倡导，也要靠有效治理。要综合施策、标本兼治，运用经济、法律、技术、行政和社会管理、舆论监督等各种手段，有力惩治失德败德、突破道德底线的行为。要组织开展道德领域突出问题专项治理，不断净化社会文化环境。针对污蔑诋毁英雄、伤害民族感情的恶劣言行，特别是对于损害国家尊严、出卖国家利益的媚外分子，要依法依规严肃惩戒，发挥警示教育作用。针对食品药品安全、产品质量安全、生态环境、社会服务、公共秩序等领域群众反映强烈的突出问题，要逐一进行整治，让败德违法者受到惩治、付出代价。建立惩戒失德行为常态化机制，形成扶正祛邪、惩恶扬善的社会风气。

七、加强组织领导

加强新时代公民道德建设，是推进中国特色社会主义事业的一项基础性、战略性工程。要坚持和加强党的领导，增强“四个意识”，坚定“四个自信”，做到“两个维护”，确保公民道德建设的正确方向。各级党委和政府要担负起公民道德建设的领导责任，将其摆上重要议事日程，纳入全局工作谋划推进，有机融入经济社会发展各方面。纪检监察机关和组织、统战、政法、网信、经济、外交、教育、科技、卫生健康、交通运输、民政、文化和旅游、民族宗教、农业农村、自然资源、生态环境等党政部门，要紧密结合工作职能，积极履行公民道德建设责任。发挥基层党组织和党员在新时代公民道德建设中的战斗堡垒作用和先锋模范作用。工会、共青团、妇联等群团组织，各民主党派和工商联，要积极发挥自身优势，共同推动公民道德建设。

各级文明委和党委宣传部要切实履行指导、协调、组织职能，统筹力量、精心实施、加强督查，抓好工作任务落实。注重分析评估公民道德建设的进展和成效，及时总结推广成功经验和创新做法，加强道德领域重大理论和实践问题研究，推动形成公民道德建设蓬勃开展、深入发展的良好局面。

新时代爱国主义教育实施纲要

（中共中央　国务院　中发〔2019〕45 号）

爱国主义是中华民族的民族心、民族魂，是中华民族最重要的精神财富，是中国人民和中华民族维护民族独立和民族尊严的强大精神动力。爱国主义精神深深植根于中华民族心中，维系着中华大地上各个民族的团结统一，激励着一代又一代中华儿女为祖国发展繁荣而自强不息、不懈奋斗。中国共产党是爱国主义精神最坚定的弘扬者和实践者，90 多年来，中国共产党团结带领全国各族人民进行的革命、建设、改革实践是爱国主义的伟大实践，写下了中华民族爱国主义精神的辉煌篇章。党的十八大以来，以习近平同志为核心的党中央高度重视爱国主义教育，固本培元、凝心铸魂，作出一系列重要部署，推动爱国主义教育取得显著成效。当前，中国特色社会主义进入新时代，中华民族伟大复兴正处于关键时期。新时代加强爱国主义教育，对于振奋民族精神、凝聚全民族力量，决胜全面建成小康社会，夺取新时代中国特色社会主义伟大胜利，实现中华民族伟大复兴的中国梦，具有重大而深远的意义。

一、总体要求

1. 指导思想。坚持以马克思列宁主义、毛泽东思想、邓小平理论、“三个代表”重要思想、科学发展观、习近平新时代中国特色社会主义思想为指导，增强“四个意识”，坚定“四个自信”，做到“两个维护”，着眼培养担当民族复兴大任的时代新人，始终高扬爱国主义旗帜，着力培养爱国之情、砥砺强国之志、实践报国之行，使爱国主义成为全体中国人民的坚定信念、精神力量和自觉行动。

2. 坚持把实现中华民族伟大复兴的中国梦作为鲜明主题。伟大事业需要伟大精神，伟大精神铸就伟大梦想。要把国家富强、民族振兴、人民幸福作为不懈追求，着力扎紧全国各族人民团结奋斗的精神纽带，厚植家国情怀，培育精神家园，引导人们坚持中国道路、弘扬中国精神、凝聚中国力量，为实现中华民族伟大复兴的中国梦提供强大精神动力。

3. 坚持爱党爱国爱社会主义相统一。新中国是中国共产党领导的社会主义国家，祖国的命运与党的命运、社会主义的命运密不可分。当代中国，爱国主义的本质就是坚持爱国和爱党、爱社会主义高度统一。要区分层次、区别对象，引导人们深刻认识党的领导是中国特色社会主义最本质特征和最大制度优势，坚持党的领导、坚持走中国特色社会主义道路是实现国家富强的根本保障和必由之路，以坚定的信念、真挚的情感把新时代中国特色社会主义一以贯之进行下去。

4. 坚持以维护祖国统一和民族团结为着力点。国家统一和民族团结是中华民族根本利益所在。要始终不渝坚持民族团结是各族人民的生命线，巩固和发展平等团结互助和谐的社会主义民族关系，引导全国各族人民像爱护自己的眼睛一样珍惜民族团结，维护全国各族人民大团结的政治局面，巩固和发展最广泛的爱国统一战线，不断增强对伟大祖国、中华民族、中华文化、中国共产党、中国特色社会主义的认同，坚决维护国家主权、安全、发展利益，旗帜鲜明反对分裂国家图谋、破坏民族团结的言行，筑牢国家统一、民族团结、社会稳定的铜墙铁壁。

5. 坚持以立为本、重在建设。爱国主义是中华儿女最自然、最朴素的情感。要坚持从娃娃抓起，着眼固本培元、凝心铸魂，突出思想内涵，强化思想引领，做到润物无声，把基本要求和具体实际结合起来，把全面覆盖和突出重点结合起来，遵循规律、创新发展，注重落细落小落实、日常经常平常，强化教育引导、实践养成、制度保障，推动爱国主义教育融入贯穿国民教育和精神文明建设全过程。

6. 坚持立足中国又面向世界。一个国家、一个民族，只有开放兼容，才能富强兴盛。要把弘扬爱国主义精神与扩大对外开放结合起来，尊重各国历史特点、文化传统，尊重各国人民选择的发展道路，善于从不同文明中寻求智慧、汲取营养，促进人类和平与发展的崇高事业，共同推动人类文明发展进步。

二、基本内容

7. 坚持用习近平新时代中国特色社会主义思想武装全党、教育人民。习近平新时代中国特色社会主义思想是马克思主义中国化最新成果，是党和人民实践经验和集体智慧的结晶，是中国特色社会主义理论体系的重要组成部分，是全党全国人民为实现中华民族伟大复兴而奋斗的行动指南，必须长期坚持并不断发展。要深刻理解习近平新时代中国特色社会主义思想的核心要义、精神实质、丰富内涵、实践要求，不断增强干部群众的政治意识、大局意识、核心意识、看齐意识，坚决维护习近平总书记党中央的核心、全党的核心地位，坚决维护党中央权威和集中统一领导。要紧密结合人们生产生活实际，推动习近平新时代中国特色社会主义思想进企业、进农村、进机关、进校园、进社区、进军营、进网络，真正使党的创新理论落地生根、开花结果。要在知行合一、学以致用上下功夫，引导干部群众坚持以习近平新时代中国特色社会主义思想为指导，展现新气象、激发新作为，把学习教育成果转化为爱国报国的实际行动。

8. 深入开展中国特色社会主义和中国梦教育。中国特色社会主义集中体现着国家、民族、人民根本利益。要高举中国特色社会主义伟大旗帜，广泛开展理想信念教育，用党领导人民进行伟大社会革命的成果说话，用改革开放以来社会主义现代化建设的伟大成就说话，用新时代坚持和发展中国特色社会主义的生动实践说话，用中国特色社会主义制度的优势说话，在历史与现实、国际与国内的对比中，引导人们深刻认识中国共产党为什么"能"、马克思主义为什么"行"、中国特色社会主义为什么"好"，牢记红色政权是从哪里来的、新中国是怎么建立起来的，倍加珍惜我们党开创的中国特色社会主义，不断增强道路自信、理论自信、制度自信、文化自信。要深入开展中国梦教育，引导人们深刻认识中国梦是国家的梦、民族的梦，也是每个中国人的梦，深刻认识中华民族伟大复兴绝不是轻轻松松、敲锣打鼓就能实现的，要付出更为艰巨、更为艰苦的努力，争做新时代的奋斗者、追梦人。

9. 深入开展国情教育和形势政策教育。要深入开展国情教育，帮助人们了解我国发展新的历史方位、社会主要矛盾的变化，引导人们深刻认识到，我国仍处于并将长期处于社会主义初级阶段的基本国情没有变，我国是世界上最大发展中国家的国际地位没有变，始终准确把握基本国情，既不落后于时代，也不脱离实际、超越阶段。要深入开展形势政策教育，帮助人们树立正确的历史观、大局观、角色观，了解世界正经历百年未有之大变局，我国仍处于发展的重要战略机遇期，引导人们清醒认识国际国内形势发展变化，做好我们自己的事情。要发扬斗争精神，增强斗争本领，引导人们充分认识伟大斗争的长期性、复杂性、艰巨性，敢于直面风险挑战，以坚忍不拔的意志和无私无畏的勇气战胜前进道路上的一切艰难险阻，在进行伟大斗争中更好弘扬爱国主义精神。

10. 大力弘扬民族精神和时代精神。以爱国主义为核心的民族精神和以改革创新为核心的时代精神，是凝心聚力的兴国之魂、强国之魂。要聚焦培养担当民族复兴大任的时代新人，培育和践行社会主义核心价值观，广泛开展爱国主义、集体主义、社会主义教育，提高人们的思想觉悟、道德水准和文明素养。要唱响人民赞歌、展现人民风貌，大力弘扬中国人民在长期奋斗中形成的伟大创造精神、伟大奋斗精神、伟大团结精神、伟大梦想精神，生动展示人民群众在新时代的新实践、新业绩、新作为。

11. 广泛开展党史、国史、改革开放史教育。历史是最好的教科书，也是最好的清醒剂。要结合中华民族从站起来、富起来到强起来的伟大飞跃，引导人们深刻认识历史和人民选择中国共产党、选择马克思主义、选择社会主义道路、选择改革开放的历史必然性，深刻认识我们国家和民族从哪里来、到哪里去，坚决反对历史虚无主义。要继承革命传统，弘扬革命精神，传承红色基因，结合新的时代特点赋予新的内涵，使之转化为激励人民群众进行伟大斗争的强大动力。要加强改革开放教育，引导人们深刻认识改革开放是党和人民大踏步赶上时代的重要法宝，是坚持和发展中国特色社会主义的必由之路，是决定当代中国命运的关键一招，也是决定实现"两个一百年"奋斗目标、实现中华民族伟大复兴的关键一招，凝聚起将改革开放进行到底的强大力量。

12. 传承和弘扬中华优秀传统文化。对祖国悠久历史、深厚文化的理解和接受，是爱国主义情感培育和发展的重要条件。要引导人们了解中华民族的悠久历史和灿烂文化，从历史中汲取营养和智慧，自觉延续文化基因，增强民族自尊心、自信心和自豪感。要坚持古为今用、推陈出新，不忘本来、辩证取舍，深入实施中华优秀传统文化传承发展工程，推动中华文化创造性转化、创新性发展。要坚守正道、弘扬大道，反对文化虚无主义，引导人们树立和坚持正确的历史观、民族观、国家观、文化观，不断增强中华民族的归属感、认同感、尊严感、荣誉感。

13. 强化祖国统一和民族团结进步教育。实现祖国统一、维护民族团结，是中华民族的不懈追求。要加强祖国统一教育，深刻揭示维护国家主权和领土完整、实现祖国完全统一是大势所趋、大义所在、民心所向，增进广大同胞心灵契合、互信认同，与分裂祖国的言行开展坚决斗争，引导全体中华儿女为实现民族伟大复兴、推进祖国和平统一而共同奋斗。深化民族团结进步教育，铸牢中华民族共同体意识，加强各民族交往交流交融，引导各族群众牢固树立"三个离不开"思想，不断增强"五个认同"，使各民族同呼吸、共命运、心连心的光荣传统代代相传。

14. 加强国家安全教育和国防教育。国家安全是安邦定国的重要基石。要加强国家安全教育，深入学习宣传总体国家安全观，增强全党全国人民国家安全意识，自觉维护政治安全、国土安全、经济安全、社会安全、网络安全和外部安全。要加强国防教育，增强全民国防观念，使关心国防、热爱国防、建设国防、保卫国防成为全社会的思想共识和自觉行动。要深入开展增强忧患意识、防范化解重大风险的宣传教育，引导广大干部群众强化风险意识，科学辨识风险、有效应对风险，做到居安思危、防患未然。

三、新时代爱国主义教育要面向全体人民、聚焦青少年

15. 充分发挥课堂教学的主渠道作用。培养社会主义建设者和接班人，首先要培养学生的爱国情怀。要把青少年作为爱国主义教育的重中之重，将爱国主义精

神贯穿于学校教育全过程，推动爱国主义教育进课堂、进教材、进头脑。在普通中小学、中职学校，将爱国主义教育内容融入语文、道德与法治、历史等学科教材编写和教育教学中，在普通高校将爱国主义教育与哲学社会科学相关专业课程有机结合，加大爱国主义教育内容的比重。创新爱国主义教育的形式，丰富和优化课程资源，支持和鼓励多种形式开发微课、微视频等教育资源和在线课程，开发体现爱国主义教育要求的音乐、美术、书法、舞蹈、戏剧作品等，进一步增强吸引力感染力。

16. 办好学校思想政治理论课。思想政治理论课是爱国主义教育的主阵地。要紧紧抓住青少年阶段的“拔节孕穗期”，理直气壮开好思想政治理论课，引导学生把爱国情、强国志、报国行自觉融入坚持和发展中国特色社会主义事业、建设社会主义现代化强国、实现中华民族伟大复兴的奋斗之中。按照政治强、情怀深、思维新、视野广、自律严、人格正的要求，加强思想政治理论课教师队伍建设，让有信仰的人讲信仰，让有爱国情怀的人讲爱国。推动思想政治理论课改革创新，发挥学生主体作用，采取互动式、启发式、交流式教学，增强思想性理论性和亲和力针对性，在教育灌输和潜移默化中，引导学生树立国家意识、增进爱国情感。

17. 组织推出爱国主义精品出版物。针对不同年龄、不同成长阶段，坚持精品标准，加大创作力度，推出反映爱国主义内容的高质量儿童读物、教辅读物，让广大青少年自觉接受爱国主义熏陶。积极推荐爱国主义主题出版物，大力开展爱国主义教育读书活动。结合青少年兴趣点和接受习惯，大力开发并积极推介体现中华文化精髓、富有爱国主义气息的网络文学、动漫、有声读物、网络游戏、手机游戏、短视频等。

18. 广泛组织开展实践活动。大中小学的党组织、共青团、少先队、学生会、学生社团等，要把爱国主义内容融入党日团日、主题班会、班队会以及各类主题教育活动之中。广泛开展文明校园创建，强化校训校歌校史的爱国主义教育功能，组织开展丰富多彩的校园文化活动。组织大中小学生参观纪念馆、展览馆、博物馆、烈士纪念设施，参加军事训练、冬令营夏令营、文化科技卫生“三下乡”、学雷锋志愿服务、创新创业、公益活动等，更好地了解国情民情，强化责任担当。密切与城市社区、农村、企业、部队、社会机构等的联系，丰富拓展爱国主义教育校外实践领域。

19. 在广大知识分子中弘扬爱国奋斗精神。我国知识分子历来有浓厚的家国情怀和强烈的社会责任感。深入开展“弘扬爱国奋斗精神、建功立业新时代”活动，弘扬“两弹一星”精神、载人航天精神等，大力组织优秀知识分子学习宣传，引导新时代知识分子把自己的理想同祖国的前途、把自己的人生同民族的命运紧密联系在一起，立足本职、拼搏奋斗、创新创造，在新时代作出应有的贡献。广泛动员和组织知识分子深入改革开放前沿、经济发展一线和革命老区、民族地区、边疆地区、贫困地区，开展调研考察和咨询服务，深入了解国情，坚定爱国追求。

20. 激发社会各界人士的爱国热情。社会各界的代表性人士具有较强示范效应。要坚持信任尊重团结引导，增进和凝聚政治共识，夯实共同思想政治基础，不断扩大团结面，充分调动社会各界人士的爱国热情和社会担当。通过开展职业精神职业道德教育、建立健全相关制度规范、发挥行业和舆论监督作用等，引导社会各界人士增强道德自律、履行社会责任。坚持我国宗教的中国化方向，加强宗教界人士和信教群众的爱国主义教育，引导他们热爱祖国、拥护社会主义制度、拥护中国共产党的领导，遵守国家法律法规和方针政策。加强“一国两制”实践教育，引导人们包括香港特别行政区同胞、澳门特别行政区同胞、台湾同胞和海外侨胞增强对国家的认同，自觉维护国家统一和民族团结。

四、丰富新时代爱国主义教育的实践载体

21. 建好用好爱国主义教育基地和国防教育基地。各级各类爱国主义教育基地，是激发爱国热情、凝聚人民力量、培育民族精神的重要场所。要加强内容建设，改进展陈方式，着力打造主题突出、导向鲜明、内涵丰富的精品陈列，强化爱国主义教育和红色教育功能，为社会各界群众参观学习提供更好服务。健全全国爱国主义教育示范基地动态管理机制，进一步完善落实免费开放政策和保障机制，根据实际情况，对爱国主义教育基地免费开放财政补助进行重新核定。依托军地资源，优化结构布局，提升质量水平，建设一批国防特色鲜明、功能设施配套、作用发挥明显的国防教育基地。

22. 注重运用仪式礼仪。认真贯彻执行国旗法、国徽法、国歌法，学习宣传基本知识和国旗升挂、国徽使用、国歌奏唱礼仪。在全社会广泛开展“同升国旗、同唱国歌”活动，让人们充分表达爱国情感。各级广播电台、电视台每天定时在主频率、主频道播放国歌。国庆期间，各级党政机关、人民团体、大型企事业单位、全国城乡社区和爱国主义教育基地等，要组织升国旗仪式并悬挂国旗。鼓励居民家庭在家门前适当位置悬挂国旗。认真组织宪法宣誓仪式、入党入团入队仪式等，通过公开宣誓、重温誓词等形式，强化国家意识和集体观念。

23. 组织重大纪念活动。充分挖掘重大纪念日、重大历史事件蕴含的爱国主义教育资源，组织开展系列庆祝或纪念活动和群众性主题教育。抓住国庆节这一重要时间节点，广泛开展“我和我的祖国”系列主题活动，通过主题宣讲、大合唱、共和国故事汇、快闪、灯光秀、游园活动等形式，引导人们歌唱祖国、致敬祖国、祝

福祖国，使国庆黄金周成为爱国活动周。充分运用“七一”党的生日、“八一”建军节等时间节点，广泛深入组织各种纪念活动，唱响共产党好、人民军队好的主旋律。在中国人民抗日战争胜利纪念日、烈士纪念日、南京大屠杀死难者国家公祭日期间，精心组织公祭、瞻仰纪念碑、祭扫烈士墓等，引导人们牢记历史、不忘过去，缅怀先烈、面向未来，激发爱国热情、凝聚奋进力量。

24. 发挥传统和现代节日的涵育功能。大力实施中国传统节日振兴工程，深化“我们的节日”主题活动，利用春节、元宵、清明、端午、七夕、中秋、重阳等重要传统节日，开展丰富多彩、积极健康、富有价值内涵的民俗文化活动，引导人们感悟中华文化、增进家国情怀。结合元旦、“三八”国际妇女节、“五一”国际劳动节、“五四”青年节、“六一”国际儿童节和中国农民丰收节等，开展各具特色的庆祝活动，激发人们的爱国主义和集体主义精神。

25. 依托自然人文景观和重大工程开展教育。寓爱国主义教育于游览观光之中，通过宣传展示、体验感受等多种方式，引导人们领略壮美河山，投身美丽中国建设。系统梳理传统文化资源，加强考古发掘和整理研究，保护好文物古迹、传统村落、民族村寨、传统建筑、农业遗迹、灌溉工程遗产、工业遗迹，推动遗产资源合理利用，健全非物质文化遗产保护制度，推进国家文化公园建设。推动文化和旅游融合发展，提升旅游质量水平和文化内涵，深入挖掘旅游资源中蕴含的爱国主义内容，防止过度商业行为和破坏性开发。推动红色旅游内涵式发展，完善全国红色旅游经典景区体系，凸显教育功能，加强对讲解员、导游等从业人员的管理培训，加强对解说词、旅游项目等的规范，坚持正确的历史观和历史标准。依托国家重大建设工程、科学工程等，建设一批展现新时代风采的主题教育基地。

五、营造新时代爱国主义教育的浓厚氛围

26. 用好报刊广播影视等大众传媒。各级各类媒体要聚焦爱国主义主题，创新方法手段，适应分众化、差异化传播趋势，使爱国主义宣传报道接地气、有生气、聚人气，有情感、有深度、有温度。把爱国主义主题融入贯穿媒体融合发展，打通网上网下、版面页面，推出系列专题专栏、新闻报道、言论评论以及融媒体产品，加强县级融媒体中心建设，生动讲好爱国故事、大力传播主流价值观。制作刊播爱国主义优秀公益广告作品，在街头户外张贴悬挂展示标语口号、宣传挂图，生动形象做好宣传。坚持正确舆论导向，对虚无历史、消解主流价值的错误思想言论，及时进行批驳和辨析引导。

27. 发挥先进典型的引领作用。大力宣传为中华民族和中国人民作出贡献的英雄，宣传革命、建设、改革时期涌现出的英雄烈士和模范人物，宣传时代楷模、道

德模范、最美人物和身边好人，宣传具有爱国情怀的地方先贤、知名人物，以榜样的力量激励人、鼓舞人。广泛开展向先进典型学习活动，引导人们把敬仰和感动转化为干事创业、精忠报国的实际行动。做好先进模范人物的关心帮扶工作，落实相关待遇和礼遇，在全社会大力营造崇尚英雄、学习英雄、捍卫英雄、关爱英雄的浓厚氛围。

28. 创作生产优秀文艺作品。把爱国主义作为常写常新的主题，加大现实题材创作力度，为时代画像、为时代立传、为时代明德，不断推出讴歌党、讴歌祖国、讴歌人民、讴歌劳动、讴歌英雄的精品力作。深入实施中国当代文学艺术创作工程、重大历史题材创作工程等，加大对爱国主义题材文学创作、影视创作、词曲创作等的支持力度，加强对经典爱国歌曲、爱国影片的深入挖掘和创新传播，唱响爱国主义正气歌。文艺创作和评论评奖要具有鲜明爱国主义导向，倡导讲品位、讲格调、讲责任，抵制低俗、庸俗、媚俗，坚决反对亵渎祖先、亵渎经典、亵渎英雄，始终保持社会主义文艺的爱国底色。

29. 唱响互联网爱国主义主旋律。加强爱国主义网络内容建设，广泛开展网上主题教育活动，制作推介体现爱国主义内容、适合网络传播的音频、短视频、网络文章、纪录片、微电影等，让爱国主义充盈网络空间。实施爱国主义数字建设工程，推动爱国主义教育基地、红色旅游与网络传播有机结合。创新传播载体手段，积极运用微博微信、社交媒体、视频网站、手机客户端等传播平台，运用虚拟现实、增强现实、混合现实等新技术新产品，生动活泼开展网上爱国主义教育。充分发挥“学习强国”学习平台在爱国主义宣传教育中的作用。加强网上舆论引导，依法依规进行综合治理，引导网民自觉抵制损害国家荣誉、否定中华优秀传统文化的错误言行，汇聚网上正能量。

30. 涵养积极进取开放包容理性平和的国民心态。加强宣传教育，引导人们正确把握中国与世界的发展大势，正确认识中国与世界的关系，既不妄自尊大也不妄自菲薄，做到自尊自信、理性平和。爱国主义是世界各国人民共有的情感，实现世界和平与发展是各国人民共同的愿望。一方面要弘扬爱国主义精神，另一方面要培养海纳百川、开放包容的胸襟，大力宣传坚持和平发展合作共赢、构建人类命运共同体、共建“一带一路”等重要理念和倡议，激励广大人民同各国人民一道共同创造美好未来。对每一个中国人来说，爱国是本分，也是职责，是心之所系、情之所归。倡导知行合一，推动爱国之情转化为实际行动，使人们理性表达爱国情感，反对极端行为。

31. 强化制度和法治保障。把爱国主义精神融入相关法律法规和政策制度，体现到市民公约、村规民约、学生守则、行业规范、团体章程等的制定完善中，发挥指引、约束和规范作用。在全社会深入学习宣传宪法、英雄烈士保护法、文物保护法等，广泛开展法治文化活动，使普法过程成为爱国主义教育过程。严格执法司法、推进依法治理，综合运用行政、法律等手段，对不尊重国歌国旗国徽等国家象征与标志，对侵害英雄烈士姓名、肖像、名誉、荣誉等行为，对破坏污损爱国主义教育场所设施，对宣扬、美化侵略战争和侵略行为等，依法依规进行严肃处理。依法严惩暴力恐怖、民族分裂等危害国家安全和社会稳定的犯罪行为。

六、加强对新时代爱国主义教育的组织领导

32. 各级党委和政府要承担起主体责任。各级党委和政府要负起政治责任和领导责任，把爱国主义教育摆上重要日程，纳入意识形态工作责任制，加强阵地建设和管理，抓好各项任务落实。进一步健全党委统一领导、党政齐抓共管、宣传部门统筹协调、有关部门各负其责的工作格局，建立爱国主义教育联席会议制度，加强工作指导和沟通协调，及时研究解决工作中的重要事项和存在问题。广大党员干部要以身作则，牢记初心使命，勇于担当作为，发挥模范带头作用，做爱国主义的坚定弘扬者和实践者，同违背爱国主义的言行作坚决斗争。

33. 调动广大人民群众的积极性主动性。爱国主义教育是全民教育，必须突出教育的群众性。各级工会、共青团、妇联和文联、作协、科协、侨联、残联以及关工委等人民团体和群众组织，要发挥各自优势，面向所联系的领域和群体广泛开展爱国主义教育。组织动员老干部、老战士、老专家、老教师、老模范等到广大群众特别是青少年中讲述亲身经历，弘扬爱国传统。坚持热在基层、热在群众，结合人们生产生活，把爱国主义教育融入到新时代文明实践中心建设、学雷锋志愿服务、精神文明创建之中，体现到百姓宣讲、广场舞、文艺演出、邻居节等群众性活动之中，引导人们自我宣传、自我教育、自我提高。

34. 求真务实注重实效。爱国主义教育是思想的洗礼、精神的熏陶。要坚持目标导向、问题导向、效果导向，坚持虚功实做、久久为功，在深化、转化上下功夫，在具象化、细微处下功夫，更好地体现时代性、把握规律性、富于创造性。坚持从实际出发，务实节俭开展教育、组织活动，杜绝铺张浪费，不给基层和群众增加负担，坚决反对形式主义、官僚主义。

各地区各部门要根据本纲要制定贯彻落实的具体措施，确保爱国主义教育各项任务要求落到实处。

中国人民解放军和中国人民武装警察部队按照本纲要总的要求，结合部队实际制定具体规划、作出安排部署。

中小学综合实践活动课程指导纲要

（教育部　教材〔2017〕4 号）

为全面贯彻党的教育方针，坚持教育与生产劳动、社会实践相结合，引导学生深入理解和践行社会主义核心价值观，充分发挥中小学综合实践活动课程在立德树人中的重要作用，特制定本纲要。

一、课程性质与基本理念

（一）课程性质

综合实践活动是从学生的真实生活和发展需要出发，从生活情境中发现问题，转化为活动主题，通过探究、服务、制作、体验等方式，培养学生综合素质的跨学科实践性课程。

综合实践活动是国家义务教育和普通高中课程方案规定的必修课程，与学科课程并列设置，是基础教育课程体系的重要组成部分。该课程由地方统筹管理和指导，具体内容以学校开发为主，自小学一年级至高中三年级全面实施。

（二）基本理念

1. 课程目标以培养学生综合素质为导向

本课程强调学生综合运用各学科知识，认识、分析和解决现实问题，提升综合素质，着力发展核心素养，特别是社会责任感、创新精神和实践能力，以适应快速变化的社会生活、职业世界和个人自主发展的需要，迎接信息时代和知识社会的挑战。

2. 课程开发面向学生的个体生活和社会生活

本课程面向学生完整的生活世界，引导学生从日常学习生活、社会生活或与大自然的接触中提出具有教育意义的活动主题，使学生获得关于自我、社会、自然的真实体验，建立学习与生活的有机联系。要避免仅从学科知识体系出发进行活动设计。

3. 课程实施注重学生主动实践和开放生成

本课程鼓励学生从自身成长需要出发，选择活动主题，主动参与并亲身经历实践过程，体验并践行价值信念。在实施过程中，随着活动的不断展开，在教师指导下，学生可根据实际需要，对活动的目标与内容、组织与方法、过程与步骤等做出动态调整，使活动不断深化。

4. 课程评价主张多元评价和综合考察

本课程要求突出评价对学生的发展价值，充分肯定学生活动方式和问题解决策略的多样性，鼓励学生自我评价与同伴间的合作交流和经验分享。提倡多采用质性评价方式，避免将评价简化为分数或等级。要将学生在综合实践活动中的各种表现和活动成果作为分析考察课程实施状况与学生发展状况的重要依据，对学生的活动过程和结果进行综合评价。

二、课程目标

（一）总目标

学生能从个体生活、社会生活及与大自然的接触中获得丰富的实践经验，形成并逐步提升对自然、社会和自我之内在联系的整体认识，具有价值体认、责任担当、问题解决、创意物化等方面的意识和能力。

（二）学段目标

1. 小学阶段具体目标

（1）价值体认：通过亲历、参与少先队活动、场馆活动和主题教育活动，参观爱国主义教育基地等，获得有积极意义的价值体验。理解并遵守公共空间的基本行为规范，初步形成集体思想、组织观念，培养对中国共产党的朴素感情，为自己是中国人感到自豪。

（2）责任担当：围绕日常生活开展服务活动，能处理生活中的基本事务，初步养成自理能力、自立精神、热爱生活的态度，具有积极参与学校和社区生活的意愿。

（3）问题解决：能在教师的引导下，结合学校、家庭生活中的现象，发现并提出自己感兴趣的问题。能将问题转化为研究小课题，体验课题研究的过程与方法，提出自己的想法，形成对问题的初步解释。

（4）创意物化：通过动手操作实践，初步掌握手工设计与制作的基本技能；学会运用信息技术，设计并制作有一定创意的数字作品。运用常见、简单的信息技术解决实际问题，服务于学习和生活。

2. 初中阶段具体目标

（1）价值体认：积极参加班团队活动、场馆体验、红色之旅等，亲历社会实践，加深有积极意义的价值体验。能主动分享体验和感受，与老师、同伴交流思想认识，形成国家认同，热爱中国共产党。通过职业体验活动，发展兴趣专长，形成积极的劳动观念和态度，具有初步的生涯规划意识和能力。

（2）责任担当：观察周围的生活环境，围绕家庭、学校、社区的需要开展服务活动，增强服务意识，养成独立的生活习惯；愿意参与学校服务活动，增强服务学校的行动能力；初步形成探究社区问题的意识，愿意参与社区服务，初步形成对自我、学校、社区负责任的态度和社会公德意识，初步具备法治观念。

（3）问题解决：能关注自然、社会、生活中的现象，深入思考并提出有价值的问题，将问题转化为有价值的研究课题，学会运用科学方法开展研究。能主动运用所学知识理解与解决问题，并做出基于证据的解释，形成基本符合规范的研究报告或其他形式的研究成果。

（4）创意物化：运用一定的操作技能解决生活中的问题，将一定的想法或创意付诸实践，通过设计、制作或装配等，制作和不断改进较为复杂的制品或用品，发展实践创新意识和审美意识，提高创意实现能力。通过信息技术的学习实践，提高利用信息技术进行分析和解决问题的能力以及数字化产品的设计与制作能力。

3. 高中阶段具体目标

（1）价值体认：通过自觉参加班团活动、走访模范人物、研学旅行、职业体验活动，组织社团活动，深化社会规则体验、国家认同、文化自信，初步体悟个人成长与职业世界、社会进步、国家发展和人类命运共同体的关系，增强根据自身兴趣专长进行生涯规划和职业选择的能力，强化对中国共产党的认识和感情，具有中国特色社会主义共同理想和国际视野。

（2）责任担当：关心他人、社区和社会发展，能持续地参与社区服务与社会实践活动，关注社区及社会存在的主要问题，热心参与志愿者活动和公益活动，增强社会责任意识和法治观念，形成主动服务他人、服务社会的情怀，理解并践行社会公德，提高社会服务能力。

（3）问题解决：能对个人感兴趣的领域开展广泛的实践探索，提出具有一定新意和深度的问题，综合运用知识分析问题，用科学方法开展研究，增强解决实际问题的能力。能及时对研究过程及研究结果进行审视、反思并优化调整，建构基于证据的、具有说服力的解释，形成比较规范的研究报告或其他形式的研究成果。

（4）创意物化：积极参与动手操作实践，熟练掌握多种操作技能，综合运用技能解决生活中的复杂问题。增强创意设计、动手操作、技术应用和物化能力。形成在实践操作中学习的意识，提高综合解决问题的能力。

三、课程内容与活动方式

学校和教师要根据综合实践活动课程的目标，并基于学生发展的实际需求，设计活动主题和具体内容，并选择相应的活动方式。

（一）内容选择与组织原则

综合实践活动课程的内容选择与组织应遵循如下原则：

1. 自主性

在主题开发与活动内容选择时，要重视学生自身发展需求，尊重学生的自主选择。教师要善于引导学生围绕活动主题，从特定的角度切入，选择具体的活动内容，并自定活动目标任务，提升自主规划和管理能力。同时，要善于捕捉和利用课程实施过程中生成的有价值的问题，指导学生深化活动主题，不断完善活动内容。

2. 实践性

综合实践活动课程强调学生亲身经历各项活动，在“动手做”“实验”“探究”“设计”“创作”“反思”的过程中进行“体验”“体悟”“体认”，在全身心参与的活动中，发现、分析和解决问题，体验和感受生活，发展实践创新能力。

3. 开放性

综合实践活动课程面向学生的整个生活世界，具体活动内容具有开放性。教师要基于学生已有经验和兴趣专长，打破学科界限，选择综合性活动内容，鼓励学生跨领域、跨学科学习，为学生自主活动留出余地。要引导学生把自己成长的环境作为学习场所，在与家庭、学校、社区的持续互动中，不断拓展活动时空和活动内容，使自己的个性特长、实践能力、服务精神和社会责任感不断获得发展。

4. 整合性

综合实践活动课程的内容组织，要结合学生发展的年龄特点和个性特征，以促进学生的综合素质发展为核心，均衡考虑学生与自然的关系、学生与他人和社会的关系、学生与自我的关系这三个方面的内容。对活动主题的探究和体验，要体现个人、社会、自然的内在联系，强化科技、艺术、道德等方面的内在整合。

5. 连续性

综合实践活动课程的内容设计应基于学生可持续发展的要求，设计长短期相结合的主题活动，使活动内容具有递进性。要促使活动内容由简单走向复杂，使活动主题向纵深发展，不断丰富活动内容、拓展活动范围，促进学生综合素质的持续发展。要处理好学期之间、学年之间、学段之间活动内容的有机衔接与联系，构建科学合理的活动主题序列。

（二）活动方式

综合实践活动的主要方式及其关键要素为：

1. 考察探究

考察探究是学生基于自身兴趣，在教师的指导下，从自然、社会和学生自身生活中选择和确定研究主题，开展研究性学习，在观察、记录和思考中，主动获取知识，分析并解决问题的过程，如野外考察、社会调查、研学旅行等，它注重运用实地观察、访谈、实验等方法，获取材料，形成理性思维、批判质疑和勇于探究的精神。考察探究的关键要素包括：发现并提出问题；提出假设，选择方法，研制工具；获取证据；提出解释或观念；交流、评价探究成果；反思和改进。

2. 社会服务

社会服务指学生在教师的指导下，走出教室，参与社会活动，以自己的劳动满足社会组织或他人的需要，如公益活动、志愿服务、勤工俭学等，它强调学生在满足被服务者需要的过程中，获得自身发展，促进相关知识技能的学习，提升实践能力，成为履职尽责、敢于担当的人。社会服务的关键要素包括：明确服务对象与需要；制订服务活动计划；开展服务行动；反思服务经历，分享活动经验。

3. 设计制作

设计制作指学生运用各种工具、工艺（包括信息技术）进行设计，并动手操作，将自己的创意、方案付诸现实，转化为物品或作品的过程，如动漫制作、编程、陶艺创作等，它注重提高学生的技术意识、工程思维、动手操作能力等。在活动过程中，鼓励学生手脑并用，灵活掌握、融会贯通各类知识和技巧，提高学生的技术操作水平、知识迁移水平，体验工匠精神等。设计制作的关键要素包括：创意设计；选择活动材料或工具；动手制作；交流展示物品或作品，反思与改进。

4. 职业体验

职业体验指学生在实际工作岗位上或模拟情境中见习、实习，体认职业角色的过程，如军训、学工、学农等，它注重让学生获得对职业生活的真切理解，发现自己的专长，培养职业兴趣，形成正确的劳动观念和人生志向，提升生涯规划能力。职业体验的关键要素包括：选择或设计职业情境；实际岗位演练；总结、反思和交流经历过程；概括提炼经验，行动应用。

综合实践活动除了以上活动方式外，还有党团队教育活动、博物馆参观等。综合实践活动方式的划分是相对的。在活动设计时可以有所侧重，以某种方式为主，兼顾其他方式；也可以整合方式实施，使不同活动要素彼此渗透、融合贯通。要充分发挥信息技术对于各类活动的支持作用，有效促进问题解决、交流协作、成果展示与分享等。

四、学校对综合实践活动课程的规划与实施

（一）课程规划

中小学校是综合实践活动课程规划的主体，应在地方指导下，对综合实践活动课程进行整体设计，将办学理念、办学特色、培养目标、教育内容等融入其中。要依据学生发展状况、学校特色、可利用的社区资源（如各级各类青少年校外活动场所、综合实践基地和研学旅行基地等）对综合实践活动课程进行统筹考虑，形成综合实践活动课程总体实施方案；还要基于学生的年段特征、阶段性发展要求，制定具体的“学校学年（或学期）活动计划与实施方案”，对学年、学期活动做出规划。要使总体实施方案和学年（或学期）活动计划相互配套、衔接，形成促进学生持续发展的课程实施方案。

学校在课程规划时要注意处理好以下关系：

1. 综合实践活动课程的预设与生成

学校要统筹安排各年级、各班级学生的综合实践活动课时、主题、指导教师、场地设施等，加强与校外活动场所的沟通协调，为每一个学生参与活动创造必要条件，提供发展机遇，但不得以单一、僵化、固定的模式去约束所有班级、社团的具体活动过程，剥夺学生自主选择的空间。要允许和鼓励师生从生活中选择有价值的活动主题，选择适当的活动方式创造性地开展活动。要关注学生活动的生成性目标与生成性主题并引导其发展，为学生创造性的发展开辟广阔空间。

2. 综合实践活动课程与学科课程

在设计与实施综合实践活动课程中，要引导学生主动运用各门学科知识分析解决实际问题，使学科知识在综合实践活动中得到延伸、综合、重组与提升。学生在综合实践活动中所发现的问题要在相关学科教学中分析解决，所获得的知识要在相关学科教学中拓展加深。防止用学科实践活动取代综合实践活动。

3. 综合实践活动课程与专题教育

可将有关专题教育，如优秀传统文化教育、革命传统教育、国家安全教育、心理健康教育、环境教育、法治教育、知识产权教育等，转化为学生感兴趣的综合实践活动主题，让学生通过亲历感悟、实践体验、行动反思等方式实现专题教育的目标，防止将专题教育简单等同于综合实践活动课程。要在国家宪法日、国家安全教

育日、全民国防教育日等重要时间节点，组织学生开展相关主题教育活动。

（二）课程实施

作为综合实践活动课程实施的主体，学校要明确实施机构及人员、组织方式等，加强过程指导和管理，确保课程实施到位。

1. 课时安排

小学 1—2 年级，平均每周不少于 1 课时；小学 3—6 年级和初中，平均每周不少于 2 课时；高中执行课程方案相关要求，完成规定学分。各学校要切实保证综合实践活动时间，在开足规定课时总数的前提下，根据具体活动需要，把课时的集中使用与分散使用有机结合起来。要根据学生活动主题的特点和需要，灵活安排、有效使用综合实践活动时间。学校要给予学生广阔的探究时空环境，保证学生活动的连续性和长期性。要处理好课内与课外的关系，合理安排时间并拓展学生的活动空间与学习场域。

2. 实施机构与人员

学校要成立综合实践活动课程领导小组，结合实际情况设置专门的综合实践活动课程中心或教研组，或由教科室、教务处、学生处等职能部门，承担起学校课程实施规划、组织、协调与管理等方面的责任，负责制定并落实学校综合实践活动课程实施方案，整合校内外教育资源，统筹协调校内外相关部门的关系，联合各方面的力量，特别是加强与校外活动场所的沟通协调，保证综合实践活动课程的有效实施。要充分发挥少先队、共青团以及学生社团组织的作用。

要建立专兼职相结合、相对稳定的指导教师队伍。学校教职工要全员参与，分工合作。原则上每所学校至少配备 1 名专任教师，主要负责指导学生开展综合实践活动，组织其他学科教师开展校本教研活动。各学科教师要发挥专业优势，主动承担指导任务。积极争取家长、校外活动场所指导教师、社区人才资源等有关社会力量成为综合实践活动课程的兼职指导教师，协同指导学生综合实践活动的开展。

3. 组织方式

综合实践活动以小组合作方式为主，也可以个人单独进行。小组合作范围可以从班级内部，逐步走向跨班级、跨年级、跨学校和跨区域等。要根据实际情况灵活运用各种组织方式。要引导学生根据兴趣、能力、特长、活动需要，明确分工，做到人尽其责，合理高效。既要让学生有独立思考的时间和空间，又要充分发挥合作学习的优势，重视培养学生的自主参与意识与合作沟通能力。鼓励学生利用信息技术手段突破时空界限，进行广泛的交流与密切合作。

4. 教师指导

在综合实践活动实施过程中，要处理好学生自主实践与教师有效指导的关系。教师既不能“教”综合实践活动，也不能推卸指导的责任，而应当成为学生活动的组织者、参与者和促进者。教师的指导应贯穿于综合实践活动实施的全过程。

在活动准备阶段，教师要充分结合学生经验，为学生提供活动主题选择以及提出问题的机会，引导学生构思选题，鼓励学生提出感兴趣的问题，并及时捕捉活动中学生动态生成的问题，组织学生就问题展开讨论，确立活动目标内容。要让学生积极参与活动方案的制定过程，通过合理的时间安排、责任分工、实施方法和路径选择，对活动可利用的资源及活动的可行性进行评估等，增强活动的计划性，提高学生的活动规划能力。同时，引导学生对活动方案进行组内及组间讨论，吸纳合理化建议，不断优化完善方案。

在活动实施阶段，教师要创设真实的情境，为学生提供亲身经历与现场体验的机会，让学生经历多样化的活动方式，促进学生积极参与活动过程，在现场考察、设计制作、实验探究、社会服务等活动中发现和解决问题，体验和感受学习与生活之间的联系。要加强对学生活动方式与方法的指导，帮助学生找到适合自己的学习方式和实践方式。教师指导重在激励、启迪、点拨、引导，不能对学生的活动过程包办代替。还要指导学生做好活动过程的记录和活动资料的整理。

在活动总结阶段，教师要指导学生选择合适的结果呈现方式，鼓励多种形式的结果呈现与交流，如绘画、摄影、戏剧与表演等，对活动过程和活动结果进行系统梳理和总结，促进学生自我反思与表达、同伴交流与对话。要指导学生学会通过撰写活动报告、反思日志、心得笔记等方式，反思成败得失，提升个体经验，促进知识建构，并根据同伴及教师提出的反馈意见和建议查漏补缺，明确进一步的探究方向，深化主题探究和体验。

5. 活动评价

综合实践活动情况是学生综合素质评价的重要内容。各学校和教师要以促进学生综合素质持续发展为目的设计与实施综合实践活动评价。要坚持评价的方向性、指导性、客观性、公正性等原则。

突出发展导向。坚持学生成长导向，通过对学生成长过程的观察、记录、分析，促进学校及教师把握学生的成长规律，了解学生的个性与特长，不断激发学生的潜能，为更好地促进学生成长提供依据。评价的首要功能是让学生及时获得关于学习过程的反馈，改进后续活动。要避免评价过程中只重结果、不重过程的现象。要对学生作品进行深入分析和研究，挖掘其背后蕴藏的学生的思想、创意和体验，杜绝对学生的作品随意打分和简单排名等功利主义做法。

做好写实记录。教师要指导学生客观记录参与活动的具体情况，包括活动主题、持续时间、所承担的角色、任务分工及完成情况等，及时填写活动记录单，并收集相关事实材料，如活动现场照片、作品、研究报告、实践单位证明等。活动记录、事实材料要真实、有据可查，为综合实践活动评价提供必要基础。

建立档案袋。在活动过程中，教师要指导学生分类整理、遴选具有代表性的重要活动记录、典型事实材料以及其他有关资料，编排、汇总、归档，形成每一个学生的综合实践活动档案袋，并纳入学生综合素质档案。档案袋是学生自我评价、同伴互评、教师评价学生的重要依据，也是招生录取中综合评价的重要参考。

开展科学评价。原则上每学期末，教师要依据课程目标和档案袋，结合平时对学生活动情况的观察，对学生综合素质发展水平进行科学分析，写出有关综合实践活动情况的评语，引导学生扬长避短，明确努力方向。高中学校要结合实际情况，研究制定学生综合实践活动评价标准和学分认定办法，对学生综合实践活动课程学分进行认定。

五、课程管理与保障

（一）教师培训与教研指导

地方教育行政部门和学校要加强调研，了解综合实践活动指导教师专业发展的需求，搭建多样化的交流平台，强化培训和教研，推动教师的持续发展。

1. 建立指导教师培训制度

要开展对综合实践活动课程专兼职教师的全员培训，明确培训目标，努力提升教师的跨学科知识整合能力，观察、研究学生的能力，指导学生规划、设计与实施活动的能力，课程资源的开发和利用能力等。要根据教师的实际需求，开发相应的培训课程，组织教师按照课程要求进行系统学习。要不断探索和改进培训方式方法，倡导参与式培训、案例培训和项目研究等，不断激发教师内在的学习动力。

2. 建立健全日常教研制度

各学校要通过专业引领、同伴互助、合作研究，积极开展以校为本的教研活动，及时分析、解决课程实施中遇到的问题，提高课程实施的有效性。各级教研机构要配备综合实践活动专职教研员，加强对校本教研的指导，并组织开展专题教研、区域教研、网络教研等，通过协同创新、校际联动、区域推进，提高中小学综合实践活动整体实施水平。

（二）支持体系建设与保障

1. 网络资源开发

地方教育行政部门、教研机构和学校要开发优质网络资源，遴选相关影视作品等充实资源内容，为课程实施提供资源保障。要充分发挥师生在课程资源开发中的主体性与创造性，及时总结、梳理来自教学一线的典型案例和鲜活经验，动态生成分年级、分专题的综合实践活动课程资源包。各地要探索和建立优质资源的共享与利用机制，打造省、市、县、校多级联动的共建共享平台，为课程实施提供高质量、常态化的资源支撑。

2. 硬件配套与利用

学校要为综合实践活动的实施提供配套硬件资源与耗材，并积极争取校外活动场所支持，建立课程资源的协调与共享机制，充分发挥实验室、专用教室及各类教学设施在综合实践活动课程实施过程中的作用，提高使用效益，避免资源闲置与浪费。有条件的学校可以建设专用活动室或实践基地，如创客空间等。

地方教育行政部门要加强实践基地建设，强化资源统筹管理，建立健全校内外综合实践活动课程资源的利用与相互转换机制，强化公共资源间的相互联系和硬件资源的共享，为学校利用校外图书馆、博物馆、展览馆、科技馆、实践基地等各种社会资源及丰富的自然资源提供政策支持。

3. 经费保障

地方和学校要确保开展综合实践活动所需经费，支持综合实践活动课程资源和实践基地建设、专题研究等。

4. 安全保障

地方教育行政部门要与有关部门统筹协调，建立安全管控机制，分级落实安全责任。学校要设立安全风险预警机制，建立规范化的安全管理制度及管理措施。教师要增强安全意识，加强对学生的安全教育，提升学生安全防范能力，制定安全守则，落实安全措施。

（三）考核与激励机制

1. 建立健全指导教师考核激励机制

各地和学校明确综合实践活动课程教师考核要求和办法，科学合理地计算教师工作量，将指导学生综合实践活动的工作业绩作为教师职称晋升和岗位聘任的重要依据，对取得显著成效的指导教师给予表彰奖励。

2. 加强对课程实施情况的督查

将综合实践活动课程实施情况，包括课程开设情况及实施效果，纳入中小学课程实施监测，建立关于中小学综合实践活动课程的反馈改进机制。地方教育行政部门和教育督导部门要将综合实践活动实施情况作为检查督导的重要内容。

3. 开展优秀成果交流评选

依托有关专业组织、教科研机构、基础教育课程中心等，开展中小学生综合实践活动课程展示交流活动，激发广大中小学生实践创新的潜能和动力。将中小学综合实践活动课程探索成果纳入基础教育教学成果评选范围，对优秀成果予以奖励，发挥优秀成果的示范引领作用，激励广大中小学教师和专职研究人员持续性从事中小学综合实践活动课程研究和实践探索。

中小学德育工作指南

（教育部　教基〔2017〕8号）

为深入贯彻落实立德树人根本任务，加强对中小学德育工作的指导，切实将党和国家关于中小学德育工作的要求落细落小落实，着力构建方向正确、内容完善、学段衔接、载体丰富、常态开展的德育工作体系，大力促进德育工作专业化、规范化、实效化，努力形成全员育人、全程育人、全方位育人的德育工作格局，特制定本指南。

一、指导思想

全面贯彻党的十八大和十八届三中、四中、五中、六中全会精神，深入贯彻习近平总书记系列重要讲话精神和治国理政新理念新思想新战略，始终坚持育人为本、德育为先，大力培育和践行社会主义核心价值观，以培养学生良好思想品德和健全人格为根本，以促进学生形成良好行为习惯为重点，以落实《中小学生守则（2015年修订）》为抓手，坚持教育与生产劳动、社会实践相结合，坚持学校教育与家庭教育、社会教育相结合，不断完善中小学德育工作长效机制，全面提高中小学德育工作水平，为中国特色社会主义事业培养合格建设者和可靠接班人。

二、基本原则

（一）坚持正确方向。加强党对中小学校的领导，全面贯彻党的教育方针，坚持社会主义办学方向，牢牢把握中小学思想政治和德育工作主导权，保证中小学校成为坚持党的领导的坚强阵地。

（二）坚持遵循规律。符合中小学生年龄特点、认知规律和教育规律，注重学段衔接和知行统一，强化道德实践、情感培育和行为习惯养成，努力增强德育工作的吸引力、感染力和针对性、实效性。

（三）坚持协同配合。发挥学校主导作用，引导家庭、社会增强育人责任意识，提高对学生道德发展、成长成人的重视程度和参与度，形成学校、家庭、社会协调一致的育人合力。

（四）坚持常态开展。推进德育工作制度化常态化，创新途径和载体，将中小学德育工作要求贯穿融入到学校各项日常工作中，努力形成一以贯之、久久为功的德育工作长效机制。

三、德育目标

（一）总体目标

培养学生爱党爱国爱人民，增强国家意识和社会责任意识，教育学生理解、认同和拥护国家政治制度，了解中华优秀传统文化和革命文化、社会主义先进文化，增强中国特色社会主义道路自信、理论自信、制度自信、文化自信，引导学生准确理解和把握社会主义核心价值观的深刻内涵和实践要求，养成良好政治素质、道德品质、法治意识和行为习惯，形成积极健康的人格和良好心理品质，促进学生核心素养提升和全面发展，为学生一生成长奠定坚实的思想基础。

（二）学段目标

小学低年级

教育和引导学生热爱中国共产党、热爱祖国、热爱人民，爱亲敬长、爱集体、爱家乡，初步了解生活中的自然、社会常识和有关祖国的知识，保护环境，爱惜资源，养成基本的文明行为习惯，形成自信向上、诚实勇敢、有责任心等良好品质。

小学中高年级

教育和引导学生热爱中国共产党、热爱祖国、热爱人民，了解家乡发展变化和国家历史常识，了解中华优秀传统文化和党的光荣革命传统，理解日常生活的道德规范和文明礼貌，初步形成规则意识和民主法治观念，养成良好生活和行为习惯，具备保护生态环境的意识，形成诚实守信、友爱宽容、自尊自律、乐观向上等良好品质。

初中学段

教育和引导学生热爱中国共产党、热爱祖国、热爱人民，认同中华文化，继承革命传统，弘扬民族精神，理解基本的社会规范和道德规范，树立规则意识、法治观念，培养公民意识，掌握促进身心健康发展的途径和方法，养成热爱劳动、自主自立、意志坚强的生活态度，形成尊重他人、乐于助人、善于合作、勇于创新等良好品质。

高中学段

教育和引导学生热爱中国共产党、热爱祖国、热爱人民，拥护中国特色社会主义道路，弘扬民族精神，增强民族自尊心、自信心和自豪感，增强公民意识、社会责任感和民主法治观念，学习运用马克思主义基本观点和方法观察问题、分析问题和解决问题，学会正确选择人生发展道路的相关知识，具备自主、自立、自强的态度和能力，初步形成正确的世界观、人生观和价值观。

四、德育内容

（一）理想信念教育。开展马列主义、毛泽东思想学习教育，加强中国特色社会主义理论体系学习教育，引导学生深入学习习近平总书记系列重要讲话精神，领会党中央治国理政新理念新思想新战略。加强中国历史特别是近现代史教育、革命文化教育、中国特色社会主义宣传教育、中国梦主题宣传教育、时事政策教育，引导学生深入了解中国革命史、中国共产党史、改革开放史和社会主义发展史，继承革命传统，传承红色基因，深刻领会实现中华民族伟大复兴是中华民族近代以来最伟大的梦想，培养学生对党的政治认同、情感认同、价值认同，不断树立为共产主义远大理想和中国特色社会主义共同理想而奋斗的信念和信心。

（二）社会主义核心价值观教育。把社会主义核心价值观融入国民教育全过程，落实到中小学教育教学和管理服务各环节，深入开展爱国主义教育、国情教育、国家安全教育、民族团结教育、法治教育、诚信教育、文明礼仪教育等，引导学生牢牢把握富强、民主、文明、和谐作为国家层面的价值目标，深刻理解自由、平等、公正、法治作为社会层面的价值取向，自觉遵守爱国、敬业、诚信、友善作为公民层面的价值准则，将社会主义核心价值观内化于心、外化于行。

（三）中华优秀传统文化教育。开展家国情怀教育、社会关爱教育和人格修养教育，传承发展中华优秀传统文化，大力弘扬核心思想理念、中华传统美德、中华人文精神，引导学生了解中华优秀传统文化的历史渊源、发展脉络、精神内涵，增强文化自觉和文化自信。

（四）生态文明教育。加强节约教育和环境保护教育，开展大气、土地、水、粮食等资源的基本国情教育，帮助学生了解祖国的大好河山和地理地貌，开展节粮节水节电教育活动，推动实行垃圾分类，倡导绿色消费，引导学生树立尊重自然、顺应自然、保护自然的发展理念，养成勤俭节约、低碳环保、自觉劳动的生活习惯，形成健康文明的生活方式。

（五）心理健康教育。开展认识自我、尊重生命、学会学习、人际交往、情绪调适、升学择业、人生规划以及适应社会生活等方面教育，引导学生增强调控心理、自主自助、应对挫折、适应环境的能力，培养学生健全的人格、积极的心态和良好的个性心理品质。

五、实施途径和要求

（一）课程育人

充分发挥课堂教学的主渠道作用，将中小学德育内容细化落实到各学科课程的教学目标之中，融入渗透到教育教学全过程。

严格落实德育课程。按照义务教育、普通高中课程方案和标准，上好道德与法治、思想政治课，落实课时，不得减少课时或挪作它用。

要围绕课程目标联系学生生活实际，挖掘课程思想内涵，充分利用时政媒体资源，精心设计教学内容，优化教学方法，发展学生道德认知，注重学生的情感体验和道德实践。

发挥其它课程德育功能。要根据不同年级和不同课程特点，充分挖掘各门课程蕴含的德育资源，将德育内容有机融入到各门课程教学中。

语文、历史、地理等课要利用课程中语言文字、传统文化、历史地理常识等丰富的思想道德教育因素，潜移默化地对学生进行世界观、人生观和价值观的引导。

数学、科学、物理、化学、生物等课要加强对学生科学精神、科学方法、科学态度、科学探究能力和逻辑思维能力的培养，促进学生树立勇于创新、求真求实的思想品质。

音乐、体育、美术、艺术等课要加强对学生审美情趣、健康体魄、意志品质、人文素养和生活方式的培养。

外语课要加强对学生国际视野、国际理解和综合人文素养的培养。

综合实践活动课要加强对学生生活技能、劳动习惯、动手实践和合作交流能力的培养。

用好地方和学校课程。要结合地方自然地理特点、民族特色、传统文化以及重大历史事件、历史名人等，因地制宜开发地方和学校德育课程，引导学生了解家乡的历史文化、自然环境、人口状况和发展成就，培养学生爱家乡、爱祖国的感情，树立维护祖国统一、加强民族团结的意识。

统筹安排地方和学校课程，开展法治教育、廉洁教育、反邪教教育、文明礼仪教育、环境教育、心理健康教育、劳动教育、毒品预防教育、影视教育等专题教育。

（二）文化育人

要依据学校办学理念，结合文明校园创建活动，因地制宜开展校园文化建设，使校园秩序良好、环境优美，校园文化积极向上、格调高雅，提高校园文明水平，让校园处处成为育人场所。

优化校园环境。学校校园建筑、设施、布置、景色要安全健康、温馨舒适，使校园内一草一木、一砖一石都体现教育的引导和熏陶。

学校要有升国旗的旗台和旗杆。建好共青团、少先队活动室。积极建设校史陈列室、图书馆（室）、广播室、学校标志性景观。

学校、教室要在明显位置张贴社会主义核心价值观24字、《中小学生守则（2015年修订）》。教室正前上方有国旗标识。

要充分利用板报、橱窗、走廊、墙壁、地面等进行文化建设，可悬挂革命领袖、科学家、英雄模范等杰出人物的画像和格言，展示学生自己创作的作品或进行主题创作。

营造文化氛围。凝练学校办学理念，加强校风教风学风建设，形成引导全校师生共同进步的精神力量。

鼓励设计符合教育规律、体现学校特点和办学理念的校徽、校训、校规、校歌、校旗等并进行教育展示。

创建校报、校刊进行宣传教育。可设计体现学校文化特色的校服。

建设班级文化，鼓励学生自主设计班名、班训、班歌、班徽、班级口号等，增强班级凝聚力。

推进书香班级、书香校园建设，向学生推荐阅读书目，调动学生阅读积极性。提倡小学生每天课外阅读至少半小时、中学生每天课外阅读至少1小时。

建设网络文化。积极建设校园绿色网络，开发网络德育资源，搭建校园网站、论坛、信箱、博客、微信群、QQ群等网上宣传交流平台，通过网络开展主题班（队）会、冬（夏）令营、家校互动等活动，引导学生合理使用网络，避免沉溺网络游戏，远离有害信息，防止网络沉迷和伤害，提升网络素养，打造清朗的校园网络文化。

（三）活动育人

要精心设计、组织开展主题明确、内容丰富、形式多样、吸引力强的教育活动，以鲜明正确的价值导向引导学生，以积极向上的力量激励学生，促进学生形成良好的思想品德和行为习惯。

开展节日纪念日活动。利用春节、元宵、清明、端午、中秋、重阳等中华传统节日以及二十四节气，开展介绍节日历史渊源、精神内涵、文化习俗等校园文化活动，增强传统节日的体验感和文化感。

利用植树节、劳动节、青年节、儿童节、教师节、国庆节等重大节庆日集中开展爱党爱国、民族团结、热爱劳动、尊师重教、爱护环境等主题教育活动。

利用学雷锋纪念日、中国共产党建党纪念日、中国人民解放军建军纪念日、七七抗战纪念日、九三抗战胜利纪念日、九一八纪念日、烈士纪念日、国家公祭日等重要纪念日，以及地球日、环境日、健康日、国家安全教育日、禁毒日、航天日、航海日等主题日，设计开展相关主题教育活动。

开展仪式教育活动。仪式教育活动要体现庄严神圣，发挥思想政治引领和道德价值引领作用，创新方式方法，与学校特色和学生个性展示相结合。

严格中小学升挂国旗制度。除寒暑假和双休日外，应当每日升挂国旗。除假期外，每周一及重大节会活动要举行升旗仪式，奏唱国歌，开展向国旗敬礼、国旗下宣誓、国旗下讲话等活动。

入团、入队要举行仪式活动。

举办入学仪式、毕业仪式、成人仪式等有特殊意义的仪式活动。

开展校园节（会）活动。举办丰富多彩、寓教于乐的校园节（会）活动，培养学生兴趣爱好，充实学生校园生活，磨练学生意志品质，促进学生身心健康发展。

学校每学年至少举办一次科技节、艺术节、运动会、读书会。可结合学校办学特色和学生实际，自主开发校园节（会）活动，做好活动方案和应急预案。

开展团、队活动。加强学校团委对学生会组织、学生社团的指导管理。明确中学团委对初中少先队工作的领导职责，健全初中团队衔接机制。确保少先队活动时间，小学 1 年级至初中 2 年级每周安排 1 课时。

发挥学生会作用，完善学生社团工作管理制度，建立体育、艺术、科普、环保、志愿服务等各类学生社团。学校要创造条件为学生社团提供经费、场地、活动时间等方面保障。

要结合各学科课程教学内容及办学特色，充分利用课后时间组织学生开展丰富多彩的科技、文娱、体育等社团活动，创新学生课后服务途径。

（四）实践育人

要与综合实践活动课紧密结合，广泛开展社会实践，每学年至少安排一周时间，开展有益于学生身心发展的实践活动，不断增强学生的社会责任感、创新精神和实践能力。

开展各类主题实践。利用爱国主义教育基地、公益性文化设施、公共机构、企事业单位、各类校外活动场所、专题教育社会实践基地等资源，开展不同主题的实践活动。

利用历史博物馆、文物展览馆、物质和非物质文化遗产地等开展中华优秀传统文化教育。

利用革命纪念地、烈士陵园（墓）等开展革命传统教育。

利用法院、检察院、公安机关等开展法治教育。

利用展览馆、美术馆、音乐厅等开展文化艺术教育。

利用科技类馆室、科研机构、高新技术企业设施等开展科普教育。

利用军事博物馆、国防设施等开展国防教育。

利用环境保护和节约能源展览馆、污水处理企业等开展环境保护教育。

利用交通队、消防队、地震台等开展安全教育。

利用养老院、儿童福利机构、残疾人康复机构等社区机构等开展关爱老人、孤儿、残疾人教育。

利用体育科研院所、心理服务机构、儿童保健机构等开展健康教育。

加强劳动实践。在学校日常运行中渗透劳动教育，积极组织学生参与校园卫生保洁、绿化美化，普及校园种植。

将校外劳动纳入学校的教育教学计划，小学、初中、高中每个学段都要安排一定时间的农业生产、工业体验、商业和服务业实习等劳动实践。

教育引导学生参与洗衣服、倒垃圾、做饭、洗碗、拖地、整理房间等力所能及的家务劳动。

组织研学旅行。把研学旅行纳入学校教育教学计划，促进研学旅行与学校课程、德育体验、实践锻炼有机融合，利用好研学实践基地，有针对性地开展自然类、历史类、地理类、科技类、人文类、体验类等多种类型的研学旅行活动。

要考虑小学、初中、高中不同学段学生的身心发展特点和能力，安排适合学生年龄特征的研学旅行。

要规范研学旅行组织管理，制定研学旅行工作规程，做到“活动有方案，行前有备案，应急有预案”，明确学校、家长、学生的责任和权利。

开展学雷锋志愿服务。要广泛开展与学生年龄、智力相适应的志愿服务活动。

发挥本校团组织、少先队组织的作用，抓好学生志愿服务的具体组织、实施、考核评估等工作。

做好学生志愿服务认定记录，建立学生志愿服务记录档案，加强学生志愿服务先进典型宣传。

（五）管理育人

要积极推进学校治理现代化，提高学校管理水平，将中小学德育工作的要求贯穿于学校管理制度的每一个细节之中。

完善管理制度。制定校规校纪，健全学校管理制度，规范学校治理行为，形成全体师生广泛认同和自觉遵守的制度规范。

制定班级民主管理制度，形成学生自我教育、民主管理的班级管理模式。

制定防治学生欺凌和暴力工作制度，健全应急处置预案，建立早期预警、事中处理及事后干预等机制。

会同相关部门建立学校周边综合治理机制，对社会上损害学生身心健康的不法行为依法严肃惩处。

明确岗位责任。建立实现全员育人的具体制度，明确学校各个岗位教职员工的育人责任，规范教职工言行，提高全员育人的自觉性。

班主任要全面了解学生，加强班集体管理，强化集体教育，建设良好班风，通过多种形式加强与学生家长的沟通联系。各学科教师要主动配合班主任，共同做好班级德育工作。

加强师德师风建设。培育、宣传师德标兵、教学骨干和优秀班主任、德育工作者等先进典型，引导教师争做“四有”好教师。

实行师德“一票否决制”，把师德表现作为教师资格注册、年度考核、职务（职称）评审、岗位聘用、评优奖励的首要标准。

细化学生行为规范。落实《中小学生守则（2015 年修订）》，鼓励结合实际制订小学生日常行为规范、中学生日常行为规范，教育引导学生熟知学习生活中的基本行为规范，践行每一项要求。

关爱特殊群体。要加强对经济困难家庭子女、单亲家庭子女、学习困难学生、进城务工人员随迁子女、农村留守儿童等群体的教育关爱，完善学校联系关爱机制，及时关注其心理健康状况，积极开展心理辅导，提供情感关怀，引导学生心理、人格积极健康发展。

（六）协同育人

要积极争取家庭、社会共同参与和支持学校德育工作，引导家长注重家庭、注重家教、注重家风，营造积极向上的良好社会氛围。

加强家庭教育指导。要建立健全家庭教育工作机制，统筹家长委员会、家长学校、家长会、家访、家长开放日、家长接待日等各种家校沟通渠道，丰富学校指导服务内容，及时了解、沟通和反馈学生思想状况和行为表现，认真听取家长对学校的意见和建议，促进家长了解学校办学理念、教育教学改进措施，帮助家长提高家教水平。

构建社会共育机制。要主动联系本地宣传、综治、公安、司法、民政、文化、共青团、妇联、关工委、卫计委等部门、组织，注重发挥党政机关和企事业单位领导干部、专家学者以及老干部、老战士、老专家、老教师、老模范的作用，建立多方联动机制，搭建社会育人平台，实现社会资源共享共建，净化学生成长环境，助力广大中小学生健康成长。

六、组织实施

加强组织领导。各级教育行政部门要把中小学德育工作作为教育系统党的建设的重要内容，摆上重要议事日程，加强指导和管理。学校要建立党组织主导、校长负责、群团组织参与、家庭社会联动的德育工作机制。学校党组织要充分发挥政治核心作用，切实加强对学校德育工作的领导，把握正确方向，推动解决重要问题。校长要亲自抓德育工作，规划、部署、推动学校德育工作落到实处。学校要完善党建带团建机制，加强共青团、少先队建设，在学校德育工作中发挥共青团、少先队的思想性、先进性、自主性、实践性优势。

加强条件保障。各级教育行政部门和学校要进一步改善学校办学条件，将德育工作经费纳入经费年度预算，完善优化教育手段，提供德育工作必需的场所、设施，订阅必备的参考书、报刊杂志，配齐相应的教学仪器设备等。

加强队伍建设。各级教育行政部门和学校要重视德育队伍人员培养选拔，优化德育队伍结构，建立激励和保障机制，调动工作积极性和创造性。要有计划地培训学校党组织书记、校长、德育干部、班主任、各科教师和少先队辅导员、中学团干部，组织他们学习党的教育方针、德育理论，提高德育工作专业化水平。

加强督导评价。各级教育行政部门要将学校德育工作开展情况纳入对学校督导的重要内容，建立区域、学校德育工作评价体系，适时开展专项督导评估工作。学校要认真开展学生的品德评价，纳入综合素质评价体系，建立学生综合素质档案，做好学生成长记录，反映学生成长实际状况。

加强科学研究。各级教育行政部门、教育科研机构和学校要组织力量开展中小学德育工作研究，探索新时期德育工作特点和规律，创新德育工作的途径和方法，定期总结交流研究成果，学习借鉴先进经验和做法，增强德育工作的科学性、系统性和实效性。

关于加强文教结合、完善博物馆青少年教育功能的指导意见

（国家文物局　教育部　文物博发〔2015〕9号）

各省、自治区、直辖市文物局（文化厅）、教育厅（教委），新疆生产建设兵团文物局、教育局：

为认真贯彻落实习近平总书记关于文化遗产工作、教育工作的一系列重要讲话精神，引导广大中小学生了解中华优秀传统文化，积极践行社会主义核心价值观，实现博物馆青少年教育资源与学校教育的有效衔接，探索构建具有均等性、广覆盖的中小学生利用博物馆学习的机制，特提出如下指导意见：

一、指导思想和实施原则

（一）指导思想。坚持以邓小平理论、“三个代表”重要思想、科学发展观为指导，深入贯彻落实党的十八大、十八届三中、四中全会精神和习近平总书记系列重要讲话精神，全面贯彻文物工作方针和教育方针，积极培育和践行社会主义核心价值观，以建立中小学生利用博物馆学习的长效机制为重点，整体规划、分层设计、有机衔接、系统推进，培养青少年学生的民族自信心和爱国主义精神，促进他们全面发展，成为社会主义事业建设者和接班人。

（二）实施原则。坚持“均等便利”的原则，教育项目实施要做到广覆盖，保障广大青少年特别是农村青少年的文化鉴赏权益；把博物馆资源与中小学课堂教学、综合实践活动的实施有机结合，增强博物馆青少年教育的针对性；坚持“机制创新”原则，以构建中小学生利用博物馆学习的长效机制为目标，使利用博物馆学习成为中小学校日常教学的有机组成部分。

二、主要任务

（三）开发教育项目。按照“重参与、重过程、重体验”的教育理念，进一步突出博物馆教育特色，紧密结合国家课程、地方课程与学校课程，设计研发丰富多

彩的博物馆青少年教育课程。博物馆教育课程可涵盖幼儿园、小学低年级、小学中高年级、初中、高中不同年龄段，要明确每个课程的目标、体验内容、学习方式及评价办法。

（四）建设教育资源库和项目库。可结合国家颁发的学科课程标准，进一步深化博物馆教育资源分析，系统整理各地、各级各类博物馆的馆藏、展览展示、教育项目、数字化资源、研究成果，研究提炼博物馆资源与学校教育的有机结合点，鼓励开发各类博物馆教育教学资源，建设博物馆青少年教育资源库和项目库。建立资源共享机制，推广示范课程。

（五）加强课程教材中博物馆教育有关内容。进一步加强博物馆教育与学校教育的契合度，积极推动在中小学德育、语文、历史、艺术、体育等教学中，增加博物馆学习环节。地理、数学、物理、化学、生物等学科，应充分挖掘和利用博物馆资源，开展动手操作、科学实验等活动。

（六）实施流动教育项目。为使博物馆资源相对薄弱的中小城市和农村地区中小学生能够有效利用博物馆学习，进一步提高流动展览教育项目的实施效果，各地文物部门要组织博物馆设计适合进校园、下基层的流动展览和教育项目，利用青少年之家、乡村少年宫等活动平台，精心设计开展经常性、参与面广、实践性强的博物馆展示教育活动。

（七）实施远程教育和网络教育。利用现有的远程教育终端系统、电视电台及其它网络视频互动系统，进一步扩大博物馆青少年教育的覆盖面，将现场教学以实时或录播的形式实现博物馆教育课程全面覆盖中小学校，将教学视频以光盘形式提供给远离博物馆的基层学校和学生，切实增强博物馆教育辐射力。

（八）加强博物馆教育资源统筹。各级各类博物馆要围绕青少年教育的需求，进一步加强资源统筹，设置充足的适合开展青少年教育的馆内场地，配套必要的教育设备，配备专业人员，在设计实施基本陈列、展览项目时要充分考虑青少年教育项目的需求，在进行藏品数字化、智慧博物馆建设中，要兼顾青少年教育项目实施的功能。

（九）建立中小学生利用博物馆学习的长效机制。文物部门和博物馆要加强与教育部门和学校的联系，根据教学需要实施相关教育项目，配备专职辅导人员，使博物馆教育与学校教育相互补充、相互促进。未实施免费开放的遗址类博物馆，应当对中小学生集体参观博物馆实行免费。中小学校要把教育教学活动与博物馆学习有机结合，合理安排时间，并做好具体组织工作。

三、保障措施

（十）加强组织领导。各地文物、教育部门要建立协调机制，定期召开工作会议，研究年度规划，实施推进重点项目，协调落实日常工作，建立相关的监督管理机制。利用“全国青少年校外教育工作联席会议”的统筹协调职能，协调重大政策和重大问题。

（十一）加强师资培训。各地文物、教育部门根据实际举办不同形式的联合培训。通过教师研习会、双师课堂、教师博物馆之友会员等多种方式，增强博物馆教辅人员与在校教师的双向互动，使博物馆教育人员熟悉学校教育，中小学教师熟悉博物馆教育项目。

（十二）完善督导评价机制。将中小学生利用博物馆学习项目纳入博物馆运行评估、定级评估、免费开放绩效考评等体系，纳入学校督导范围，定期开展评估和督导工作。

关于利用博物馆资源开展中小学教育教学的意见

（教育部　国家文物局　文物博发〔2020〕30号）

各省（自治区、直辖市）教育厅（教委）、文物局（文化和旅游厅/局），新疆生产建设兵团教育局、文物局：

近年来，党和国家高度重视发挥博物馆青少年教育功能，出台了一系列政策措施，推动中小学生利用博物馆资源开展学习，促进博物馆与学校教学、综合实践有机结合，取得显著成效，为提高青少年思想道德素质和科学文化素质发挥了重要作用。为进一步健全馆校合作机制，促进博物馆资源融入教育体系，提升中小学生利用博物馆纪念馆学习效果，提出以下意见：

一、推动博物馆教育资源开发应用

（一）丰富博物馆教育内容。各地博物馆要坚持“展教并重”，策划适合中小学生的专题展览和教育活动，动员馆内策展、文保人员以及专家学者、社会力量参与博物馆教育资源开发，定期组织馆长讲解、专家导赏。各地文物部门要指导博物馆设计适合进校园、下基层的流动展览和教育项目，利用青少年之家、乡村少年宫等，经常性组织开展参与面广、实践性强的博物馆展示教育活动，便利博物馆资源相对薄弱的中小城市、农村地区中小学生有效利用博物馆学习。

（二）开发博物馆系列活动课程。各地文物部门和博物馆要会同教育部门和学校，结合中小学生认知规律和学校教育教学需要，充分挖掘博物馆资源，研究开发自然类、历史类、科技类等系列活动课程，丰富学生知识，拓展学生视野。中小学语文、历史、地理、思想政治、美术、科学、物理、化学、生物等学科教学和综合实践活动，要有机融入博物馆教育内容。博物馆系列活动课程应涵盖小学、初中、高中不同学段，明确不同类型课程的教学目标、体验内容、学习方式及评价办法。

（三）加强博物馆网络教育资源建设。教育部、国家文物局将推动博物馆青少年优质教育资源建设，加大推广应用力度，联合发布全国中小学博物馆教育资源地图，有效衔接中小学利用博物馆资源开展教育教学需求。各地教育和文物部门要加强协作，利用现代信息技术建立本区域网上博物馆资源平台和博物馆青少年教育资源库，促进与中小学网络教育资源对接，扩大博物馆教育资源的覆盖面。

二、拓展博物馆教育方式途径

（四）创新博物馆学习方式。博物馆教育活动要以促进学生学习为中心，根据博物馆环境、藏品、展览等，综合运用解说导览、专题讲座、互动游戏、角色扮演、动手实践等方式，增强博物馆学习的趣味性、互动性和体验性。要制作博物馆手册、导览图、辅助读物、口袋书、动漫等，引导学生利用博物馆资源创造性开展活动、辅助学习，不断探索完备博物馆学习模式，增强博物馆学习效果。

（五）提升博物馆研学活动质量。各地教育部门和学校要充分利用各类博物馆资源，组织开展爱国主义、革命传统、中华优秀传统文化、生态文明、国家安全等主题的研学实践教育活动。各地教育部门要会同文物部门加强对博物馆研学活动的统筹管理和监督指导，开发一批立德启智、特色鲜明的博物馆研学精品线路和课程，构建博物馆研学资源网络，发挥实践育人作用。博物馆研学活动要注重分龄设计，小学阶段要体现趣味性和故事性，让学生了解基本内容和有关背景；初中阶段要体现实践性和体验性，让学生理解基本观点；高中阶段要体现探索性和研究性，引导学生提出观点和深入思考。

（六）纳入课后服务内容。各地教育部门和中小学要将博物馆青少年教育纳入课后服务内容，鼓励小学在下午3点半课后时间开设校内博物馆系列课程，利用博物馆资源开展专题教育活动。要注重利用节假日、寒暑假、休息日等时段，组织、引导学生走进博物馆开展学习。各地文物部门和博物馆要加强馆内教育项目和“博物馆进校园”项目的设计研发和组织实施，有效衔接学校课堂教学和课后服务需求。

三、建立馆校合作长效机制

（七）推进馆校合作共建。学校要加强与当地博物馆的联系，通过签订馆校共建协议、举办馆校互动活动、建立第二课堂等方式，定期组织学生到博物馆参观学习。博物馆要做好与学校的沟通，及时了解学校和学生的教育需求，建立学生活动体验、学习效果评估、服务满意度评价等跟踪反馈机制，共同构建常态化的利用博物馆资源开展教育教学活动工作机制。

（八）加强师资联合培养。各地教育、文物部门要联合开展师资培养培训，通过教师研习、双师课堂、短期培训、联合教研等方式，加强博物馆教育人员与学校教师的交流合作，使博物馆教育人员了解学校教学内容，中小学教师了解博物馆教育资源构成。要将博物馆教育相关培训内容纳入各级各类教师培训，加大培训力度。支持高等学校发展文物与博物馆专业学位教育相关方向的人才培养，及时满足博物馆教育人才需求。

（九）强化优秀项目示范引领。教育部、国家文物局将加强对文博单位中全国中小学生研学实践教育基地的统筹管理和监督指导，宣传推广典型经验和做法。鼓励省级教育部门和文物部门加强联动，共同认定一批省级博物馆青少年教育资源单位，推介一批博物馆青少年教育精品课程。开展“博物馆青少年教育优秀案例”推介活动，鼓励各地中小学校和博物馆联合开展“六个一”活动，围绕一个中小学教育主题、策划一系列原创展览、开展一系列教育活动、设计一系列教育课程、开发一系列文创产品、建立一个优秀博物馆青少年教育品牌。

四、加强博物馆教育组织保障

（十）加强组织领导。各地教育、文物部门要在当地党委、政府的统一领导下，完善博物馆青少年教育政策制度，建立健全工作协调机制，把利用博物馆开展中小学教育教学活动摆在工作重要位置。要对各类博物馆教育活动的内容和形式进行严格把关，坚持正确价值导向，确保活动教育性和公益性。

（十一）加强条件保障。各地教育、文物部门要加强经费、人员、物资等方面保障，支持博物馆青少年教育资源单位建设、教育课程研发设计、教学活动组织实施、师资培训、教育空间及设施设备提升改造。要鼓励博物馆围绕中小学教育特点，设置适合学生学习的场馆教室、活动空间和实践基地，配备必要的教育设备、学习资源和专业人员，在设计实施陈列、展览项目时要充分考虑青少年教育需求，在进行藏品数字化、智慧博物馆建设中，要兼顾青少年教育功能。

（十二）加强安全管理。各地中小学、博物馆等要强化博物馆教育安全管理制度，加强对各类活动的组织管理和安全保障，研究制定安全预案，明确管理职责和岗位要求。要开展师生行前安全教育，定期组织应急疏散演练，提高师生安全意识和应急避险能力。博物馆要针对中小学生实际，开展教育人员安全培训，加强场馆内设施设备的安全检查，确保活动安全有序开展。

（十三）加强考核评价。各地教育部门要加强对利用博物馆资源开展中小学教育教学工作的目标考核和效果评价。各地文物部门要将其纳入博物馆定级评估、运行评估、免费开放绩效考评等博物馆质量评价体系。各地教育、文物部门要加强协作，共同探索利用博物馆资源开展中小学教育教学工作的有效途径和创新模式，加强经验总结，宣传推介优秀案例，营造良好环境和氛围。

关于全面加强和改进新时代学校美育工作的意见

（中共中央办公厅　国务院办公厅　2020 年 10 月 15 日发布）

美是纯洁道德、丰富精神的重要源泉。美育是审美教育、情操教育、心灵教育，也是丰富想象力和培养创新意识的教育，能提升审美素养、陶冶情操、温润心灵、激发创新创造活力。为贯彻落实习近平总书记关于教育的重要论述和全国教育大会精神，进一步强化学校美育育人功能，构建德智体美劳全面培养的教育体系，现就全面加强和改进新时代学校美育工作提出如下意见。

一、总体要求

1. 指导思想。以习近平新时代中国特色社会主义思想为指导，全面贯彻党的教育方针，坚持社会主义办学方向，以立德树人为根本，以社会主义核心价值观为引领，以提高学生审美和人文素养为目标，弘扬中华美育精神，以美育人、以美化人、以美培元，把美育纳入各级各类学校人才培养全过程，贯穿学校教育各学段，培养德智体美劳全面发展的社会主义建设者和接班人。

2. 工作原则

——坚持正确方向。将学校美育作为立德树人的重要载体，坚持弘扬社会主义核心价值观，强化中华优秀传统文化、革命文化、社会主义先进文化教育，引领学生树立正确的历史观、民族观、国家观、文化观，陶冶高尚情操，塑造美好心灵，增强文化自信。

——坚持面向全体。健全面向人人的学校美育育人机制，缩小城乡差距和校际差距，让所有在校学生都享有接受美育的机会，整体推进各级各类学校美育发展，加强分类指导，鼓励特色发展，形成“一校一品”、“一校多品”的学校美育发展新局面。

——坚持改革创新。全面深化学校美育综合改革，坚持德智体美劳五育并举，加强各学科有机融合，整合美育资源，补齐发展短板，强化实践体验，完善评价机制，全员全过程全方位育人，形成充满活力、多方协作、开放高效的学校美育新格局。

3. 主要目标。到 2022 年，学校美育取得突破性进展，美育课程全面开齐开足，教育教学改革成效显著，资源配置不断优化，评价体系逐步健全，管理机制更加完善，育人成效显著增强，学生审美和人文素养明显提升。到 2035 年，基本形成全覆盖、多样化、高质量的具有中国特色的现代化学校美育体系。

二、不断完善课程和教材体系

4. 树立学科融合理念。加强美育与德育、智育、体育、劳动教育相融合，充分挖掘和运用各学科蕴含的体现中华美育精神与民族审美特质的心灵美、礼乐美、语言美、行为美、科学美、秩序美、健康美、勤劳美、艺术美等丰富美育资源。有机整合相关学科的美育内容，推进课程教学、社会实践和校园文化建设深度融合，大力开展以美育为主题的跨学科教育教学和课外校外实践活动。

5. 完善课程设置。学校美育课程以艺术课程为主体，主要包括音乐、美术、书法、舞蹈、戏剧、戏曲、影视等课程。学前教育阶段开展适合幼儿身心特点的艺术游戏活动。义务教育阶段丰富艺术课程内容，在开好音乐、美术、书法课程的基础上，逐步开设舞蹈、戏剧、影视等艺术课程。高中阶段开设多样化艺术课程，增加艺术课程的可选择性。职业教育将艺术课程与专业课程有机结合，强化实践，开设体现职业教育特点的拓展性艺术课程。高等教育阶段开设以审美和人文素养培养为核心、以创新能力培育为重点、以中华优秀传统文化传承发展和艺术经典教育为主要内容的公共艺术课程。

6. 科学定位课程目标。构建大中小幼相衔接的美育课程体系，明确各级各类学校美育课程目标。学前教育阶段培养幼儿拥有美好、善良心灵和懂得珍惜美好事物。义务教育阶段注重激发学生艺术兴趣和创新意识，培养学生健康向上的审美趣味、审美格调，帮助学生掌握 1 至 2 项艺术特长。高中阶段丰富审美体验，开阔人文视野，引导学生树立正确的审美观、文化观。职业教育强化艺术实践，培养具有审美修养的高素质技术技能人才，引导学生完善人格修养，增强文化创新意识。高等教育阶段强化学生文化主体意识，培养具有崇高审美追求、高尚人格修养的高素质人才。

7. 加强教材体系建设。编写教材要坚持马克思主义指导地位，扎根中国、融通中外，体现国家和民族基本价值观，格调高雅，凸显中华美育精神，充分体现思想性、民族性、创新性、实践性。根据学生年龄特点和身心成长规律，围绕课程目标，精选教学素材，丰富教学资源。加强大中小学美育教材一体化建设，注重教材纵向衔接，实现主线贯穿、循序渐进。中小学美育教材按规定审定后使用。高校落实美育教材建设主体责任，做好教材研究、编写、使用等工作，探索形成以美学和艺术史论类、艺术鉴赏类、艺术实践类为主体的高校公共艺术课程教材体系。

三、全面深化教学改革

8. 开齐开足上好美育课。严格落实学校美育课程开设刚性要求，不断拓宽课程领域，逐步增加课时，丰富课程内容。义务教育阶段和高中阶段学校严格按照国家课程方案和课程标准开齐开足上好美育课。高等教育阶段将公共艺术课程与艺术实践纳入学校人才培养方案，实行学分制管理，学生修满公共艺术课程 2 个学分方能毕业。鼓励高校和科研院所将美学、艺术学课程纳入研究生教育公共课程体系。

9. 深化教学改革。逐步完善“艺术基础知识基本技能 + 艺术审美体验 + 艺术专项特长”的教学模式。在学生掌握必要基础知识和基本技能的基础上，着力提升文化理解、审美感知、艺术表现、创意实践等核心素养，帮助学生形成艺术专项特长。成立全国高校和中小学美育教学指导委员会，培育一批学校美育优秀教学成果和名师工作室，建设一批学校美育实践基地，开发一批美育课程优质数字教育资源。推动高雅艺术进校园，持续建设中华优秀传统文化传承学校和基地，创作并推广高校原创文化精品，以大爱之心育莘莘学子，以大美之艺绘传世之作，努力培养心灵美、形象美、语言美、行为美的新时代青少年。

10. 丰富艺术实践活动。面向人人，建立常态化学生全员艺术展演机制，大力推广惠及全体学生的合唱、合奏、集体舞、课本剧、艺术实践工作坊和博物馆、非遗展示传习场所体验学习等实践活动，广泛开展班级、年级、院系、校级等群体性展示交流。有条件的地区可以每年开展大中小学生艺术专项展示，每 3 年分别组织 1 次省级大学生和中小学生综合性艺术展演。加强国家级示范性大中小学校学生艺术团建设，遴选优秀学生艺术团参与国家重大演出活动，以弘扬中华优秀传统文化、革命文化、社会主义先进文化为导向，发挥示范引领作用。

11. 推进评价改革。把中小学生学习音乐、美术、书法等艺术类课程以及参与学校组织的艺术实践活动情况纳入学业要求，探索将艺术类科目纳入初、高中学业水平考试范围。全面实施中小学生艺术素质测评，将测评结果纳入初、高中学生综合素质评价。探索将艺术类科目纳入中考改革试点，纳入高中阶段学校考试招生录取计分科目，依据课程标准确定考试内容，利用现代技术手段促进客观公正评价。

12. 加快艺术学科创新发展。专业艺术教育坚持以一流为目标，进一步优化学科专业布局，构建多元化、特色化、高水平的中国特色艺术学科专业体系，加强国家级一流艺术类专业点建设，创新艺术人才培养机制，提高艺术人才培养能力。艺术师范教育以培养高素质专业化创新型教师队伍为根本，坚定办学方向、坚守师范特质、坚持服务需求、强化实践环节，构建协同育人机制，鼓励艺术教师互聘和双向交流。鼓励有条件的地区建设一批高水平艺术学科创新团队和平台，整合美学、艺术学、教育学等学科资源，加强美育基础理论建设，建设一批美育高端智库。

四、着力改善办学条件

13. 配齐配好美育教师。各地要加大中小学美育教师补充力度，未配齐的地区应每年划出一定比例用于招聘美育教师。有条件的地区可以通过购买服务方式，与相关专业机构等社会力量合作，向中小学提供美育教育教学服务，缓解美育师资不足问题。鼓励优秀文艺工作者等人士到学校兼任美育教师。推动实施艺术教育专业大学生支教计划。全面提高美育教师思想政治素质、教学素质、育人能力和职业道德水平。优化美育教师岗位结构，畅通美育教师职业发展通道。将美育教师承担学校安排的艺术社团指导，课外活动、课后服务等第二课堂指导和走教任务计入工作量。在教学成果奖等评选表彰中，保证美育教师占有一定比例。

14. 改善场地器材建设配备。建好满足课程教学和实践活动需求的场地设施、专用教室。把农村学校美育设施建设纳入地方义务教育均衡发展规划，小规模学校以保基本、兜底线为原则，配备必要的功能教室和设施设备。鼓励有条件的地区在中小学校建设美育场馆，与周边学校和社区共用共享。加强高校美育场馆建设，鼓励有条件的高校与地方共建共享剧院、音乐厅、美术馆、书法馆、博物馆等艺术场馆。配好美育教学所需器材设备，建立美育器材补充机制。制定学校美育工作基本标准。

15. 统筹整合社会资源。加强美育的社会资源供给，推动基本公共文化服务项目为学校美育教学服务。城市和社区建设规划要统筹学生艺术实践需要，新建文化艺术项目优先建在学校或其周边。鼓励学校与社会公共文化艺术场馆、文艺院团合作开设美育课程。整合校内、校外资源开展美育实践活动，作为解决中小学课后“三点半”问题的有效途径和中小学生课后服务工作的重要载体。有条件的地方和学校每年组织学生现场参观 1 次美术馆、书法馆、博物馆，让收藏在馆所里的文物、陈列在大地上的文化艺术遗产成为学校美育的丰厚资源，让广大学生在艺术学习过程中了解中华文化变迁，触摸中华文化脉络，汲取中华文化艺术精髓。充分挖掘学校艺术场馆的社会服务功能，鼓励有条件的学校将艺术场馆向社会有序开放。

16. 建立美育基础薄弱学校帮扶机制。各地要加强乡村学校美育教师培养，通过乡村教师公费定向培养项目，培养能够承担美育教学的全科教师。鼓励开展对乡村学校各学科在职教师的美育培训，培养能够承担美育教学与活动指导的兼职美育教师。推进农村学校艺术教育实验县等综合改革实践，建立校际教师共享和城乡学校“手拉手”帮扶机制。统筹乡镇中心学校和小规模学校美育课程设置、教学安排、教研活动和教师管理，采取同步课堂、共享优质在线资源等方式，补齐师资和资源短板。引导高校师生强化服务社会意识，支持高校开展美育浸润行动计划，支持社会力量开展美育公益项目。

五、切实加强组织保障

17. 加强组织领导和经费保障。地方各级党委和政府要把学校美育工作纳入重要议事日程，纳入地方经济社会发展规划，加强对本地区学校美育改革发展的总体谋划。各地要建立加强学校美育工作部门联席会议制度，健全统筹协调机制。把学校美育工作纳入有关领导干部培训计划。各级政府要调整优化教育支出结构，完善投入机制，地方政府要统筹安排财政转移支付资金和本级财力支持学校美育工作。鼓励和引导社会资金支持学校美育发展，吸引社会捐赠，多渠道增加投入。

18. 加强制度保障。完善学校美育法律制度，研究制定规范学校美育工作的法规。鼓励地方出台学校美育法规制度，为推动学校美育发展提供有力法治保障。健全教育督导评价制度，把政策措施落实情况、学生艺术素质测评情况和支持学校开展美育工作情况等纳入教育督导评估范围。完善国家义务教育美育质量监测，公布监测结果。把美育工作及其效果作为高校办学评价的重要指标，纳入高校本科教学工作评估指标体系和“双一流”建设成效评价。对政策落实不到位、学生艺术素质测评合格率持续下降的地方政府、教育行政部门和学校负责人，依规依法予以问责。

19. 营造社会氛围。各地要研究落实加强和改进新时代学校美育工作的具体措施，可以结合实际制定实施学校美育教师配备和场地器材建设三年行动计划。加强宣传，凝聚共识，营造全社会共同促进学校美育发展的良好社会氛围。

第六部分　开 放 服 务

关于全国博物馆、纪念馆免费开放的通知

（中共中央宣传部　财政部　文化部　国家文物局　中宣发〔2008〕2 号）

各省、自治区、直辖市党委宣传部，财政部（局），文化厅（局），文物局（文管会）：

为贯彻落实党的十七大精神，充分发挥博物馆、纪念馆宣传和传播先进文化的重要作用，加强公共文化服务体系建设和公民思想道德建设，现就全国博物馆、纪念馆向社会免费开放有关事宜通知如下：

一、博物馆、纪念馆免费开放的重要意义

博物馆、纪念馆是陈列、展示、宣传人类文化和自然遗存的重要场所，是国民教育体系的重要组成部分。博物馆、纪念馆向全社会免费开放是党的十七大关于社会主义文化大发展大繁荣的具体实践，是加强社会主义核心价值体系建设和公民思想道德建设的有效手段，是进一步提高政府为全社会提供公共文化服务水平的重要举措，是实现和保障人民群众基本文化权益的积极行动。博物馆、纪念馆免费开放符合世界文物展示业的发展趋势，有利于完善我国现代国民教育体系和履行教育功能，有利于发挥博物馆和纪念馆作为公益性文化机构的社会价值，有利于加强国际文化交流和中华民族优秀文化的宣传推广。各地区、各有关部门要统一思想，提高认识。积极行动，切实把免费开放工作做实、做细、做好，为公众提供更多、更好的公共文化产品和服务。

二、博物馆、纪念馆免费开放的实施范围和步骤

（一）实施范围

全国各级文化文物部门归口管理的公共博物馆、纪念馆，全国爱国主义教育示

范基地全部免费开放。其中，文物建筑及遗址类博物馆暂不实行全部免费开放，继续对未成年人、老年人、现役军人、残疾人和低收入人群等特殊群体实行减免门票等优惠政策。博物馆、纪念馆、纪念馆按照市场化运作举办的特别（临时）展览，可根据实际情况确定门票价格。

（二）实施步骤

2008 年，中央级文化文物部门归口管理的博物馆全部向社会免费开放；各省级综合博物馆全部向社会免费开放；各级宣传和文化文物部门归口管理的列入全国爱国主义教育示范基地的博物馆、纪念馆全部向社会免费开放；浙江、福建、湖北、江西、安徽、甘肃和新疆等 7 省（区）文化文物系统归口管理的省、市、县级博物馆全部向社会免费开放。鼓励有条件的省（区、市）探索全面实行免费开放。

2009 年，除文物建筑及遗址类博物馆外，全国各级文化文物部门归口管理的公共博物馆、纪念馆，全面爱国主义教育示范基地全部向社会免费开放。

鼓励暂不能完全免费开放的博物馆、纪念馆实行低票价政策，继续对未成年人、老年人、现役军人、残疾人等社会群体实行免费或优惠参观，并向社会承诺定期免费日，制定灵活多样的门票制度，如家庭套票、特定时段票等，吸引公众走进博物馆和纪念馆。

三、博物馆、纪念馆免费开放的保障机制

要以博物馆、纪念馆免费开放为契机，实现“三个结合”：一是与文化体制改革中公益类文化事业单位改革要求相结合，进一步加大博物馆经费保障力度；二是与构建公共财政体制相结合，进一步完善财政投入方式，激励博物馆提高服务能力和服务质量；三是与博物馆运行规律相结合，推进我过博物馆机制改革和管理创新。

（一）各级财政部门应将博物馆、纪念馆免费开放相关经费纳入财政预算，切实予以保障。中央财政设立专项资金，重点补助地方博物馆免费开放所需资金，鼓励改善陈列布展和举办临时展览，支持重点博物馆提升服务能力，对实行低票价的博物馆和自行实行免费并取得良好效果的省份给予奖励。其中，博物馆、纪念馆免费开放单位门票收入减少部分全部由中央财政负担；运转经费增量部分由中央财政分别按照东部 20%、中部 60% 和西部 80% 的比例进行补助。

地方财政部门要承担相应职责，保障当地博物馆、纪念馆免费或优惠开放的资金投入。要统筹使用中央和地方财政资金，落实配套设施建设和设备更新经费，落实增强接待能力、增设服务项目、改进服务手段所需资金，落实人员培训经费及增

加业务时间和业务强度的必要补助，保证博物馆正常、高效运转。

（二）要研究制定博物馆、纪念馆文化产品经营收入税收优惠政策，促进其依托文物藏品、陈列展示推出各类文化产品，拓展和延伸文化传播功能。鼓励社会力量对博物馆、纪念馆进行捐赠，拓宽博物馆经费来源渠道。

（三）按照文化遗产保护和传播的重要程度科学界定博物馆等级，将部分地方所属的代表中华民族历史文明的重点博物馆确定为国家级博物馆，由中央政府承担更多的投入和管理责任。省级和省级以下博物馆也要参照此原则，进行科学分级，加强资源整合。市级和县级应重点发展特色博物馆，避免重复投资。

四、博物馆、纪念馆免费开放的工作要求

（一）改善管理和服务，努力满足观众需求。各有关博物馆要积极借鉴已经免费开放博物馆的经验，切实做好免费开放的前期准备。充分考虑免费开放后观众量短时间内急剧增加，对博物馆、纪念馆的管理、运行造成的巨大压力，科学地测算确定博物馆的接待能力，建立每日参观人数总量控制和疏导制度。健全开放服务管理制度，制定突发事件的应急预案，完善应急处理机制。加强媒体宣传，并在博物馆、纪念馆显著位置公示免费开放管理办法、服务项目、开放时间、文明参观须知等制度措施，方便公众了解和监督，引导观众有序、文明参观。同时要努力改善文物安全保护和观众服务设施条件，增加安全、保洁、讲解咨询等服务人员，强化内部管理，加强安全防范，切实保证免费开放的安全、规范、有序。

（二）坚持以人为本，提高展示传播水平。各有关博物馆、纪念馆应贴近实际、贴近生活、贴近群众作为不懈的追求，准确把握免费开放后观众及其精神文化需求呈现出多层次、多方面、多样式的特点，在展示传播的内容上、形式上更加积极探索和大胆创新，成为文化教育和传播中心，成为公众流连忘返的文化园地。将专业性、学术性和知识性、趣味性、观赏性有机结合，不断创造新的文化样式，实现题材、品种、风格和载体的极大丰富，使陈列展览更具吸引力、感染力，打造公众喜闻乐见的文化品牌。要充分发挥博物馆、纪念馆社会教育功能，积极推进博物馆进校园、进社区和建设数字博物馆，不断拓展服务领域、方式和手段，提供更加人性化的服务设施和服务项目，努力强化文化的感染力和辐射力。

（三）改革创新，增加博物馆、纪念馆活力。各有关博物馆、纪念馆要以免费开放为契机，认真研究和把握博物馆运行规律，按照国家关于文化事业体制改革的要求和部署，加强体制和机制创新。以深化人事制度改革为突破口，优化内部组织结构，整合内部资源，转变运营方式，完善激励机制，提高运行效率。要采取有效措施、创造有利条件，最大限度的动员社会各方面力量支持参与博物馆志愿者队伍

的壮大，使之成为支持免费开放工作及博物馆发展的坚定，可信赖的社会力量。

（四）加强管理，切实做好博物馆、纪念馆免费开放的协调、指导工作。要在各级党委、政府的领导下，各级宣传、财政、文化、文物部门要指导、督促各地做好免费开放工作，并对各单位实施情况进行督促检查和考评，对开放中出现的问题和困难及时沟通、协调。各级文物行政部门要发挥行业管理作用，加快完善博物馆、纪念馆管理法律法规和行业标准，建立政府主导、法律规范、社会参与的博物馆管理体系，建立以展示教育、开放服务为核心的评价体系和政府、社会、公众代表相结合的监督体系，开展评估定级和分类指导。

关于进一步做好公共博物馆纪念馆免费开放工作的意见

（中宣部　财政部　文化部　国家文物局　文物博发〔2010〕8号）

各省、自治区、直辖市党委宣传部，财政厅（局），文化厅（局），文物局（文管会）：

为深入贯彻党的十七大和十七届三中、四中全会精神，充分发挥公共博物馆纪念馆和爱国主义教育基地（以下统称博物馆纪念馆）宣传和传播先进文化的重要作用，加强公共文化服务体系建设和公民思想道德建设，现就进一步做好博物馆纪念馆免费开放工作，提出如下意见：

一、提高思想认识，积极推进博物馆纪念馆免费开放工作

1. 博物馆纪念馆免费开放意义重大。博物馆纪念馆是公共文化服务体系建设的重要内容，是保障人民群众基本文化权益的重要阵地。做好博物馆纪念馆免费开放工作，充分发挥其社会功能，对于满足人民群众日益增长的精神文化需求，陶冶道德情操，振奋民族精神，激发爱国热情；对于弘扬优秀文化传统，传播灿烂中华文明，推动社会主义文化大发展大繁荣，具有十分重要的意义。各地各部门要统一思想、提高认识，采取措施、周密安排，切实把免费开放工作做实、做细、做好，为公众提供更多更好的公共文化产品和服务。

2. 博物馆纪念馆免费开放成效显著。2008年1月，中央有关部门印发《关于全国博物馆纪念馆免费开放的通知》。两年来，在各方面共同努力下，全国已有1440多家文化文物部门归口管理的公共博物馆纪念馆，以及全国爱国主义教育示范基地向社会免费开放（还有一批博物馆纪念馆自行向社会免费开放）。目前，博物馆纪念馆免费开放呈现出安全、平稳、有序的良好态势，低收入群体、学生、老人和干部群众的参观人数大幅增加，很好地满足了人们的精神文化需求。同时也要看到，博物馆纪念馆免费开放工作与社会发展要求和广大群众期望相比，还存在许多不适应之处：有的地方相关政策和配套措施未能及时跟进；一些博物馆纪念馆内

部管理和运行机制不够完善；不少博物馆纪念馆基础设施破旧、基本陈列落后、展示水平不高。这些问题，应当引起足够重视，切实加以解决。

3. 博物馆纪念馆免费开放是一项长期任务。做好博物馆纪念馆免费开放工作，要以邓小平理论和“三个代表”重要思想为指导，深入贯彻落实科学发展观，认真贯彻中央关于深化文化体制改革、加快公共文化服务体系建设的一系列决策部署，贴近实际、贴近生活、贴近群众，紧紧抓住增强活力、改善服务两个关键环节，创新体制机制，激发内在活力，提高服务水平，最大限度地发挥博物馆纪念馆的社会效益，为弘扬民族精神和时代精神服务，为加强社会主义核心价值体系建设服务，为实现全面建设小康社会的奋斗目标服务。

二、坚持改革创新，努力提升博物馆纪念馆展览展示、宣传教育和服务水平

4. 创新体制机制，增强发展活力。要将体制机制创新作为推动博物馆纪念馆免费开放工作的强大动力，抓住当前正在进行的文化体制改革机遇，按照以政府为主导，增加投入、转换机制、增强活力、改善服务的要求，结合文博事业特点和本单位实际，优化组织结构，改进内部管理，创新服务方式，提高运营效率。要积极探索完善法人治理结构，逐步实行理事会决策、馆长负责的管理运行机制，形成政府、社会、公众代表相结合的监督管理体系。要深化劳动人事和分配制度改革，建立健全博物馆纪念馆从业资格、人员聘用、人才培养和岗位设置管理制度，形成讲实绩、重贡献、向优秀人才和关键岗位倾斜的分配激励机制。要努力争取社会力量支持、参与博物馆纪念馆建设，实现发展模式由封闭型向开放型转变。

5. 积极推进共建，发挥示范效应。要按照中央地方共建国家级博物馆纪念馆的有关要求，以建设具有国际一流水准的博物馆纪念馆为目标，加快构建以点带面、立足区域、辐射全国、面向世界的博物馆纪念馆综合资源共享平台。要参照中央地方共建国家级博物馆纪念馆工作的建设原则，制定本地区博物馆纪念馆事业发展规划，推进机制创新和资源整合，提高使用效益，使其在本地区经济、社会、文化建设中发挥更大作用。

6. 增进交流合作，提升展览水平。省级以上博物馆纪念馆要加强交流合作，整合区域藏品、展览、人才、技术、资金等资源，举办各种专题展览、巡回展览和文化活动，并有计划地引进国外优秀展览，向公众介绍世界文明和多元文化。要适应社会文化生活的新特点和人民群众的新期待，注重陈列展览内容和形式创新，把知识性、趣味性和观赏性有机结合起来，增强展览的表现力和感染力。要依托藏品和展览，开发独具特色、形式多样的文化产品，更好地满足市场需求。要避免文化产

品同质化和低水平重复生产，加强文化产品市场管理，规范经营行为，使其健康有序发展。

7. 注重社会效益，拓展服务领域。正确处理社会效益和经济效益的关系，把社会效益放在首位，是博物馆纪念馆工作的重要原则。要加强导游讲解员队伍建设，加大教育培训力度，强化职业道德素质，提升宣传讲解水平。要牢固树立服务意识，对参观群众在接待咨询、参观引导、提供资料以及安排讲解等方面实行规范化服务。要适应网络信息技术快速发展的新形势，组织实施“数字博物馆计划”，大力推进网上展馆建设。要借助全国文化信息资源共享工程和远程教育网络，延伸拓展博物馆纪念馆传播服务功能，辐射广大城镇、农村和边远地区，为基层和群众提供更多健康向上的精神文化产品。

三、采取有效措施，为博物馆纪念馆免费开放创造良好条件

8. 加大公共财政扶持力度，逐步建立博物馆纪念馆经费保障机制。明确公共博物馆纪念馆的公益性质，加强财政经费保障，建立与改革相适应的激励约束机制，促进提高公共服务水平。要拓宽经费来源渠道，建立多元化投入机制，落实相关财税政策，鼓励社会力量进行捐赠。要继续做好陈列布展项目资助工作，支持改善展览效果。各地财政部门要足额保障博物馆纪念馆免费开放资金，与宣传、文化、文物部门协商，研究制定本地区中央财政补助专项资金和地方财政资金具体分配方案，并及时将方案报财政部备案。财政部适时会同中宣部、国家文物局等部门对资金使用情况进行检查。

9. 强化管理和绩效考评，确保博物馆纪念馆可持续发展。有关部门将制定博物馆纪念馆工作条例，完善以博物馆纪念馆运行状况评估为重点，以宣传展示、开放服务为核心的博物馆纪念馆质量评价体系。要对免费开放博物馆纪念馆的管理运作效能、业务完成指标、资金效益指标、社会效益指标、公众满意度等进行评估，评估结果作为对博物馆纪念馆实行动态管理的依据。各地要定期公布免费开放博物馆纪念馆运行管理状况，保障公众知情权，并于每年 1 月 31 日前将上一年度博物馆纪念馆免费开放绩效评估报告报国家文物局备案（全国爱国主义教育示范基地相关情况同时报中宣部备案）。

10. 形成部门合力，共同推进博物馆纪念馆免费开放工作。宣传、财政、文化、文物等部门要加强沟通配合，协调指导博物馆纪念馆做好免费开放工作。改革发展、民政、工商、税务等部门要发挥职能作用，为博物馆纪念馆免费开放提供必要的政策保障，创造良好发展环境。教育行政部门要结合教学安排，组织学生到博物馆纪念馆参观学习，使博物馆纪念馆成为学校教育的第二课堂。

旅游部门要指导旅行社与博物馆纪念馆加强合作，精心设计旅游线路，积极开展红色旅游、文化旅游。工会、共青团和妇联等群团组织要根据各自特点，利用博物馆纪念馆开展活动。通过各方面共同努力，使博物馆纪念馆免费开放工作取得更大成效。

各地各部门要根据本意见，抓紧制定具体措施和办法。

关于推动文化文物单位文化创意产品开发的若干意见

（文化部　国家发展改革委　财政部　国家文物局　国办发〔2016〕36 号）

为深入发掘文化文物单位馆藏文化资源，发展文化创意产业，开发文化创意产品，弘扬中华优秀文化，传承中华文明，推进经济社会协调发展，提升国家软实力，根据《国务院关于进一步加强文物工作的指导意见》（国发〔2016〕17 号）有关要求，现提出以下意见。

一、总体要求

文化文物单位主要包括各级各类博物馆、美术馆、图书馆、文化馆、群众艺术馆、纪念馆、非物质文化遗产保护中心及其他文博单位等掌握各种形式文化资源的单位。文化文物单位馆藏的各类文化资源，是中华民族五千多年文明发展进程中创造的博大精深灿烂文化的重要组成部分。

依托文化文物单位馆藏文化资源，开发各类文化创意产品，是推动中华文化创造性转化和创新性发展、使中国梦和社会主义核心价值观更加深入人心的重要途径，是推动中华文化走向世界、提升国家文化软实力的重要渠道，是丰富人民群众精神文化生活、满足多样化消费需求的重要手段，是增强文化文物单位服务能力、提升服务水平、丰富服务内容的必然要求，对推动优秀传统文化与当代文化相适应、与现代社会相协调，推陈出新、以文化人，具有重要意义。

推动文化创意产品开发，要始终把社会效益放在首位，实现社会效益和经济效益相统一；要在履行好公益服务职能、确保文化资源保护传承的前提下，调动文化文物单位积极性，加强文化资源系统梳理和合理开发利用；要鼓励和引导社会力量参与，促进优秀文化资源实现传承、传播和共享；要充分运用创意和科技手段，注意与产业发展相结合，推动文化资源与现代生产生活相融合，既传播文化，又发展产业、增加效益，实现文化价值和实用价值的有机统一。力争到 2020 年，逐步形成形式多样、特色鲜明、富有创意、竞争力强的文化创意产品体系，满足广大人民群众日益增长、不断升级和个性化的物质和精神文化需求。

二、主要任务

（一）充分调动文化文物单位积极性。具备条件的文化文物单位应结合自身情况，依托馆藏资源、形象品牌、陈列展览、主题活动和人才队伍等要素，积极稳妥推进文化创意产品开发，促进优秀文化资源的传承传播与合理利用。鼓励文化文物单位与社会力量深度合作，建立优势互补、互利共赢的合作机制，拓宽文化创意产品开发投资、设计制作和营销渠道，加强文化资源开放，促进资源、创意、市场共享。

（二）发挥各类市场主体作用。鼓励众创、众包、众扶、众筹，以创新创意为动力，以文化创意设计企业为主体，开发文化创意产品，打造文化创意品牌，为社会力量广泛参与研发、生产、经营等活动提供便利条件。鼓励企业通过限量复制、加盟制造、委托代理等形式参与文化创意产品开发。鼓励和引导社会资本投入文化创意产品开发，努力形成多渠道投入机制。

（三）加强文化资源梳理与共享。推进文化文物单位各类文化资源的系统梳理、分类整理和数字化进程，明确可供开发资源。用好用活第三次全国文物普查和第一次全国可移动文物普查数据。鼓励依托高新技术创新文化资源展示方式，提升体验性和互动性。支持数字文化、文化信息资源库建设，用好各类已有文化资源共建共享平台，面向社会提供知识产权许可服务，促进文化资源社会共享和深度发掘利用。

（四）提升文化创意产品开发水平。深入挖掘文化资源的价值内涵和文化元素，广泛应用多种载体和表现形式，开发艺术性和实用性有机统一、适应现代生活需求的文化创意产品，满足多样化消费需求。结合构建中小学生利用博物馆学习的长效机制，开发符合青少年群体特点和教育需求的文化创意产品。鼓励开发兼具文化内涵、科技含量、实用价值的数字创意产品。推动文化文物单位、文化创意设计机构、高等院校、职业学校等开展合作，提升文化创意产品设计开发水平。

（五）完善文化创意产品营销体系。创新文化创意产品营销推广理念、方式和渠道，促进线上线下融合。支持有条件的文化文物单位在保证公益服务的前提下，将自有空间用于文化创意产品展示、销售，鼓励有条件的单位在国内外旅游景点、重点商圈、交通枢纽等开设专卖店或代售点。综合运用各类电子商务平台，积极发展社交电商等网络营销新模式，提升文化创意产品网络营销水平，鼓励开展跨境电子商务。配合优秀文化遗产进乡村、进社区、进校园、进军营、进企业，加强文化创意产品开发和推广。鼓励结合陈列展览、主题活动、馆际交流等开展相关产品推广营销。积极探索文化创意产品的体验式营销。

（六）加强文化创意品牌建设和保护。促进文化文物单位、文化创意设计企业提升品牌培育意识以及知识产权创造、运用、保护和管理能力，积极培育拥有较高知名度和美誉度的文化创意品牌。依托重点文化文物单位，培育一批文化创意领军单位和产品品牌。建立健全品牌授权机制，扩大优秀品牌产品生产销售。

（七）促进文化创意产品开发的跨界融合。支持文化资源与创意设计、旅游等相关产业跨界融合，提升文化旅游产品和服务的设计水平，开发具有地域特色、民族风情、文化品位的旅游商品和纪念品。推动优秀文化资源与新型城镇化紧密结合，更多融入公共空间、公共设施、公共艺术的规划设计，丰富城乡文化内涵，优化社区人文环境，使城市、村镇成为历史底蕴厚重、时代特色鲜明、文化气息浓郁的人文空间。将文化创意产品开发作为推动革命老区、民族地区、边疆地区、贫困地区文化遗产保护和文化发展、扩大就业、促进社会进步的重要措施。鼓励依托优秀演艺、影视等资源开发文化创意产品，延伸相关产业链条。

三、支持政策和保障措施

（一）推动体制机制创新。鼓励具备条件的文化文物单位在确保公益目标、保护好国家文物、做强主业的前提下，依托馆藏资源，结合自身情况，采取合作、授权、独立开发等方式开展文化创意产品开发。逐步将文化创意产品开发纳入文化文物单位评估定级标准和绩效考核范围。文化文物事业单位要严格按照分类推进事业单位改革的政策规定，坚持事企分开的原则，将文化创意产品开发与公益服务分开，原则上以企业为主体参与市场竞争；其文化创意产品开发取得的事业收入、经营收入和其他收入等按规定纳入本单位预算统一管理，可用于加强公益文化服务、藏品征集、继续投入文化创意产品开发、对符合规定的人员予以绩效奖励等。国有文化文物单位应积极探索文化创意产品开发收益在相关权利人间的合理分配机制。促进国有和非国有文化文物单位之间在馆藏资源展览展示、文化创意产品开发等方面的交流合作。鼓励具备条件的非国有文化文物单位充分发掘文化资源开发文化创意产品，同等享受相关政策支持。

（二）稳步推进试点工作。按照试点先行、逐步推进的原则，在国家级、部分省级和副省级博物馆、美术馆、图书馆中开展开办符合发展宗旨、以满足民众文化消费需求为目的的经营性企业试点，在开发模式、收入分配和激励机制等方面进行探索。试点名单由文化部、国家文物局确定，或者由省级人民政府文化文物部门确定并报文化部、国家文物局备案。允许试点单位通过知识产权作价入股等方式投资设立企业，从事文化创意产品开发经营。试点单位具备相关知识和技能的人员在履行岗位职责、完成本职工作的前提下，经单位批准，可以兼职到本单位附属企业或合作设立的企业从事文化创意产品开发经营活动；涉及的干部人事管理、收入分配等问题，严格按照有关政策规定执行。参照激励科技人员创新创业的有关政策完善引导扶持激励机制。探索将试点单位绩效工资总量核定与文化创意产品开发业绩挂钩，文化创意产品开发取得明显成效的单位可适当增加绩效工资总量，并可在绩效工资总量中对在开发设计、经营管理等方面作出重要贡献的人员按规定予以奖励。

（三）落实完善支持政策。中央和地方各级财政通过现有资金渠道，进一步完善资金投入方式，加大对文化创意产品开发工作的支持力度。研究论证将符合条件的文化创意产品开发项目纳入专项建设基金支持范围。认真落实推进文化创意和设计服务与相关产业融合发展、发展对外文化贸易等扶持文化产业发展的税收政策，支持文化创意产品开发。将文化创意产品开发纳入文化产业投融资服务体系支持和服务范围。面向从事文化创意产品开发的企事业单位，培育若干骨干文化创意产品开发示范单位，加强引领示范，形成可向全行业推广的经验。将文化创意产品开发经营企业纳入各级文化产业示范基地评选范围。强化文化市场监管和执法，加大侵权惩处力度，创造良好市场环境。鼓励各级地方政府创新文化创意产品开发机制，用机制创新干事。

（四）加强支撑平台建设。发挥国家级文化文物单位和骨干企业作用，支持实施一批具有示范引领作用的项目，搭建面向全行业的产品开发、营销推广、版权交易等平台。支持有条件的地方和企事业单位建设文化创意产品开发生产园区基地。实施“互联网+中华文明”行动计划，遴选和培育一批“双创”空间，实施精品文物数字产品和精品展览数字产品推广项目。充分发挥重点文化产业、文物展会作用，促进优秀文化创意产品的展示推广和交易。规范和鼓励举办产品遴选推介、创意设计竞赛等活动，促进文化创意产品展示交易。借助海外中国文化中心、国际展览展示交易活动、文物进出境展览和交流等平台，促进优秀文化创意产品走出去。

（五）强化人才培养和扶持。以高端创意研发、经营管理、营销推广人才为重点，同旅游、教育结合起来，加强对文化创意产品开发经营人才的培养和扶持。将文化创意产品设计开发纳入各类文化文物人才扶持计划支持范围。文化文物单位和文化创意产品开发经营企业要积极参与各级各类学校相关专业人才培养，探索现代学徒制、产学研结合等人才培养模式，并为学生实习提供岗位，提高人才培养的针对性和适用性。通过馆校结合、馆企合作等方式大力培养文化文物单位的文化创意产品开发、经营人才。支持文化文物单位建设兼具文化文物素养和经营管理、设计开发能力的人才团队，并通过多种形式引进优秀专业人才，进一步畅通国有和民营、事业单位和企业之间人才流动渠道。鼓励开展中外文化创意产品设计开发、经营管理人才交流与合作，定期开展海外研习活动。

（六）加强组织实施。地方各级文化、发展改革、财政、文物等部门要按照本意见的要求，根据本地区实际情况，加强对推动文化创意产品开发工作的组织实施，做好宣传解读和相关统计监测工作。部门间、地区间要协同联动，确保各项任务措施落到实处。注意加强规范引导，因地制宜，突出特色，科学论证，确保质量，防止一哄而上、盲目发展。强化开发过程中的文物保护和资产管理，制定严格规程，健全财务制度，防止破坏文物，杜绝文物和其他国有资产流失。充分发挥各级各类行业协会、中介组织、研究机构等在行业研究、标准制定、交流合作等方面的作用。

关于贯彻落实国务院办公厅转发《关于推动文化文物单位文化创意产品开发的若干意见》的通知

（国家文物局　文物博函〔2016〕1007号）

各省（自治区、直辖市）文物局（文化厅）、新疆生产建设兵团文物局：

国务院办公厅转发的文化部、国家发展改革委、财政部、国家文物局四部门《关于推动文化文物单位文化创意产品开发的若干意见》（国办发〔2016〕36号，以下简称《意见》），是贯彻落实《博物馆条例》和《国务院进一步加强文物工作的指导意见》有关精神的重要举措，对于深入发掘文化文物单位馆藏文化资源，发展文化创意产业，弘扬中华优秀文化，推进经济社会协调发展，提升国家软实力，具有重要意义。

各级文物主管部门要充分认识贯彻实施《意见》的重要意义，将认真学习宣传和贯彻执行《意见》列入重要议事日程，进一步加强对属地内文博单位文化创意产品开发工作的指导与支持。为确保《意见》真正落到实处，现就深入学习宣传、贯彻落实《意见》的有关要求通知如下：

一、开展文件解读和学习贯彻

（一）国家文物局将于6月下旬在湖北武汉组织召开专题研讨、培训和现场交流会议。请各省认真做好准备，组织相关人员与会。

（二）各省级文物行政部门要通过印发文件、开展座谈会、举办培训班、召开研讨会等方式，组织省内文物行政部门、主要文博单位、文化创意企业代表，对《意见》进行解读，提出贯彻要求，并请相关典型单位和专家交流经验。

（三）各地要利用主流媒体加强对推进文化创意产品开发工作的宣传介绍，形成良好的舆论氛围，充分调动各方参与博物馆文化创意产品开发工作的积极性。

二、加强统筹规划，稳步推进试点

（一）加强总体规划和统筹布局，于 6 月底前完成本省（区、市）《贯彻落实〈意见〉实施方案》的编制并报我局备案。

（二）按照试点先行、逐步推进的原则，我局将组织符合条件的博物馆（原则上从副省级以上博物馆中产生）开展试点，在开发模式、收入分配和激励机制等方面进行探索。

请各省、自治区、直辖市文物局认真研究拟定试点博物馆推荐名单（每省 3-5 个），于 2016 年 6 月 20 日前报我局（同时附上拟开展试点单位的工作方案）。中央和国家有关部门所属博物馆可直接向我局进行申报，不占用各省名额。

三、加强组织实施，引导文化创意产品开发健康发展

（一）充分调动各方积极性。制定相关优惠措施，推动文博单位以多种形式与相关企业和社会力量开展文化创意产品开发合作，探索构建不同模式下的文化创意产品开发收益在相关权利人间的合理分配、多赢互利的机制。

（二）加强本行政区域内文物资源的系统调查和梳理。按照国务院要求的时间节点，全面完成第一次全国可移动文物普查，并加强行政区域内文物资源和创意资源整合，依托龙头单位，建立共享机制，服务于文化创意产品开发。鼓励文博单位积极申报“互联网 + 中华文明行动计划”，创新文化产品开发和传播手段。

（三）积极提升文化创意产品研发水平。鼓励各文博单位通过合作培养、馆企合作等方式，培养和引进一批优秀文化创意人才。结合构建中小学生利用博物馆学习的长效机制，开发出一批符合青少年群体特点和教育需求的优质文化创意产品。配合优秀文化遗产和展览进乡村、进社区、进校园、进军营、进企业，依托流动博物馆、社区博物馆加强文化创意产品开发和推广。

（四）拓展文化创意产品开发渠道。指导、规范文博单位在保证公益服务前提下，将自有空间用于文化创意产品展示、销售，鼓励有条件的单位在国内外旅游景点、重点商圈、交通枢纽等开设专卖店或代售点。综合运用电子商务平台，提升文化创意产品网络营销水平。鼓励文博单位结合陈列展览、主题活动、馆际交流等开展相关产品推广营销。

（五）加强示范引领和品牌建设。遴选一批在文化创意产品开发方面成效明显的博物馆作为典型，总结、交流、推广成功经验、成熟做法。鼓励博物馆间通过创新联盟等方式加强合作，鼓励国有博物馆加强与非国有博物馆的交流合作，积极

探索建立区域性博物馆文化创意产品开发网络，培育博物馆文化创意产品的研发基地、示范项目和创意品牌。2016年，组织省内有关单位积极参与6月在武汉举办“让文物活起来——全国文博单位文化创意产品联展”，以及9月在成都举办的“2016第七届博物馆及相关产品与技术博览会”，加强优秀文化创意产品宣传推介。

四、加强部门联动，完善经费保障机制

各级文物行政部门要加强与地方编办、财政、发展改革、税务、教育等部门的协调联动，积极争取各项扶持政策和优惠措施。指导文博单位健全文化创意产品开发的收入分配机制和激励机制，完善经营管理制度和财务制度，拓展经费来源和渠道。探索建立文化创意产品开发对文博单位公共文化服务、藏品征集、社会教育等公益事业的反哺机制。

各地贯彻实施《意见》过程中有关重要情况和问题，请及时报告我局。

关于印发《博物馆馆藏资源著作权、商标权和品牌授权操作指引（试行）》的通知

（国家文物局　文物博发〔2019〕14 号）

各省、自治区、直辖市文物局（文化和旅游厅 / 局），新疆生产建设兵团文物局，各有关单位：

为贯彻落实《中共中央办公厅 国务院办公厅关于加强文物保护利用改革的若干意见》《国务院关于进一步加强文物工作的指导意见》，激发博物馆创新活力，盘活用好馆藏文物资源，推动博物馆逐步开放共享文物资源信息，规范博物馆文化创意产品开发相关授权工作，国家文物局组织编制了《博物馆馆藏资源著作权、商标权和品牌授权操作指引（试行）》，现印发给你们，请结合本地区、本单位的实际情况参考使用。

附件：《博物馆馆藏资源著作权、商标权和品牌授权操作指引（试行）》

第 1 章　总则

1.1　制订目的

坚持以习近平新时代中国特色社会主义思想为指导，深入贯彻落实中共中央办公厅、国务院办公厅《关于加强文物保护利用改革的若干意见》、国务院《关于进一步加强文物工作的指导意见》、国务院办公厅转发《关于推动文化文物单位文化创意产品开发的若干意见》，激发博物馆创新活力，盘活用好博物馆馆藏文物资源，推动博物馆逐步开放共享文物资源信息，切实解决制约博物馆文化创意产品开发工作中馆藏资源授权的制度瓶颈。

切实增强中华优秀传统文化的生命力、影响力，更好促进经济社会发展，不断满足人民群众日益增长的美好生活需求。

加强文物保护利用和文化遗产保护传承，指导各地博物馆提高馆藏资源著作权、商标权和品牌开发和活化利用能力，完善体制机制，激发博物馆运行活力，特

制订本指引。

本指引为推荐性规范，指引及后附的协议范本供博物馆开展有关工作参考使用。

本指引主要针对博物馆馆藏资源著作权、商标权和品牌涉及商业使用的授权进行指导；用于公益性展示、教育、研究、交流用途的授权，参考本指引。

1.2 制订依据

《中华人民共和国文物保护法》《中华人民共和国著作权法》《中华人民共和国商标法》《中华人民共和国合同法》《中华人民共和国网络安全法》《中华人民共和国著作权法实施条例》《博物馆条例》《博物馆管理办法》和《文物拍摄管理暂行办法》《文物复制拓印管理办法》等法律规定与政策文件。

1.3 适用范围

本指引适用于全国各级各类国有和非国有博物馆开展馆藏资源著作权、商标权和品牌授权的具体工作。

本指引属于非强制性规定，博物馆可根据自身情况进行参考。

其他文物保护单位可参考本指引开展授权管理工作。

1.4 授权原则

博物馆开展授权工作，是新时代博物馆公共文化服务、科研和教育等基本功能的衍生与发展，是适应中华优秀传统文化创造性转化和创新性发展的需要。博物馆开展馆藏资源著作权、商标权和品牌授权管理工作，应当坚持把社会效益放在首位、社会效益和经济效益相统一的原则，加强文物保护利用和文化遗产保护传承，充分利用市场规律和各项政策，不断激发博物馆的活力，推动文化事业和文化产业发展。

1.5 术语与定义

博物馆是指以教育、研究和欣赏为目的，收藏、保护并向公众展示人类活动和自然环境的见证物，经登记管理机关依法登记的非营利组织。博物馆包括国有博物馆和非国有博物馆。

馆藏资源是指博物馆登记备案的所收藏、管理、保护的不可移动和可移动文物、艺术品等，以及在此基础上二次加工得到的，以语言、文字、声像等不同形式记载的藏品状态、变化特征及其与客观环境之间的联系特征等藏品本身蕴含的原始信息，或者经过加工处理并通过各种载体表现出来的信息，包括与之相关的文件、资料、数据、图像、视频等信息资源，包括实物和数字化信息。

馆藏资源著作权是指博物馆馆藏资源构成作品而依法产生的专有权利，其中包括：属于馆藏资源的作品，该作品仍处于著作权保护期内、且博物馆通过著作权人授权或者法定许可而获得的著作权；博物馆对馆藏资源以摄影、录像等方式进行再次创作而获得的作品的著作权。

馆藏资源商标权是指博物馆用名称全称、简称及其标志图形，馆藏资源的名称及其他具备商标构成要素的元素等，通过商标申请注册而获得的的专有使用权利。商标是品牌或品牌的一部分，必须在政府指定部门进行注册后成为“注册商标”，才能获得商标专用权。商标权是品牌价值的重要组成部分。

馆藏资源品牌是指社会公众对博物馆在服务、产品开发、文化传播等方面所创造价值的认知，是为博物馆产生增值、带来溢价的无形资产，其载体包括博物馆的名称、相关标记、符号或图案等。

直接授权是指博物馆将馆藏资源著作权、商标权和品牌可用于商业使用的权利直接授予给被授权方，被授权方按照双方签订的合同在限定的时间和区域范围内将获得的权利应用于经营活动，博物馆向被授权方收取许可费。

委托授权是指博物馆通过第三方委托代理机构与被授权方接洽，由第三方代理机构代表博物馆作为授权方，将博物馆馆藏资源直接或经过一定的设计加工后，授权给被授权方。被授权方依照合同约定向第三方代理机构支付许可费或不断反馈收益，第三方代理机构依照与博物馆之间的约定，向博物馆支付相应的许可费及其他相应收益。

标的是指博物馆与被授权方之间通过合同明确约定的所授馆藏资源著作权、商标权和品牌的权利义务关系。

独占许可是指博物馆与被授权方通过合同约定，只有被授权方可以在约定的时间和地域范围内，针对某些特定品类产品，通过约定的方式，使用授权标的，博物馆和其他任何第三方均不得使用。

排他许可是指博物馆与被授权方通过合同约定，除被授权方以外，博物馆不得另行授权第三方在合同约定的时间和地域范围内，针对某些特定品类产品，以合同约定的方式，使用授权标的，但博物馆自身保留使用权。

普通许可是指博物馆许可被授权方使用授权标的，同时保留许可第三方使用授权标的的权利，即博物馆既可以自行使用，也可以授权多个被授权方使用。

许可费是指博物馆向被授权方授权使用其馆藏资源著作权、商标权和品牌时收取的费用。许可费可以是固定金额，也可以是按约定比例所获得的商业开发利益分成，或保底金额加超出部分分成的方式，以及双方约定的其他方式。

第 2 章　授权内容

2.1　著作权授权

博物馆馆藏资源的著作权权利有：发行权、出租权、展览权、表演权、放映权、广播权、信息网络传播权、摄制权、改编权、翻译权、汇编权等。

博物馆馆藏资源著作权可体现在具有再次创作特征的数字信息资源上。数字信息资源包括以数字化处理的博物馆藏品和博物馆建筑的文字介绍、图像、视频、三维模型等，以及对博物馆藏品的文化内涵、与藏品相关的文化背景、博物馆的文化内容，进行深度发掘和梳理的一切资料的数字化资源。博物馆可以将具有再次创作特征的数字信息资源的著作权对外授权，获得相关收益。

博物馆数字信息资源的商业使用包括但不限于：

作为书籍、期刊、画册等出版物的内容出版；

各类网站及自媒体的内容传播；

影视、动漫、游戏及视频开发；

各种程度和形式的仿制品的设计与开发；

各类文化创意产品及其他衍生品的设计与开发。

2.2　商标权授权

博物馆的名称全称、简称及其标志图形，馆藏资源的名称及元素等，具备商标构成要素的，可以申请注册为商标。博物馆注册的商标可以是文字、图形、字母、数字、三维标志、颜色组合和声音，以及上述要素的组合。

博物馆商标权授权的商业用途包括：

各类衍生品及其他产品或服务的外观设计与包装设计；

推销上述商品或服务的广告、宣传页、海报的用语与设计；

各类展示及相关文化交流活动的冠名与推广。

2.3　品牌授权

品牌授权是对博物馆的名称、相关标记、符号或图案等载体的无形资产进行的授权，及以博物馆的社会知名度和文化效应为标的的合作。

博物馆品牌授权的商业用途包括：

各类衍生品及其他产品或服务的外观设计与包装设计；

推销上述商品或服务的广告、宣传页、海报的用语与设计；

各类展示及相关文化交流活动的冠名与推广。

2.4 其他授权

博物馆所收藏、管理和保护的现代书画作品、摄影作品及工艺美术品等，其著作权仍在保护期内的，博物馆应在征得著作权人同意并获得相应的授权后，才可开展相关授权工作。

第3章 授权模式

3.1 直接授权和委托授权

授权分为直接授权和委托授权。

博物馆综合评估自身馆藏资源、品牌价值、管理运营水平等实际情况，适当选择直接授权、委托授权等方式，进行馆藏资源著作权、商标权和品牌的授权，维护自身权益。

3.1.1 直接授权

规模较大、馆藏资源较为丰富、管理体系较为成熟的博物馆，推荐采用直接授权模式，将馆藏资源著作权、商标权和品牌直接授权给被授权方，获取收益。

博物馆使用直接授权方式，有利于主导与被授权方达成签约，有利于保护自身利益。

博物馆需要直接负责授权的接洽、谈判、签约和授权后的指导、监督、管理、图库开发及更新、被授权方打样产品的审核等各项工作。鼓励有条件的博物馆可以成立专门的授权合作部门，负责授权合作的各项工作，明确职责，指定人员，并与相应的法务部门或合作律师共同对各个环节进行监控，防止法律风险。

3.1.2 委托授权

博物馆可采用委托授权模式，通过委托第三方代理机构，进行馆藏资源与品牌的授权工作，获取收益。

在委托授权模式下，博物馆无需直接与被授权方接洽、谈判、拟定授权合同、监督合同的执行等工作，降低了博物馆开展授权工作的难度。但应当做好馆藏资源的梳理，向第三方代理机构明确授权标的、范围、使用方式以及对被授权方资质的要求等。

委托授权模式对博物馆而言存在一定风险。博物馆若采用该模式，需要签订严谨的合同，同时在博物馆自身要有相应的内部控制流程，确保被委托人能够保护博物馆的利益和资源。

3.2 独占许可、排他许可和普通许可

博物馆应综合评估授权标的商业价值、使用范围、经营方式等情况，相应选择独占许可、排他许可和普通许可等方式，开展馆藏资源著作权、商标权和品牌授权。

3.2.1 独占许可

独占许可是指只有被许可人使用特定著作权、商标权和品牌的授权，许可人（博物馆）和其他任何第三方都不能再使用相关授权。

一方面，因为是独占，意味着被许可人必须支付更多的对价，博物馆在单次交易中有可能获得较高的经济收益。另一方面，以独占许可方式开展授权的馆藏资源著作权、商标权和品牌，博物馆自身同任何第三方一样，在合同约定期限内也不得使用。因此博物馆对此类授权应十分慎重，对被授权方的资质、实力和能力及开发利用授权标的的方式、授权期限等，应严格考察审核，同时要对授权标的开发利用过程进行严格的监督管理，以防止授权标的被滥用或闲置。因此，只有在很少数的情况下，才建议采用独占许可模式，并取决于时间、地域等其他许可因素，由博物馆综合考虑。

建议独占许可的情况下，被授权许可方要给与授权方固定的许可使用费。

3.2.2 排他许可

排他许可是指只有被许可人和许可人可以使用特定著作权、商标权和品牌的授权，其他任何第三方都不能再使用相关授权，即许可人（博物馆）不能再和第三方签订许可协议，但是博物馆自己可以组织力量开发和使用。

在排他许可中，博物馆依然可以自由使用授权标的，但不能在授权期限内再对任何第三方再次授权。排他许可需选择具有影响力和经济实力的被授权方，并对生产的产品和服务进行监督和控制。

因此，只有在很少数的情况下才建议采用排他许可模式，并取决于时间、地域等其他许可因素，由博物馆综合考虑。

3.2.3 普通许可

普通许可是博物馆开展商业授权的常见方式，进行普通许可的授权标的，博物馆不仅保留自身的使用权，同时可将该授权标的授权第三方，不受时间、地域、使用方式限制使用授权标的。

对于开发利用成本较低且方式多样或可直接使用的馆藏资源，博物馆可选择普通许可方式开展授权工作。

同时，因博物馆目前的公益属性，使用财政资金形成的馆藏资源著作权、商标权和品牌，建议优先使用普通许可。

3.3 授权期限

短期授权一般为 3 个月至 6 个月，主要针对一次性授权等。长期授权期限通常为 1-3 年。如有市场需求，可延长授权期限。

第 4 章 授权流程（以直接授权为例）

4.1 明确可授权的内容

博物馆根据自身馆藏资源与创新创意工作开展的实际情况，明确可直接用于授权的馆藏资源著作权、商标权和品牌，并对具有商业价值的馆藏资源著作权、商标权和品牌进行整理和设计，形成可授权的内容体系。

委托授权的相关流程在附件协议模板中有相关描述。

4.2 发布授权合作信息

博物馆明确授权合作的方向和具体的方案，对外发布公开征集合作对象的信息，在征集信息中要明确对合作对象的最低要求及合作相关信息。

利用馆藏资源授权开发的产品可包括：

（1）文物仿制品：是指以馆藏资源为原型，采用不同比例、大小、材质的仿制品。

（2）文物艺术创作品：是指以馆藏资源为素材，从材质、纹饰、色彩等多个方面进行艺术加工创作而成的产品。

（3）纪念品：是指以馆藏资源为素材，进行设计、开发、制作的具有一定的实用性、观赏性、纪念性，且有助于文化推广的产品。

（4）生活用品：是指以馆藏资源为素材，进行设计开发的集创意、艺术性和生活实用性于一体的产品；作为博物馆文创产品开发的重要方向，是博物馆融入社会生活、发挥教育意义的重要手段。

（5）出版物：指以馆藏资源为基础内容，出版的相关影像、图像、宣传海报、书籍等。

（6）其他：以上类型未涵盖的其他以馆藏资源开发而成的产品或服务方式。

4.3 选择合适的被授权方

被授权方必须是依法登记设立，并从事与博物馆授权产品相关活动的企业或团体。被授权方应向博物馆提交企业法人或社会团体的证明文件、具备实体经营能力的相关证明及商标注册证明等。

博物馆在对被授权方进行选择时，应考虑其业务范围、规模实力、品牌文化、形象信誉、销售渠道、有无相关经验等因素，优先选择业务范围与博物馆授权标的具有强相关性，且具有一定规模和效益、品牌特色明显、形象信誉较好的合作对象。为达成与国际知名品牌厂商及知名设计团队与博物馆合作，其资格条件、销售渠道、设计创意等经博物馆主管部门审核后，对其所收取的授权金额度可由博物馆自行商议决定是否给予优惠。

4.4 合作洽谈

经过初步的选择，博物馆可与被授权方对具体授权事宜进行合作洽谈。洽谈内容主要包括：

授权标的的内容；

具体授权方式；

许可费数额及支付方式；

授权期限；

双方的权利义务；

授权标的的使用方式及地域范围；

授权产品的设计、生产和销售；

产权归属等。

4.4.1 授权费用及支付方式

应明确约定授权费用的总额及支付方式。博物馆可根据实际情况制定授权费用标准体系，对于单一馆藏资源的图片、视频、数字模型等可制定统一的授权费用标准；对于商业价值较高的标的，其授权费用可采用一次性授权费用或基本费用加销售分成的方式，根据具体授权项目由双方共同商定。可以按周、月度、季度、半年或一年为周期进行结算和支付，并且应当提供简明、确凿的查证方法。同时应明确被授权方的付款方式（支票或银行汇票等）以及汇款单位的详细地址。被授权方如有其他非金钱上的额外回馈条件（须与本次授权有关），可另行与博物馆商议，并在签订协议中明示。

4.4.2 产权归属

应重点约定以授权标的为基础所创造的新的著作权、商标权和品牌等产权的归属。合同未有约定或约定不明的，产权依照法律归创作者所有。合作作品、委托作品类型复杂、合同未有约定或约定不明的，依照法律确立产权归属。

4.5 签订合同

与被授权方协商一致后，博物馆需订立授权合同以明确双方的权利及义务。授权合同的内容一般包含：

授权标的的名称、数量及其承载的权利类型，被授权权利的类型及使用范围，授权标的被授权的时间、地域限定，授权双方所享有的权利和承担的义务，对授权产品开发成本和定价、销售渠道或使用方式，对授权产品的设计权、版权的约定，出现违反合同内容的处置等。

4.5.1 授权标的

授权合同应明确约定所授馆藏资源著作权、商标权和品牌的名称、数量、载体形式及权利类别，特别要标注是否包括名称的中英文、汉语拼音及缩写。

4.5.2 授权范围及使用方式

明确约定被授权方享有该授权标的的全部权利或部分权利，在约定范围以约定方式使用授权标的（使用方式见合同版本第 2 条中的内容）。

4.5.3 授权性质

明确约定授权性质为独占授权、排他授权或普通授权，不同性质的授权，许可费标准不同。

4.5.4 授权期限

明确约定被授权方使用授权标的的时间期限，以及到期后续约的形式。

4.5.5 争议处理方式

一般建议选择仲裁机构或博物馆所在地法院解决争议。

4.6 跟踪反馈与监督管理和保密

在被授权方对授权标的进行开发利用，并销售相关产品或服务的过程中，博物馆应及时掌握授权产品的相关动态，监督授权标的在生产流通环节是否严格按照合同约定执行，必要时给予相应的指导与帮助（保密约定具体见合同版本中相关内容）。

4.7 授权档案管理与纠纷解决

在整个馆藏资源与品牌授权的过程中，博物馆应妥善处理、保管与授权相关的文字、图像、音视频等材料，并做好归档，以便日后的整理与查阅等工作。

博物馆在发现自身权利受到侵害时，要第一时间收集并保存证据，通过行政举报、调解、仲裁或诉讼的方式主张并维护自身权益。

授权纠纷主要包括合同纠纷和侵权纠纷两部分。纠纷可通过调解或仲裁方式解决，纠纷双方可通过协商约定一方或双方让步，消除其间存在的争议。

在许可合同中，博物馆可以要求被许可人举报市场上的侵权产品。

第三方机构委托授权流程参照此办理。

第 5 章　权利与义务

5.1　权利与义务

博物馆馆藏资源具有极重要的公共属性，被授权方在对博物馆馆藏资源著作权、商标权和品牌进行使用和开发时，应自行负担设计开发产品所需的成本费用，并且不得损害民族精神与社会公共利益。

为确保授权标的被合理使用，博物馆拥有对所授权利的使用与开发过程进行审核与监督的义务，并享有从开发成果中获得经济和社会效益的权利。

5.2　质量控制

被授权方承诺按博物馆提供的书面设计要求使用博物馆的馆藏资源，并承诺设计制作的产品：

（1）在设计、用材和工艺方面均具有优良的质量。

（2）具有安全性、无伤害性，并能达到博物馆的预期目标。

（3）设计与制作的产品要与博物馆的声誉保持一致。

（4）在使用博物馆的商标时，被授权方须以明显易辨的方式，在设计的产品或其包装上（产品本身、包装、容器、说明书等）标示博物馆的完整注册商标，并遵循博物馆对其商标使用的规范要求。

（5）被授权方的产品应于包装或说明书上介绍该产品是由博物馆的何种馆藏资源设计而来，并对该馆藏资源进行简要的介绍。

（6）被授权方所开发的产品宣传材料应于媒体发布前一个月提交博物馆备查。

（7）所开发产品涉及食品的，应符合生产、销售国家和地区的食品卫生标准。

5.3　产权确权及归属

许可使用过程中，如发生被许可人添附产权的情况，应当明确约定如何确认其权利及归属。

5.4　违约行为及其相关责任

由于馆藏资源著作权、商标权和品牌的授权涉及公共利益、历史传承、青少年教育等诸多问题，在授权过程中应明确规定被授权方违约行为的处理办法及其相关责任。

附录一：《博物馆馆藏资源著作权、商标权和品牌授权合同（直接授权范例）》
附录二：《博物馆馆藏资源著作权、商标权和品牌授权合同（委托授权范例）》

附录一：博物馆馆藏资源著作权、商标权和品牌授权合同（直接授权范例）

甲方：（博物馆）
法定代表人：
联系人：
电话：
地址：

乙方：
法定代表人：
联系人：
电话：
地址：

甲乙双方在平等、自愿、诚实、信用的原则下，经友好协商，根据《中华人民共和国合同法》《中华人民共和国商标法》《中华人民共和国著作权法》等法律法规及国家有关规定，就甲方委托乙方开展甲方馆藏资源著作权、商标权和品牌授权相关事宜，订立合同如下。

一、授权内容

1.1 应乙方要求，甲方同意将附表所列的□文字 / □图片 / □音频 / □视频 / □数据，向乙方提供，授权乙方使用。授权馆藏资源的名称、数量、存储形式等详见附表（说明授权使用的馆藏资源是否包括其中文文字及缩写、英文文字及缩写、汉语拼音等使人能够与授权使用的名称联系的表达方式，并将这些内容在所列的授权清单中明确）。

1.2 乙方对甲方所提供馆藏资源著作权、商标权和品牌相关资料须妥善保管，并根据本合同进行复制和使用，未经甲方许可，不得交于或再许可其他方使用。当本合同终止，被授权方应根据甲方要求归还或删除所持有的所有资源。

二、授权使用方式

2.1 甲方授权乙方按照下列方式使用本合同所约定馆藏资源：

□图书、报纸、期刊出版；

□网站及自媒体内容创作与传播；

□远程课程制作；

□影视、动漫、游戏及视频开发；

□馆藏资源仿真复制品开发；

□文化创意产品及其他衍生品的设计与开发；

□其他。

2.2 乙方可将本合同约定的馆藏资源著作权、商标权和品牌用于上述使用方式中产品的包装设计和宣传推广。

2.3 除上述方式外，乙方不得以其他任何方式使用本合同约定的馆藏资源著作权、商标权和品牌。未经甲方书面同意，乙方不得将馆藏资源（含馆藏资源的名称、内容和形象等）申请商标。

三、授 权 性 质

本授权为□独占许可 / □排他许可 / □普通许可，在本合同有效期内，甲方□可 / □不得以相同方式使用所授权馆藏资源著作权、商标权和品牌，□可 / □不得授权第三方以相同方式使用所授权馆藏资源著作权、商标权和品牌。建议在合同中将选定的许可使用方式按照指引中的内容进行定义、描述。

四、授权范围与期限

4.1 甲方同意乙方在□中国大陆 / □香港 / □澳门 / □台湾 / □其他国家和地区使用本合同所约定馆藏资源著作权、商标权和品牌，设计开发相关产品。

4.2 甲方同意乙方自____年____月____日起，至____年____月____日止，使用本合同所约定馆藏资源著作权、商标权和品牌，授权到期后，乙方不得继续使用，并由双方约定已开发生产出的授权产品如何处置。

五、授权使用费用

5.1 本次授权费用采用以下支付方式：

□一次性付费方式，总额为____元（大写：____）

□保底金 + 产品销售分成的方式，保底金____元（大写：____），分成比例为产品批发价总额的____%。

5.2　上述乙方向甲方支付的授权费为含税金额，甲方自行承担相关税费。

5.3　上述授权费用，

□由乙方于____年____月____日前一次性支付给甲方。

□由乙方于____年____月____日前支付保底金，于□每季度 / □每年度最后一个工作日之前支付销售分成。

5.4　乙方将上述费用以人民币形式汇至甲方银行帐户：

账户名称：

账号：

开户行：

5.5　若乙方迟延付款，每迟延超过一个月，甲方将按所迟延付款额 1.5% 的比例收取滞纳金，且按月累加计算滞纳金。如果迟延付款时间未超过一个月，仍按照一个月的标准来计算迟延支付的滞纳金。

六、授 权 产 品

本协议中“授权产品”特指乙方利用甲方授权使用的馆藏资源著作权、商标权和品牌开发的所有实物、虚拟、文字、图形等各种形式的产品及其附属于该产品的包装物、宣传材料等。

6.1　乙方依托甲方授权馆藏资源著作权、商标权和品牌设计开发的产品，不得违反相关法律法规，不得损害公共利益，亦不得损害原著作权人的合法权益。授权产品正式投产前乙方须将至少一件样品实物与照片提交甲方审核并书面批准。

6.2　上述产品的上市期不迟于____年____月____日，否则甲方有权解除本合同。甲方因此解除本合同的，甲方不承担本合同项下的任何义务，且不因此免除乙方按照本合同 11.2 条所承担的违约责任。

6.3　自授权期限届满之日起____天为乙方的清货期，即乙方可以继续销售库存授权产品，但不得继续生产授权产品及其包装、辅助资料和广告宣传品等。若本合同提前终止，则没有清货期，即从合同终止之日起再不得销售、转让授权产品。剩余授权产品在甲方监督下销毁或另行协商处置。

七、产 权 约 定

7.1　所有与本合同约定的产权，均归甲方所有。

7.2　在授权期限内用于与授权产品自身及其包装、宣传品及展览材料有关的所有创作（包括但不限于设计图稿、素材、设计元素等）产生的著作权均归甲方所有。乙方应在创作完成时，将与创作作品产权有关的文件、资料等提交给甲方。

7.3 乙方应根据甲方的要求，以适当的方式在授权产品及其包装、宣传资料等标明产权相关信息。

八、保 密 条 款

本合同签订方在授权期限之内及之后三年内，对本合同内容及在履行本合同过程中获知的对方未披露的经营数据、信息、情况进行保密。但本条款不适用于已公开的信息和资料，或根据法庭判决或适用法律、法规或规则之规定要求批露的信息。

九、承诺与保证

9.1 甲乙双方均承诺并保证有能力及权利签订及履行本合同。

9.2 甲方承诺并保证本合同的授权不会侵害第三方的版权或其他合法权利。

9.3 乙方保证所有由乙方提供的与授权产品相关的设计、材料、著作权、商标权和品牌，都是乙方自己的创意及原创，或乙方已获得合法授权。

9.4 授权产品的设计、生产、宣传、销售，都须符合相关法律法规与国家标准，消费者可以安全使用此授权产品。

十、违 约 条 款

10.1 如果因乙方存在违反本合同的行为，包括违反本合同列明的义务、承诺或因授权产品的质量存在问题，给甲方或其员工造成损失（包括遭受索赔、被判令赔偿、误工损失、律师费用、诉讼成本支出等），乙方应予以全部承担。

10.2 如果甲方存在违反本合同的违约行为，给乙方或其员工造成损失（包括遭受索赔、被判令赔偿、误工损失、律师费用、诉讼成本支出等），甲方应予以全部承担。

十一、违 约 责 任

11.1 除本合同另有约定外，任一方违反本合同约定，经对方书面通知后 30 日内仍未予以纠正或充分弥补的，遭受违约的一方有权追究违约方的违约责任，并要求违约方赔偿损失。

11.2 乙方有下列情形之一的，甲方将有权终止本合同，并有权要求乙方立即支付本合同中到期应支付的和将来需要支付的授权费、滞纳金及违约金：

（1）乙方未能生产或销售授权产品，或未能积极地生产、宣传或销售授权产品。

（2）授权产品给消费者的安全带来威胁，或因产品质量或安全问题而被有关部门处罚，或因产品质量或安全问题而受到负面报道时，在甲方的要求下，乙方应立即从市场上召回这些产品，并根据甲方的合理要求采取相应的措施。

（3）未经甲方事先书面同意，乙方在授权区域以外生产、许诺销售或实际销售授权产品，或以分销授权产品为目的在区域外建立分支机构、销售公司、生产工厂或仓库。

（4）乙方向第三方出售或处理所有或较大占比的业务或财产，或乙方公司的控制权被转让且经营管理权也随之发生变更。

（5）乙方未按合同支付费用超过三个月的。

十二、协 议 终 止

任何一方因法令或其它不可抗力因素不能履行本合同约定的义务，且该情况持续三个月或以上时，任何一方有权在该情况持续期间内提出终止合同。已产生的相关费用双方协商解决。

十三、争 议 解 决

因本合同订立和履行所发生的任何争议，双方通过协商友好解决；协商不成的，则提交仲裁机构仲裁或甲方所在地法院诉讼解决。

十四、其　　他

14.1　本合同一式____份，甲乙双方各执____份，具有同等法律效力。

14.2　本合同自甲乙双方签字盖章后生效（以下签章）。

甲方（盖章）：　　　　　　　　乙方（盖章）：

授权代表（签字）：　　　　　　授权代表（签字）：

签字日期：　　　　　　　　　　签字日期：

附表：

授权资源清单

名称	形式 （文字、图片、音视频及其他数据格式文件）	存储介质 （光盘、移动硬盘、网盘等）	数量 （张、件、份等）

附录二：博物馆馆藏资源著作权、商标权和品牌授权合同（委托授权范例）

甲方（委托人）：博物馆
法定代表人：
联系人：
联系电话：
联系地址：

乙方（受托人）：
法定代表人：
联系人：
联系电话：
联系地址：

甲乙双方在平等、自愿、诚实、信用的原则下，经友好协商，根据《中华人民共和国合同法》《中华人民共和国商标法》《中华人民共和国著作权法》等法律法规及国家有关规定，就甲方委托乙方开展甲方馆藏资源著作权、商标权和品牌授权相关事宜，订立合同如下。

一、委 托 事 项

1.1　甲方委托乙方代理甲方著作权、商标权和品牌（具体名称、类型、数量见附表）的授权工作。

1.2　因授权工作需要，甲方委托乙方利用自身技术手段和设备对有关馆藏资源进行数字化，数字化后的馆藏资源产权归甲方所有。

1.3　甲方委托乙方开展上述馆藏资源著作权、商标权和品牌的授权业务，其授权用途包括以下方式：

☐图书、报纸、期刊出版；

☐网站及自媒体内容创作与传播；

☐远程课程制作；

☐影视、动漫、游戏及视频开发；

☐馆藏资源仿真复制品开发；

□文化创意产品及其他衍生品的设计与开发；

□其他。

1.4　甲方将所委托授权的馆藏资源通过下述方式送达乙方：

□电子邮件

□光盘

□移动硬盘

□其他

二、委托性质

本合同的委托性质为：

□独家代理，甲方不得委托任何第三方开展上述馆藏资源的著作权授权业务。

□非独家代理，甲方可自行开展上述馆藏资源著作权、商标权和品牌授权业务，或委托乙方之外的第三方开展上述馆藏资源著作权、商标权和品牌授权业务。

三、委托范围与期限

3.1　甲方委托乙方在□中国大陆□香港□台湾□澳门□其他国家和地区开展授权业务。乙方不得在本合同约定地域范围之外开展授权业务。

3.2　本合同期限自____年____月____日起，至____年____月____日止。合同期到期后，乙方应当立即停止甲方馆藏资源著作权、商标权和品牌的授权代理工作。

四、委托费用

4.1　乙方通过以下方式向甲方支付授权委托费用：

□固定费用，总额为____元（大写：____），第一笔费用____元（大写：____）于____年____月____日前支付，第二笔费用____元（大写：____）于____年____月____日前支付。

□保底金 + 授权收入分成，保底金____元（大写：____）于____年

____月____日前支付，授权收入分成比例为____%，于□每季度 / □每年度最后一个工作日之前支付。

□授权开发收入分成，授权收入分成比例为____%，于□每季度 / □每年度最后一个工作日之前支付。

4.2　乙方将上述费用以人民币形式汇至甲方银行帐户：

账户名称：

账号：

开户行：

4.3 若乙方迟延付款，每迟延超过一个月，甲方将按所迟延付款额 1.5% 的比例收取滞纳金，且按月累加计算滞纳金。如果迟延付款时间未超过一个月，仍按照一个月的标准来计算迟延支付的滞纳金。

五、甲方责任

5.1 甲方承诺并保证拥有本合同所涉著作权或其他合法权利，不存在侵害第三方的产权或其他合法权利的情形。

5.2 甲方按法律及内部规章制度规定，在保证文物安全的前提下，为乙方提供必要的支持。

5.3 甲方为乙方的授权工作，提供本合同所涉馆藏资源，以及与所涉馆藏资源相关的资料。

六、乙方责任

6.1 乙方应妥善保管好甲方所提供的馆藏资源，不得复制或转交第三方，并在本合同到期后自动删除甲方提供的馆藏资源著作权、商标权和品牌信息。

6.2 乙方应在委托范围内开展本合同所涉馆藏资源著作权、商标权和品牌的授权业务。

6.3 乙方在开展本合同所涉馆藏资源著作权、商标权和品牌的授权业务中，应严格审查权利使用方的资质，并监督权利使用方对权利的使用过程，确保权利使用合法合规，不损害社会公共利益。

七、保密约定

合同签订方在授权期限之内及之后三年内，对本合同内容及在履行本合同过程中获知的对方未披露的经营数据、信息、情况进行保密。但该规定不适用于已公开的信息和资料，或根据法院判决或适用法律、法规或规则之规定要求批露的信息。

八、违约责任

8.1 如果因乙方存在违反本合同的违约行为，给甲方或其员工造成损失（包括但不限于遭受索赔、被判令赔偿、误工损失、律师费用、诉讼成本支出等），乙方应予以全部承担。

8.2 如果甲方存在违反本合同的违约行为，给乙方或其员工造成损失（包括但不限于遭受索赔、被判令赔偿、误工损失、律师费用、诉讼成本支出等），甲方应予以全部承担。

九、合同终止

任何一方因法令或其它不可抗力因素不能履行本合同约定的义务，且该情况持续三个月或以上时，任何一方有权在该情况持续期间内提出终止合同。已产生的相关费用双方协商解决。

十、争议解决

因本合同订立和履行所发生的任何争议，双方通过协商友好解决；协商不成的，则提交仲裁机构仲裁或甲方所在地法院诉讼解决。

十一、其　他

11.1　本合同一式____份，甲乙双方各执____份，具有同等法律效力。

11.2　本合同自甲乙双方签字盖章后生效（以下签章）。

甲方（盖章）：　　　　　　乙方（盖章）：

授权代表（签字）：　　　　授权代表（签字）：

签字日期：　　　　　　　　签字日期：

附表：

委托授权资源清单

名称	载体形式（文字、图片、音视频及其他数据格式文件等）	存储介质（光盘、移动硬盘、网盘等）	数量（张、件、份等）

第七部分　安全保卫

博物馆安全保卫工作规定

（文化部　公安部　1985 年 1 月 25 日发布、实施）

第一章　总　　则

第一条　博物馆是文物、标本、资料的主要收藏处所，是国家必须严加防护的要害部门之一。为了确保文物、标本安全，保证博物馆各项工作的正常开展，更好地发挥博物馆的宣传教育作用，现根据《中华人民共和国文物保护法》有关规定制订本规定。

第二条　博物馆安全保卫工作，必须认真贯彻执行“预防为主，确保重点，打击敌人，保障安全”的方针，实行逐级安全岗位责任制，加强内部治安管理，积极推进综合治理。

第三条　本规定由博物馆的行政领导组织实施，上级文物行政管理部门和当地公安机关对实施情况进行监督检查。

第二章　领导职责

第四条　博物馆行政领导的主要职责是：

一、认真贯彻国家和地方政府颁布的安全保卫工作的政策法令，以及公安机关有关的规定和部署。

二、加强对保卫工作的领导。要把安全保卫工作纳入全馆重要议事日程，做到有计划、有检查、有总结、有评比。

三、经常对职工进行安全教育，克服麻痹思想，发动并依靠全馆职工做好安全保卫工作。

四、定期听取安全保卫工作汇报，组织检查各项安全保卫工作的执行情况。每逢重大节日和重要活动，会同公安机关进行全馆安全大检查，发现隐患，认真整改，及早消除。

五、对本单位发生的事故和案件，应及时果断处置，查明原因。对保护文物有功人员和失职人员给予奖、惩。

第三章 保卫组织

第五条 中央直属、省、自治区、直辖市的博物馆和藏品较多的地、市博物馆，应设立保卫处、科；其他地方的博物馆，应设保卫股或专职保卫干部。

博物馆保卫干部和警卫人员（含技术安全设备管理人员和巡逻人员）总数应占全馆职工人数的百分之十左右；百人以下的或地点分散的博物馆可超过百分之十的比例。配备保卫干部和警卫人员，必须保证政治素质和业务素质。并根据博物馆安全保卫工作的需要，给予适当的生活补贴。

第六条 博物馆保卫组织要认真执行国家有关保卫处、科任务的规定。并做好以下工作：

一、根据公安机关的要求，结合本单位实际情况，提出安全保卫工作的实施意见，报请馆领导统一部署。

二、监督检查本单位对国家和地方政府颁布的有关安全保卫工作的政策法令的贯彻执行情况；监督检查对公安机关有关规定部署的执行情况；监督检查对危险隐患的整改落实情况。对违章作业，有权当场制止。

三、经常检查整顿包括开放路线在内的各重要部位的治安管理情况，配合公安机关认真做好重要内外宾客的安全保卫工作。

四、制订防盗、灭火的应急方案，半年组织一次演习。发生案件、事故，应立即报告公安机关和上级文物行政管理部门，并积极协助公安机关追查原因，组织侦破，对失职人员提出处理建议。单位负责人对失职人员包庇姑息的，保卫干部有权向上级文物行政管理部门和公安、检察机关如实反映情况。

五、积极参与对新建、扩建、改建施工项目设计方案中安全防范部分的审查，并监督实施和竣工验收。

六、经常了解要害部位人员的情况，发现不适合在要害部位工作的，要建议领导妥善调整。

第四章 重点要害部位

第七条 为了贯彻“预防为主，确保重点”的方针，博物馆应研究确定本馆的重要要害部位，切实加强安全防范工作。重点要害部位是指：

一、文物存放部位，如库房、展厅、修复室等。

二、容易发生火灾部位，如化验室、配电室等。

三、机要部位，如人事档案室、控制室、文献资料室等。

第八条 确定重点要害部位由馆领导批准，并报上级文物行政管理部门和当地公安机关备案。重点要害部位确定后，有关主管部门要发动职工讨论制订安全保卫措施，加强对职工的审查考核。保卫组织协助实施，检查落实，建立要害部位档案。

第五章 防 盗

第九条 建立和健全以安全岗位责任制为中心的各项安全管理制度，制订防盗措施。各级负责人要经常检查，监督落实。

第十条 文物库房、展厅和其它存放文物场所的建筑必须坚固，门窗尤须保险可靠，并安装报警器。凡不具备安全条件的场所，禁止存放文物。技术安全设备不够完善的展厅，不得陈列一级品文物。

第十一条 凡收购、登记、鉴定、编目、入库、使用、出库和调拨、交换文物，必须制度严格，手续完备。文物保管人员应相对稳定。管理文物总帐人员不得兼管文物。

每年六月、十二月应对一、二级文物进行清理查核。

第十二条 凡文物库房搬迁、修整，文物巡回展出，馆内展览布陈、撤陈期间等均应加强组织领导，明确分工，专人负责，保障安全。

第十三条 新设展室或文物巡回展出，事先须经保卫组织（重要的展出须报请公安机关）进行安全检查，安全无保证的，不准展出。

文物巡回展出和提取文物到馆外鉴定或调拨、交换，应派专人护送，提高使用交通工具的级别。特别重要的，应请求当地公安机关派干警押送。

第十四条 展厅工作人员和警卫人员值勤时，必须忠于职守，不得擅离岗位，发现可疑迹象，立即报告领导。

认真做好开馆前和闭馆后的文物检查和清馆净场工作，填写安全检查记录或交接班登记。

切实加强闭馆期间的警卫巡逻和干部值班制度。

第十五条 对犯罪分子可能利用的登高工具和有利地形、建筑，要及时处理，并重点加强警戒。

第六章 消 防

第十六条 博物馆必须认真执行《中华人民共和国消防条例》和公安部、文化部颁布的《古建筑消防管理规则》。

第十七条 博物馆应建立由馆领导为主要负责人的防火安全组织，全面负责全馆的消防安全工作。按实际需要，配备专职或兼职消防干部，组织群众性的义务消防队。

第十八条 在防火安全组织领导和公安机关消防部门的指导下，博物馆保卫组织要根据本馆具体情况，明确消防重点，制订防火制度和灭火方案，配备灭火器具和报警设施，进行安全防火检查，消除火险隐患，追查发生火灾的原因，并加强对消防干部和义务消防队的领导和训练。

第十九条 增设、更新文物库房和展厅的陈列柜、架，要逐步改用金属柜、架。

第七章 技术预防

第二十条 博物馆要对文物库房和陈列室安装必要的防盗报警设备，并要因地制宜，制订技术防范规划。

第二十一条 选择技术安全设备，应经过公安部门鉴定或经其它单位使用证明性能良好，并根据本馆的自然环境和具体条件，选择产品的种类和数量。一般应使用两种或多种报警设备，形成点、线、面、空间综合报警系统控制网，有条件的应安装电视摄影、录像装置。

第二十二条 技术安全设备的种类、数量、性能和安装的部位，电缆的走向，信号的使用及值班人员的工作规律等，均属机密，不得泄露，并建立技术档案。

第二十三条 控制室应尽可能选在控制设备的中心，必须隐蔽保密，不得兼做它用。控制室应注意防火、防尘、防潮、通风。设专线供电。应有备用电源和专用通讯工具。

第二十四条 技术安全设备较多的控制室，必须设专职人员负责安装、检查、维修和使用。值班员必须熟悉机器性能、信号使用和对紧急情况的处置。要坚持双人值班，建立严格的值班登记制度。人员要保持相对稳定，并注意培训专门的技术人才。

第八章 奖 惩

第二十五条 对在文物安全保卫工作中成绩显著，有下列贡献的单位和个人，分别给予表扬、奖状、奖金、晋级、提职和记功：

一、安全措施落实，忠于职守，全年未发生案件、事故的单位和个人；

二、主动发现防患，及时果断处置，避免发生案件、事故等；

三、积极反映情况，提供线索，协助公安保卫部门破案，有显著贡献者；

四、为保护国家财产，与犯罪分子和自然灾害斗争中奋不顾身的有功人员；

五、保卫干部和警卫人员对安全保卫工作认真负责，全年未发生较大的案件、事故者。

第二十六条 对有下列情形之一者，应视其情节轻重，分别给予政纪处分，经济制裁，直至追究刑事责任：

一、凡因对安全保卫工作不重视，对重大隐患不积极整改，或有条件安装报警设施而不予安装，以致造成案件、事故的单位和个人；

二、有章不循，玩忽职守，违章操作，致使文物被盗或发生事故者；

三、保卫干部和警卫人员不坚持原则，发现重大问题不请示汇报，造成案件、事故者；

四、对文物被盗、损坏、丢失等情况，隐匿不报者；

五、以权谋私、倒卖文物者；监守自盗者；内外勾结作案者；

六、知情不举，窝赃、销赃者。

第九章　附　　则

第二十七条 本规定适用于全国各级博物馆。文物店及其它文物收藏单位，可根据本单位实际情况参照执行。

第二十八条 各单位应根据本规定，结合具体情况，制订切实可行的实施办法。原有规章制度如与本规定相违背的，即行废止。

突发事件应急工作管理办法

（国家文物局　文物办发〔2003〕87 号）

第一条　为了有效预防、及时处理和解决文物保护工作中的突发事件，确保文物安全，制定本办法。

第二条　本办法所称突发事件，是指由人为或自然因素引起的突发性的危及文物安全和文物保护工作秩序的事件。

第三条　突发事件应急工作，应当贯彻统一领导、分级负责、反应及时、措施果断、加强合作的原则。

第四条　县级以上文物行政主管部门及其国有的文物事业单位，应当建立严格的突发事件防范和应急处理责任制，切实履行各自职责，保证突发事件应急处理工作的正常进行。

第五条　县级以上文物行政主管部门及其国有的文物事业单位，应当依照法律、行政法规的规定，做好文物安全保卫工作，防范突发事件的发生。

县级以上文物行政主管部门应当定期对突发事件应急处理人员进行相关知识的培训；应当对公众开展突发事件应急知识的专门教育，增强社会对突发事件的防范意识和应对能力。

第六条　县级以上文物行政主管部门应当指定专门机构或人员负责开展突发事件的日常监测工作。

第七条　在监测过程中发现的潜在隐患以及可能发生的突发事件，应当及时采取措施进行处理，并依照本办法规定的报告程序和时限及时报告。

第八条　国有文物事业单位应当在知道突发事件发生后或者应当知道突发事件发生后 2 小时内向所在地县级以上文物行政主管部门报告。

第九条　有下列情形之一的，县级以上文物行政主管部门应当在接到报告 2 小时内，向同级人民政府和上级文物行政主管部门报告，并同时向国家文物局报告：

（一）属于一级风险单位的文物收藏单位发生文物丢失或者损坏的；

（二）其他文物收藏单位发生一级文物丢失或者损坏的；

（三）全国重点文物保护单位因人为因素导致发生严重破坏事件的；

（四）未经报批在全国重点文物保护单位保护范围内施工的；

（五）施工中发现重要文物，经文物部门制止，施工单位拒不停工的；

（六）因自然灾害或其他不可预知因素造成全国重点文物保护单位严重损坏的；

（七）法律法规规定的其他重大安全事故。

除此之外的突发事件，由省、自治区、直辖市文物行政主管部门在接到报告后，视事件严重程度报国家文物局备案。与省级文物保护单位有关的突发事件应当报国家文物局备案。

第十条 突发事件报告应包括如下内容：

（一）事件发生或可能发生的地区（单位、部门）、时间、地点和现场情况；

（二）事件的简要经过和文物损失情况的初步估计；

（三）事件原因的初步分析；

（四）事件发生后已经采取的措施及效果；

（五）其他需要报告的事项。

第十一条 任何单位和个人对突发事件，不得隐瞒、缓报、谎报或者授意他人隐瞒、缓报、谎报。

第十二条 接到报告的文物行政主管部门依照本办法报告的同时，应当立即组织力量对报告事项调查核实、确证，采取必要的控制措施，并及时向有关部门报告调查情况。

第十三条 国家文物局根据突发事件发生的情况，及时向国务院有关部门和各省、自治区、直辖市政府及文物行政主管部门通报。

突发事件发生地的省、自治区、直辖市文物行政主管部门，应根据突发事件发生的情况，向相关单位通报。

第十四条 县级以上文物行政主管部门应当建立突发事件报告、举报制度，并向社会公布突发事件报告、举报电话。

接到报告、举报的文物行政主管部门，应当立即就有关问题进行调查处理。

第十五条 省级以上文物行政主管部门接到突发事件报告后，应当视事件严重程度，决定是否有必要组成突发事件应急处理小组对突发事件进行调查处理。

突发事件应急处理小组人员构成应当包括突发事件所涉及的有关部门负责人以及相关的文物专家。

省级以上文物行政主管部门应当确定突发事件应急处理小组的专家预备清单。

第十六条 县级以上文物行政主管部门对未依照本办法规定履行其相应职责的

有关责任人，依法给予行政处分；构成犯罪的，依法追究刑事责任。

第十七条 县级以上文物行政主管部门应当对参加突发事件应急处理工作做出贡献的机构和个人，给予表彰和奖励。

第十八条 本办法自公布之日起施行。

关于请及时上报文物案件和火灾事故的通知

（国家文物局　文物办函〔2004〕1620号）

各省、自治区、直辖市文物局（文化厅、文管会）、局有关直属单位：

近年来，盗窃文物、盗掘古墓葬、走私文物和违反《中华人民共和国文物保护法》（以下简称《文物保护法》）等案件及火灾事故屡有发生，文物安全形势严峻。案件发生后，大部分单位能按规定及时上报，但也有少数单位发生文物案件、火灾事故后不及时上报或长期隐匿不报。

为了加强文物安全工作的监督管理，全面掌握文物安全总体形势，实时打击文物犯罪活动，及时制止和纠正文物违法行为，为被盗文物走私出境索回积累相关资料。依据《文物保护法》及有关文件的规定，建立和规范文物案件报告制度，现将有关要求通知如下：

一、文物收藏和使用管理单位（含非文物系统收藏和使用管理的单位）发生文物被盗（含被盗未遂案件）、古墓葬被盗掘、走私文物案件和火灾事故后，发案单位除立即向公安机关报案外，同时要向主管的文物行政部门报告；省级文物行政部门要在24小时之内通过电话或传真形式报告国家文物局，然后报正式书面材料。

二、世界文化遗产地、全国重点文物保护单位和省级文物保护单位发生违反《文物保护法》的行为，应及时向主管的文物行政部门报告；省级文物行政部门要在24小时内通过电话或传真形式报告国家文物局，然后报正式书面材料。

三、文物被盗抢、古墓葬被盗掘、走私文物案件报告的内容：发案单位名称、隶属关系及属于哪级文物保护单位；发案时间、地点；人员伤亡情况；涉案文物数量、级别；发案经过、原因、教训及处理结果。

四、火灾事故报告的内容：发案单位名称、隶属关系及属于哪级文物保护单位；发案时间、地点；人员伤亡情况；烧毁建筑面积和损毁文物数量、级别及经济损失数量；发案经过、原因、教训及处理结果。

五、违反《文物保护法》的案件报告内容：违法单位名称、违法性质、涉及文物保护单位级别、违法行为给文物造成的损失情况及处理情况。

六、发生文物被盗抢、古墓葬被盗掘、走私文物和违法案件及火灾事故上报时，要全面、准确地填写《文物案件登记表》(见附表一)和《被盗被毁文物清单》(见附表二)。各类文物案件结案后，省级文物行政部门要以书面形式向国家文物局报告案件处理结果。

七、发生文物案件及火灾事故后，未按《文物保护法》和有关文件规定向文物行政部门报告的，一经发现，要通报批评；对因不负责任造成文物保护单位珍贵文物损毁或者流失且隐匿不报的直接责任人员和负有责任的主管人员，要依法严肃处理，直至追究刑事责任。

八、我局将视各地上报的文物案件、火灾事故情况，按照《国家文物局处理文物案件、火灾事故工作程序》(见附件)向有关领导和相关部门报告。

特此通知

附表一　文物案件登记表

年　　月　　日

案发单位名称		案发时间	
案发单位隶属关系		所属级别	
案发单位地址		负责人	
损毁文物数量		损毁文物级别	
案件性质		处理情况	
案件基本情况及处理结果			
国家文物局领导批示			
执法督查处意见			
填表人：		单位：(盖章)	

附表二　被盗被毁文物清单

年　月　日

序号	藏品编号	文物名称	数量	年代	级别	材质	尺寸重量	备注

附件三　国家文物局处理文物案件、火灾事故工作程序

为了及时掌握全国文物安全情况，规范我局接到文物被盗、古墓葬被盗掘、火灾事故及其他文物违法案件报告后的有关工作，特制定工作程序如下：

一、关于文物被盗、古墓葬被盗掘及火灾事故

1. 执法督查处应要求地方文物行政部门在各地发生文物被盗、古墓葬被盗掘及火灾事故后，24 小时之内电话报告我局，并由省级文物行政部门向我局行文报告具体案件及事故处理情况。

2. 对世界文化遗产地、全国重点文物保护单位和省级以上博物馆发生的重大文物被盗、古墓葬被盗掘及火灾事故，由执法督查处会同有关业务处派员赴现场进行调查，提出调查处理意见。局领导根据案件的具体情况决定是否上报国务院。

3. 对省级文物保护单位、地市级博物馆发生的文物被盗、古墓葬被盗掘和火灾事故，由执法督查处向局领导和办公室领导报告，并根据发生案件单位类别请相关司领导阅知。

4. 其他文物被盗、古墓葬被盗掘和火灾事故，由执法督查处向办公室领导报告，并根据发生案件单位类别请相关司领导阅知。

5. 对接到各地报告的文物被盗、古墓葬盗掘案件和火灾事故，由执法督查处及时通报公安部和海关总署等部门，并提出有关建议和请求。

6. 对世界文化遗产地、全国重点文物保护单位和省级以上博物馆发生的重大文物被盗、古墓葬盗掘案件及火灾事故的调查处理结果，由我局负责向全国通报。

二、关于其他文物违法案件

1. 对世界文化遗产地、全国重点文物保护单位发生的文物违法案件和领导批示或地方要求协助查处的重大文物违法案件，由执法督查处派员赴现场调查核实情况，并提出处理意见。

2. 对新闻媒体披露和群众举报的一般文物违法案件，由执法督查处责成省级文物行政部门负责调查处理，限期将调查处理结果报告我局，同时对处理情况进行督促检查。

3. 对世界文化遗产地、全国重点文物保护单位发生的文物违法案件及其他严重文物违法案件，由我局负责向全国通报。

关于加强馆藏文物展陈安全工作的通知

（国家文物局　文物博函〔2016〕1813号）

各省、自治区、直辖市文物局（文化厅），故宫博物院、中国国家博物馆，北京鲁迅博物馆（新文化运动纪念馆），中国文物交流中心：

近日，湖北荆州博物馆和浙江瑞安市博物馆展柜玻璃自爆造成文物受损、四川博物院编钟从钟架脱落造成文物受损、中国文物交流中心组织出境展览在运输中发生文物受损，相关单位正在按照我局要求进行事故责任认定并整改。上述事故反映出部分博物馆（单位）在展览陈列设计、展柜展具、包装运输等方面存在严重漏洞和隐患，致使文物受损，性质严重，教训深刻。

为加强馆藏文物安全管理，防控和遏制各类安全事故和突发事件，确保文物安全，现通知如下：

一、强化文物安全意识，各地文物行政部门和文物、博物馆单位要认真吸取此类事故的惨痛教训，将文物安全第一的原则贯穿于陈列展览、文物保管、包装运输等工作的全过程，采取切实防范措施，确保文物安全。

二、开展馆藏文物展陈安全隐患排查，尤其对展柜、展具、展陈方式，以及在展文物的保存状况、固定方式、安全防范措施等进行检查，特别是长时间未进行更新的展览、文物要重点排查。对发现的问题和隐患要立即采取措施进行整改，确保文物安全。请各省级文物行政部门于2016年12月31日前，将本行政区内的博物馆排查和整改有关情况报送我局。

三、加强展览和库房设施维护，完善基础条件，逐步将钢化玻璃展柜更换为符合安全要求的夹层玻璃展柜。珍贵文物的展柜可组织编制“预防性保护—馆藏珍贵文物展柜保护方案”进行更换。未及更换的也应采取贴膜或撤换珍贵文物展品等临时预防措施。

四、加强展厅、库房等关键部位的安全监控和环境调控，完善突发事件应急预案，及时应对、妥善处置各类突发事件和事故，建立文物安全检查工作长效机制，提高文物保护的安全系数。

五、加强文物点交、包装、运输、布撤展等重点环节的技术要求，严格执行相关技术标准，规范工作流程并根据实践进一步优化、完善相关规范。对发生文物安全事故的文物包装运输服务机构，应要求其认真整改，确保文物安全。

特此通知。

第八部分　附　　录

文物、博物馆领域相关国家、行业标准清单

序号	性质	标准号	标准发布名称
1	国家标准	GB/T 22527-2008	文物保护单位标志
2	国家标准	GB/T 22528-2008	文物保护单位开放服务规范
3	国家标准	GB/T 23862-2009	文物运输包装规范
4	国家标准	GB/T 23863-2009	博物馆照明设计规范
5	国家标准	GB/T 25600-2010	博物馆讲解员资质划分
6	国家标准	GB/T 25601-2010	中国文化遗产标志
7	国家标准	GB/T 30234-2013	文物展品标牌
8	国家标准	GB/T 30235-2013	古代壁画保护修复档案规范
9	国家标准	GB/T 30236-2013	古代壁画保护修复方案编制规范
10	国家标准	GB/T 30237-2013	古代壁画病害与图示
11	国家标准	GB/T 30238-2013	可移动文物保护修复室规范化建设与仪器装备基本要求
12	国家标准	GB/T 30239-2013	陶质文物彩绘保护修复技术要求
13	国家标准	GB/T 30686-2014	馆藏青铜质和铁质文物病害与图示
14	国家标准	GB/T 30687-2014	馆藏金属文物保护修复记录规范
15	国家标准	GB/T 30688-2014	馆藏砖石文物病害与图示
16	国家标准	GB/T 33289-2016	馆藏砖石文物保护修复记录规范
17	国家标准	GB/T 33290.1-2016	文物出境审核规范 第 1 部分：总则
18	国家标准	GB/T 33290.2-2016	文物出境审核规范 第 2 部分：度量衡
19	国家标准	GB/T 33290.3-2016	文物出境审核规范 第 3 部分：法器
20	国家标准	GB/T 33290.4-2016	文物出境审核规范 第 4 部分：仪器
21	国家标准	GB/T 33290.5-2016	文物出境审核规范 第 5 部分：仪仗
22	国家标准	GB/T 33290.6-2016	文物出境审核规范 第 6 部分：家具

续表

序号	性质	标准号	标准发布名称
23	国家标准	GB/T 33290.7-2016	文物出境审核规范 第 7 部分：织绣
24	国家标准	GB/T 33290.8-2016	文物出境审核规范 第 8 部分：陶瓷
25	国家标准	GB/T 33290.9-2016	文物出境审核规范 第 9 部分：生产工具
26	国家标准	GB/T 33290.10-2016	文物出境审核规范 第 10 部分：金属器
27	国家标准	GB/T 33290.11-2016	文物出境审核规范 第 11 部分：明器
28	国家标准	GB/T 33290.12-2016	文物出境审核规范 第 12 部分：钟表
29	国家标准	GB/T 33290.13-2016	文物出境审核规范 第 13 部分：兵器
30	国家标准	GB/T 33290.14-2016	文物出境审核规范 第 14 部分：漆器
31	国家标准	GB/T 33290.15-2016	文物出境审核规范 第 15 部分：乐器
32	国家标准	GB/T 33290.16-2016	文物出境审核规范 第 16 部分：笔墨纸砚
33	国家标准	GB/T 33290.17-2016	文物出境审核规范 第 17 部分：烟壶和扇子
34	国家标准	GB/T 36110-2018	文物展柜密封性能及检测
35	国家标准	GB/T 36111-2018	文物展柜基本技术要求及检测
36	国家标准	GB/T 36721-2018	博物馆开放服务规范
37	国家标准	GB/T 36747-2018	干燥环境土遗址保护加固设计规范
38	国家标准	GB/T 37665-2019	古陶瓷化学组成无损检测 PIXE 分析技术规范
39	国家标准	GB/T 37666-2019	古陶瓷中子活化分析技术规范
40	国家标准	GB/T 37909-2019	古陶瓷热释光测定年代技术规范
41	国家标准	GB/T 39051-2020	文物进出境标识使用规范
42	国家标准	GB/T 39056-2020	古建筑砖石结构维修与加固技术规范
43	国家标准	GB 50222-2017	建筑内部装修设计防火规范
1	行业标准	WW/T 0003-2007	馆藏出土竹木漆器类文物病害分类与图示
2	行业标准	WW/T 0006-2007	古代壁画现状调查规范
3	行业标准	WW/T 0007-2007	石质文物保护修复方案编写规范
4	行业标准	WW/T 0008-2007	馆藏出土竹木漆器类文物保护修复方案编写规范
5	行业标准	WW/T 0009-2007	馆藏金属文物保护修复方案编写规范
6	行业标准	WW/T 0011-2008	馆藏出土竹木漆器类文物保护修复档案记录规范
7	行业标准	WW/T 0013-2008	馆藏丝织品病害与图示
8	行业标准	WW/T 0014-2008	馆藏丝织品保护修复方案编写规范
9	行业标准	WW/T 0015-2008	馆藏丝织品保护修复档案记录规范
10	行业标准	WW/T 0016-2008	馆藏文物保存环境质量检测技术规范
11	行业标准	WW/T 0017-2013	馆藏文物登录规范

续表

序号	性质	标准号	标准发布名称
12	行业标准	WW/T 0018-2008	馆藏文物出入库规范
13	行业标准	WW/T 0019-2008	馆藏文物展览点交规范
14	行业标准	WW/T 0020-2008	文物藏品档案规范
15	行业标准	WW/T 0021-2010	陶质彩绘文物病害与图示
16	行业标准	WW/T 0022-2010	陶质彩绘文物保护修复方案编写规范
17	行业标准	WW/T 0023-2010	陶质彩绘文物保护修复档案记录规范
18	行业标准	WW/T 0024-2010	文物保护工程文件归档整理规范
19	行业标准	WW/T 0025-2010	馆藏纸质文物保护修复方案编写规范
20	行业标准	WW/T 0026-2010	馆藏纸质文物病害分类与图示
21	行业标准	WW/T 0027-2010	馆藏纸质文物保护修复档案记录规范
22	行业标准	WW/T 0028-2010	砂岩质文物防风化材料保护效果评估方法
23	行业标准	WW/T 0029-2010	长城资源要素分类、代码与图式
24	行业标准	WW/T 0030-2010	古代建筑彩画病害与图示
25	行业标准	WW/T 0031-2010	古代壁画脱盐技术规范
26	行业标准	WW/T 0032-2010	古代壁画地仗层可溶盐分析的取样与测定
27	行业标准	WW/T 0033-2010	田野考古出土动物标本采集及实验室操作规范
28	行业标准	WW/T 0034-2012	古建筑保护工程施工监理规范
29	行业标准	WW/T 0035-2012	田野考古制图
30	行业标准	WW/T 0036-2012	田野考古出土人类遗骸 DNA 获取技术规范
31	行业标准	WW/T 0037-2012	古建筑彩画保护修复技术要求
32	行业标准	WW/T 0038-2012	干燥类土遗址保护加固工程设计规范
33	行业标准	WW/T 0039-2012	土遗址保护试验技术规范
34	行业标准	WW/T 0040-2012	土遗址保护工程勘察规范
35	行业标准	WW/T 0041-2012	室外铁质文物封护工艺规范
36	行业标准	WW/T 0042-2012	碳十四年代测定考古样品采集规范
37	行业标准	WW/T 0043-2012	碳十四年代测定骨质样品的处理方法
38	行业标准	WW/T 0044-2012	田野考古植物遗存浮选采集及实验室操作规范
39	行业标准	WW/T 0045-2012	碳氮同位素食性分析 骨质样品采集及实验室操作规范
40	行业标准	WW/T 0046-2012	馆藏文物保存环境检测 气体扩散采样测定方法 甲酸和乙酸的测定
41	行业标准	WW/T 0047-2012	馆藏文物保存环境检测 气体扩散采样测定方法 氨的测定
42	行业标准	WW/T 0048-2014	近现代历史建筑结构安全性评估导则

续表

序号	性质	标准号	标准发布名称
43	行业标准	WW/T 0049-2014	文物建筑维修基本材料 青砖
44	行业标准	WW/T 0050-2014	文物建筑维修基本材料 青瓦
45	行业标准	WW/T 0051-2014	文物建筑维修基本材料 木材
46	行业标准	WW/T 0052-2014	文物建筑维修基本材料 石材
47	行业标准	WW/T 0053-2014	古代陶瓷科技信息提取规范 方法与原则
48	行业标准	WW/T 0054-2014	古代陶瓷科技信息提取规范 化学组成分析方法
49	行业标准	WW/T 0055-2014	古代陶瓷科技信息提取规范 形貌结构分析方法
50	行业标准	WW/T 0056-2014	可移动文物病害评估技术规程 陶质文物
51	行业标准	WW/T 0057-2014	可移动文物病害评估技术规程 瓷器类文物
52	行业标准	WW/T 0058-2014	可移动文物病害评估技术规程 金属类文物
53	行业标准	WW/T 0059-2014	可移动文物病害评估技术规程 丝织品类文物
54	行业标准	WW/T 0060-2014	可移动文物病害评估技术规程 竹木漆器类文物
55	行业标准	WW/T 0061-2014	可移动文物病害评估技术规程 馆藏壁画类文物
56	行业标准	WW/T 0062-2014	可移动文物病害评估技术规程 石质文物
57	行业标准	WW/T 0063-2015	石质文物保护工程勘察规范
58	行业标准	WW/T 0064-2015	文物出境展览协议书编制规范
59	行业标准	WW/T 0065-2015	砖石质文物吸水性能测定 表面毛细吸收曲线法
60	行业标准	WW/T 0066-2015	馆藏文物预防性保护方案编写规范
61	行业标准	WW/T 0067-2015	馆藏文物保存环境控制 甲醛吸附材料
62	行业标准	WW/T 0068-2015	馆藏文物保存环境控制 调湿材料
63	行业标准	WW/T 0069-2015	馆藏文物防震规范
64	行业标准	WW/T 0070-2015	文物保护项目评估规范
65	行业标准	WW/T 0071-2015	文物保护项目评估机构服务质量评价规范
66	行业标准	WW/Z 0072-2015	大遗址保护规划规范
67	行业标准	WW/T 0073-2017	清代官式建筑修缮材料 琉璃瓦
68	行业标准	WW/T 0074-2017	室外铁质文物缓蚀工艺规范
69	行业标准	WW/T 0075-2017	田野考古钻探记录规范
70	行业标准	WW/T 0076-2017	文物保护利用规范 名人故居
71	行业标准	WW/T 0077-2017	馆藏文物包装材料 无酸纸质材料
72	行业标准	WW/T 0078-2017	近现代文物建筑保护工程设计文件编制规范
73	行业标准	WW/T 0079-2017	古代壁画可溶盐测定 离子色谱法
74	行业标准	WW/T 0080-2017	考古发掘现场环境监测规范

续表

序号	性质	标准号	标准发布名称
75	行业标准	WW/T 0081-2017	考古现场土壤化学指标检测规范
76	行业标准	WW/T 0082-2017	古建筑壁画数字化测绘技术规程
77	行业标准	WW/T 0083-2017	文物保护单位游客承载量评估规范
78	行业标准	WW/T 0084-2017	文物建筑保护工程预算定额（南方地区）
79	行业标准	WW/T 0085-2017	文物建筑保护工程预算定额（北方地区）
80	行业标准	WW/T 0086-2018	出土竹木漆器类文物含水率测定 失重法
81	行业标准	WW/T 0087-2018	馆藏丝织品老化程度测定 傅里叶变换红外光谱分析法
82	行业标准	WW/T 0088-2018	博物馆展览内容设计规范
83	行业标准	WW/T 0089-2018	博物馆陈列展览形式设计与施工规范
84	行业标准	WW/T 0090-2018	世界文化遗产地风险管理 术语
85	行业标准	WW/T 0091-2018	文物保护利用规范 工业遗产
86	行业标准	WW/T 0092-2018	博物馆运行评估指标
87	行业标准	WW/T 0093-2018	拓片元数据著录规则
88	行业标准	JGJ 66-2015	博物馆建筑设计规范